小児科診療ガイドライン
― 最新の診療指針 ―

第5版

編集：加藤 元博 東京大学大学院医学系研究科 小児医学講座 教授

総合医学社

序

このたび，『小児科診療ガイドライン 第5版』を上梓いたします．

小児科医が取り扱う領域は幅広く，こどもに生じるさまざまな問題に対応するために，小児医療の関係者には広い総合性が求められます．一方で，医療の進歩に伴い小児医療は複雑化し高度な知識と技術が必要となっています．さらに，身体面の治療だけでなく，心理・社会面も含めた成育過程の支援の重要性があらためて認識されるようになっています．これらの背景から，質の高い小児医療の担い手として小児科医の役割はむしろ重要となり，情報の更新が必要になっています．

そのような複雑化した診療のそれぞれの場面において，ガイドラインの情報が判断材料の一つとして参考となります．ガイドラインは，医療者や患者の意思の決定を支援するために科学的な根拠に基づいて既存のエビデンスを評価したものです．近年では，Minds診療ガイドラインの作成の手引きにのっとり，重要臨床課題から構築したクリニカルクエスチョンを中心に記載されたガイドラインも多く作成されるようになりました．医学の急速な進歩に伴い，各領域のガイドラインは積極的に改訂され，2〜3年ごとに改訂が行われているものもあります．しかしながら，その一方で，小児診療では臨床研究による強固なエビデンスが限られている場面も多くあるため，既存のエビデンスを整理することは，小児医療の今後の治療開発に向けた端緒にもなります．

本書の目的は，小児科医が遭遇する疾患や病態などに関する最新の診療ガイドラインをわかりやすく紹介することです．それぞれにおいて，各領域の第一人者から国内外の「診療ガイドラインの現状」を紹介し，その背景を含めて解説していただきました．

小児医療においては，エビデンスをエクスペリエンスと融合させることが求められます．同時に，自らのエクスペリエンスのみによる思い込みを常に疑い，既存のエビデンスを振り返ることが重要です．第5版へと改訂された本書がガイドラインの情報を最大限に利活用する一助となれば幸いです．

2022年11月

東京大学大学院医学系研究科　小児医学講座　小児科学分野

加藤 元博

目　次

1. 総　論

発　熱 ·· 小田洋一郎　2

嘔吐・下痢 ··· 大塚宜一　8

便　秘 ··· 清水俊明　13

ショック ·· 櫻井淑男　18

意識障害・けいれん ······················· 井上岳司, 岡崎　伸, 塩見正司　22

脱水症 ··························· 白井陽子, 三浦健一郎, 服部元史　31

チアノーゼ ································· 湯浅絵理佳, 山岸敬幸　38

浮　腫 ··································· 神田祥一郎, 服部元史　43

高血圧 ··· 張田　豊　48

SIDS/ALTE ··· 松裏裕行　54

2. 呼吸器疾患

先天性喘鳴 ··· 長谷川久弥　60

クループ ·· 木村光一　65

急性細気管支炎 ··· 梅原　実　69

気管支炎・肺炎 ··· 大日方　薫　76

気管支喘息急性増悪（発作） ···························· 浜崎雄平　81

気胸・縦隔気腫 ··· 西島栄治　88

間質性肺炎 ··· 望月博之　94

3. 感染症

突発性発疹 ··· 河村吉紀　100

ノロウイルス・ロタウイルス感染症 ················ 廣瀬翔子, 藤森　誠　104

インフルエンザ ··· 森内浩幸　110

ヒトメタニューモウイルス感染症 ····················· 菊田英明　116

麻疹 / 風疹 ··· 横田俊一郎　120

水痘・帯状疱疹 ··· 片岡　正　124

RS ウイルス感染症 ······································· 橋本浩一　128

ムンプス ·· 木原亜古　133

EB ウイルス感染症 ······································· 前田明彦　138

アデノウイルス感染症 ··································· 大宜見　力　145

サイトメガロウイルス感染症 ·························· 山田全毅　150

百日咳 ··· 横山美貴　155

マイコプラズマ感染症 ··································· 成田光生　159

単純ヘルペスウイルス感染症 ·························· 細矢光亮　164

髄膜炎（細菌性，非細菌性） ··························· 岡田賢司　167

溶血性連鎖球菌感染症（猩紅熱を含む） ············· 澤田雅子　172

細菌性腸炎 ······································· 吉田美智子, 宮入　烈　176

感染性心内膜炎 ··· 村上智明　181

結　核 ··· 森　雅亮　186

真菌感染症 ··· 康　勝好　191

急性中耳炎 ··· 喜多村　健　194

伝染性膿痂疹・ブドウ球菌性熱傷様皮膚症候群 ······· 辻　学　199

新型コロナウイルス感染症 ····························· 堀越裕歩　202

4. 循環器疾患

川崎病	鮎澤　衛	208
心不全	北川篤史, 平田陽一郎	215
頻脈・不整脈	金子正英	221
心室中隔欠損症・心房中隔欠損症	小野　博	229
動脈管開存症	犬塚　亮	235
Fallot 四徴症	山村健一郎	239
大動脈縮窄症, 大動脈弓離断, 大動脈弁狭窄症	進藤考洋	244
左心低形成症候群	三﨑泰志	249
心筋炎・心筋症	増谷　聡	252
起立性調節障害	絹巻暁子	257

5. 消化器疾患

乳児肥厚性幽門狭窄症	石黒秋生	264
虫垂炎	小高哲郎	268
腸重積症	余田　篤	273
胃炎／胃・十二指腸潰瘍（*H. pylori* 対策を含む）	奥田真珠美, 福田能啓	280
イレウス・腸閉塞	金森　豊	287
ヒルシュスプルング病	田口智章, 吉丸耕一朗, 小幡　聡	293
シトリン欠損症	虻川大樹	299
急性肝炎・慢性肝炎	伊藤玲子	304
蛋白漏出性胃腸症	戸田方紀, 新井勝大	309
小児炎症性腸疾患	西澤拓哉, 石毛　崇	313
過敏性腸症候群	八木龍介, 羽鳥麗子, 友政　剛	320
鼠径ヘルニア	藤代　準	327

6. 神経筋疾患

発達の遅れ	阿部裕一	332
熱性けいれん	寺嶋　宙	338
てんかん発作, けいれん重積状態	小林由典, 鍋谷まこと	345
West 症候群	三牧正和	351
急性脳炎・急性脳症	水口　雅	355
片頭痛	阿部裕一	359
ギラン・バレー症候群	竹中　暁	364
重症筋無力症	佐藤敦志	369
脊髄性筋萎縮症	星野英紀	375
筋ジストロフィー	下田木の実	380
ミトコンドリア病	後藤雄一	385

7. 血液疾患・悪性腫瘍

血球貪食性リンパ組織球症	松石登志哉, 神薗淳司	392
顆粒球減少症	菊田　敦	399
貧血	照井君典	404
ITP	笹原洋二	409
血友病	山下敦己, 瀧　正志	414
再生不良性貧血	吉田奈央	420

白血病	富澤大輔	425
リンパ腫	加藤元博	430
神経芽腫	滝田順子	434
脳神経腫瘍	寺島慶太	439

8. 腎・泌尿器・生殖器疾患

ネフローゼ症候群（ステロイド感受性）	飯島一誠	444
ネフローゼ症候群（ステロイド抵抗性）	小椋雅夫	449
急性腎炎症候群	佐々木　聡	454
慢性腎炎症候群（IgA 腎症を中心に）	漆原真樹，香美祥二	457
急性腎障害	幡谷浩史	461
慢性腎臓病	三浦健一郎，服部元史	467
志賀毒素産生性大腸菌による溶血性尿毒症症候群	伊藤秀一	472
非典型溶血性尿毒症症候群	芦田　明	478
尿路感染症	神田祥一郎	482
水腎症・水尿管症	大友義之，浦尾正彦	488
神経因性膀胱	橘田岳也，柿崎秀宏	493
停留精巣	浅沼　宏	498
精巣捻転	藤本　保	503

9. 内分泌・代謝疾患

ケトン性低血糖症・アセトン血性嘔吐症	堀　友博，笹井英雄	508
急性副腎皮質不全	花川純子	515
糖尿病	浦上達彦	519
成長ホルモン分泌不全性低身長症	磯島　豪	524
甲状腺機能亢進症・低下症	南谷幹史	528
尿崩症	長谷川行洋，池側研人	533
卵巣機能不全	中野さつき，長谷川奉延	537
思春期早発症	堀川玲子	542
副甲状腺機能低下症	大薗恵一	548
くる病	北中幸子	553
肥満	花木啓一，長石純一，神崎　晋	557
高アンモニア血症	福井香織，渡邊順子，芳野　信	563
低血糖	皆川真規	570
家族性高コレステロール血症	土橋一重	575
Wilson 病	加藤　健，安田亮輔，水落建輝	580
ムコ多糖症	小須賀基通	586

10. アレルギー疾患

アトピー性皮膚炎	山本貴和子，大矢幸弘	592
食物アレルギー	今井孝成	598
気管支喘息（長期管理の治療法について）	福家辰樹	603
アレルギー性鼻炎	成田雅美	611
小児花粉症	岡本美孝	616
アナフィラキシー	海老澤元宏	620

11. 免疫・膠原病

| 先天性免疫不全症候群 | 園田素史，石村匡崇，大賀正一 | 628 |

後天性免疫不全症（HIV 感染症）………………………………………………	田中瑞恵	633
全身性エリテマトーデス（SLE）………………………………………………	今中啓之	638
若年性特発性関節炎 ………………………………………………………………	森　雅亮	644
混合性結合組織病 …………………………………………………………………	宮前多佳子	651
小児皮膚筋炎・小児多発性筋炎 ……………………………… 佐藤孝俊，	石垣景子	657
小児期シェーグレン症候群 ……………………………………………………	冨板美奈子	663
IgA 血管炎（ヘノッホ・シェーンライン紫斑病）……………………………	小林法元	669
自己炎症性疾患 ………………………………… 井澤和司， 西小森隆太，	平家俊男	674

12. 社会・神経心理学的疾患

摂食障害 ……………………………………………………………………………	田中恭子	682
チック ………………………………………………………… 多門裕貴，	立花良之	690
夜尿症 ………………………………………………………………… 辻　章志，	金子一成	695
自閉スペクトラム症 / 自閉症スペクトラム障害 ……………………………	太田さやか	702
うつ病 ………………………………………………………………………………	金生由紀子	707
発達性読字障害 ……………………………………………………………………	小枝達也	712
ひきこもり …………………………………………………………………………	若島孔文	717
睡眠および睡眠関連病態 …………………………………………………………	神山　潤	722
注意欠如・多動症 …………………………………………………………………	作田亮一	727
過換気症候群 ………………………………………………………………………	金生由紀子	735
身体的被虐 …………………………………………………………………………	泉　裕之	738
ネグレクト …………………………………………………………………………	髙橋長久	743
薬物乱用 ……………………………………………………………………………	松本俊彦	746

13. 染色体異常症

ダウン症候群 ………………………………………………………………………	高野貴子	754
ターナー症候群 ……………………………………………………………………	鬼形和道	758
18 トリソミー ……………………………………………………………………	小崎里華	763
プラダー・ウイリー症候群 ………………………………………………………	小須賀基通	767
22q11.2 deletion 症候群 ………………………………………………………	渋谷和彦	772

14. 事故，その他

外　傷 ………………………………………………………………………………	芳賀信彦	778
肘内障 ………………………………………………………………………………	関　敦仁	782
発育性股関節形成不全 …………………………… 江口佳孝， 福田良嗣，	中川誉之	786
熱傷・火傷 ……………………………………………………… 北川博昭，	古田繁行	791
薬物中毒 ……………………………………………………………………………	中舘尚也	799
新生児・乳幼児の聴覚障害 ………………………………………………………	片岡祐子	804
新生児・乳児の眼科的異常 ………………………………………………………	仁科幸子	809

■付　録	付録1　小児（18 歳未満）の予防接種一覧……………………	多屋馨子	813
	付録2　骨年齢/成長曲線 ………………………………………		820

■索　引	………………………………………………………………………………	823

[読者の皆様へ]　処方の実施にあたりましては，必ず添付文書などをご参照のうえ，読者ご自身で
十分な注意を払われますようお願い申し上げます．

1. 総 論

1. 総 論

発　熱

小田洋一郎
茅ヶ崎市立病院 小児科

POINT
- 発熱している小児の取り扱いのガイドラインは日本にないが，海外では多数報告されている．
- 世界の発熱のガイドラインのシステマティックレビューによると，発熱時の対症療法の推奨はそれぞれの国の風土・習慣によって様々である．
- 年少児，特に3ヵ月未満の発熱児の評価と診断には慎重を要する．
- 使用する鎮痛解熱薬はアセトアミノフェンとイブプロフェンである．日本ではアセトアミノフェンが好まれて使用されている．

ガイドラインの現況

　本邦には包括的な発熱のガイドラインは存在しない．海外のガイドラインには2021年に大きな動きがあった．本書の第4版でとりあげた英国のNICE Clinical Guideline（CG）160「小児の発熱性疾患　5歳未満小児の評価と初期治療」は，若干の加筆修正を経て，NICE guideline（NG）143「5歳未満の発熱：評価と初期治療」[1]と更新された．このガイドラインの序文には同じく英国のCG54「16歳未満の尿路感染症：診断と管理」，CG84「5歳未満児の胃腸炎による下痢と嘔吐：診断と管理」，CG102「16歳未満の（細菌性）髄膜炎および髄膜炎菌性敗血症：認識，診断，管理」，NG51「敗血症：認知，診断，初期治療」とNG195「新生児感染症：予防と治療のための抗生物質」も参照するようにと記載されている．

　同じく2021年に米国小児科学会が刊行した「生後8～60日目の元気な発熱児の評価と管理」[2]には，元気な発熱児と限定しているものの，現代の進歩したモダリティーが利用可能な状況で，生後8～21日，22～28日，29～60日と3群に分けて自宅療養可能な児を抽出するアルゴリズムが掲載されている．髄液検査が採取不能ないし血液混入の場合の取り扱いについても配慮している．

　また，小児の発熱時の解熱剤の使用法と療養・栄養に関して，2020年9月までの世界55ヵ国にまたがる74のガイドラインをまとめた「小児における対症療法的な発熱管理：国内外ガイドラインのシステマティックレビュー」[3]という論文が発表されたのも2021年である．

【本稿のバックグラウンド】 発熱のガイドラインには，発熱児の診断指針と療養指針の2つの側面があり，本稿では，前述の3つのガイドラインを中心に解説する．これらのガイドラインは日本で使用するために作成されたものではなく，またウィズコロナ時代の小児の疾病構造の変化を反映したものではないことに留意したい．

どういう疾患・病態か

体温は測定部位によって異なり，測定原理・測定器具も様々であるが，腋窩で電子体温計を用いて測定するのが一般的である．小児における舌下温測定（5歳以下[1]，全年齢[3]）ないし5歳以下の直腸温測定[1,3]は推奨されない．体温37.5℃以上を発熱，38.0℃以上を高熱と定義する．平熱より1℃以上の上昇も発熱と考えてよいが，体温は食事，運動，環境などによって影響を受けるので，対照とする平熱は同じ条件で測定されたものが望ましい．

発熱は，外因性および内因性の発熱物質により視床下部の体温調節中枢で熱のセットポイントが上がり，運動神経を介して筋肉で熱の産生を促したり，交感神経を介して熱の放散を抑えたり，ホルモンを変化させたりして体温が上昇する正常な反応である．高温環境下におかれての熱中症や着せすぎで熱の放散が阻害されてのうつ熱は，狭義の高体温と呼ばれ発熱とは区別される．先天性の汗腺の減少，自律神経障害による発汗調節異常，抗けいれん薬による発汗の減少，甲状腺中毒症による熱産生の増加でも狭義の高体温となる．

治療に必要な検査と診断

発熱児が受診した時に2つのことを評価する必要がある．熱源と重症度である．重症度についてガイドラインは，熱の高さ[1,4]や解熱剤に対する反応性[1,4]では重症度を判断できないと教えている．熱源の検索において，病歴聴取，系統的診察，感染性疾患の流行状況の把握が重要であることに異論はなかろう．熱源を示唆する徴候や症状が認められれば，鑑別診断をある程度絞りながら検査を進めることができる．一方，発熱以外に症状のない患者の取り扱いはどう考えたらよいであろうか．尿路感染のように発熱以外の症状に乏しい疾患もあれば，病期が早くて熱以外の症状がはっきりしていないだけかもしれない．年少児であれば重大な細菌感染症が潜んでいるかもしれない．

20世紀末に，主観的な評価と白血球数など検査を用いて重症細菌感染症をスクリーニングするプロトコールがいくつか考案され，一定の成果を上げてきた．その後の疾病構造の変化とERで利用可能な迅速検査の拡充をふまえて，2021年に米国小児科学会は，満期産でかつNICU入院歴がない生後8〜60日目の元気で熱源の見当たらない発熱児から，必ずしも入院を要さない者を抽出するアルゴリズムを提唱した．このガイドラインによる炎症性マーカーの判断基準は，体温38.5℃以上，好中球数4,000未満または5,200/μL以上，CRP 2.0mg/dL以上，プロカルシトニン0.5ng/mLを異常としている．骨子を**表1**にまとめた．これを本邦で適用可能かは今後の検討が必要と思われる．

以降，最近のガイドラインに記載されている，子どもの発熱の取り扱いについて述べる．

①生後28日未満の発熱の取り扱い

・重篤な細菌感染があるものとして扱う[1]．

・重篤な疾患のリスクが高いので必ず入院させる[4]．

・禁忌でなければ，遅滞なく可能な限り抗生物質投与前に腰椎穿刺を行う[1]．

表1　元気そうな日齢8〜60の発熱児のガイドライン（米国小児科学会）の戦略

日齢	8〜21日	22〜28日	29〜60日
状態	38℃以上，元気そう，熱源不明，満期産でNICU入院なし		
最初の評価	検尿，血培，髄液，±IMs	検尿，血培，IMs	検尿，血培，IMs
IMs判断基準	PCT>0.5ng/mL，CRP>2mg/dL，ANC>4,000〜5,200/mL または　発熱>38.5℃，CRP>2mg/dL，ANC>4,000〜5,200/mL		
HSV感染	可能性あり	可能性あり	稀だがある
髄液検査	全例	・1つでもIMs上昇で全例 ・すべてのIMs正常で考慮	・1つでもIMs上昇で考慮
外来治療の可能性	なし 全例入院	IMs低値で髄膜炎否定されたら抗生剤静注治療．症例により帰宅可*	すべてのIMs正常の場合，UTI否定で抗菌薬なしでUTIなら経口抗菌薬．症例により帰宅可*

* 信頼できる電話と交通手段，状態の変化を観察して伝える親の意志，24時間後に乳児を再評価することへの同意などを親と臨床医が合意すれば，乳児を自宅で管理することができる．
IMs：炎症性マーカー，PCT：プロカルシトニン，CRP：C反応性蛋白，ANC：好中球数，HSV：単純ヘルペスウイルス，UTI：尿路感染

・抗生剤の静脈内投与を行う[1]．
・母体に性器単純ヘルペス病変の既往歴がある場合や，出産前48時間から出産後48時間の間に発熱があった場合，また小水疱，けいれん，低体温，粘膜潰瘍，グラム染色陽性ではない髄液細胞増多，白血球減少症，血小板減少症，ALT値の上昇がみられた乳児では考慮すべきである[2]．
・発熱と単純ヘルペス脳炎を示唆する症状・徴候のある小児にアシクロビルを静脈内投与する[1]．
②3ヵ月未満の発熱の取り扱い
・診療録に，体温，脈拍，呼吸数を記録する[1]．
・行うべき検査：全血算，CRP，血液培養，検尿，呼吸器症状があれば胸部X線，下痢があれば便培養[1]．
・白血球増加やCRP上昇を伴えば重症感染症を疑う[4]．
・具合が悪そう，あるいはWBCが5,000/μL未満ないし15,000/μL以上ならば，禁忌でなければ，遅滞なく可能な限り抗生物質投与前に腰椎穿刺を行う[1]．

・具合が悪そう，あるいはWBCが5,000/μL未満ないし15,000/μL以上ならば，第3世代セファロスポリン（セフォタキシムまたはセフトリアキソン）とリステリアに有効な抗生物質（アンピシリン）などを組合せて静脈内投与を行う[1]．
・稀ではあるが，この日齢60までの単純ヘルペス感染はありうる[2]．
③英国のNICEガイドライン[1]は5歳未満を対象としているが，徴候と症状から重大な疾患の可能性をハイリスク，中間リスク，低リスクの3段階に分類して，受診の必要性を整理している．以下に挙げる項目が1つでもあればハイリスクとなり，2時間以内の受診と，血算と白血球分画，CRP，血液培養，尿検査の実施が推奨され，腰椎穿刺，電解質，血液ガス分析，胸部X線（胸部所見がなくても）を考慮するとある．
・皮膚色（口唇，舌）：蒼白，まだら，灰色，チアノーゼ
・社会的な働きかけに応じない
・医療者が見て明らかに具合が悪そう

4　1.　総　論

・眠って覚醒しない，または，覚醒しても続かない
・呼吸：呻吟，多呼吸（60/分以上），中等度〜高度の胸の膨隆
・循環と脱水：皮膚ツルゴールの低下
・3ヵ月未満で38.0℃以上の発熱
・紫斑
・大泉門膨隆，項部硬直
・てんかん重積，局在性の神経症状，焦点性発作

④英国の NICE ガイドライン[1] の中間リスクには以下の項目が挙げられている．中間リスクの患者は，経験のある小児科医が診察しない限り，全血球数，CRP，血液培養を行い，1歳未満であれば腰椎穿刺を考慮すると記載されている．また，白血球数が20,000/μL 以上なら胸部所見がなくとも胸部 X 線を行う．

・皮膚色（口唇，舌）：保護者が観察した顔色不良
・社会的な働きかけへの反応が正常でない
・笑顔がない
・長い刺激でのみ覚醒する
・呼吸：鼻翼呼吸，頻呼吸（6〜12ヵ月で50/分以上，12ヵ月以上で40/分以上），SpO$_2$ 95％未満，胸部に crackles
・循環と脱水：頻脈（12ヵ月未満で160/分以上，12〜24ヵ月で150/分以上，2〜5歳で140/分以上），粘膜の乾燥，毛細血管再充満時間（CRT）が3秒以上，哺乳不良，尿量減少
・生後3〜6ヵ月で体温39℃以上
・5日以上の発熱
・悪寒
・四肢または関節の腫脹
・足に体重をかけられない/四肢を使わない

⑤尿路感染
・3ヵ月未満では尿路感染を疑う[1].

・次の症状が1つでもあれば尿路感染を疑う：嘔吐，哺乳不良，嗜眠，腹痛，頻尿または排尿障害，排尿時違和感または血尿[1].
・尿検査は，カテーテルまたは膀胱穿刺によって尿検体の採取を推奨[2]（注：本邦において尿培養の検体採取目的で膀胱穿刺を行うことは極めて稀である）.

⑥熱源の重複について
・RS ウイルスまたはインフルエンザ感染が証明されている発熱児においても，重篤な症状があれば，尿路感染症の尿検査を考慮する[1].
・上気道炎症状や細気管支炎以外の呼吸器症状を認める児であっても，発熱の評価は続ける[2].

発熱の対症療法

発熱していても，元気で食欲があれば解熱剤は必要ない．単に体温計の数値だけでなく，本人の辛さや状態も考慮して解熱剤を使用するよう指導する．海外のガイドラインでは解熱剤使用の目安が37.5〜40.5℃と大きな幅があるが根拠に乏しい[3].

小児への使用が推奨されている鎮痛解熱剤は，国際的にはアセトアミノフェンとイブプロフェンである．いずれも発熱中枢のセットポイントを下げる．文献的には10〜15mg/kg のアセトアミノフェンで体温が1.2〜1.4℃下がるという．保険収載されているアセトアミノフェン製剤の添付文書には以下のように記載されている．

●内服薬ないし坐薬
・名称：ジェネリックを含め多数の製薬会社から異なる名称で販売されている
・適応症：小児科領域における解熱・鎮痛

- **用法および用量**：通常，幼児および小児にはアセトアミノフェンとして，体重 1kg あたり 1 回 10〜15mg を投与する．投与間隔は 4〜6 時間以上とし，1 日総量 60mg/kg を限度とする．なお，年齢，症状により適宜増減する．ただし，成人の用量（1 日最大 1,500mg）を超えない．
- **保険収載されている剤型（配合剤は除く）**：原末，20％細粒，50％細粒，2％ドライシロップ，40％ドライシロップ，2％シロップ，200mg 錠，300mg 錠，50mg 坐剤，100mg 坐剤，200mg 坐剤，400mg 坐剤

●**注射薬**
- **名称**：アセリオ® 静注液 1,000mg バッグ
- **適応症**：経口製剤および坐剤の投与が困難な場合における疼痛および発熱
- **用法および用量**：2 歳以上では 1 回 10〜15mg/kg を 15 分かけて静脈内投与し，投与間隔は 4〜6 時間以上とし，1 日総量 60mg/kg を限度とする．ただし，1 回あたりの最大用量はアセトアミノフェンとして 500mg，1 日あたりの最大用量はアセトアミノフェンとして 1,500mg である．

  2 歳未満では 1 回 7.5mg/kg を 15 分かけて静脈内投与し，投与間隔は 4〜6 時間以上とする．なお，年齢，症状により適宜増減するが，1 日総量として 30mg/kg を限度とする．

注：静注液は 2 歳未満の 1 回量が少なくなっている．2 歳未満に 2 歳以上の量を使用したり mg と mL を見間違えたりする医療事故の報告があり，日本小児科学会薬事委員会で注意喚起を行っている．

アセトアミノフェンについて，海外のガイドラインでは以下のように記載されている．
①投与方法について
- 消化管からの吸収が安定しており，投与量の調整が利くので坐薬より内服を推奨する[4]．
②アセトアミノフェンの下限月齢
- 日本の添付文書には「低出生体重児，新生児および 3 ヵ月未満の乳児に対する使用経験が少なく，安全性は確立していない」と記載されている．
- 海外のガイドラインでは，新生児へのアセトアミノフェン投与を推奨するものと禁止するものと両方存在する．いずれにもエビデンスの提示はない[3]．
③イブプロフェンについて
- イブプロフェンの使用は，水痘や脱水患者には推奨されない[4]．
④イブプロフェンとの同時・交互使用
- アセトアミノフェンとイブプロフェンの同時使用・交互使用は推奨しない[3]．
⑤アセトアミノフェン，イブプロフェンの予防的使用
- 予防接種後の発熱，局所反応の軽減目的でのアセトアミノフェン，イブプロフェンの予防的使用は推奨しない[4]．
- 熱性けいれん予防目的でのアセトアミノフェン，イブプロフェン使用は非推奨のガイドラインのほうが推奨より多い[3]．
⑥アセトアミノフェン，イブプロフェンと気管支喘息
- 気管支喘息患者の発熱に対するアセトアミノフェン，イブプロフェンの使用は禁忌ではない．ただしアスピリン喘息患者では両者とも禁忌である[4]．

処　方　例

発熱の対症療法としてアセトアミノフェンを処方する場合

処方A　アセトアミノフェン　10mg/kg（最大500mg）　頓用　発熱時　4〜6時間以上あけて1日最大6回まで（ただし1日量1,500mgを限度）

処方B　（体重20kgを想定）
カロナール® 錠200mg　1錠
頓用　発熱時　4〜6時間以上あけて　1日最大6回まで

処方C　（体重10kgを想定）
アンヒバ® 坐剤小児用100mg　1本　頓用　発熱時　4〜6時間以上あけて

　海外のガイドラインに記載されている，発熱時の療養方法，水分摂取，食事摂取についての推奨を整理する．

①理学的な方法での解熱
　・微温湯を含ませたタオル等の使用は，推奨のガイドラインのほうが非推奨より多い[3]．
　・湿布（水分含有のゲル状の貼付剤を含む）は，推奨のガイドラインのほうが非推奨より多い[3]．
　・冷水浴，濡れたスポンジ，冷気にあてる，冷却毛布，氷囊は推奨しない[1,3]（狭義の高体温のときは逆に推奨）．

②食　　事
　・世界各国様々な飲料（水，果汁，母乳など）の摂取が推奨されている[3]．
　・食欲がないときは無理強いしないことを推奨[3]．

③療養環境
　・環境温は涼しくすることが推奨されている[3]．

　・衣装は本人が心地よいもの，薄着，下着のみか裸など，様々な推奨が存在[3]．

　また，基礎疾患を持つ患者では相応の対応が必要である．膀胱尿管逆流患者の発熱時の尿検査，糖尿病患者のシックデイルール，ステロイド補充療法患者のステロイドカバーなど，基礎疾患に応じた対応が必要である．

専門医に紹介するタイミング

　いわゆるABC，すなわち気道確保，呼吸，循環に問題がある場合，意識障害を伴っている場合などは緊急で専門医に紹介する．敗血症，化膿性髄膜炎，脳炎・脳症といった重大な疾患や，熱源不明の3ヵ月未満児は入院可能な施設の専門医への紹介を考慮する．

専門医からのワンポイントアドバイス

　米国のガイドラインの帰宅基準は恵まれた環境においてのみ可能であり，このアルゴリズムの評価はまだ定まっていない．3ヵ月未満児の取り扱いにおいては，無理をせず安全策で差し支えない．

――――――― 文　献 ―――――――

1) National Institute for Health and Care Excellence：Fever in under 5s：assessment and initial management.［NICE guideline 143］Last updated 26 November 2021
https://www.nice.org.uk/guidance/NG143

2) Pantell RH et al：Evaluation and management of well-appearing febrile infants 8 to 60 days old. Pediatrics 148：e2021052228, 2021

3) Green C et al：Symptomatic fever management in children：A systematic review of national and international guidelines. PLoS One 17：e0245815, 2021

4) Chiappini E et al：2016 Update of the Italian Pediatric Society Guidelines for Management of Fever in Children. J Pediatr 180：177-183.e1, 2017

1. 総　論

嘔吐・下痢

大塚宜一
（おおつかよしかず）

順天堂大学医学部 小児科・思春期科学教室

POINT
- 嘔吐の原因には，消化器疾患のほか，中枢神経疾患，代謝性疾患，呼吸器疾患，心因性疾患などあり，年齢別に鑑別疾患を整理するとよい．
- 下痢には，分泌性下痢，浸透圧性下痢，炎症性下痢，蠕動運動の亢進に伴う下痢などがある．

ガイドラインの現況

　嘔吐・下痢は，小児期によく認められる症候であるが，その原因は多岐にわたっている．そのため，周期性嘔吐症や急性胃腸炎などの一部の疾患を除き，統一されたガイドラインは作成されていない．

　嘔吐は消化器疾患のほか，中枢神経疾患，代謝性疾患，呼吸器疾患，心因性疾患などを念頭におき対応する．下痢は，主に分泌性下痢と浸透圧性下痢に分けられる．いずれも，症状が持続すると脱水症の危険がある．

【本稿のバックグラウンド】嘔吐・下痢は小児期によく認められる症候であるが，その原因は多岐にわたっており，周期性嘔吐症，急性胃腸炎，胃食道逆流症などの一部の疾患を除き，統一されたガイドラインは作成されていない．本稿では Nelson Textbook of Pediatrics などを参考に解説した．

どういう疾患・病態か

1 嘔　吐

　嘔吐は，胃内容物が逆流して吐出されることである．消化器疾患のほか，中枢神経疾患，代謝性疾患，呼吸器疾患，心因性疾患などを念頭におき対応する．

2 下　痢

　下痢は，消化管において吸収よりも分泌が相対的に過剰となり，大量の水分および電解質が便として排泄される状態をいう．分泌性下痢，浸透圧性下痢，炎症性下痢，蠕動運動の亢進に伴う下痢などがある．

治療に必要な検査と診断

1 嘔　吐（表1）

　嘔吐が始まった時期，食したもの，流行の有無，腹痛・下痢の有無，意識状態などを確認し，身体所見をとる．

8　1. 総　論

表 1　小児期の嘔吐の識別診断

	新生児	乳児	幼児・学童
機能性	溢乳，空気嚥下，哺乳過誤	溢乳，空気嚥下，哺乳過誤	
消化器	消化管閉鎖 （食道・十二指腸・小腸） 腸回転異常 軸捻転 ヘルニア（横隔膜，食道裂孔） 肥厚性幽門狭窄症 胃食道逆流症 Hirschsprung 病 消化管穿孔 壊死性腸炎 鼠径ヘルニア嵌頓 消化管アレルギー	急性胃腸炎 腸重積 胃食道逆流症 胆道拡張症 肥厚性幽門狭窄症 Hirschsprung 病 膵炎 鼠径ヘルニア嵌頓 消化管アレルギー 便秘症	急性胃腸炎 腸重積 虫垂炎 腹膜炎 消化性潰瘍 肝炎 膵炎 胃食道逆流症 食道アカラシア 消化管アレルギー IgA 血管炎 上腸間膜動脈症候群
中枢神経	髄膜炎・敗血症 脳奇形（水頭症など） 頭蓋内出血（ビタミンK欠乏など） 核黄疸	髄膜炎・敗血症 頭蓋内出血，外傷 脳腫瘍（頭蓋内圧亢進）	髄膜炎・脳炎 片頭痛 脳腫瘍 頭部外傷
代謝・内分泌	副腎生殖器症候群 尿素サイクル異常 有機酸代謝異常 尿細管性アシドーシス クレチン症	脱水症・電解質異常 副腎生殖器症候群 先天性代謝異常症 尿細管性アシドーシス	脱水症・電解質異常 アセトン血性嘔吐症 ACTH・ADH 分泌不全症 Reye 症候群 糖尿病性ケトアシドーシス
呼吸器・感染症	上気道の奇形	百日咳 仮性クループ 中耳炎	気管支喘息 インフルエンザ 副鼻腔炎 咽頭扁桃腺炎
その他	尿路感染症		起立性調節障害 神経性食思不振症 化学療法 妊娠

a）新生児期

　機能的なものとして，哺乳方法やゲップの問題が多い．ゲップ不足による腹部のガスの貯留は，溢乳，嘔吐，腹部膨満，便秘，哺乳量の減少のほか，軸捻転の原因ともなる．

　病的な嘔吐には，出生直後から数日のうちに発症する食道・十二指腸・小腸閉鎖，横隔膜ヘルニア，腸回転異常，消化管穿孔，軸捻転，胎便性イレウスなどの消化器疾患がある．閉塞部位が総胆管開口部より口側にあれば，非胆汁性嘔吐となる．腹部 X 線，超音波，造影検査などを行い，閉塞部位，走行異

嘔吐・下痢　9

常，胃食道逆流の有無などを確認する．通過障害があれば，口側は拡張し肛門側は虚脱する．

生後2～3週後の無胆汁性の噴水状嘔吐では，肥厚性幽門狭窄症を考える．この疾患で認められる低クロール性アルカローシスのように，閉塞・狭窄部位の位置により電解質に特徴を呈する．消化管アレルギーなど，ミルクに対するアレルギー症状で嘔吐をきたすこともある．好酸球数，抗原特異的リンパ球増殖試験（ALPT）などを参考にするが，ALPTが陽性でも消化管アレルギー以外の疾患であることもあり，造影検査を含めた鑑別診断をきちんと進める必要がある．

副腎生殖器症候群やクレチン症などの内分泌異常も原因となる．代謝異常症では，代謝性アシドーシス，高アンモニア血症，電解質異常の有無を確認する．血・尿中アミノ酸分析も有用である．その他，髄膜炎や水頭症などの中枢神経疾患なども考慮する．

b）乳児期

離乳食を与える頃に頻度の増える腸重積では，嘔吐，不機嫌，激しい間欠的啼泣，浣腸による粘血便を確認する．中枢神経疾患として，髄膜炎などの感染症のほか，ビタミンK欠乏に伴う頭蓋内出血などにも留意する．冬季下痢症などのウイルス性胃腸炎が多い．

c）幼児・学童期

流行があればウイルス性胃腸炎を考える．髄膜刺激症状，意識障害，けいれん，麻痺などがあれば，脳腫瘍を考慮する．頭蓋内圧の亢進が疑われれば，CTやMRI検査を行う．代謝性疾患としては，比較的虚弱体質児に多く認められるアセトン血性嘔吐症，周期性で高血圧症を伴うACTH・ADH分泌不全症などもある．学童期や思春期になると，起立性調節障害，自律神経調節障害，摂食障害，神経性食思不振症など，心理的対応が求められる疾患に留意する．

❷ 下　痢（表2）

下痢が始まった時期，食したもの，流行の有無，回数，量，性状，出血の有無などを確認する．感染症流行に伴い急性に嘔吐・下痢を呈する場合は，ウイルス性胃腸炎が多い．便を用いてロタウイルス，ノロウイルス，アデノウイルス抗原を確認する．細菌性腸炎を疑えば，出血の有無を確認するほか，便培養検査にて原因細菌を同定する．

下痢が2週間以上遷延するものが慢性下痢症である．このうち，口から一切の飲食物の摂取を中止しても水様便が多量に続く場合は，分泌性下痢である．分泌性下痢は，水分や電解質の吸収ができない，あるいは水分の分泌が著しく亢進している状態で，先天性クロール下痢症，vasoactive intestinal peptide（VIP）産生腫瘍，コレラなどがある．便中の電解質異常や浸透圧の低下を伴う．浸透圧性下痢は，炭水化物，蛋白質，脂質などの消化および吸収障害に伴い生じる．

体重増加不全を認める場合は，各栄養素に対する消化・吸収能を確認する．生後間もなく出現する慢性の下痢では，先天性消化酵素欠損症や微絨毛萎縮症などを考える．微絨毛には刷子縁酵素が存在するため，微絨毛萎縮症や消化管アレルギーなど微絨毛が障害されている状態では，アミノ酸や乳糖の吸収障害をきたす．

糖質が吸収できない場合は，便が酸性となりクリニテストが陽性となる．蛋白質に対し吸収不良を呈する場合は，成長障害が著しくなる．特に粘膜障害を伴う場合は，吸収面積が減少しD-Xylose試験が陽性となる．脂肪の消化・吸収不良では，便が脂肪染色試験で陽性となる．蛋白漏出性胃腸症では，便中に

表 2　小児期の下痢の鑑別診断

		病　態	主な疾患名
分泌性下痢 水，電解質の吸収不良および分泌亢進		先天異常 腫　瘍 感染症	先天性クロール下痢症 副腎生殖器症候群 VIP ホルモン産生腫瘍 毒素原性大腸菌感染性腸炎 コレラ
浸透圧性下痢	消化・吸収障害	複数の栄養素 炭水化物（糖） 蛋白質 脂　肪	先天性微絨毛萎縮症 食物過敏性腸症 短腸症候群 慢性膵炎 乳糖分解酵素欠損症 グルコース・ガラクトース吸収不全 先天性蛋白分解酵素欠損症 胆道閉鎖症 Shwachman-Diamond 症候群
	栄養素の漏出	蛋白漏出性胃腸症 肝不全	腸リンパ管拡張症 好酸球性腸症 Menetrier 病 肝硬変
	その他		Hirschsprung 病
炎症性下痢		炎症性腸疾患 感染症 アレルギー	クローン病 潰瘍性大腸炎 サイトメガロウイルス腸炎 クリプトスポリジウム ジアルジア症 アメーバ 消化管アレルギー
腸蠕動の亢進		代謝亢進	甲状腺機能亢進症 過敏性腸症候群
その他		薬剤など	

α_1 アンチトリプシンの漏出を，RI では画像的に蛋白漏出を確認できる．

　便に粘液や出血を伴い，炎症反応陽性で成長障害を伴う場合は，炎症性腸疾患を考慮する．内視鏡検査が有用である．免疫力が低下している状態では，サイトメガロウイルスなどの感染症も考慮する．その他，甲状腺機能亢進症や過敏性腸症候群など，蠕動運動の亢進に伴うものがある．

治療の実際

　慢性に嘔吐・下痢が続いている患児では，脱水の治療と栄養療法を並行して行う必要が

嘔吐・下痢　11

ある．必須アミノ酸・必須脂肪酸・微量元素などが不足していることが多く，欠乏している栄養素を補う必要がある．種々の理由で腸から栄養が与えられない場合は，完全静脈栄養を用いるが，長期にわたり消化管を利用しないと粘膜萎縮など消化機能の低下をきたす．各種成分栄養剤や経口補水液（ORS）なども利用し，なるべく経腸栄養を優先する．

処 方 例

詳細な治療法は各論に譲る．

専門医に紹介するタイミング

嘔吐・下痢が遷延する場合，体重増加不良や体重減少が出現したとき，脱水症や成長障害を伴う場合など．

専門医からのワンポイントアドバイス

嘔吐・下痢が遷延する場合，吐物および便の性状や量，発症した時期や食べた食物との関係（種類や量など）が重要な手掛かりとなる．また，体重や身長の推移を確認することで発症時期を推定する．

1. 総　論

便　秘

清水俊明
順天堂大学医学部 小児科

POINT
- 小児期に便秘を発症しやすい時期や契機として，離乳食の開始，トイレット・トレーニング，および通学の開始などが知られている．
- 小児の便秘症に対する診断および治療は，2013 年に公表された小児慢性機能性便秘症診療ガイドラインを参考に行っていく．
- 治療の基本は，生活習慣の改善，食事療法および薬物療法であり，まずは患児および家族に対し，便秘の原因や増悪因子および問題点を十分に説明する．

ガイドラインの現況

　小児期からの便秘は成人への便秘症に移行する頻度が高く，早期の適切な治療および管理が必要と考えられている．欧米では 2006 年より，いくつかの診療ガイドラインが発表されている[1]．本邦では，欧米と本邦における生活習慣や医療状況の違いに加えて，便秘症治療に使用される薬剤の相違などを考慮し，2013 年に本邦独自のガイドラインが発表された[2, 3]．その後本邦においてポリエチレングリコール製剤が 2 歳以上の小児および成人に保険収載されたため，現在ガイドラインの改訂版の作成が行われている．

【**本稿のバックグラウンド**】　2013 年に発表された本邦における小児慢性機能性便秘症診療ガイドラインを基に，ポリエチレングリコール製剤の有効性のデータも加えて解説する．

どういう疾患・病態か

　便秘とは，排便回数が少なく，排便困難を伴った状態をいい，また排便困難とは，硬便で排便痛を伴う場合を指し，小児では栄養法や年齢などで便の回数や性状が異なるので，その判断が容易でない場合もある．

　経口摂取された食物が主に小腸で消化吸収され，その残渣が大腸で水分の再吸収を受け固形の便が形成される．直腸に達した便は，排便反射により肛門括約筋の弛緩をひき起こし，また便意によって意識的に腹圧をかけ（いきみ）排便を行う．これらの経過に何らかの障害が生じた場合に便秘となる．

　表 1 に小児の便秘の原因を示す．乳幼児期では，摂取量不足や不適切なトイレット・トレーニングによる習慣性便秘が多いが，Hirschsprung 病などの症候性便秘の可能性も十分念頭におく必要がある．学童期になると，食物繊維不足による食事性便秘や排便習

便　秘　　13

表1 小児の便秘の原因

1. **食事性便秘**
   1) 摂取量不足（母乳不足，水分不足など）
   2) 低残渣食（野菜不足など）
   3) 食物アレルギー（ミルクアレルギーなど）
2. **機能性便秘**
   1) 習慣性（排便習慣の乱れ，不適切なトイレット・トレーニング，肛門裂傷，腹圧不足など）
   2) 心因性（旅行など）
   3) 緊張性（過敏性腸症候群など）
   4) 薬剤性（抗コリン薬，抗けいれん薬など）
3. **症候性便秘**
   1) 消化管疾患（Hirschsprung 病，肛門直腸奇形，S 状結腸過長症など）
   2) 神経疾患（筋ジストロフィー，二分脊椎，脳性麻痺など）
   3) 内分泌・代謝疾患（クレチン症，糖尿病，低カリウム血症など）
   4) 染色体異常（ダウン症など）

慣の乱れによる習慣性便秘が多くなり，さらに心因性便秘や過敏性腸症候群による便秘なども認められるようになる．しかしながら，便秘の原因を一元的に説明できない場合も少なくない．すなわち，まず何らかの便秘の原因があった場合，それによって直腸内で大きな便塊が滞り，スムーズな排便刺激や便意が抑制される，いわゆる習慣性便秘を二次的に発症し，硬便による肛門裂傷なども加わり，便秘の悪循環が形成されていくことも少なくない．

治療に必要な検査と診断[4]

図1に，ガイドラインに示される便秘に対する診断と治療のフローチャートを示す．問診においては，排便回数，便性，便量，血液の付着の有無のほか，胎便排泄遅延の有無，授乳内容や量・時間，腹部膨満，腹痛，肛門痛，嘔吐，下痢，遺糞などの症状を聴く．診察上では，成長・発達，顔貌や神経学的異常，腹部触診上での便塊の触知，肛門裂傷，直腸指診における巨大な便塊の触知など

をみる．臨床検査では，腹部単純 X 線検査や超音波検査にて，大腸内に溜まった便の量を確認する．二分脊椎の所見である椎体の変形などにも注意が必要である．一般血液検査や尿検査によって，内分泌・代謝疾患の鑑別も行う．消化管疾患の診断には注腸検査を行う．

便秘の診断を行うにあたっては，その原因も同時に診断していくことが大切である．母乳栄養で体重の増加も悪い場合は母乳不足を，アレルギーの家族歴などを認め人工乳の開始後から出現した場合はミルクアレルギーを，トイレット・トレーニング時や肛門出血を伴う場合は習慣性便秘をそれぞれ考える．Hirschsprung 病は外科的治療が必要な疾患であり，問診，直腸指診（爆発的なガスの排出），腹部単純 X 線検査（小骨盤腔内にガスを認めない），および注腸所見（細い直腸から太い上位大腸への移行：キャリバーチェンジ）などから診断を行う．便秘が高度になると，大きな便塊により排便刺激や便意が起こらなくなり，便が漏れたり腸液が便の脇から排出され（遺糞症），下痢と見誤ることもあるので注意が必要である．

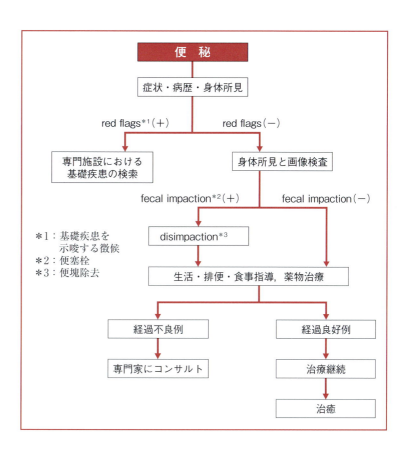

図1 便秘診断と治療のフローチャート

治療の実際[5]

基本は生活習慣の改善，食事療法および薬物療法である（表2）．

まずは患児および家族に対し，便秘の原因や増悪因子および問題点を十分に説明する．登校前に排便の時間を十分にもてるようにすること，学校でも便意があればトイレに行くこと，便秘が悪循環を繰返してさらに悪化してしまうことなどを説明する．乳児の便秘に対しては，親（特に母親）への説明が大切であり，授乳内容や量，適切な肛門刺激方法などを指導する．

食事療法では，繊維の多い食物を多く摂取し，菓子や清涼飲料水の摂取を控えるよう指導する．野菜，海草，穀類などが良く，野菜は生では水分が多く，炒めたり煮たりした物のほうが食物繊維を効率良く摂取できる．乳児では，果汁や糖水により腸内の発酵を促して蠕動運動の改善をはかったり，ミルクアレルギーが疑われる場合は，加水分解乳への変更などを行う．

薬物療法は，便秘の原因，程度，年齢などを考慮しながら適切な薬剤を選択し，症状の改善程度から適宜，種類や量の変更を行っていくことが大切である．まずは直腸内から便塊をなくし，排便反射や便意などがスムーズに生じる伸展性のある直腸に戻すことが重要であり，浣腸や坐薬を併用しながら徐々に経口薬のみに移行していく．親に薬剤の作用機序や正しい使用方法を十分に説明し，排便日誌をつけさせ，薬剤の種類や量を調節していく．2013年に発表されたガイドラインは，本邦でポリエチレングリコール製剤が使用可

表2　小児の便秘の治療

1. 生活習慣の改善		
	（乳児期）	母乳栄養から混合栄養への変更（母乳不足の場合）
		腹部マッサージ
		肛門の綿棒刺激
	（幼児期以降）	適切なトイレット・トレーニング
		朝食後にゆっくり排便する習慣
		便意を我慢しない
		腹筋を鍛える運動習慣
2. 食事療法		
	（乳児期）	果汁や糖水を与える
		加水分解乳への変更（ミルクアレルギーの場合）
	（幼児期以降）	食事（特に朝食）や水分を十分に摂る
		食物繊維を十分に摂る（10 g/1,000 kcal を目安）
3. 薬物療法		
		整腸薬（ビオスリー®, ビオフェルミン®）
		麦芽糖製剤（マルツエキス）
		モサプリド（ガスモチン®）
		ピコスルファートナトリウム（ラキソベロン®）
		酸化マグネシウム（マグミット®）
		ポリエチレングリコール（モビコール®）
		ビサコルジル（テレミンソフト®）坐薬
		グリセリン浣腸

能となる前であったためその使用については触れられていないが，その後ポリエチレングリコール製剤であるモビコール®が2歳以上の小児で保険適用となり，現在では第一選択薬として用いられることも少なくない．

処 方 例

軽症（2～3日に1度しか排便がない）の3ヵ月児

処方　マルツエキス　9.0　分2　連日
・連日の綿棒刺激と腹部マッサージを併用

中等症（酸化マグネシウムを使用すれば排便があるが，止めると数日排便がなくなる）の12ヵ月児

処方　酸化マグネシウム　0.6　分2　連日
　　　ラキソベロン®　3滴　眠前1回　連日
・日誌をつけ十分な排便が2日に1回以上認められるようになれば1～2週単位で薬の減量（2割程度ずつ）を行っていく．

> **重症（下剤を使用しても数日排便がない）の３歳児**
>
> ●便塊除去
>
> 処方　グリセリン浣腸　30〜60 mL　2日間連日
>
> ●再貯留防止
>
> 処方　モビコール®　２包　分２　連日
> 　　　ラキソベロン®　５滴　連日
>
> ・２日間排便がない場合テレミンソフト®　2 mg
> ・排便（バナナ状）が２日に１回以上認められるようになれば，モビコール®，ラキソベロン®を１〜２週単位で（２割程度ずつ）減量していく．
> ・トイレで毎日決まった時間にいきむ習慣をつける．

専門医に紹介するタイミング

　慢性機能性便秘症の診断では，便秘をきたす基礎疾患の存在を見逃さないことも重要である．成長障害，嘔吐，著明な腹部膨満などの red flag サインを認める場合には，器質的疾患や全身疾患の鑑別（**表3**）が必要となるため，精査が可能な専門医に紹介する．重症例や通常の治療に抵抗する例でも，専門医への紹介が必要となる（図1）．日本トイレ研究所のホームページに「排便で悩む子どものための病院リスト」が公開されている．

表3　便秘症をきたす基礎疾患を示唆する徴候(red flags)

・胎便排泄遅延（生後 24 時間以降）の既往
・成長障害，体重減少
・繰返す嘔吐
・血便
・下痢（paradoxical diarrhea）
・腹部膨満
・腹部腫瘤
・肛門の形態・位置異常
・直腸肛門指診の異常
・脊髄疾患を示唆する神経所見と仙骨部皮膚所見

専門医からのワンポイントアドバイス

　小児の便秘では，早期の診断や十分な治療が行われないと，悪循環によって頑固な便秘に進展することも少なくないため，患児のみならず親の十分な協力のもと，生活習慣や食事療法を適切に行っていく．薬物療法を行っても便秘の改善が継続的に認められない場合は，便塞栓の存在を考え，適切な方法で便塊除去と便の再貯留を防ぐための維持療法を行っていく．

――――――――　文　献　――――――――

1) Heyman PE et al：Childhood functional gastrointestinal disorders：neonate/toddler. Gastroenterology 130：1519-1526, 2006
2) 小児慢性機能性便秘症診療ガイドライン作成委員会：小児慢性機能性便秘症診療ガイドライン．日本小児栄養消化器肝臓学会，日本小消化管機能研究会 編．診断と治療社，2013
3) 小児慢性機能性便秘症診療ガイドライン．
http://www.jspghan.org./constipation/index.html
4) 清水俊明：小児の便秘治療．診断と治療 110：93-96，2022
5) 清水俊明 他：私の処方 2018．便秘症．小児科臨床 71：767-772，2018

1. 総 論

ショック

櫻井淑男
埼玉医科大学総合医療センター 小児救命救急センター

POINT
● ショックの重症度は，代償性ショックと低血圧性ショックに分ける．
● ショックの病態分類は，循環血液量減少性ショック，血液分布異常性ショック，心原性ショック，閉塞性ショックに分類する．
● 小児は予備力が少ないために，代償性ショックの段階で見つける必要がある．そのためには，血圧以外に心拍数と毛細血管再充満時間の評価が必須である．

ガイドラインの現況

　蘇生のガイドラインは小児も含めて 5 年ごとに改訂される．ILCOR（国際蘇生協議会）が，世界中から蘇生の専門家を集めてその 5 年間に蓄積されたエビデンスをまとめ，コンセンサスとして全世界に公開し，それに基づいて各地域の蘇生協議会がその地域の状況に見合ったガイドラインを作成する．PALS は米国の小児蘇生ガイドラインであるが，わが国では 2002 年より米国から導入され，既に 10,000 名以上の小児医療関係者が受講している．PALS の内容には，ショックの定義，重症度分類，病態分類，それぞれの病態に見合った治療法などが含まれており，ショックに関わる共通の知識，技術が日本全国に広まり現在もその裾野を広げている．本稿は，2020 年のガイドライン[1] に基づいている．

【本稿のバックグラウンド】 ショックは小児の二次救命処置の範疇であり，蘇生のガイドラインは ILCOR（国際蘇生協議会）が 5 年おきに改訂している．それに基づいて米国では 5 年おきに PALS（Pediatiric Advanced Life Support）が作成されており，これが小児蘇生の世界標準となっている．本稿はこの PALS2020 に基づいている．

どういう疾患・病態か（表 1）

1 ショックの定義

　ショックとは，体組織の酸素需要が供給を上回った状態のことである．以下に血液酸素含有量と血液酸素運搬量の式を示す．

血液酸素含有量：$1.38 \times Hb \times SaO_2 + 0.003 \times PO_2$（mL/dL）（N＝17〜20）

※Hb：ヘモグロビン，SaO_2：酸素飽和度，PO_2：酸素分圧

　上記の式を見ると，溶存酸素量は一般的には無視できる程度であるが，ショックでは定

表1　ショックの分類

ショック（循環障害）	
重症度分類	病態分類
代償性ショック	循環血液量減少性ショック
	心原性ショック
低血圧性ショック	血液分布異常性ショック
	閉塞性ショック

義に示すように末梢で少しでも酸素が必要な状態なので，SaO_2に関係なく100％酸素を高流量で投与する必要がある．

血液酸素運搬量：CI×1.38×Hb×SaO_2×10（mL/min/m²）（N＝550〜650）
※CI：Cardiac Index

SaO_2が高値でも末梢への酸素運搬量が十分であるとは一概にはいえない．心原性ショックや出血による循環血液量減少性ショックのときには，SaO_2の値にかかわらず，心拍出量を上げるための治療や輸血などを考慮する必要がある．

a）循環血液量減少性ショック

下痢や嘔吐などを原因とする脱水，または外傷による出血により，血液の絶対量が減少したことによる循環障害のことである．

b）心原性ショック

先天性心疾患，心筋症・心筋炎，不整脈など，心機能が低下したことによる循環障害のことである．

c）血液分布異常性ショック

敗血症性ショック，アナフィラキシーショック，神経原性ショックなど，血液の絶対量は正常であるが，血液の入っている血管が，上記の原因で異常に拡張して相対的な脱水となり重要臓器に循環障害をきたす状態である．

d）閉塞性ショック

以下の原因により，血行が妨げられて生じた循環障害をいう．

①緊張性気胸

②心タンポナーデ

③肺塞栓

④動脈管依存性先天性心疾患で動脈管の閉塞による場合

治療に必要な検査と診断

1 循環障害の一般的症状

・意識状態の低下

・多呼吸

・頻脈または徐脈

・脈の触れの低下（より末梢動脈での低下）

・血圧低下

・毛細血管再充満時間の延長（3秒以上）

・四肢冷感，網状チアノーゼ

・肝臓腫大

・尿量低下

2 循環障害の重症度分類（図1）

a）代償性ショック

心拍数の増加や末梢血管の収縮などの代償機転により，血圧が各年齢における許容最低血圧*を保っている状態のことである．

b）低血圧性ショック（非代償性ショック）

代償機転が破綻して，各年齢の許容最低血圧を保てなくなっている状態のことである．

*各年齢の許容最低血圧とは，以下の収縮期血圧である．
　1ヵ月以下‥‥60mmHg以上
　1ヵ月〜12ヵ月まで‥‥70mmHg以上
　1歳〜10歳まで‥‥‥‥‥70+2×年齢mmHg以上
　10歳以上‥‥‥90mmHg以上

3 検　査

①血液検査

②胸部X線写真

③心電図

ショック　19

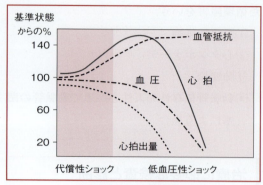

図1 ショックの重症度と代償機転（文献2より引用）

④超音波検査

●Point of Care Ultrasound（POCU）[3]：

近年，超音波診断機器の急速な発展に伴い，診断時に身体所見の延長線上に超音波検査を置くPOCUが，成人の救急・集中治療で採り入れられ始めている．RUSH（Rapid Ultrasound in Shock）exam[4] もその一つで，超音波診断機器を用いて，身体所見だけでは困難なショックの病態分類の鑑別法をアルゴリズム化したものである．

治療の実際

ショックは，末梢組織の酸素の需要が供給を上回った状態なので，共通の初期治療として酸素マスク投与10 L/分から始める．

1 循環血液量減少性ショック

等張性溶液（生食など）20 mL/kgを5〜10分かけて投与．効果がなければ，身体所見やPOCUで再評価しながら，繰返す．

2 心原性ショック

①重度の心機能低下が認められる場合には，等張性溶液（生食など）5〜10 mL/kgを10〜20分以上かけて投与する．カテコラミン投与を早めに考慮する．

②心機能低下が疑われる場合には，等張性溶液（生食など）10〜20 mL/kgを10〜20分以上かけて投与する．カテコラミン投与を早めに考慮する．

3 血液分布異常性ショック

等張性溶液（生食など）20 mL/kgを5〜10分かけて投与．身体所見やPOCUで再評価しながら，効果がなければ2〜3回繰返す．その後，敗血症性ショックでは心機能低下も合併することがあるため，カテコラミン投与を早めに考慮する．この場合もできる限りPOCUで心機能や脱水の程度を再評価しながら，輸液を繰返すべきか判断する．

4 閉塞性ショック

原因により治療は異なる．心タンポナーデや緊張性気胸では，穿刺による貯留液の排出や脱気を行うが，肺血栓や動脈管閉鎖では薬物療法などを考慮する．

5 低血糖の治療

小児では，成人に比較して脱水などのときに低血糖を伴うことが多いので，注意が必要である．

●低血糖の定義
- 未熟児・新生児：BS ≦ 45 mg/dL
- それ以降：BS ≦ 60 mg/dL

●グルコース投与：0.5〜1 g/kg IV or IO
  * 末梢血管から投与する場合は，血管障害を避けるために20％以下のグルコース溶液を使用する（20％グルコースで2.5〜5 mL/kg，IV or IO）．
  * 一般に新生児では，10％グルコース 2 mL/kg，IVを使用する．

専門医に紹介するタイミング

　ショックをみたら，そのショックの重症度と病態分類を行い，上記の治療指針に従って初期診療を行いながら専門医にコンサルトする．特に，心原性ショックの原因の一つである心筋炎・心筋症は，頻度は少ないが致死的となることが多く，最終治療手段として人工心肺が必要になるので，悪化する前に人工心肺ができる施設に搬送することが肝要である．

専門医からのワンポイントアドバイス

　ショック（循環障害）は，血圧ですべて判断できるものではない．代償性ショックは，血圧が正常域であり，心拍数や毛細血管再充満時間などに注意しないと見逃してしまう．小児は，予備力が少なく低血圧性ショックに

なると致死的になったり，重度の後遺症を残す可能性があるので，代償性ショックの段階で見つけ出し，すぐに対処することが必要である．

―――――― 文　献 ――――――

1) Topjian AA et al：Part 4：Pediatric Basic and Advanced Life Support：2020 American Heart Association Guidelines for Cardiopulmonary Resuscitation and Emergency Cardiovascular Care. Circulation 142（16_suppl_2）：S469-S523, 2020

2) 日本版救急ガイドライン策定小委員会：救急蘇生法の指針2010改訂版：医療従事者用．へるす出版，2012

3) 日本小児集中治療研究会 編著：小児のPoint of Care Ultrasound：エコーでABCDを評価しよう！．MCメディカ出版，2016

4) Perera P et al：The RUSH exam：Rapid Ultrasound in Shock in the evaluation of the critically ill. Emerg Med Clin Nouth Am 28：29-56, 2010

1. 総　論

意識障害・けいれん

井上岳司[1]，岡崎　伸[1]，塩見正司[2]
1) 大阪市立総合医療センター　小児青年てんかん診療センター，小児脳神経内科，2) 愛染橋病院　小児科

POINT
- ●意識障害・けいれんの原因は多岐にわたり，小児救急医療における神経学的危急事態である.
- ●各種ガイドラインに準じて，意識障害，けいれんの評価を行い，早期介入とともに原因検索を進める.
- ●正確な情報収集，包括的な検査，評価を迅速に行うことが，病態の把握とより適切な治療，家族への正確な情報，治療選択肢の提供につながる.

ガイドラインの現況

　意識障害・けいれんに関連するガイドラインとしては，英国王立小児保健協会（RCPCH）の『小児意識障害のガイドライン』[1)]，日本蘇生協議会（JRC）の『蘇生ガイドライン2020』の「小児の蘇生（PALS）と脳神経蘇生」[2)]，『てんかん診療ガイドライン2018』[3)] に加え，『小児けいれん重積治療ガイドライン2017』，『熱性けいれん診療ガイドライン2015』[4)]，『小児急性脳症診療ガイドライン2016』[5)] などがあり，後者3つは改訂が予定されている.　また，本書の「髄膜炎（細菌性，非細菌性）」，「熱性けいれん」，「てんかん発作・けいれん重積状態」，「急性脳炎・脳症」，その他の各項目も参照にされたい.

【本稿のバックグラウンド】 意識障害，けいれんの鑑別疾患は多岐にわたる.　本稿では，上記ガイドラインを参考に病態評価，各種検査の意義，早期介入について概説し，小児救急医療の現場で役立つ知識が身につくように心がけた.

どういう疾患・病態か

　意識障害・けいれんは小児救急医療における神経学的危急事態であり，両者は併存することも多い.　意識障害の評価に加え，呼吸・循環・けいれんに対する初期対応を速やかに行い，各種検査，治療と並行して原因の特定に努める（図1）.

　意識障害においては上記に加え，家族や目撃者に問診を行う（表1）.　既往歴，基礎疾患などに加え，家族歴，周産期・発達歴，予防接種歴など基本情報を得る.　家族歴では，血族結婚，同胞に突然死や代謝疾患などがないか，児童虐待のリスクがある家庭か（望まぬ妊娠，精神疾患のある親，孤立した家庭など）をプライバシーに配慮しながら聴取する.

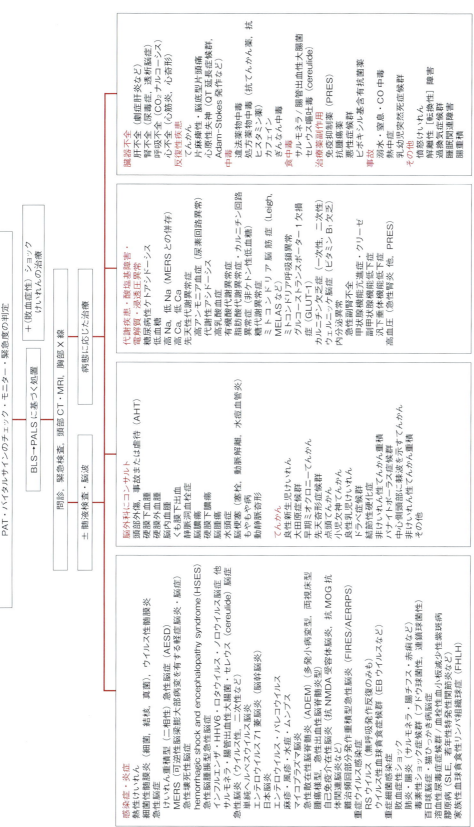

図1 意識障害・けいれん時の診療手順と原因疾患

ADEM : acute disseminated encephalomyelitis, AESD : acute encephalopathy with biphasic seizures and late reduced diffusion, AERRPS : acute encephalitis with refractory repetitive partial seizures, AHT : abusive head trauma, BLS : basic life support, FHLH : familial hemophagocytic lymphohistiocytosis, FIRES : febrile infection-related epilepsy syndrome, MELAS : mitochondrial myopathy, encephalopathy, lactic acidosis, and stroke-like episodes, MOG : myelin oligodendrocyte glycoprotein, PALS : pediatric advanced life support, PAT : Pediatric Assessment Triangle, PRES : posterior reversible encephalopathy

表1 意識障害の原因疾患に対する問診からのアプローチ

1) 周囲の状況は？
　　　　　外傷, 中毒（CO, 薬物, アルコールなど）, 食中毒（セレウス嘔吐毒, サルモネラなど）, 熱射病, 熱傷など

2) 意識障害の起こり方は？
　　　　　突　然……………… けいれん, 頭蓋内出血, 脳梗塞, 不整脈・アダムス－ストークス発作・QT延長症候群など
　　　　　数時間・数日……… 細菌性髄膜炎, 脳炎, 脳症, 敗血症, 毒素性ショック症候群, 細菌性食中毒など
　　　　　　　　　　　　　　 糖尿病, 肝性脳症, 硬膜下出血など
　　　　　反復性……………… てんかん, 片頭痛, 低血糖, 被虐待児症候群, 先天性代謝異常症など

3) 前駆症状は？
　　　　　発　熱……………… 脳炎, 脳症, 髄膜炎, EV71脳幹脳炎（肺水腫）, EBウイルスなどのVAHS, 熱射病など
　　　　　中耳炎・副鼻腔炎… 脳膿瘍, 硬膜下膿瘍など
　　　　　咳　嗽……………… マイコプラズマ脳炎, 百日咳脳症, RSウイルスなどによる無呼吸など
　　　　　嘔吐下痢…………… 脱水, ロタ・ノロウイルス脳症, セレウス/サルモネラ脳症, 溶血性尿毒症症候群など
　　　　　眼球充血・皮疹…… 毒素性ショック症候群, 川崎病, 麻疹など
　　　　　ウイルス感染症…… インフルエンザ, 水痘, 風疹, 麻疹, 突発性発疹（HHV6）, EV71, アデノウイルス7型など

4) 家族歴　血族結婚, 同胞の病歴（突然死, 意識障害, てんかん, 熱性けいれん）, 児童虐待のリスクのある家庭

5) 既往歴　過去の意識障害発作〔てんかん, 片頭痛, 内分泌/代謝異常（低血糖, MELASなど）, もやもや病, 不整脈〕

6) 基礎疾患・常用薬
　　　　　てんかん（発作, 薬物過量）, 糖尿病, 汎下垂体機能低下症, 副腎機能低下症, 甲状腺機能亢進症, 先天性代謝異常症（高アンモニア, 代謝性アシドーシス, 低血糖, Leigh脳症, MELAS）
　　　　　循環器疾患〔大動脈狭窄（失神）, チアノーゼ型心疾患（脳梗塞, 脳膿瘍, 低酸素発作）, 不整脈〕
　　　　　肝疾患, 腎疾患〔尿毒症, 高血圧（急性糸球体腎炎など）, 透析脳症〕
　　　　　呼吸器疾患〔気管支喘息（テオフィリン過量）, 急性呼吸不全, 慢性肺疾患・神経筋CO_2ナルコーシス〕
　　　　　過換気症候群
　　　　　被虐待児症候群（過去の外傷, 薬物中毒, 家庭内の処方薬, 代理によるミュンヒハウゼン症候群）
　　　　　栄養不良（Wernicke脳症）, ピボキシル基含有抗菌薬投与による二次性カルニチン欠乏症
　　　　　自殺企図

VAHS：virus associated hemophagocytic syndorome, EV71：enterovirus 71
MELAS：mitochondrial myopathy, encephalopathy, lactic acidosis, stroke−like episodes

　けいれんの原因も多彩であり, 急性脳炎・脳症などに伴う急性症候性発作, 熱性けいれん, 憤怒けいれんなどの誘発性発作, てんかん発作などと他の発作性疾患との鑑別が重要となる（図1）. 急性症候性発作は, 代謝性, 中毒性, 器質性, 感染性, 炎症性などの

急性中枢神経系障害と時間的に密接に関して起こる発作を意味する.
　初診時の症状・検査結果は, 児の全身・脳機能の状態を反映することが多い一方で, 初期には意識障害が軽微, 止痙の確認が困難, そして検査結果の変化が乏しい症例も存在

表2　修正グラスゴー昏睡判定表

		>5歳	5歳>
開眼	4	自発的	
	3	声で	
	2	痛みで	
	1	なし	
発声	5	見当識良好	喃語，単語，文章
	4	会話混乱	普段より低下，不機嫌に泣く
	3	言葉混乱	痛みで泣く
	2	理解不能の声	痛みで呻く
	1	なし	なし
運動機能	6	命令に従う	正常自発運動
	5	上眼窩刺激に手をもってくる（>9ヵ月）	
	4	爪床刺激で逃避反応	
	3	上眼窩刺激で屈曲 ―除皮質硬直―	
	2	上眼窩刺激で伸展 ―除脳硬直―	
	1	なし	

(Kirkham FJ：Arch Dis Child 85：303, 2001 より引用)

し，その判断は慎重を要する.

1 意識障害の程度の判定

従来，日本では3-3-9度方式（Japan Coma Scale）が用いられることが多い. Glasgow Coma Scale（GCS）は，開眼（E：Eye opening）-最良言語反応（V：Verval response）-運動（M：Motor response）の順に2-2-4のように記録し，合計点8以下は特に重症で，人工呼吸など集中治療管理を要することが多い（表2）. また，A（Alert：意識清明），V（Voice：呼びかけに反応），P（Pain：痛み刺激に反応），U（Unresponsive：無反応）のAVPU小児反応スケールもよく使用され，PはおよそGCS 8に該当する. 乳幼児や気管内挿管中の児のように評価が困難な場合に，GCSの会話項目に代えて脳幹機能と呼吸パターンを追加したFOUR（Full Outline of UnResponsiveness）が使用される場合もある. 急性脳症は，JCS 20以上，GCS 10〜11以下の意識障害が急性に発症し，24時間以上持続する状態と定義されている.

小児救急患者の診察では，まず初期評価であるPAT（Pediatric Assessment Triangle），initial impressionに基づき，外観（筋緊張，周囲への反応，視線が合うか，眼に生気があるか，泣き声や会話がしっかりしているか），呼吸の状態（鼻翼呼吸，陥没呼吸，呻吟など），循環状態としての皮膚色（蒼白，チアノーゼなど）をチェックし，蘇生の必要性を評価する. 次いでバイタルサインである体温，心拍数，呼吸数，血圧のチェックを行い，一次評価ABCDEとしてA：気道，B：呼吸，C：循環の評価と安定を確認し，D（Disability：意識障害や麻痺の有無），E（Exposure：皮疹，外傷痕などの診察）を評価し，要すればPALS（pediatric advanced life support）の手順で処置を行う. 判断に困る場合は，バイタルサインを安定化させた後で定期的に刺激に対する反応をみる. また家族からの「いつもと様子が違う」という訴えには常に注意を払う.

2 けいれんの原因と診察のポイント（図1，表3）

けいれん発症時の状況，発熱，嘔吐，下痢，啼泣などの随伴症状，四肢の左右差や眼球偏位，チアノーゼ，失禁などの発作症状，持続時間，発作頻度などを問診する. 診察では髄膜刺激徴候，大泉門，神経学的所見では瞳孔の大きさ，対光反射，腱反射，病的反射，外表所見では皮疹，出血斑，色素異常，外傷，栄養状態，一般理学所見では心雑音，不整脈，肝脾腫などをみる. 乳幼児で空腹時のけいれんの反復であれば，グルコーストラ

表3 小児期に意識障害・けいれんを呈する疾患

急性脳症
　　詳細は他項参照．①代謝異常を主な病態とする病型，②サイトカインストームを主な病態とする病型，③けいれん重積を伴う病型に大きく分類．けいれん重積型（二相性）急性脳症（AESD），可逆性脳梁膨大部病変を有する軽症脳炎・脳症（MERS），急性壊死性脳症（ANE）の順に多いとされている．
急性脳炎
　　単純ヘルペスウイルス1，2型，ヒトヘルペスウイルス6，7型，パレコウイルスA3型
　　Epstein-Barrウイルス，水痘帯状疱疹ウイルス，サイトメガロウイルス
　　ロタウイルス，エンテロウイルス，アデノウイルス，アストロウイルス
　　麻疹ウイルス，風疹ウイルス，日本脳炎ウイルス，HIVウイルス，ウエストナイルウイルス
　　マイコプラズマ，原虫，寄生虫，その他
髄膜炎
　　細菌性，結核性，真菌性髄膜炎
　　ウイルス性髄膜炎（ムンプスウイルス，その他）
脳膿瘍，硬膜下膿瘍
　　急性散在性脳脊髄炎，急性出血性白質脳炎，抗MOG抗体が関連する急性脳炎，視神経脊髄炎関連疾患
後天性脱髄症候群（acquired demyelinating syndrome）
　　多発性硬化症，その他
てんかん
　　良性新生児けいれん，大田原症候群，早期ミオクロニーてんかん，先天奇形症候群
　　点頭てんかん，小児欠神てんかん，良性乳児けいれん，ドラベ症候群，結節性硬化症
　　非けいれん性てんかん重積（Angelman症候群など），パナイトポーラス症候群，中心側頭部に棘波を示すてんかん，その他
脳腫瘍
　　glomatosis cerebri，malignant lymphoma，germinoma，その他，腫瘍に伴う水頭症，脳ヘルニア
脳形成異常
　　皮質異形成，片側巨脳症，滑脳症，全前脳胞症，先天性水頭症
周産期障害
　　低酸素性虚血性脳症，頭蓋内出血，脳梗塞，静脈洞血栓
脳血管障害
　　硬膜下血腫（abusive head trauma含む），硬膜外血腫，脳内出血，くも膜下出血，脳挫傷，びまん性軸索損傷
　　脳梗塞（中枢神経血管炎，水痘罹患後，先天性心疾患，抗リン脂質抗体症候群，Fabry病，その他）
　　脳動静脈奇形，上矢状静脈洞症候群，もやもや病
自己免疫疾患
　　自己免疫介在性脳炎（抗NMDA受容体脳炎など），神経精神/neuropsychiatric SLE，神経ベーチェット，その他
先天代謝異常/神経変性疾患
　　アミノ酸・有機酸代謝異常症，脂肪酸酸化障害，尿素サイクル異常症，グルコーストランスポーター1欠損症（GLUT-1），ビタミンB6依存症，Gaucher病1型，GM1ガングリオシドーシス，Leigh脳症，Gaucher病2型，副腎白質ジストロフィー（ALD），ミトコンドリア病（MELAS，Alpers症候群）など，乳児型歯状核赤核淡球ルイ体縮症（DRPLA）など
代謝性疾患
　　低血糖，電解質異常，HUS，SIADH，Wernicke脳症，Wilson病，糖尿病性ケトアシドーシス，その他
臓器不全（脳症によるものを除く）
　　肝，腎，呼吸，心不全
その他
　　非てんかん性心因発作，片麻痺性・脳底型片頭痛，小児交代性片麻痺
　　敗血症，心筋炎，失神（神経調節性失神，心原性失神）
　　熱中症，乳幼児突然死症候群
　　睡眠障害（夜驚症，夢中遊行，過眠症），傾眠をきたすその他の疾患
　　薬物の副作用（抗てんかん薬，向精神薬，抗ヒスタミン薬），薬物・化学物質中毒，ぎんなん中毒

AESD：acute encephalopathy with biphasic seizure and late reduced diffusion, ANE：acute necrotizing encephalopathy, MERS：clinically mild encephalitis/encephalopathy with a reversible splenial lesion, MOG：myelin oligodendrocyte glycoprotein（ミエリン希突起膠細胞蛋白）, NMDA：N-methyl-D-aspartate, SLE：systemic lupus erythematosus（全身性エリテマトーデス）, HUS：hemolytic uremic syndrome（溶血性尿毒症症候群）, SIADH：syndrome of inappropriate secretion of antidiuretic hormone（抗利尿ホルモン不適合分泌症候群）

（文献5を参照して作成）

ンスポーター１欠損症，銀杏摂取があれば，銀杏中毒など，問診で強く疑われる疾患もある．

治療に必要な検査

1 緊急検査（表４）

急性脳症において，血清 CK，AST，LDH の上昇，代謝性アシドーシスの持続（２時間以上），白血球数の上昇，血糖値の上昇，血清クレアチニンの上昇，DIC を認める場合，サイトカインストーム型である可能性があり，集中治療を含めた全身管理を考慮する．CO_2 の貯留，高アンモニア・乳酸・CK 血症は，けいれんによる影響を示唆する．その一方で，出血性ショック脳症症候群（HSES）では低血糖がみられることが少なくない．

2 髄液検査

発熱に伴う意識障害・けいれん時は，頭部 CT で脳浮腫がないことを確認し髄液検査を実施する．髄液一般検査，細菌培養に加え，自己免疫介在性脳炎，脱髄疾患を疑う場合にはオリゴクローナルバンド，ミエリン塩基蛋白，代謝疾患を疑う場合には乳酸，ピルビン酸に加え各種神経伝達物質を提出する．治療開始前の貴重な検体となり，後日研究機関へ追加検査を提出することもあるため十分量採取することが望ましい．出血傾向が進み，全身状態が不良，意識障害が強い場合は控える．

3 MRI 検査

MRI 検査中に呼吸停止となることもあり，特に鎮静により呼吸状態が悪化するので，常にモニターを装着し，できれば気管内挿管後に行うことが望ましい．診断に直結する重要な所見が得られる一方で，けいれん重積型（二相性）急性脳症（AESD）では MRI の DWI 法で皮質下白質の樹枝状高信号域は発症３〜７日後に出現する．また急性散在性脳脊髄炎（ADEM）でも MRI での病変出現が臨床症状出現より遅延（最大３ヵ月）することがあり，急性期 MRI で異常がないことを根拠にこれらを否定することはできない．髄液検査や頭部 MRI で異常がなくても，MRI 時に同時に施行できる arterial spin labeling（ASL）や脳血流 SPECT で比較的早期から炎症による脳血流変化を検出できることがある．

4 脳　波

持続脳波モニタリングは，脳機能を非侵襲的かつリアルタイムに評価できる．睡眠時紡錘波（spindle wave）は視床，皮質を含め，その連絡線維が正常に機能していることを示唆し，予後良好の指標として有用である．その一方で大脳へのびまん性で強い障害が生じた際には，高振幅，律動性を欠く徐波が主体となる．外見上止痙しているようにみえても脳波上発作が持続している非けいれん性てんかん重積状態（non convulsive status epilepticus：NCSE）の検出にも有用である．Lateralized periodic discharges（LPDs）〔旧用語　で periodic lateralized epileptiform discharges（PLEDs）〕は単純ヘルペスウイルス脳炎に特徴的な所見である．

治療の実際

PR モニターや SpO_2 モニターを装着し，気道確保・酸素投与・誤嚥予防のための胃内容の吸引・気管内挿管・人工呼吸と静脈留置針・骨髄針による薬剤投与により，呼吸と循環の維持に努める．

気管内挿管：無呼吸，無反応など病状切迫している場合を除いて，PALS では経験豊か

意識障害・けいれん　27

表4 意識障害・けいれん時に行うべき検査項目の異常および可能性のある疾患

検査項目	異常	該当する疾患
1）血糖・ケトン	低下	低血糖（ケトン性，非ケトン性），糖原病，脂肪酸酸化障害，HSES，セレウス脳症
	高度上昇	糖尿病性昏睡（ケトン性，非ケトン性）
2）検血	高度貧血	失血，造血障害
	血液濃縮	高度脱水，急性脳症の重症例（血管内皮透過性亢進のため）
	好中球増多	感染症
	血小板減少	急性脳症，HUS/TTP，HPS，TSS，敗血症，DIC
	異型細胞	白血病，悪性リンパ腫など
3）尿糖，ケトン体 血尿，尿蛋白	強陽性	糖尿病性昏睡，アセトン血性嘔吐症，急性糸球体腎炎（高血圧脳症），慢性腎炎，HUS，DIC など
4）血清尿素窒素	高度上昇	尿毒症
	中等度上昇	消化管出血，脱水，ショック，HUS，HSES，TSS
5）血清電解質：Na，K，Cl，Ca	上昇または低下	高（低）ナトリウム血症，高（低）カルシウム血症など
6）肝機能：GOT，GPT，LDH，CK，ビリルビンアンモニア	上昇	脳症（ANE，HSES，Reye 症候群），TSS，肝性昏睡，脂肪酸酸化障害，尿素サイクル代謝異常，有機酸代謝障害など，NH$_3$ はけいれん中のみ高値あり
7）動脈血ガス分析：pH，PaO$_2$，PaCO$_2$，ピルビン酸・乳酸	低酸素血症	心肺不全，CO 中毒
	アシドーシス	代謝性アシドーシスでは先天性代謝異常症，有機酸代謝障害
	アルカローシス	肝性昏睡，過換気症候群
	高乳酸血症	ミトコンドリア病，糖原病，ショック，劇症型心筋症など
8）CRP，血沈，プロカルシトニン，IL-6 フェリチン，ネオプテリン，尿中 β$_2$MG，sIL2R，TNFα	高値	敗血症・細菌性髄膜炎，TSS 高サイトカイン血症（ANE，HSES，HPS など），脳炎（髄液ネオプテリン）
9）心電図	異常	心筋梗塞，房室ブロック，不整脈など
10）脳波	けいれん波，徐波	てんかん重積，Panayiotopoulos 症候群，AERRPS，shaken baby syndrome，HSES，単純ヘルペス脳炎など
11）胸部 X 線写真	異常	胸水貯留，肺炎，無気肺，肺線維症，心不全など
12）MRI/CT	異常	拡散強調像，ADC，MR 動脈・静脈撮影，造影剤などの撮像法を考慮，卵巣奇形腫（抗 NMDA 受容体抗体脳炎）
13）培養・抗原検査（血液，髄液，鼻汁，便，尿）血液/髄液/鼻汁のリアルタイム PCR	異常	敗血症，細菌性髄膜炎，インフルエンザ，RS ウイルス，ロタウイルスなど 単純ヘルペスウイルス，VZV，HHV6，EBV，日本脳炎ウイルス，肺炎マイコプラズマ（遺伝子，抗原，抗体）など
14）検体保存（血液，血清・血漿，鼻汁，尿，髄液）ガスリー濾紙，内分泌検査	異常	有機酸分析，ウイルス抗体価測定用（ペア血清の急性期検体），ウイルス分離 アシルカルニチン分析，ACTH，コルチゾール，TSH，T3，T4 など

HSE（S）：hemorrhagic shock and encephalopathy（syndrome），HUS：hemolytic uremic syndrome，TTP：thrombotic thrombopenic purpura，HPS：hemophagocytic syndrome，TSS：toxic shock syndrome，ANE：acute necrotizing encephalopathy，AERRPS：acute encephalitis with refractory repetitive partial seizures，ADC：apparent diffusion constant

〔松石豊次郎 他：小児科診療 54（suppl）：488, 1991 を参照して作成〕

な術者が鎮静と筋弛緩薬などを使用する急速導入気管内挿管法（rapid sequence intubation：RSI）を行うことが勧められている．RSI は挿管成功率が高く，挿管に伴う血圧と頭蓋内圧上昇を最小にすることができる．GCS 8 未満で気管内挿管が適応とされ，誤嚥の防止，低換気による低酸素，CO_2 血症の防止が可能となる．

ショックに対する治療：ショックでは，低血圧となった非代償期に入る前の代償期のショックの把握が大切である．代償期では，頻脈，多呼吸，四肢冷感，毛細血管充満時間が 2 秒以上等の所見と意識低下，尿量減少，代償性アシドーシス等がみられる．ショックでは，まず生食などの等張液 20 mL/kg（脳浮腫例や糖尿病性ケトアシドーシスでは 10 mL/kg）を短時間で静注する．静脈確保が困難ならば骨髄針による輸液を行う．低血糖では，10％ブドウ糖を 2 mL/kg 静注する．

けいれん重積への対応：全身管理を行いながらできるだけ早く完全なる止痙を目指す．止痙に使用する薬剤は「てんかん発作，けいれん重積状態」の項を参照のこと．2020 年 12 月にミダゾラム口腔用液を用いた頬粘膜投与が可能となり，病院前・病院初期治療が変革期を迎え，『小児けいれん重積治療ガイドライン』でも改訂が予定されている．

抗ウイルス薬，抗菌薬：単純ヘルペス脳炎が疑われればウイルス PCR（Filmarray®脳炎・髄膜炎パネルなど）を提出のうえ，受診後 6 時間以内にアシクロビルの投与を開始する．細菌性髄膜炎の疑いがあれば，血液培養後抗菌薬〔リステリア菌の可能性がない場合，1 ヵ月以上の小児では（パニペネムまたはメロペネム）＋（セフトリアキソンまたはセフォタキシム），適宜バンコマイシンを追加〕を受診後 30 分以内に投与する．

免疫療法：サイトカインストーム型では，副腎皮質ステロイドを躊躇せず投与する．ステロイドパルス療法が一般的であり，ガンマグロブリン療法や血液浄化療法も選択肢に入る．近年報告が多い自己免疫介在性脳炎・脳症では，意識障害，けいれんに加え，精神症状，不随意運動などがみられる．抗 NMDA（N-methyl-D-aspartate）受容体脳炎，抗 MOG（myelin oligodendrocyte glycoprotein）抗体脳炎を考慮し，上述した抗ウイルス薬，抗菌薬を投与のうえ，早期に免疫療法を開始する．

脳低温・平温療法：急性脳症に対する有用性を示す報告もあるが，十分に確立していない．

脳圧降下・浸透圧利尿剤：血圧上昇，徐脈，意識レベルの悪化などがあれば，脳ヘルニアの進行を疑う．橋上部障害までであれば，可逆性である．一部の急性脳炎・脳症，外傷性脳損傷（TBI），虐待による乳幼児頭部外傷（AHT）など急速に脳ヘルニアをきたす可能性がある病態では，頭蓋内圧（ICP）モニター，頭部 CT でフォローし，遅滞なく血腫除去，外減圧術に進む．画像検査で脳浮腫があれば，脳圧降下・浸透圧利尿剤を投与する．

代謝異常症を疑う際の治療：感染症や絶食後の急激な全身状態の悪化，特異的顔貌・皮膚所見・体臭・尿臭，代謝性アシドーシスに伴う多呼吸や Kussmaul 大呼吸，呼吸障害，関連性の乏しい多臓器にまたがる症状の存在，先天代謝異常症の家族歴を疑う際には，治療開始前の clinical sample を十分量採取した後，速やかに想定される原疾患の治療，ミトコンドリア救済薬などを考慮する．先天性尿素サイクル異常による高アンモニア血症では，血液透析などにより血漿アンモニアを下げなければ不可逆的な脳浮腫をきたすこと

がある．

専門医に紹介するタイミング

けいれんが持続しているかどうか，真のけいれん発作か，判断に苦慮する場合にはビデオ脳波モニタリングが可能な専門施設への紹介を検討する．けいれんは5分以上持続すれば自然に止まる可能性は低く，発熱に伴うけいれん重積が30分以上持続するとAESDの危険性が高まる．呼吸抑制・血圧低下に注意しつつ，気管内挿管の準備下で可能であればミダゾラム，チオペンタールなどで止痙を試みるべきである．

専門医からのワンポイントアドバイス

判断に迷う場合は一定の間隔をあけて繰返し評価・検査を行い，経過観察もかねて集中治療室への入室，三次救急医療施設への搬送を検討する．ある程度のオーバートリアージは許容されると考える．その一方で，児の身を案じ，一刻も早い病状回復を願う家族の心のケアを忘れずに，患児の状態，検査結果，おおよその見通しについて丁寧に説明する姿勢も求められる．

―――――――― 文　献 ――――――――

1) Reynolds S et al：Management of children and young people with an acute decrease in conscious level（RCPCH guideline update 2015）. Arch Dis Child Educ Pract Ed 103：146-151, 2018
2) 日本蘇生協議会 編：JRC蘇生ガイドライン2020. 医学書院，2021
3) 「てんかん診療ガイドライン」作成委員会 編：てんかん診療ガイドライン2018. 医学書院，2018
4) 小児けいれん重積治療ガイドライン策定ワーキンググループ 編：小児けいれん重積治療ガイドライン2017. 診断と治療社，2017
5) 小児急性脳症診療ガイドライン策定委員会 編，日本小児神経学会 監：小児急性脳症診療ガイドライン2016. 診断と治療社，2016

1. 総 論

脱 水 症

しらいようこ みうらけんいちろう はっとりもとし
白井陽子，三浦健一郎，服部元史
東京女子医科大学 腎臓小児科

POINT

● 脱水症に対するガイドラインは，急性胃腸炎のガイドラインの一部として示されている．複数のガイドラインが存在し，本邦では『小児急性胃腸炎診療ガイドライン2017』が発刊され，国際的にはWHOなどからも同様にガイドラインが示されている．

● 脱水症の診療では，まず脱水の重症度判定のための評価を行う．中等症までは経口補水療法（oral rehydration therapy：ORT）を，ORTが不可能な児や重症脱水には経静脈輸液を行う．

● 経静脈輸液を行う場合，初期輸液には等張液が推奨されている．維持輸液にも等張液の推奨が多いが，画一的な輸液方法は存在しない．

ガイドラインの現況

　脱水症に関するガイドラインは，急性胃腸炎のガイドラインの一部として示されており，本邦では小児急性胃腸炎診療ガイドラインワーキンググループにより発刊された『小児急性胃腸炎診療ガイドライン2017』[1] がある．国際的にも，『Pocket book of hospital care for children : guidelines for the management of common childhood illnesses. 2nd Edition』[2] と『Updated guideline : paediatric emergency triage, assessment and treatment : care of critically-ill children』[3] がWHOから示されている．その他にも，米国小児科学会（AAP）[4]，米国連邦防疫センター（CDC）[5]，欧州消化器栄養学会（ESPGHAN）[6] 等より，急性胃腸炎のガイドラインの一部として記載されている．

　『小児急性胃腸炎診療ガイドライン2017』では，脱水の評価に有用な項目として，CDCが示した臨床症状による脱水の重症度評価を引用し，体重減少率を含めた評価項目を記載している[1]．さらに，National Institute for Health and Care Excellence（NICE）のガイドラインなどを参考に「Red Flag（危険信号）」を示し，符号付きの症状が認められた場合は，特に重症度に留意するよう注意喚起をしている[1]．各ガイドラインでは，脱水のない，もしくは中等度以下の脱水のある小児急性胃腸炎に対する初期治療として，経口補水療法（ORT）を推奨しており[1~6]，ORTが不能な児または重症脱水の

場合に経静脈輸液が推奨されている[2].

　ORT では 4 時間，経静脈輸液では小児は 3 時間・乳児は 6 時間での補充療法の完了が推奨されている[2]．経静脈輸液の場合，初期輸液に関しては等張液が推奨されており，維持輸液に関しても等張液の推奨が多い．しかし，維持輸液として低張液と等張液を比較し，中等度の Na 濃度の低張液が比較的安全に使用できることを示したランダム化比較試験（RCT）が報告されており[7]，画一的な輸液方法は存在しない．

【本稿のバックグラウンド】 本稿では『小児急性胃腸炎診療ガイドライン 2017』と WHO などが公表したガイドラインを参考にしている．

どういう疾患・病態か

　脱水（dehydration）とは，細胞内外を問わず，体内から水分が急性に失われた状態である．狭義の脱水は，自由水の喪失のみを指し，したがって血清 Na 濃度の上昇を伴う．しかし，ガイドラインも含め，一般臨床では溶質の喪失を伴う水の喪失という概念である体液量減少（volume depletion, hypovolemia）と同義語として使用されている．したがって，ここでも脱水を，水および溶質が急性に失われた状態として記載する．

　小児では成人に比して，体表面積あたりの不感蒸泄，尿量，便中水分量が多く，1 日に必要な体表面積あたりの水分量が多い．ま

た，小児は体液のうち細胞外液が占める割合が大きいため，循環を維持するのに必要な水分量が多い．これらは小児が脱水に陥りやすい理由である．脱水の原因として最も多いのは急性胃腸炎であり，急性胃腸炎に関するガイドラインに記載された脱水に対する評価法と治療について，主に『小児急性胃腸炎診療ガイドライン 2017』と WHO のガイドラインを基にして概説する．

治療に必要な検査と診断

　脱水症の診断は，体重減少率および理学所見に基づいて行う．理学所見については，重症度の指標とする評価項目はガイドラインに

表 1　各ガイドラインにおける体重減少率からみた脱水の重症度分類

ガイドライン	脱水の重症度分類		
WHO[1]	no	some	severe
	体重減少率の記載なし		
AAP[4]	mild 3〜5%	moderate 6〜9%	severe ≧10%
CDC[5]	minimal or no <3%	mild to moderate 3〜9%	severe >9%
ESPGHAN/ESPID[6]	no	some	moderate/severe
	体重減少率の記載なし		

ESPGHAN：European Society for Pediatric Gastroenterology, Hepatology, and Nutrition
ESPID：European Society for Pediatric Infectious Diseases

表2　臨床症状による脱水の重症度評価

症　状	最小限の脱水または脱水なし〈体重の3％未満の喪失〉	軽度から中等度の脱水〈体重の3％以上9％以下の喪失〉	重度の脱水〈体重の9％を超える喪失〉
精神状態	良好，覚醒	正常，疲れている，または落ち着きがない，刺激に過敏	感情鈍麻，嗜眠，意識不明
口　渇	飲水正常，水を拒否することもある	口渇あり，水を欲しがる	ほとんど水を飲まない，飲むことができない
心拍数	正常	正常より増加	頻脈，ほとんどの重症例では徐脈
脈の状態	正常	正常より減少	弱い，または脈がふれない
呼　吸	正常	正常または早い	深い
眼	正常	わずかに落ちくぼむ	深く落ちくぼむ
涙	あり	減少	なし
口・舌	湿っている	乾燥している	乾ききっている
皮膚のしわ	すぐに戻る	2秒未満でもとに戻る	戻るのに2秒以上かかる
毛細血管再充満	正常	延長	延長，またはもとに戻らない
四　肢	暖かい	冷たい	冷たい，斑状，チアノーゼあり
尿　量	正常から減少	減少	ほとんどなし

（文献1より引用）

よって異なる．重症度の指標のうち，体重減少率が汎用されるが，病前の正確な体重は不明であることが多く，測定されていたとしても正確さに欠けることが多い．体重減少率を脱水の重症度の指標として採用しているAAPとCDCではその基準が異なり，WHOおよびESPGHANのガイドラインでは重症度の指標に採用していない（表1）．『小児急性胃腸炎診療ガイドライン2017』ではCDCの基準を引用しており，3％未満が軽度，3％以上9％以下が中等度，9％以上を重度と分類し，その他の臨床症状による脱水の重症度評価として，精神状態，口渇，心拍数，脈の状態，呼吸，眼窩陥凹，涙の有無，粘膜乾燥，ツルゴール低下，毛細血管再充満（CRT），四肢の温かさ，尿量を評価項目として記載している（表2）[1]．このうち，最も良く脱水を評価できるのは，呼吸パターンの異常，ツルゴール低下，CRTの延長である[5]．『小児急性胃腸炎診療ガイドライン2017』では，さらにNICEのガイドライン[8]などを参考に「Red Flag（危険信号）」を示し，この徴候が認められた場合は，特に重症度に留意するよう注意喚起をしている（表3）[1]．

　血液検査は通常必要ないが，重症脱水や経静脈輸液を要する患者では，可能な限り血清電解質を測定する．特に血清Na異常があれば治療方針に影響するからである．5％以上の脱水の可能性を予測するのに有用な血液検査は血清重炭酸のみであり，体重減少と相関するのは血清重炭酸，尿素窒素，血液ガスpHである[6]．

脱水症　33

表3　危険信号（Red Flag）

1. 見た目に調子が悪そう，もしくはだんだん調子が悪くなる
2. ちょっとした刺激に過敏に反応する，反応性に乏しいなどの反応性の変化
3. 目が落ちくぼんでくる
4. 頻脈
5. 多呼吸
6. 皮膚緊張（ツルゴール）の低下
7. 手足が冷たい，もしくは網状チアノーゼ
8. 持続する嘔吐
9. 大量の排便
10. 糖尿病，腎不全，代謝性疾患などの基礎疾患がある
11. 生後2か月未満
12. 生後3か月未満の乳児の38℃以上の発熱
13. 黄色や緑色の胆汁性嘔吐，もしくは血性嘔吐
14. 反復する嘔吐の既往
15. 間欠的腹痛
16. くの字に体を折り曲げる，痛みで泣き叫ぶ，もしくは歩くと響くなどの強い腹痛
17. 右下腹部痛，特に心窩部・上腹部から右下腹部に移動する痛み
18. 血便もしくは黒色便

*1〜7は重症脱水を示唆する兆候であるが，重症脱水以外でも認められることがある．8および9は今後，脱水が進行する可能性がある兆候である．10および11は通常とは異なる配慮が必要である場合であり，急性胃腸炎以外の病態を合併している可能性を考慮する必要がある．12〜18は胃腸炎以外の疾患を示唆する兆候であり，外科的疾患や敗血症などを念頭に置き鑑別を行う必要がある．

（文献1より引用）

治療の実際

1 ORT（軽症・中等症の脱水に対してまず試みる補液法）

中等症までの脱水症においては，コクランデータベースのメタ解析の結果，ORTと経静脈輸液で脱水の改善度（治療開始後の体重増加量，水分摂取量など）に差がなく，かつORTのほうが病院の滞在期間が短いことが示されており[9]，各ガイドラインではORTを第一選択としている．2002年にWHOから提唱されたoral rehydration solution（ORS）は，Na濃度75mmol/L，浸透圧245mOsm/Lと低い浸透圧に設定されており，1975年に提唱された従来のORS（Na 90mmol/L，浸透圧311mOsm/L）に比して下痢の回数や嘔吐が減少し，経静脈輸液の必要性が低下するとされている[7]．AAPや欧州消化器栄養学会から推奨されたORSはNa50〜60mEq/Lとより低く設定されている[4,6]．わが国で使用されているOS-1，アクアライトORSも，それぞれNa 50mEq/L，35mEq/Lと低浸透圧のORSである[1]．

ORSを用いた補充療法（rehydration therapy）は，経口摂取の回復や酸塩基平衡の正常化が早く，病院の滞在時間も短くなるという利点から，早期に終えることが推奨されている．WHOでは最初の4時間で表4に示す量を与えることが推奨されており[2]，CDC[5]，ESPGHAN[6]，NICE[8]の各ガイドラインでも，短いもので2〜4時間，長いもので3〜6時間が推奨されている．WHOのガイドラインには，2歳未満であればティースプーン1杯を1〜2分ごとに，それ以上の年齢では頻回に一口ずつ与え，嘔吐した場合は10分間待って2〜3分おきに与えるよう記

表4 始めの4時間で与える ORS の量

年　齢	体　重	量
＜4ヵ月	＜6kg	200〜400mL
4〜11ヵ月	6〜10kg	400〜700mL
1歳	10〜12kg	700〜900mL
2〜5歳	12〜19kg	900〜1,400mL

（文献2より引用）

表5 重症脱水に対する補液戦略

	経静脈輸液量
乳児（＜12ヵ月）	最初の1時間で30mL/kg* 次の5時間で70mL/kg ＝計6時間で100mL/kg
小児（1〜5歳）	最初の30分間で30mL/kg 次の2.5時間で70mL/kg ＝計3時間で100mL/kg

*橈骨動脈の触れが弱い場合は、もう一度繰返す。
15〜30分ごとに再評価し、脱水が改善傾向になければ、より急速な輸液を行う。過剰輸液にも注意する。
経口摂取が可能になり次第、同時にORS（5mL/kg/時）も与える（通常乳児では3〜4時間後、小児では1〜2時間後から）。
乳児では6時間後、小児では3時間後に再評価する。
（文献2より引用）

載されている[2]。これらの海外のガイドラインの記載をふまえ、『小児急性胃腸炎診療ガイドライン2017』では、初期治療においては、3〜4時間で喪失した水分を補充することを推奨している[1]。ORSの投与量は、体重から換算した脱水量と等しく、軽度〜中等度での脱水では体重の5〜10%程度の脱水であるため、具体的な投与量としては50〜100mL/kgを投与する[1]。嘔吐症例にORTを行う場合には、5mLのORSを5分ごとに投与する[1]。ティースプーン1杯、ペットボトルのキャップ3/4程度の量が5mLの目安で、嘔吐が治まれば投与間隔を徐々に短くし、ORSを嘔吐してしまった場合でも、ORTを続けてよいと記載されている[1]。ただし、表3のRed Flag（危険信号）の兆候が認められた場合には、速やかに医療機関を受診することを推奨している[1]。嘔吐が強い場合は、補水の経路として経鼻胃管の利用も可能だが、症状の緩和が認められない場合は経静脈輸液を考慮する[1]。

② 経静脈輸液（重症脱水またはORTが不能な場合）

重症脱水では、経静脈輸液を行う。重症脱水でない場合でも、ショック、意識状態の変容または重症のアシドーシスを伴う脱水や、経口摂取または経鼻胃管の使用によっても脱水が改善しないまたは悪化したり嘔吐が継続する場合、著明な腹部膨満やイレウスを認め

る場合には経静脈輸液が適応となる[5]。各ガイドラインでは、より早く補充輸液を完了することは早期のORT開始につながり、電解質・酸塩基平衡の異常が早期に改善し、入院期間が短縮するため、早期の十分な補充輸液が推奨されている。WHOのガイドラインでは、100mL/kgの乳酸リンゲル液または生理食塩水を用いて、表5の方法にしたがって輸液することを推奨している[2]。他のガイドラインでも、乳酸リンゲル液または生理食塩水を20mL/kg/時で2〜4時間で輸液することを推奨している。補充輸液の間は、15〜30分ごとにツルゴールや意識状態などを観察する[2]。眼窩陥凹はその他の症状より改善が遅れる[2]。飲水は1時間おきに試し、脱水が改善し飲水が可能となったら、ORTに切り替える[2]。経静脈輸液を行えない場合は、経鼻胃管を用いてORSを20mL/kg/時、6時間（計120mL/kg）で注入する方法も提示されている[2]。

維持輸液としての経静脈輸液に関しては、2018年にAAPからガイドラインが発表され、低張液輸液による医原性低Na血症の発

脱水症　35

症が懸念されるため，ブドウ糖と KCL を適切に含んだ Na 140〜154 mEq/L に相当する等張液を用いることが推奨されている[10]．AAP はさらに，emergency department における維持輸液で，2019 年 12 月までに 80% 以上の施設で等張液の使用を達成し，低張液の使用と比して高 Na 血症の発症は有意に増加しないことを示した[11]．NICE の維持輸液に関するガイドラインでも，等張液を用いた維持輸液が推奨されている[12]．しかし 2020 年に，急性疾患の小児を対象として，Na 80 mEq/L，K 20 mEq/L を含む中等度の低張液と，Na 140 mEq/L，K 5 mEq/L を含む等張液を用いた維持輸液を比較した RCT が発表された[7]．それによると，等張液を用いた維持輸液では，有意に電解質異常（高 Na 血症または低 K 血症）が多く体重が増加したことが報告され，中等度の Na 濃度の低張液が比較的安全に使用できることが示された[7]．

　維持輸液の輸液量は，1 日の生理的な喪失分（Holliday-Segar の式に基づく）と嘔吐・下痢による喪失分を足したものから ORT による摂取量を引いた量である．しかし，NICE のガイドラインには，非浸透圧性の抗利尿ホルモン分泌により自由水保持のリスクがある症例では，必要とされる維持輸液量の 50〜80% に制限することを考慮するよう記載されている[12]．また，維持輸液を行っているときには，少なくとも 24 時間おきに血清電解質と血糖を測定することが推奨されている[12]．

処方・治療例

処方 A　ORT（中等症までの脱水に試みる）

　　　OS-1 またはアクアライト ORS

を 3〜4 時間かけて 50〜100 mL/kg 与える．少量ずつ頻回から開始し，嘔吐があれば 10 分休み，ゆっくりと再開する．

処方 B　経静脈輸液（重症脱水または ORT が不能である場合）

　　　等張液（乳酸リンゲル液，酢酸リンゲル液，生理食塩水のいずれか）を用いて 20 mL/kg/時を 1〜4 時間で輸液する．脱水の所見が改善したら，ORT を開始するとともに不足分（Holliday-Segar の式に基づく生理的喪失量に下痢・嘔吐などの喪失が続いていればその分を加え ORT の摂取量を引いた量）に対して 2 号液を用いて維持輸液を行う．

専門医に紹介するタイミング

　経静脈輸液に反応しない場合は，敗血症性ショックや心筋炎/心筋症など，基礎疾患が存在する可能性があり，専門医にコンサルトする．漫然と輸液を続けるのではなく，短時間ごとに再評価することが重要である．

専門医からのワンポイントアドバイス

　小児科領域でも補充輸液として等張液の使用が増えてきている．しかしながら，1 号液など低張液の使用が否定されたわけではない．維持輸液も含め，低張液の輸液は軽度の低 Na 血症（130〜135 mEq/L）の発症頻度を有意に上げるが，重篤な有害事象の頻度が有意に上昇するという報告はない．特に，高張性脱水における等張液の使用は，しばしば血清 Na 値のさらなる上昇をまねくため，循

環動態が安定したら速やかに低張液に切り替えることが望ましい.

　高張性脱水の場合以外にも，生理食塩水にはブドウ糖が添加されていないこと，急性胃腸炎の際に低血糖になっている児が多くいること，海外の臨床試験で維持輸液として投与されている等張液にはブドウ糖が添加されているものが多いこと，適宜Kも補充されていることに留意する必要がある．画一的な輸液法は存在せず，自分が行っている輸液が患者に害を与えていないか，常に再評価する姿勢が重要である.

────────── 文　献 ──────────

1) 小児急性胃腸炎診療ガイドライン ワーキンググループ：小児急性胃腸炎診療ガイドライン. "エビデンスに基づいた子どもの腹部救急診療ガイドライン2017" 日本小児救急医学会診療ガイドライン作成委員会 編. pp1-40, 2017

2) World Health Organization：Pocket book of hospital care for children：guidelines for the management of common childhood illnesses, 2nd Edition. 2013

3) World Health Organization：Updated guideline：paediatric emergency triage, assessment and treatment：care of critically-ill children. Geneva, 2016

4) Practice parameter：the management of acute gastroenteritis in young children. American Academy of Pediatrics, Provisional Committee on Quality Improvement, Subcommittee on Acute Gastroenteritis. Pediatrics 97：424-435, 1996

5) King CK et al：Centers for Disease Control and Prevention：Managing acute gastroenteritis among children：oral rehydration, maintenance, and nutritional therapy. MMWR Recomm Rep 52 (RR-16)：1-16, 2003

6) Guarino A et al：European Society for Pediatric Gastroenterology, Hepatology, and Nutrition；European Society for Pediatric Infectious Diseases. European Society for Pediatric Gastroenterology, Hepatology, and Nutrition/European Society for Pediatric Infectious Diseases evidence-based guidelines for the management of acute gastroenteritis in children in Europe：update 2014. J Pediatr Gastroenterol Nutr 59：132-152, 2014

7) Lehtiranta S et al：Risk of electrolyte disorders in acutely ill children receiving commercially available plasmalike isotonic fluids：a randomized clinical trial. JAMA Pediatr 175：28-35, 2021

8) National Institute for Health and Care Excellence: Diarrhoea and vomiting caused by gastroenteritis in under 5s: diagnosis and management.
https://www.nice.org.uk/guidance/cg84/resources/diarrhoea-and-vomiting-caused-by-gastroenteritis-in-under-5s-diagnosis-and-management-pdf-975688889029

9) Hartling L et al：Oral versus intravenous rehydration for treating dehydration due to gastroenteritis in children. Cochrane Database Syst Rev 3：CD004390, 2006

10) Feld LG et al；Subcommittee on fluid and electrolyte therapy：Clinical Practice Guideline：Maintenance Intravenous Fluids in Children. Pediatrics 142：e20183083, 2018

11) Akinsola B et al：Improving isotonic maintenance intravenous fluid use in the emergency department. Pediatrics 148：e2020022947, 2021

12) National Institute for Health and Care Excellence (NICE)：Intravenous fluid therapy in children and young people in hospital. 2020
https://www.nice.org.uk/guidance/ng29/resources/intravenous-fluid-therapy-in-children-and-young-people-in-hospital-pdf-1837340295109

1. 総論

チアノーゼ

湯浅絵理佳，山岸敬幸
(ゆあさえりか　やまぎしひろゆき)
慶應義塾大学医学部 小児科

POINT
- ●チアノーゼとは皮膚・粘膜が青紫・暗紫色に見える症候で，呼吸器系・循環器系・神経系・感染症など様々な原因で起こる．
- ●チアノーゼを認めたら，パルスオキシメーターで経皮的動脈血酸素飽和度（SpO2）を測定する．
- ●新生児のチアノーゼでは，特に呼吸器疾患と心疾患の鑑別が重要で，酸素投与によりチアノーゼの改善が乏しい場合，チアノーゼ性心疾患が疑われる．
- ●幼小児期のチアノーゼは発症時期と経過から鑑別する．

ガイドラインの現況

　チアノーゼの原因は，呼吸器系・循環器系・神経系・感染症など様々であり，まとまった診療ガイドラインはない．日本循環器学会の『循環器病の診断と治療に関するガイドライン』に一部記載がある[1]．発症の時期および経過（急性か慢性か）によって考えるべき疾患が異なるため，新生児期（図1）および幼小児期（図2）に分けて診断フローチャートを示す[2]．

【本稿のバックグラウンド】 チアノーゼは様々な疾患に伴って発症する症候であり，各疾患（群）のガイドラインで総論として触れられる場合はあるが，チアノーゼに特化したガイドラインはない．本稿では，小児科診療において特に重要なチアノーゼの原因，鑑別，治療について総論的に解説し，各疾患（群）については各項に譲る．

どういう疾患・病態か

　チアノーゼとは，皮膚や粘膜の色が青紫・暗紫色に見える状態をいう．口唇・爪床・手掌など，粘膜や表皮が薄い皮膚（毛細血管が透けて見える部位）でよく観察できる．生理学的には，毛細血管中に還元型ヘモグロビン（Hb）が$5\,g/dL$以上存在する（正常では$2.25\,g/dL$）状態と定義される．Hbが$15\,g/dL$（正常範囲）であれば，酸素飽和度が20%下がると還元型Hbが$3\,g/dL$（$15\,g/dL \times 20\%$）増加し，$5\,g/dL$以上となる．Hb $20\,g/dL$の多血では，酸素飽和度が15%下がるだけで還元型Hbは$5\,g/dL$以上となりチアノーゼが出現しやすいが，Hb $10\,g/dL$の貧血では，30%下がらないと$5\,g/dL$を超えずチアノーゼは目立ちにくい[3]．

　チアノーゼは出現部位によって以下の2つ

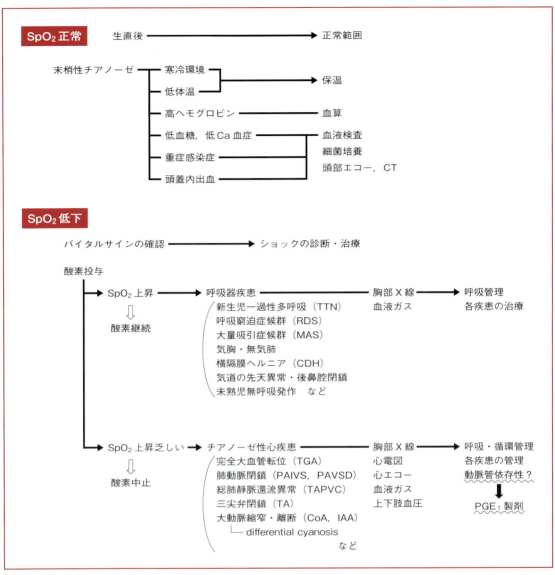

図1　新生児のチアノーゼ診断・治療フローチャート

に分類され，表1に示す原因が考えられる[4]．
①中枢性チアノーゼ：動脈血酸素飽和度の低下による．
②末梢性チアノーゼ：動脈血酸素飽和度は正常で，寒冷や末梢循環不全による．新生児では多血や末梢循環不良のため，正常でも爪床にチアノーゼを認めることが多い．

治療に必要な検査と診断

まず病歴聴取と診察が重要である．急性か，慢性か，経過を確認する．新生児では正常でもチアノーゼが観察される場合も多いが，全身状態や体温に留意し，呼吸循環系疾患以外の重篤な疾患の非特異的症状である可能性も考慮する．無呼吸，呻吟，喘鳴，多呼

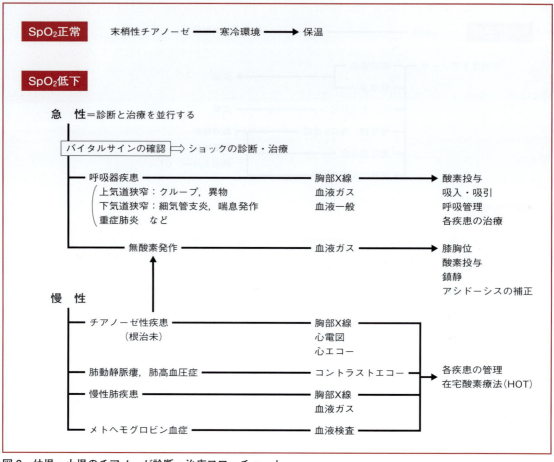

図2 幼児・小児のチアノーゼ診断・治療フローチャート

表1 チアノーゼの原因

中枢性チアノーゼ SpO₂ 低下あり	大気圧の低下 肺機能障害	高地環境 肺胞低換気 肺換気血流比不均等 酸素拡散障害
	解剖学的右左短絡	チアノーゼ性先天性心疾患 肺動静脈瘻 肺内多発性小短絡 Eisenmenger 症候群，肺高血圧
	ヘモグロビン異常	メトヘモグロビン スルフォヘモグロビン
末梢性チアノーゼ SpO₂ 低下なし	末梢血管の収縮	寒冷への曝露 四肢から体幹への血流の再分布
	末梢循環不全	心拍出量低下 心原性ショック
	動脈・静脈閉塞	

吸・陥没呼吸などの努力呼吸の有無をみる。呼吸状態が安定していれば、チアノーゼ性心疾患か血液疾患が考えられる。

チアノーゼ性心疾患でも、肺動脈弁や他の弁の狭窄・逆流がなければ、心雑音を認めない場合が多い。肺野および心臓の聴診と肝臓の触診は、新生児、乳幼児、小児のいずれでも重要である。

チアノーゼを疑ったら、パルスオキシメーターを用いて経皮的動脈血酸素飽和度（SpO_2）を測定する。必ず大腿動脈を触診し、上肢下肢の差（differential cyanosis）も確認する。脈波が弱いと SpO_2 は正しく計測できない。したがって、ショック・末梢循環不全では、SpO_2 は測定不能となる。

中枢性チアノーゼ（SpO_2 低下あり）と診断した場合、酸素投与によるチアノーゼ改善の有無を確認する。改善があれば呼吸器疾患が考えられる。チアノーゼ（SpO_2）の改善が乏しい場合、心疾患が疑われる。動脈管依存性や肺血流増加型のチアノーゼ性心疾患では、酸素投与により状態が悪化する危険性があるので、漫然と酸素を継続せず、心疾患の診断を急ぐ。呼吸器疾患および心疾患の診断と状態把握のために、胸部X線、心電図、心エコー検査と動脈血または静脈血（SpO_2 測定を併用）ガス分析を行う。特に新生児では、頭蓋内所見、一般採血、感染症の検査も重要である。

治療の実際

診断や検査と並行して治療を行う必要があり、詳細な診断よりも状態の改善が優先される場合も多い。呼吸状態が悪いときに、動脈血ガス分析で $PCO_2 > 60\,mmHg$、$PO_2 < 60\,mmHg$ は、人工呼吸管理を考慮する値である。バイタルサイン、血液ガス所見によって

は、診断確定前に呼吸管理を開始し、効果判定しながら診断を進める必要もある。

チアノーゼ性心疾患で動脈管依存性の場合、PGE_1 製剤の持続静注が必要である。うっ血性心不全であれば、利尿薬・強心薬を投与する。無酸素発作の治療・予防も重要である。

処方例

肺血流ないし体血流が動脈管に依存するチアノーゼ性心疾患に対して

処方　パルクス®（リポ PGE_1）点滴持続静注：2〜5ng/kg/分で開始して適宜増減し、効果が認められる最小量で維持する。

Fallot 四徴症の無酸素発作に対して

●治療

処方　膝胸位（knee-chest position），100%酸素吸入

　　　鎮静薬（麻薬）：オピスタン® 1mg/kg/dose または 塩酸モルヒネ　0.2mg/kg/dose　皮下注（筋注静注も可）.

・さらに発作が持続する場合

処方　インデラル® 0.05mg/kg/dose（最大0.5mg）を10分以上かけて静注.

・代謝性アシドーシスをきたした場合

処方　重炭酸ナトリウム 1〜2mEq/kg をゆっくり静注，血液ガス分析の結果により追加.

　　＊さらに発作が遷延する場合，緊急短絡手術を考慮.

●予防

処方　インデラル® 1〜4mg/kg/日　分

チアノーゼ　41

> **3〜4　少量から開始し効果があるまで漸増.**

> **上気道狭窄（クループ），急性細気管支炎，喘息発作に対して**

各項の処方例を参照.

専門医に紹介するタイミング

　救急処置・酸素投与・呼吸管理を行ってもチアノーゼが遷延する場合，チアノーゼ性心疾患を疑う場合には，可能なかぎり速やかに専門医に紹介する．また，バイタルサインが安定しても診断が確定しない場合には，専門医にコンサルトする．

専門医からのワンポイントアドバイス

　新生児期に出現するものや，急激な増悪をきたすもの，呼吸器症状を伴って出現するチアノーゼの多くは迅速な対応を要する．新生児のチアノーゼは正常でも認められるが，1/5 は重篤な心疾患，1/3 は呼吸器の問題をもつといわれている．幼小児の急性チアノーゼの原因のほとんどは，呼吸器系救急疾患である．慢性チアノーゼの大部分は，修復前または修復不可能なチアノーゼ性心疾患であり，急性増悪時には無酸素発作を鑑別する．

　合併症により様々な色調になることがある．①黒色：心不全＋換気不全，②灰（鉛）色：著明な心拍出量低下・ショック，③紫（紅）色：多血状態，④黄紫色：肝うっ血・右心不全．

文　献

1) 循環器病の診断と治療に関するガイドライン（2018年改訂版）．先天性心疾患並びに小児心疾患の診断検査と薬物療法のガイドライン（班長：安河内聰）．30-31, 2019
2) 柳川幸重：チアノーゼ．小児科診療 70（suppl）：103-107, 2007
3) 中川直美：チアノーゼ．小児科診療 80：5-12, 2017
4) 佐地　勉：チアノーゼ．"講義録小児科学"佐地勉 他編．メジカルビュー社，pp80-83, 2008

1. 総　論

浮　腫

かんだ しょういちろう
神田祥一郎[1,2]，**服部元史**[2]
はっとりもとし

1）東京大学医学部 小児科，2）東京女子医科大学 腎臓小児科

POINT

● 浮腫の原因疾患は多岐にわたる．

● 原因疾患によって浮腫を呈する機序が異なるため，体液分布を評価し病態を理解
することが重要である．

● 浮腫に対する治療は原因疾患の特定が第一である．ただし緊急性を要する場合は
その限りではない．

ガイドラインの現況

　浮腫を中心にしたガイドラインは今のところ作成されていない．「臨床検査のガイドライン JSLM2012」（日本臨床検査医学会）には「浮腫」の項目があり，診断過程が詳しく書かれている（https://jslm.org/books/guideline/index.html）．海外では，American Academy of Family Physicians の総説[2]に診断から管理についてわかりやすくまとめられている（https://www.aafp.org/afp/2013/0715/p102.html）．

　各論では，「小児特発性ネフローゼ症候群診療ガイドライン 2013」（診断と治療社）の浮腫の項や「遺伝性血管性浮腫（HAE）のガイドライン改訂 2014 年版」，「リンパ浮腫診療ガイドライン 2018 年版第 3 版」などがあり，原因が特定できた場合に参考にされたい．

【本稿のバックグラウンド】 浮腫の原因は多岐にわたるため，浮腫治療を中心としたガイドラインは存在しない．そこで「臨床検査のガイドライン JSLM2012」や American Academy of Family Physicians の総説などの文献を参考に鑑別診断の進め方を中心に解説した．

どういう疾患・病態か

　体内総体液量は，体重に対して新生児 80％，乳児 70％，成人 65％，高齢者 50％と年齢によって異なっている．体液は分布の違いによって細胞内液と細胞外液とに分けられ，細胞外液はさらに血管内の血漿と血管外の間質液に分けられる．細胞内液と血漿は年齢を問わず，それぞれ体重の 40％，5％程度を占めている．したがって，年齢による体液量の違いは，間質液の占める割合の違いによるものともいえる（**表 1**）．

　浮腫とは，細胞外液のうち「間質液が増加した状態」のことである．狭義には，細胞間

浮　腫　**43**

表1　年齢別体液分布（％体重）

	新生児	乳児	成人	高齢者
全体液量	80	70	65	50
細胞内液量	40	40	40	35
細胞外液量	40	30	25	15
・間質液	35	25	20	10
・血漿	5	5	5	5

質液が増加し，皮膚が腫脹する状態をいうが，広義には，胸水や腹水など，体腔内に液体が貯留している状態のことも含める．

血漿と間質液の水分の交換は，以下のStarlingの法則によって表される．

移動水分量＝LpS（Δ静水圧－Δ膠質浸透圧）

Lpは毛細血管の透過性，Sは濾過の有効表面積を表している．したがって，浮腫の病態の主体は，毛細血管透過性，静水圧，膠質浸透圧の変化であるといえる．**表2**に，病態ごとに分類した浮腫の原因疾患をまとめる．

治療に必要な検査と診断（図1）

1 症　状

浮腫に気づくことが重要である．まぶたが重い，手足がだるい，物が握りにくい，指輪がとれない，靴が履けない，体重が急に増えた，などの訴えがあれば浮腫の存在を疑う．

2 問　診

腎疾患，肝疾患，心疾患，内分泌疾患，アレルギー疾患の既往歴を聴く．日常生活の食塩・水分摂取量や尿量，体重変化を聴取する．発症が急性なのか慢性なのか，症状の進行速度も注意する．薬剤は浮腫の原因となりうるので，常用薬や最近内服した薬を聴取する．

3 診　察

浮腫の分布（局所性，全身性）を診察する．全身性浮腫は，歩行可能な場合は下肢に，臥床の場合は後頭部や背面に認められやすい．組織圧の低い部位（眼瞼，手指，陰嚢，脛骨前面）は，浮腫を確認しやすい．

浮腫には，指で圧迫した後に圧痕の残る圧痕性浮腫（pitting edema）と，圧痕が残らない非圧痕性浮腫（non-pitting edema）とがある．圧痕性浮腫は，間質に水分が貯留しているのに対し，非圧痕性浮腫は，間質の蛋白濃度が上昇している場合に認められる．リンパ浮腫や甲状腺機能低下症は，非圧痕性浮腫の代表例である．

全身性浮腫では，バイタルサイン（血圧，心拍数，呼吸数），呼吸音，心音，腹水・肝腫大の有無，頸静脈怒張などに注意する．

4 検　査

全身性浮腫の場合は，心疾患，腎疾患，肝疾患の頻度が高いため，まず尿検査（蛋白，糖，潜血，沈渣），血算，血液生化学検査（AST，ALT，TP，Alb，BUN，Cr，Na，K，Cl），X線検査，超音波検査（心臓，腹部）を行い，鑑別診断の大まかな手掛かりとする．局所性浮腫の場合は，甲状腺ホルモンも測定する．

5 診　断

a）腎疾患

高度蛋白尿が認められる場合は，ネフローゼ症候群を疑う．小児では，微小変化型ネフローゼ症候群の頻度が高い．二次性ネフローゼ症候群の鑑別のために，補体，免疫グロブリン，トランスフェリン，肝炎ウイルスマーカーの測定を行う．病型診断のために腎生検が必要な場合もある．血清BUN，Cr値が上昇する場合は，腎不全が考えられる．急性な

表2 浮腫の主な原因

Ⅰ 毛細血管静水圧の上昇
（1）腎でのナトリウム保持による血漿量増加
　　　腎疾患（糸球体腎炎，腎不全など），うっ血性心不全，妊娠，月経前浮腫，特発性浮腫，Cushing症候群，アルドステロン症
（2）静脈系の閉塞
　　　肝硬変や肝静脈閉塞，急性肺水腫，深部静脈血栓症，高度肥満

Ⅱ 血漿膠質浸透圧の低下
（1）蛋白喪失
　　　ネフローゼ症候群，蛋白漏出性胃腸症
（2）蛋白合成能の低下
　　　肝疾患や栄養不良

Ⅲ リンパ管の閉塞または間質膠質浸透圧の上昇
　　　甲状腺機能低下症，悪性腫瘍，乳房切除後，リンパ浮腫

Ⅳ 毛細血管透過性の亢進
　　　アレルギー反応，敗血症・炎症，熱傷・外傷，成人呼吸促迫症候群，血管神経性浮腫（Quincke浮腫）

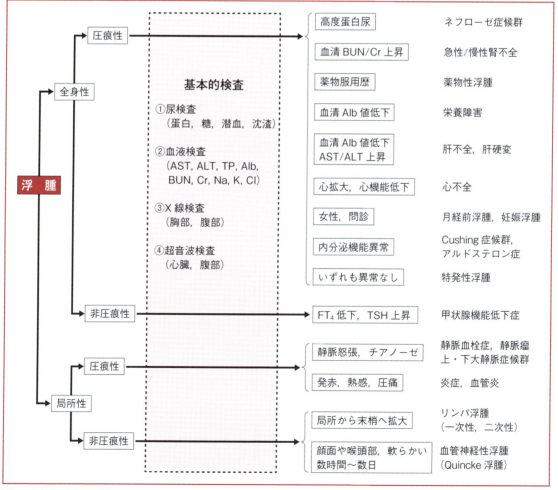

図1　浮腫の鑑別診断の進め方

のか慢性なのか，可逆的なのか不可逆的なのか，緊急透析が必要な状態なのか，全身状態やバイタルサインに注意し，頻回の Cr 値，電解質測定を併せて判断する．

b) 肝疾患

AST，ALT の上昇がある場合，肝炎ウイルスマーカーを測定する．腹部画像検査（CT，MRI）を行い，結節性病変や門脈圧亢進所見を調べる．必要があれば肝生検を行う．

c) 心疾患

呼吸困難，易疲労感，不整脈，心雑音などがあれば心不全を疑い，心電図検査，BNPや心筋逸脱酵素（CK，CK-MB，AST，LDH（LDH1），ミオグロビン，ミオシン軽鎖，トロポニン，FABP）測定を行う．

d) 深部静脈血栓症

片側下肢など非対称性浮腫を呈する．急激（72 時間以内）に発症し，しばしば痛みを伴う．肢周囲径の左右差を認めることもある．血栓が遊離して肺塞栓症をきたす場合は，命に関わることがある．血液検査では D-dimer の上昇を認める．血栓部位同定のために超音波検査を行い，これで同定できない場合は MR venography を行う．過凝固の原因精査を行う．

e) 薬剤性浮腫

甘草含有薬やエストロゲン作用薬には，アルドステロン作用があり，ナトリウムを貯留させる．カルシウム拮抗薬は，血管透過性を亢進させることがある．

f) 特発性浮腫

全身性浮腫をきたす疾患で明らかな原因が認められないものである．20～40 歳代の女性，体重の日内変動が 1.5 kg 以上，浮腫時の口渇感が強い，夕方に増悪する，などの特徴がある．

治療の実際

浮腫治療の原則は，原因疾患の特定とその治療，ナトリウム摂取量の制限である．したがって，まず原因疾患の鑑別を進めることが重要である．そのうえで原疾患の治療を優先して行う．

浮腫の治療としては，例えばネフローゼ症候群の低アルブミン血症による浮腫の場合は，アルブミン投与および利尿薬投与を行うことがある．急性腎不全や心不全で浮腫をきたしている場合は，利尿薬投与を行う．腎不全で利尿薬投与によっても利尿が得られず，浮腫が進行し呼吸不全が認められる場合は，透析を行う．原因疾患や緊急性によって浮腫に対する対応は様々である．

処方・治療例

浮腫の対症療法として利尿薬を使用する場合は，最も利尿作用の強力なループ利尿薬が選択されることが多い．ループ利尿薬は，強制的に血管内から体液を減少させるために，二次性アルドステロン症を増悪させる．その結果として低カリウム血症をきたすことも多く，抗アルドステロン薬を併用することがある．

処方A　ラシックス® 1～4mg/kg/日
　　　　分2～4　経口/静注
処方B　アルダクトン®A 1～3mg/kg/
　　　　日　分2～4　経口

専門医に紹介するタイミング

意識障害や呼吸不全（アナフィラキシーによる喉頭浮腫や心不全による肺水腫等），深

部静脈血栓症のように緊急性を要する場合は，ただちに集中管理を行える病院へ搬送する．

落ち着いている場合は，問診，診察，一般検査を行い，心疾患，肝疾患，腎疾患の評価を行ったうえで，それぞれの専門医へ紹介する．

専門医からのワンポイントアドバイス

緊急性を要する場合は，その判断を誤らないようにする．利尿薬投与は対症療法であり，それによって基礎疾患が改善するものではない．利尿薬には副作用もあり，原疾患を悪化させる可能性もあるので，原疾患を想定し，使用可能であることを確認したうえで使う．浮腫に対して盲目的に利尿薬を使用するのは避けるべきである．

――――――――――― 文　献 ―――――――――――

1) 下澤達雄：浮腫．臨床検査のガイドライン．JSLM 2012：83-87, 2012
2) Trayes KP et al：Edema：diagnosis and management. Am Fam Physician 88：102-110, 2013

1. 総 論

高 血 圧

張田 豊
東京大学医学部 小児科

POINT
- 持続する高血圧を見逃さない.
- 適切な方法で血圧測定を行う.
- 小児の血圧は性別, 年齢や体格により変化するため, 患者に適した基準値を参照する.
- 低年齢症例や高血圧の程度が高度の場合は特に二次性高血圧の可能性を検討する.
- 高血圧患者に早期から対策することは成人心血管疾患の予防に役立つと期待される.

ガイドラインの現況

小児の高血圧の診断および治療に関しては, 米国のガイドライン (The fourth report on the diagnosis, evaluation, and treatment of high blood pressure in children and adolescents)[1] が 2004 年に発表された. 2017 年に成人領域の新しい高血圧の予防・検出・評価・管理のためのガイドライン[2] が刊行され, 小児領域においてもそれをふまえた新たなガイドライン[3] により小児の高血圧基準や重症度基準が変更された. この米国の基準[3] は日本人のデータをもとにしたものではないことに注意が必要であるが, 細かい条件をもとにした精密な基準値として有用である.

本邦の小児高血圧に関するガイドラインとしては, 日本高血圧学会による『高血圧治療ガイドライン 2019』[4] の「第 11 章 小児の高血圧」, 日本循環器学会他による『先天性心疾患並びに小児期心疾患の診断検査と薬物療法ガイドライン』[5] の「7. 小児高血圧」, および小児腎臓病学会による『小児腎血管性高血圧診療ガイドライン』[6] が刊行されている.

【本稿のバックグラウンド】高血圧治療ガイドライン 2019, 米国の小児高血圧ガイドライン (Clinical Practice Guideline for Screening and Management of High Blood Pressure in Children and Adolescents) をもとに, 臨床現場の実態に即して解説した.

どういう疾患・病態か

成人の正常血圧は収縮期 120 mmHg 未満かつ拡張期血圧 80 mmHg 未満であり, 本邦も

米国も同じである. しかし成人の高血圧基準は, 米国のガイドライン[2] では 130/80 mmHg, 本邦のガイドライン[4] では診察室血圧 140/90 mmHg 以上, 家庭血圧 135/85 mmHg

表1　小児の年代別，性別高血圧基準（mmHg）

		収縮期血圧	拡張期血圧
幼児		≧120	≧70
小学校	低学年	≧130	≧80
	高学年	≧135	≧80
中学校	男子	≧140	≧85
	女子	≧135	≧80
高等学校		≧140	≧85

（文献4より引用）

以上と異なっている．これらの成人の基準は，早期の段階で血圧の上昇を認識し，血管障害の進展と将来のイベント（心臓・脳血管障害，死亡など）発生を抑制することを目的として定められている．一方で小児の場合，心血管イベントの発症率が極めて少なく，長期的なリスクを元に高血圧を定義することが困難である．そのため小児高血圧の基準は集団の血圧データから統計的に設定せざるを得ない．

小児の血圧は一般に年齢が上がる，あるいは体格が大きくなるにつれて生理的に上昇する．そのため性別，年齢，身長別の集団での血圧分布から高血圧を定義する必要がある．国内のガイドラインとしては，高血圧学会の『高血圧治療ガイドライン』[4]の「小児の高血圧（11章）」にその基準（表1），病態，管理指針が記されている．この基準は年齢および性別の収縮期・拡張期血圧で分類され，小学生高学年から高校生の1〜3％に高血圧が見いだされる．一方で，米国の基準では収縮期あるいは拡張期血圧のいずれかが年齢，性別，身長から得られた95パーセンタイル以上（表2）あるいは130/80mmHg以上を高血圧と定義し，正常血圧と高血圧の間を血圧上昇（elevated blood pressure）として細かく分類している（表3）[1]．この米国の基準は長期予後をもとに設定されたものではない

が，近年報告された将来の頸動脈内膜中膜複合体厚増加を予測する小児期の血圧基準と類似している[7]．最近では，高血圧などの複数の心血管危険因子が併存すると思春期でも標的臓器障害（target organ damage）が潜在的に進行すること[8]や，思春期の高血圧が成人での左室肥大と関連すること[9]が明らかになってきた．小児の高血圧基準を用いて早期から対策することは，成人心血管疾患や腎疾患の予防に役立つと期待されている[10]．

高血圧発症には様々な要因が関与しているが，検診などで発見される軽度高血圧は本態性高血圧に該当することが多い．後天的な影響としては，肥満と食塩過剰摂取が大きく関与している[4]．小児本態性高血圧の半数は肥満に合併しており，小児期の肥満は高血圧発症のリスクを上昇させる[4]．また先天的要因としては，高血圧の家族歴（遺伝要因）や低出生体重がある．低出生体重児では成人期に血圧上昇しやすいことが知られており，これは腎ネフロン数の減少やNa排泄障害などが原因と考えられている．一方で，二次性高血圧（表4）の割合は，報告により5〜8割程度とされており，小児では年齢が低いほどその割合が高くなる[5]．二次性高血圧のうち最も多い原因は腎性高血圧であり，その他内分泌性高血圧や腎血管性高血圧，可逆性白質脳症（PRES）などがある（表4）[5]．

小児の高血圧は偶然検診などで発見されることが多く，その場合はほとんどが無症状である．症候性の場合，吐き気，頭痛，視覚異常，けいれん，意識障害などを呈する．重症高血圧のうち，急性の臓器障害を伴うものを高血圧緊急症，伴わないものを高血圧切迫症と呼ぶ[1,5]．重症高血圧のうち，臓器障害を伴わない高血圧切迫症では，カテコラミンやアンジオテンシンⅡなどが産生され，それに反応してNOやPGI2などの血管拡張成分の

高血圧　49

表2 米国小児高血圧ガイドライン (2017) における
50パーセンタイル身長小児の性別・年齢別血圧基準値

	男 児				女 児			
	50th 身長 (cm)	50th	90th	95th	50th 身長 (cm)	50th	90th	95th
1歳	82.4	86/41	100/53	103/55	80.8	86/43	100/56	103/60
2歳	92.1	89/44	102/56	106/59	91.1	89/48	103/60	106/64
3歳	99	90/47	103/59	107/62	97.6	90/50	104/62	108/66
4歳	105.9	92/50	105/62	108/66	104.5	92/53	106/65	109/69
5歳	112.4	94/53	106/65	109/69	111.5	93/55	107/67	110/71
6歳	118.9	95/56	107/68	111/71	118.4	94/56	108/69	111/72
7歳	125.1	97/58	109/70	112/73	124.9	95/57	109/70	112/73
8歳	131	98/59	110/71	114/74	130.6	97/59	110/72	113/74
9歳	136.3	99/60	110/73	115/76	135.6	98/60	111/73	114/75
10歳	141.3	100/62	112/74	116/77	141	99/60	112/73	116/76
11歳	146.4	102/63	114/75	118/78	147.8	102/61	114/74	118/77
12歳	152.47	104/62	117/75	121/78	154.8	105/62	118/75	122/78
13歳	160.3	108/62	121/75	125/78	159.2	107/64	121/76	124/79
14歳	167.5	111/64	126/77	130/81	161.3	108/65	122/76	125/80
15歳	172.2	113/65	128/79	132/83	162.3	108/65	122/77	126/81
16歳	174.6	115/67	129/80	134/84	162.8	109/66	123/77	127/81
17歳	175.8	117/68	131/81	135/85	163	110/66	124/77	127/81

50th 身長 (cm)：50パーセンタイル身長
50th, 90th, 95th：それぞれ50, 90, 95パーセンタイルの収縮期/拡張期血圧 (mmHg)
身長によって基準値が異なるため，各身長における基準値は文献3を参照.

(文献3より引用)

産生も起こり，血管抵抗に急性の変化をきたす．一方，高血圧緊急症では血管内皮の炎症が起こり，血管トーヌスの調整が破綻し臓器血流の増加，動脈のフィブリノイト壊死をきたすため[5]，速やかな介入が必要である．

治療に必要な検査と診断

まず，血圧測定を適切な方法で行うことが重要である．リラックスした環境で行い，幼児は保護者の膝に抱いてもらい坐位で測定する．また，適切なサイズのマンシェットの選択が重要である．上腕周囲長の40％異常の幅で，カフは上腕周囲の80％以上を囲む長さ，カフの幅と長さは1：2以上とする．目安として，水銀血圧計としては3〜6歳は7cm幅，6〜9歳は9cm幅，9歳以上は成人用（13cm）が適切である[4]．最初の計測で血圧が高い（90パーセンタイル以上）場合，さらに2回続けて測定し，3回の平均値を採用する．平均でも90パーセンタイル以上の場合，自動血圧計で行っていた場合は聴診法でも2回測定し平均値を得る[3]．可能であれば，家庭血圧測定により白衣高血圧の可

表3　米国小児高血圧ガイドライン（2017）による重症度分類

	1〜13歳未満	13歳以上
正常血圧	収縮期および拡張期血圧がいずれも90パーセンタイル未満	収縮期血圧＜120mmHgかつ拡張期血圧＜80mmHg
血圧上昇	90パーセンタイル以上95パーセンタイル未満または120/80mmHg以上95パーセンタイル未満（いずれか低いほうの基準）	収縮期血圧120mmHg以上129mmHg未満かつ拡張期血圧＜80mmHg
stageⅠ高血圧	95パーセンタイル〜95パーセンタイル＋12mmHgまたは130/80〜139/89mmHg（いずれか低いほうの基準）	130/80〜139/89mmHg
stageⅡ高血圧	95パーセンタイル＋12mmHg以上または140/90mmHg以上（いずれか低いほうの基準）	140/90mmHg以上

＊収縮期と拡張期のカテゴリーが異なるときは，より高いカテゴリーとする．

（文献3より引用）

表4　二次性高血圧の原因疾患

腎性高血圧（67〜87%）	腎血管性高血圧（5〜10%）	内分泌性高血圧（10%）
・腎実質性疾患 ・ネフローゼ症候群 ・低形成腎 ・腎盂腎炎 ・逆流性腎症 ・多発性嚢胞腎 ・溶血性尿毒症候群 ・水腎症 ・その他の先天奇形	・線維筋異形成 ・症候性（例：NF typeⅠ） ・血管炎（例：高安病） ・腎静脈血栓症 ・大動脈縮窄症 ・腎動静脈瘻 ・その他 ・先天性副腎皮質過形成	・糖尿病 ・褐色細胞腫 ・クッシング症候群 ・甲状腺機能亢進症 ・高カルシウム血症

（文献5より引用）

能性を除外する．基準値を超える場合，異なる機会にさらに2回の血圧測定を行い確認する．近年，環境に影響を受けやすい小児の血圧測定には自由行動下24時間血圧測定（ambulatory blood pressure monitoring：ABPM）が有用とする報告が増えている[6]．

　小児高血圧は，年齢が低いほど何らかの器質的な異常を伴う二次性高血圧である可能性が高い．二次性高血圧として，腎実質性高血圧・内分泌性高血圧・腎血管性高血圧・脈管系高血圧・中枢神経系高血圧などがある（表4）．それらの鑑別には，血液検査（BUN，クレアチニン，電解質，血液ガス，血漿レニン活性，アルドステロン，甲状腺機能，カテコラミンなど），画像検査（腹部超音波，腹部造影CT，カプトプリル負荷試験，CT/MR血管造影，選択的血管造影，頭部CT/MRI）などが有用である．

治療の実際

高血圧と診断された場合，非薬物療法あるいは薬物療法による血圧目標は 90 パーセンタイル未満，あるいは 130/80 mmHg 未満の低いほうに設定する[3]．

本態性高血圧では，食事療法（DASH食：食塩摂取制限，野菜や果物などを通じたカリウム摂取奨励など），運動療法などの非薬物療法が重要である[3]．

非薬物療法で降圧が得られない場合，肥満などの明らかな要因がないにもかかわらずstage II 高血圧である場合，または慢性腎臓病や糖尿病治療を受けている高血圧患者は薬物療法の対象である．薬物は単剤の最小量より開始し，血圧をみながら漸増する．最大投与量まで到達または副作用が出現した場合は別な系統の第二選択薬を追加する[3]．薬物はアンジオテンシン変換酵素（ACE）阻害薬，アンジオテンシン受容体拮抗薬（ARB），Ca 拮抗薬，β遮断薬，利尿薬が適応となる[5]．

重度の症候性高血圧では静注薬を使用する．高血圧緊急症では臓器障害を防ぐために速やかな降圧が必要である．経静脈的にニカルジピン（ペルジピン®）が使われることが多い．その他，ニフェジピン，ヒドララジン，クロニジンが使用可能である[5]．

二次性高血圧に対しては，それぞれの原疾患の治療を行う[3]．

処方例

小児の一次性高血圧に対して適応が認められている経口薬の例を下に示す[4]．

処方A　レニベース®　生後 1 ヵ月以上に 0.08 mg/kg（小児最高用量10 mg），1 日 1 回

処方B　ロンゲス®　6 歳以上に 0.07 mg/kg（最高用量 20 mg）1 日 1 回

処方C　ディオバン®　6 歳以上に 20 mg（体重 35 kg 未満），40 mg（体重 35 kg 以上）1 日 1 回

処方D　ブロプレス®　1〜6 歳まで 0.05〜0.3 mg/kg，6 歳以上 2〜8 mg（最大 12 mg）．腎症を伴う場合は低用量から投与を開始し必要に応じ 8 mg まで増量　1 日 1 回

処方E　ノルバスク®　6 歳以上に 2.5 mg　1 日 1 回

第一選択薬は ACE 阻害薬，ARB および Ca 拮抗薬が望ましい．1 剤少量から開始し，効果をみながら通常量に増量する．エナラプリル（レニベース®）は生後 1 ヵ月以上，カンデサルタン（ブロプレス®）は 1 歳以上から用量が設定されているが，ほかの降圧薬は 6 歳以上の用量設定である．いずれも年齢，体重，症状により適宜増減する．なお，ACE 阻害薬使用中に感染症などで脱水を起こした場合に，急速に腎機能が悪化する場合があるため，使用中は注意が必要である．

二次性高血圧に対しては，それぞれの原疾患の治療および病態に応じた降圧を行う．

専門医に紹介するタイミング

薬物療法が奏効しない場合，切迫症や緊急症の際，あるいは二次性が疑われる場合には，専門医への紹介を考慮する．

専門医からのワンポイントアドバイス

　内科領域の高血圧管理とは異なり，小児の場合まず持続する高血圧を見逃さないことが重要である．小児科一般診療において血圧測定を行うことは時に困難であるが，低出生体重児，心・腎疾患，血圧上昇をきたしうる薬剤の投与時，あるいは，高血圧による症状を呈する場合などでは血圧評価の重要性は高い．また年少児の高血圧や，その程度が著しい場合には二次性高血圧を疑い，腎性・内分泌性高血圧や，腎血管性高血圧などの可能性について評価する必要がある．

──────── 文　献 ────────

1) The fourth report on the diagnosis, evaluation, and treatment of high blood pressure in children and adolescents. Pediatrics 114 (2 suppl 4th report)：555-576, 2004
2) Whelton PK et al：2017 ACC/AHA/AAPA/ABC/ACPM/AGS/APhA/ASH/ASPC/NMA/PCNA Guideline for the Prevention, Detection, Evaluation, and Management of High Blood Pressure in Adults：Executive Summary：A Report of the American College of Cardiology/American Heart Association Task Force on Clinical Practice Guidelines. Hypertension 71：1269-1324, 2018
3) Flynn JT et al：Clinical Practice Guideline for Screening and Management of High Blood Pressure in Children and Adolescents. Pediatrics 140, 2017
4) 日本高血圧学会：高血圧治療ガイドライン 2019. 2019
5) 日本循環器学会 他：先天性心疾患並びに小児期心疾患の診断検査と薬物療法ガイドライン（2018 年改訂版）.
https://www.j-circ.or.jp/cms/wp-content/uploads/2020/02/JCS2018_Yasukochi.pdf（2022 年 9 月閲覧）
6) 日本小児腎臓病学会：小児腎血管性高血圧診療ガイドライン 2017. 2017
7) Flynn JT：An alternative view of childhood blood pressure screening：reframing the question. JAMA Netw Open 3：e2027964, 2020
8) Price JJ et al：Cardiovascular risk factors and target organ damage in adolescents：The SHIP AHOY Study. Pediatrics 149：e2021054201, 2022
9) Zhang T et al：Trajectories of childhood blood pressure and adult left ventricular hypertrophy：The Bogalusa Heart Study. Hypertension 72：93-101, 2018
10) Robinson CH et al：High blood pressure in children and adolescents：Current perspectives and strategies to improve future kidney and cardiovascular health. Kidney Int Rep 7：954-970, 2022

1. 総論

SIDS/ALTE

まつうらひろゆき
松裏裕行
東邦大学医療センター大森病院 小児科

SIDS (sudden infant death syndrome)：乳幼児突然死症候群

POINT
- 臨床的に SIDS が疑診される場合には，検視に加え極力剖検を行って正確な診断と死因の究明をはかる必要がある．
- 本稿で紹介したガイドラインは，SIDS が疑診される症例について臨床医が法医学者・病理医と真摯に検討してより適切に診断するために作られた．第2版では，問診・チェックリストに，SIDS の除外診断に必要な検査項目や詳細分析に必要な項目，問診・チェックリストの記入要領などが追加されている[1]．

ガイドラインの現況

2012年10月に厚生労働省 SIDS 研究班が作成した『乳幼児突然死症候群（SIDS）診断ガイドライン（第2版）』が本稿執筆時点で最新である[1]．その定義は「それまでの健康状態および既往歴からその死亡が予測できず，しかも死亡状況調査および解剖検査によってもその原因が同定されない，原則として1歳未満の児に突然の死をもたらした症候群」とされている．すなわち，診断には剖検および死亡状況調査に基づくことが求められ（表1），剖検も死亡状況調査も実施できない場合には死亡診断書（死体検案書）の死亡分類は「12. 不詳」とすると明記されている．

【本稿のバックグラウンド】厚生労働科学研究「乳幼児突然死症候群（SIDS）および乳幼児突発性危急事態（ALTE）の病態解明および予防法開発に向けた複数領域専門家による統合的研究」による『乳幼児突然死症候群（SIDS）診断ガイドライン第2版[1]』を参考にしている．

どういう疾患・病態か

内因性疾患である SIDS は乳児の死亡原因の上位を占めていて，日本での発症頻度は概ね6,000〜7,000人に1人と推定されている．好発年齢は生後2〜6ヵ月で全症例の約2/3を占める．稀には1歳以上で発症することもあるが，生後1年以降の幼児急死例においてSIDS の診断は特に慎重でなければならない．本邦では，死亡原因を特定できない2〜3歳前後の幼児例も SIDS と区分されることがあるが，適切ではないとする意見が一般的

表1 解剖による診断分類（日本SIDS・乳幼児突然死予防学会）

I. 乳幼児突然死症候群（SIDS）	
Ia：典型的SIDS	解剖で異常を認めないか生命に危険を及ぼす肉眼的所見を認めない 軽微な所見を認めるものの死因とは断定できない
Ib：非典型的SIDS	無視はできないものの死因とは断定できない病変を認める
II. 既知の疾患による病死	急死を説明しうる基礎疾患を証明できる
III. 外因死	剖検において外因の根拠が示される
IV. 分類不能の乳幼児突然死	
IVa：剖検施行症例	死亡状況調査や剖検を含む様々な検討でも，病死と外因死の鑑別ができない
IVb：剖検非施行症例	剖検が施行されず臨床経過や死亡状況調査からも死因を推定できない

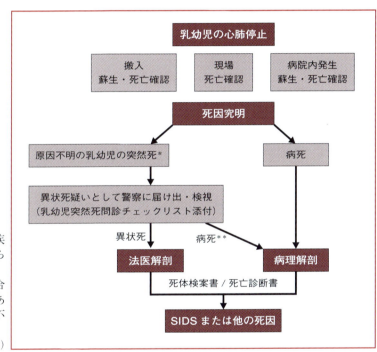

図1 SIDSの診断フローチャート
＊：急死を説明しうる基礎疾患が存在する場合や明らかな外因死を除く．
＊＊：解剖がなされない場合は診断が不可能であり，死因は「12. 不詳」とする．
（文献1より引用）

である．近年，米国を中心にSIDSを包含する新たな概念として「予期せぬ乳（幼）児の突然死」をsudden unexpected death in infant（SUDI）と定義することが提唱されている[2]．SUDIの概念を導入することで，SIDS以外の突然死も疫学的に拾い上げて原因究明のための研究対象に組込むことを意図している．

SIDSの原因は解明されていないものの，中枢神経（特に呼吸中枢）の未熟性が関与しているとされる．すなわち，何らかの原因で生じた末梢性呼吸障害による高二酸化炭素血症，低酸素血症に対する覚醒反応が不良で，そのまま心停止に至ると考えられている．

特徴と発症リスク

本症は疫学的研究から睡眠中に発症するこ

とが多く，特にうつぶせ寝は仰向け寝に比し約3.0倍の危険性があるといわれている．このほか，両親の喫煙，人工栄養，早期産児，母親が20歳未満，SIDSの家族歴，男児，冬季，先行感染などの危険因子が報告されている[3]．

検査・診断・治療（図1）

蘇生処置の甲斐なく死亡した場合には，ガイドライン[1]の「診断のための問診・チェックリスト」を利用して問診を慎重に行うとともに，死亡状況調査を警察と連携して行う．

法的にも検視は必須である．さらに死因究明のために死亡時画像診断（Ai）のみならず全血（濾紙）・血清・尿などの保存を極力行う．

─────── 文　献 ───────

1) https://www.mhlw.go.jp/bunya/kodomo/sids_guideline.html（令和4年4月2日）
2) Mitchell EA et al：Sudden unexpected death in infancy; a historical perspective. J Paediatr Child Health 51：108-112, 2015
3) Moon RY et al：Sudden infant death syndrome. Lancet 370：1578-1587, 200

ALTE（apparent life threatening event）：乳幼児突発性危急事態/BRUE（brief resolved unexplained events）

POINT
- ●ALTE は，原因の有無に関係なく観察者に児の死亡を想起させるような徴候であり，回復に要した刺激の強弱や方法は問わない[1]．
- ●病歴，発症状況，診察所見，検査所見などに基づき ALTE の原因究明を行うことが重要である．
- ●ALTE に代わる概念として BRUE（brief resolved unexplained event）が米国小児科学会から提唱されている．

ガイドラインの現況

厚生労働省 SIDS 研究班により，診断ガイドライン[1]（2015年度）と原因疾患検索手順の手引き[2]（2016年度）が公表されている．さらに ALTE に代わる概念として BRUE が 2016 年に米国小児科学会から提唱された[3]が，本邦では普遍的に認知されているとは未だいい難い．

【本稿のバックグラウンド】厚生労働科学研究「乳幼児突然死症候群（SIDS）および乳幼児突発性危急事態（ALTE）の病態解明および予防法開発に向けた複数領域専門家による統合的研究」が2016年度に公表した『乳幼児突発性危急事態原因疾患検索手順の手引き[2]』を参考にしている．

どういう疾患・病態か

ALTE は，呼吸の異常，皮膚色の変化，筋緊張の異常，意識状態の変化のうちの1つ以上が突然発症し，児が死亡するのではないかと観察者に思わしめるエピソードである．回復のための刺激の手段・強弱の有無，および原因の有無を問わないが，諸外国の定義と同様に徴候概念であり，原因究明こそ重要である．

ALTE は生命の危急状態を前提とした用語であるにもかかわらず，実際にはさほど重症な原因が存在しないことも多い．そこでリスク因子に基づいて判断し，低リスクと判断される児に対して過度な医療行為を避けることを目的として BRUE（brief resolved unexplained events）という概念が提唱されるに至った．BRUE の定義は，下記①および②を満たすものと定義されている[2]．すなわち，①1歳未満の乳児において以下の徴候の1つ以上が突然に発症し，短時間で回復して来院時には症状が改善している場合（チアノーゼまたは蒼白：呼吸休止，低呼吸，または不規則な呼吸；著明な筋の過緊張または低緊張；反応レベルの変化），②適切な病歴確認と診察にても事態を説明しうる状況を何も認めない場合，である．

検査・診断・治療

ALTE は原因究明が特に重要であり，病歴・発症状況・診察所見・検査所見などに基づき原因究明を行う．諸検査にても原因が特定できない場合には，原因不明の ALTE（特発性 ALTE）とする．原因疾患検索のための発症状況の調査や疫学的因子の検討に「問診・チェックリスト」[2]を活用する．原因が判明すればその疾患の治療へ進む．

BRUE について，米国では低リスク群の基準にあてはまる症例に対しては検査や入院を避けることが推奨されているが，本邦では疾患概念について十分な共通認識が成立しておらず，入院の可否は慎重に判断すべきと思われる．

米国では低リスクとする判断基準として[2,3]，生後60日を過ぎている；在胎週数32週以上で出生し発症時の修正在胎週数が45週以上；BRUE/SIDS の既往も家族歴もない；持続時間が1分以内；心肺蘇生を必要としない；虐待・突然死の家族歴・有害物質への曝露など懸念すべき病歴を認めない；打撲痕・心雑音・臓器肥大など身体所見の異常がない，などを挙げている．

――――――文 献――――――

1) http://www.jaam.jp/info/2016/pdf/info-20160823_ALTE.pdf（令和4年4月2日）
2) http://plaza.umin.ac.jp/sids/pdf/alte_guide.pdf（令和4年4月2日）
3) Tieder JS et al：Brief Resolved Unexplained Events（Formerly Apparent Life-Threatening Events）and Evaluation of Lower-Risk Infants. Pediatrics 137：e20160590, 2016

2. 呼吸器疾患

2. 呼吸器疾患

先天性喘鳴

長谷川久弥
東京女子医科大学附属足立医療センター 新生児科

POINT

● 先天性喘鳴は，出生直後ないし，数週間以内に出現する喘鳴を伴う先天性疾患の総称である．

● 鼻腔，咽頭，喉頭，気管，気管支などの様々な病変が含まれ，精査をすることで，病変部位，疾患名などが判明する．

● 自然治癒するものだけではないため，経時的に経過をみて症状の改善がみられない場合は，専門医に紹介するべきである．

ガイドラインの現況

先天性喘鳴は鼻腔，咽頭，喉頭，気管，気管支などの様々な病変が含まれ，精査をすることで，病変部位，疾患名などが判明する．先天性喘鳴に特化したガイドラインは作成されていないが，『子どもの喘鳴診療ガイド』[1)]，『小児の咳嗽診療ガイドライン』[2)] などの一部として記載されている．

【本稿のバックグラウンド】 先天性喘鳴に特化したガイドラインは作成されていない．本稿では，関連する『子どもの喘鳴診療ガイド』，『小児の咳嗽診療ガイドライン』などを参考に，病態，診断，治療等について解説した．

どういう疾患・病態か

先天性喘鳴は出生直後ないし，数週間以内に出現する喘鳴を伴う先天性疾患の総称である．吸気性喘鳴を主体とする場合が多く，その中で最も多いと思われる疾患は喉頭軟化症である．喉頭軟化症は，吸気時に声門上部の組織が虚脱し，狭窄症状を呈する．虚脱する部位により，3つのタイプに分類される．先天性喘鳴の原因となる他の疾患としては，鼻道狭窄，舌根沈下，咽頭狭窄，甲状舌管嚢胞，喉頭横隔膜，声門下血管腫などがある．

先天性喘鳴の原因は多岐に及ぶため，この稿では喉頭軟化症を中心に述べる．

喉頭軟化症は吸気時に喉頭の閉塞，狭窄をきたし，吸気性喘鳴，閉塞性無呼吸などを起こす．喉頭軟化症は成長に伴い，1年くらいの経過で自然に治癒する場合が多い．しかし，一部の重症例では，哺乳不良，体重増加不良，呼吸困難，閉塞性無呼吸などを認め，保存的管理が困難で，積極的介入が必要となる場合もある．

治療に必要な検査と診断

喉頭軟化症は吸気性喘鳴などの症状から疑い，喉頭鏡検査にて診断を行う[3]．頸部側面X線所見で下咽頭腔の拡張を認めることも診断の一助となる．喉頭鏡検査所見により喉頭軟化症は，Olney 分類[4]では以下の3つのタイプに分類される（図1）．

・**Type 1**（披裂部型）：披裂部が伸び，吸気時に披裂部が喉頭を閉塞する．

・**Type 2**（喉頭蓋披裂ひだ短縮型）：喉頭蓋披裂ひだが短縮し，吸気時に喉頭が内側に潰れる．

・**Type 3**（喉頭蓋型）：喉頭蓋が声門裂側に倒れて，吸気時に喉頭を閉塞する．

2つのタイプを合併している場合もあり，その場合は Type 1＋3 のように表現される．

呼吸生理学的診断としては，安静自発呼吸下のマスクを用いた flow-volume 曲線も有用である．喉頭軟化症では吸気時の flow 抑

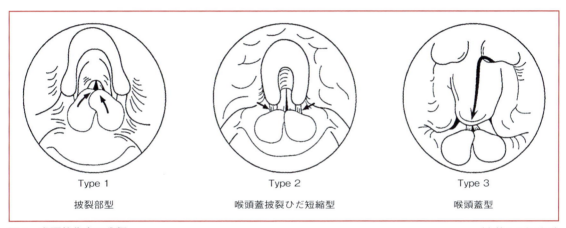

図1　喉頭軟化症の分類　　　　　　　　　　　　　　　　　　　　　　　　　　　　　　　　（文献4より引用）

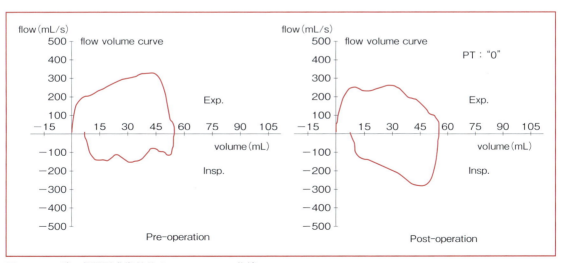

図2　レーザー喉頭形成術前後の flow-volume 曲線
　　　術前にみられた吸気のピークフローの抑制が，術後にはみられなくなっている．

先天性喘鳴　　61

制がみられ，治療で改善することから，治療効果の判定にも用いられる．**図2**はレーザー喉頭形成術前後の flow-volume 曲線で，術前には吸気時の flow 抑制がみられていたが，術後には flow 抑制はみられなくなっている．

治療の実際

全体の約 80〜90％の軽症例では，1 歳頃までに自然治癒が期待できる[3〜6]．軽症例では呼吸器感染に注意しながら成長を待つ．哺乳不良，体重増加不良，重度の閉塞性無呼吸，合併症（漏斗胸，肺性心，気管軟化症など）などの症状がみられる重症例では，医療的介入が必要になる．体位の工夫，チューブ栄養，経鼻陽圧呼吸などを行うが，こうした介入でも管理困難な例では，レーザー喉頭形成術（Type 1，2）（**図3，4**），喉頭蓋吊り上げ術（Type 3）（**図5**），気管切開などの積極的治療が必要となる場合もある．喉頭鏡検査などによる定期的な観察を行い，保存療法を行っていても症状や喉頭鏡所見の悪化，漏斗胸，気管軟化症などの合併をきたす場合には，より積極的治療への移行を考慮しなければならない（**図6**）．

重症の喉頭軟化症に対し，欧米では 1980年代から積極的な外科治療が行われてきた．Olney 分類の Type 1，Type 2 に対してはレーザーおよびラリンゴ剪刀による喉頭形成術，Type 3 に対しては喉頭蓋吊り上げ術が試みられ，良好な結果が報告されている[5〜10]．喉頭形成術の合併症として報告されているものとしては，誤嚥，出血，肉芽形成，声門上狭窄などがある．この中で最も重要かつ重篤な合併症は声門上狭窄である．声門上狭窄の頻度は 4％前後とされているが，重篤な呼吸障害を呈し，気管切開などの処置

が必要となる場合もある[6]．この合併症を避けるために，被裂部余剰粘膜の処置を両側同時に行わず，片側ずつ行う方法も報告されている[7]．我々の施設では，この術後の声門上狭窄を予防するために，ステロイド軟膏を塗布した挿管チューブを術後に挿管し，術後の換気を保つとともに，処置を行った喉頭の安静を 2〜3 日間保った後抜管する方法を用いている．この方法で術後管理を行うことにより，自験例 48 例全例で症状の改善を認め，気管切開を回避できている．Denoyelle ら[10]は Pierre Robin 症候群などの他の奇形を合併している症例ではレーザー喉頭形成術の有効率が低下することを報告しており，奇形を合併した症例の処置を行う場合には注意が必要である．また，喉頭軟化症は胃食道逆流（gastroesophageal reflux：GER）を合併する頻度が高く，特に重症例では互いに増悪素因となるため，GER 合併例では喉頭の管理だけでなく，仰臥位上体挙上などの体位療法，H_2 受容体拮抗剤などによる薬物療法などの GER の管理を併せて行うことが重要である．

呼吸器感染症で症状が増悪するため，家族を含めたワクチンの積極的接種，感染機会を減少させる努力などが必要になる．重症化が心配される例ではマクロライド少量長期投与を行い，ワクチンでカバーできない呼吸器感染の予防を行う．

処方例

処方　クラリスロマイシン　5mg/kg
　　　分 2

専門医に紹介するタイミング

先天性喘鳴を呈する疾患の多くは成長とと

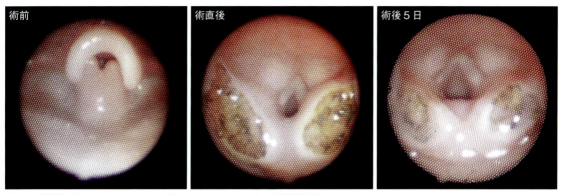

図3 喉頭軟化症（Olney Type 1）に対するレーザー喉頭形成術

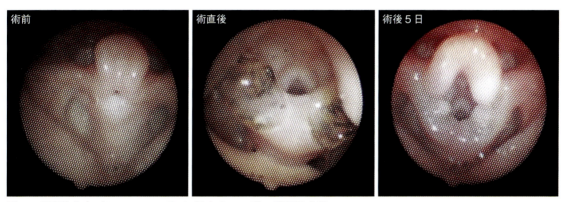

図4 喉頭軟化症（Olney Type 2）に対するレーザー喉頭形成術

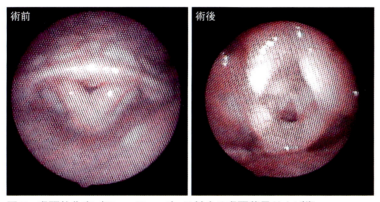

図5 喉頭軟化症（Olney Type 3）に対する喉頭蓋吊り上げ術

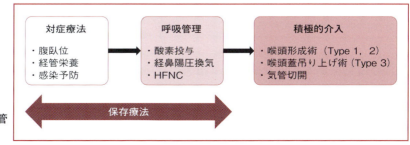

図6 喉頭軟化症に対する管理・治療方針

先天性喘鳴

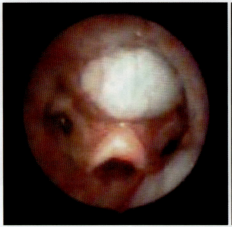
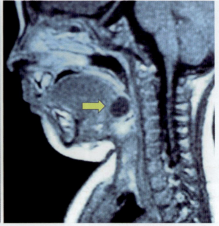

図7 甲状舌管嚢胞
　　喉頭鏡画像（左）：嚢胞により圧迫された喉頭蓋を認める．
　　MRI画像（右）：舌根部に嚢胞を認める（矢印）．

もに改善傾向となる．このため，「成長すれば治ります」と保護者に安易に伝えてしまう場合もみられる．前述したように，喉頭軟化症の10〜20％は積極的介入が必要になることから，1回の診察のみで終えるのではなく，経時的に経過をみて症状の改善がみられない場合は，専門医に紹介するべきである．また，初診時に哺乳不良，体重増加不良，呼吸困難，閉塞性無呼吸などを認める場合は，経過を追うことなく，早期に専門医に紹介するべきである．

専門医からのワンポイントアドバイス

　喉頭軟化症として紹介される症例の中に，他の原因により喉頭軟化症がひき起こされている場合がある．甲状舌管嚢胞は胎児期に甲状腺が形成される通り道の管（甲状舌管）の部分が消失せずにできた袋状の腫瘤で，喉頭蓋を前方から圧迫し，喉頭軟化症 Type 3のような所見を呈する場合がある（図7）．このような場合には，喉頭軟化症に対する治療を行っても治癒は期待できず，甲状舌管嚢胞に対する手術が第一選択となる．

文　献

1) 徳山研一 編：子どもの喘鳴診療ガイド．診断と治療社，2015
2) 日本小児呼吸器学会：小児の咳嗽診療ガイドライン．診断と治療社，2014
3) 長谷川久弥：小児喉頭・気管・気管支軟化症の診断と治療．小児耳鼻 38：54-62, 2017
4) Olney DR et al：Laryngomalacia and its treatment. Laryngoscope 109：1770-1775, 1999
5) McClurg FL et al：Laser laryngoplasty for laryngomalacia. Laryngoscope 104：247-52, 1994
6) Sichel JY et al：Management of congenital laryngeal malformations. Am J Otolaryngol 21：22-30, 2000
7) Kelly SM et al：Unilateral endoscopic supraglottoplasty for severe laryngomalacia. Arch Otolaryngol Head Neck Surg 121：1351-1354, 1995
8) 長谷川久弥 他：喉頭軟化症に対するYAG（Yttrium-Alminium-Garnet）レーザー喉頭形成術の検討．日小児呼吸器会誌 15：89-94, 2004
9) Hasegawa H et al：The evaluation of lung function tests in laser laryngoplasty for severe laryngomalacia. The Medical Journal of Matsudo City Hospital 18：5-9, 2008
10) Denoyelle F et al：Failures and complications of supraglottoplasty in children. Arch Otolaryngol Head Neck Surg 129：1077-1080, 2003

2. 呼吸器疾患

クループ

木村光一
きむらアレルギー・こどもクリニック

POINT

● クループは，犬吠用咳嗽，嗄声，吸気性喘鳴を主要症状とするウイルス性呼吸器感染症である．

● クループ治療の基本はアドレナリン吸入と全身性ステロイド薬だが，本邦ではアドレナリン吸入一回量は 0.1～0.3 mL，海外では 5.0 mL と使用量に大きな違いがある．

● 本邦でのクループ治療の EBM やガイドラインは確立しておらず，対応する医師の経験や知識に委ねられているのが現状である．

ガイドラインの現況

　現在，本邦に統一されたクループのガイドラインおよび EBM は存在しない．治療は主にアドレナリンの吸入とステロイド療法で，海外では使用薬剤や一回投与量に関して EBM に基づくコンセンサスが確立されているが，本邦では各施設の担当医の方針によって治療されているのが現状である．

　筆者らが行った全国大学小児科アンケート調査では[1]，アドレナリンの吸入は約 6 割の施設が 0.01 mL/kg で使用していた．

　ステロイドに関してはデキサメタゾンが最も多く使用されていたが，吸入で 0.2～5 mg，内服で 0.025～0.5 mg/kg，静注で 0.1～0.6 mg/kg と，すべての投与経路で施設間による相違がみられた．海外と比較するとアドレナリンの一回吸入量は 1/50 とかなり少量であり，デキサメタゾンの内服は，海外では 0.15～0.6 mg/kg が一般的だが，この範囲の量を使用している施設は，回答の得られた 55 施設中 3 施設のみであった．

【本稿のバックグラウンド】 クループに対するアドレナリン吸入は国内の多くの施設で 1 回量 0.01 mL/kg 換算を目安に使用されているが，中等症以上のクループの呼吸器症状を速やかに改善させることは容易ではない．本邦では一回吸入至適量のエビデンスがないため，筆者らが実施した二重盲検比較試験の結果を基に解説する．

どういう疾患・病態か

クループとは，主に声門下部のパラインフルエンザウイルス，インフルエンザウイルス，RS ウイルスなどのウイルス感染による喉頭気管炎（laryngotracheitis），もしくは喉頭気管気管支炎（laryngotracheobronchitis）を意味する．感冒様症状にひき続いて犬吠様咳嗽，嗄声，吸気性喘鳴を主症状とし，夜間に増悪する傾向にある．好発年齢は生後6ヵ月から幼児期で，秋から冬にかけて多い．

主にインフルエンザ菌 b 型，肺炎球菌，A群溶連菌などによる声門上部の急性喉頭蓋炎（epiglottitis）とは，病変部位や臨床症状の違いから，クループとは分けて考えたほうが理解しやすい．

本稿では，クループの診断と治療方針について解説する．

治療に必要な検査と診断

診断は臨床診断である．感冒様症状にひき続き犬吠様咳嗽，嗄声，吸気性喘鳴の症状を呈している場合はクループと診断している．嗄声や犬吠様咳嗽のみで努力性呼吸を認めない状態が軽症，安静時の吸気性喘鳴と努力性呼吸を認める状態が中等症，明らかなチアノーゼを認める状態が重症である．海外の治療ガイドラインでは，気道閉塞の重症度の指標である Westley のクループスコア（表1）を用いた治療指針を提示している[2]．吸気性喘鳴，呼吸音，陥没呼吸，チアノーゼ，意識状態，の5項目の総計が0〜2が軽症，3〜7が中等症，それ以上が重症である．

基本的にウイルス感染なので，血液検査に特異的な所見はない．喉頭部 X 線写真正面像では，steeple sign といわれる声門下の狭小化した所見を呈することがある（図1）．側面像では下咽頭腔の拡大を認めたり，声門下の気管透亮像が不明瞭になることがある．

呼吸障害のある患児の経皮的酸素飽和度の測定は大切だが，患児をできるだけ啼泣させずに安静を保つことを優先すべきであり，血液検査や画像所見で必ずしも有意な所見が得られないので，ルーチンに補助的な検査をする必要はない．

治療の実際

治療の基本は，アドレナリンの吸入とステロイドの全身投与である．

アドレナリンは，αアドレナリン受容体に作用して血管収縮，粘膜浮腫の改善，気管の平滑筋の弛緩をもたらし，ステロイドは抗炎症作用により気道粘膜の浮腫を軽減させる．本邦での治療ガイドラインは存在しないので，EBM を基にコンセンサスの得られている海外での治療内容を要約して紹介する．

表1 クループスコア

点数	吸気性喘鳴	呼吸音	陥没呼吸	チアノーゼ	意識状態
0	な し	正 常	な し	な し	正 常
1	運動時	減 少	軽 度		
2	安静時	著しく減少	中等度		
3			高 度		
4				運動時	
5				安静時	見当識障害

（文献2より引用）

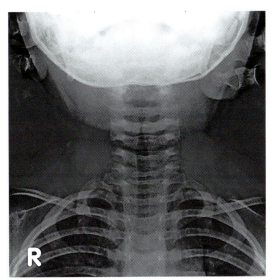

図1 steeple sign 声門下の狭小化を認める

- 吸入 l-アドレナリン（ボスミン®）の一回量は 0.5 mL/kg（Max 5 mL）．
- デキサメタゾン 0.15〜0.6 mg/kg 経口もしくは筋注か静注投与．もしくはプレドニゾロン 1 mg/kg．
- デキサメタゾン経口投与と筋注投与は同等の効果．
- デキサメタゾン経口とブデソニド吸入の相乗効果はあまり期待できない．
- ブデソニド 2 mg 吸入，l-アドレナリン 4 mg 吸入はほぼ同等の効果であり，デキサメタゾン 0.6 mg/kg 全身投与がこれに勝る．

なお，Westley のクループスコアで 2 点以下の軽症例でも，デキサメタゾンを投与した群が，プラセボ群に比べて有意に症状の改善があったという[3]．

本邦で既刊のテキストに書かれている吸入 l-アドレナリンの一回量は，そのほとんどが 0.1〜0.3 mL であるが，この有効性を示すエビデンスは見あたらない．筆者らは，0.1 mL 吸入群と 1 mL 吸入群との二重盲検比較試験を行い，1 mL 群の早期（15 分後）からの有意なクループスコアの改善と，心拍数，血圧に与える影響はないことを証明した[4]．我々が海外で推奨されている 5 mL を用いていないのは，時に咽頭刺激があること，乳児の場合，この量を吸入する時間に耐えられないことをしばしば経験するからである．

デキサメタゾン経口投与量に関しては，0.025〜0.5 mg/kg とかなり施設間での差がみられるが，筆者らは外来では 0.15 mg/kg 経口，入院では 0.5〜0.6 mg/kg 静注の頓用で治療している．

処方例

アドレナリン吸入

処方 ボスミン® 1 mL ＋ 生理食塩水 1 mL
30〜60 分ごとに追加吸入可．

ステロイド

●外来処方：10 kg のクループ児
0.15 mg/kg

処方 A　デカドロン®　3 錠（1 錠＝0.5 mg）単シロップ 5 mL　1×粉砕，頓用

処方 B　デカドロン®エリキシル（1 mL＝0.1 mg）15 mL　1×頓用

処方 C　プレドニン®　2 錠（1 錠＝5 mg）単シロップ 5 mL　1×粉砕，頓用

●入院処方：10 kg のクループ児
0.6 mg/kg

処方 デカドロン®注射液（0.5 mL＝2 mg）6 mg ＋ 5％G　5 mL×1　静注もしくは筋注
　呼吸器症状改善に乏しい場合，12 時間ごとに投与可．

> **アドレナリン吸入で効果が得られない場合**
>
> 処方　パルミコート® 2mg の吸入

専門医に紹介するタイミング

クループの多くは，外来で対処できる急性呼吸器疾患である．ただし，アドレナリンの吸入もしくはデキサメタゾンの筋注にもかかわらず，呼吸状態の改善のない症例は，入院による加療が必要である．入院の目安は，経皮的酸素飽和度が90％以下，もしくはクループスコアで5点以上である．

専門医からのワンポイントアドバイス

安静時に聴診器を当てなくても聴取される吸気性喘鳴は，しばしば進行する場合もあり，特に注意が必要である．流涎，嚥下障害，sniffing position の出現は，クループとの鑑別上重要な喉頭蓋炎の所見を示唆しており，早急な気道確保が必要になるので見逃してはいけない臨床サインである．

また，アドレナリン吸入の量は，躊躇せずにしっかりと使用して頂きたい．

文　献
---

1) 坂口由一 他：クループ症候群の治療に関する全国アンケート調査. 小児科臨床 58：2031-2036, 2005
2) Westley CR et al：Nebulized recemic epinephrine by IPPB for the treatment of croup：a double-blind study. Am J Dis Child 132：484-487, 1978
3) Bjornson CL et al：A randomized trial of a single dose of oral dexa-methasone for mild croup. N Engl J Med 351：1306-1313, 2004
4) 木村光一 他：クループに対するL体エピネフリン吸入1回量 0.1mL vs. 1mL の二重盲検比較試験. 第111回日本小児科学会学術集会，東京（2008.4）

2. 呼吸器疾患

急性細気管支炎

梅原　実
うめはらこどもクリニック

- ●小児は呼吸器系の解剖学的・生理学的特性から，初回喘鳴で急性細気管支炎と乳児喘息を鑑別することは困難である．
- ●特異的な根本的療法はなく，支持療法（酸素投与，加湿，呼吸理学療法，輸液療法，人工呼吸療法など）としての呼吸（気道）管理が主体である．
- ●"シナジス®（パリビズマブ）"投与により，risk group における重症化抑制効果が期待される．
- ●感染後の長期予後において，反復性喘鳴や気管支喘息との関連性が考慮される．

ガイドラインの現況

本邦では，「急性細気管支炎診療ガイドライン」は出されていないが，AAP（American Academy of Pediatrics）は 2006 年に "Diagnosis and Management of Bronchiolitis" を提唱した．急性細気管支炎は，病歴と理学的所見から診断は比較的容易であるが，軽微な感冒様症状から人工呼吸管理を要する重症呼吸不全までの多彩な臨床像を示し，重症度判定と治療方針決定が困難な場合が少なくない．疾患の特徴である多彩な臨床像のため実際には様々な臨床的検討が報告されているが，確立された治療管理方針はまだない．2014 年に AAP はガイドラインを改訂し，不必要な医療行為を行わないことが強く勧奨された．一方，本症の重症化抑制として "シナジス®（パリビズマブ）" 使用のガイドラインを参照すること，および感染後の長期予後において反復性喘鳴や気管支喘息発症との関連性などが強調されている．

【本稿のバックグラウンド】急性細気管支炎は，病歴と理学的所見から診断は比較的容易であるが，予防（重症化抑制），治療（病態に即した呼吸管理法の選択），予後（反復性喘鳴や気管支喘息との関連性）など呼吸器疾患領域だけではなく，感染症領域，アレルギー疾患領域などとも多岐にわたり関連している．誌面の都合上詳細には言及できないが，『小児呼吸器感染症診療ガイドライン 2022』，『小児気管支喘息治療・管理ガイドライン 2020』，『小児の咳嗽診療ガイドライン 2020』，『小児 RS ウィルス呼吸感染症診療ガイドライン 2021』などを参照されることをお勧めしたい．

どういう疾患・病態か（図1）

　急性細気管支炎は，主にRSウイルス(RSV)感染に伴う細気管支領域の炎症性気道閉塞が病態の基本であり，気道系感染による気道上皮が粘液産生とともに細胞破壊を受け，さらにケモカイン産生と好中球，リンパ球，マクロファージなどの浸潤を促し，炎症性ケミカルメディエーターの産生により病態を完成させる．そのため本態は細気管支レベルの浮腫，上皮細胞などの剥脱物質，過剰産生粘液が主であり，気管支攣縮の関与は少ないといわれ，小児呼吸系の解剖学的・生理学的特性を考慮すれば，喘鳴，呼吸障害が容易にみられることは考えるに難くない．このような臨床像は喘息発作に類似し，感冒を契機とした初回の発作との鑑別は困難であり，気管支拡張薬の効果が不確定な可能性が高い．特に，喘鳴のエピソードを繰返す場合は，乳児喘息の可能性を考慮しなければならない．さらに気道狭窄（閉塞）は，部分的狭窄と完全閉塞が混在しているため，肺は過膨張肺と無気肺の両者がみられることもある．その結果，健常時の2倍ともいわれている肺気量・残気量（機能的残気量）の増加，コンプライアンスの低下および気道抵抗の増加を認める．さらに換気不良部位と血流低下部位のバランスが崩れ（換気/血流不均衡），低酸素血症は増長する．

治療に必要な検査と診断

　細気管支炎の診断は，十分な病歴聴取（流行期，年齢，家族内の感染徴候の有無などを含む）と理学的所見により行われるべきで，診断のためにルーチンとして血液検査や胸部

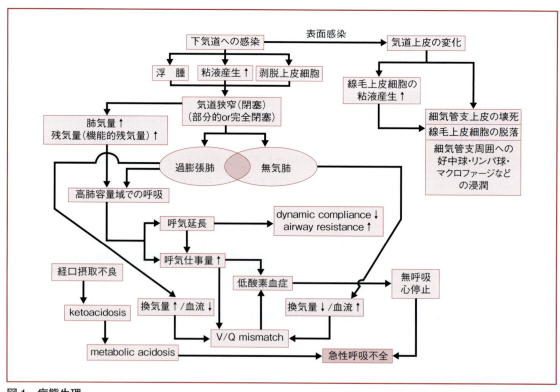

図1　病態生理

X線は必要ない．この点は，AAPガイドラインでも，2006年（以下AAPガイドライン2006），2014年（以下AAPガイドライン2014）ともに "Strong Recommendation" として改訂されていない．さらに，重症化のrisk factorを念頭におく必要があるが（**表1**），近年，本症の治療管理について，SpO_2の重要性が再評価されている．

しかし，流行期（初冬〜初春）や1歳未満では，主たる発症原因のRSV感染症の有無をチェックすることは入院を考慮する場合に必要であり，広範囲無気肺を生じている場合もあり，必要に応じて胸部X線写真をチェックする．RSV感染症の確定には，迅速診断法として抗原検出キット（イムノクロマト法）が感度・特異度ともに高く，臨床上汎用されている．

治療の実際

急性細気管支炎は，下気道感染に伴う気道上皮の変化による small airway の狭小化が主な病態であるため，特異的な根本的療法はなく，支持療法〔酸素投与（high flow nasal cannula（HFNC）を含む），加湿，呼吸理学療法，輸液療法，人工呼吸療法（nasal CPAPを含む）など〕としての呼吸（気道）管理が主体である．薬物療法（気管支拡張薬，ステロイド，高張食塩水吸入，抗生物質，抗ウイルス薬など）について種々の検討がされ報告されているが，いずれも推奨するにはエビデンスが不足している．

1 支持療法

病態の主体が small airway の閉塞（air trapping と micro-atelectasis）と換気血流不均等であるため，低酸素血症に対する呼吸管理，気道浄化療法，および脱水の補正を含

表1 High risk group

- 先天性心疾患
- BPD（bronchopulmonary dysplasia）
- 慢性肺疾患（cystic fibrosis）
- 未熟児の既往
- 免疫不全症
- 移植後
- 化学療法中

めた全身管理が3つの柱となる．

a）酸素療法

多くの報告ではSpO_2＜92％を酸素投与の適応として推奨しているが，AAPガイドライン2014ではSpO_2＜90％を勧奨し，さらに，健常乳児でも一過性の酸素飽和度低下を示すことがあるため，パルスオキシメトリーの連続モニタリングを推奨していない．酸素投与する場合には，先天性心疾患，慢性肺疾患などの有無に注意しなければならない．酸素投与方法には，フェイスマスク，鼻カニューラ，酸素テント，ヘッドボックスなどがあるが，患児を刺激して呼吸状態を増悪させないように工夫するのが一般的である．近年，"high-flow nasal cannula" による酸素投与の有用性が報告されているが，合併症などを含め今後のさらなる検討が必要である．臨床症状の悪化に加え低酸素血症（40％酸素投与下でPaO_2＜60 mmHg），チアノーゼ（100％酸素投与下）または高炭酸ガス血症（$PaCO_2$＞60 mmHg）などを認めた場合は，人工呼吸管理を考慮する（**表2**）．

b）補液療法

呼吸障害による経口摂取低下（哺乳量低下），多呼吸による不感蒸泄量増加，および咳嗽に伴う嘔吐などから脱水傾向にある場合が少なくなく，気道分泌物の粘稠度を増加させ，粘液栓（mucus plug）を形成させる可能性がある．一方，著明な吸気努力による胸腔内圧の上昇および血中抗利尿ホルモンの増

急性細気管支炎　71

表2　人工呼吸管理の適応

- 臨床症状の悪化
    - 呼吸窮迫症状の進行
    - 頻脈（>200/分）
    - 全身倦怠（not doing well）
    - 末梢循環不全
- 低酸素血症
    - $PaO_2 < 60\,mmHg$（40%酸素投与下）
    - またはチアノーゼの存在（100%酸素投与下）
- 高炭酸ガス血症
    - $PaCO_2 > 60\,mmHg$
- 無呼吸
- 徐　脈

加などから肺内水分量の貯留が促され，容易に肺水腫や水中毒をひき起こすので，血清電解質異常（低 Na 血症）に注意し過剰輸液にならないように，初期輸液の後は適切な補液療法が必要であり，誤嚥の危険性を回避するために "nasogastric" ルートも有用である．これら補液療法（経口，経静脈的）は，AAP ガイドライン 2006，AAP ガイドライン 2014 ともに "Strong Recommendation" で推奨している．

c）呼吸理学療法

気道浄化（bronchial toiletting）は，病態上重要と考えられ，気道分泌物クリアランスの改善と呼吸補助を主な目的として，呼吸理学療法が行われている．しかし，入院を要しない軽症から中等症の症例に対する呼吸理学療法（vibration や percussion，体位ドレナージ）は，患児への刺激増加による呼吸状態の増悪と気道収縮などを招くため，AAP ガイドラインではルーチンでの実施を推奨していない．人工呼吸管理下においては，"vibration や percussion，体位ドレナージ" だけではなく "呼気介助法（forced expiratory technique）" が有効な場合がある．

d）人工呼吸管理

入院症例の 7～8% が人工呼吸管理を要す

るといわれ，risk group（表1）ではその頻度が増加する．人工呼吸管理の適応を表2に示したが，いわゆる "not doing well" の症例では，救急外来で気管挿管を実施しなければならないこともあり，躊躇しないでタイミングを逃さない的確な判断が要求される．人工呼吸管理が必要となった場合のポイントは，酸素化の保持と換気不全（呼出の支持，高炭酸ガス血症対策）に留意することである．重症化した場合には，著明な末梢気道狭窄（閉塞）が存在しているので，呼出障害（気道抵抗の増大）が高度であり，同時にコンプライアンスの低下もみられる．そこで炭酸ガスの蓄積を認めるからといって安易に換気回数を増やす必要はなく，病態を考えれば呼気時間を十分に保持し，pressure control ventilation（適度な換気量を保持するための吸気圧設定）で管理する．初期設定は，換気不均等の是正のため PEEP に加え吸気時間を十分にとり，air trapping 状態にある肺の呼出を十分にとるために，換気回数を抑え呼気時間を十分に保持させ，呼吸モニタリングで的確な呼吸管理評価する．さらに，呼吸仕事量の増大が患児の消耗を助長していると考えられる場合には，鎮静薬および筋弛緩薬投与下で人工呼吸管理を注意深く行う．近年，早期に HFNC oxygen，nasal CPAP などの呼吸補助療法を導入することにより，侵襲的呼吸管理（気管挿管下呼吸管理）の回避や入院期間の短縮化など有用性が報告されている．

2 薬物療法

a）気管支拡張薬

① β 刺激薬：気管支拡張薬吸入（サルブタモールなど）が，短期間にクリニカルスコアを改善させたという報告があるが，入院期間や罹病期間を短縮させた報告は少ない．しかし，気管支喘息の既往歴がある場

合など効果を認める症例もあるので，効果判定をするために試みてみる価値はある．本剤の使用は"使用効果が認められた場合"に留めるべきで，ルーチン使用を避けるべきであり，AAPガイドラインでは推奨されていない．

②エピネフリン：αおよびβ作用をもつエピネフリンは気管支拡張効果ばかりではなく，肺血管収縮などから肺内水分量増加の軽減に有用であり，β刺激薬同様，エピネフリン吸入療法は酸素化やクリニカルスコアの改善が報告されている．しかし，入院期間や罹病期間を短縮させるevidenceはなく，ルーチン使用を避けるべきと勧奨されている．

b）ステロイド

細気管支炎のステロイドの有用性については，多くの報告で否定的であり，種々のステロイドと投与方法（例：経口プレドニゾロン，静注デキサメタゾン，ブデソニド）においても明らかな有意差がなかったと報告されている．入院期間，酸素飽和度の改善や人工呼吸管理施行児の予後などに有意差を認めないなど，入院治療中のRSVによる細気管支炎に対してステロイドを使用しないことをAAPガイドラインは推奨している．さらに，ウイルス排泄を遷延させるという報告もあり，気管支喘息やクループなどのステロイドが有用な呼吸器疾患とは違うことが強調されている．

c）抗生物質

本症がウイルス感染症である以上，原則としてルーチン使用を行うべきではない．好発年齢が低年齢であること，発熱を伴う場合が多いことや，病初期から細菌性感染症が否定しきれない場合などの理由から抗生剤投与がよく行われる．二次性細菌感染症の発症riskも考慮されていたと思われるが，抗生剤投与

群のほうが二次的細菌感染症頻度が高かったという報告もあり，臨床症状，各種検査結果，培養結果などから細菌感染症合併の可能性が高い場合に限って投与するべきであろう．

d）抗ウイルス薬

broad-spectrum antiviral agentであるリバビリンは，わが国では肝炎治療に使用されているが，諸外国のように吸入療法としての承認はされていない．本剤が入院症例の死亡率軽減や人工呼吸管理期間の短縮化に有意差がなかったと報告され，cost面からもrisk groupなどの重症例においてのみ考慮するべきとAAPガイドライン2006では勧奨している．

e）その他

高張食塩水吸入療法の有用性が報告されているが，AAPガイドライン2014では外来での実施を推奨していない．helium-oxygen混合ガス吸入療法，Surfactant投与，吸入フロセミド，RSV-IG，吸入IFNα-2a，rhDNaseなど種々の治療が試みられているが，十分な症例数で検討した報告はほとんどない．

f）"シナジス®（パリビズマブ)"

治療薬ではないが，本症の重症化が懸念されるハイリスク児に対し，RSV感染流行時期の変動も考慮し投与される（15mg/kg/回を毎月1回，筋注）．

処方例

軽症例：経口摂取（哺乳を含む）が可能な程度の呼吸障害

①経口水分摂取（少量頻回）

②必要なら酸素投与（$SpO_2 > 95\%$を維持するように）

③ベネトリン® 0.01〜0.03mL/kg/dose（max 0.3mL）に生理食塩水またはイ

急性細気管支炎　73

ンタール®吸入液 2 mL を混和して吸入
（効果に応じて 1〜4 時間ごと）

中等症例：入院を考慮する

① 酸素投与（SpO$_2$＞95％を維持するように）
② ベネトリン® 0.01〜0.03 mL/kg/dose（max 0.3 mL）に生理食塩水またはインタール®吸入液 2 mL を混和して吸入（効果に応じて 1〜4 時間ごと）
③ 補液（維持輸液として）
　ソルデム®3　80〜120 mL/kg/日
　　→呼吸状態が不安定な場合は禁食（禁乳）

（考慮すべき治療）：{ ・HFNC oxygen ・nasal CPAP

primary respiratory support として，患児の病態に応じて，気管挿管下人工呼吸管理の導入前に考慮すべき治療

重症例：PICU 管理を考慮する

① 人工呼吸管理（鎮静薬および筋弛緩薬投与下）

（考慮すべき治療）：{ ・HFNC oxygen ・nasal CPAP

primary respiratory support として，患児の病態に応じて，気管挿管下人工呼吸管理の導入前に考慮すべき治療
② ベネトリン® 0.01〜0.03 mL/kg/dose（max 0.3 mL）に生理食塩水またはインタール®吸入液 2 mL を混和して吸入（効果に応じて 1〜4 時間ごと）
③ 補液（維持輸液として）
　ソルデム®3　80〜120 mL/kg/日
　　→呼吸状態が不安定な場合は禁食（禁乳）
④ ステロイド投与を考慮

専門医に紹介するタイミング

　呼吸窮迫徴候があれば当然入院の適応となるが，転院の是非を検討する場合は，多くの施設が人工呼吸管理が可能であるかどうかであろう．さらに risk group 対象児の発症や呼吸管理が必要と判断した場合は，集中治療を行わなければならない可能性もあり，高次医療施設への転送を検討すべきである．全身状態の評価は重要であり，いわゆる "not doing well" や "ill or toxic general appearance" を見逃さず，特に 6 ヵ月未満の乳児では重症化しやすく，容易に無呼吸を含めた重篤な呼吸障害へ急速に悪化する場合があるため，酸素投与，気管挿管などの呼吸管理を躊躇することなく行い，安全で確実な転送準備を行うべきである．

外来で経過観察する場合のポイント

　呼吸状態を主として全身状態の詳細な評価は当然であるが，水分補給の重要性，適度な加湿環境に加え，本症が急激に増悪する可能性を考慮して，保護者に状態の変化を的確に捉えられるように十分な病状説明をしておかなければならない．安易な気管支拡張薬の処方のみの診療は慎まなければならない．本症回復後に反復する喘鳴をきたしやすく，気管支喘息発症の risk factor の可能性があることも留意しておかなければならない．

専門医からのワンポイントアドバイス

① タイミングを失しない酸素投与と積極的呼吸補助療法の導入（HFNC oxygen，nasal CPAP，気管挿管下人工呼吸管理）．（表2）
② 治療管理上 SpO$_2$ の評価は重要であるが，

数値に惑わされない（高炭酸ガス血症に注意する）.

③risk group に注意する（表1）.

④喘息と思い込まない（安易な気管支拡張薬吸入を行わない）.

⑤ステロイド，気管支拡張薬をルーチンに使用しない.

文　献

1) American Academy of Pediatrics Subcommittee on diagnosis and management of bronchiolitis：Diagnosis and management of bronchiolitis. Pediatrcs 118：1774-1793, 2006

2) Ralston SL et al：Clinical Practice Guideline：The Diagnosis, management, and prevention of bronchiolitis. Pediatrcs 134：e1474-e1502, 2014

3) Johnson LW et al：Management of Bronchiolitis in the Emergency Department：Impact of evidence-based guidelines? Pediatrics 131（suppl）：s103-s109, 2013

4) Florin TA et al：Variation in the management of infants hospitalized for bronchiolitis persists after the 2006 AAP Bronchiolitis Guidelines. J Pediatr 165：786-792.e1, 2014

5) Bronchiolitis in children：diagnosis and management NICE guideline：nice.org.uk/guidance/ng9, 2015

6) Tapiainen T et al：Finnish guidliens for the treatment of laryngitis, wheezing bronchitis and bronchiolitis in children. Acta Paediatr 105(1)：44-49, 2016

7) Cunningham S et al：Oxygen saturation targets in infants with bronchiolitis（BIDS）：a double-blind, randomised, equivalence trial. Lancet 386(9998)：1041-1048, 2015

8) Everard ML et al：SABRE：a multicentre randomised control trial of nebulised hypertonic saline in infants hospitalised with acute bronchiolitis. Thorax 69(12)：1105-1112, 2014

9) 日本小児科学会　予防接種・感染症対策委員会：日本におけるパリビズマブの使用に関するコンセンサスガイドライン．2019
https://www.jpeds.or.jp/uploads/files/20190402
palivizumabGL.pdf

10) Törmänen S et al：Risk factors for asthma after infant bronchiolitis. Allergy 73：916-922, 2018

急性細気管支炎　　75

2. 呼吸器疾患

気管支炎・肺炎

大日方　薫
<small>おびなた　かおる</small>

順天堂大学医学部 小児科

POINT

● 小児の市中肺炎は，5歳以下はウイルス，インフルエンザ菌，肺炎球菌によるものが多いが，6歳以上では肺炎マイコプラズマの頻度が高くなる．一方，気管支炎はウイルス感染症によるものが多い．

● 細菌性肺炎が疑われる場合，原因菌，重症度別に抗菌薬を選択する．インフルエンザ以外のウイルス感染症に対しては特異的な治療はなく，対症的に治療する．気道症状が反復，遷延する場合には，アレルギー，副鼻腔炎の存在が疑われる．

ガイドラインの現況

『小児呼吸器感染症診療ガイドライン』は2017年版からクリニカル・クエスチョン（CQ）が導入され，エビデンスレベルと推奨度が記載された[1]．診断については，小児市中肺炎の重症度分類の改訂，マイコプラズマ肺炎と細菌性肺炎のスコアリングによる鑑別，百日咳診断の新しい基準が追記されている．治療では抗菌薬適正使用を考慮した改訂が行われ，抗菌薬の選択，投与量・期間についての指針が示されている．解説編には各CQに関する背景，解説，論文検索法，引用・参考文献の要旨が掲載されている．『小児の咳嗽診療ガイドライン2020』では治療法を中心にCQが選定され，システマティック・レヴューが行われている．しかし，両ガイドラインともに国内ではエビデンスの高い論文が少ないため，欧米の研究が推奨度の根拠の中心となっている[2]．2022年10月には『小児呼吸器感染症診療ガイドライン2022』が発刊された．

【本稿のバックグラウンド】小児感染症学会が編集したガイドラインとして『小児呼吸器感染症診療ガイドライン』があり，2004年から2022年までに5回改訂された．『小児の咳嗽診療ガイドライン』は小児呼吸器学会が作成したガイドラインであり，2014年版から2020年版に改訂された．しかし，COVID-19のパンデミック以降，小児感染症の状況は大きく変化している．

どういう疾患・病態か

急性気管支炎は，気道粘膜の炎症が上気道から気管・気管支まで及ぶものの，細気管支，肺胞にまで進展していない状態とされる．気管支炎では痰が絡むような湿性咳嗽があり，胸部聴診では連続性あるいは断続性の副雑音が聴取されるが，胸部X線では肺気腫や浸潤像が認められない．一方，肺炎は急性の呼吸器感染症状があり，胸部X線や胸

部 CT 画像において肺野に浸潤像が認められる.

小児市中肺炎のうち,5 歳以下の乳幼児では,ウイルス,インフルエンザ菌,肺炎球菌の頻度が高い.ウイルス性では RS,ライノ,インフルエンザ,パラインフルエンザ,ヒトメタニューモウイルスの頻度が高い.細菌性ではインフルエンザ菌は主に無莢膜型であるため,Hib ワクチン普及後もインフルエンザ菌による肺炎は減少していない.一方,肺炎球菌結合型ワクチン普及後は,肺炎球菌による肺炎は有意に減少しており,ベンジルペニシリン(PCG)に対する薬剤感受性も改善している.6 歳以上では肺炎マイコプラズマの頻度が高くなる.

しかし,SARS-CoV-2 のパンデミック以降,マイコプラズマ肺炎は激減している.インフルエンザウイルスの流行は小規模にとどまっているが,RS ウイルスは 2021 年の夏期に大流行がみられた.一方,ライノウイルス感染には影響なく,むしろ増加傾向にある[3].

急性気管支炎は通常 1 週間で軽快し,2~3 週間で治癒する.呼気性喘鳴を反復する場合は小児喘息の合併を考える.気道症状が改善せず 3 週間以上長引く場合は遷延性咳嗽とな

る.咳の性状(乾性,湿性,喘鳴,百日咳様)を確認し,副鼻腔炎,アレルギー素因,胃食道逆流の有無を検索する.気道軟化症の合併があれば遷延性細菌性気管支炎が疑われる.

治療に必要な検査と診断

肺聴診で水疱音,連続性ラ音が聴取され,頻呼吸,陥没呼吸,酸素飽和度の低下を認める場合に胸部単純 X 線撮影を行う.急性気管支炎の場合は肺気腫,無気肺,浸潤像は認めず,気管支周囲影の増強のみを認める.小児市中肺炎の重症度分類を表 1 に示す.2017 版ではチアノーゼ・胸部 X 腺所見・人工呼吸管理の項目が削除された[1].軽症であれば特に画像検査の必要はない.

流行状況,接触歴から疑われる原因微生物の培養,迅速抗原,LAMP,PCR,抗体検査を選択あるいは組合せて行う.細菌性肺炎では CRP とプロカルシトニン(PCT)が高値の場合が多く,PCT 値 3 ng/mL 以上の入院症例では β-ラクタム系薬の投与が考慮される.CRP 値はウイルス単独感染では 3.0 mg/dL 以下であり,抗菌薬投与の要否基準にな

表 1 小児市中肺炎重症度分類 ―2017 版―

	軽症	中等症	重症
全身状態	良好	不良	不良
経口摂取	可能	不良	不可能
SpO$_2$ 低下	なし(≧96%)	90~95%	<90%
呼吸数	正常	異常	異常
無呼吸	なし	なし	あり
努力性呼吸 (呻吟・鼻翼呼吸・陥没呼吸)	なし	あり	あり
循環不全	なし	なし	あり
意識障害	なし	なし	あり

年齢別呼吸数(回/分)新生児<60,乳児<50,幼児<40,学童<20
中等症・重症においては 1 項目でも該当すれば,中等症・重症と判断する

(文献 4 より引用)

表2　市中肺炎のスコアリング項目

①年齢が6歳以上である.
②基礎疾患がない.
③1週間以内にβ-ラクタム系薬の前投与がある.
④全身状態が良好である.
⑤乾性咳嗽が主体である.
⑥胸部聴診でcracklesが聴取されない.
⑦胸部X線像で肺炎像が区域性である.
⑧血液検査で白血球数が10,000/μL未満である.
⑨血液検査でCRPが4.0mg/dL未満である.

①～⑥のうち3項目以上あてはまる場合は,マイコプラズマ肺炎の可能性が高い.
①～⑨のうち6項目以上あてはまる場合は,マイコプラズマ肺炎の可能性が高い.

(文献5より引用)

る.

　石和田らは,小児市中肺炎の細菌性肺炎と非定型肺炎の臨床症状,検査所見をもとにしたスコアリングシステムの有用性を報告している[1]（**表2**）.

治療の実際

　臨床症状と検査所見から抗菌薬投与の要否を判断する.抗菌薬が必要と考えた場合は,細菌性肺炎と非定型肺炎に対する薬剤感受性の違いを考慮した抗菌薬選択を行う.

1 細菌性肺炎が疑われる場合

　重症度別に抗菌薬を選択する.

　軽症の場合,年齢・基礎疾患の有無・全身状態・呼吸状態などから経口抗菌薬による外来治療や注射用抗菌薬を主体とした入院治療を選択する.ショック・呼吸不全を認める場合は重症肺炎と考えて,集中治療管理を行う.

　病原診断検査を行ったうえで想定される原因微生物をカバーできる治療薬を選択する.

　小児市中肺炎の抗菌薬治療期間は5日間を標準とする.抗菌薬の長期投与は副作用,耐

性菌出現に影響を与えるため必要最小限とする.

2 外来で抗菌薬を使用する場合

　抗菌薬が必要な肺炎に関しては,原因微生物の頻度から5歳以下では細菌性肺炎が,6歳以上では非定型肺炎が多いことから,年齢を考慮して初期抗菌薬選択を行う.細菌性肺炎が疑われる場合は気道への移行性が高いアモキシリン（AMPC）を第一選択とする.

① AMPC　30～40mg/kg/日,分3～4
②セフェム系抗菌薬（CDTR-PI, CFPN-PI, CFTM-PI）もAMPCと同等の臨床効果が期待されるが,第二選択薬とする.
　・セフジトレン・ピボキシル　9～18mg/kg/日,分3
　・セフカペン・ピボキシル　9mg/kg/日,分3
　・セフテラム・ピボキシル　9～18mg/kg/日,分3
③肺炎マイコプラズマや肺炎クラミジアによる肺炎,百日咳ではマクロライド系薬を第一選択とする.
　・エリスロマイシン　40mg/kg/日,分4　14日間
　・クラリスロマイシン　10～15mg/kg/日,分2～3　10日間
　・アジスロマイシン　10mg/kg/日,分1　3日間
④マクロライド耐性マイコプラズマ肺炎が強く疑われる場合
　・トスフロキサシン　12mg/kg/日,分2　7～14日間
　・ミノサイクリン　2～4mg/kg/日,分2　7～14日間（8歳以上）

　耐性マイコプラズマは2013年以降耐性率が低下しており,第一選択薬はマクロライド系となる.効果が乏しい場合は第二選択とし

てトスフロキサシン，8歳以上であればミノサイクリンの投与を考慮する[1].

❸ 入院で抗菌薬を使用する場合

①入院患者で細菌性肺炎が疑われる場合の初期抗菌薬はアンピシリン（ABPC）とする.
　・ABPC　30〜40 mg/kg/回　3回　静注
②β-ラクタマーゼ産生菌の関与が疑われる場合には，アンピシリン・スルバクタム（ABPC・SBT）あるいはセフォタキシム（CTX），セフトリアキソン（CTRX）の広域セフェム系薬を選択する.
　・ABPC・SBT　30〜50 mg/kg/回　3回　静注
　・CTX　30〜40 mg/kg/回　3回　静注
　・CTRX　25〜30 mg/kg/回　2回　静注　あるいは50〜60 mg/kg/回　1回　静注
③インフルエンザ菌β-ラクタマーゼ非産生アンピシリン耐性（BLNAR）による肺炎が疑われる場合にはCTX，CTRXが選択可能である. 国内のインフルエンザ菌の薬剤耐性ではBLNARが45％程度を占めている[1,2].

❹ ウイルス性気管支炎の治療

①抗ウイルス薬
　インフルエンザと診断された小児は，10歳未満ではオセルタミビルの内服あるいはザナミビル，ラニナビルの吸入，10歳以上ではザナミビル，ラニナビルの吸入，中等症〜重症例ではベラミビルの点滴静注が勧められる.
　SARS-CoV-2による気管支炎・肺炎では，重症化リスクがある小児に対してレムデシビルの投与が考慮される.
②気管支拡張薬（β2-アドレナリン受容体刺激薬）
　小児の咳嗽診療ガイドラインのCQ "小児の急性気管支炎の咳嗽に経口β2刺激薬を推奨するか？" では，一律に投与しないことを推奨している[2]. 喘鳴・気道閉塞を伴っている場合は投与しても良い.

処 方 例

急性気管支炎（喘鳴・気道閉塞を認める場合）

処方　ベラチン®ドライシロップ（0.1％）
　　0.04 mg/kg　分2　5日間
　　　ムコダイン®DS（50％）　30 mg/Kg　分3　5日間

市中肺炎（軽症〜中等症）

処方　パセトシン®細粒（10％）　30〜50 mg/kg　分3　2日間
　2日後に効果判定し，有効であれば解熱後3日まで抗菌薬を継続する. 効果がなければマイコプラズマ感染症に対する抗菌薬に変更する.

肺炎マイコプラズマが疑われる場合（表2参照）

処方A　クラリス®ドライシロップ10％小児用　10〜15 mg/kg/日　分2　3日間
処方B　ジスロマック®細粒小児用　10 mg/kg/日　分1　3日間
　投与後3日以内に解熱すればクラリス®は7日間追加し継続する. ジスロマック®は追加投与なし. 投与後3日以内に解熱しない場合は耐性マイコプラズマを考えて抗菌薬を変更する.
　・8歳未満：オゼックス®細粒小児用　12 mg/kg　分2　5日間
　・8歳以上：ミノマイシン®顆粒　2〜4 mg/kg/日　分2　5日間

専門医に紹介するタイミング

表2に示した小児市中肺炎の重症度分類で中等症以上であれば入院管理を考える．重症であればICU管理の可能な高次医療施設に紹介する．

専門医からのワンポイントアドバイス

気管支炎はウイルス感染症によるものが多く，抗菌薬の適正使用を心がける．細菌性肺炎が疑われる場合，原因菌，重症度別に抗菌薬を選択する．

文　献

1) 尾内一信 他，小児呼吸器感染症診療ガイドライン作成委員会：小児呼吸器感染症診療ガイドライン2017．協和企画，2016
2) 吉原重美 他監，日本小児呼吸器学会：小児の咳嗽診療ガイドライン2020．診断と治療社，2020
3) 高下恵美：COVID-19流行下における小児のライノウイルス感染リスクの上昇．臨床とウイルス 50：94-102，2022
4) 尾内一信 他監，小児呼吸器感染症診療ガイドライン作成委員会：小児呼吸器感染症診療ガイドライン2017．協和企画，pp48，2016
5) 尾内一信 他監，小児呼吸器感染症診療ガイドライン作成委員会：小児呼吸器感染症診療ガイドライン2017．協和企画，pp39，2016

2. 呼吸器疾患

気管支喘息急性増悪（発作）

浜崎雄平
佐賀整肢学園こども発達医療センター

POINT

●乳幼児期の初発および早期の喘息診断は表1を参考に行う.

●喘息の急性増悪（発作）と診断したら，表2を参考に増悪の強度を判定する.

●通常よりも強度の強い増悪の場合，呼吸器合併症を念頭におく.

●初期対応への患児の反応性を判定し帰宅が可能かを判断する. その場合，帰宅後の対応について具体的に説明する.

●大発作や呼吸不全が疑われる場合は，呼吸管理が可能な入院施設への搬送のタイミングを誤らない.

ガイドラインの現況

気管支喘息管理治療のガイドラインでグローバルに参照されているのは GINA-report であり，新規の文献を評価し，継続的に up-to-date されている. 最新版は 2022 年修正版で，インターネットで自由に参照できる（https://ginasthma.org/）. 米国のガイドラインは EPR3（2007 年発行）であり，2020 年 11 月に 13 年振りに up date された[1].

英国のガイドラインは 2019 年に改訂された. （https://www.brit-thoracic.org.uk/）. これらのガイドラインは小児を含むすべての年代の患者に対する喘息ガイドラインであり，小児期の喘息はその一部として取扱われている. 一方，日本小児アレルギー学会のガイドラインは 15 歳までの小児を対象として作成されたもので，最新の 2020 年版では成人への移行対応も記載されている[2]. 本稿は 2020 年版を参考に改訂をした.

【本稿のバックグラウンド】 本稿は小児アレルギー学会監修の『小児気管支喘息治療・管理ガイドライン 2020』に準拠して作成した. ガイドライン発行以前の喘息治療は増悪時（発作）対応の比重が大きかったが，喘息の本態が慢性の気道炎症であることが認識され，炎症を吸入ステロイド等の抗炎症薬で日常的に管理する治療・管理の導入以後，急性増悪による小児の喘息死はほとんどみられなくなった. 増悪時の対応法については 2012 年の改訂後基本的な変更はない.

どういう疾患・病態か

小児気管支喘息は世界的には増加傾向にあ

ることが指摘されている.

わが国の罹患率は 4〜8％で，やや男児に多い. 西日本で 10 年ごとに継続的に実施さ

れた疫学調査報告によると，右肩上がりに罹患率の増加を認めていたが，2012年に報告された結果では横ばい状態になっていることが示されている[3]．急性憎悪（発作）に関しても生命に危険を及ぼす大発作，呼吸不全の頻度が減少している．喘息は多様なフェノタイプが存在することが推定されている．小児期気管支喘息の病態にはⅠ型アレルギーに関連した遺伝的要因が大きく影響し，アレルゲンによるTh2リンパ球の活性化とタイプ2サイトカイン（IL-4，IL-5，IL-13等）の産生，それにひき続くBリンパ球を介したIgE抗体産生による即時型アレルギー反応（獲得免疫系）が重要と考えられてきたが，近年，気道ウイルス感染などの外的刺激により気道上皮で産生されたIL-33，TSLP等が2型自然リンパ球（ILC2）を活性化し，タイプ2サイトカインの産生を刺激して気道炎症をひき起こす経路（自然免疫系）の関与が明らかとなっている．いずれにしても，タイプ2サイトカインが関与したタイプ2炎症の重要性が指摘されている．慢性の気道炎症が長期間にわたって継続すると，気道過敏性が亢進し刺激に対して反応しやすくなり，形態学的にはリモデリングが生じ，急性増悪ではない状況でも気道内径の狭小化が起こる[4]．大多数の喘息児では急性増悪をきたしていない時期には臨床症状は示さないが，過敏性を獲得した気道はアレルゲンそのもののみならず，刺激性のガスや微粒子，気道ウイルス感染などを誘因として気道が収縮し，局所の炎症によって気道粘膜下に浮腫を生じ，喀痰の産生増大により内径がさらに狭小化することによって気流制限が生じ，喘鳴，呼吸困難，咳嗽などの急性増悪症状をひき起こす．

治療に必要な検査と診断

1 喘息の診断

　喘息の初発は，乳幼児期に気道感染に伴う喘鳴症状で始まることが多い．過去に間欠的な喘鳴・呼吸困難症状を繰返し，気管支喘息の診断が確定している患児については急性増悪の診断は容易である．一方で，初めて呼吸困難や喘鳴をきたして受診した乳幼児を，喘息の初発症状として診断することには困難が伴う[5]．乳幼児の気道は解剖学的に内径が狭小であり，免疫学的にもライノウイルス，RSウイルスをはじめとする多くの気道ウイルス感染に対して易感染性を有するために，喘息でなくても容易に喘鳴をきたす．さらなる隘路は，気道ウイルス感染が喘息児に対して症状を誘発する増悪因子として作用するために，気道感染により急性増悪症状を合併した病態に遭遇することが多いことである．乳幼児の喘息診断にはasthma predictive index（API）が有用である（表1）．乳幼児期・小児期喘息の診断に必須の検査および情報は，血清中のIgE抗体価と，吸入抗原に対する特異的アレルギー抗体価の測定とアレルギーの家族歴である．スパイロメーターやピークフローメーターを用いた呼吸機能検査は喘息の診断に必要であるとともに，急性増悪の強度を判定するためにも有用である．

2 急性増悪の強度の判定

　急性増悪の治療を進めていくうえで最も重要なポイントは，急性増悪（発作）の強度を正確に判定することである[5]．日本小児アレルギー学会では発作の強度を小，中，大，呼吸不全，の4段階に分類し，呼吸の状態，覚醒時の呼吸数，呼吸困難感，会話の状態，意識障害の有無の症状に加えて，peak expiratory flow（PEF），酸素不使用時の経皮酸素

表1　喘息診断の参考になる指標

・両親の少なくともどちらかに，医師に診断された気管支喘息（既往を含む）がある．
・両親の少なくともどちらかに，吸入抗原に対する特異的 IgE 抗体が検出される．
・患児に，医師の診断によるアトピー性皮膚炎（既往を含む）がある．
・患児に，吸入抗原に対する特異的 IgE 抗体が検出される．
・家族や患児に，高 IgE 血症が存在する（血清 IgE 値は年齢を考慮した判定が必要である）．
・喀痰中に好酸球やクレオラ体が存在する（鼻汁中好酸球，末梢血好酸球の増多は参考にする）．
・気道感染がないと思われるときに呼気性喘鳴をきたしたことがある．
・β2 刺激薬吸入後の呼気性喘鳴や努力性呼吸の改善，または酸素飽和度の改善が認められる．

（日本小児アレルギー学会：小児気管支喘息治療・管理ガイドライン 2012 年版より引用）

表2　急性憎悪（発作）治療のための発作強度判定

			小発作	中発作	大発作	呼吸不全
主要所見	症状	興奮状況	平静		興奮	錯乱
		意識	清明		やや低下	低下
		会話	文で話す	句で区切る	一語区切り～不能	不能
		起座呼吸	横になれる	坐位を好む	前かがみになる	
	身体所見	喘鳴	軽度		著明	減少または消失
		陥没呼吸	なし～軽度		著明	
		チアノーゼ	なし		あり	
	SpO$_2$（室内気）[*1]		≧96%	92～95%	≦91%	
参考所見	身体所見	呼気延長	呼気時間が吸気の2倍未満		呼気時間が吸気の2倍以上増加	
		呼吸数[*2]	正常～軽度増加			不定
	PEF	（吸入前）	>60%	30～60%	<30%	測定不能
		（吸入後）	>80%	50～80%	<50%	測定不能
	PaCO$_2$		<41 mmHg		41～60 mmHg	>60 mgHg

主要所見のうち最も重度のもので発作強度を判定する．
＊1：SpO$_2$ の判定にあたっては，肺炎など他に SpO$_2$ 低下をきたす疾患の合併に注意する
＊2：年齢別標準呼吸数（回/分）
　　0～1歳：30～60　1～3歳：20～40　3～6歳：20～30　6～15歳：15～30　15歳～：10～30

（文献2より引用）

飽和度（SpO$_2$），動脈血炭酸ガス分圧の客観的指標を用いて判定することを推奨している（表2）．客観的指標のうち外来で簡単に利用できるのは，パルスオキシメーターによる SpO$_2$ 測定であり，SpO$_2$ が91％以下であれば大発作・呼吸不全と考えて入院治療，もし

くは専門医への紹介を考慮することが望ましい．ただし，乳幼児では年長児より SpO$_2$ の変動が大きいので，評価はその他の臨床症状を参考にしながら慎重に行う必要がある．2歳未満の乳幼児では，SpO$_2$ が92～95％で，その他の症状から中発作と判断しても，外来

気管支喘息急性増悪（発作）　83

での対応を長引かせずに入院での治療が望ましい.

治療の実際

外来で急性増悪と診断したら発作強度を判定し（表2），感染症やその他の合併症がないかを検索する．2歳未満の乳児を除き，中発作までの発作強度では外来で初期対応が可能である．

重要な問診事項は，①発症からの経過時間，②増悪を誘発した原因，③服薬状況（長期管理薬の内容とその服薬状態，および今回の増悪に対して家庭や前医で受けた投薬とその経過時間），④過去の呼吸不全，挿管や入院の病歴の有無，である．

発作の対応（図1）

1 小発作への対応

β_2刺激薬を所持していれば，小発作は家庭での初期対応が可能である．病院では，ネブライザーを用いて短期作用性β_2刺激薬の吸入を行う．改善が不十分であれば，20〜30分ごとに吸入を数回繰返す．それでも改善が不十分であれば，中発作への治療へ進む．

2 中発作への対応

①酸素吸入：SpO_2を測定し95％未満であれば95％以上を維持できるように酸素を投与する．

②ネブライザーを用いて短時間作用性β_2刺激薬を吸入させる．効果が不十分であれば20〜30分ごとに吸入を3回まで繰返す．それでも改善が十分でなければ静脈路を確保し，全身性ステロイド薬〔ヒドロコルチゾン（サクシゾン®）5mg/kgを6時間ごと〕を投与する．その

際，中等症持続型以上の重症度の患児，過去1年以内の急性増悪による入院の既往歴，呼吸不全で意識障害や挿管の既往歴がある患児には注意し，早い段階で全身性ステロイド薬を開始する．

学童以上ではアミノフィリン（ネオフィリン®）の持続点滴を考慮する．ただし，けいれんの既往歴や中枢神経関連疾患を有する患児には，使用しないほうがよい．

これらの治療に反応が良好で，①咳嗽，喘鳴，呼吸困難がほぼ消失し，呼吸数が正常に復帰したとき，②SpO_2が97％以上・％PEFが予測値の80％以上であれば，薬の使用法や次の外来受診のタイミングなどを指導して帰宅させることができる．帰宅時に必要な事項は，①β_2刺激薬（吸入，経口，貼付）の処方（数日間継続使用させる），②必要に応じて経口ステロイド薬の処方（その場合は翌日受診させる），③帰宅後に症状が増悪した場合の対応方法を説明することである．

上記の外来治療を2〜3時間継続しながら観察し，反応が不良の場合は大発作に準じて入院に切り替える．同時に，再度鑑別診断と，air-leak症候群や無気肺，肺炎などの合併症の有無を検討する．

3 大発作・呼吸不全への対応（入院治療）

酸素を投与し，短時間作用性β_2刺激薬の吸入を20〜30分ごとに繰返し吸入しながら，静脈路を確保し全身性ステロイド薬を開始する．同時に胸部X線撮影を行い，上記合併症の有無をチェックする．全身性ステロイド薬は3〜5日間を目安に使用し，臨床的に努力呼吸の消失など明確な改善が認められれば漸減することなく中止する．酸素を投与しながらであれば，短時間作用性β_2刺激薬の吸入は，その後も2時間ごとに繰返し使用してよい．大発作以上のときは血液ガス分析

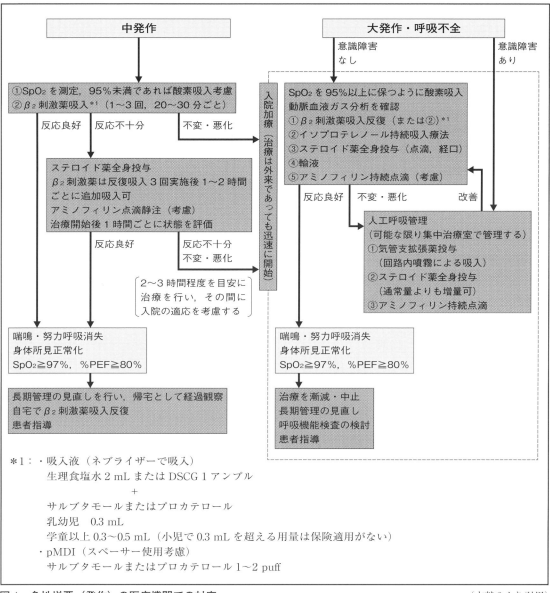

図1 急性増悪（発作）の医療機関での対応 （文献2より引用）

を行い，PaO_2 と $PaCO_2$ を測定する．発作の強度が強い場合や改善が乏しいときは，イソプロテレノール（アスプール®）の持続吸入を行う．アスプール®（0.5%）2〜5 mL を生理食塩水 500 mL に加え，インスピロンネブライザーとフェイスマスクを用いて酸素（濃度 50%；流量 10 L/分）で持続的吸入を開始する．その際，心電図と SpO_2 をモニタリングし，SpO_2 が 95% 以上を保つように酸素濃度と噴霧量を調節する．この治療は，挿管・人工呼吸管理への移行を念頭におきながら実施する．①呼吸状態が改善しないにもかかわらず，呼吸音が低下し，喘鳴が減弱するとき，②意識状態が悪化し傾眠〜昏睡状態になる，もしくは興奮状態になるとき，③ $PaO_2 < 60$ mmHg，④ $PaCO_2 > 65$ mmHg もしくは

5mmHg/時以上の上昇を認めるときは人工呼吸管理に移行する.

処方例

小発作・中発作

処方A　メプチンキッドエアー® 1〜2吸入　20〜30分ごと

処方B　メプチン®（プロカテロール）吸入液：0.3〜0.5mL（乳幼児は0.3mL）を生食2mLもしくはインタール®（DSCG）1Aに溶解して1〜3回吸入　20〜30分ごと

処方C　処方AもしくはBに加えてプレドニゾロン散（1%）　1〜2mg/kg/日　分1〜3　内服

処方D　処方AもしくはBに加えてリンデロン®シロップ（0.01%）　0.05〜0.1mg/kg/日　分1〜2　内服

大発作・呼吸不全

処方A　アスプール®液（持続吸入）：アスプール（0.5%）2〜5mLを生食500mLに溶解，酸素とともに吸入

　　　サクシゾン®　初回　5mg/kgを静注，その後6〜8時間ごと5mg/kg

処方B　処方Aのサクシゾン®の代わりに水溶性プレドニン®もしくはソル・メドロール®　0.5〜1mg/kgを6〜12時間ごと静注

専門医に紹介するタイミング

　大発作・呼吸不全では，イソプロテレノール（アスプール®）の持続吸入や挿管下での人工呼吸管理を必要とする事態に陥る可能性があるので，全年齢を通して集中治療が可能な施設に紹介・搬送することが望ましい．中発作の場合，家庭や外来でβ_2刺激薬の反復吸入を行っているにもかかわらず，症状の改善が認められなければ，その時点で専門医に紹介する．その際，過去の急性増悪の病歴や強度の情報は重要な参考事項となる．乳児では中発作でも入院管理が望ましいので，より早い時点での紹介が必要である．

専門医からのワンポイントアドバイス

●急性増悪の強度判定の間違い：

　喘鳴が小さくなったとき，必ずしも改善しているわけではない．強度の強い発作では，呼吸音の減弱に伴い喘鳴が小さくなる．一見，元気に騒いでいるように見える患児にも本態は呼吸困難である可能性を考慮し，気を許してはならない．経皮酸素飽和度測定は，呼吸状態をモニターするための強力なツールであるが，センサーの位置により異常値を示すことや，酸素吸入によりSpO_2は正常でも，換気不全によるPCO_2の上昇をきたしていることがあるので，注意しておかねばならない．

●アミノフィリン（ネオフィリン®），テオフィリン（テオドール®）の投与：

　基礎疾患に神経疾患（けいれんの既往）をもつ患児では使用に注意する．テオフィリン関連けいれんは抗けいれん薬に反応しにくいと報告されている．特に乳幼児では注意する[6].

86　2. 呼吸器疾患

─── 文　献 ───

1) Expert Panel Working Group of the National Heart, Lung, and Blood Institute（NHLBI）administered and coordinated National Asthma Education and Prevention Program Coordinating Committee（NAEPPCC）：2020 focused updates to the Asthma Management Guidelines：A report from the National Asthma Education and Prevention Program Coordinating Committee Expert Panel Working Group. J Allergy Clin Immunol 146：1217-1270, 2020

2) 日本小児アレルギー学会：小児気管支喘息治療・管理ガイドライン 2020. 足立雄一 他監. 協和企画, 2020

3) 西間三馨 他：西日本小学児童におけるアレルギー疾患有症率調査─1992, 2002, 1012 の比較. 小児アレルギー会誌 27：149-169, 2013

4) Saglani S et al：Early detection of airway wall remodeling and eosinophilic inflammation in preschool wheezers. Am J Respir Crit Care Med 176：858-864, 2007

5) 浜崎雄平：吸入ステロイドの適応と課題─特に乳幼児喘息に対して─. 日本小児呼吸器学会雑誌 26：109-115, 2015

6) 小田島安平 他：テオフィリン投与中の痙攣症例に関する臨床的検討 特に痙攣発症に影響を及ぼす因子について. アレルギー 55：1295-1303, 2006

2. 呼吸器疾患

気胸・縦隔気腫

西島栄治
<small>にしじまえいじ</small>

愛仁会高槻病院 小児外科

POINT

- ●突然の発症と，胸痛および呼吸苦から気胸を疑い，聴診と胸部単純X線写真により速やかに診断する．
- ●呼吸苦と肺の虚脱の程度から重症度と緊急度（緊張性気胸）を判定し，脱気処置（穿刺排気または持続吸引）を準備する．
- ●当初から小児外科チームや呼吸器外科チームと連携する．

ガイドラインの現況

気胸（pneumothorax）と縦隔気腫（pneumomediatinum）の診療ガイドラインについては，2009年に日本気胸・嚢胞性肺疾患学会が編集した『気胸・嚢胞性肺疾患規約・用語・ガイドライン』が出版されている[1]．成人の呼吸器内科・外科での長年の治療経験を集約し，主として成人の治療を念頭にした自然気胸治療ガイドラインが目下整備されつつある．英国胸部学会（British Thoracic Society：BTS）の診療ガイドラインがManagement of spontaneous pneumothorax：British Thoracic Society pleural disease guideline 2010[2]として2010年に雑誌Thoraxで公表され，webサイトからはEBM Guidelines（2017）として "pneumothorax" が公表されている．また多くの総説が発表されている．しかし小児に限定した診療ガイドラインはまだ見あたらない．未熟児・新生児期の気胸や乳幼児期の特殊な背景疾患の病態による気胸以外では，成人用のガイドラインも有用である．本稿では主として前記の2つのガイドラインに準拠して，未熟児・新生児期を含めた標準的な気胸・縦隔気腫の診断・治療について述べる．

【本稿のバックグラウンド】 日本や世界の標準教科書に準拠して，小児の気胸・縦隔気腫の診断と標準治療の考え方を記載した．手術治療の手技や手術材料は日進月歩しているので，最新知識を獲得しておく．

どういう疾患・病態か

1 要　約

気胸とは胸腔内への空気の貯留をいい，縦隔気腫とは縦隔内への空気の貯留をいう．胸腔内臓器からの空気漏れで起こる．年長児（思春期小児を含む）では成人と同様に胸膜下ブラ・ブレブの破綻による自然気胸の頻度が多く，乳児・新生児・未熟児では背景病変とその治療による続発性気胸・縦隔気腫が多

い．いずれも治療の基本は貯留した空気を脱気して肺を再膨張させ，空気漏れの原因疾患を治療することである．

2 重症度および緊急度の評価

　診断および重症度は画像診断（胸部単純X線写真，胸部CT，胸部超音波検査[3]）と臨床症状で評価する．重症度は緊張性気胸の存在，肺虚脱の程度，および合併する胸水と血胸の程度に比例する．肺胞が虚脱すればその分だけ換気量が減少し，換気血流分布も不均衡となり低酸素血症を起こす．呼吸循環障害の症状が重症度を反映する．緊張性気胸には緊急に対処する必要がある．その緊急度は縦隔の健側への偏位度合いと，呼吸困難，血圧低下，頻脈の程度で判定し，診断と同時に気胸側の胸腔を穿刺して脱気する．肺虚脱度は軽度（虚脱した肺の肺尖部が鎖骨より頭側にある場合），中等度（肺尖部が鎖骨より尾側で虚脱肺が50％以下），および高度（虚脱肺が50％以上）に分類する．成人では胸壁から虚脱肺の胸膜までの距離が肺門レベルで2cm以上あれば脱気治療の適応があり，2cm以下なら酸素投与のみで経過観察可能とされる[4]．

　気胸では病態が経時的に変化する．症状に変化があれば画像診断（胸部単純X線撮影または胸部超音波検査）を繰返して再評価すべきである．中等度以上で胸腔穿刺や胸腔ドレナージの適応となる．

【参考】　X線写真上の気胸程度の評価
　　　　　（容積法）[4]

$$\frac{患側肺の幅（cm）^3}{胸郭の幅（cm）^3} \times 100 = （\%気胸）$$

3 基本病態

a）緊張性気胸（tension pneumothorax）

　緊張性気胸とは気胸腔の内圧が亢進して陽圧となって縦隔や健側肺を圧迫し，正常肺の換気不全と，静脈還流減少による低血圧・低循環状態とを惹起した病態をいう．胸部単純X線写真（呼気相と吸気相で撮影するとわかりやすい）で縦隔が健側に偏位し，横隔膜がフラット化していて，吸気相にもその復位がないか，または，偏位があって呼吸困難・血圧低下・頻脈など呼吸循環不全症状を示している場合に診断する．緊張性気胸は経時的に悪化して生命に直結する重い低酸素症をひき起こすため，気胸腔の迅速な減圧の絶対適応である．胸部単純X線撮影の結果を待てないときには胸部超音波ガイド下に第2肋間鎖骨中線から垂直に胸腔穿刺して脱気する．勢いよく空気が抜ける音を確認する．診断確定後には通常の胸腔ドレナージチューブを留置して持続吸引する．

　巨大な肺嚢胞病変でも嚢胞内に陽圧の空気が蓄積されて緊張性気胸と同じメカニズムが発生する（緊張性空気嚢胞と呼ばれる）．この場合は，その拡大した嚢胞内にドレナージチューブを留置して持続的に脱気する．

b）新生児・未熟児および乳幼児の気胸，縦隔気腫

　新生児・未熟児の突然の呼吸状態悪化の原因として重要である．胸腔内や縦隔に肺胞の破綻によって漏れた空気が集積され，正常肺の膨張障害をきたす．年長児と異なり基礎疾患がみられることが多く，その基礎疾患のために陽圧人工呼吸管理を受けていることが多い．基礎疾患としては，IRDS，胎便吸引症候　群（meconium aspiration syndrome：MAS，50％に経過中に気胸を発症する），慢性肺疾患（chronic lung disease：CLD），嚢胞性肺疾患，横隔膜ヘルニア・肺低形成が代表的なものである．

c）年長児の気胸（表1）

　①原発性自然気胸（primary spontaneous

気胸・縦隔気腫　89

表 1　日本気胸・嚢胞性肺疾患学会による気胸分類

A. 自然気胸
　　1. 原発性自然気胸（ブラ・ブレブの破裂による）
　　2. 続発性自然気胸（ブラ・ブレブ以外の肺病変に続発）
　　3. 原因不明の自然気胸
B. 外傷性気胸（胸壁，肺，気管・気管支，食道などの損傷・破綻によるもの）
　　1. 開放性外傷性気胸（胸壁開放創あり）
　　2. 閉鎖性外傷性気胸（胸壁開放創なし）
C. 人工気胸
　　1. 診断的人工気胸
　　2. 治療的人工気胸
D. 医原性気胸（医療行為による，人工呼吸による圧損傷も含む）

(文献 1 より引用)

pneumothorax）（表 1）

　胸膜下のブラ・ブレブ（bullae, blebs）の破綻による自然気胸で，年長児から成人に発生する気胸である．ブラ・ブレブは臓側胸膜下の空気の集積である．病理的には壁側胸膜との位置関係で区別可能であるが，肉眼的には区別しにくい．比較的に大きく肉眼的に確認が容易なものをブラ，肉眼的に確認しにくい小さな空気集積をブレブと呼称することが多い．先天性と後天性の両方がありうる．胸壁が薄く，高身長児，男児に多いとされる．ブラ・ブレブの診断には胸部 CT が最も有用で，再発性や両側性ではブラ部の部分肺切除の適応となる．

　②結合織異常による続発性気胸（secondary pneumothorax）[2]

　Marfan 症候群は 15 番染色体の *FBN1* 遺伝子の突然変異とされる．肺間質異常，蜂窩肺，嚢胞性肺気腫などがみられ，反復性気胸を起こす．Ehlers-Danlos 症候群はコラーゲン産生欠損による異常で，呼吸器では胸郭変形，ブラ，反復性気胸を起こす．

　③間質性肺炎・肺気腫による多発嚢胞による続発性気胸

　肺の間質（気管支や血管を収容している組織腔）内の後天的な気腫病変が嚢胞化したの

ち破裂すれば，気胸，縦隔気腫，心膜気腫，気腹，後腹膜気腫の原因となる．喘息発作後や陽圧換気下にみられる．稀だが病変が全肺葉に及べば肺移植の適応となる．

　④嚢胞性線維症による続発性気胸

　欧米人に多い遺伝性の外分泌系組織系統疾患である．日本人ではほとんどない．肺の嚢胞性変化として嚢胞状気管支拡張症，気腫性肺嚢胞，間質性気腫が経年的に悪化する．

　⑤月経随伴性気胸

　稀ではあるが子宮内膜症を基礎疾患とする年長女児で，月経に随伴する右気胸が反復性に出現することがある．詳細な病歴と胸腔鏡検査で鑑別診断を行い，婦人科医と共同で所見に応じて治療方針を決める[2]．

　⑥肺リンパ脈管筋腫症（lymphangioleiomyomatosis：LAM）による続発性気胸

　主として閉経前の女性に発症し，肺，骨盤・後腹膜腔・縦隔のリンパ節に LAM 細胞の増生を認める．肺病変が進展すれば全肺に多数の小嚢胞が形成され，気胸や乳糜胸水の原因となる．急激な呼吸不全の進展があれば肺移植の適応となる．ごく稀に若年女性で発症する．

d）外傷性気胸[4]

　小児の鈍的な胸部外傷では気胸は呼吸障害

90　　2．呼吸器疾患

の重大な要因である。肺の圧挫・破裂，気管・気管支の離断，骨折した肋骨片による肺・胸膜損傷，食道の破裂などにより，気胸および縦隔気腫をきたす。肺挫傷の場合には血胸も伴う。損傷部位や程度の評価に3D-CT像が有用である。緊張性気胸であれば迅速な減圧を要する。また，気道と静脈の損傷が同時，同部位で起これば空気塞栓をきたす場合がある。入院中であれば太いチューブにより完全な減圧と緊急手術を準備する。緊急開胸手術では肺門部の肺静脈を圧迫してから損傷部を修復する。

e）医原性気胸
（例：気管支鏡検査による気胸）

全麻下の換気可能型気管支鏡検査や気管支ファイバースコープ検査では，陽圧換気による吸気が病変部にトラップされて気腫性病変部が急速に拡張し，破裂して気胸を惹起することがある。気管支鏡を挿入している間はこのair trapが惹起されるため，必要に応じてテレスコープや気管支ファイバースコープを抜去して十分な換気スペースを確保し，高炭酸ガス血症と気胸を防止する。

治療に必要な検査と診断

気胸の確定診断は胸部単純X線写真により行う。症状の強さ，合併症の有無，初発か再発かによって治療方針を決める。当初より緊張性気胸の有無に着目する。経過観察には胸部超音波検査が有用で，嚢胞病変の検索には胸部CT検査が有用である。

a）問　診

発症と同時に突然の胸痛，息苦しさ，咳が出現する。発症時の状況と背景疾患の有無について病歴を聴き出す。

b）理学所見

頻呼吸，喘鳴，陥没呼吸が出現する。胸部聴診では患側で呼吸音が減弱する。呼吸音の減弱側で胸郭が膨隆していれば緊張性気胸を疑う。

c）画像診断

気胸を確定するために胸部単純X線撮影を行う。ブラ・ブレブや嚢胞性肺疾患などの背景疾患を検索するためには胸部CT撮影（造影CT像のほうが情報量が多い）を行う。胸部超音波検査所見では胸膜エコーコンプレックス（pleural line）が描出されないことで壁側胸膜直下に空気層が存在することを判定する（気胸の存在診断）[3]。

d）気胸の分類

自然気胸と続発性気胸を区別する[1]（表1）。

治療の実際

気胸・縦隔気腫の治療は，初期治療として気胸腔を穿刺，脱気して虚脱肺を早期に再膨張させ，定型的治療としては手術，および気胸の再発防止術からなる。

■1 内科的治療

a）安　静

症状が軽く，背景疾患がなく，陽圧人工換気もない場合には観察のみでよい。ただし，気胸の重症化や両側での発症もありうるので，十分な観察下に置くことが必要である。100％酸素を6時間程度吸入すると胸腔内に漏れた空気（窒素・酸素など）の吸収が促進される場合がある。

b）胸腔穿刺による脱気

症状が強く，気胸の程度も中等度以上，または陽圧人工換気療法中であれば，必ず脱気する。胸腔ドレナージへの移行を考慮すれば，穿刺部位は前腋窩線の第4〜6肋間が適当である。穿刺部位に沿って肋間筋と壁側胸膜まで十分に局所麻酔薬を浸潤させ，20〜22

Ｇエラスター針で穿刺する．穿刺針を順次引き抜きながら，注射器で用手的に，または低圧持続吸引器で排気する．

緊張性気胸に対する緊急の胸腔穿刺では，仰臥位鎖骨中線上の第2肋間を穿刺部位とする．理由は位置決めが確実であることと，針の刺入方向に重要臓器がなく安全であるからである．穿刺後に水封式に排気すると陽圧で空気が噴出するのが観察できる．

2 胸腔ドレナージ

一時的な胸腔穿刺による脱気で改善しなかった場合，中等度以上の虚脱，緊張性気胸の場合に適応がある．穿刺部位は上記と同一である．使用するチューブは8～20Fr.のトロッカーを用いる．排液を目的とする場合は太いチューブを選ぶ．トロッカー挿入時は穿刺肋間の一つ下の肋骨上縁の皮膚刺入部から穿刺部位に沿って皮膚，皮下，肋間筋，壁側胸膜に十分に局所麻酔薬を浸潤させて，十分な鎮痛を行う．肋間筋と胸膜を穿破するときには肺実質を損傷しないように胸壁の厚みを配慮したストッパーを装着させる（自分の指で強く把持するか，または適当な大きさの把持鉗子を装着する）．強い癒着が疑われる例や再発例では胸腔内を用指的に剥離する方向とチューブの挿入方向を即時に確認するために，Ｘ線透視下で実施する．低圧持続吸引の吸引圧は10～15cm水柱が適切である（持続吸引ドレナージ）．

排液がなく全身状態が安定していれば水封式（水封ドレナージ）でよい．空気の排気のためだけであれば，吸引持続ドレナージや水封ドレナージの便法として，一方弁（ハイムリッヒ弁）付きドレナージチューブ装着法がある．自分の呼吸状態を正確に訴えることができる年長児で適応がある．空気漏れがなければ24時間のクランプテストを行い，再虚

脱がないことを胸部単純Ｘ線写真または胸部超音波検査で確認して抜去する．もし，他施設へ搬送する場合には，搬送中の突然の気胸の悪化に対処するために，出発前に胸腔ドレナージチューブを留置しておく．

すべての気胸で虚脱肺の再膨張時には（発症から時間の経っている例で多い）再還流性の肺胞浮腫が出現して肺の酸素化能が低下する場合がある．

3 胸膜癒着術（非手術時）

胸膜の癒着をひき起こす薬剤などを胸腔ドレナージチューブから胸腔内に注入する方法がある．テトラサイクリン系抗生物質，抗悪性腫瘍溶血性連鎖球菌製剤（ピシバニール®），自己血，フィブリングルーなどが使用される．

4 外科手術

絶対適応は，胸腔ドレナージにて大量の空気漏れがあるとき，肺の再膨張が不良のとき，緊張性気胸や空気漏れが7日以上続くとき，血胸の合併時，両側同時気胸のとき，胸膜肥厚（胼胝）による肺膨張不全時，巨大な嚢胞性病変を合併するとき，などである．手術を考慮する相対適応としては，再発性，ブラ・ブレブが確認できるとき，Marfan症候群などの高リスク疾患があるとき，などである．年長児の自然気胸例では胸腔鏡下手術の良い適応である．胸腔鏡下ステイプラー（トライステープル™ 2.0 リンフォース パープル45mm/60mm，など）を用いて病変部肺を部分切除し，追加処置としての胸膜癒着法を必要に応じて組合わせる方法がほぼ標準となっている．

5 縦隔気腫の治療

縦隔に空気が貯留した病態である．肺胞が

破綻して漏れた空気が血管やリンパ管の周囲の結合組織鞘を通って縦隔にまで到達したことによる．進展するルートにより，皮下気腫，後腹膜気腫，気腹も起こりうる．治療は空気漏れの原疾患について行う．対症的には皮下や縦隔内，腹腔，後腹膜腔にペンローズドレインを留置し，胸腔には胸腔ドレナージチューブを留置する．

ピットフォールと対策

巨大な気腫性囊胞では空気の貯留が囊胞内か気胸腔かが不明瞭となる．留置した胸腔ドレナージが有効でない場合には，胸腔ドレナージチューブが脱気すべき腔に留置されていないことを考え，留置位置を再確認する必要がある．その際には透視下で造影剤を併用しつつ，かつドレナージ効果を確認しながらチューブの留置位置（囊胞内か胸腔かの判別も含めて）を調節することが有用である．

反対側の気胸はしばしば発生する．手術側の再発のリスクもあるので，本人と家族には再発の可能性と再発時の対策を十分に説明しておく[5]．

専門医に紹介するタイミング

症状のある気胸は胸腔穿刺または胸腔ドレナージで脱気して早期に肺を再膨張させる．胸部CT画像でブラ・ブレブなどの責任病変が存在すれば責任病変の積極的な手術治療を検討する．この段階で小児に対する緊急胸腔ドレナージや定型的な胸腔鏡下手術が準備できなければ専門医に紹介する．紹介先の専門医には胸腔鏡手術を実施している小児外科医または胸部外科医を選択する．

専門医からのワンポイントアドバイス

循環障害の所見が見られる気胸患者を診た場合は，ただちに緊張性気胸を疑うこと．緊急の脱気を実施するのに不安がある場合には，緊急で小児外科医や胸部外科医に依頼すること．また，緊張性気胸に発展する疑いのある患児を搬送する際には，搬送先の専門家と相談して，患側の前胸壁第2肋間をいつでも穿刺できる準備をして搬送するか，前もって患側に胸腔ドレーンを留置してから搬送するようにする．搬送途中の重篤化を防止するためである．気胸腔に胸腔ドレーンを留置しても改善しない場合には，気胸腔ではなく，緊張性の囊胞腔が存在する可能性を検討する．

文　献

1) 日本気胸・囊胞性肺疾患学会 編：気胸・囊胞性肺疾患規約・用語・ガイドライン　2009年版．金原出版，2009

2) MacDuff A et al：on behalf of the BTS Pleural Disease Guidline Group：Management of spontaneous pneumothorax：British Thoracic Society pleural disease guideline 2010. Thorax 65（suppl 2）：ii18-ii31, 2010

3) Husain LF et al：Sonographic diagnosis of pneumothorax. J Emerg Trauma Shock 5：76-81, 2012

4) Rodgers BM et al：Mediastinum and pleura. In "Principles and Practice of Pediatric Surgery" eds. Oldham KT et al. Lippincott Williams & Wilkins, Philadelphia, pp929-950, 2005

5) 金井理沙 他：小児における原発性自然気胸症例の検討．日小外誌 53：889-894, 2017

2. 呼吸器疾患

間質性肺炎

望月博之
東海大学医学部付属八王子病院 小児科

POINT
- 特発性間質性肺炎は難治であるうえ，小児の症例は極めて少数であるため，診断が困難なことも多く，問診や胸部聴診，画像診断，血液検査，肺機能検査を総括して診断を進める．
- いつくかの病型に分類するうえで病理学的な評価は重要であり，必要な症例には可能な限り気管支鏡検査や外科的肺生検を行うことが望まれるが，それに先立って，多分野による集学的検討（multidisciplinary discussion：MDD）を行うことは有意義である．

ガイドラインの現況

　肺の間質に炎症や線維化が生じる間質性肺炎の中で，原因不明のものは特発性間質性肺炎と呼ばれ，慢性かつ進行性の経過をとる．日本呼吸器学会は，2001 年 3 月に，びまん性肺疾患診断・治療ガイドライン作成委員会を発足させ，国際的認識との整合性も重視した特発性間質性肺炎の最新の診断や治療に関する冊子の作成を行ってきた．本年，『特発性間質性肺炎 診断と治療の手引き 2022（改訂第 4 版）』（2022 年 1 月）（以下，ガイドライン）が刊行され，近年の高分解能 CT（HRCT）や病理診断による診断技術の向上，抗線維化薬による治療の進歩等が示されている．

　しかしながら，当該のガイドラインは成人の症例に重点が置かれ，小児の特発性間質性肺炎に対する診断・治療の特別な項目はない．これは，小児における特発性間質性肺炎は世界的にも極めて稀で，発症頻度や予後についてだけでなく，治療法についても大規模な検討がなされていないことに関連すると思われる．

【本稿のバックグラウンド】 日本呼吸器学会は 2001 年 3 月にびまん性肺疾患診断・治療ガイドライン作成委員会を発足させ，放射線診断学や病理学の各領域からの協力のもと，特発性間質性肺炎の診断・治療のためのガイドラインの作成に取り組んでいる．本年刊行された『特発性間質性肺炎 診断と治療の手引き 2022（改訂第 4 版）』（2022 年 1 月）では，近年の高分解能 CT（HRCT）や病理診断による診断技術の向上，抗線維化薬による治療の進歩等が詳細に示されている．

表1　特発性間質性肺炎の主要な疾患とその特徴

臨床病理学的疾患名/ 病理組織パターン	カテゴリー	特　徴
IPF/UIP	慢性線維化性	・斑状の線維化巣が主として小葉・細葉辺縁部に形成される. ・線維化は複数の肺胞を巻き込む. ・線維化近傍には著変のない胞隔が認められる. ・経過が進むにつれ,蜂巣肺を呈する.
iNSIP/NSIP		・線維化は小葉の胞隔にほぼびまん性に認められる. ・著変のない胞隔が同一小葉内に混在することはない. ・組織破壊は軽度で,蜂巣肺の形成は稀である.
COP/OP	急性・亜急性	・器質化肺炎像を呈し,ポリープ状の気腔内器質化病変が多発する. ・周囲の胞隔に小円形細胞浸潤を認める. ・cellular NSIP もこのカテゴリーに含まれる.
AIP/DAD		・硝子膜を主体とする滲出が広範に広がるびまん性肺胞傷害,もしくは硝子膜が器質化されたびまん性肺胞傷害が認められる.
DIP および RB-ILD	喫煙関連	・DIP:小葉のほぼ全体がびまん性に傷害され,胞隔壁が線維化,もしくは炎症細胞浸潤により肥厚し,肺胞腔内にマクロファージが集簇する. ・RB:病変は呼吸細気管支壁および周囲の小葉細葉中心部に認められ,気道壁・胞隔に軽度の線維化・炎症性細胞浸潤を伴い,肺胞腔にマクロファージが種々の程度に集簇する.

（文献 1 を参照して作成）

どういう疾患・病態か

　本邦における特発性間質性肺炎の調査では,有病率は人口 10 万人に対し 10.0 人で,推定患者数は 15,000 人以上であるが,小児では極めて稀な疾患で,近年の難病疾患の登録では,19 歳未満の患者数は 30 名である.なお,小児期の慢性的な経過をとる間質性肺炎の一群として,乳幼児発症の遺伝性が示される疾患群が報告されている[1].

　臨床症状では,病初期に運動時の息切れや咳嗽がみられ,進行すれば多呼吸,安静時の呼吸困難が出現し,発熱,食欲低下,全身倦怠感が認められる.末期には右心不全により,浮腫,肝腫大を呈する.

　特発性間質性肺炎には病理組織パターンにおいていくつかの病型が存在し,これまでにも改訂が加えられてきた.病理所見や HRCT の形態学的なパターンから,主要な特発性間質性肺炎（6 疾患）,稀な疾患（2 疾患）,分類不能型の 3 つに分類されているが,臨床経過,治療効果が異なることが知られている（表1）[1].わが国における各病型の相対頻度は,上位から特発性肺線維症（IPF）52.6%,特発性非特異性間質性肺炎（iNSIP）17.2%,特発性器質化肺炎（COP）9.4%の順である.

　特発性間質性肺炎の病態として,原因不明の炎症が主に肺胞壁に生じ,急性期では肺胞壁の細胞浸潤と浮腫,続いて肺胞上皮細胞の再生・増殖,さらには線維芽細胞の増殖,膠原線維の間質への沈着が起こり,線維化が進行することが考えられている.結果として,肺胞虚脱や肺間質の線維化によって肺胞におけるガス交換の低下と肺コンプライアンスの低下が生じ,慢性の低酸素血症が出現する.

特発性間質性肺炎の明確な発症原因は不明であるが，肺サーファクタント蛋白や線毛機能に関連する *SFTPC* 遺伝子や *ABCA3* 遺伝子，*TBX4* 遺伝子等の異常が一部の症例に認められることから，発症に遺伝的素因の関与が考えられ[2]，これにウイルス感染等の何らかの後天的因子が加わることによって症状の発現に至ることが推測されている．

治療に必要な検査と診断

ガイドラインによる診断の流れとして，受診した患者に乾性咳嗽や労作時呼吸困難の訴えがあれば詳細な問診を行い，胸部聴診で捻髪音が聴取され，単純胸部 X 線写真でびまん性の間質性陰影が確認されれば，本疾患を疑う．次に，感染症や膠原病，過敏性肺炎等を考慮した除外診断を行うが，血清マーカー（KL-6，SP-A，SP-D）や肺機能検査の結果が重要である[1]．小児では特発性間質性肺炎の診断にあたり，①2週間以上持続する多呼吸・低酸素血症，②胸部画像検査，③血清マーカーの上昇が注目されている[3]．

特発性間質性肺炎が疑われたら，HRCTによる胸部の画像検査を行う．HRCT による網状影，コンソリデーションやすりガラス影，モザイクパターン，蜂巣肺といった特徴的な所見は，診断において重要である．

特発性間質性肺炎は，臨床病理学的疾患名と病理組織パターンによる病型の分類がなされている（表1）[1]．これらの分類にあたり，治療法が異なることからも，IPF と他の間質性肺炎とを区別することは重要で，HRCTによる画像診断で通常型間質性肺炎（UIP）パターン（胸膜直下，肺底部有意の分布，網状肺，蜂巣肺の存在等）が確認され，その他に明らかな原因が認められなければ，IPF と診断することが可能と考えられている．典型的な HRCT 像が得られない症例では，気管支鏡検査（気管支肺胞洗浄，経気管支肺生検，経気管支クライオ肺生検）や外科的肺生検にて病型の診断を進めることを考慮する．病理学的所見は治療の選択や予後判定に重要であるため，侵襲があるものの，可能な限りこれらの検査を行うことが望まれるが，それに先立って，多分野による MDD を行うことが診断・治療に有意義であることが指摘されている．

治療の実際

特発性間質性肺炎の治療は自覚症状の改善が主であり，只今のところ，肺機能の改善までには至らないと考えられている．一般に，IPF や線維化主体の非特異的間質性肺炎（fibrotic NSIP）では治療の反応性に乏しく，投与期間が長期に及ぶ一方，細胞浸潤主体の非特異的間質性肺炎（cellular NSIP）やCOP では，治療反応性は良好と報告されている．

難治である IPF では，ステロイド薬や免疫抑制薬の効果が乏しく，推奨されていない．一方，抗線維化薬であるピルフェニドン，ニンテダニブの効果が期待され，第一選択薬として推奨されている．抗線維化薬は進行の抑制だけでなく，急性増悪の抑制効果も報告されており，生存期間の延長が期待されているが，小児での安全性は確認されていない．『特発性肺線維症の治療ガイドライン2017』では[4]，好中球エラスターゼ阻害薬，ポリミキシン B 固定カラムを用いた直接血液灌流法（PMX 療法），リコンビナントトロンボモジュリンは少数の患者に有効である可能性が示されている．また，IPF の慢性経過中に認められる急速な呼吸不全が進行する急性増悪では，ステロイド薬と免疫抑制薬が

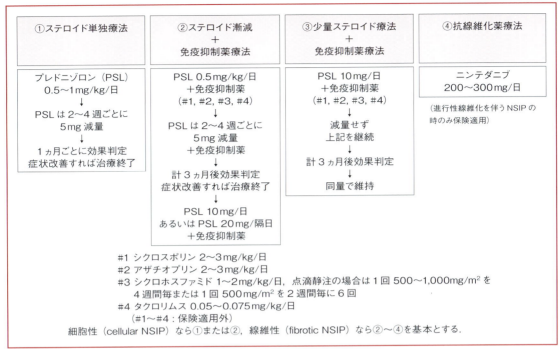

図1 iNSIPの治療例 (文献1より引用)

用いられる．

一方，iNSIPのcellular NSIPではステロイド薬が有効な症例がみられ，fibrotic NSIPとは異なる治療法が考えられている（図1）[1]．

只今のところ，小児の治療には，主にステロイド薬とヒドロキシクロロキンが用いられている．ステロイド薬は症状によって，プレドニゾロン内服やステロイドパルス療法が選択されている．クロロキンは抗マラリア薬として広く用いられてきた薬剤で，特発性間質性肺炎での使用は保険適用外になるが，小児の間質性肺炎に対する有効性についての報告がある．本剤は薬剤性網膜症の発症との関連が指摘されているが，国内のヒドロキシクロロキン（プラケニル®）の長期投与についての調査では安全性が報告されており[5]，現在禁忌となっている6歳未満の児での使用についての検討も進められている．

肺線維化が進行する症例で上記の治療が無効な場合は肺移植が適応となるが，移植後の5年生存率は50〜60％である．わが国のガイドラインでは，脳死肺移植の適応，生体部分肺の適応について，各々につき，適応基準が述べられている．

処方例

特発性非特異性間質性肺炎（iNSIP）の処方例

図1参照．

専門医に紹介するタイミング

これまでに，小児の患者に対する明確な治療指針はなく，病型により予後も異なるため，特発性間質性肺炎が疑われた当初から，専門医のアドバイスが必要である．

専門医からのワンポイントアドバイス

　特発性間質性肺炎は治療抵抗性の疾患であるため，治療の開始前に，可能な限り明確な診断・病型分類を計画する．治療の中心となる薬剤の多くが副作用を伴うため，薬物に対する理解を十分に求める必要がある．急性期では入院治療が原則であるが，急性期を過ぎても低酸素血症が持続する症例では，在宅酸素療法を考慮する．長期に苦痛を伴う疾患であるため，患者と保護者の心理的ケアを含めたトータルケアを心がける．

文　献

1) 日本呼吸器学会 びまん性肺疾患診断・治療ガイドライン作成委員会：特発性間質性肺炎 診断と治療の手引き 2022（改訂第 4 版）. 南江堂, 2022

2) Laenger FP et al：Interstitial lung disease in infancy and early childhood：a clinicopathological primer. Eur Respir Rev 31：210251, 2022

3) 肥沼悟郎：ヒドロキシクロロキン：特発性間質性肺炎と特発性肺ヘモジデローシス. 小児内科 50：1697-1700, 2018

4) 厚生労働科学研究費補助金難治性疾患政策事業「びまん性肺疾患に関する研究調査」班特発性肺線維症の治療ガイドライン作成委員会：特発性肺線維症の治療ガイドライン 2017. 南江堂, 2017

5) 玉井直敬 他：小児肺疾患に対するヒドロキシクロロキン長期投与の安全性. 日小児会誌 125：234, 2021

3. 感染症

3. 感染症

突発性発疹

河村吉紀
藤田医科大学岡崎医療センター 小児科

POINT
- 突発性発疹（突発疹）は，乳幼児でよくみられる熱性発疹症である．
- 本症は基本的に予後良好であるため特異的な治療は必要ない．
- しかしながら，重篤な合併症である脳炎/脳症は神経学的後遺症を残すことがあり，予後改善のため特異的な治療が必要となる．
- 突発性発疹の脳炎/脳症に対するガイドラインはないが，現時点ではインフルエンザ脳症の治療ガイドラインに準じた治療が行われ，ステロイドパルス療法や大量ガンマグロブリン療法が行われる．

ガイドラインの現況

　突発性発疹は，基本的に予後良好な self-limited な疾患であり，一般の突発疹患児に対して特異的治療は必要ない．重篤な合併症である脳炎/脳症についての治療ガイドラインは確立されていない．病態的にはインフルエンザ脳症と類似しており，脳内でのウイルス増殖よりは，宿主免疫が重要な役割を果たしていると思われる．よって，現時点ではインフルエンザ脳症の治療ガイドラインに準じた治療を行うのが適切と考えられる．

【本稿のバックグラウンド】 突発疹は基本的に予後良好であるため特異的な治療は必要ない．そのため，一般的な病態や診断について概説した．一方で，重篤な合併症である脳炎/脳症は神経学的後遺症を残すことがあり，予後改善のため特異的な治療が必要となる．突発疹の脳炎/脳症に対するガイドラインはなく，現時点ではインフルエンザ脳症の治療ガイドラインに準じた治療が行われるためその治療法と，突発疹に合併する脳炎/脳症でよくみられるけいれん重積型急性脳症について，病態を基に提案される治療案について概説した．

どういう疾患・病態か

　現在，human herpesvirus 6 は，HHV-6A と HHV-6B の二種の異なるウイルスに分類されており，突発性発疹（突発疹）の原因は HHV-6B で，HHV-6A の初感染像は不明である．また，human herpesvirus 7（HHV-7）の初感染時にも，一部が突発疹の臨床経過をとる．HHV-7 の初感染時期は，HHV-6B より遅れ，生後2〜4歳頃であり，HHV-7 初感染による突発疹は，臨床的には二度目の突発疹として経験されることが多い．

　HHV-6B，HHV-7 の主要な感染経路は，母親などの既感染成人からの水平感染と考えられており，季節性はない．突発疹の罹患年齢は，過去の血清疫学成績から予想されたよ

100　3. 感染症

うに，母体からの移行抗体が消失する生後
4ヵ月〜1歳に集中しており，本邦ではほと
んどの小児がその時期に初感染を受けると考
えられていた．しかし最近，HHV-6B初感
染年齢が年長児に移行しており，実際2歳前
後のHHV-6B初感染例をよく経験する[1]．
HHV-6Bの初感染後，約10〜14日の潜伏期
の後発症し，3〜4日間の有熱期には高頻度
にウイルス血症を認め，解熱後の発疹期に，
NK活性などの非特異的免疫機構やHHV-6B
特異抗体ならびに細胞性免疫が動員され，急
速に血中からウイルスが消退する[2]．解熱と
ともに発疹が生じるが，皮疹出現メカニズム
については未だ明らかにされていない．皮疹
の最も典型的なものは風疹様の丘疹だが，麻
疹様の紅斑や斑状丘疹の形をとることもあ
る．皮疹ははじめ顔面，体幹，またはその両
方に出現し，その後身体の他の部位にも拡
がっていく．大泉門膨隆も突発疹患児でよく
認められるが，熱性けいれんの頻度が他の発
熱性疾患より高いことや，熱性けいれん患児
髄液中からHHV-6B DNAが検出されるこ
とと合わせると，ウイルスの中枢神経系への
直接的な侵襲により，頭蓋内圧が亢進してい
る可能性が考えられる．

　HHV-6B初感染時の合併症については，
熱性けいれんや脳炎/脳症などの中枢神経系
合併症が多く，特に熱性けいれんに関しては
他の発熱性疾患よりも複雑型熱性けいれんの
かたちをとることが多い[3]．重篤な合併症で
ある脳炎/脳症は全国調査の結果，年間100
例程度の発生が推測され，約半数の患児が，
発達遅滞や麻痺等の後遺症を残すとされてい
る．HHV-6B脳炎/脳症患児の神経症状は，
有熱期あるいは解熱後発疹が出現してから認
められるものまで様々である．我々は脳炎/
脳症患者血清や髄液中サイトカイン濃度の解
析結果から，初感染時の脳炎発症には，イン

フルエンザ脳症などと同様に，炎症性サイト
カインが重要な役割を演じていることを明ら
かにし，特に髄液中IL-6濃度が神経学的後
遺症を予測するうえで有用なことを報告し
た[4]．さらに，初感染時のHHV-6B脳炎/脳
症は，臨床症状や神経放射線学的所見に基づ
き，いくつかの病型に分類できることが明ら
かとなってきた．以前は，インフルエンザウ
イルス感染とならびHHV-6B感染が急性壊
死性脳症（ANE）の起因病原体として注目
されたが，最近は壊死性脳症例が減少する一
方で，有熱期にけいれん重積で発症し，いっ
たん意識障害が改善したのち，解熱後の発疹
期に再びけいれんが群発するけいれん重積型
急性脳症例が増加している．同じ起因ウイル
スでありながら，このように異なった脳炎臨
床像を示すことが明らかになってきたが，病
型ごとに異なったサイトカインプロファイル
を示すこともわかってきた．今後は病型ごと
の詳細な病態解明や診断，治療ガイドライン
が必要になるものと思われる．

治療に必要な検査と診断

　突発疹患児の多くは，3〜4日間の有熱期
の後，解熱とともに発疹が出現するという特
徴的な臨床経過をとるため，診断は容易であ
る．血液検査では特異的な所見はなく，鑑別
診断としては，熱性発疹症である麻疹，風疹
などが挙げられるが，典型的な臨床経過から
鑑別に苦慮することは稀である．しかし，発
熱あるいは発疹を伴わないような非典型例も
あるため，好発年齢でHHV-6Bと関連性の
示唆されている合併症（熱性けいれん，脳炎/
脳症，肝機能障害など）を伴った場合には，
本ウイルスの関与を念頭におくことが必要で
ある．ウイルス学的診断の基本は，末梢血単
核球からのウイルス分離と血清診断である

が，ウイルス分離は，コマーシャルラボラトリーでは実施不可能で，一部研究施設でのみ可能である．ウイルス分離までには約7〜14日間を要し，有熱期の迅速診断には役立たない．血清診断については，間接蛍光抗体法によるHHV-6およびHHV-7のIgG，IgM抗体も，一部研究施設で測定可能であるが，HHV-6，HHV-7両ウイルス間には交差反応性があることを考慮する必要がある．

臨床的に重要な検査法として，PCR法によるHHV-6BおよびHHV-7 DNA検出が挙げられる．ウイルス分離と異なり迅速に結果が得られ，コマーシャルラボラトリーでもリアルタイムPCR法によるウイルスDNA量測定が実施されている．しかし，HHV-6Bは末梢血単核球に潜伏感染するため，末梢血単核球あるいは全血からウイルスDNAが検出されたとしても，潜伏感染を反映しているだけで活動性ウイルス感染と異なることがあるので注意が必要である．潜伏感染と活動性感染の簡単な鑑別法としては，血清を検体としたPCR法がある．血清/血漿からのDNA検出は，発病後数日間（有熱期）のみ陽性であることから，ウイルス分離と同様に活動性感染を意味している．また，loop-mediated isothermal amplification（LAMP）法による血清中ウイルスDNA検出は，PCR法に比べ安価で迅速に実施可能なため，一般病院検査室レベルで行う迅速診断法としての普及が期待されている．血清からDNAを抽出することなく直接標的核酸検出が可能で，その場合，検体採取後最短40分で結果判定が可能である．

熱性けいれんや脳炎/脳症などの中枢神経合併症において，一般髄液検査所見で細胞数増多や蛋白上昇を示すことは稀である．またHHV-6B初感染時の脳炎/脳症では，髄液からウイルスDNAが検出されることがあるが，極めて少量である[5]．そのため，PCR法

が陰性だからといって必ずしもHHV-6脳炎/脳症が否定できるわけではない．最終的には血清診断なども併せて判断する必要がある．

治療の実際

突発疹は基本的に予後良好であり，皮疹も数日で自然消退するため，一般の突発疹患児に対して特異的治療は必要ない．脳炎/脳症については，約半数に重篤な神経学的後遺症を残すため，積極的な治療が必要と考えられるが，治療ガイドラインは確立されておらず，現時点ではインフルエンザ脳症の診療戦略に準じた治療を行うのが適切と考えられる[6]．高サイトカイン血症をきたす急性壊死性脳症では，ガンマグロブリン大量療法やメチルプレドニゾロン・パルス療法等の抗サイトカイン療法が理論的にも効果的と推測されるが，HHV-6B脳炎/脳症に多いけいれん重積型脳症では，興奮毒性による神経細胞死の可能性も示唆されており，けいれん重積の適切なコントロールや脳低体温療法や脳保護剤等の脳保護療法がより重要であるかもしれない．初感染時に限れば，脳炎/脳症などの重篤な合併症を生じた場合にのみ抗ウイルス療法が考慮されるが，ウイルス血症が有熱期に限られることや髄液中DNA量が少ないことからすると，効果については不明といわざるを得ない．HHV-6Bは，cytomegalovirusと同様，ウイルス特異的チミジンキナーゼをもたないためアシクロビルは無効である．有効な抗ウイルス薬としては，ガンシクロビルあるいはホスカルネットが挙げられるが，二重盲検比較試験にて臨床的な抗ウイルス薬の有用性を検討した報告はなく，さらなる報告や臨床試験が必要である．投与期間は血中および髄液ウイルス量をモニタリングしながら決定することが望ましいと思われる．HHV-6Bによる

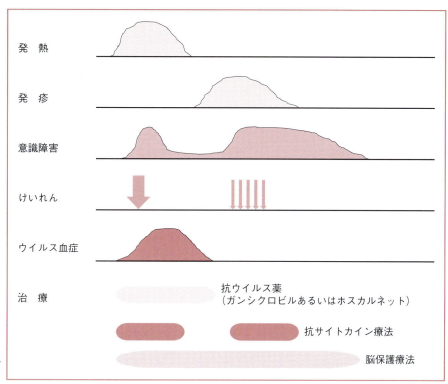

図1 けいれん重積型脳症の治療案

けいれん重積型脳症の治療案を図1に示す．

専門医に紹介するタイミング

ほとんどの突発疹患児は予後良好なため，専門医への紹介は不要である．脳炎/脳症をはじめとしたHHV-6B関連の重症合併症が疑われた際には，専門医へ紹介する必要がある．

専門医からのワンポイントアドバイス

脳炎/脳症については，約半数に重篤な神経学的後遺症を残すため積極的な治療が必要と考えられるが，治療ガイドラインは確立されておらず，現時点ではインフルエンザ脳症の治療ガイドラインに準じた治療を行うのが適切と考えられる．ただし，病態解明や新たな治療ガイドラインの確立のためにも，HHV-6B初感染に伴う脳炎/脳症を疑う症例については積極的に専門医療機関に相談し，より確実な診断を行うべきである．

―――― 文 献 ――――

1) Hattori F et al：Clinical characteristics of primary HHV-6B infection in children visiting the emergency room. Pediatr Infect Dis J 38：e248-e253, 2019
2) Asano Y et al：Viremia and neutralizing antibody response in infants with exanthem subitum. J Pediatr 114：535-539, 1989
3) Miyake M et al：Clinical features of complex febrile seizure caused by primary human herpesvirus 6B Infection. Pediatr Neurol 109：52-55, 2020
4) Kawamura Y et al：Different characteristics of human herpesvirus 6 encephalitis between primary infection and viral reactivation. J Clin Virol 51：12-19, 2011
5) Kawamura Y et al：Different characteristics of human herpesvirus 6 encephalitis between primary infection and viral reactivation. J Clin Virol 51：12-19, 2011
6) 日本医療研究開発機構研究費（新興・再興感染症に対する革新的医薬品等開発推進研究事業）「新型インフルエンザ等への対応に関する研究」班：インフルエンザ脳症の診療戦略．平成30年2月28日

3. 感染症

ノロウイルス・ロタウイルス感染症

廣瀬翔子[1]，藤森　誠[1],[2]

1) 東京女子医科大学八千代医療センター 小児科，2) 藤森小児科

POINT

● ノロウイルス，ロタウイルスは感染力の非常に強い胃腸炎ウイルスである．

● 頻回の嘔吐や下痢で脱水に陥りやすいため，脱水の評価と適切な患者家族への指導が重要である．

● 時にけいれんや脳症を発症することがあり注意を要する．

ガイドラインの現況

ウイルス性胃腸炎は，発展途上国のみならず先進国においても重要な疾患の一つで，全世界の5歳以下の小児の死亡原因（2000～2003年）で，肺炎に次いで第2位となっている．このようなことから，2003年に米国の疾病管理予防センター（Centers for Disease Control and Prevention：CDC）から『小児における胃腸炎の治療ガイドライン』[1]，欧州小児栄養消化器肝臓学会（ESPGHAN）から『小児胃腸炎ガイドライン』[2]が出されている．その後，英国の『NICEガイドライン2009』[3]，『ESPGHANガイドライン改訂版2014』[4]が発表されている．2018年現在，世界的に15以上のガイドラインが作成されている[5]．本邦でも，日本小児救急医学会が『小児急性胃腸炎診療ガイドライン2017』を発表した[6]．主な3つのガイドラインの比較を（表1）に示す．ノロウイルス・ロタウイルスは急性胃腸炎の主要な原因ウイルスであり，本稿では，これらの胃腸炎ガイドラインを中心に紹介する．

【本稿のバックグラウンド】　胃腸炎のガイドラインは，CDCやESPGHANを初めとして世界各国で作成されている．日本では小児救急医学会より，2017年に『小児急性胃腸炎診療ガイドライン』が示されている．治療については主にこれらのガイドラインを参考にしている．

どういう疾患・病態か

日本において冬季に流行するウイルス性胃腸炎は，ロタウイルス，ノロウイルス，サポウイルス，腸管アデノウイルス，アストロウイルスなどがあるが，ロタウイルスとノロウイルスは，しばしばアウトブレイクをひき起こすため，注意が必要である．本邦においては，11月から翌3月頃にノロウイルスが流行し，2月から4月頃にロタウイルスが流行することが多い．

1 ノロウイルス

以前はノーウォーク様ウイルスと呼ばれて

104　3. 感染症

表1　小児急性胃腸炎ガイドラインの比較

	小児急性胃腸炎診療ガイドライン	ESPGHAN 2014	NICE 2009	WHO 2005
脱水徴候	＋＋	＋	＋	＋
重症スコア	NR	＋	NR	NR
母乳栄養	＋＋	＋	＋	＋＋
人工乳栄養	希釈しないことを推奨	＋	＋	NR
早期栄養再開	＋＋＋	＋	＋	＋
食事制限	＋	＋	＋	＋
スポーツドリンク	NR	＋	＋	NR
ORS	＋＋＋	＋＋	＋＋	＋＋
経鼻胃管注入	NR	＋＋	＋＋	＋
静注補液	＋＋	＋	＋＋	＋
制吐薬	＋	＋	＋＋	＋＋
ロペラミド（使用しない）	＋＋	±	±	＋
racecadotril	NR	＋＋	NR	＋
亜　鉛	NR	＋＋	－	＋
プロバイオティクス	＋＋	＋＋	＋＋	NR
抗菌薬	投与しないことを強く推奨	＋	＋＋	＋

＋＋＋：strong evidence，＋＋：moderate evidence，＋：low evidence，±：poor ebidence，NR：not reported
racecadotril：ラセカドトリルは分泌抑制作用と止痢作用を有するエンケファリナーゼ阻害薬
ESPGHAN：European Society for Pediatric Gastroenterlogy Hepatology and Nutrition
NICE：National Institute for Health and Care Excellence，ORS：oral rehydration solution
WHO：World Health Organization　　　　　　　　　　　　　　　　　（文献5，6を参照して作成）

いたが，現在ではノーウォーク様ウイルスは，ノロウイルスとサポウイルスに区別されている．現在，ノロウイルスの遺伝子群は大きく4つの genogroup I に分けられ，それぞれに多様な遺伝子型が存在する．最近はGⅡ遺伝子型のノロウイルスによるアウトブレイクが世界各地で報告されている．ノロウイルスのヒトへの主な感染は経口感染で，感染経路は感染者の手指，感染者の便や嘔吐物，ノロウイルスに感染したカキなどの二枚貝，汚染した物品などである．時に激しい嘔吐に伴うエアロゾルによって，空気感染をもたらすこともある．10個程度のウイルス量でヒトへの感染が可能であり，極めて強い感染力を示す．ノロウイルスは12〜48時間の潜伏期間の後，突然の嘔吐で発症することが多い．ほかに，嘔気，下痢，腹痛を示し，発熱，倦怠感，頭痛，筋肉痛，悪寒などを伴うこともある．特別な治療を要せず数日で回復するが，乳幼児，免疫不全の患者においては症状の重篤化や遷延を認める．典型的には1〜3日程度の罹患期間であるが，症状改善後も3日程度は感染力を有するので，注意が必要である．

表2　脱水の評価

症　状	最小限の脱水または脱水なし（体重3%未満の喪失）	軽度から中等度の脱水（体重の3〜9%の脱水）	重度の脱水（体重9%を超える喪失）
精神状態	良好，覚醒	正常，疲労，落ち着きがない　刺激反応性	感情鈍麻，嗜眠，意識障害
口　渇	正常に飲水可能	口渇　水を強く欲しがる	ほとんど水を飲まない　飲むことができない
心拍数	正　常	正常〜増加	頻脈，重症例では徐脈
脈	正　常	正常〜減少	弱い，脈が触れない
呼　吸	正　常	正常，速い	深　い
眼	正　常	わずかに落ちくぼむ	深く落ちくぼむ
涙	あ　り	減　少	な　し
口，舌	湿っている	乾燥している	乾ききっている
皮膚のしわ	すぐに元に戻る	2秒未満で元に戻る	元に戻るのに2秒以上かかる
毛細血管再充満	正　常	延　長	延長，最小限
四　肢	温かい	冷たい	冷たい，斑状，チアノーゼあり
尿　量	正常〜減少	減　少	最小限

（文献1を参照して作成）

2 ロタウイルス

　ロタウイルスは，小児の急性胃腸炎の原因ウイルスの中で最も重症度が高く，時に入院治療を要するウイルスである．強い嘔気と頻回の嘔吐で発症することが多く，その後に下痢をきたす．他のウイルスに比べ下痢の回数も多く，時に白色便をきたすことが特徴である．また，半数に発熱を認める．ノロウイルスに比べ罹患期間は長く，年齢にもよるが5〜7日間の経過を要する．また，ロタウイルスは時にけいれんや脳症を伴い生命に脅威をもたらすことがあり注意を要する．

治療に必要な検査と診断

　ノロウイルスに関してはRT-PCR法と酵素免疫抗体法（ELISA法）が用いられるが，近年イムノクロマトグラフィー（IC）法によるノロウイルス迅速診断キットが発売と

なり，アウトブレイク，医療機関の院内感染に用いられる．報告によって感度にはバラつきがあり，54.5%，69.8%，78.9%との結果が報告されている[7]．ロタウイルスにおいてもイムノクロマトグラフィー法を用いた迅速診断キットが使用可能で，感度，特異度ともに90%以上とされている[8]．ロタウイルスワクチン株でも陽性となる点には注意が必要である．

治療の実際

　初期治療は，特定の臨床徴候や症状によって脱水の程度を判定し（表2），その重症度によって治療を決定する[1]．軽症〜中等症までであれば，経口補液剤（oral rehydration solution：ORS）が推奨される．OS-1やソリタT2顆粒は，WHOやESPGHANで推奨されるORSと類似した組成となっている[9]

106　3. 感染症

表3 ORS およびイオン飲料などの組成

	Na$^+$(mEq/L)	K$^+$(mEq/L)	Cl$^-$(mEq/L)	glucose 濃度 (g/L)	浸透圧 (mOsm/L)
WHO 推奨 -ORS（2002）	75	20	65	13.5	245
ESPGHAN 推奨（1992）	60	20	>25	16	240
OS-1	50	20	50	25	270
アクアライト ORS	35	20	30	（100 mmol/L）	200
ポカリスエット	21	5	16.5	62	326
ソリタ T 顆粒 2 号	60	20	50	32	249
ソリタ T 顆粒 3 号	35	20	30	34	200

（文献 9 を参照して作成）

表4 下痢および脱水を呈した小児に対する適切な治療のための 7 原則

1）脱水是正には経口補水液（ORS）を使用
2）経口補水は迅速（3〜4 時間以内）に行う
3）迅速な栄養補給のため，脱水が是正されたら，すぐに患者の年齢に合った非制限の食事を与えること
4）授乳中の幼児に対しては，母乳を継続して与えること
5）乳児用ミルクを用いている場合，薄めたミルクは推奨されず，特殊ミルクも通常は不要
6）下痢で継続的に水分が喪失している場合，経口補水液を追加して与えること
7）不必要な臨床検査や投薬は行わない

（文献 1 を参照して作成）

（表3）．脱水における詳しい治療は，他項を参照されたい．ウイルス性腸炎の場合は，整腸剤投与，食事摂取指導などの対症療法が中心となる．ESPGHAN ガイドライン改訂版 2014 では，*Lactobacillus rhamnosus* GG と *S. boulardii* が strong recommendation となっている[4]．本邦では，強い嘔吐時には鎮吐薬のドンペリドンが処方されることがあるが，有効なエビデンスとしては確立されておらず，心室性不整脈の報告もあることから，処方時には適応を十分に考慮する必要がある[4,6]．欧米では制吐薬としてオンダンセトロンが推奨されているが，本邦では適応となっていない．止痢薬のロペラミドは，多くのガイドラインで推奨されていない[5,6]．CDC のガイドライン中に，最適な治療を行

うための 7 つの原則が示されており，参考にされたい（表4）．脱水が改善された後は，適切な食事を早くから始めることが推奨されている．

1 ロタウイルスワクチン

ロタウイルスによる下痢症は，発展途上国における 5 歳未満の乳幼児の主要な死亡原因の一つであり，乳幼児期では約 40 人に 1 人の割合で重症化し，5 歳未満の急性胃腸炎による入院の半数程度はロタウイルスが原因とされ大きな疾病負担があった．そうした理由からワクチンの開発が進められてきた．2006 年から 2 種類のロタウイルスワクチン（Rotarix，GSK 社）（RotaTeq，Merck 社）が開発され，欧米の先進国で使用され，明確な

有効性が示された．ロタウイルスワクチンの導入により世界的にロタウイルス胃腸炎の頻度は低下している[8]．直接ワクチンを接種していない小児や成人でもロタウイルス胃腸炎が減少し，間接効果も認められている[8]．わが国においても2020年10月にロタウイルスワクチンが定期接種化された．2020年以降，ロタウイルス胃腸炎は激減し，報告は非常に限られている[10]．

一方，ロタウイルスワクチンによる腸重積の発症は，10万人あたり1〜5人の増加が報告されているが，ワクチン効果の有益性が大きく勝っている[8]．WHOはロタウイルスワクチンの有効性とのリスク・ベネフィットを勘案し「すべての乳児へのロタウイルスワクチン接種推奨と生後14週6日までの初回接種」の方針を継続し，欧米各国においても定期接種が継続されている．ロタウイルスワクチンの初回接種の推奨時期を超えた生後15週以降の接種は，安全性に関するデータが不十分であり，腸重積発症のリスク増加を示すデータもあることから，欧米各国においては認められていない．日本小児科学会も，「生後15週以降は，初回接種後7日以内の腸重積症の発症リスクが増大するので，原則として初回接種を推奨しない」としている．安全性の面からも初回接種時期を遵守することが望ましいと考える．

処方・治療例

10kg 乳児　軽度脱水

処方A　OS-1　最初の3〜4時間で50〜100mL/kgの投与を目標とする．

処方B　ビオフェルミン® 1g　分3 5日

専門医への紹介，入院治療の適応[1]

・保護者が十分な在宅治療を行えない場合．
・経口補水を投与できない状況（難治性嘔吐，経口補水液の拒否，経口補水液の摂取量不足）．
・臨床経過から他の疾患が併発している懸念がある場合．
・経口補水液の治療が奏効しない場合．
・重度の脱水が存在する場合（表2参照）．
・社会的，交通手段上，受診が困難な場合．
・細かな観察が必要となる場合（幼い患者，異常な刺激反応性，病状の進行など）．

専門医からのワンポイントアドバイス

・多くの急性胃腸炎診療ガイドラインが発表されているが，それぞれの国，患者背景に合わせて使用を検討することが重要である．
・ウイルス性胃腸炎は日常診療において一般的な疾患であるが，時に重症脱水をきたす症例もあり，注意が必要である．
・ノロウイルス，ロタウイルスともに強い感染力を示し，アルコール消毒に抵抗性である．入院の際などには，院内のアウトブレイクに十分な注意を要する．

———— 文　献 ————

1) King CK et al：Managing acute gastroenteritis among children：oral rehydration, maintenance, and nutritional therapy. MMWR Recomm Rep 52（RR-16）：1-16, 2003
2) Guarino A et al：European Society for Paediatric Gastroenterology, Hepatology, and Nutrition/European Society for Paediatric Infectious Diseases evidence-based guidelines for the management of acute gastroenteritis in children in Europe. J Pediatr Gastroenterol Nutr 46（suppl 2）：S81-S122, 2008
3) National Collaborating Centre for Women's and

Children's Health (UK). Diarrhoea and Vomiting Caused by Gastroenteritis：Diagnosis, Assessment and Management in Children Younger Than 5 Years London：RCOG Press；2009：National Institute for Health and Clinical Excellence：Guidance.

4）Guarino A et al：European Society for Pediatric Gastroenterology, Hepatology, and Nutrition/European Society for Pediatric Infectious Diseases evidence-based guidelines for the management of acute gastroenteritis in children in Europe：Update 2014. J Pediatr Gastroenterol Nutr 59：132-152, 2014

5）Lo Vecchio et al：Comparison of Recommendations in Clinical Practice Guidelines for Acute Gastroenteritis in Children J Pediatr Gastroenterol Nutr 63：226-235, 2016

6）日本小児救急医学会 診療ガイドライン作成委員会編：小児急性胃腸炎診療ガイドライン 2017.

7）Thongprachum A et al：Evaluation of an Immunochromatography Method for Rapid Detection of Noroviruses in Clinical Specimens in Thailand. J Med Virol 82：2106-2109, 2010

8）Banyai K et al：Viral gastroenteritis. Lancet 392：175-186, 2018

9）大塚宜一 他：乳幼児のウイルス性胃腸炎等による脱水症に対する経口補水液の有用性の検討 アクアライト ORS と経口補水液 A との比較試験. 小児科臨床 62：2265-2273, 2009

10）感染症情報センター IDWR2022（感染症発生動向調査週報）

ノロウイルス・ロタウイルス感染症　109

3. 感染症

インフルエンザ

もりうちひろゆき
森内浩幸
長崎大学医学部 小児科学教室

POINT
- 疫学情報と臨床症状からインフルエンザが疑われる患児に対しては，抗原迅速検出キットを用いて診断を確定する．ただし，発症後早期は検出率が低いことに留意する．
- 患児の臨床的重症度と重症化リスクとなる基礎疾患の有無に応じて，抗ウイルス療法の適応の是非，および抗ウイルス薬の選択を行う．
- 呼吸状態の悪化や急性脳症を疑う症状がある場合には，三次医療機関への搬送を迅速に行う．特に基礎疾患を有する場合は早めの対応が求められる．

ガイドラインの現況

　小児の季節性インフルエンザの診療について，国内では日本小児科学会[1]や日本感染症学会[2]から指針が出ている．米国小児アカデミーでは 2015 年 10 月に Policy Statement を発表し，その後も適宜改訂しながら小児のインフルエンザに対する予防と治療の指針を出している[3]．米国感染症学会（Infectious Diseases Society of America：IDSA）は 2018 年に季節性インフルエンザの診療に対するガイドラインを出した[4]．米国 Centers for Disease Control and Prevention（CDC）も抗インフルエンザウイルス薬使用に関する Recommendation を出し，適宜改訂している[5]．また英国では，National Institute for Clinical Excellence（NICE）や Public Health England（PHE）からインフルエンザの治療と予防のためのガイドラインが出され，UK Health Security Agency（UKHSA）からも最近ガイダンスが出されている[6]．世界保健機関 World Health Organization（WHO）もインフルエンザの重症例もしくは重症化のリスクのある症例への管理指針を提示している[7]．PHE のガイドラインでは，ザナミビル静注薬のような国内未承認薬の解説もされている．

　インフルエンザ診療の在り方には，日本と欧米諸国とで隔たりがある．日本では元来健常な児に対してもインフルエンザウイルス抗原迅速検出キットによる早期確定診断を行い，ノイラミニダーゼ阻害薬による早期治療を実施することが多いのに対し，WHO や英国のガイドラインでは，ハイリスクの人以外には抗インフルエンザ薬使用を推奨していない．AAP や CDC のガイドラインはその中間に位置し，ハイリスクの人（表 1）でなく

てもインフルエンザのために入院を要するようになった人への抗インフルエンザ薬の投与を推奨し，さらにはリスクが高くない外来患者でも罹病期間やウイルス排泄期間の短縮や合併症のリスクをさらに押し下げることを希望する場合には，抗インフルエンザ薬の投与を考慮している．

　一方，インフルエンザ脳症の診療に関しては，日本においていち早く指針がまとめられたが[8]，これに関しては「急性脳炎・急性脳症」の項に委ねる．

【本稿のバックグラウンド】日本小児科学会では，国内外の研究結果に基づくエビデンスと，海外の権威ある機関（WHO，米国のCDCやAAPやIDSA，英国のUNHSAなど）と国内におけるコンセンサス（日本感染症学会）を基に，随時治療指針を発表している．本稿の内容は基本的に日本小児科学会予防接種・感染症対策委員会がまとめた治療指針に沿ったものである．

どういう疾患・病態か

　インフルエンザウイルスによる急性感染症である．A，B，Cの3つの型があるが，臨床的に重要なものはA型とB型で，後述するパンデミックを起こすのはA型である．

　罹患した人の咳・くしゃみ・唾液の飛沫に含まれるウイルスが鼻や口から侵入し，気道粘膜で増殖する．その他の急性ウイルス性呼吸器感染（いわゆる「かぜ」）との違いは，呼吸器症状（咳，鼻汁，咽頭痛など）に加え，強い全身症状（高熱，頭痛，筋肉痛，関節痛，倦怠感など）が出現することである．健康成人・小児の大多数では無治療でも1〜2週間の経過で軽快するが，高齢者・種々の基礎疾患のある人・妊婦・乳児では下気道炎（肺炎，細気管支炎，気管支炎）まで進展したり，細菌の重感染（特に肺炎や慢性気管支炎の急性増悪など）を併発したりして，極めて重篤な結果に至る場合もある．乳幼児におけるインフルエンザ脳症は，わが国に比較的多く認められる重篤な合併症である．こうした合併症は，ウイルスの気道粘膜への直接侵襲と，それによる気道粘膜の荒廃・脆弱化に加えて，炎症性サイトカインの誘導が全身にわたる病態生理に影響を与えている．

　わが国では通年12月から翌3月にかけて流行するが，そのパターンは年ごとに様々である．また季節はずれの小流行が認められることもある．本来はトリ（カモのような渡り鳥）のウイルスであって，代表的な人獣共通感染症である．トリのインフルエンザウイル

表1　インフルエンザ重症化のハイリスク宿主

・2歳未満の小児
・65歳以上の成人
・以下の基礎疾患を有する患者：慢性肺疾患（含，喘息），慢性心血管疾患（高血圧を除く），慢性腎疾患，慢性肝疾患，慢性血液疾患（含，鎌状赤血球症），代謝疾患（含，糖尿病），神経学的または神経発達的障害（含，脳性麻痺，てんかん，脳梗塞，知的障害，中等度〜重度の発達遅滞，筋ジストロフィー，脊髄損傷）
・免疫抑制患者（医原性またはHIV感染）
・妊婦および出産後2週以内の産褥婦
・アスピリンの長期投与を受けている19歳未満の患者
・BMI＞40の肥満者
・ナーシングホームやその他の長期療養施設入所者

スが直接ヒトに感染することは稀で，通常はブタに複数のウイルスが感染し，その体内で遺伝子再構築の結果として不連続抗原変異（antigenic drift）が生じ，その結果ヒトに感染しうる新型のウイルスが出現すると，ヒト–ヒト感染が急激に拡がるパンデミックが生じる．2009 年にメキシコ・米国から世界中に拡がったパンデミック（H1N1）2009 もブタ由来で，たまたま亜型はソ連型と同じ AH1N1 であったが，抗原性はソ連型とは大きく異なるためにパンデミックをひき起こした．いったんヒト社会に導入された後も，その抗原性は毎シーズン少しずつ変異（連続抗原変異 antigenic shift と呼ばれる）を繰返し，ヒトの免疫系の攻撃を逃れて流行を続ける．

治療に必要な検査と診断

　流行時期に典型的な症状と疫学的状況を認めた場合には，臨床診断の精度は比較的高い．しかし実際は臨床症状も軽症例から重症例まで様々で，しかも流行時期であってもその他の呼吸器ウイルス感染症の紛れ込みは少なくなく，非流行時期と思っていてもインフルエンザが検出される場合がある．したがって，ウイルス学的に確定診断を下す必要がある．（鼻）咽頭拭い液などを用いたウイルス分離は gold standard ではあるが，実施できる機関は限られ，迅速性もない．急性期と回復期のペア血清を用いての抗体検査は迅速性が全くなく，かつ乳幼児などでは抗体応答が弱いこともある．ウイルス核酸検出法（RT-PCR または LAMP）は，平成 26 年に重症患者に対しては保険収載されたが，ほとんどの場合は外注検査となるため迅速性に欠ける．したがって，疫学的臨床的にインフルエンザが疑われたら，市販の抗原検出キットを

用いて迅速に確定診断を行うことが，患者本人（早期治療）と社会（流行状況の把握，ワクチンの有効性の判定など）に有用な情報を与えてくれる．

　健康保険適用のある抗原検出キットは多種類市販されており，キットによって感度・特異性・検査に要する時間は様々である．しかし，いずれも 30 分以内には検出可能で A 型と B 型の判別もできる．一般に鼻腔吸引液や鼻咽頭拭い液を検体として用いたほうが，咽頭拭い液を用いた場合よりも感度は高い．また，発症後あまりに早期であると検出率は下がる．ウイルス粒子数が少ないと偽陰性になるが，その場合でも重症例のインフルエンザとなりうるので，最終的には臨床的判断が求められる．

治療の実際

　抗ウイルス療法（表 2）と対症療法が行われる．

　抗ウイルス療法の主力は，ノイラミニダーゼ阻害薬である経口薬オセルタミビル（タミフル®），吸入薬のザナミビル（リレンザ®）とラニナミビル（イナビル®），そして注射薬のペラミビル（ラピアクタ®）である．いずれも発症 48 時間以内に用いると症状の軽減と罹病期間の短縮が期待される．胎児や乳児への安全性は完全に確立していないため，妊婦や授乳婦へは治療上の有益性が危険性を上回ると判断される場合のみ投与することになるが，妊娠と薬情報センターの「インフルエンザ最新情報」（http://www.ncchd.go.jp/kusuri/news_med/h1n1.html）では妊婦や児に有害事象が増加するという報告はないと記載され，米国 CDC（https://www.cdc.gov/H1N1flu/recommendations.htm）も日本産科婦人科学会（「産婦人科診療ガイドライン—

112　3．感染症

表 2 抗インフルエンザ薬

薬剤名	商品名	作用機序	適応症	投与開始時期	用法（治療目的）	用法（予防目的*）	保険適用	副作用	耐性
オセルタミビル	タミフル®	ノイラミニダーゼ阻害（ウイルス粒子の感染細胞からの遊離の抑制、ウイルス粒子の凝集化）	A・B型の双方に有効	発症後48時間以内	1回2mg/kg（上限75mg）を1日2回、5日間経口投与	同量を1日1回投与、10日間	治療の目的には新生児から認められている。予防投与は1歳以上	消化器系（嘔吐、下痢）や中枢神経系の副作用の可能性が指摘されたが、因果関係は証明されていない	成人で5～10%に出現、小児で1%で出現。耐性ウイルスの病原性は通常弱い
ザナミビル	リレンザ®				1回2吸入（10mg）を1日2回、5日間	同量を1日1回投与、10日間	治療・予防どちらの目的においても5歳以上	過敏症や（特に喘息やCOPD患者において）気道の攣縮を誘発する可能性がある	耐性ウイルスの発現はほとんどない
ラニナミビル	イナビル®				吸入粉末剤：20mg（10歳未満）または40mg（10歳以上）を単回吸入	20mg（10歳未満）または40mg（10歳以上）を単回吸入	治療・予防どちらの目的においても1歳以上	過敏症や（特に喘息やCOPD患者において）気道の攣縮を誘発する可能性がある	耐性ウイルスの発現はほとんどないと思われる
ペラミビル	ラピアクタ®				10mg/kg（上限600mg）を1日1回のみ15分以上かけて点滴静注（症状に応じて連日投与可能）	確立していない	予防投与は認められていない	下痢や好中球減少など	オセルタミビルとの交差耐性の可能性がある
ファビピラビル	アビガン®	RNA依存性RNAポリメラーゼ阻害	インフルエンザウイルスに加え、RNAウイルス全般に有効	発症後48時間以降でも有効とされる	成人に対して1日目は1回1,600mgを1日2回、2～5日目は1回600mgを1日2回経口投与（総投与期間5日間）	確立していない	以下の条件で製造販売承認を受けている：新型インフルエンザが流行し、他の薬が効かないと国が判断した場合に、厚生労働省の要請を受けて製造を開始する	催奇形性（妊婦および妊娠の可能性のある女性への投与は禁忌）つまり男女を問わず、投与期間中および投与終了後7日間は避妊するよう指示されている	確立していない
バロキサビルマルボキシル	ゾフルーザ®	キャップ依存性エンドヌクレアーゼの活性を選択的に阻害	A・B型の双方に有効	発症後48時間以内が望ましい	40mgを単回投与（体重80kg以上なら80mg；20kg以上40kg未満なら20mg；10kg以上20kg未満なら10mg）	40mgを単回投与（体重80kg以上なら80mg；20kg以上40kg未満なら20mg；10kg以上20kg未満なら10mg）	治療の目的には1歳以上、予防の目的には20kg以上（10mg錠および20mg錠が認められておらず、20mg錠や顆粒2%分包のみが認められている）	下痢や肝機能異常など	耐性ウイルスの発現は特に小児において比較的高頻度に報告されているが、ノイラミニダーゼ阻害薬との交差耐性は起こらない

*予防投薬は原則として、インフルエンザ感染者の同居家族・共同生活者で、下記のような重症化のリスクがある場合に適用となる.
高齢者（65歳以上）
慢性呼吸器疾患または慢性心疾患患者
代謝性疾患患者（糖尿病等）
腎機能障害患者　など

産科編 2020」CQ102）もハイリスク者である妊婦への抗インフルエンザウイルス薬の投与は躊躇なく行うよう指針を出している.

時にオセルタミビル耐性株が出現することがあり，これはペラミビルにも交差耐性することが多いが，ザナミビルやラニナミビルには耐性化しにくい．しかしザナミビルやラニナミビルは吸入がうまくできない患者（小児や高齢者など）では使いにくく，また気道狭窄を伴うような呼吸器病変部位には到達しない恐れもある．このような事情を念頭においたうえで，どのようなウイルスが流行しているのか，宿主の条件はどうなのかを考慮して，抗インフルエンザウイルス薬を選択しなければならない．欧州連合では，オセルタミビル・ペラミビル耐性ウイルスによる重症例の治療に，ザナミビル静注薬（欧州医薬品局 European Medicines Agency 承認）が用いられるが，わが国では入手できない．ノイラミニダーゼ阻害薬とは全く異なる機序ではたらき，インフルエンザウイルス以外の RNA ウイルスへも有効なファビピラビルがわが国で開発されたが，催奇形性が危惧されるために，他剤が無効の新型インフルエンザが流行するときのみの製造が承認されている.

なお，インフルエンザ特有の酵素であるキャップ依存性エンドヌクレアーゼの活性を選択的に阻害し，ウイルスの mRNA 合成を阻害することでインフルエンザウイルスの増殖を抑制する新しい作用機序の抗インフルエンザ薬バロキサビルマルボキシルが発売されたが，12 歳未満の小児の使用経験に乏しいため，現時点では小児へ積極的に推奨されてはいない．ノイラミニダーゼ阻害薬に耐性のウイルスにも有効であるため，その場合には検討される．しかしこの薬剤に対する耐性ウイルスの出現も報告されており，特に小児では高頻度に認められている.

対症療法で重要なことは解熱薬の選択である．アスピリンはライ症候群（Reye syndrome）のリスクを高めることから禁忌である．またジクロフェナクナトリウムやメフェナム酸のような非ステロイド系抗炎症薬は，インフルエンザ脳症の重症度を高めることから，やはりインフルエンザが疑われる小児に使用すべきではない．したがって，安心して小児に処方できる解熱薬はアセトアミノフェン（アンヒバ® 坐薬，カロナール® 細粒）となる．その他，適宜去痰薬や鎮咳薬などを処方する.

インフルエンザに起因する重症肺炎や ARDS の診療戦略については，植田らが日本小児科学会誌に論策を掲げている[9].

処 方 例

吸入がうまくできない小児例（体重 10kg の 1 歳児）

処方A　タミフル® 細粒　40mg（力価）分2　5日間

処方B　アンヒバ® 坐薬（100mg）　1個　頓用（高熱時）

呼吸器症状が顕著でなく上手に吸入できる小児例（体重 20kg の 6 歳児）

処方A　リレンザ®　1回2吸入（10mg）　1日2回　5日間

処方B　カロナール® 細粒　200mg　頓服（高熱時）

経口摂取も吸入もできない重症の小児例（体重 50kg の 14 歳患者）

処方　ラピアクタ®　500mg 点滴静注1回のみ（症状に応じて連日反復投与も考慮）

専門医に紹介するタイミング

基礎疾患を有する場合や乳児例で，全身状態や呼吸状態の悪化が認められた場合は，迅速に対応すべきである．

元来健康な小児であっても，多呼吸・陥没呼吸・鼻翼呼吸といった呼吸障害がある場合や，大気中でのSpO_2値が93％以下で正常化するために酸素投与が必要な場合には，入院適応である．酸素流量を上げたりリザーバー付きフェイスマスクで高濃度酸素を供給してもSpO_2が94％以上に保てない場合には，呼吸不全として三次医療機関への転送を考慮する．

また，高熱に伴う熱性けいれんはよく遭遇するが，「インフルエンザ脳症ガイドライン」に沿って，意識の回復が悪いなどの場合や異常言動が認められる場合は，必ず紹介する必要がある[8]．

専門医からのワンポイントアドバイス

予　防：特にハイリスク児とその家族ではワクチン接種を徹底して，少しでも罹患する確率を減じることが大切である．家族の成員（入院中であれば同室者）の感染が判明した直後の抗インフルエンザウイルス薬の予防投薬は，保険上認められているものもあり（表2），ハイリスクの場合には検討する．

文　献

1) 日本小児科学会予防接種・感染症対策委員会：2022/2023シーズンのインフルエンザ治療・予防指針．https://www.jpeds.or.jp/uploads/files/20220926-1flu.pdf

2) 日本感染症学会：今冬のインフルエンザに備えて―治療編〜前回の提言以降の新しいエビデンス〜．https://www.kansensho.or.jp/uploads/files/guidelines/211221_teigen.pdf

3) American Academy of Pediatrics, Committee on Infectious Diseases：Recommendations for prevention and control of influenza in children, 2022-2023. Pediatrics 150：e2022059274, 2022

4) Uyeki TM et al：Clinical practice guidelines by the Infectious Diseases Society of America：2018 update on diagnosis, treatment, chemoprophylaxis, and institutional outbreak management of seasonal influenza. Clin Infect Dis 68：e1-e47, 2019

5) Centers for Disease Control and Prevention：Influenza antiviral medications：summary for clinicians https://www.cdc.gov/flu/professionals/antivirals/summary-clinicians.htm

6) UK Health Security Agency：Guidance on use of antiviral agents for the treatment and prophylaxis of seasonal influenza. Version 11, November 2021 https://assets.publishing.service.gov.uk/government/uploads/system/uploads/attachment_data/file/1058443/ukhsa-guidance-antivirals-influenza-11v4.pdf

7) World Health Organization：Guidelines for the clinical management of severe illness from influenza virus infections https://www.who.int/news/item/21-03-2022-who-releases-clinical-management-guidelines-for-influenza

8) 厚生労働省インフルエンザ脳症研究班「インフルエンザ脳症ガイドライン【改訂版】」平成21年9月．https://www.jpeds.or.jp/uploads/files/influenza090928.pdf

9) 植田育也 他：小児インフルエンザ重症肺炎・ARDSの診療戦略．日小児会誌 113：1501-1508, 2009

3. 感染症

ヒトメタニューモウイルス感染症

菊田英明
はせ小児科クリニック

POINT

●ヒトメタニューモウイルスは，すべての年齢層に上気道炎（鼻炎，咽頭炎，副鼻腔炎）から下気道炎（気管支炎，細気管支炎，肺炎）までひき起こす．大部分は上気道炎と推測されるが，乳幼児，高齢者では重症の下気道炎が多くなる．

●確定診断はウイルス遺伝子の検出であるが，臨床の場では抗原定性（迅速検査）が有用である．

●直接的な治療薬がないため，治療は症状の重症度に応じた対症療法が基本となる．

ガイドラインの現況

2001年に発見されたヒトメタニューモウイルスに対して確立されたガイドラインはない．発見以来，ヒトメタニューモウイルスに関する論文（J Clin Microbiol 42：126-132, 2004[1]；Clin Microbiol Rev 24：734-754, 2011[2]；J Clin Virol 53：97-105, 2012[3]；Front Immunol 9：2466, 2018[4]）が集積された．治療に関しては，RSウイルスの細気管支炎のガイドライン（J Infect Dis 222（Suppl 7）：S672-S679, 2020[5]）を参考に行うと良いと思われるが，ヒトメタニューモウイルス感染症に適応できるかは明らかでない．本稿ではhMPV感染症について解説する．

【本稿のバックグラウンド】 ヒトメタニューモウイルスに特化したガイドラインはないため，本稿では関連する論文を参考に，ヒトメタニューモウイルスの症状，病態，検査所見，治療について解説した．

どういう疾患・病態か

1 疾患・病態の概要

ヒトメタニューモウイルス（human metapneumovirus：hMPV）は非分節マイナス一本鎖RNAウイルスで，ニューモウイルス科，メタニューモウイルス属に分類される．ウイルス表面にはF蛋白（fusion protein），G蛋白（attachment glycoprotein），SH蛋白（small hydrophobic protein）の3個の糖蛋白が存在する．F蛋白は細胞への接着と融合に関与し感染に必須な蛋白で，F蛋白のRGD（Arg-Gly-Asp）モチーフが細胞側の受容体である$\alpha v \beta 1$インテグリンと結合する．ウイルスが感染性を獲得するためには，F蛋白の前駆体として産生されるF0蛋白が，セリンプロテアーゼTMPRSS2によりF1蛋白とF2蛋白のサブユニットに開裂さ

れる必要がある．主な中和抗体のエピトープはF蛋白に存在する．

hMPVは遺伝子配列の違いにより2つのグループに分かれ（A，B），さらにそれぞれが2つのサブグループに分かれ（A1，A2，B1，B2），A2はさらに3つのクレードに分かれる（A2a，A2b，A2c）．グループ，サブグループ，クレードの違いにより臨床症状に差を認めない．流行期には複数のサブグループの株が流行するが，優位に流行するサブグループは年により異なることが多い．近年，G蛋白をコードしている遺伝子領域に180塩基または111塩基の重複配列が挿入されている株がA2b株の中に発見された．hMPVは，生後6ヵ月頃から初感染が始まり，2歳で50％，5歳で75％，遅くとも10歳までに1度は感染する．RSウイルスによる重症例は6ヵ月以下の乳児に多いのに対し，hMPVでは1歳以上の幼児に多い．一度の感染では終生免疫を得られず，何度も再感染を繰返す．hMPVはインフルエンザの流行後の2〜6月に流行し，3〜4月にピークが来ることが多い．小児の呼吸器感染症の中で10〜15％を占め，2〜5番目に多く検出されるウイルスであるが，クループからの検出は稀である．hMPV感染の中で，肺炎は細気管支炎より多い．hMPVと他のウイルスとの重複感染率は5〜20％であり，特に低年齢や重症例で重複感染が多い．

伝播様式は飛沫感染と接触感染がある．感染細胞は上気道と下気道の上皮細胞，II型肺胞細胞，樹状細胞である．感染細胞から産生されるインターフェロン，各種の炎症性サイトカインやケモカイン，好中球などの自然免疫と，ウイルスおよび感染細胞に対する獲得免疫が病態を形作っている．感染した上皮細胞から胸腺間質性リンパ球新生因子などが産生され，これらが2型自然リンパ球からの

Th2型サイトカインの産生を促し，抗原非特異的なTh2型免疫応答をひき起こす．

2 主要症状

潜伏期間は4〜6日であり，ウイルス量は発熱後1〜4日に多く，ウイルス排泄は1〜2週間持続する．hMPVと遺伝子，臨床像が一番類似しているウイルスはRSウイルスである．hMPVはすべての年齢層に上気道炎（鼻炎，咽頭炎，副鼻腔炎）から下気道炎（気管支炎，細気管支炎，肺炎）までひき起こす．大部分は上気道炎，（感冒，いわゆる「かぜ」）と推測されるが，免疫力の弱い乳幼児，高齢者では重症の下気道感染症が多くなる．発熱，咳嗽，鼻汁，呼吸困難，嘔吐，下痢などの症状は重症度により異なる．

臨床上で問題になるのは，高熱の持続，喘鳴を伴い呼吸障害を起こす場合である．このような重症例の臨床症状は「インフルエンザのような高熱の持続とRSウイルス感染症のような呼吸器症状が一緒になった症状」と捉えると理解しやすい．肺の聴診所見は，RSウイルス感染症と同様に呼気時の笛様音（wheezes）と吸気時の断続性ラ音（crackles）が特徴である（図1）．重症例では，細菌の二次感染がなくとも発熱が5日くらい続くことがあるが，長期間続くときは中耳炎，下気道への細菌の二次感染を考慮する必要がある．合併症として，細菌性中耳炎は約15％，気管支喘息の増悪は約10％，熱性けいれんは約3％にみられる．稀ではあるが呼吸器感染症の重症度と関連なく脳炎・脳症の報告がある．鑑別すべき感染症は，RSウイルス，ライノウイルスC，パラインフルエンザウイルス，コロナウイルスNL63など，喘鳴を伴いやすい下気道炎をひき起こすウイルス感染症である．

ヒトメタニューモウイルス感染症　117

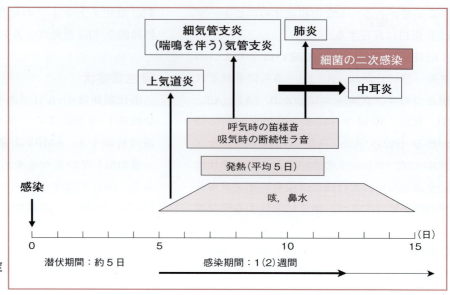

図1 hMPV 感染症の臨床経過

治療に必要な検査と診断

1 本症の診断方法

　hMPV を分離することは難しいため，hMPV は reverse transcription-polymerase chain reaction（RT-PCR）法によりウイルス遺伝子を検出することが最も鋭敏な方法である．PCR 産物の塩基配列を決定し系統樹解析を行い，グループ，サブグループ，クレードを決定する．hMPV 抗原定性の保険適用の条件は，2018 年 4 月から「画像診断または胸部聴診所見により肺炎が強く疑われる 6 歳未満の患児」と拡大され，画像診断がなくとも重症例に対して使用可能となり迅速に診断可能となった．検査はウイルス量の多い発症から 1～4 日の間に行うのが望ましい．抗原定性の目的は，①重症な患児の診断　②患児の治療方針の決定（不必要な抗菌薬の使用の回避）③病院内での感染拡大の抑制，などである．集団生活（保育所，幼稚園）の場では軽症者も多いことから感染拡大を抑えることは難しいと考えられ，流行を防ぐ目的で軽症の患児に対して抗原定性の検査を行うべきでない．

2 二次的異常の診断

　白血球数，CRP などの血液検査は一般的なウイルス感染症と同様で，細菌による二次感染がない限り大きな異常は認めない．発熱が 3 日以上続くときは，中耳炎，下気道への細菌の二次感染に注意が必要である．hMPV の重症例は細菌の二次感染がなくても 5 日程度の発熱が続くことがあり，その場合は CRP が 2 mg/dL 以下のことが多い．しかし，2 mg/dL 以上のときは細菌の二次感染を疑う必要がある．胸部聴診所見で呼気性喘鳴や吸気性ラ音が聴取される場合や呼吸障害がみられる場合は，胸部 X 線写真を撮る必要がある．RS ウイルスによる肺炎では両肺対称性の病変が多いのに対し，hMPV では片側性の病変が多い．胸部 X 線写真で，重症の肺炎が認められても細菌による二次感染がない限り CRP は強陽性にならない．呼吸障害がみられるときには経皮酸素分圧モニターで経皮的動脈血酸素飽和度（SpO$_2$）を測定する必要がある．

治療の実際

　直接的な治療薬がないため，治療は症状の重症度に応じた対症療法が基本であり，脱水，細菌の二次感染，呼吸状態に注意し治療する必要がある．入院が必要な場合は，①水分摂取ができず，長時間の補液が必要の場合，②経口の抗菌薬で，細菌の二次感染を抑えきれない場合，③呼吸障害があり，SpO_2 が 90〜92％以下で酸素投与が必要の場合などである．hMPV 感染の子どもの中には，気管支喘息の診断を以前に受けている子どももいることから，効果の有無は明らかでないが，重症例に対してはロイコトリエン受容体拮抗薬，気管支拡張薬，ステロイドの吸入または全身投与は行ってもよいと思われる．最重症例にはリバビリンや免疫グロブリンを使用し有効との報告もある．また，hMPV 患児の病院内での隔離は，少なくとも 1 週間が望ましい．

処 方 例 　（体重 13 kg を想定）
処方A　アスベリン® 散（10％）　0.25g 　　　　分 3/日 　　　　ムコダイン®DS（50％）　0.7g 　　　　分 3/日 　　　　小児用ムコソルバン®DS 　　　　（1.5％）　0.7g　分 3/日
処方B　オノン® ドライシロップ（10％） 　　　　7mg/kg/日　分 2/日
処方C　ホクナリン® テープ　（0.5 mg/ 　　　　枚）1枚/日　貼付
処方D　パルミコート® 吸入液（0.5 mg） 　　　　1回/日　吸入
処方E　インタール® 吸入液（1％）2 mL 　　　　＋ベネトリン® 吸入液（0.5％） 　　　　0.3 mL　3回/日　吸入

専門医に紹介するタイミング

　①脱水が著明であり，長時間の補液が必要な場合，②細菌の二次感染が著明な場合，③呼吸障害があり SpO_2 が低下し，酸素投与が必要もしくは必要になる可能性がある場合は，外来での治療が困難であり，入院施設のある病院を紹介する必要がある．

専門医からのワンポイントアドバイス

　呼吸状態に注意し，発熱期間が長くとも細菌の二次感染がない限り，抗菌薬は使用する必要はない．hMPV 抗原定性は，重症な子どもの診断や，ハイリスク患者の多い病院内での感染予防に有用である．隔離のできない集団生活を行う場（保育所，幼稚園）において，軽症の子どもに検査する必要はなく，過剰に恐れさせるべきでない．

──────── 文　献 ────────

1）Ebihara T et al：Human metapneumovirus infection in Japanese children. J Clin Microbiol 42：126-132, 2004

2）Schildgen V et al：Human metapneumovirus：lessons learned over the first decade. Clin Microbiol Rev 24：734-754, 2011

3）Feuillet F et al：Ten years of human metapneumovirus research. J Clin Virol 53：97-105, 2012

4）Soto JA et al：Human metapneumovirus：Mechanisms and molecular targets used by the virus to avoid the immune system. Front Immunol 9：2466, 2018

5）Kirolos A et al：A Systematic review of clinical practice guidelines for the diagnosis and management of bronchiolitis. J Infect Dis 222（Suppl 7）：S672-S679, 2020

3. 感染症

麻疹/風疹

横田俊一郎
横田小児科医院

POINT

● 麻疹も風疹も近年は発生が少なく，遺伝子検査を用いた正確な診断がまず求められる．ともに有効な薬剤はなく，合併症の早期発見と治療に診療の主眼が置かれる．

● 2008年1月から感染症法5類の全数把握疾患となり，両疾患とも診断した医師すべてに届出が義務付けられており，2018年1月からは診断後「直ちに」届出を行わなければならない[1]．

● また，両者ともワクチンにより予防可能な疾患であり，接種率を向上させ疾患を根絶することが最終目標である．

ガイドラインの現況

　2006年4月から麻疹・風疹混合ワクチンの2回接種が定期接種に導入されているが，2008年3月に高校を卒業した世代以上の年齢では2回接種は行われておらず，感受性者が残っていることが問題となっている．

　2000年頃まで日本は先進国の中では際立って麻疹の発生率が高く，予防接種率の低さが原因と指摘されていた．沖縄での麻疹流行を契機として，2001年4月に沖縄県はしか"0"プロジェクト委員会が発足し，同様の運動が全国へ拡がったことにより，麻疹の発生率は急速に低下し，2015年3月には世界保健機関西太平洋地域事務局により「排除状態」にあることが認定された．しかし，その後も主に東南アジアから持ち込まれた麻疹を発端とした集団発生事例が散発している[2]．

　風疹に伴う最大の問題は，妊娠前半期の妊婦の感染により胎児に先天性風疹症候群を高率に起こすことである．2012年後半〜2013年夏にかけての大流行により，2012年10月〜2014年10月に，45人の先天性風疹症候群の患者が報告されている[3]．2015〜2017年は年間100名前後の報告数に戻っていたが，2018年7月から2019年にかけて報告数が増えた．女子は1962年4月1日以前，男子は1979年4月1日以前に出生した人には定期接種の機会がなく，30〜40歳代の男子に感受性者が多い．

　両疾患とも2020年からの新型コロナウイルス感染症流行により，海外からの流入が

減り，国内でも人的交流が減っていることもあり，報告数は激減している．しかし，渡航の再開により再び感染者が増える可能性は大きく，今後も注意が必要である．

【本稿のバックグラウンド】麻疹，風疹の流行状況は，国立感染症研究所感染症疫学センターのホームページのトップから迅速に知ることができる．定期的にこのページを見るよう習慣付けることが，新しい情報をより早く入手するために効果的である（https://www.niid.go.jp/niid/ja/from-idsc.html）．また，厚生労働省のホームページから特定感染症予防指針を見ることができるので，不明なことの多くはこのページを読むことで解決できる．

麻　疹

どういう疾患・病態か

　Paramyxovirus 科に属する麻疹ウイルスの感染による疾患である．接触感染，飛沫感染だけでなく，空気感染するので感染力は極めて強い．気道，鼻腔の粘膜上皮に感染後，所属リンパ節で増殖し全身の網内系リンパ組織に広がる．感染後 10〜12 日の潜伏期間を経て上気道炎症状と結膜炎症状で発症する（カタル期）．カタル期が 3〜4 日続いた後，体温はやや低下し，半日くらいで再び高熱となると同時に発疹が出現する（発疹期）．発疹出現の 1〜2 日前，頬粘膜の臼歯の当たる部分に白色の小斑点（コプリック斑）が出現し，これを見つけることは診断に際して極めて重要である．発疹は耳後部から始まり，顔面，躯幹から四肢末端にまで広がる．最初は鮮紅色で扁平であるが，癒合して隆起するようになり暗赤色となる．合併症がなければ 7〜10 日で解熱し回復期に入るが，発疹は退色後も色素沈着がしばらく残るのが特徴である．

　母親からの移行抗体のある乳児期早期やγグロブリン筋注後の麻疹では非典型的な軽症の臨床像をとる．近年，生ワクチン接種後の麻疹（second vaccine failure）が少なくないが，有熱期間が 5 日以内と短く，コプリック斑を認めず，発疹も孤立性の斑丘疹で色素沈着を残さない．診断には遺伝子や抗体の検出が必要となることが多い．

治療に必要な検査と診断

　診断は臨床症状に基づいて行われるが，周囲での流行状況を知ることが大切である．日本の土着株はなくなり，大部分は海外での感染を発端としたものであることに留意する．血液検査所見に特異的なものはないが，白血球は減少し好酸球が消失する．非典型例が多いため，現在では原則として全例にウイルス遺伝子検査をすることが求められている[4]（表1）．全国の地方衛生研究所では，麻疹ウイルスの検出とともに，麻疹ウイルスの遺伝子型についても検索を行っており，これにより麻疹ウイルスの由来，感染経路や感染源の推定が可能となっている．

表1　麻疹の届出に必要な病原体診断

検査方法	検査材料
分離・同定による病原体の検出	咽頭拭い液，血液，髄液，尿
検体から直接の PCR 法による病原体の遺伝子の検出	咽頭拭い液，血液，髄液，尿
抗体の検出（IgM 抗体の検出，ペア血清での抗体陽転または抗体価の有意の上昇）	血清

（文献8より引用）

麻疹／風疹　121

合併症が多いので，見落とさないことが重要である．ウイルス性あるいは細菌性肺炎，中耳炎，脳炎などが特に注意すべき合併症である．ビタミンAが欠乏している児では角膜軟化症・角膜潰瘍を合併することがある．

治療の実際

麻疹ウイルスに対する特異的な治療法はなく，対症療法が中心となる．通常の経過の麻疹では，解熱，鎮咳去痰などを目的に治療が行われる．肺炎は最も多い合併症であり，発熱が一般的な経過より長く続き，咳が増強するときには胸部X線検査，血液検査などを行う必要がある．肺炎はウイルス性か細菌性かの区別が難しいこともあり，抗菌薬が使われることが少なくない．また，脱水に留意し，10%以上の体重減少がある場合には補液が必要となる．その他の合併症に対しては，それぞれに対応する治療を行う．以前は症状の軽減のためγグロブリン製剤が投与されていたが，血液製剤であるため近年はあまり使用されていない．

処方例

気管支炎・肺炎の治療に準ずる．

専門医に紹介するタイミング

通常の経過であれば外来で診療を続けることができるが，30%以上が入院を必要としたという報告もあり，紹介が必要となることの多い疾患であることを銘記すべきである．高度の脱水や肺炎がある場合には入院治療を依頼する．中耳炎も多く，耳痛や耳漏を認めたときには耳鼻科医に診察を依頼する．意識障害や長引くけいれんなど，脳炎を疑わせる症状があれば至急総合病院へ紹介する．いずれの場合にも感染症対策の整った病院への紹介が必要である．

風　疹

どういう疾患・病態か

Togavirus 科 Rubivirus 属に属する RNA ウイルスである風疹ウイルスの感染による疾患である．飛沫感染するが，感染力は麻疹より弱い．ウイルスの排泄期間は発疹出現の前後約1週間とされている．

感染から16～18日の潜伏期間の後，突然の全身性の斑状丘疹状の小さな紅色の発疹が全身に出現するが，発疹は特異的ではなく，発疹だけからの診断は難しい．麻疹より淡く一般に融合せず，3日程度で通常消失する．麻疹のような色素沈着は残さない．発熱は約半数にみられる程度であり，年少児では目立たない．また，耳介後部，後頭下部，頸部のリンパ節腫脹が特徴であり，診断的価値がある．カタル症状を伴うこともあるが，麻疹に比して軽症である．

予後良好な疾患であり，血小板減少性紫斑病，急性脳炎が合併症としてよく知られているが，これらの予後もほぼ良好である．成人では，手指のこわばりや痛みを訴えることが多く，関節炎を伴うこともある．

治療に必要な検査と診断

臨床症状からだけの風疹の診断は不確実なことが多く，麻疹と同様の検査診断が不可欠である．ELISA 法で急性期に特異的 IgM 抗体を検出，あるいは急性期と回復期の HI 抗体価で4倍以上の上昇により診断する．麻疹

と同様，原則として全例にウイルス遺伝子検査をすることが求められており，地方衛生研究所でウイルス遺伝子検査が行われている[5]．

治療の実際

特異的治療法はなく，対症的に行う．発熱，関節痛などに対しては解熱鎮痛薬を用いる．

処方例

発熱，関節痛への鎮痛薬の使用のみ．

専門医に紹介するタイミング

血小板減少性紫斑病や脳炎などの合併症が疑われるときには専門医へ紹介する．妊婦が風疹に罹患したことが疑われるときには，産科医や感染症の専門医と相談する．

専門医からのワンポイントアドバイス

麻疹はワクチンにより予防可能な疾患であり，1歳を過ぎて未接種の患者を診たら，積極的に接種を勧奨すべきである．国立感染症研究所感染症疫学センターのウェブサイトなどで全国の麻疹発生状況に注意を払っておくこと，麻疹の存在を忘れずに診療を行うことが重要である[6]．

風疹もワクチンにより予防可能な疾患であり，1歳を過ぎて未接種の患者を診たら，積極的に接種を勧奨すべきである．妊娠を希望する女性は，HI抗体が16倍以下の場合には積極的な接種の勧奨を行うべきである[6]．厚生労働省は風疹ワクチンの第5期接種とし

て，1962年4月2日から1979年4月1日に生まれた男性にクーポン券を段階的に配布し，無料の風疹抗体検査と，抗体陰性の場合に無料の風疹ワクチン接種を行う事業を2019年4月から2025年3月まで行っている[7]．

─────────── 文　献 ───────────

1) 厚生労働省：感染症法に基づく医師の届出のお願い
https://www.mhlw.go.jp/stf/seisakunitsuite/bunya/kenkou_iryou/kenkou/kekkaku-kansenshou/kekkaku-kansenshou11/01.html#list02 （2022年5月15日アクセス）

2) 厚生労働省：麻しんについて
https://www.mhlw.go.jp/seisakunitsuite/bunya/kenkou_iryou/kenkou/kekkaku-kansenshou/measles/index.html （2022年5月15日アクセス）

3) 厚生労働省：風しんについて
http://www.mhlw.go.jp/seisakunitsuite/bunya/kenkou_iryou/kenkou/kekkaku-kansenshou/rubella/ （2022年5月15日アクセス）

4) 厚生労働省：麻しんに関する特定感染症予防指針.
https://www.mhlw.go.jp/file/06-Seisakujouhou-10900000-Kenkoukyoku/0000186689.pdf#search （2022年5月15日アクセス）

5) 厚生労働省：風しんに関する特定感染症予防指針.
https://www.mhlw.go.jp/file/06-Seisakujouhou-10900000-Kenkoukyoku/0000186690.pdf#search （2022年5月15日アクセス）

6) 厚生労働省：予防接種が推奨される風しん抗体価について.
https://www.mhlw.go.jp/seisakunitsuite/bunya/kenkou_iryou/kenkou/kekkaku-kansenshou/rubella/dl/140425_1.pdf#search （2022年5月15日アクセス）

7) 厚生労働省：風疹の追加的対策について.
https://www.mhlw.go.jp/stf/seisakunitsuite/bunya/kenkou_iryou/kenkou/kekkaku-kansenshou/rubella/index_00001.html （2022年5月15日アクセス）

8) 厚生労働省：感染症法に基づく医師及び獣医師の届出について（麻しん）.
https://www.mhlw.go.jp/bunya/kenkou/kekkaku-kansenshou11/01-05-14-03.html （2018年10月20日アクセス）

麻疹/風疹

3. 感染症

水痘・帯状疱疹

片岡　正
かたおか小児科クリニック

POINT

●小児の水痘は一般的には軽症であるが，乳児や12歳以上の小児，成人，妊婦，免疫低下状態にある人にとっては生命を脅かす危険がある.

●2014年10月より水痘ワクチンの2回接種が定期接種となり，水痘患者は激減している.

●ワクチン接種後のブレークスルー水痘は軽症であるために診断が難しいことがある. 感染源としての注意は必要だが，抗ウイルス薬投与の対象ではない.

●小児例を含めた帯状疱疹は，水痘ワクチン定期接種化以降増加の傾向にあり，また低年齢化している.

ガイドラインの現況

　現時点ではわが国の水痘・帯状疱疹に対する公的なガイドラインはない.

　2010年7月に国立感染症研究所から「水痘ワクチンに対するファクトシート」が公表され，2017年2月に「帯状疱疹　ファクトシート」が公開された. これらが現時点でのわが国の水痘・帯状疱疹の公的な集約と考えられる.

　健康小児の水痘は，数日の発熱と1週間程度で痂皮化する水疱疹をみる程度で，ほとんどが合併症なく治癒する.

　わが国では抗ウイルス薬のアシクロビルやバラシクロビルは健康小児の水痘に対しても保険適用となっており，保育園や学校の出席停止期間の短縮を求めて投与されている現状がある.

　米国Center for Disease Control and Prevention（CDC）などのガイドラインでは，リスクのない健康小児への抗ウイルス薬の投与は勧められていない.

　免疫低下状態の患者に対する水痘・帯状疱疹の治療に関しては，合意された治療方針がある.

【本稿のバックグラウンド】　本稿は，米国CDCのwebsite（https://www.cdc.gov/chickenpox/hcp/index.html）および，「水痘ワクチンに関するファクトシート」（国立感染症研究所，https://www.mhlw.go.jp/stf2/shingi2/2r9852000000bx23-att/2r9852000000bxqx.pdf），「帯状疱疹ワクチン　ファクトシート」（国立感染症研究所，https://www.mhlw.go.jp/file/05-Shingikai-10601000-Daijinkanboukouseikagakuka-Kouseikagakuka/0000185900.pdf）を参考にしている.

124　3. 感染症

どういう疾患・病態か

　水痘・帯状疱疹ウイルス（varicella-zoster virus：VZV）の初感染によって起きるのが水痘である．水痘・帯状疱疹ウイルスは，現在8種確認されているヒトヘルペスウイルスの中の一種で，球形の大型のDNAウイルスである．

　ウイルスは，飛沫核感染により気道粘膜から侵入するので，直接患者と接触しなくても「空気感染」する．感染から皮疹出現までの潜伏期は約14日である．

　健康小児が罹患した場合，発熱は2～3日，中心に水疱を形成する紅斑が全身に出現する．水疱は数日で痂皮化する．次々と新しい水疱が出現して，各ステージの皮疹が混在する．5～7日ですべての水疱疹が痂皮化して感染がおさまる．皮疹はかゆみが強く，掻破から二次感染をきたすことがある．免疫不全状態にある患者が水痘に罹患すると，重篤な出血性水痘となって死亡することがある．

　ウイルスは，水痘治癒後も神経節に棲み続け，何らかの免疫低下状態になると再活性化して帯状疱疹となる．皮疹の分布は，神経の走行に沿って神経痛を伴うのが特徴である．帯状疱疹では，ウイルス血症を伴わないので，水痘と比べて感染力は小さいが，皮疹に直接の接触などがあれば感染する可能性がある．水痘ワクチンの定期接種化による水痘患者の減少で，感染源としての帯状疱疹が占める比率が大きくなってきている．また，自然のブースターがかかりにくくなり，帯状疱疹患者の増加と低年齢化が認められている．

治療に必要な検査と診断

　水痘・帯状疱疹の診断に特別な臨床検査は多くの場合必要ない．皮疹の性状や経過をみれば，診断は容易である．地域での流行状況が参考になる．

　近年，実験室的診断としてリアルタイムPCR法によるVZVの遺伝子診断がコマーシャルベースで可能になっている．

　また，抗VZVモノクローナル抗体を使ったイムノクロマト法による抗原キットも市販されており，外来やベッドサイドでの迅速診断も可能である．

　免疫不全状態にあり，VZV感染症が疑われる患者の確定診断に有用である．

治療の実際

1 健常小児の水痘

　アシクロビル1回20mg/kg（上限は800mg）を1日4回内服，またはバラシクロビル1回25mg/kg（上限は1,000mg）1日3回内服5日間（上限）が標準的な投与法である．発疹発現から24時間以内であれば，アシクロビルの投与効果は大きい．

　本邦では健康小児への投与は，病期の短縮や，軽症化などの効果を考えて保険適用となっているが，すべての水痘患者にアシクロビルを投与すべきかどうかは議論の対象となっている．ちなみに，米国小児科学会の見解では，基礎疾患のない小児への投与は推奨

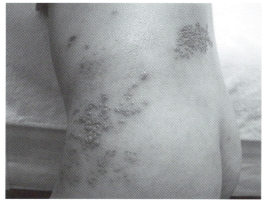

図1　小児の帯状疱疹

されていない．推奨されているのは，慢性皮膚疾患または慢性肺疾患を有する 12 ヵ月以上の小児，妊娠していない 13 歳以上の患者，副腎皮質ステロイドを短期間または間欠的に投与されている患者，副腎皮質ステロイドのエアゾール剤の投与を受けている患者，長期間サリチル酸の投与を受けている患者，家庭内の接触で二次感染者と考えられる患者，などである．

2 ブレークスルー水痘

水痘ワクチンの 1 回接種で，個人レベルでは 80〜85％の発症防止効果と 100％の重症化予防効果が得られる．

ワクチン既接種者が発症した軽症の水痘をブレークスルー水痘と呼ぶ．一部ワクチン株によるものもあるが，ほとんどが野生株による．

皮疹の数も少なく治癒までの期間も短いが，感染源となるので隔離は必要である．

抗ウイルス薬による治療は不要と考えられるが，本邦では通常の水痘と同様に抗ウイルス薬が多く投与されている現状がある．

3 免疫抑制状態にある患者の水痘

肺炎，肝障害，血小板減少などを合併し重症化した水痘や骨髄移植後，白血病などの免疫抑制状態にある患者が水痘に罹患した場合，速やかにアシクロビル 10 mg/kg 1 日 3 回 1 時間以上かけて静注 7 日間，または新たな水疱が出現しなくなって 48 時間経過するまで投与する．

4 新生児水痘

分娩の 5 日前〜2 日後までに水痘を発症した妊婦から生まれた新生児は，重症水痘を発症する可能性が高い．

この場合は生後できるだけ速やかに VZIG（Varicella Zoster Immune Globlin）1 バイアルの静注を開始する．VZIG が入手できない場合には通常の IVIG（静注用ガンマグロブリン）を用いるが，水痘抗体の力価はバイアルによって異なる．

皮疹が出現した場合には，アシクロビル 10 mg/kg を 8 時間ごとに静注する．

5 水痘の発症予防

水痘の発症予防にはまず第一にワクチンである．現在定期接種として使用されている「乾燥弱毒水痘生ワクチン」は 1 回接種で発症を 80〜85％減らし，重症化をほぼ 100％防ぐことができる．2 回接種では発症予防効果は 95％以上となる．

定期接種の対象は 1〜2 歳で，2 回接種する．2 回目との接種間隔は最短 3 ヵ月とされているが，周囲での流行がない限り，免疫の持続性の観点から標準の 6 ヵ月以上が推奨される．

水痘の感染機会があって 72 時間以内に水痘ワクチンを接種すると，水痘の発症を防ぐ可能性がある．発症を阻止できない場合でも軽症化を期待できる．接触時期が明らかな場合や，集団内での流行では有効な予防法である．

家族内の発症で感染時期がはっきりしない場合には，推定される感染時期の 7 日後よりアシクロビル 5〜20 mg/kg 1 日 4 回内服 7 日間．

6 小児の帯状疱疹

成人では，アシクロビル 1 回 800 mg 1 日 5 回内服 7 日間，またはバラシクロビルを 1 回 1,000 mg 1 日 3 回内服 7 日間投与する．

小児でも成人にならって治療されるが，小児期の帯状疱疹は成人と違って軽症であり，必ずしも抗ウイルス薬を必要としない．

投与する場合には，アシクロビルを1回20mg/kg（800mgを上限）1日4回，またはバラシクロビル1回25mg/kg（1,000mgを上限）1日3回として成人に準じる．

免疫抑制状態の患者の帯状疱疹は，播種性帯状疱疹となる危険があり，アシクロビルの静注を行う．

アシクロビル1回10mg/kg 1日3回静注7日間，または 新しい皮疹が出現しなくなるまで．

❼ 帯状疱疹予防ワクチン

本邦では現在2種類の帯状疱疹予防ワクチンが使用可能である．

2016年3月，現行の「乾燥弱毒水痘生ワクチン」の効能に「50歳以上の成人に対する帯状疱疹の予防」が追加された．1回接種．生ワクチンであるので，妊婦や免疫抑制状態にある者には禁忌となっている．

2020年1月にGSK社から蛋白組換え帯状疱疹ワクチン（不活化）「シングリックス」が発売された．50歳以上に2ヵ月以上の間隔で2回接種する．発症予防効果，神経痛予防効果，長期の予防効果ともに水痘生ワクチンより強い．不活化ワクチンなので，免疫低下状態であっても接種が可能である．

処 方 例

体重20kg ワクチン未接種児の水痘

処方A　バルトレックス®顆粒50％
　　　 3.0g　分3　5日分　毎食後
処方B　カラミンローション30g　外用

処方C　カロナール®細粒　1.0g　頓用
　　　 6回分

専門医に紹介するタイミング

水痘・帯状疱疹，いずれの場合も専門医に紹介する必要があるのは，アシクロビルの静注を必要とする病態である．

経過中にブドウ球菌や溶連菌感染を合併することがあり，重症化する場合がある．この場合も専門医への紹介が必要である．

専門医からのワンポイントアドバイス

健康小児の水痘は必ずしも抗ウイルス薬を必要としないので慌てる必要はない．予防が第一なので水痘ワクチンの接種を勧める．

--- 文　献 ---

1) 倉根一郎 他：水痘ワクチンに関するファクトシート（平成22年7月7日版）．国立感染症研究所
http://www.mhlw.go.jp/stf2/shingi2/2r9852000000bx23-att/2r9852000000bxqx.pdf
2) 大石和徳 他：帯状疱疹ワクチン ファクトシート（平成29（2017）年2月10日）．国立感染症研究所
https://www.mhlw.go.jp/file/05-Shingikai-10601000-Daijinkanboukouseikagakuka-Kouseikagakuka/0000185900.pdf
3) 米　国 Centers for Disease Control and Prevention（CDC）website
https://www.cdc.gov/chickenpox/hcp/index.html
4) 森野紗衣子 他：水痘ワクチン定期接種化で水痘発生動向はどう変わったか．モダンメディア 67：25-33, 2021
5) 寺田喜平 他：健康小児にみられた帯状疱疹の特徴．小児感染免疫 31：3-6, 2019

3. 感染症

RS ウイルス感染症

橋本浩一
（はしもとこういち）
福島県立医科大学医学部 小児科学講座

POINT

● RS ウイルス（RSV）感染症は 2 歳までに 100％の児が罹患する.

● 本邦での健康保険請求データベースを用いた 2 歳未満の報告では，本症により入院した児の 40％が 6 ヵ月未満であり，90％は重症化リスクを有していない.

● ハイリスク児の重症化抑制に単クローン抗体が接種されるが，本症に特異的な治療法はなく，支持療法が基本である．集中治療を要する症例もあり，特に乳児では注意深い観察と高次医療機関への紹介の見極めが大切である.

ガイドラインの現況

RSV 感染症には特異的治療法はなく，症状に沿った支持療法がなされている．一方，重症化抑制を目的として，抗 RSV 単クローン抗体であるパリビズマブ（シナジス®）のハイリスク児への使用が本邦では 2002 年より開始され，その後，使用方法の見直しや適応拡大の治験などが実施されてきた．日本小児科学会では 9 関連学会（日本新生児成育医学会，日本小児感染症学会，日本小児呼吸器学会，日本小児循環器学会，日本小児リウマチ学会，日本小児血液・がん学会，日本小児腎臓病学会，日本小児外科学会，日本免疫不全・自己炎症学会）の協力のもと，2019 年 4 月に『日本におけるパリビズマブの使用に関するコンセンサスガイドライン』を作成した．さらに，日本小児呼吸器学会と日本新生児成育医学会により『小児 RS ウイルス呼吸器感染症診療ガイドライン 2021』が作成された.

【本稿のバックグラウンド】 本稿は『日本におけるパリビズマブの使用に関するコンセンサスガイドライン（2019 年 4 月）』および『小児 RS ウイルス呼吸器感染症診療ガイドライン 2021』を参考にした.

どういう疾患・病態か

RS ウイルス（respiratory syncytial virus：RSV）は乳幼児の下気道炎の代表的な病因の 1 つであり，2010 年における全世界での 1 歳未満の急性下気道炎による死亡の 1/3 を占め，感染症による死亡原因としてはマラリアに次いで 2 位に位置し，開発途上国を中心に約 25 万人が RSV 感染症により命を落としている[1]．早産児，慢性肺疾患，先天性心疾患，免疫不全を有する児が重症化リスクが高く，正期産児であっても母からの移行抗体が

存在する出生後早期から感染し，生後1歳までに50％以上が，2歳までにほぼ100％がRSVに初感染する．本邦では小児科定点把握5類感染症として，全国の約3,000の小児科定点医療機関から年間10万人を超すRSV感染症が報告されている．健康保険請求データベースを用いた，本邦の2017年1月から2018年12月までの2歳未満におけるRSウイルス感染症についての検討では，毎年2歳未満の推計119,000人〜138,000人がRSV感染症の診断を受け，そのうち約25％が入院し，入院患者の40％が6ヵ月未満であり，また入院患児の90％はRSVの重症化リスクを有していないと報告されている[2]．以上より，RSV感染症はすべての乳幼児において疾病負担である．しかし，有効な治療薬，ワクチンはなく，WHOも含め全世界が克服すべき感染症の1つとしている．

　RSVは，温帯地域では秋から冬に流行し，熱帯や亜熱帯では通年的に流行がみられてきた．本邦では以前は流行のピークが12月から1月になることが多かったが，2016年シーズン以降は流行の開始する時期が秋，夏へ早まってきている．RSVは接触あるいは飛沫により感染し，家族内，保育施設で感染が拡大しやすい．RSV感染後，4〜5日の潜伏期を経て上気道炎症状で発症する．その後，約30〜40％が2〜3日後に下気道炎（気管支炎，細気管支炎，肺炎）へ進行する．患児が下気道炎を発症しRSV感染症と診断される頃には，既に感染後10日近く経過し，ウイルス増殖はほぼ最高に達し，RSVに感染した細気管支上皮細胞は，壊死，脱落し，細気管支の周囲には好中球，リンパ球を初めとした炎症細胞の浸潤がみられる．RSV感染は種々のサイトカイン，メディエーターを誘導し，これらにより肺胞での水分クリアランスの低下，気道壁の浮腫，気道分泌液の増加，脱落細胞による閉塞がひき起こされ，幼弱で未発達な乳幼児の気道が強く障害される．下気道炎への進行に伴い，喘鳴，咳嗽が増悪し，さらには努力性呼吸（多呼吸，陥没呼吸），SpO_2低下，睡眠障害，経口摂取不良などを呈する．特に6ヵ月未満の児では重症化しやすく，さらに3ヵ月未満では無呼吸を呈する場合もある．また，乳児期のRSV下気道炎がその後の反復性喘鳴，喘息と関連し，喘息の重篤化因子としても知られている．

治療に必要な検査と診断

　RSV感染症の診断において，一般検査で特異的な所見はなく，臨床症状のほか，地域の衛生研究所などが公表しているRSVの流行状況を把握することにより診断率を高める．確定診断は病原診断による．RSVの病原診断には，病原体診断あるいは血清学的診断を用いる[3]．

　病原体診断のゴールドスタンダードはウイルスの分離であるが，特殊な設備と技術の熟練が必要であり，また結果が判明するまで日数を要する．したがって日常診療においては，迅速，簡便であるpoint of care testing（POCT）として免疫クロマト法による咽頭ぬぐい液，あるいは吸引液を用いた抗原検出が汎用されている．本邦では20種類以上の抗原検出キットが製造販売されている．各キットの感度・特異度は，RT-PCRを基準とした場合，感度70％以上，特異度90％以上，全体一致率は80％以上とされている．迅速診断の保険適用は「RSV感染症が疑われる患者，1歳未満の乳児（入院，外来診療問わず），パリビズマブ製剤の適用となる児」である．

　血清学的診断において，RSVに対する血清抗体反応は概して弱く，さらに乳児の場

合，移行抗体が存在するため確定診断には適さない．補体結合反応（CF），中和試験（NT）で測定が可能である．急性期と回復期のペア血清が必要であり迅速性に欠け，診断が回顧的になる．

最近，一般病院においてもより高感度なPCRによるウイルス遺伝子検出が可能となった．以前は大学などの研究室レベルでのみ実施可能であったが，2019年11月よりFilmArray® 呼吸器パネル（ビオメリュー・ジャパン株式会社）が保険適用となった．本パネルはmultiplex-nested PCRによりウイルス遺伝子を検出する定性検査である．2020年8月よりSARS-CoV-2も検出可能となり，鼻腔咽頭拭い液中のウイルス18種，細菌3種を検出する．インフルエンザウイルス（5種），コロナウイルス（4種），パラインフルエンザウイルス（4種），hMPV，アデノウイルス，RSV，ヒトライノウイルス/エンテロウイルス，SARS-CoV-2，肺炎マイコプラズマ，肺炎クラミジア，百日咳菌が対象となる．院内に専用機器があれば感度95％，特異度99％，1時間で同定可能である．適応は集中治療室管理料を算定する患者であって，重症呼吸器感染症と診断した，または疑われる患者である．本邦の気道症状を示す小児入院患者1,757人からの検体を用いたリアルタイムPCR法による18種のウイルスの検出に関する検討では，27.5％から複数のウイルスが検出されている[4]．したがって，病原体と判断するには，臨床症状も含め総合的な判断が必要となる．

治療の実際

RSV感染症に対する治療は特異的な治療法はなく，支持療法が基本である．RSV感染症で入院加療を必要とするのは，細気管支炎を中心とする重症下気道炎である．RSV感染による重症下気道炎の治療も，対症，支持療法が主である．呼吸不全に対する支持療法として，従来の気管挿管，そして経鼻持続陽圧呼吸療法や高流量経鼻カニューレ療法が使用される．

一般的な支持療法は基本的には安静，保温と水分補給，そして鼻汁，鼻閉に対しての物理的な鼻吸引である．抗菌薬は原則不要である．ただし，臨床症状や経過から細菌感染の合併が疑われる場合には，細菌検査後に抗菌薬投与も考慮する．去痰剤は使用してもよいが効果は乏しい．RSV細気管支炎にステロイドの全身投与あるいは吸入ともに有効性を示すデータはない．β_2刺激薬は，呼吸障害，臨床的重症度スコア，入院率を改善させず，入院期間を短縮しないためルーチンに使用しないことが提案されている．ただし，喘息の既往，家族歴などアトピー素因がある場合は気管支拡張薬の吸入による反応性の確認を行い，効果があれば使用を継続する．さらにRSV感染後のロイコトリエン受容体拮抗薬の定期内服は，重大な副作用がなく反復性喘鳴の頻度を減らす可能性があり，RSV感染症後の治療として提案されている．

入院加療を考慮する症状としては，①無呼吸，②多呼吸数，③努力呼吸，④哺乳力低下，⑤水分摂取不良，⑥酸素飽和度の低下，⑦意識レベル低下などがある．無呼吸，意識状態が不良な場合は当然入院加療となるが，入院加療を考慮する評価として成相らは呼吸状態と日常生活の観点から「RSV細気管支炎クリニカルスコア」を提案している[5]（**表1**）．このスコアシステムでは，呼吸障害を酸素飽和度，呼吸数，呼気性喘鳴，陥没呼吸，そして日常性を経口摂取，睡眠で評価し，2歳未満の細気管支炎症例の場合，呼吸障害クリニカルスコアが4点以上，または日

常性スコアが2点以上の症例は重症で入院が適当としている。ただし、無呼吸を呈する3ヵ月未満例では多呼吸や呼気性喘鳴、陥没呼吸を認めない場合があり注意が必要である。

また、重症度判定の目安として、気管支喘息児の呼吸状態を評価するために考案された修正 pulmonary index スコア（MPIS）が用いられる[6]（**表2**）。6項目（心拍数、呼吸数、呼吸補助筋の使用、吸気呼気比、喘鳴、SpO_2）を観察する。MPIS による評価は職種による差が小さく、複数の医療スタッフ間で共有して患児の呼吸状態の経時的変化をみる

ことができる。

重症化予防

RSV 感染症の重症化のリスクを有する児に対して、重症化の抑制を目的として、抗RSV 単クローン抗体であるパリビズマブ（シナジス®）が国内、海外で使用されている。Cochrane レビューにおいてパリビズマブに関する3つのプラセボ対照ランダム化比較試験を対象にメタ解析が行われ、その有効性が示されている。6ヵ月未満の早産児、2

表1　RSV 細気管支炎クリニカルスコア

分類	呼吸障害クリニカルスコア				日常性スコア	
点数	酸素飽和度 SpO_2（%）	1分間呼吸数	吸気性喘鳴の聴取	陥没呼吸の有無	経口摂取	睡眠
0	95≦	<40	―	―	通常	よく眠れた
1	90≦ <95	40≦ <60	＋聴診で	＋僅かに	1/2 程度	たびたび起きた
2	<90	≦60	＋＋聴診なしで	＋＋著明に	1/3 以下	ほとんど眠れず

各項目を3段階、各0〜2点で評価し、呼吸障害は合計0〜8点、日常性は合計0〜4点で評価した。

（文献5より引用）

表2　修正 PI スコア（MPIS）

	0点	1点	2点	3点
心拍数（回/分） 　3歳未満 　3歳以上	<120 <100	120〜140 100〜120	141〜160 121〜140	160< 140<
呼吸数（回/分） 　6歳未満 　6歳以上	≦30 ≦20	31〜45 21〜35	46〜60 36〜50	60< 50<
呼吸補助筋の使用	なし	軽度	中等度	高度
吸気：呼気	2：1	1：1	1：2	1：3
喘鳴	聴取せず	呼気終末	吸気と呼気 エア入り良好	吸気と呼気 エア入り減弱
SpO_2（%） 酸素なし	95<	93〜95	90〜92	<90

（Carroll CL et al：A modified pulmonary index score with predictive value for pediatric asthma exacerbations. Ann Allergy Asthma Immunol 94：355-359, 2005 より引用）

RS ウイルス感染症　131

歳未満の気管支肺異形成症（BPD）児，2歳未満の血行動態の異常を伴う先天性心疾患（CHD）を合わせた2,831例の検討において，パリビズマブ投与はRSV感染症による入院のリスクを51％低下させ（リスク比0.49，95％ CI 0.37〜0.64），さらにICUへの入室のリスクを50％低下させていた（リスク比0.50，95％ CI 0.30〜0.81）．

本邦では，重症化の抑制を目的として2002年から早産児と気管支肺異形成症を対象として使用開始された．その後，先天性心疾患，免疫不全症とDown症候群に適応が順次拡大された．現在，2019年4月に発表された『日本におけるパリビズマブの使用に関するコンセンサスガイドライン』を参考に，ハイリスク児にパリビズマブが投与されている．

処　方　例

推奨される処方はない．
　気管支拡張剤（β_2 刺激薬）の内服薬あるいは貼付薬
　　＋去痰剤
　　＋ロイコトリエン受容体拮抗薬

専門医に紹介するタイミング

無呼吸，多呼吸数，努力呼吸，哺乳力低下，水分摂取不良，酸素飽和度の低下，意識レベル低下などの症状が認められた場合，入院加療を考慮する．

専門医からのワンポイントアドバイス

RSV感染症は初感染の場合，上気道炎症状で発症し，約30〜40％が2〜3日後に下気道炎（気管支炎，細気管支炎，肺炎）へ進行する．診察の際に上気道炎症状の出現後数日間は呼吸症状の増悪があること，入院後も症状の増悪があり得ることを養育者に説明することが必要である．

──────── 文　献 ────────

1) Lozano R et al：Global and regional mortality from 235 causes of death for 20 age groups in 1990 and 2010：a systematic analysis for the Global Burden of Disease Study 2010. Lancet 380：2095-2128, 2012
2) Kobayashi Y et al：Epidemiology of respiratory syncytial virus in Japan：A nationwide claims database analysis. Pediatr Int 64：e14957, 2022
3) 橋本浩一：ウイルス感染症の検査診断法　RSウイルス・ヒトメタニューモウイルス感染症．臨と微生物 48：29-35, 2021
4) Kume Y et al：Epidemiological and clinical characteristics of infections with seasonal human coronavirus and respiratory syncytial virus in hospitalized children immediately before the coronavirus disease 2019 pandemic. J Infect Chemother 28：859-865, 2022
5) 成相昭吉：2歳未満RSウイルス細気管支炎症例における重症度評価を目的としたクリニカルスコアの有用性．日小児呼吸器会誌 19：3-10, 2008
6) Carroll CL et al：A modified pulmonary index score with predictive value for pediatric asthma exacerbations. Ann Allergy Asthma Immunol 94：355-359, 2005

3. 感染症

ムンプス

木原亜古
きはら内科あこ小児科

POINT
- ●ムンプスの診断は臨床症状のみでは困難で，実験室診断が必要である．
- ●ムンプスの治療に関しては対症療法が主である．
- ●ムンプスウイルスによる髄膜炎や，近年問題となっている難聴などの合併症を予防するには予防接種の定期接種化が望まれる．

ガイドラインの現況

ムンプスはしばしば反復性耳下腺炎との鑑別が困難なことが多く，何度も"おたふくかぜ"に罹患したと保護者から相談を受けることが多い疾患である．特異的な治療法はなく，対症療法が主体である．合併症も少なくなく，特に最近はムンプス難聴に関する症例も増加している．その対処法として，耳鼻科との連携も必要であり，家族への十分な説明も必要な疾患である．

【本稿のバックグラウンド】 ムンプスに関する疫学をはじめとした総説などは主に IASR（Infectious Agents Surveillance Report；病原微生物検出情報）から，また近年話題になっているムンプス難聴における知見は日本耳鼻咽喉科学会の総説論文などを参考にしている．

どういう疾患・病態か

ムンプスの発症年齢は3〜6歳で，耳下腺の腫脹の3日前から腫脹後約7日間の計10日間がウイルスの排泄が顕著である．潜伏期間はおよそ18〜25日といわれる．

耳下腺の腫脹としては，コクサッキーウイルス，パラインフルエンザウイルスなどのウイルス感染による耳下腺腫脹の合併症や，化膿性耳下腺炎，唾液腺結石などの原因で起こるが，ムンプスの原因ウイルスは，パラミクソウイルス科ルブラウイルス属のムンプスウイルスである．血清型は1つであるが，SH

遺伝子（316塩基）の配列に基づき，A〜Nまでの12種類（EとMは欠番）の遺伝子型に分類される．国内での遺伝子型分離による流行の推移は，1980年代はB，1993〜1998年はBとJ，1999年はGとL，2000年以降は主にGである[1]．

multiorgan-tropic であるため，広く全身の臓器に感染する．ムンプスウイルスは上気道に侵入した後，所属リンパ節で増殖し，親和性のある唾液腺，膵臓，睾丸等の腺組織や，髄膜，内耳などの中枢神経系には感染を生じやすい．主な症状は唾液腺の有痛性腫脹，発熱，全身倦怠感，嚥下困難，頭痛，耳

ムンプス　**133**

表1　ムンプスウイルス同定法とその特徴

検査方法	主な器材	手技の程度	感　度
補体結合（CF）試験	補体，感作ヒツジ血球	やや煩雑	低い
ウイルス中和（NT）試験	抗ムンプス抗体，Vero 細胞	煩雑	高い
蛍光抗体（FA）法	抗ムンプス抗体，Vero 細胞 蛍光標識抗体，蛍光顕微鏡	やや煩雑	高い
RT-PCR法	RNA検出キット，RT-PCRキット， シーケンス試薬，PCR装置	やや煩雑	高い

（文献2，3を参照して作成）

痛，咽頭痛，腹痛，関節痛であるが，合併症として無菌性髄膜炎，膵炎，睾丸炎などがある．思春期以降では，男性で約20～30％に睾丸炎，女性では約7％に卵巣炎を合併するとされている．また最近問題になってきているのは感音性難聴であるが，永続的な障害になる重要な合併症の一つである[2]．

治療に必要な検査と診断

耳下腺腫脹例では反復性耳下腺炎と，顎下腺腫脹例では顎下リンパ節腫大との鑑別が問題となる．地域や学校，幼稚園での流行状況が参考になる．

■1 超音波検査

唾液腺の超音波（7.5 MHz 以上のプローブ）が鑑別に有用である．ムンプスでは均一の高エコー域であるが，反復性耳下腺炎では唾液腺末端の拡張（apple tree 所見）を示す低エコー性の多発性小胞状所見がみられる．また，リンパ節は円形や楕円形の低エコー所見を示すので，鑑別は比較的容易である．耳下腺管口からの排膿は重要な手がかりである．耳下腺腫脹部位の炎症症状が強ければ，化膿性耳下腺炎を疑う．

■2 診断法

ムンプスウイルスは発症の7日前から9日後まで唾液から分離される．確定診断には臨床診断のみならず実験室診断が不可欠であるが（**表1**），確実なのはウイルス分離である．また遺伝子検出による診断として RT-PCR や簡便で迅速な RT-LAMP（loop-mediated isothermal amplification；ループ介在等温増幅）法がある．RT-PCR はウイルスゲノム解析による株の特定ができるため，ワクチン副反応例の確定診断や野生株の系統解析，感染経路の追跡に有用である[3]．

治療の実際

①**発　熱**：発熱のみられる場合は，必要に応じて解熱薬（アセトアミノフェン）を使用する．

②**疼　痛**：咀嚼運動や唾液の分泌増加で痛みは強くなるため，硬い物や酸味の強いものは避けるように指導する．疼痛が強い場合も解熱鎮痛薬を使用する．

処方例

処方　アセトアミノフェン（アンヒバ®，アルピニー®，カロナール®など）の頓用（坐剤，内服とも 10 mg/kg）

> 局所のパップ剤，冷湿布（一般的に発熱時に用いる）も有効．1日6時間あけて2回（最高4回まで）

専門医に紹介するタイミング（合併症に対して）

頭痛，嘔吐，意識障害などの神経症状の強く出る症例，また1週間以上の発熱の持続，あるいは いったん下がっていた熱が再び上昇した症例などはムンプス髄膜炎を，39℃以上の高熱と急激に発症する脳障害を呈する症例はムンプス脳炎を考慮に入れ，専門医に紹介することが勧められる．また，ムンプス難聴に関しては，難聴が疑われる場合はもちろんであるが，合併頻度の比較的高いことから常に難聴の徴候がないかを念頭におき，診断，紹介の時期を逃さぬように気をつけたい[4]．

なお，近年ではムンプスに合併する prest-ernal edema（前胸部の浮腫）の報告が少なからずあり，症状としては唾液腺腫脹を認めた後3〜5病日に前胸部の腫脹が出現し，その後数日間で自然消失する[5]．予後は良いが，合併症の認識をもつことで不要な検査，治療を避けることができるので注意を要する．

1 ムンプス髄膜炎

ムンプス患者の5〜10％が発症するが，無症状のものでも髄液検査によって細胞増多を示すことも多い．本邦では無菌性髄膜炎の約1/4を占める．

発症時期は耳下腺炎発症3〜10日（平均5日）といわれている．症状として発熱，嘔吐，頭痛，傾眠などが主であるが，けいれんを伴うこともある．ムンプス髄膜炎患者の約半数には耳下腺腫脹が認められない．髄液の所見としては，ムンプスウイルス感染者の半数に髄液細胞数増加を認める．また，脳波所見で，麻疹ではCNS症状がなくても高率に異常がみられるのに比して，正常のことが多い．

予後は良好なため，多くは外来治療で十分対応できる．そのためにも，家族への予後，家庭看護についての十分な説明を必要とする．嘔吐による脱水に対しては輸液を，頭痛には解熱鎮痛薬を使用する．髄膜炎疑いで入院した例でも，輸液のみで落ち着くことが多いため，髄膜刺激症状の軽減を目的とした腰椎穿刺は必要ないことがほとんどである．

2 ムンプス脳炎

ムンプス脳炎はムンプス患者の約1/6,000を占め，本邦ではウイルス性脳炎の約5％を占める．発症時期は，髄膜炎よりも遅いといわれる．臨床像は，男女比が4：1，発症年齢は1.2〜13.7歳（平均7.3歳）が多く，主な症状として発熱95％，意識障害（傾眠異常）19.5％，けいれん24.4％，髄膜刺激症状（頭痛71％，嘔気88％，項部硬直27％），その他として精神症状，失語，感覚障害などがある[6]．

発症機序として，

①**ムンプスウイルスの直接侵襲による中枢神経組織障害（感染早期）**
②**ムンプスウイルス感染を契機に起こる免疫反応による脱髄（感染後比較的後期）**

が考えられる．後遺症として精神運動発達遅滞，てんかん，微細脳損傷があるが，麻疹脳炎，水痘脳炎などと比較して予後は悪くないものの，25％に何らかの後遺症が認められる．死亡例は極めて稀であるが，ムンプスによる死亡の大部分を脳炎が占め，成人においても認められる．

❸ ムンプス難聴

　ムンプスは片側性神経性難聴の重要な原因疾患である．ムンプスウイルスが血行性に内耳に到達するか，あるいは中枢神経系から内耳に到達し，内耳細胞を直接障害することで神経性難聴をきたすと考えられている．最近の本邦の調査では，難聴の発症率は0.1〜0.25％といわれている[7]．日本耳鼻咽喉科学会の報告によると，ムンプス流行による難聴発症は両側が侵される場合もあるが，多くの場合片側にのみ起こるため周囲の者に気付かれにくく，しばしば発見が遅れることで，調査された以上に多いと推察されている[8]．ムンプス発症後，0〜13病日に発生する（7病日以内が多い）．難聴の発生時に，耳鳴りや眩暈（めまい）を訴えることもある．難聴が発生する側は，必ずしもはじめに耳下腺が腫れた側でもない．難聴の発生はムンプスの重症度（耳下腺の腫れの強さ）とも無関係で，不顕性感染でも生じうる．軽症例では回復することもあるが，高度難聴例などは永続性の高音性難聴に移行することがある．

　永続性の高度難聴（ムンプス聾）の発生頻度は，1.5〜2万人に1人程度といわれ稀ではあるものの，補聴器や人工内耳の装着を必要とし，中学生以前の発症では速やかな言語指導が必要である[9]．

専門医からのワンポイントアドバイス

●予防・予防接種・隔離

　ムンプスには不顕性感染があり，発症者の隔離のみでは流行を阻止することはできない．ワクチンが唯一の効果的な特異的予防法である．わが国では現在任意接種で使用されているのは，星野株おたふくかぜワクチンと鳥居株おたふくかぜワクチンである．いずれのおたふくかぜワクチンも性状はほぼ同等で，抗体陽転率は12〜20ヵ月児で92〜100％となっている．また，予防接種で重大な副作用が生じるリスクは少ない．予防接種で起こりうる副反応は，自然感染によるそれに比して，頻度がはるかに低く，経過も良好とされる．ただし，ムンプスは不顕性感染が多いため，症歴がないまま免疫を有していることもあるが，ムンプスの免疫保有者にたとえ予防接種をしたとしても，それで生じる副反応が増幅されることはない．乾燥弱毒性麻疹ワクチンは，麻疹患者と接触した場合，感染後1〜2日以内に接種すれば，発症を防止ないし軽症化しうるといわれているが，乾燥弱毒性おたふくかぜワクチンは，患者と接触した早期に接種しても発症を防止できない．また，予防接種で接種されたウイルスは，被接種者から排泄されないため，周囲の人に感染しないとされる[12]．最近では国際的にも2回接種が推奨されており，ムンプスの流行を抑え，ムンプス難聴やその他の合併症を予防するために，髄膜炎発症率の低いMMRワクチンの開発とともに，ひき続きおたふくかぜワクチンの定期接種化への検討が必要不可欠である[3,13]．

　学校保険法施行規則第20条では，流行性耳下腺炎にあっては，耳下腺の腫脹が消失するまで出席停止とすると定められている．

文献

1) 木所　稔 他：ムンプスウイルスの新たな分類基準と国内流行状況．IASR 34：224-225，2013
2) ムンプスウイルス病原体検査マニュアル
3) 〈特集〉流行性耳下腺炎（おたふくかぜ）2016年9月現在．IASR 37：185-186，2016
4) 青柳憲幸 他：ムンプス難聴．小児科37：1273-1279，1996
5) 大塚正弘：ムンプスによるリンパ浮腫．小児内科40：542-543，2008
6) Koskiniemi M et al：Acta Pediatr Scand 72：603-609，1983

7) おたふくかぜワクチン作業チーム報告書（第6回感染症分科会予防接種部会ワクチン評価に関する小委員会 報告書）

8) 日本耳鼻咽喉科学会福祉医療・乳幼児委員会：2015～2016年のムンプス流行時に発症したムンプス難聴症例の全国調査. 日本耳鼻咽喉科学会会報121：1173-1180, 2018

9) 橋本裕美：小児科からみたムンプス難聴について. IASR 34：227-228, 2013

10) 乾燥弱毒生おたふくかぜワクチン（星野株）添付文書

11) 乾燥弱毒生おたふくかぜワクチン（鳥居株）添付文書

12) 落合 仁 他：ムンプスの家族内感染の感染様式と臨床症状の検討. 小児科臨床 52：823-826, 1999

13) 国立感染症研究所：おたふくかぜワクチンに関するファクトシート（平成22年7月7日版）. 2010

14) Epidemiology and Prevention of Vaccine-Preventable Diseases, 8th edition（second printing）；the National Immunization Program（NIP）, Centers for Disease Control and Prevention（CDC）, U.S. Department of Health and Human Services.（January 2005）

15) Gupta RK et al：Mumps and the UK epidemic 2005. BMJ 330：1132-1135, 2005

16) Nelson Textbook of Pediatrics（10th ed）. pp873-875, 1996

17) Red Book. AAP, pp464-468, 2006

3. 感染症

EB ウイルス感染症

前田明彦

高知県立幡多けんみん病院 小児科

POINT
- 伝染性単核症の診断は，丁寧な診察，すなわち頸部リンパ節腫脹，肝脾腫，扁桃所見によって容易に疑うことができる．血清 EB ウイルス抗体で確定診断する．
- 慢性活動性 EB ウイルス感染症（病）の診断は，しばしば困難で，積極的に疑うことから始まる．確定診断には，EB ウイルスの感染細胞を同定し，T リンパ球または NK 細胞（B リンパ球以外）であることを確認する．

ガイドラインの現況

　診断基準として，EB ウイルス感染症研究会が 2005 年に公表した「慢性活動性 EBV 感染症診断指針」が用いられてきた．2016 年に厚労省研究班により，新たな CAEBV 診断基準が発表された．新診断基準では，症状持続期間を 3 ヵ月以上と決め，ウイルス感染標的細胞が診断に重要との知見を盛り込んだ．同研究班による診療ガイドライン（2016 年）の中でクリニカルクエスチョン（CQ）として，化学療法，造血幹細胞移植（SCT）の有効性・適応について議論されている．

　CAEBV は，遷延する伝染性単核症様症状を呈する予後不良のリンパ増殖症（腫瘍性疾患）で，EB ウイルスが T 細胞や NK 細胞に持続感染している．末梢血リンパ球中に高ウイルス量を確認し，感染細胞が B 細胞以外のリンパ球であることを証明すれば診断的である．

　根治には SCT しかなく，その目的は EB ウイルス感染細胞の駆逐と抗 EB ウイルス免疫の再構築である．臓器障害が進み，移植関連合併症が増える前に SCT に踏み切る．

　診断確定や治療戦略については，早い時期に専門家に相談することが望まれる．

【本稿のバックグラウンド】　慢性活動性 EB ウイルス感染症（病）に関しては，「日本小児感染症学会：慢性活動性 EB ウイルス感染症（CAEBV）．"慢性活動性 EB ウイルス感染症とその類縁疾患の診療ガイドライン 2016"」を参考に解説した．改訂版が近く発行される予定である．

はじめに

　Epstein-Barr ウイルス（EBV）がひき起こす疾患は，初感染による伝染性単核症が最

も多いが，慢性経過をとり診断治療がしばしば困難な慢性活動性 EBV 感染症（CAEBV）も重要である．CAEBV は，ウイルスが関連して起きるリンパ増殖性疾患（LPD）であ

138　3. 感染症

ることが広く認知されるようになった. 2017年には, WHO が正式に systemic CAEBV を疾患分類に規定した. 本稿では, 伝染性単核症と慢性活動性 EBV 感染症について解説する.

伝染性単核症（IM）

どういう疾患・病態か

EBV の初感染後に, 感染 B リンパ球を排除するために発動されたキラー T 細胞の活発な増殖により, 発熱, 扁桃炎, 頸部リンパ節腫脹, 肝脾腫, 眼瞼浮腫, 異型リンパ球増多, 肝障害などを呈する. 不顕性に初感染が成立するものが圧倒的に多いなかで, どのような特徴をもった宿主が IM を顕性発症するかについては不明な点が多いが, 青年期以降の宿主やアレルギー体質をもった小児が IM を発症する頻度が高い.

表1 EB ウイルスによる伝染性単核症の診断基準

臨床所見：以下のうち 3 項目以上を満たす.
・発 熱
・扁桃・咽頭炎
・頸部リンパ節腫脹
・肝腫大あるいは脾腫

検査成績
・末梢血リンパ球数 ≧ 50% あるいは ≧ 5,000/μL
・異型リンパ球数 ≧ 10% あるいは ≧ 1,000/μL
・CD8$^+$ HLA DR$^+$ ≧ 10% もしくは ≧ 1,000/μL

血清学的所見：以下のうち 1 項目以上を満たす.
・抗 VCA-IgM 陽性
・抗 VCA-IgG の 4 倍の上昇
・抗 EA-IgG の一過性上昇
・抗 VCA-IgG 陽性で, 後に抗 EBNA が出現
・すべての抗 EBV 抗体が陰性で, PCR 法によるリンパ球中の EBVDNA が陽性

治療に必要な検査と診断

診断は, 表1 に示した基準[1] に沿って行う. 典型的な例では, 診察所見だけでも診断の推測は容易である. 確定診断には蛍光抗体（FA）法による EBV 特異的血清抗体は不可欠な検査であり, 母親からの移行抗体の影響がない 1 歳以上であれば, 表2 を参考にできる. IM では「初感染もしくは感染急性期」の抗体パターンを確認できる.

治療の実際

本症は self limited な経過をとり, 治療を要さない例がほとんどである. 抗ウイルス薬の臨床的な効果は確立していない. 気道閉塞をきたす高度な扁桃炎, 溶血性貧血合併例などではプレドニゾロン 1mg/kg/日（最大 20mg/日）内服 7 日間を用いる場合がある[2]. 重症例や発熱遷延例では, 稀な合併症であるリンパ組織球性血球貪食症への進展を見逃さないように注意が必要である. 発熱が 1 週間を超える小児例では, 細菌性二次感染による副鼻腔炎を合併することが稀ではない. CRP 値が高い例では, IM において禁忌となっているペニシリン系を避け, セフェム系抗菌薬を使用する.

慢性活動性 EBV 感染症（CAEBV）

どういう疾患・病態か

CAEBV は, EBV 感染 T 細胞もしくは NK 細胞がクローナルに増殖する予後不良な疾患である. その本態は, 慢性経過型の EBV 関連 T/NK-Lymphoproliferative disorder（LPD）である.「感染症」は誤解を招くと

表2 Epstein-Barr ウイルス（EBV）感染症における蛍光抗体（FA）法による血清 EBV 抗体

感染の状態	抗 VCA-IgG	抗 VCA-IgM	抗 EA（D）	抗 EBNA
未感染	−	−	−	−
初感染もしくは感染急性期	＋	＋	＋／−	−
比較的最近の感染	＋	＋／−	＋／−	＋／−
過去の感染（既感染）	＋	−	＋／−	＋

＊抗 VCA-IgG：IgG クラス抗 viral capsid antigen
　抗 VCA-IgM：IgM クラス抗 VCA
　EA（D）：early antigen diffuse staining
　EBNA：EBV nuclear antigen

の考えから，CAEBV を慢性活動性 EBV「病」に改称する動きがある．

東アジアに多い疾患で，わが国では年間約20〜50 例程度の発症がある．好発年齢は10歳までの小児が大半を占め，小児科医の間での認知が先行して本症の研究が進められたが，成人も罹患することが広く知られるようになってきた．

EBV 感染によって活性化された，腫瘍的性格をもつ T 細胞もしくは NK 細胞クローンが，サイトカイン産生を伴い，発熱や多様な臓器障害を起こすと考えられている．EBV が本来の親和性細胞である B 細胞ではなく，T/NK 細胞に持続感染が起きる機序については，未だ明らかにされていない．

治療に必要な検査と診断

1 CAEBV の臨床症状

発熱，肝脾腫，リンパ節腫脹（IM 様症状）は，高頻度（42％）にみられる．肝脾腫は軽度のものから骨盤腔に至る巨大なものまである．発疹は，麻疹様，風疹様，ジアノッティ症候群様，水疱を伴うものなど多様で，顔色不良，黄疸，下痢なども高率にみられる．蚊刺過敏症（蚊アレルギー）は，CAEBV の約30％の例でみられ，特徴的な症状である[3,4]．合併症は，血球貪食性リン

パ組織球症，心筋炎，冠動脈瘤，消化管潰瘍，肝不全，間質性肺炎など多臓器に及び，多様な悪性リンパ腫を合併することも少なくない[3,4]．

2 CAEBV の診断

診断基準として，EB ウイルス感染症研究会で作成し 2005 年に公表された「慢性活動性 EBV 感染症診断指針」が用いられてきた[5]が，表3 に示す厚生労働省研究班「慢性活動性 EB ウイルス感染症とその類縁疾患の診療ガイドライン作成と患者レジストリの構築に関する研究」（2016 年，研究代表者：木村宏）により新たな診断基準が公表されている[6]．2005 年の基準で主条項に掲げられた高 EBV 抗体価が，2016 年の基準では補足条項に格下げされ，新たに，ウイルス感染標的細胞が T もしくは NK 細胞であることが主条項に含められた．加えて，伝染性単核症様症状の持続期間は 3 ヵ月間以上と具体的に示された．

診断に至る検査の具体的プロセスを以下に示す．

a）血清 EBV 抗体

VCA-IgG，EA-IgG は，640〜2,560 倍 といった高抗体価を示すものが多いが，診断の必要条件ではない．既感染パターン（表2）であっても本症を除外できない．

表3　慢性活動性 EB ウイルス感染症（CAEBV）診断基準（厚生労働省研究班，2016）[6]

1）伝染性単核症様症状が 3 ヵ月以上持続（連続的または断続的）
2）末梢血または病変組織における EB ウイルスゲノム量の増加
3）T 細胞あるいは NK 細胞に EB ウイルス感染を認める
4）既知の疾患とは異なること
以上の 4 項目をみたすこと

補足条項
1）「伝染性単核症様症状」とは，一般に発熱・リンパ節腫脹・肝脾腫などをさす．加えて，血液，消化器，神経，呼吸器，眼，皮膚（種痘様水疱症・蚊刺過敏症）あるいは心血管合併症症状・病変（含動脈瘤・弁疾患）などを呈する場合も含む．初感染に伴う EBV 関連血球貪食性リンパ組織球症，種痘様水疱症で皮膚症状のみのものは CAEBV には含めない．臓器病変・合併症を伴う種痘様水疱症・蚊刺過敏症は，CAEBVの範疇に含める．経過中しばしば EB ウイルス関連血球貪食性リンパ組織球症，T 細胞・NK 細胞性リンパ腫・白血病などの発症をみるが，この場合は，基礎疾患としての CAEBV の診断は変更されない．
2）PCR 法を用い，末梢血単核球分画における定量を行った場合，一般に $10^{2.5}$（= 316）コピー/μg DNA 以上がひとつの目安となる．定性の場合，健常人でも陽性となる場合があるので用いない．組織診断には *in situ* hybridization 法等による EBER 検出を用いる．
3）EB ウイルス感染標的細胞の同定は，蛍光抗体法，免疫組織染色またはマグネットビーズ法などによる各種マーカー陽性細胞解析（B 細胞，T 細胞，NK 細胞などを標識）と EBNA，EBER あるいは EB ウイルスDNA 検出などを組み合わせて行う．
4）先天性・後天性免疫不全症，自己免疫・炎症性疾患，膠原病，悪性リンパ腫（ホジキンリンパ腫，節外性NK/T 細胞リンパ腫-鼻型，血管免疫芽球性 T 細胞リンパ腫，末梢性 T 細胞リンパ腫-非特定型など），白血病（アグレッシブ NK 細胞性白血病など），医原性免疫不全などは除外する．鑑別診断，病型の把握のために以下の臨床検査の施行が望まれる．
　a）EB ウイルス関連抗体価
　　蛍光抗体法による測定では，一般に VCA-IgG 抗体価 640 倍以上，EA-IgG 抗体価 160 倍以上が，抗体価高値の目安となる．加えて，VCA-IgA，VCA-IgM および EA-IgA 抗体がしばしば陽性となる．患者では抗体価が高値であることが多いが，必要条件ではなく，抗体価高値を認めない症例も存在する．
　b）クローナリティの検索
　　1．EB ウイルス terminal repeat probe を用いた Southern blot 法
　　2．遺伝子再構成検査（T 細胞受容体など）
　c）病変組織の病理組織学的・分子生物学的評価
　　1．一般的な病理組織所見
　　2．免疫組織染色
　　3．染色体分析
　　4．遺伝子再構成検査（免疫グロブリン，T 細胞受容体など）
　d）免疫学的検査
　　1．末梢血マーカー分析
　　2．一般的な免疫検査（細胞性免疫［含 NK 細胞活性］・抗体・補体・食細胞機能など）
　　3．各種サイトカイン検索

重症度分類
　軽症：慢性活動性 EB ウイルス感染症と診断後，全身症状・主要臓器の合併症がなく，経過観察する症例．
　重症：全身症状・主要臓器の合併症がある症例．

b）ウイルス量（viral load）

　ウイルス量の増加は，末梢血リンパ球もしくは全血，リンパ節など組織中で確認される．末梢血や組織中の EBV 量は，リアルタイム（定量的）PCR 法で測定し，組織中のEBV は EBV-encoded RNA（EBER）*in situ* hybridization で検出するのが一般的である．ほとんどの症例で末梢血中の EBV 量は，10^4 コピー/μg.DNA 以上を示す（診断基準では $10^{2.5}$ コピー/μg.DNA 以上）．EBER は，組織中で非常に安定な EBV 特異的 RNA であり，病理組織標本パラフィン切片

EB ウイルス感染症　141

でも検出が可能である.

c) 末梢血リンパ球サブセット分析（flow cytometry）

CD20，CD4，CD8，CD56と二重染色として CD4/HLA-DR，CD8/HLA-DR の陽性細胞の比率を分析する．HLA-DR は，T 細胞の活性化を示す細胞表面抗原であり，通常 EBV が感染した細胞は，活性化して HLA-DR 抗原を表出する．CD8$^+$/HLA-DR$^+$ 細胞増多が持続すれば，CD8 陽性 T 細胞への EBV 感染を，CD56 陽性細胞増多が持続すれば，NK 細胞への EBV 感染を疑う．CAEBV での持続的変化とは対照的に，伝染性単核症でみられる末梢血 CD8$^+$/HLA-DR$^+$ 細胞（EBV が感染していないキラー T 細胞で形態学的には異型リンパ球に相当）増加は一過性である．

d) EBV の感染標的細胞の同定

CAEBV では，B 細胞でなく，T 細胞，NK 細胞に EBV 感染が確認され，新たな診断基準でも診断の主条項に含められている[6]．診断確定に至る最も重要な検査であるが，商業検査機関では実施できないので，研究機関に依頼しなくてはならない．免疫化学的方法でソーティングされた各リンパ球分画で EBV 量を測定し，主にどの細胞群に EBV が感染しているかを特定する方法がよく用いられる．近年，EBER とリンパ球表面抗原を同時に検出する flow cytometry 法で感染細胞を同定する方法が報告[7]され有用視されている．

e) EBV の Clonality 解析

EBV のターミナルリピート（TR）は，ウイルス株間で繰返し回数が異なる（＝サイズが異なる）ので，その解析でウイルスの clonality を検索することが可能であり，腫瘍に近い性格を示唆する根拠の一つとされる．CAEBV において，TR の解析で EB ウイルスのモノクローナルな増殖が示されることが多い.

f) 染色体分析

染色体異常が半数以上の例で認められ，EBV 感染細胞が腫瘍に近い増殖であることを示唆する 2 つ目の根拠となっている．短期の培養で核型が変化することも多く観察され，染色体は脆弱性が高い.

治療の実際

1 CAEBV の予後

予後不良で，数年の経過で約半数の例が死亡する．EBV 感染細胞が T 細胞の場合が，NK 細胞の場合よりも生存期間が短い．NK 細胞の例も，数年以上の長い「くすぶり型」の慢性経過をとりながら最終的には高い致死率を示す．①8 歳以上の発症，②発症時血小板減少あり（$12 \times 10^4/\mu L$ 以下），③血球減少，④肝障害，⑤週 1 日以上の発熱，⑥脾腫，が予後不良因子とされる．悪性リンパ腫，肝不全，心合併症，HLH，消化管潰瘍/穿孔などが死因として重要である[4, 8].

2 CAEBV の治療

抗ウイルス療法，免疫療法などが試行されてきたが，根治に至る例はごく稀である．根治的な治療は，「EB ウイルス感染細胞の駆逐と抗 EB ウイルス免疫の再構築」を目的とした造血幹細胞移植（SCT）しかない．ただし，臓器障害が進行すると，難しい移植となることが多く，veno-occlusive disease（VOD）や thrombotic microangiopathy（TMA）などの移植関連合併症，再発例が増加する.

a) SCT のタイミング

SCT に踏み切るタイミングについては，未だ確立していない．他に根治法がないことから，早期の SCT を推奨するものが多い．

142　3. 感染症

移植症例が豊富な大阪府立母子医療センターの Sawada ら[9] は，診断確定すればすぐに準備を始め，速やかに SCT を行っている．大賀[10] は，血管，腸管および中枢神経合併症をきたす前の SCT を推奨している．また，木村[11] は，有意に死亡と関連する消化管潰瘍，心合併症[4] といった合併症が起きる前に SCT を実施すべきと述べている．加えて，発症年齢 8 歳以上，診断時に血小板減少＜12万/μL を認め，T 細胞型の例では有意に生存期間が短いので，これらのリスク因子があれば，早期の移植へ向けて準備を進めるとしている．慢性経過をとることが多いため SCT に踏み切る決断を逡巡しがちであるが，臓器障害が進み，移植関連合併症が増える前の時期に SCT を試みたほうが良い結果が得られる[9]．

b）SCT を含めた治療の実際：大阪府立母子医療センター方式[9]

Sawada らは，CAEBV の治療を以下の 3 段階の構成で行っており，最終段階で SCT を実施している．

- **Step 1**（症状の鎮静化　クーリング）として，HLH に対する治療が試みられるが，この段階で完治に至る例はほとんどない．
- **Step 2** として，多剤併用化学療法（high dose cytosine arabinoside, L-asparaginase, それらを組合せた Capizzi 療法，ESCAP 療法）を行う．EBV load が 1 コースごとに 1/10 未満に減れば，有効と考えるが，有効率は 20〜30％と高いものではない．移植への準備が整うまでに急変や死亡率を減少させる効果や，移植後の生着率の改善，再発率抑制にも役立っている可能性が指摘されている．ただし，成人例では治療中に稀に急変（原病の flare）があることに留意しなくてはならない．
- **Step 3** として，SCT を行う．移植前処置は，骨髄破壊的移植 myeloablative conditioning（MAC）に比較して，reduced-intensity conditioning（RIC）を用いた骨髄非破壊的移植の優位性を示す報告[12] が蓄積されてきている．ドナー臓器に関しては，臍帯血と骨髄で同等の成績で約 80％の 4 年無病生存率が得られている．

SCT による完治率の向上はめざましい．今後もより良い治療成績を目指して，SCT の時期・ドナーソース，治療の標準化等について，さらなる検討継続が望まれる．

処 方 例

上記のとおりで，文献[9] を参照されたい．

専門医に紹介するタイミング

確定診断をつける段階で専門機関に相談し，治療方針につなげることが望ましい．

専門医からのワンポイントアドバイス

- 2016 年に厚労省研究班で新たな CAEBV 診断基準と治療にも言及した診療ガイドラインが作成された[6]．
- CAEBV は，予後不良のリンパ増殖症（腫瘍性疾患）で，EB ウイルスが T 細胞や NK 細胞に持続感染している．末梢血リンパ球中に高ウイルス量を確認し，感染細胞が B 細胞以外のリンパ球であることを証明すれば診断的である．
- 根治には SCT しかなく，その目的は EB ウイルス感染細胞の駆逐と抗 EB ウイルス免疫の再構築である．臓器障害が進み，移

EB ウイルス感染症　**143**

植関連合併症が増える前に SCT に踏み切る．ただし，全身症状や臓器病変のない時期に化学療法・SCT を行うべきかどうかは未確定である．

────── 文　献 ──────

1) 前田明彦：Epstein-Barr (EB) ウイルス．"日常診療に役立つ小児感染症マニュアル 2017" 日本小児感染症学会 編．東京医学社，pp284-296, 2017

2) American Academy of Pediatrics：Epstein-Barr Virus Infections. In "Red Book 2012 Report of the Comitee on Infectious Diseases" eds. Pickering LK et al. American Academy of Pediatrics, Elk Groove Village, IL, pp318-321, 2012

3) Ishihara S et al：Chronic active Epstein-Barr virus infection in children in Japan. Acta Paediatr 84：1271-1275, 1995

4) Kimura H et al：Prognostic factors for chronic active Epstein-Barr Virus Infection. J Infect Dis 187：527-533, 2003

5) Okano M et al：Proposed guidelines for diagnosing chronic active Epstein-Barr virus infection. Am J Hematol 80：64-69, 2005

6) 日本小児感染症学会：慢性活動性 EB ウイルス感染症 (CAEBV)．"慢性活動性 EB ウイルス感染症とその類縁疾患の診療ガイドライン 2016"，診断と治療社．pp8-10, 2016

7) Kimura H et al：Identification of Epstein-Barr virus (EBV)-infected lymphocyte subtypes by flow cytometric in situ hybridization in EBV-associated lymphoproliferativediseases. J Infect Dis 200：1078-1087, 2009

8) Kimura H et al：EBV-associated T/NK-cell lymphoproliferative diseases in nonimmnocompromised hosts：prospective analysis of 108 cases. Blood 119：673-686, 2012

9) Sawada A et al：How we treat chronic active Epstein-Barr virus infection. Int J Hematol 105：406-418, 2017

10) 大賀正一：EB ウイルス感染 T/NK 細胞リンパ増殖症 ～臨床病態と感染標的細胞～．福岡医誌 102：41-47, 2011

11) 木村　宏：慢性活動性 EBV 感染症．ウイルス 61：163-174, 2011

12) Kawa K et al：Excellent outcome of allogenic hematopoiesitic SCT with reduced-intensity conditioning for the treatment of chronic active EBV infection. Bone Marrow Transplant 46：77-83, 2011

3. 感染症

アデノウイルス感染症

大宜見 力
国立成育医療研究センター 感染症科

3

感染症

POINT

●アデノウイルス感染症による症状は，宿主の年齢，免疫状態と，その感染部位，血清型により大きく異なる．

●新生児と造血幹細胞移植後などの免疫不全者では，重篤なアデノウイルス感染症を起こしやすく注意を要する．

●本邦において，迅速抗原検査が日常診療ではよく利用されてきたが，最近はMultiplex PCR が普及するようになった．PCR 法はより感度に優れている一方，無症候性のウイルス排泄もあるため，その結果の解釈には注意が必要である．

ガイドラインの現況

　免疫不全者にアデノウイルス感染症が起こった場合，重篤な病態をもたらすため，アデノウイルスに関する欧米のガイドラインのほとんどは造血幹細胞移植患者や固形臓器移植患者に対するマネジメントに関する内容である[1]．本邦においては，厚生労働省から『保育所における感染症対策ガイドライン（2018 年度版）』[2] と，日本眼科学会から『アデノウイルス結膜炎院内感染対策ガイドライン（2009 年）』[3] が発出されており，施設内や医療施設でのアウトブレイクに対する注意が述べられている．特にアデノウイルス結膜炎はアジアから多く報告されており，その情報の多くが日本から世界に発信され，厚生労働省がスタートした感染症サーベイランス情報は世界でも高い評価を受けている．米国疾病予防管理センター（Centers for Disease　Control　and Prevention：CDC）[4] からアデノウイルス感染症に対する必要な一般的な知識が簡潔にまとめられている．

【本稿のバックグラウンド】 アデノウイルス感染症は，小児においてコモンなウイルス感染症の一つである．多彩な臨床症状を呈する一方，アデノウイルス感染症そのものをターゲットにしたガイドラインは，免疫不全者を対象にしたものと結膜炎に限られている．一般小児科医にとっては，頻繁に遭遇する臨床状況を理解するとともに，その伝染性の高さと重篤になりうる状況を認識することが重要である．

どういう疾患・病態か

　アデノウイルスは，アデノウイルス科に属し，70 以上の血清型が同定されている．アデノウイルスはエンベロープをもたない二本鎖 DNA ウイルスであるため，アルコール，

アデノウイルス感染症　**145**

合成洗剤，クロルヘキシジンではアデノウイルスを手指や器具から除去することができないことは感染対策上注意を要する．入念な手指衛生は重要であるが，アデノウイルスは，10秒間の手指衛生後も手指に残ることがあり，ディスポーザブルの手袋の使用も有効と考えられる．

呼吸器分泌物や眼脂などを介した直接あるいは間接接触（汚染された手指や眼科器具，開創器，挿管チューブ，吸引チューブなどを介して）が主要な感染経路であり，腸管に所属する血清型では糞口感染の可能性がある．造血幹細胞移植，固形臓器移植の領域においては水平感染に加え，ドナーからの感染，潜在性感染の再活性化といった発症経路があり注意を要する．

潜伏期間は幅があり，呼吸器感染症では2〜14日間，胃腸炎では3〜10日間といわれており，乳幼児に発症年齢のピークがある．

咽頭結膜熱と流行性角結膜炎は小児科定点対象疾患である．アデノウイルスによる流行性角結膜炎は，眼科検査器具や医療従事者の手指を介して接触感染を契機に起こり，院内アウトブレイクも多数報告されている．重症の結膜炎では視力予後に影響を与えることもあり，抗アデノウイルス薬が存在していない現在，その感染予防は重要な課題である．また咽頭結膜熱は，塩素消毒が不十分なプールの水，プールでの接触やタオルの共用により感染することがあるので，プール熱とも呼ばれる．

他の呼吸器ウイルス感染症のような季節性はあまりみられず，年間を通じて発生するが，冬，春，初夏を中心に流行がみられる傾向がある．幼児から学童を中心に起こる咽頭結膜熱は，プール，夏のキャンプ，チャイルドケアなどで流行する傾向がある．

咽頭炎や気管支炎をはじめとする気道感染症，消化管感染症，結膜炎が主要な病態であるが，その臨床像は幅広く，血清型や感染部位に加え，宿主の年齢，免疫状態により大きく異なる（**表1**）．他のウイルス感染症と同様に，血球減少やフォーカス不明の高熱が遷延することがある一方，好中球優位のWBC増加，CRP高値，また胸部X線上，大葉性肺炎や胸水貯留といった細菌性疾患を思わせるような臨床病態を取ることもある．2022年4月に入り，小児で原因不明の肝炎が欧米を中心に報告され，そのうち一部の症例でアデノウイルスが検出され，その関連性について注目が集まっている．

免疫不全者においては，重症の播種性感染症，肺炎，肝炎，髄膜炎・脳炎，心筋炎，出血性膀胱炎を，新生児においても致死性の播種性アデノウイルス感染症を起こすことがあり注意を要する．

治療に必要な検査と診断

アデノウイルスの検出感度は，PCR，ウイルス分離，イムノクロマトキットや酵素抗体（ELISA）法での抗原検出キットの順に高い．本邦でも新型コロナウイルス感染症のパンデミックに伴い，感度と迅速性に優れたMultiplex PCRなどの分子学的診断法が日常臨床において普及し始めている．感染巣により，眼脂，鼻咽頭ぬぐい液，呼吸器分泌物，便，尿，血清，組織など様々な検体がPCR法に使用される．特に，免疫不全者の場合，血液中のアデノウイルス量が予後と関連しているため定量的な評価が重要となる．

ウイルス分離は，同定まで時間を要し，特殊設備も必要であるため，迅速検査法としては実際的ではない．しかし，分離培養法は生きたウイルスを分離できるため，病原体の確実な証明となる．

表1　アデノウイルス血清型による臨床症状

症候群	症状と徴候	頻度の高い血清型
上気道感染症	鼻炎，咽頭炎，発熱，扁桃炎，下痢	1〜3，5，7
下気道感染症	気管支炎，喉頭気管気管支炎，細気管支炎，肺炎，発熱，鼻炎，咳	3，4，7，21
百日咳様	発作性咳嗽，嘔吐，発熱，上気道症状	5
伝染性単核球症あるいは川崎病様	発熱，倦怠感，不機嫌，頸部リンパ節炎，咽頭炎，発疹，結膜炎	不明
急性結膜炎	透明な水様分泌物，結膜浮腫，結膜充血，掻痒感	1〜4，7
急性出血性（濾胞性）結膜炎	結膜浮腫，結膜下出血，耳介前リンパ節腫脹，発熱，粘性分泌物	11
咽頭結膜熱	咽頭炎，結膜炎，発熱，鼻炎，頭痛，発疹，リンパ節腫脹，下痢	2，3，4，7，14
流行性角結膜炎	角膜炎，頭痛，耳介前リンパ節腫脹，咽頭炎，下痢	3，8，19，37
尿生殖器疾患	膀胱炎（通常，出血性），腎炎，精巣炎，尿道炎，子宮頸管炎，潰瘍性生殖器病変，咽頭炎，発熱	2，37
消化管疾患	胃腸炎（下痢，嘔吐），腸重積（腹痛），偽性虫垂炎症候群，腸間膜リンパ節炎	3，5，7，31，40，41
肝疾患	肝炎	1〜3，5，7
中枢神経疾患	髄膜炎，脳炎，ライ症候群	7
心疾患	心筋炎，心膜炎	7，21
免疫不全者の感染症	下痢，発疹，上気道感染症，下気道感染症，肝炎，出血性腸炎，腎炎，膀胱炎，脳炎，播種性疾患	1，2，3，5，7，11，34，35
胎児と新生児	胎児水腫，心筋炎，発熱，下気道感染症，肝炎，嗜眠傾向，播種性疾患	3

（文献5を参照して作成）

急性期と回復期のペア血清を用いる血清学的診断は血清型の同定に有用であるが，交叉反応が起こることがあったり，感度は必ずしも十分ではなく，迅速に結果を得られないため，臨床的に有用であることは少ないが，疫学的精査目的で使用されることがある．

治療の実際

現時点で，本邦においてアデノウイルス感染症の治療に使用できる特異的な抗ウイルス薬はなく，基本的には対症療法，免疫抑制薬の減量に限られている．造血幹細胞移植後や固形臓器移植後などの免疫不全患者，新生児においてアデノウイルスは致死的な感染症をひき起こすことがあるため，抗ウイルス薬の開発・承認が望まれている．ランダム化試験は行われていないが，シドフォビルなどの抗ウイルス薬や，ウイルス特異的細胞傷害性T細胞を利用した治療法が欧米では使用されており，本邦においても今後の動向が注目されている．

上述したように，確立された特異的治療法がなく，予防接種は，軍隊以外の状況では使

用されていない現状において，入念な手指衛生，アデノウイルスで汚染された環境の消毒，タオルなどの共用を避けるといったことがマネジメントの中心である．便中に長期間ウイルスが排出されるため，排便後またはおむつを取り替えた後の手洗いは石鹸を用いて流水で丁寧に行う．保育所内で咽頭結膜熱が発生した場合には，ドアノブ，スイッチ等の複数の人が触れる場所の消毒を励行する．アデノウイルスは乾燥にも強いため，保育所での流行状況にあわせて，遊具の消毒も考慮する．小児科病棟においては，飛沫感染予防策と接触感染予防策が推奨される．

処方例

現時点で，本邦において抗ウイルス薬は承認されておらず，造血幹細胞移植患者における播種性アデノウイルス感染症や重症なアデノウイルス感染症などにおいて，時に海外からシドフォビルなどを輸入して使用されているのが現状である．シドフォビルは腎毒性が強い薬剤であり，使用する際には十分な注意を要する．その他にも，ブドウ膜炎や好中球減少症などの頻度も高く，使用を考慮する際には小児感染症医や使用経験者に相談することが望ましい．投与方法は腎機能にも左右され，統一されたやり方は存在しないが，欧米で使用されている処方例（腎機能に問題がない場合）としては，下記のようなものがある．

> ● シドフォビル投与法
> 投与法①：シドフォビル5mg/kg 週1回（1時間かけて）を2週間続けて投与し，その後5mg/kgを2週間毎に投与する
> 投与法②：シドフォビル1mg/kg 週3回（月-水-金など）1時間かけて投与する

シドフォビルの治療期間についてのコンセンサスはないが，症状の改善，免疫能の回復，フォローのアデノウイルスの検査結果などをみて総合的に判断される．

またシドフォビル使用時は，腎保護の観点から，プロベネシド（内服）と積極的輸液を行う．その処方例として，下記のような方法がある．

> ● プロベネシド（内服）
> ① シドフォビル投与3時間前：1回25〜40mg/kg（最大2,000mg）
> ② シドフォビル投与後2〜3時間後：1回10〜20mg/kg（最大1,000mg）
> ③ シドフォビル投与後8〜9時間後：1回10〜20mg/kg（最大1,000mg）
> 生食輸液：生食5mL/kg/時を，シドフォビル投与3時間前から開始し，シドフォビル投与3時間後まで（シドフォビルが1時間投与なら計7時間）投与する（total 35mL/kg/7時間）

専門医に紹介するタイミング

健康小児におけるアデノウイルス感染症の予後は，一般的に良好である一方，新生児や免疫不全者のアデノウイルス感染症は，重症化する可能性が高く，細心の注意が必要であり，高度先進医療施設や感染症専門医への相談を考慮する．重症のアデノウイルス結膜炎では，ステロイド点眼や偽膜除去などが考慮される場合もあり，眼科医への紹介が必要である．

専門医からのワンポイントアドバイス

　アデノウイルスは急性感染症を起こす一方，潜在性，持続性感染も起こすことがあるため，アデノウイルスが検出された場合，その患者の病態と照らし合わせて検査結果を解釈する必要がある．一般的には，呼吸器，尿，便から培養法により分離された場合，急性感染症を示唆するが，無症状者や正常組織から検出されることもある．血液，胸水，心囊水，髄液などからウイルスが分離された場合，侵襲性あるいは播種性のアデノウイルス感染症を強く示唆する．

─── 文　献 ───

1) Florescu DF et al：Adenovirus in solid organ transplant recipients：Guidelines from the American Society of Transplantation Infectious Diseases Community of Practice. Clin Transplant 33：e13527, 2019
2) 厚生労働省：保育所における感染症対策ガイドライン（2018年改訂版）.
https://www.mhlw.go.jp/file/06-Seisakujouhou-11900000-Koyoukintoujidoukateikyoku/0000201596.pdf
3) アデノウイルス結膜炎院内感染対策委員会：アデノウイルス結膜炎院内感染対策ガイドライン.
https://www.nichigan.or.jp/member/journal/guideline/detail.html?ItemId=283&dispmid=909
4) CDC：Adenovirus.［updated August 28, 2019］
https://www.cdc.gov/adenovirus/index.html
5) Long SS et al：Principles and practice of pediatric infectious diseases, 5th ed. Elsevier, Philadelphia, PA, 2018

3. 感染症

サイトメガロウイルス感染症

山田全毅
<small>やまだまさき</small>

国立成育医療研究センター 高度感染症診断部

POINT

● サイトメガロウィルス（CMV）はウイルス粒子の複製を伴う溶解感染と細胞内でウイルス遺伝子を維持する潜伏感染の様式をとり，ヘルペスウイルス属の中でも多彩な疾患群をひき起こす病原体である．

● その臨床像は大きく分けて，①先天性 CMV 感染症と，②後天性 CMV 感染症に分類される．これらの CMV 感染症は，全く異なる疾患であり，疫学，危険因子，診断，および治療法については別々に整理して理解する必要がある．

ガイドラインの現況

先天性 CMV 感染症については，The European Society For Paediatric Infectious Diseases（ESPID）ガイドラインのほか，RedBook 2021 では抗ウイルス薬の治療効果を評価した Kimberlin らの研究結果が反映された内容となっている．これらのガイドラインは，先天性 CMV 感染症に対する標準的な疾患定義，診断法，治療法を提言しているが，本邦では 2022 年 5 月現在，先天性 CMV 感染症に対する抗ウイルス薬は保険未収載である．

後天性 CMV 感染症のほとんどは，移植患者に代表される重度の細胞性免疫不全患者に発症する．このため，日本造血・免疫細胞療法学会の『造血細胞移植ガイドライン2018』や米国移植・細胞療法学会ガイドライン 2021，米国移植学会の臓器移植後感染症ガイドライン 2019 など，移植患者を対象とした CMV 診療ガイドラインが整備されており，日本移植学会でも臓器移植後 CMV 診療ガイドラインを策定中である．一方で，小児に関するエビデンスは成人に比べ少なく，成人の移植患者の研究知見をもとに，小児移植患者の診療が行われているのが現状である．

【本稿のバックグラウンド】 先天性 CMV 感染症に関するガイドラインとして 2017 年に ESPID より Congenital Cytomegalovirus：A European Expert Consensus Statement on Diagnosis and Management[1] や，米国小児科学会の RedBook 2021 Cytomegalovirus infection[2] を引用した．
後天性 CMV 感染症に関しては，造血細胞移植後，固形臓器移植後の患児について，それぞれ，日本造血・免疫細胞療法学会のサイトメガロウイルス感染症ガイドライン（第 4 版）[3] や米国移植・細胞治療学会のガイドラインシリーズ[4]，米国移植学会による臓器移植後の CMV 感染症ガイドライン[5] などを中心にまとめた．

どういう疾患・病態か

ヒトサイトメガロウイルス（human cyto-megalovirus：CMV，ヒトヘルペスウイルス5）はヘルペスウイルスファミリー（ヘルペスウイルス科），β-ヘルペスウイルスサブファミリー（β herpesviridae），サイトメガロウイルス属に分類される．日本人の抗CMV抗体の抗体保有率は成人全体で約80％，妊婦では約60％とされている．初感染は乳児期に多いとされるが，成人まで幅広い年齢層で起こりうる．健康な小児では無症候性感染が多いが，時に軽度の肝炎や伝染性単核球症などをひき起こす．一方，胎児や免疫不全者では，以下に述べるような特異的な感染症をひき起こす．

1 先天性 CMV 感染症

先天性 CMV 感染症は，無症候性感染を含む幅広い臨床像を呈する．全出生児に対するCMV の感染頻度は 0.3％程度とされ，そのうち約 20％が，症候性先天性 CMV 感染症の臨床症状を有する．妊娠中に抗 CMV 抗体が陽転化した母体の胎児は先天性 CMV 感染症を罹患するするリスクが高い．重症例では，胎児期から小頭症，子宮内発育遅延，脳内（特に脳室周囲）石灰化などを認める．生後は，感音性難聴，黄疸，皮下出血，肝脾腫，小頭症，脳内石灰化，脈絡網膜炎などを契機に診断されることが多い．先天性 CMV感染症は非遺伝性の感音性難聴の原因として最も多い（約 25％）疾患であり，出生時に症状の明らかな患児では最大 50％，無症候性感染の患児でも最大 15％が将来的に感音性難聴を発症する．また，症状の明らかな患児は高率に発達障害などの神経学的後遺症をきたす．

2 後天性 CMV 感染症

後天性 CMV 感染の症状は，宿主の年齢および免疫能により異なり，その臨床像は多彩である．免疫の正常な小児ではほとんど発症しない．原発性免疫不全症候群，造血細胞移植後，および固形臓器移植後の患児において，CMV の初感染や再活性化が起きると症状や臓器障害を伴う CMV 感染症に発展し，時に致死的となる．稀に化学療法や，免疫抑制・免疫調整療法を受けている患児にも発症する．CMV の直接浸潤による臓器障害（肺炎，腸炎，脈絡網膜炎，髄膜脳炎など）に加え，発熱，血小板減少症，白血球減少症，および肝逸脱酵素の上昇を特徴とする CMV 症候群が知られる．特に CMV 感染症のリスクが高い移植患者では，抗 CMV 薬による予防（prophylaxis：移植後一定期間抗ウイルス薬を予防的に投与し CMV の活性化を抑制する）あるいは，モニタリングを併用した先制治療（preemptive therapy：血液中に CMVが検出されている無症候性感染の段階でCMV 感染症への進展を防ぐ治療を開始する）のいずれかが必要である．

治療に必要な検査と診断

1 先天性 CMV 感染症

先天性 CMV 感染症を疑い検査を行うべき徴候，症状および検査所見を**表1**にまとめた．生後 21 日以内に，CMV の核酸を検出（定性 PCR）すると診断が確定する．本邦では尿中 CMV 定性 PCR が保険収載されており，その感度・特異度ともに 99％以上と最も優れた検査である．初回授乳前の唾液中CMV の検出でスクリーニングを行った場合は，陽性であっても尿中 CMV 定性 PCR による確認が必要である．生後 21 日を過ぎてから聴覚の異常などを契機に先天性 CMV 感

サイトメガロウイルス感染症　**151**

表1　先天性 CMV 感染症を疑うべき徴候，症状および検査所見

身体所見	肝脾腫，皮下出血，黄疸，小頭症
神経所見	けいれん（ほかに明らかな理由のないもの）
検査所見	肝逸脱酵素の上昇，遷延性黄疸，直接ビリルビン高値，血球減少（特に血小板減少）
神経画像	頭蓋内石灰化（特に脳室周囲石灰化），脳室拡大
眼底所見	脈絡網膜炎，先天性白内障
聴覚所見	新生児聴覚スクリーニングの異常
母体情報	妊娠中の母体抗 CMV 抗体陽転化，早産

染の診断を要する場合には，母乳などを介して生後起きる後天性 CMV 感染との鑑別目的に，生後早期にとられた試料で CMV の存在を証明する必要がある．一部の研究施設で実施している，乾燥血液滴（dried blood spot）や臍帯の CMV 定性 PCR によっても診断可能だが，尿中 CMV 定性 PCR より感度が低い．先天性 CMV 感染症の診断が確定したら，治療に先立ち血算，肝腎機能，頭部画像検査（超音波・CT など），聴覚スクリーニング検査，眼底検査を行う．

2 後天性 CMV 感染症

　原則として移植患者を想定しているため，抗体検査は診断精度が低く診断に用いることができない．全血または血漿を用いた CMV 核酸定量（CMV 定量 PCR），あるいは CMV アンチゲネミア（抗原血症）により診断する．

　国際的には，CMV 定量 PCR が標準検査であり，CMV アンチゲネミアより診断感度が良い．日本国内では長らく CMV 定量 PCR が保険未収載であったため，CMV アンチゲネミアが用いられてきたが，2020 年より移植患者を含む重度免疫不全患者に対する血漿中 CMV 核酸定量検査が保険収載され，抗原検査の感度が低いとされる病態（白血球減少や腸炎など）に対しても早期診断が可能となった．

　造血細胞移植患児では，ガンシクロビル（ganciclovir：GCV），バルガンシクロビル（valganciclovir：VGCV）の予防投与による骨髄抑制が移植細胞の生着・回復を妨げる，という懸念から，先制治療が推奨されている．移植後 100 日間は症状の有無によらずモニタリングを行い，CMV が検出されたら，抗ウイルス薬をただちに開始する．成人では骨髄抑制の副作用のない CMV 予防薬であるレテルモビルが 2021 年より国内でも導入され，現在，造血細胞移植患児における有効性や安全性を評価するための国際共同治験が行われている．一方，固形臓器移植患児では，予防または先制治療が施設や臓器の種類ごと，または個々の患者のリスクに応じて選択される．GCV/VGCV は腎排泄の薬剤であるため，治療開始前には血算と腎機能検査を要する．

治療の実際

　日本国内で小児に使用できる抗 CMV 薬は，核酸アナログの静注薬 GCV と，その経口薬である VGCV，DNA 合成阻害薬である静注薬ホスカルネットがある．特に骨髄抑制が問題になる造血細胞移植患児を対象にホスカルネットを選択する場合もあるが，腎毒性が強いため注意して使用する必要がある．

　2022 年 5 月現在，日本における GCV/VGCV の適応は，後天性免疫不全症候群，

臓器移植，悪性腫瘍におけるサイトメガロウイルス感染症のみである．先天性サイトメガロウイルス感染症に対しては日本では未だ適応がないものの，国際的には標準治療として扱われている．GCV/VGCVの副作用としては骨髄抑制・血球減少がよく知られており，血算・生化学検査をモニタリングしながら治療する．

1 先天性CMV感染症

標準的な投与方法・用量は先行研究に基づいて定められており，現在日本でも同じ用量・用法で医師主導治験が行われている．感音性難聴の確定例を含む中枢神経合併症のある症候性先天性CMV感染症は治療の適応であると広く認識されているが，検査異常のみの症例に抗ウイルス薬の長期投与するかについては，国内外の研究結果が待たれる．先天性CMV感染症に対する治療の目標はウイルス血症の改善ではなく，難聴を含めた神経学的予後の改善であるため，治療中にウイルス量の変化に基づいた投与量の調節などは必要ない．標準治療期間である6ヵ月の間に生理的に体重の著しい増加がみられるため，概ね月1回以上は投与量の調整を行う．

処 方 例 （先天性CMV感染症）

処方　VGCV　1回16mg/kg　1日2回
　　　6ヵ月間　経口
　　　他の抗CMV薬の使用経験はなく，通常必要とされない．

---

2 後天性CMV感染症

予防と先制治療（初期治療および維持治療）に分けて，適応や投薬計画を考える．

1．予防投与

①強力な免疫抑制療法を要する心，肺，腸管移植患者では，6〜12ヵ月の予防投与を実施する．

②肝，腎移植では3〜6ヵ月の予防投与または先制治療のいずれかを実施する．

特に移植前の抗CMV抗体が臓器ドナーで陽性，レシピエントで陰性（CMV D＋R－）の場合，CMV感染症を発症するリスクが高いことが報告されており，このような症例にのみ予防投与を採用する施設もある．

2．先制治療

①初期治療

組織学的に証明されたCMV感染症や血中CMVモニタリングの陽性例に対して最低1〜2週間の治療を行う．特にモニタリングの血中CMVの陽性所見のみ認める無症候性CMV感染の症例に対しては，生物学的利用率の高いVGCVによる内服治療へ変更してもよい．

②維持療法

初期治療で臨床症状の改善やウイルス量の低下を確認できたら維持療法へ移行する．血中CMVの陰性化を確認後1〜2週間程度治療を継続し，終了する．

処 方 例 （後天性CMV感染症症）

●予防投与

処方A　GCV　5mg/kg　1日1回　点滴静注

処方B　VGCV　7×BSA（m²）×eGFR（mL/min/1.73m²）1日1回　内服

●先制治療

①初期治療

処方A　GCV　5mg/kg　1日2回　点滴静注

処方B　ホスカルネット90mg/kg　1日

サイトメガロウイルス感染症　153

2回 点滴静注

処方C　ホスカルネット 60 mg/kg　1

日3回　点滴静注

処方D　VGCV　7×BSA(m²)×eGFR

(mL/min/1.73 m²) 1日2回　内服

②維持療法

処方A　GCV　5 mg/kg　1日1回　点

滴静注

処方B　ホスカルネット 90 mg/kg　1

日1回　点滴静注

処方D　VGCV　7×BSA(m²)×eGFR

(mL/min/1.73 m²) 1日1回　内服

注：eGFR は推定糸球体濾過量, BSA
は体表面積を表す.

専門医に紹介するタイミング

1 先天性 CMV 感染症

生後 21 日以内に尿中 CMV 定性 PCR 実施さえすれば, 先天性 CMV 感染症の診断は確定する. 一方で, 無症候性先天性 CMV 感染症に対する, 治療開始基準および治療期間については, 専門医の間でも意見が分かれる場合があり, また, 血球減少などの副作用が問題となる症例もあるため, 治療開始時や副作用発現時には専門医へ紹介を考慮する.

2 後天性 CMV 感染症

移植患児の診療経験のある主治医であれば, おおよそガイドライン等の記述に従って診療可能であるが, CMV 感染を反復する例や, 抗ウイルス薬に対する薬剤耐性を疑う例, また抗ウイルス薬の副作用が臨床的の問題となる例などについては, 移植感染症の専門家に紹介することが望ましい.

専門医からのワンポイントアドバイス

先天性 CMV 感染症は一般小児科医が比較的頻繁に遭遇する疾患である. 診断のポイントは, まず本症にあてはまる徴候をもとに疑うことである. 尿中 CMV 定性 PCR 検査は外注検査で実施できるため, 診断自体は容易になってきている. 治療に際し抗ウイルス薬の使用経験がなければ専門医への紹介も考慮してよい.

後天性 CMV 感染症は対象の高リスク患児の基礎疾患が限られるため, 高度専門医療施設に症例が集積する. 予防投与と先制治療についても新たな選択肢が増えてきているが, それぞれの施設において診療プロトコールなどを整備し, 標準的な検査・診断・治療が提供できるようにするとよい.

─────── 文　献 ───────

1) Luck SE et al：Congenital Cytomegalovirus：A European Expert Consensus Statement on Diagnosis and Management. Pediatr Infect Dis J 36：1205-1213, 2017

2) Committee on Infectious Diseases, American Academy of Pediatrics et al：Red Book：2021-2024 Report of the Committee on Infectious Diseases, 32nd edision. American Academy of Pediatrics, 2021

3) 日本造血細胞移植学会 (JSHCT)：造血細胞移植ガイドライン―ウイルス感染症の予防と治療 サイトメガロウイルス感染症 (第4版). JSHCT monograph 57, 2018

4) Hakki M et al：American Society for Transplantation and Cellular Therapy Series：#3-prevention of cytomegalovirus infection and disease after hematopoietic cell transplantation. Transplant Cell Ther 27：707-719, 2021

5) Razonable RR et al：Cytomegalovirus in solid organ transplant recipients–Guidelines of the American Society of Transplantation Infectious Diseases Community of Practice. Clin Transplant 33：e13512, 2019

3. 感染症

百 日 咳

横山美貴
よこやまよしき

町立八丈病院 小児科

POINT

● 咳の性状（staccato, whoop）やほかに家族内で咳をしている人がいないかなどの問診が重要となる.

● 血算にて白血球数著増，リンパ球主体，CRP 陰性が参考となる.

● 診断のための検査として，発症後 4 週間を目安に細菌培養検査，LAMP 法から血清検査へと選択変更する.

ガイドラインの現況

　百日咳は，百日咳菌（*Bordetella pertussis*）による気道感染症で，独特の咳嗽発作を起こす．過去には亡くなる乳児もみられたが，ワクチンの普及で激減した．しかし現在でも，ワクチン未接種の乳児が罹患すると無呼吸やけいれんを合併し重症化する場合がある．また，ワクチン既接種成人でも抗体価の経年低下のため感染リスクが増し，長引く咳といった非典型的症状のため診断が遅れ，家族，特に乳児への感染源となることが問題となっている．同様に，母体の抗体価低下は新生児の感染リスクを上げる．感染症発生動向調査における定点報告では，成人発症が増えてきているが，最も多い年齢は 0 歳である[1].

　ワクチン既接種者では診断のための抗体検査の評価が難しいが，新たな抗体検査やLAMP 法が利用できるようになり，日本小児呼吸器学会・小児感染症学会から診断のガイドラインが出されている[2].

【本稿のバックグラウンド】　百日咳の疫学については「NIID 国立感染症研究所ホームページ」を，診療については『小児呼吸器感染症診療ガイドライン 2017』を参考にした.

どういう疾患・病態か

　百日咳菌は，飛沫感染により気道粘膜上皮細胞に付着し，そこで増殖する．菌からは多くの生物活性をもつ百日咳毒素（pertussis toxin：PT）が放出され，特有の症状や末梢血中白血球数の増多をひき起こす．7〜10 日

の潜伏期の後，非特異的な "かぜ症状" のカタル期（1〜2 週間）がみられ，その後典型的な激しい咳き込み発作がみられる痙咳期（2〜4 週間）が続く[3]．乾性咳嗽の連続，始まると息を吸う間もなく顔を真っ赤にしての10 回以上の咳き込み（staccato），咳き込み後の最初の吸気時笛声（whoop），それを何

百 日 咳　155

度も繰返す（reprise），で表現される．咳き込みは時に嘔吐を伴う．ただ，咳き込みは夜間にのみみられることも多く，日中の受診時には気づきにくい．眼球周囲の点状出血，眼瞼浮腫，眼球結膜出血や歯が当たる部分の頬粘膜潰瘍が診断の参考になる．発熱はみられない．回復期（6週間以後）に入ると咳き込みは次第に減少してくるが，その名のとおり長引くこともある．

生後1～2ヵ月の乳児早期には無呼吸やけいれんがみられることもあり，至急の診断と入院治療が必要である．母体からの移行抗体は生後1ヵ月でほぼ消失し，免疫のない家族内接触者の80%は罹患するともいわれている[4]．鑑別診断の際の百日咳を疑うことやwhoopを見逃さない詳細な観察，周囲に長引く咳の人がいないかの確認が重要となる．乳児早期の百日咳では咳は湿性の印象がある．胸部単純X線写真上，肺野内側のみに気管支周囲陰影の増強がみられることがあり[5]，百日咳肺炎の合併，非典型例，ウイルス感染の合併などが考えられる．

治療に必要な検査と診断

臨床症状から百日咳を疑ったら，まず血液検査を行う．白血球数の著増（数万/mLにも及ぶ），リンパ球分画70%以上，CRP陰性を認めれば疑いは濃厚となる．

細菌培養：検体は後鼻腔・咽頭ぬぐい液．特殊培地（Bordet-Gengou培地）が必要など制約があり，培養期間も3週間を要する．推奨検査時期は発症から2週間で，その時期に臨床的に百日咳を疑うのは難しい．

血清診断法：確定診断には抗体検査が使われる．

凝集素価法は広く使われてきたが，感度が低いため近年では検査されなくなっている．

凝集原には東浜株（血清型1・2，ワクチン株）と山口株（血清型1・3，流行株）がある．

酵素免疫法（EIA）ではPT-IgG（pertussis toxin-IgG）を測定する．1981年秋から使用されている沈降精製百日咳ワクチン（DPTワクチン）は，PTと菌表面にある線維状赤血球凝集素（filamentous hemagglutinin：FHA）を主抗原としている．ワクチン既接種者の診断には対血清（ペア血清）を使用するのが原則であるが（2倍以上），時間を要するため，咳発症後2週間以上経って採取された検体で単血清でのPT-IgG基準値の試案も出されている（**表1**[2,6,7]，外注検査可能．PT-IgG 100EU/mL以上，FHA-IgGは交叉反応があり不適切）．

新たに開発された抗体検査として抗百日咳菌抗体IgM・IgA（ノバグノスト）がある．テストプレートに固定された不活化百日咳菌に抗体が結合し，標識された抗抗体をさらに結合させて測定する．IgMは病日15，IgAは病日21をピークに出現し，ワクチンの影響を受けないとされる．ただし，感度が30～50%と低く，まだエビデンスが少ないことから，検査時期や基準値など検討中である[7,8]．

遺伝子増幅法：PCR（polymerase chain reaction）法やLAMP（loop-mediated isothermal amplification）法があり，特に後者は保険収載もされ利用可能となっている．検体は後鼻腔ぬぐい液．推奨検査時期は発症から3週間である．

2021年6月，百日咳菌抗原キット（リボテスト®百日咳）が発売され，PCR法との比較で相関上感度85%以上，特異度95%以上とされている．これも検査時期を含め使用法の検討中である[9]．

表1 百日咳診断の目安

●臨床症状：14日以上の咳＋以下の1つ以上
  ①発作性の咳き込み　②吸気性笛声　③咳き込み後の嘔吐
●検査で診断
 ・発症から4週間以内
  ①百日咳菌の培養：後咽頭ぬぐい液　→　Bordet-Gengou培地
  ②LAMP法：後鼻腔ぬぐい液
 ・発症から4週間以上
  ③血清診断

	PT-IgG	百日咳菌抗体（ノバグノスト）
ワクチン未接種	10EU/mL以上	判定：（－），（±），（＋） 届出基準：11.5 NTU以上
ワクチン接種 or 不明	①単血清　100EU/mL以上 ②対血清　2倍以上	IgM抗体：病日15，IgA抗体：病日21をピークに出現，ともにワクチンの影響を受けない

PT-IgG：pertussis toxin-IgG（EIA法），NTU：ノバグノスト単位　　　　　（文献2, 6, 7を参照して作成）

治療の実際

乳児や重症例は，入院のうえ治療する．飛沫感染隔離が必要である．

1 抗菌薬 ほか

カタル期に投与すれば軽症化・短期化できるが，痙咳期になってからでは著効は期待できない（実際はカタル期に診断できることは稀である）．

エリスロマイシン（EM）50mg/kg/日14日間経口投与がスタンダードである．ほかに，クラリスロマイシン（CAM）10～15mg/kg/日7日間，アジスロマイシン（AZM）10mg/kg/日5日間も同等の効果があるとされる．ただし，生後3週までの新生児では，肥厚性幽門狭窄を生ずるとの報告があるため投与は控えたり，生後1～2ヵ月ではAZMを選択したりする．

重症例や経口摂取できない場合には，MIC値が低いピペラシリン（PIPC）100mg/kg/日静注7日間を行う（百日咳に対する保険適用はない）．

無呼吸がみられる場合などの重症例に対して，PT中和目的にγグロブリン200～400mg/kg/日静注を行うこともある．

2 補助療法

経口摂取が不良であれば輸液を行う．咳き込みを誘発しないよう急性期には哺乳を控えたり，少量・頻回哺乳としたりする．咳き込みの際，チアノーゼがみられれば酸素投与を行う．乳児で重度の無呼吸やけいれんがみられる場合，稀に人工呼吸管理を要する．

外来治療では，鎮咳去痰薬も処方する．

3 その他

四種混合ワクチンによる予防が最重要となり，特に乳児早期からの定期接種を奨励する．

また，小学校高学年以降抗体価は下がるため，定期予防接種の二種混合ワクチンに代え，任意接種となるが三種混合ワクチンも勧められる．

百日咳　157

処方例

1歳，体重 10kg

処方A　エリスロマイシン　ドライシ
　　　　ロップ　500mg　分3　14日分
処方B　クラリスロマイシン　ドライシ
　　　　ロップ 150mg　分3　7日分
処方C　アジスロマイシン　細粒
　　　　100mg　分1　5日分（保険適用
　　　　外）

専門医に紹介するタイミング

　生後6ヵ月未満の乳児，経口摂取困難例，
無呼吸のみられる例などは，入院可能な施設
に紹介する．

専門医からのワンポイントアドバイス

　熱がなく咳き込みがひどい四種混合ワクチ
ン未接種児には，百日咳を疑い咳の様子をよ
く聴き，血算をとってみる．家族内に咳をし
ている人がいないかも聴いてみる．
　予防が第一であり，ワクチンを必ず受ける
よう日頃から指導することが大切である．

文　献

1) 〈特集〉百日咳 2021年1月現在. IASR 42：109-110, 2021
  https://www.niid.go.jp/niid/ja/pertussis-m/pertussis-iasrtpc/10453-496t.html
2) 小児呼吸器感染症療ガイドライン作成委員会：百日咳. "小児呼吸器感染症診療ガイドライン 2017" 協和企画, pp236-240, 2016
3) Pertussis（Whooping Cough）. Centers for Disease Control and Prevention.
  http://www.cdc.gov/pertussis/clinical/disease-specifics.html
4) Pertussis. In "Pink Book's Chapter on Purtussis" Ch.16, 261-278
  https://www.cdc.gov/vaccines/pubs/pinkbook/downloads/pert.pdf
5) 雉本忠市：百日咳肺炎. "小児胸部X線像のみかた, 2版" 中外医学社, p56, 1992
6) 国立感染症研究所：百日咳. "感染症法に基づく医師届け出ガイドライン（初版）" 2018.04.25
7) 蒲地一成：百日咳の検査診断. 令和元年度感染症危機管理研修会, 国立感染症研究所, 2019年10月10日.
  https://www.niid.go.jp/niid/images/idsc/kikikanri/R1/2-01.pdf
8) ノバグノスト　百日咳／IgA　添付文書.
  https://www.info.pmda.go.jp/tgo/pack/22800EZX00041000_A_02_01/
9) 百日咳菌抗原キット　リボテスト® 百日咳　添付文書.
  https://www.info.pmda.go.jp/tgo/pack/30200EZX00031000_A_02_01/

3. 感染症

マイコプラズマ感染症

なりたみつお
成田光生
札幌徳洲会病院 小児科

POINT

- ●新型コロナウイルスの出現に伴う感染症予防策の徹底により，マイコプラズマ肺炎の定点報告数は 2020 年以後ほぼ 0 に近く推移している．
- ●2019 年までにマクロライド耐性率は 15% 以下まで低下していたが，コロナウイルス感染症の流行が沈静化した後にマイコプラズマ感染症が再興してきた場合もその低い耐性率が維持されているか，注目される．
- ●一般病院・診療所でも運用可能で薬剤感受性も知りえる遺伝子診断法（Q プローブ法）のさらなる普及が望まれる．

ガイドラインの現況

Mycoplasma pneumoniae（以下，マイコプラズマ）感染症は基本的に自然治癒するため，治療効果の判定は治療により治癒までの期間が有意に短縮されるか否かという非常に微妙な問題である．また，早くから抗菌薬治療が有効であるとする報告が出たため，プラセボとの比較試験などは倫理的に行い難い背景もあった．このため，文献的考察においても抗菌療法の有効性を明確には示すことができず[1]，世界的にもマイコプラズマ感染症に特化したガイドラインは存在しない．この点，近年の日本におけるマクロライド耐性菌を含むマイコプラズマ肺炎の流行は，幸か不幸か最高の天然の実験系となり，マイコプラズマ肺炎に対する抗菌薬治療は最大 2 日間程度発熱期間を短縮することが，複数の研究により証明された．この結果に基づき，日本においては小児科関連学会[2]および日本マイコプラズマ学会[3]からマイコプラズマ肺炎に対する治療指針が示されている．

【本稿のバックグラウンド】 診断および治療方針については小児呼吸器感染症診療ガイドライン作成委員会による『小児呼吸器感染症診療ガイドライン 2017』および日本マイコプラズマ学会による『肺炎マイコプラズマ肺炎に対する治療指針』に準拠し，病態あるいはマクロライド耐性率などの諸点については筆者自身の研究により得られた知見および筆者が文献や学会報告などから独自に収集したデータも加えて執筆した．

どういう疾患・病態か

マイコプラズマは細胞壁をもたず，大きさ

も大腸菌の半分以下であることから，ウイルスと混同されていた時期もあるが，生物学的には完全な細菌である．飛沫に乗って下気道

マイコプラズマ感染症　159

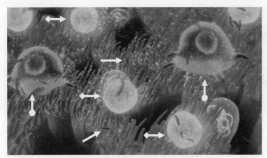

図1 マイコプラズマ肺炎の「免疫発症」
マイコプラズマ（▬▶）を認識したマクロファージ（◀▬▶）により，IL-18やIL-8などのサイトカインが産生され，好中球（◀▬▶）主体の炎症細胞が集まり，肺炎の病像（病理学的には好中球性炎症）が形成される．〔作画：(株)タイムラプスビジョン〕

の繊毛上皮までたどり着いた菌が滑走運動という特有の運動により根元まで駆け下り，何時間もかけてゆっくり分裂しながら増殖し，感染が成立する．したがって，マイコプラズマが感染するには，飛沫が他者の繊毛上皮まで直接到達するような，至近距離で激しい咳をしていることが条件である．感染成立後は，感染細胞内に過酸化水素などの活性酸素を過剰に蓄積させ呼吸器粘膜を軽く損傷することにより咳を誘発するが，それ以外には直接的な細胞傷害性をもたず，肺炎をはじめとする様々なマイコプラズマ感染症の発症機構は宿主の免疫応答を介した「免疫発症」である（図1, 2）．したがって，マイコプラズマ肺炎は自己限定的であり，基本的には無治療でも3週間程度で自然治癒する．また，肺炎があっても全身状態は比較的良い場合が多く，「walking pneumonia」とも呼ばれる．2011〜2012年，2015〜2016年にはマイコプラズマ肺炎の流行がみられ，流行の4年周期性[4]復活のきざしがあったが，新型コロナウイルスの出現により，この傾向はいったん途切れている．一時期マクロライド耐性菌も大きな問題とされたが，現在マクロライド耐性率は15％以下まで低下しつつある[4]．なお，

マイコプラズマ感染による肺外発症については具体的な治療指針は示されておらず，本稿では以後，肺炎について述べる．

治療に必要な検査と診断

マイコプラズマは繰返しヒトに感染するため，健常人のなかにも顕性・不顕性にかかわらず既感染によるIgM抗体保有者が存在している．すなわち，血中IgM抗体の存在自体は必ずしも病的ではなく，単一血清の抗体価による判断には限界がある．現在の症状がマイコプラズマによる急性感染であることを確定するためには，少なくとも4日以上の間隔をあけたペア血清を得て抗体価の変動を観察する必要がある．したがって急性期における診断には遺伝子あるいは抗原診断が推奨されるが，これらに関しては，下気道の繊毛上皮が増殖の場であるマイコプラズマは上気道に必ずしも大量の菌体が存在しているわけではないこと，そもそも咳が弱い場合には下気道から菌が運ばれてこないこと，などの問題点がある．すなわち，遺伝子診断法や抗原検出法を行うにあたっては，咽頭スワブなど上気道由来の検体では安定した感度が得られない可能性があり，その検査感度を最大限維持するためにも，検体採取においてはより下気道に近い側をしっかり擦り取ることが重要である．各種診断法の利点と限界を**表1**にまとめた．残念ながら単独で十分な方法はなく，いくつかの方法を適宜選択あるいは併用して診断することが最善の策である．

治療の実際

表2に，日本マイコプラズマ学会によるマイコプラズマ肺炎治療指針SUMMARYを示した．薬剤感受性試験においては，マクロ

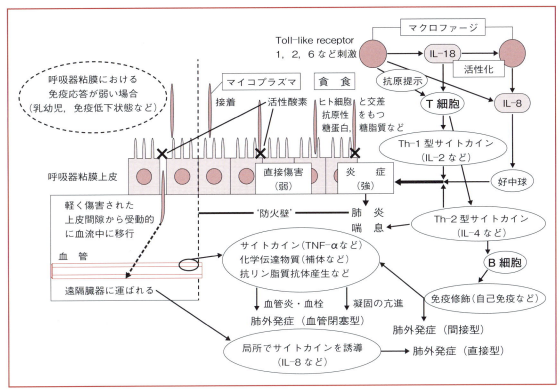

図2 マイコプラズマ感染症の発症機構
　マイコプラズマは様々なサイトカインの産生を促し肺の病変を形成している．ここで同じ肺病変でも肺炎と喘息は機序が異なり，喘息は肺炎の1/10程度の少ない菌量でも起こることが報告されている．一方，免疫応答の結果である肺炎はマイコプラズマの全身播種を防ぐ防火壁の役割をしており，乳幼児や免疫抑制状態など粘膜面での免疫応答が弱い場合には肺炎の病像は起こり難く，むしろマイコプラズマは軽く傷害された上皮細胞の間隙から受動的に血中を運ばれて遠隔臓器に流れ着き，その局所でサイトカインを誘導し，直接型の肺外発症を起こすことが考えられる．また，マイコプラズマの菌体内にはヒト細胞と交差抗原性を有する様々な成分が含まれており，それらを貪食したマクロファージがT細胞に抗原を提示し免疫応答を修飾することにより間接型の肺外発症が起こる．さらにはサイトカイン，補体などの活性化や抗リン脂質抗体産生などにより血管閉塞型の肺外発症が起こる．

ライド感性菌に対するマクロライド系抗菌薬の最小発育阻止濃度はテトラサイクリン，キノロン系抗菌薬と比較しても極めて低い（効果が高い）ことから，マイコプラズマ感染症の初期治療としてはマクロライド系抗菌薬が第一選択である．

　マクロライド系抗菌薬投与開始後72時間以内で解熱が得られない場合，耐性菌による感染が疑われ，薬剤の変更を考慮する．代替薬として，8歳未満の小児にはトスフロキサシンしかないが，8歳以上の児にはキノロン系抗菌薬よりも耐性菌の除菌率が高く，解熱までに有する時間も短いことが証明されているテトラサイクリン系抗菌薬が勧められる．キノロン耐性を抑制するためにも，キノロン系薬の使用は極力避けることが望ましい．

　マイコプラズマ肺炎重症化の病態としては，マイコプラズマに対する過剰な免疫応答が起きているという宿主側の要因がその主体であると考えられ，ステロイド薬が有効であることは，単なる経験論ではなく理論的根拠もある．ただし安易な投与は慎むべきであり，一定の基準が必要である．この点，マイコプラズマ肺炎においては血清IL-18値が重

表1　主なマイコプラズマ感染症診断法のまとめ

方　法	検査感度に関する留意点	「急性期診断」としての検査意義
血清学的診断法		
微粒子凝集（PA）法	IgM 反応の強さに依存（再感染では弱い場合あり）	ペア血清で抗体価の陽転あるいは 4 倍以上の変動を認めれば有意
イムノカード法	発熱から 4 日以内の初期は陽性化しない場合あり	陽性結果が必ずしも現在の感染を確定するものではない
補体結合（CF）法	IgG 反応の強さに依存（年少児では弱い場合あり）	ペア血清で抗体価の陽転あるいは 4 倍以上の変動を認めれば有意
遺伝子診断法		
LAMP 法	検体の採取手技，保存，運搬等に影響を受ける	陽性結果は，ほぼ間違いなく感染急性期であることを示す
Q プローブキット法	検体の採取手技に影響を受ける	陽性結果は，ほぼ間違いなく感染急性期であることを示す
抗原検出法	必ずしも十分ではない	陽性結果は，ほぼ間違いなく感染急性期であることを示す

Q プローブキット法（スマートジーン®：ミズホメディー）：マクロライド系抗菌薬に対する感性・耐性の判別が可能である（保険診療可）[5]

表2　マイコプラズマ肺炎治療指針 SUMMARY

小児版・15 歳以下の患児を対象とする

1. マイコプラズマ肺炎の急性期の診断は LAMP 法あるいは Q プローブ法などを用いた遺伝子診断，および，イムノクロマトグラフィー法による抗原診断が有用である．
2. マイコプラズマ肺炎治療の第一選択薬に，マクロライド系薬が推奨される．
3. マクロライド系薬の効果は，投与後 48〜72 時間の解熱で概ね評価できる．
4. マクロライド系薬が無効の肺炎には，使用する必要があると判断される場合は，トスフロキサシンあるいはテトラサイクリン系薬の投与を考慮する．ただし，8 歳未満には，テトラサイクリン系薬剤は原則禁忌である．
5. これらの抗菌薬の投与期間は，それぞれの薬剤で推奨されている期間を遵守する．
6. 重篤な肺炎症例には，ステロイドの全身投与が考慮される．ただし，安易なステロイド投与は控えるべきである．

成人版・16 歳以上を対象とする

1. マイコプラズマ肺炎の急性期の診断は LAMP 法あるいは Q プローブ法などを用いた遺伝子診断，および，イムノクロマトグラフィー法による抗原診断が有用である．
2. マイコプラズマ肺炎治療の第一選択薬に，マクロライド系薬の 7〜10 日間投与（アジスロマイシンを除く）を推奨する．
3. マクロライド系薬の効果は，投与後 48〜72 時間の解熱で評価する．
4. マクロライド系薬が無効の場合には，テトラサイクリン系薬，または，キノロン系薬の 7〜10 日間の投与を推奨する．
5. 呼吸不全を伴うマイコプラズマ肺炎では，ステロイドの全身投与の併用を考慮する．

詳細は本治療指針本文[3]を参照のこと．小児版については「小児呼吸器感染症診療ガイドライン 2017」に記載の内容（Q&A 形式）[2]も同様である．
（日本マイコプラズマ学会編）

162　3. 感染症

症度をよく反映しており，またその IL-18 値と血清 LDH 値がよく相関していることから，Oishi らは血清 LDH 値の 480IU/L をステロイドの使用基準として推奨している[6]．具体的な投与量・投与期間は確定されていないが，他の疾患に使われている常用量（プレドニゾロン 1mg/kg/日 経口，メチルプレドニゾロン 1mg/kg×2〜4回/日 静注など）の範囲内で問題ないと考えられている．

処 方 例

症例 1：6 歳，体重 20kg

処方A　クラリス® ドライシロップ 300mg
（15mg/kg）/日 分2　3日間
　上記にて 72 時間以内に改善がみられない場合，下記への変更を考慮する．
処方B　オゼックス® 細粒小児用 240mg
（12mg/kg）/日 分2　3日間
　A あるいは B にて効果がみられた場合，奏効薬剤を適宜追加投与する（総投与期間 7〜10 日間）．

症例 2：12 歳，体重 30kg

処方A　クラリシッド®　200mg 錠 2 錠
/日　分2　3日間
　上記にて 72 時間以内に改善がみられない場合，下記への変更を考慮する．
処方B　ミノマイシン® 顆粒　120mg
（4mg/kg）/日　分2　3日間
　A あるいは B にて効果がみられた場合，奏効薬剤を適宜追加投与する（総投与期間 7〜10 日間）．

専門医に紹介するタイミング

　年少児でチアノーゼを伴っている場合，あ

るいは年長児で呼吸困難や重症感が強い場合などには，マイコプラズマ感染症でも急性呼吸窮迫症候群（ARDS）など通常の非定型肺炎とは別の特殊な病態が起きているか，あるいは他の病原体による混合感染を鑑別する必要もあり，早めに小児科専門医に相談する．

専門医からのワンポイントアドバイス

　マイコプラズマは進化の過程で遺伝子を切り捨ててきた特殊な細菌であり，元々増殖は遅いが，薬剤耐性菌は抗菌薬が効き難いという性質と引き換えに，その増殖力は感性菌よりさらに劣っている[4]．したがって前述のごとく，耐性率は 2014 年以後は着実に低下していることが複数の施設から報告されている[4]．コロナウイルス感染症の流行が沈静化した後の流行においても耐性菌の存在が大きな問題になることは考えにくく，当面は感性菌を念頭においた診療が望まれる．

--- 文　献 ---

1) Mulholland S et al：Antibiotics for community-acquired lower respiratory tract infections secondary to *Mycoplasma pneumoniae* in children（Review）. Cochrane Library 9：1-13, 2012
2) 小児呼吸器感染症診療ガイドライン作成委員会：小児呼吸器感染症診療ガイドライン 2017．協和企画，pp74-77．2016
3) 日本マイコプラズマ学会：肺炎マイコプラズマ肺炎に対する治療指針．
http://square.umin.ac.jp/jsm/shisin.pdf（随時更新）
4) 成田光生：マイコプラズマ肺炎の診断と治療における今日的問題点—マクロライド耐性率の低下と適正診療の確立．小児科 59：97-106，2018
5) 成田光生：SmartGene® を用いたマイコプラズマ検出の臨床的な有用性．臨と微生物 47：345-348，2020
6) Oishi T et al：Clinical implications of interleukin-18 levels in pediatric patients with *Mycoplasma pneumoniae* pneumonia. J Infect Chemother 17：803-806, 2011

3. 感染症

単純ヘルペスウイルス感染症

細矢光亮
<small>ほそや みつあき</small>
福島県立医科大学医学部 小児科学講座

POINT
- 単純ヘルペスウイルスによる皮膚粘膜感染症は一般に軽症であるが，単純ヘルペス脳炎と新生児ヘルペスは重篤であり，早期診断・早期治療開始が重要である．
- 単純ヘルペス脳炎と新生児ヘルペスは，診断や治療開始の遅れが死亡や後遺症に直結するので，臨床的に疑われた段階でアシクロビルの投与を開始し，PCR法などで診断が確定すれば治療を継続し，否定されれば治療を中止する．

ガイドラインの現況

単純ヘルペスウイルス感染症の病態には，皮膚粘膜感染症（歯肉口内炎，口唇ヘルペス，性器ヘルペス，カポジ水痘様発疹症），単純ヘルペス脳炎，新生児ヘルペス等がある．これらのうち，単純ヘルペス脳炎に対しては，日本神経感染症学会等が2017年に改訂した『単純ヘルペス脳炎診療ガイドライン2017』[1] がある．

【本稿のバックグラウンド】 単純ヘルペス脳炎や新生児ヘルペスの中枢神経型の治療については，『単純ヘルペス脳炎診療ガイドライン』があるのでこれを参考にした．新生児ヘルペスの全身型の治療もこれに準ずる．新生児ヘルペスの表在型や皮膚粘膜感染症の治療については，アシクロビルの添付文書に従った．

どういう疾患・病態か

単純ヘルペスウイルス感染症の病態には，皮膚粘膜感染症（歯肉口内炎，口唇ヘルペス，性器ヘルペス，カポジ水痘様発疹症），単純ヘルペス脳炎，新生児ヘルペス等がある．

1 皮膚粘膜感染症

ヘルペス性歯肉口内炎は，主に単純ヘルペスウイルス（herpes simplex virus：HSV）1型の初感染で発症し，口唇，口腔粘膜，歯肉に水疱が多発し，歯肉の発赤腫脹がみられ

る．高熱，不機嫌，食欲不振などの症状を伴う場合も多い．

口唇ヘルペスは，歯肉口内炎がいったん治癒し，潜伏していたHSV-1が再活性化され，口唇やその周辺に水疱を形成した病態である．

性器ヘルペスは，HSV-2によるものが多いが，HSV-1によることもある．初感染と潜伏感染の再活性化の場合がある．初感染では発赤，水疱，潰瘍等の病変が比較的広範囲で，発熱などの全身症状を伴うことが多い．再活性化の場合は，病変が比較的限局し，全

身症状も軽度であることが多い.

カポジ水痘様発疹症は, アトピー性皮膚炎などの皮膚局面にヘルペスウイルスが感染し, 紅斑を伴う小水疱が比較的広範囲に分布し, 一見水痘様にみえる病態である.

2 単純ヘルペス脳炎

主に HSV-1 によって起こる. HSV の初感染により, あるいは潜伏していた HSV が再活性化され, 神経向性に中枢神経に達し脳炎をきたす. 発症時は側頭葉〜前頭葉の下面に限局性病変を呈する脳炎の場合が多い.

日本における小児の推定発症数は年間 80〜100 例で, 小児では初感染によるものが多いと考えられている. 無治療の場合, 致命率は 70〜80% に達する. 治療例においても約 10% が死亡し, 生存例の多くも重度の後遺症を残す. 他の急性脳炎・脳症と比較しても予後は不良である.

3 新生児ヘルペス

全身型, 中枢神経型, 表在型に分類される. 全身型は, ウイルスが全身の諸臓器に感染し, 無治療では致命率は 70〜80% とされる. 中枢神経型は, ウイルスが中枢神経に感染し脳炎を呈するもので, 60〜70% に重度の神経後遺症を残す. 表在型は, 病変が皮膚, 眼, 口腔等に限局し比較的軽症である.

感染経路は産道感染であり, 発生頻度は出生 1 万あたり, 米国では 2〜4 例, 日本では 0.7 例程度と推計されている. HSV-1 と HSV-2 のいずれもが原因になるが, わが国においては新生児ヘルペスの約 2/3 が HSV-1 による. 母親の初感染例からの感染率は 33〜50% 以上であるのに対し, 再発例では 3〜5% と低い.

新生児ヘルペスは, 非特異的症状で発症することが多い. 水疱を認める割合は, 初発症状で 30%, 続発症状を合わせても 50% 程度である. 母親の性器ヘルペスは無症候性のことも多く, 出生時には母体にヘルペス病変を認めないことが多い. したがって, 皮膚病変のみから新生児ヘルペスを診断することはできない.

治療に必要な検査と診断

全身症状や局所症状より, まず単純ヘルペスウイルス感染症を疑うことが重要である. 歯肉口内炎, 口唇ヘルペス, 性器ヘルペスなど, 水疱を伴う局所病変が存在すれば, 疑うことは容易である. 水疱の穿刺吸引液, 歯肉ぬぐい液, 咽頭ぬぐい液等からウイルス分離法や PCR 法にてウイルスを検出する. 血清学的には, 急性期と回復期のペア血清にて HSV に対する抗体価の 4 倍以上の上昇により証明できる. ただし, 新生児期〜乳児期には抗体産生が乏しく, 母親からの移行抗体も存在するので, 診断に留意する必要がある. 病変部の病理組織学的検査でウイルス抗原を証明し診断することも可能である.

単純ヘルペス脳炎を疑う特異的所見はない. 単純ヘルペス脳炎にヘルペス性歯肉口内炎が合併することは稀である. 発熱に伴い, 意識障害や異常行動などの中枢神経症状をきたした場合は, 他の明らかな病因がみあたらなければヘルペス脳炎を疑う必要がある. 神経放射線学的な検査にて, 側頭葉〜前頭葉に病巣を, 髄液検査にて, 単核球優位の軽度の細胞増加や蛋白濃度増加を認めることが多い. 治療開始前の髄液検体を用い, 高感度 PCR 法などにより HSV 遺伝子を検出することにより確定診断する.

新生児ヘルペスにおいても, 皮疹や口内疹がみられるのは 30% 程度である. 母親の性器ヘルペスの既往は 25% にすぎない. 発

熱，何となく元気がない，哺乳が緩慢である，などの非特異的症状から新生児ヘルペスを疑う．咽頭ぬぐい液のほかに，全身型や中枢神経型では，発症時の血液や髄液検体を用い，表在型では，水疱液を検体とし，PCR法などでHSV遺伝子を検出する．

治療の実際

1 ヘルペス性歯肉口内炎[2]，口唇ヘルペス，性器ヘルペス

アシクロビル20mg/kg/回（最高用量は200mg/回）を1日4回，5日間経口投与する．

2 単純ヘルペス脳炎

早期診断・早期治療が重要であり，臨床的にヘルペス脳炎が疑われた段階で，確定診断を待たずに抗ウイルス療法を開始する．アシクロビルが第一選択である[3]．アシクロビル15（3ヵ月未満や免疫不全状態の小児では20）mg/kg/回を8時間ごとに21日間点滴静注する．治療開始7日の髄液で高感度PCR陽性の場合は，アシクロビルを20mg/kg/回に増量して8時間ごとに投与し，7日ごとに採取した髄液の高感度PCRが2回連続して陰性を確認し，治療28日間で終了する．アシクロビル不応例では，ビダラビンやホスカルネットの使用も考慮する[1]．高感度PCR法等で本症が否定されれば，抗ウイルス療法を中止する．

3 新生児ヘルペス

早期診断・早期治療が原則であり，新生児ヘルペスが疑われたら，確定診断を待たずに抗ウイルス療法を開始する．アシクロビル10mg/kg/回を8時間ごとに10日間点滴静注する．中枢神経型などの重症例では，20mg/kg/回を8時間ごと（生後7日以前の2,000g以下の低出生体重児では，12時間ごと）に21日間点滴静注する．本症が否定されれば抗ウイルス療法を中止する．

専門医に紹介するタイミング

ヘルペス性歯肉口内炎，口唇ヘルペスは，通常，自然治癒するので専門医への紹介は不要であるが，経口接種困難や全身状態不良などで入院が必要な場合は，二次病院に紹介する．思春期以前に性器ヘルペスを認め性的虐待が疑われる場合は，婦人科に紹介するとともに児童相談所への通報を考慮する．

単純ヘルペス脳炎や新生児ヘルペスが疑われる場合は，確定診断を待たずに，躊躇することなく専門医に紹介する．

専門医からのワンポイントアドバイス

単純ヘルペス脳炎と新生児ヘルペスは，診断や治療開始が遅れると，致命率や後遺症を残す確率が上昇する．疑われたら確定診断を待たずに十分量のアシクロビルによる治療を開始する．

――――――― 文 献 ―――――――

1) 日本神経感染症学会 他監，「単純ヘルペス脳炎診療ガイドライン」作成委員会 編：単純ヘルペス脳炎診療ガイドライン2017．南江堂，2017

2) Amir J et al：Treatment of herpes simplex gingivostomatitis with acyclovir in children：a randomized double blind placebo controlled study. BMJ 314：1800-1803, 1997

3) Whitley RJ et al：Vidarabine versus acyclovir therapy in herpes simplex encephalitis. N Engl J Med 314：144-149, 1986

3. 感染症

髄膜炎（細菌性，非細菌性）

岡田賢司
福岡看護大学 基礎・基礎看護部門 基礎・専門基礎分野

POINT
- ●インフルエンザ菌 type b（Hib）ワクチン，小児用肺炎球菌ワクチンが 2013 年から定期接種となり，起炎菌が大きく変化した．ワクチン導入前に多かった Hib および肺炎球菌による髄膜炎は，ほとんど認められなくなった．
- ●検査法の進歩により，迅速に多くの病原体遺伝子が検出できるようになった．

ガイドラインの現況

日本神経学会，日本神経治療学会および日本神経感染症学会の三学会合同による『細菌性髄膜炎の診療ガイドライン』が 2014 年に刊行された[1]．本稿では，このガイドラインを基本に，近年導入されたワクチンの効果や耐性菌の状況も加えて，小児の髄膜炎の診断と治療を概説した．

【本稿のバックグラウンド】基本的な事項は 2014 年に刊行された『細菌性髄膜炎の診療ガイドライン』を参考にしているが，2013 年から定期接種となったワクチンの効果で起炎菌が大きく変化したことを国内の報告から紹介した．

細菌性髄膜炎

どういう疾患・病態か

特徴的な症状や徴候はなく，本症を常に念頭に診療することが重要である．低年齢ほど症状が非特異的で，三徴とされる「発熱」，「項部硬直」，「意識障害」が揃うことは少ない．診断されるまで発熱，不活発，易刺激性，嘔吐などが先行する例も多い．発症後 12～24 時間以内に急速に状態が悪化することもある．

1 発 熱

発熱が唯一の症状のこともあり，頻度は高い（85～99％）．一方，年長児では 44％が診断時に無熱であったとの報告もあり，発熱がないことが本症を否定する根拠にはならない．

2 頭痛，嘔吐

嘔吐は 50～70％にみられる．初期症状として重要であるが，特異的な症状ではない．

3 髄膜刺激徴候

炎症による知覚神経刺激で，特定の筋肉が反射性に屈曲することにより生じる．項部硬直，Kernig 徴候，Brudzinski 徴候がある．

髄膜炎（細菌性，非細菌性）　167

知覚過敏や羞明を伴うこともある．これらの徴候も全例認められる所見でなく，認められなくても髄膜炎を否定できない．

4 大泉門膨隆

大泉門が開存している乳児では，頭蓋内圧上昇を示す重要な所見であるが，感度，特異度ともに高くない．ウイルス性を含めた髄膜炎患児の20％でみられたが，髄膜炎以外のウイルス感染症（突発性発疹など）で，髄液所見が正常児でも13％でみられたとの報告もある．

5 けいれん

頻度は10～30％で，発熱を伴うことが多く，熱性けいれんとの鑑別が問題となる．新庄らの国内の小児細菌性髄膜炎の報告[2]では，けいれんの持続時間と意識障害が予後と有意に関連していた．

治療に必要な検査と診断

月齢・年齢により起炎菌の頻度が異なる．B群溶血性レンサ球菌（GBS）や大腸菌は新生児期から生後4ヵ月未満に多い．インフルエンザ菌b型（Hib）は新生児期から5歳未満，肺炎球菌は生後4ヵ月以降から小児期全年齢層に多いとされてきた．Hibワクチンおよび小児用肺炎球菌ワクチンが2013年から国内で定期接種となり，特にHibが激減し，2016～2018年の調査では認められていない[2]．肺炎球菌も減少し，相対的にGBSや大腸菌が増加している[3]．

1 血液検査・血液培養

本症を疑った場合に血液検査・血液培養は強く勧められている．白血球増多と核の左方移動，CRPの上昇，血中プロカルシトニンの上昇が認められる．髄液中の糖値との比較のため，血糖値を測定しておく．血液培養の陽性度は，採取回数が多いほど上昇するため，最低2セット行うことが勧められている．

2 髄液検査

髄液検査は必須であるが，臨床所見や画像検査で脳ヘルニアが疑われた場合には，腰椎穿刺は行わずに児の年齢を考慮して速やかに抗菌薬治療を開始する．髄液が得られた場合，まずグラム染色塗抹検査でグラム陽性菌か陰性菌か，球菌か桿菌かを観察し，児の月齢・年齢から起炎菌の推定が可能であり，迅速に抗菌薬が選択できる．生後4ヵ月未満でグラム陽性球菌ならGBS，グラム陰性桿菌なら大腸菌，グラム陽性桿菌ならリステリア菌の可能性が高い．4ヵ月以降でグラム陽性球菌なら肺炎球菌，グラム陰性桿菌ならインフルエンザ菌，グラム陰性球菌なら髄膜炎菌を疑うことができる．

迅速に起炎菌が推定できる凝集反応やイムノクロマト法による抗原定性検査は，抗菌薬投与後でも検出できる可能性がある．簡便な凝集反応で検出可能な細菌は，GBS，Hib，肺炎球菌，髄膜炎菌，イムノクロマト法で肺炎球菌が検出できる．

複数の病原体遺伝子を検出できるマルチプレックス–リアルタイムPCRも普及してきた．細菌ではGBS，肺炎球菌，インフルエンザ菌，K1抗原（＋）大腸菌，リステリア菌，髄膜炎菌の6種が検出できる．

髄液好中球数の増多，髄液糖の低下（髄液糖/血糖比が0.4以下），蛋白の増加は細菌性髄膜炎を疑う所見である．髄液中の糖値は予後と有意に関連していた[2]．髄液細胞数の正常範囲は年齢とともに変化する．新生児の正常上限は$22/mm^3$，生後0～8週では$30/mm^3$，生後8週以上では$5/mm^3$である．髄

表1　小児における抗菌薬の投与量

小児における抗菌薬の投与量は，成人における1日最大用量を超えないこと．

抗菌薬	1日あたりの投与量〔投与間隔（時間）〕		
	新生児期（日齢）		乳幼児期以降
	0〜7日	8〜28日	
アンピシリン	150 mg/kg（8）	200 mg/kg（6〜8）	300〜400 mg/kg（6〜8）
セフォタキシム	100〜150 mg/kg（8〜12）	150〜200 mg/kg（6〜8）	200〜300 mg/kg（6〜8）
セフトリアキソン	—	—	80〜120 mg/kg（12）
セフォゾプラン	80〜120 mg/kg	120〜160 mg/kg	160〜200 mg/kg（6〜8）
セフタジジム	150 mg/kg（6〜12）	150 mg/kg（6〜12）	150 mg/kg（6〜12）
アズトレオナム	40 mg/kg（12）	40〜60 mg/kg（8〜12）	150 mg/kg（6〜8）
ゲンタマイシン	5 mg/kg（12）	7.5 mg/kg（8）	7.5 mg/kg（8）
パニペネム・ベタミプロン	—	—	100〜160 mg/kg（6〜8）*
メロペネム	—	—	120 mg/kg（8）
ドリペネム	—	—	120 mg/kg（8）
バンコマイシン	20〜30 mg/kg（12）	30〜45 mg/kg（8）	40〜60 mg/kg（6〜8）**
リネゾリド	—	—	1,200 mg（12）***

* ：添付文書上の最高用量は100 mg/kg/日．
** ：血清トラフ値を15〜20μg/mLに維持する．
*** ：12歳未満は30 mg/kg/日・分3，ただし1回最高600 mg．　　　　　　　　　　　　（文献1より引用）

液糖/血糖比が0.4以下の場合は細菌性髄膜炎が強く疑われる．

治療の実際（表1）

国内の疫学を参考に，推定菌の薬剤感受性と薬剤の髄液移行性とを考慮して抗菌薬を選択する．

1 新生児

GBSと大腸菌の頻度が高く，極めて稀にリステリア菌も考慮し，アンピシリン（ABPC）とセフォタキシム（CTX）の併用が推奨されている．

2 生後1〜4ヵ月未満

GBS，大腸菌に加え，肺炎球菌にも注意が必要となる．パニペネム・ベタミプロン合剤（PAPM/BP）とセフトリアキソン（CTRX）またはCTXとの併用が推奨されている．効果が得られない場合は，バンコマイシン（VCM）を追加する．

3 生後4ヵ月〜16歳未満

Hibワクチンの普及により，インフルエンザ菌を念頭においた治療は必要でなくなった．13価肺炎球菌ワクチン（PCV13）に含まれない血清型による肺炎球菌の検出は，少ないが続いている．

ペニシリン耐性肺炎球菌を考慮してPAPM/BP＋バンコマイシン（VCM）の併用，カルバペネム系薬単剤が推奨されている．リステリア菌を考慮した場合はABPCも併用する．

4 デキサメタゾン（DEX）

以前からインフルエンザ菌や肺炎球菌による症例では併用が推奨されてきた．近年の報

髄膜炎（細菌性，非細菌性）　**169**

告でも，使用することで有意に予後の改善が認められている[2]．

処方例

●新生児期

処方　ABPC　50mg/kg/回　1日4回静注 ＋ CTX　50mg/kg/回　1日4回　静注

●生後4ヵ月以降

処方　PAPM/BP　40mg/kg/回　1日4回　点滴静注 ＋ CTRX　50mg/kg/回　1日2回　点滴静注

治療上の注意点

(1) 抗菌薬投与日数は，解熱後7〜10日間は継続することが望ましい[1]とされている．GBSの場合は14〜21日間，リステリア菌の場合は21日間以上を基本とする．

(2) 適切な抗菌薬で治療されているにもかかわらず，治療開始後48時間以内に髄液の無菌化ができなかった場合は，児の基礎疾患（免疫不全や内耳奇形など）を検索する．

(3) 経過中再発熱を認めた場合は，硬膜下膿瘍などの合併を考慮し頭部CTやMRI検査を行い，病初期に投与したDEXの影響も考慮して慎重に鑑別を行う必要がある．

専門医に紹介するタイミング

今日でも細菌性髄膜炎は重篤で，死亡リスクのある疾患である．疑った場合は，ためらうことなく入院施設のある医療機関に紹介する．

専門医からのワンポイントアドバイス

乳幼児では，典型的な症状や所見のないことも多い．母親の「何となく，いつもと違う」「元気がない」などの訴えに傾聴する．「泣き方がいつもと違う」「哺乳量が少ない」など "not doing well" の所見を見逃さないよう細心の注意を払う．

感染症法では，「侵襲性髄膜炎菌感染症」，「侵襲性インフルエンザ菌感染症」，「侵襲性肺炎球菌感染症」，GBSの場合は「劇症型溶血性連鎖球菌感染症」の届出基準を満たす場合は5類感染症全数届出疾患として届出が必要である．

非細菌性髄膜炎

どういう疾患・病態か

いわゆる無菌性髄膜炎と呼ばれる疾患で，症状・徴候は細菌性と同様であるが，一般的な細菌検査で髄液から細菌が検出できない病態とされる．ウイルスが多いが，マイコプラズマや通常の細菌検査では検出されない種類の細菌，真菌，寄生虫などの感染により発症する．自己免疫疾患や悪性疾患など非感染性疾患の病態も含まれる．

エンテロウイルス，エコーウイルス，コクサッキーウイルス，ムンプスウイルス，単純ヘルペスウイルス，日本脳炎ウイルスなどが原因となる．

全身状態は細菌性と比較すると良好とされるが，意識障害を伴う髄膜脳炎の病態となる場合もある．また，口腔内に所見が認められることや，全身の皮疹，腹痛・嘔吐・下痢などの消化器症状などを伴うことがある．

無菌性髄膜炎は，感染症法上，五類感染症

170　3. 感染症

（定点把握対象）として定められ，定点医療機関から毎週その数が報告されている．

治療に必要な検査と診断

髄液細胞数増多がみられる．病初期には好中球が優位なことが多いが，その後リンパ球優位に逆転する．蛋白は軽度に上昇することが多く，糖は通常正常範囲．

複数の病原体遺伝子を検出できるマルチプレックス-リアルタイム PCR も普及してきた．ウイルスではサイトメガロウイルス（CMV），エンテロウイルス（EV），単純ヘルペスウイルス 1（HSV-1），単純ヘルペスウイルス 2（HSV-2），ヒトヘルペスウイルス 6（HHV-6），ヒトパレコウイルス（HPeV），水痘帯状疱疹ウイルス（VZV）の 7 種，真菌では Cryptococcus neoformans/gattii が検出できる．

随伴症状，臨床所見，地域での疾患流行状況，野外活動歴，ダニ咬傷歴など，注意深い病歴聴取により，ウイルス以外の病原体の可能性も疑うことも重要である．夏から秋にかけて地域でヘルパンギーナ，手足口病の流行があればエンテロウイルスによる可能性を考慮する必要があり，海外渡航歴や媒介昆虫との接触歴によっては，アルボウイルスなども考慮する必要がある．

治療の実際

単純ヘルペスウイルスによる脳炎を伴う例には，迅速な抗ウイルス薬による治療が必要であるが，多くは特異的な抗ウイルス薬がなく，対症療法が中心となる．脱水所見が認められる場合は輸液を行うが，過剰にならないように注意する．

予後良好のことが多いが，単純ヘルペスウイルスやムンプスウイルスなどの場合は，回復後神経学的評価が必要となる．

―――――― 文 献 ――――――

1) 日本神経学会・日本神経治療学会・日本神経感染症学会 監，細菌性髄膜炎の診療ガイドライン作成委員会：細菌性髄膜炎の診療ガイドライン．南江堂，2014

2) Shinjoh M et al：Recent trends in pediatric bacterial meningitis in Japan, 2016-2018-S. agalactiae has been the most common pathogen. J Infect Chemother 26：1033-1041, 2020

髄膜炎（細菌性，非細菌性）

3. 感染症

溶血性連鎖球菌感染症
（猩紅熱を含む）

澤田雅子
（さわだまさこ）
澤田こどもクリニック

POINT
- 急性咽頭炎の多くはウイルスによってひき起こされるが，迅速抗原検査または培養検査でA群β溶血連鎖球菌（group Aβ hemolytic streptococcus：GAS）が検出された場合にのみ，合併症である急性リウマチ熱の予防，速やかな症状緩和，周囲への感染伝播防止の目的で抗菌薬投与を検討する．
- 『小児呼吸器感染症ガイドライン2017』『抗微生物薬適正使用の手引き』では，アモキシシリン水和物が第一選択抗菌薬として推奨されている[1,2]．

ガイドラインの現況

　日本で急性咽頭炎と診断された小児患者のうちGAS陽性例は16.3%と少ない[2]ながら，抗菌剤が必要な唯一の細菌感染症である．本症の検査や治療についてはある程度の統一見解はあるものの，実際の抗菌薬選択や保菌者に対する治療など，欧米でも意見の相違がみられていた．日本では日本小児呼吸器学会・日本小児感染症学会に所属する委員によって作成された『小児呼吸器感染症診療ガイドライン2017』が刊行され，本症に対しての第一選択薬としてアモキシシリン（AMPC）が推奨されることとなった．ペニシリン系抗菌薬を推奨している米国感染症学会（IDSA）のガイドラインなどをふまえつつ厚生労働省健康局結核感染症課により作成された『抗微生物薬適正使用の手引き 第二版』でも『小児呼吸器感染診療ガイドライン2017』と同様の治療を推奨している．

【本稿のバックグラウンド】 『小児呼吸器感染症ガイドライン2017』[1]を参考にしている．治療に関しては『抗微生物薬適正使用の手引き』[2]が示されている．2019年に改訂された同手引きの第二版では，生後3ヵ月以上学童期未満の乳幼児の急性気道感染症等にかかわる記載が加筆されている．

どういう疾患・病態か

　Lancefieldの血清型分類のA群に分類され，血液寒天培地上でβ溶血性を示す，*Streptococcus pyogenes*が原因である．5〜

15%の健常人の咽頭や消化管，表皮などに常在している一方で，小児の咽頭炎の主な起因菌でもある．潜伏期は2〜5日．保菌者の唾液，鼻汁などが飛散することによって鼻・咽腔から侵入し，幼児・学童（好発年齢5〜15

歳）を中心に学校，家族など集団で冬から春に多発する．ちなみに GAS による急性咽頭炎は 5～12 歳で頻度が高く，3 歳未満では稀である．症状は突然の発熱，全身倦怠感，咽頭痛で始まり，頭痛，嚥下痛，軟口蓋の発赤・出血斑，滲出物を伴う扁桃腫大，舌乳頭の発赤腫大（苺舌），圧痛を伴う前頸部リンパ節腫脹など．腹痛，嘔気，嘔吐がみられることもある．全身の特徴的な皮疹が観察されると猩紅熱と呼ばれる．猩紅熱型の溶連菌感染症では，回復期に四肢末梢の皮膚剝離がみられる．抗菌薬による治療をしない場合，中耳炎，副鼻腔炎，扁桃周囲膿瘍，咽後膿瘍，化膿性頸部リンパ節炎などの化膿性の合併症を伴うことがある．非化膿性の合併症には，急性リウマチ熱と急性糸球体腎炎がある．治療のゴールは，急性期の症状と合併症，身近な接触者への伝播を減らすことである．抗菌薬投与により熱は通常 1～2 日以内に下がり，感染力も著しく低下する．学校保健法での取扱いは第 3 種の疾患で，治療開始後 24～48 時間経過して全身状態が良ければ登園登校可能となる．

治療に必要な検査と診断

典型例では臨床症状や所見，流行状況などから診断をつけられることもあるが，ウイルス性か溶連菌による咽頭炎かを正確に臨床上鑑別することが困難な場合もある．また，過剰診断と治療を避けるためにも，検査は行うべきである．感染部位から原因菌を検出する．両側の扁桃と咽頭後壁を強く擦過して咽頭培養で咽頭ぬぐい液を採取する．

溶連菌迅速診断キットが出ており，抗原迅速診断は有用である．迅速検査の特異性は非常に高いので，陽性の場合，咽頭培養での確認は必要ない．キットにより 10～15 分程度

で結果がわかり，抗菌薬治療を早期に開始できる．ただし，小学校の健康児童に溶連菌迅速検査を実施したところ 18% の児童で陽性であったという報告があるように，溶連菌を保菌していることは多く，臨床症状や典型的所見がない場合は，検査が陽性であっても抗菌薬治療は必要ない．American Academy of Pediatrics（AAP）では迅速抗原検査で陰性だった場合，次に培養検査を提出することができるよう，2 セットの咽頭ぬぐい液を採取することを勧めている．羊血液寒天培地で培養することで A 群連鎖球菌の確定診断ができ，ラテックス凝集法を行うことで他の β 溶血性連鎖球菌を鑑別する．また溶血をひき起こすストレプトリジン O（SLO）は抗原性を有し，A 群溶血性連鎖球菌に感染すると SLO に対する抗体である抗 SLO 抗体（anti-streptolysin O：ASO）の産生をひき起こす．この ASO 抗体価はリウマチ熱の診断に際して重要となる．

治療の実際

『小児呼吸器感染症診療ガイドライン』では，"A 群連鎖球菌による咽頭扁桃炎にはどの抗菌薬を使用するか？" という CQ に対して，エビデンスレベル I，推奨レベル A でアモキシシリン（AMPC）が第一選択薬として推奨されている．現在，米国感染症学会のガイドラインでは PCV 1 回 250 mg を 1 日 2～3 回（体重 ≦27 kg）または AMPC 50 mg/kg/日（分 1～2）10 日間の治療が推奨され，欧州臨床微生物・感染症学会のガイドラインでは PCV のみが第一選択薬となっているが，PCV はわが国では販売されていない．現時点ではリウマチ熱予防の実績があり臨床効果も確立しているということで，AMPC が第一選択薬として推奨される．

溶血性連鎖球菌感染症（猩紅熱を含む）　173

セファロスポリン系薬をはじめとする短期療法の効果はペニシリン系薬10日間の標準療法とほぼ同等と考えられているが，ピボキシル基を有する経口第三世代セファロスポリン系薬には重篤な低カルニチン血症と低血糖を起こす副作用があること，また，AMPCに比べて抗菌スペクトラムが広いこと，高価であること，リウマチ熱予防のエビデンスがないことなどを考慮し，第一選択とはならなかった．しかし，リウマチ熱はわが国では極めて稀な疾患となっていること，短期投与のためアドヒアランスに優れていることから第二選択となった．AZM 3日間，CFPN-PI 5日間，AMPC-CVA 3日間とAMPC 10日間の比較試験も行われ，それぞれ同等の効果が認められている．

処 方 例

表1に示す．

専門医に紹介するタイミング

溶連菌感染症に対する治療は，基本的に外来における経口薬投与であり，咽頭痛，扁桃炎の重症化などのために水分摂取や経口薬内服が困難となり，脱水改善目的の補液，抗菌薬点滴静注が必要になる可能性もあるが，入院に至ることは少ない．ただし，治療への反応が不良の場合や，合併症のリウマチ熱，急性糸球体腎炎が生じた際は，後遺症を残さないため専門医による治療が必要となる．

専門医からのワンポイントアドバイス

①咽頭扁桃炎をみたときに，ウイルス感染によるものなのか，抗菌薬治療の必要な溶連菌感染によるものなのかを，まずは臨床症状（口腔内症状，咽頭痛，皮疹など）からきちんと見極めることである．流行状況も判断を助けるので，同様の症状，特に咽頭

表1 A群連鎖球菌による咽頭・扁桃炎の内服治療

薬剤名	小児投与量	最大量	投与期間
第一選択			
アモキシシリン（AMPC）[*1]	30〜50mg/kg/日・分2〜3	1,000mg/日	10日間
第二選択			
セファレキシン（CEX）	25〜50mg/kg/日・分2〜4	1,000mg/日	10日間
セフジニル（CFDN）	9〜18mg/kg/日・分3	300mg/日	5日間
セフジトレンピボキシル（CDTR-PI）[*2]	9〜18mg/kg/日・分3	300mg/日	5日間
セフカペンピボキシル（CFPN-PI）[*2]	9mg/kg/日・分3	300mg/日	5日間
セフテラムピボキシル（CFTM-PI）[*2]	9〜18mg/kg/日・分3	300mg/日	5日間
ペニシリンアレルギーがある場合			
上記のセファロスポリン系薬			
クラリスロマイシン（CAM）[*3]	15mg/kg/日・分2	400mg/日	10日間
アジスロマイシン（AZM）[*3]	10mg/kg/日・分1	500mg/日	3日間
クリンダマイシン（CLDM）[*4]	20mg/kg/日・分3	90mg/日	10日間

＊1：米国では50mg/kg（最大1g）の1日1回投与・10日間も推奨されている．
＊2：重篤な低カルニチン血症と低血糖を起こす副作用に注意が必要である．
＊3：我が国ではマクロライド耐性菌が多いため注意を要する．
＊4：我が国ではカプセル製剤のみである（75mgまたは150mg）．クリンダマイシン耐性菌に注意する．

（文献1より引用）

痛の強い者が家族内や学校にいないか，また本人に既往歴がないかなど確かめる．また，溶連菌感染では，咳や鼻汁，鼻閉といった症状は初期には目立たないことが多く，これらの症状が前面にあるときは，むしろウイルス感染を考える．

②初期には咽頭痛や嚥下痛が強く，高熱も出るためつらいが，抗菌薬開始で通常 24 時間以内に楽になることが多いので，症状が軽くなっても途中で治療をやめないよう，合併症予防のために長期内服が必要であることをしっかりと説明，服薬指導することが大事である．

③溶連菌感染後糸球体腎炎を併発していないか確認するため，治療後 2，4，6 週間前後で検尿を行う．注意すべき症状は，浮腫，肉眼的血尿，高血圧などである．

──────── 文　献 ────────

1) 尾内一信 他，小児呼吸器感染症診療ガイドライン作成委員会：小児呼吸器感染症診療ガイドライン 2017．pp5-7，2016
2) 厚生労働省健康局結核感染症課：抗微生物薬適正使用の手引き第二版．pp15-17，57-62，2019

3. 感染症

細菌性腸炎

吉田美智子[1]，宮入　烈[2]

1) 東北大学大学院医学系研究科 小児病態学分野，2) 浜松医科大学 小児科学講座

POINT

● 微生物ごとに検査・治療が異なるため，具体的な微生物を想起する.

● 黄色ブドウ球菌や毒素原性大腸菌に代表される毒素性のものと，サルモネラ属菌やカンピロバクター，腸管出血性大腸菌に代表される組織侵襲性のものに大別される.

● 基本的に自然治癒する疾患である.

● 公衆衛生上，重要な感染症であり，3類感染症として届出が必要なもの，集団食中毒として対応が必要なものがある.

ガイドラインの現況

　2014年に溶血性尿毒症症候群の診断・治療ガイドライン作成班より『溶血性尿毒症症候群の診断・治療ガイドライン』，2018年にCDI診療ガイドライン作成委員会より『*Clostridioides*（*Clostridium*）*difficile* 感染症診療ガイドライン』，2019年にJAID/JSC感染症治療ガイド・ガイドライン作成委員会より『JAID/JSC感染症治療ガイド2019』，2019年に厚生労働省より『抗微生物薬適正使用の手引き第2版』，そして米国感染症学会（Infectious Diseases Society of America：IDSA）より『2017 Infectious Diseases Society of America Clinical Practice Guidelines for the Diagnosis and Management of Infectious Diarrhea』が示されている.

【本稿のバックグラウンド】　2016年に薬剤耐性菌対策が国策として掲げられ，抗微生物薬適正使用を推進するために細菌性腸炎についても抗菌薬使用の基準が公的な指針として提示され，添付文書や診療加算にも反映されるに至った.国内外ではエビデンスを軸としたガイドラインが更新され，病原体の検出法や治療薬についての見解が示されている.

どういう疾患・病態か

　市中発症の細菌性腸炎は，細菌感染によって下痢や嘔吐，発熱を呈する感染症である. 2歳以上で多く，汚染された食物や水を摂取することによって感染する.毒素原性大腸菌や黄色ブドウ球菌，ボツリヌス菌など，細菌が産生する毒素が原因となる毒素性と，細菌自体が組織へ侵入し，炎症を起こす非毒素性（組織障害性）がある[1].

　原因となる主な細菌は，カンピロバクターや非チフス性サルモネラ属菌，腸管出血性大

腸菌（Enterohemorrhagic *Escherichia coli*：EHEC）が挙げられる．直近の渡航歴がある場合は，カンピロバクターや腸管毒素原性大腸菌，稀なものとして赤痢菌やコレラ菌，腸チフス・パラチフスの可能性を考慮する[1]．細菌性腸炎のなかでも非毒素性は腸管粘膜の破壊が基本的病態であるため，ウイルス性腸炎と比べると腹痛が強く，高熱（38℃以上）であり，血便や粘血便，テネスムスを伴うことが多い（**表1**）[1]．抗菌薬投与などの医療曝露に関連する細菌性腸炎の原因として，クロストリジオイデス・ディフィシルが挙げられる．トキシンを産生することで感染症を起こすが，乳児は無症候性保菌が50〜70％と多く，発症することは稀である[2]．免疫不全や慢性腸疾患（炎症性腸疾患やヒルシュスプルング病など）を背景にもつ患者は，発症や重症化のハイリスクである．稀に巨大結腸症や消化管穿孔，ショックをきたすことがあり小児でも考慮する必要がある．

細菌性腸炎は，公衆衛生の観点で重要であり，EHECと腸チフス，パラチフス，コレラ，細菌性赤痢は三類感染症に分類され，保健所へただちに届け出なければならない．それ以外でも，食中毒が疑われる場合は食品衛生法に基づき，保健所へ届け出る必要がある．

治療に必要な検査と診断

前述の症状を呈し，便培養で有意な細菌が検出された場合に，細菌性腸炎と診断する．症状と問診から細菌性腸炎が強く疑われた場合には，便培養を提出することが各ガイドラインで推奨されている[1,3]．また，バイタルが不安定な場合や，免疫不全者，3ヵ月未満児などの，菌血症合併の高リスク患者においては，血液培養の提出も推奨される[3]．細菌性腸炎は様々な細菌によって起こるが，細菌ごとに培養条件が異なり，検出に適した培地は異なる．そのため，便培養を提出する際は原因微生物を想定する必要がある．細菌ごとに原因と潜伏期は異なるため（**表2**）[1]，潜伏期を意識した問診と，食事摂取歴やペット飼育歴，海外渡航歴は必ず聴取する．原因微生物の検出に用いる培地は，血液寒天培地のほかに，マッコンキー寒天培地，SS/STEC培地，スキロー培地，TCBS培地，CCFA培地がある．このように，複数の培地を用いても，毒素原性大腸菌やボツリヌス菌は同定できないこともある．EHECによる細菌性腸炎の確定診断は，ベロ毒素の検出によってなされるため，便を用いたベロ毒素の確認も必要である[4]．

クロストリジオイデス・ディフィシル腸炎を疑った場合，CD抗原（グルタミン酸脱水素酵素）検査とトキシン検査を行う．どちら

表1 ウイルス性腸炎 vs 細菌性腸炎

ウイルス性腸炎が疑われる	細菌性腸炎が疑われる
・嘔吐で始まり，臍周囲の軽度から中等度の腹痛や圧痛 ・血便がなく水様下痢 ・発熱がない（または微熱） ・激しい腹痛がない ・家族や周囲の集団に，同様の症状がある	・腹痛が強い ・高熱（38℃以上） ・血便や粘血便 ・テネスムス（しぶり腹）を伴いやすい

（文献1を参照して作成）

細菌性腸炎 177

表 2　細菌性腸炎の原因と，潜伏期間

	原因微生物	原　因	潜伏期間
毒素性	セレウス菌	お弁当，ごはん，麺類	1〜2 時間
	黄色ブドウ球菌	おむすび，お弁当	2〜6 時間
	ボツリヌス菌	瓶詰め，レトルト食品，いずし	18〜36 時間
	毒素原性大腸菌	途上国への旅行	12〜72 時間
非毒素性	腸炎ビブリオ	魚介類	2〜48 時間
	エルシニア	汚染水，生の豚肉，ブタとの接触	2〜144 時間
	ウェルシュ菌	カレー，シチュー	8〜22 時間
	サルモネラ属菌	卵，食肉，ミドリガメ	12〜48 時間
	腸管出血性大腸菌	加熱不十分の牛肉	1〜7 日
	カンピロバクター	加熱不十分の鶏肉，家畜と接触	2〜7 日

（文献 1 を参照して作成）

も陽性の場合に確定診断となる．2 歳未満は発症することが稀とされているため，リスクとなる基礎疾患がない場合はその他の原因の除外が優先される[2]．CD 抗原陽性だがトキシン陰性の症例においては，核酸増幅検査（nucleric acid amplification test：NAAT）や培養検体でトキシン検査を行うことを検討する[2]．

　原因微生物を同定する意義としては，公衆衛生の意味でも重要である．例えば，EHEC は発症菌量が少なく感染力が強いことから，ヒトに対する感染性が他の細菌よりも強いことが知られている．さらに，溶血性尿毒症症候群（hemolytic uremic syndrome：HUS）を起こしうることは，重要な点である．HUS は腎障害や神経障害といった後遺症を起こし，死亡することもある疾患である．国立感染症研究所の報告では，2018 年 12 月 31 日〜2019 年 12 月 29 日の 1 年間で，本邦の EHEC 感染症患者は 3,744 例（有症状者 2,511 例）であった．有症状者の 78 例（3.1％）が HUS を発症した．HUS 発症者の年齢の中央値は 8 歳（範囲：0〜87 歳）であり，年齢別では 0〜4 歳が最多の 6.0％，次いで 5〜9 歳が 5.9％，10〜14 歳が 4.5％であった．EHCH 患者の中で小児の HUS 発症率が高い．このことは我々小児科医が留意しなければならないことであり，実態把握をすることは重要である．

治療の実際

　細菌性腸炎は，原則として自然軽快する疾患である．各指針でも，軽症例に対する抗菌薬投与は推奨されておらず，脱水の予防もしくは補正を中心とした対症療法が推奨されている[1,3,5]．脱水がない，もしくは中等症の場合は，経口補水液が推奨される．経口補水液を摂取できない場合，塩分を含んだ重湯やお粥などで代用することや，哺乳中の児であれば，哺乳を継続する．プロバイオティクスについては，メタ解析で症状軽減までの時間を約 1 日短縮したという結論が示されているが，研究のほとんどがウイルス性腸炎に対する投与である．また有効性が示されている菌種は *Lactobacillus rhamnosus* GG と *Racchar-*

178　3. 感染症

oyce boulardii であり，これらは本邦の製剤には含まれていない．また効果を発揮する量も 10^{10}（CFU/日）以上であるのに対し，本邦での菌量は $10^6 \sim 10^{10}$（CFU/日）と少なく，効果が同等かは不明である[5]．止痢薬は有効性のエビデンスには乏しく，イレウスなどの副作用の発症を認めていることから，抗微生物薬適正使用の手引きと溶血性尿毒症症候群の診断・治療ガイドライン作成班からは，使用しないことが強く推奨されている[1,4]．2歳未満では原則禁忌である[1]．

重症例や基礎疾患がある例においては，抗菌薬投与が考慮される．JAID/JSC では，①バイタルサインに異常がある場合のほかに，②高熱や強い腹痛，血便など重篤感がある，③乳児（特に3ヵ月未満），④慢性消化器疾患（炎症性腸疾患やヒルシュスプルング病）患者，⑤免疫不全者（CD4陽性リンパ球数が低値のHIV感染症，担癌患者，ステロイド・免疫抑制剤の投与，無脾症など），⑥合併症のリスクが高い場合（50歳以上，人工関節・人工血管・人工弁など）に，抗菌薬投与を行うべきとしている[5]．EHEC による細菌性腸炎に対する抗菌薬投与に関しては，溶血性尿毒症症候群の発症率が上昇したという報告があり，IDSA のガイドラインでは基本的に推奨していない[3]．しかし本邦からの報告では，抗菌薬投与群のほうがHUS の発症率が低かったと結論付けているものがあり，溶血性尿毒症症候群の診断・治療ガイドラインでは一定の結論はないとしている[4]．

軽症のクロストリジオイデス・ディフィシル腸炎では抗菌薬中止のみで改善するが，抗菌薬が中止できない症例や症状が強い症例では治療を行う．各種ガイドラインを参考にした，微生物ごとの抗菌薬の処方例を**表3**に示す[1~3,5]．微生物ごとに選択薬が異なり，その点からも，原因微生物を想定することは重要である．

専門医に紹介するタイミング

EHEC 感染の合併症として HUS を発症した症例や，非チフスサルモネラ属菌感染で骨髄炎を発症した症例，カンピロバクター感染後にギラン・バレー症候群を発症した場合は，専門医の診療が必要な場合もある．また，直近の渡航歴があり，輸入感染症が疑われる症例に関しては，渡航医学や感染症の専門医に相談のうえ，検査・治療が望ましい．

表3　処方例

微生物	抗菌薬（処方例）
赤痢菌	AZM* 10mg/kg/回，1日1回（最大500mg/日），5日間
カンピロバクター	CAM 7.5mg/kg/回，1日2回（最大400mg/日），3〜5日間
非チフス性サルモネラ属菌	AMPC* 13mg/kg/回，1日3回（最大1,000mg/日）3〜7日間 CTRX* 50mg/kg/回，1日1〜2回（最大4,000mg/日），3〜7日間
腸管出血性大腸菌	なし
エルシニア	CTRX* 50mg/kg/回，1日1〜2回（最大4,000mg/日），3〜7日間
クロストリジオイデス・ディフィシル	非重症：MNZ** 10mg/kg/回，1日3回，点滴静注（最大1,500mg/日），10日間 重　症：VCM 10mg/kg/回，1日4回，経口（最大500mg/日），10日間

AZM：アジスロマイシン，CAM：クラリスロマイシン，AMPC：アモキシシリン，CTRX：セフトリアキソン，MNZ：メトロニダゾール，VCM：バンコマイシン

* AZM と AMPC，CTRX は，感染性腸炎に対して保険適用外使用となる．

** 添付文書上，脳，脊髄に器質的疾患のある患者には禁忌となっている．そのような患者においては，VCM を使用する．

細菌性腸炎　179

専門医からのワンポイントアドバイス

　詳細な問診から原因微生物を想定したうえで，便培養検査を行うことが大切である．治療は脱水補正，もしくは予防のための補液療法が中心となる．重症例，もしくは重症化のリスクが高い症例にのみ，抗菌薬投与が推奨される．罹患後に HUS やギラン・バレー症候群などの合併症を起こすことがあるため，消化管症状軽快後も注意が必要である．

文　献

1) 厚生労働省健康局結核感染症課：抗微生物薬適正使用の手引き第2版．2019
2) CDI 診療ガイドライン作成委員会：*Clostridioides*（*Clostridium*）difficile 感染症診療ガイドライン．感染症誌 94：1-85，2020
3) Shane AL et al：2017 Infectious Diseases Society of America Clinical Practice Guidelines for the Diagnosis and Management of Infectious Diarrhea. Clin Infect Dis 65：e45-e80, 2017
4) 五十嵐　隆（総括責任者），溶血性尿毒症症候群の診断・治療ガイドライン作成班（編）：溶血性尿毒症症候群の診断・治療ガイドライン．東京医学社，2014
5) JAID/JSC 感染症治療ガイド・ガイドライン作成委員会 編：JAID/JSC 感染症治療ガイド 2019．日本感染症学会・日本化学療法学会，pp275-289，2019

3. 感染症

感染性心内膜炎

むらかみともあき
村上智明
札幌徳洲会病院 小児科

POINT
- ●重篤な合併症を併発する可能性が高く，速やかな診断と治療介入が必要．まず疑うことが何より重要．
- ●血液培養と心臓超音波検査が診断の二本柱．心臓超音波検査による診断は必ずしも易しくない．
- ●血液培養・感受性が判明するまでは状況証拠を十分把握して治療介入．最近では遺伝子診断の利用も．
- ●感受性のある抗菌薬を，十分な量，十分な期間投与する．
- ●外科治療が必要となる可能性も高く，早期に専門医とコンタクトを取ることが望ましい．

ガイドラインの現況

　1955年，米国心臓協会（American Heart Association：AHA）が感染性心内膜炎（infectious endocarditis：IE）予防の勧告を発表し，その後ガイドラインへと発展しさらに適宜改訂が加えられてきた．このAHAのガイドラインは様々な国でのガイドラインの規範となっている．予防に関しては，2007年にAHAのガイドラインに大きな変更が加えられ予防投薬を行う対象がかなり限定されるようになり，諸外国のガイドラインもこれに倣った形に変更されている．日本においては日本小児循環器学会研究委員会において1997〜2001年に国内134施設に入院したIE患者を対象とした実態調査が行われ，そのデータに基づいたガイドラインが2012年に作成されている．このガイドラインの内容，特に予防に関してはAHAの2007年に改訂されたガイドラインとはかなり異なっている．日本循環器学会のIEガイドラインの最新版は2017年改訂版であるが，この中でも特殊な場合として，先天性心疾患，小児領域のIEが取りあげられている．

【本稿のバックグラウンド】 ①小児心疾患と成人先天性心疾患における感染性心内膜炎の管理，治療と予防ガイドライン（日本小児循環器学会），②感染性心内膜炎の予防と治療に関するガイドライン（2017年改訂版）（日本循環器学会），③Infective Endocarditis in childhood：2015 update：A Scientific Statement from the American Heart Association

感染性心内膜炎　**181**

どういう疾患・病態か

IEは，心内膜・弁膜・大血管内膜およびこれらの関連組織が感染をきたし，疣腫を形成し，菌血症，塞栓症，心障害といった様々な全身的臨床症状を呈する敗血症性疾患である．様々な合併症は致死的でありうることから，速やかな診断と治療が必要である．日本小児循環器学会の多施設共同研究（JSPCCS研究）[1~3] では，死亡率は8.8％であった．

IEは，弁疾患・先天性心疾患に伴う異常血流や心血管内の人工材料によって起こる非細菌性血栓性心内膜炎と菌血症により生じる．一過性の菌血症が生じると，非細菌性血栓性心内膜炎部位に菌が付着・増殖し疣腫が形成される．さらに周辺組織を破壊し，また疣腫は塞栓として様々な部位に飛散する．

小児におけるIE発症率は0.34～0.64/10万人・年程度とされているが，先天性心疾患患児においては41/10万人・年と報告されている．医療技術の進歩により，医療介入に伴う感染性心内膜炎は増加している．IEは様々な合併症を併発し，その合併症からIEの診断に至ることも稀ではない．

1 心不全

心不全は23％に認められる合併症であるが，予後に大きく影響し，また急性期外科治療の危険因子でもある．様々な要因で心不全症状を呈するが，最も頻度が高いのは弁破壊による弁逆流の増悪である．その他導管の閉塞や中隔穿孔なども心不全を生じる原因となりうる．急激な心不全の進行は，腱索断裂，弁尖穿孔あるいは弁周囲膿瘍による裂開などを考慮する．身体所見では心雑音の変化に留意する．心臓超音波検査が診断，程度評価には有用である．急速な弁逆流の進行は，代償機転である心拡大が間に合わず，見た目の逆流量と心不全症状，心臓のサイズがマッチしないことがあり注意が必要である．心電図で新規に房室ブロックや脚ブロックを生じた場合には弁周囲膿瘍を疑う．

2 塞栓・梗塞

左心系あるいは右左短絡を有するチアノーゼ性心疾患では，中枢神経塞栓症状（けいれん，麻痺，意識障害など），腎塞栓症状（血尿など）などを生じ，これらが初発症状であることも少なくない．JSPCCS研究では全身性塞栓症状は20％で認められたが，そのうち半数以上は中枢神経塞栓であった．脳梗塞の76％では起因菌がブドウ球菌属であり，特に注意が必要である．小児では右心系の感染性心内膜炎が多いが，この場合には肺塞栓をきたすこともある．塞栓は発症初期に多く，繰返すことが多いがアスピリンの投与は効なく，むしろ出血のリスクを増やすため推奨されていない．

治療に必要な検査と診断

心血管構造の破壊を最小限にとどめるためには，早期の診断，治療介入が必要であり，感染症を疑う患児の診療においては常にIEを考慮することが重要である．小児では先天性心疾患に伴うIEが多いが，1割程度は基礎疾患を認めないで発症しており，またIEがきっかけで先天性心疾患の診断に至る症例もある．さらに病態で述べたごとく，一過性菌血症が発症要因として重要ではあるが，2/3の症例では誘因となる手技が判明していない．先入観を持たず，常に鑑別診断の一つとして念頭において診療にあたることが速やかに診断に至る最も重要なポイントである．

診断にあたっては，成人と同様にmodified Duke診断基準が用いられることが多

182　3. 感染症

い，この中の臨床的診断基準においては，血液培養と画像所見，特に心臓超音波検査の所見が重要となる．

IEにおいては持続性菌血症が特徴であるため，必ずしも有熱時に血液培養を採取する必要はない．培養にあたっては手指消毒を確実に行い，採血部位は順にアルコール消毒，ポビドンヨード消毒後，乾燥を待って採取する．十分なアルコール消毒のみでも構わない（むしろコンタミネーションは少ない傾向がある）．採血量は培養ボトルに定められている注入量に従うが，十分な量を注入する．8時間ごと3セット以上の培養が推奨されるが，病態に応じ速やかに3回の検体採取を行い，治療開始する．既に抗菌薬が投与されている場合には，抗菌薬の血中濃度が低下するタイミングで採取することが望ましい．血液培養による菌種の同定には時間がかかるため，遺伝子検査を併用することも考慮される．

IE診療における心臓超音波検査の役割は，疣腫の検出や合併症の診断である．診断に関しては，modified Duke診断基準上は疣腫，膿瘍，新たな弁閉鎖不全などが挙げられている．小児では成人に比較して経胸壁心臓超音波検査での診断率が高いが，診断は必ずしも容易ではない．診断確定に極めて重要な疣腫の検出が，先天性心疾患，特に術後症例においては易しくないからである．元々の構造物なのか，新たに形成された疣腫なのか判断に悩む症例は少なくはなく，以前の画像との比較が重要である．JSPCCS研究では疣腫を認めた症例は63％に過ぎず，検出できなかった場合でもIEを否定し得ない．構造異常がない心臓においても近年の心臓超音波検査機器の画像向上により，必ずしも異常とはいえないレベルでの心内構造のバリエーションは非常によく見受けられ，新たにできた疣腫との鑑別は容易ではないこともある．心機能評価，弁の逆流の程度およびその成因などの合併症の診断も心臓超音波検査の重要な役割である．特に弁周囲膿瘍は急激に血行動態の破綻を生じ，高率に外科治療を要することからその診断は重要である．

治療の実際

❶ 内科治療

血液培養による菌種・感受性に応じた抗菌薬選択が重要であるが，結果が得られるまではエンピリックな抗菌薬投与が必要となる．広範囲の病原微生物をカバーできる抗菌薬を選択するのが基本であるが，病態から起因菌をある程度推測することも重要である．近年では遺伝子検査により，菌種のみならず耐性遺伝子の同定も可能であることから，これらの検査結果もふまえ抗菌薬を選択する．菌種が同定され，感受性が判明した際にはその結果をふまえ，有効な抗菌薬を十分な量，十分な期間投与する．ガイドラインに記載されている抗菌薬の投与期間は，血液培養陰性化後の期間であることに留意する．

1〜2割の症例では培養陰性であるが，事前に抗菌薬が投与されていた症例だけではなく，分離培養が困難な原因菌である可能性もあり，十分な期間の培養を行い，かつ状況証拠から可能性の高い菌に重心を置きつつ広範囲の病原微生物を考慮した抗菌薬治療を続ける．

治療効果判定のタイミングは病態の進行具合に依存する．ブドウ球菌などの組織破壊が速い菌種の場合には時間単位での評価が必要となることもある．治療開始後1週間以内に臨床的改善を認めた場合は予後は良好とされる．

抗菌薬の投与は長期間に及ぶため副作用には留意する．バンコマイシン，アミノグリコ

感染性心内膜炎　183

シド系薬などの使用の際は血中濃度を測定し，投与計画を作成することが望ましい．比較的多い副作用はアレルギー反応による発疹，発熱であるが，特に発熱は再燃との鑑別が難しいことがある．

② 外科治療

　重篤な合併症を防ぐために外科治療が行われる．成人では，必ずしも十分な感染のコントロールが行われていない症例でも積極的な手術介入が推奨されるようになっている．小児においても同様と考えられるが，小児では人工弁サイズの問題や将来も含めた抗凝固療法の影響などを十分に加味して決定される．

　外科治療の適応は，進行性の心不全，閉塞性弁病変，弁周囲膿瘍，真菌性IE，抵抗性感染，人工材料感染，バルサルバ洞破裂・心室中隔穿孔，複数回の塞栓症などで考慮される．

処 方 例

●周術期を除くエンピリカル治療には

処方　アンピシリン/スルバクタム
　　　　50mg/kg　×4〜6回　｝併用
　　　　ゲンタマイシン
　　　　1〜2.5mg/kg　×3回

●口腔内からの感染で多い連鎖球菌属に関しては

・ベンジルペニシリンが第一選択となる．

処方A　ペニシリンG　５万単位/kg
　　　　×4〜6回　4〜6週

・非感性株を考慮する場合には相乗効果を期待してアミノグリコシド系薬を併用する．

処方B　ゲンタマイシン　1〜2.5mg/kg
　　　　×3回　2週　［処方Aに併用］

・血管炎などの問題がある場合はベンジルペニシリンをアンピシリンやセフトリアキソンに変更可能である．

処方C　アンピシリン　50mg/kg　×4
　　　　〜6回　4週
　　　　セフトリアキソン　50mg/kg
　　　　×2回　4週

●ブドウ球菌感染症

・メチシリン感受性黄色ブドウ球菌にはセファゾリンを使用する．

処方D　セファゾリン　25mg/kg　×4
　　　　回　4〜6週

・相乗効果を期待してアミノグリコシド系薬を併用する．

処方E　ゲンタマイシン　1〜2.5mg/kg
　　　　×3回　2週　［処方Dに併用］

・メチシリン耐性黄色ブドウ球菌にはバンコマイシンを使用する．

処方F　バンコマイシン　15〜20mg/kg
　　　　×4回　4〜6週

・相乗効果を期待してアミノグリコシド系薬を併用する．

処方G　ゲンタマイシン　1〜2.5mg/kg
　　　　×3回　2週　［処方Fに併用］

予 防

　2007年のAHAガイドラインの変更以来，各国でIEの予防は高度リスク群に限定あるいは全く行われないようになった．これはIEの予防抗生剤投与に関して，有効性の根拠となるような大きなデータがなかったという理由が大きい．しかしながらこの予防方法の変更により，予防の有効性を示す大きな報告が出てきたのは皮肉なことである[4,5]．コストベネフィットの問題はあるが，日本循環器学会のガイドラインでは高度リスク群に

関しては強い推奨，中等度リスク群に関しては弱い推奨で予防投薬を勧めている．この高度リスク，中等度リスクは重症化するか否かで分類されているが，中等度リスクにあたる心室中隔欠損症のIEによる死亡率はJSPCCS研究で3.8％であり，心臓手術の死亡率よりも高い．また同調査では中等度リスク群での歯科処置後のIE発症を6％で認めている．AHAガイドラインで強調されている口腔内衛生が重要であることは言うまでもない．

専門医に紹介するタイミング

上述のように心臓超音波検査の判読などは専門医にも難しいことから，初期対応を進めながら迅速に専門医とコンタクトを取ることが望ましい．

専門医からのワンポイントアドバイス

感染性心内膜炎は重篤な合併症を惹起する可能性の高い疾患であり，速やかな診断と治療介入が必要である．そのためには重症感染症を疑う患児の診療においては，常に鑑別診断の一つに入れることが重要である．血液培養を躊躇わない姿勢と，普段から心臓超音波検査に親しみ，十分な正常構造の観察をする習慣を身につけることが速やかな介入につながるであろう．

─────── 文　献 ───────

1) Niwa K et al：Infective endocarditis in congenital heart disease：Japanese national collaboration study. Heart 91：795-800, 2005

2) Yoshinaga M et al：Risk factors for in-hospital mortality during infective endocarditis in patients with congenital heart disease. Am J Cardiol 101：114-118, 2008

3) Murakami T et al：Factors associated with surgery for active endocarditis in congenital heart disease. Int J Cardiol 157：59-62, 2012

4) Pant S et al：Trends in infective endocarditis incidence, microbiology, and valve replacement in the United States from 2000 to 2011. J Am Coll Cardiol 65：2070-2076, 2015

5) Dayer MJ et al：Incidence of infective endocarditis in England, 2003-13：a secular trend, interrupted time-series analysis. Lancet 385：1210-1228, 2015

3. 感染症

結　核

森　雅亮
東京医科歯科大学大学院医歯学総合研究科 生涯免疫難病学講座

POINT
- ●小児期結核は早期診断，早期治療が大原則であるが，成人型結核と異なり，発熱，活動性の低下など非特異的な症状で発症することが多く，治療が遅れ症状の増悪から生命を脅かす事態に陥ることもある．
- ●小児結核，特に乳幼児型結核の診断には，問診（特に BCG 接種歴，家族歴の聴取），血液検査，抗酸菌検査，画像検査（特に胸部 CT 検査）を組合せた全体的評価が不可欠である．

ガイドラインの現況

　これまで小児に照準を合わせたガイドラインは作成されておらず，小児結核専門施設がそれぞれ経験に基づいて，施設特有のマニュアルを作成して診断・治療にあたってきたのが現実であった．しかし，令和2年度日本医療研究開発機構委託研究開発費新興・再興感染症に対する革新的医薬品等開発推進研究事業「結核低蔓延化を踏まえた国内の結核対策に資する研究」（研究開発担当者：加藤誠也），分担研究「小児結核の診療・対策の充実に資する研究」（研究開発分担者：徳永修）の一環として，『小児結核診療のてびき（改訂版）』が作成され，一般に公表された．今後は臨床の現場に広く周知されていくことが望まれる．

【本稿のバックグラウンド】　本稿の記載は，表現方法に若干相違があるが，上記の手引きとは矛盾しない内容となっている．『小児結核診療のてびき（改訂版）』は時機をみて随時アップデートされていき，その都度新しい知見が組込まれていくだろうから，小児結核診療においてはこの手引きを参考にするのが好ましい．

どういう疾患・病態か

　結核は，毎日，世界で約1,000万人を発病させ，130万人を死亡させている，世界最大の感染症である[1]．結核菌（*Mycobactrium tuberculosis*）によって主に肺に炎症を起こす疾患であり，重症結核患者の咳などで結核菌が飛散し，それを直接吸入することで感染を起こす．ただし，結核に感染しても必ず発病するわけではなく，通常は宿主免疫により結核菌の増殖は抑制されるが，免疫が何らかの原因で低下し，結核菌の増殖を抑えきれなくなると結核を発症する．

　小児期結核は，早期診断，早期治療が大原

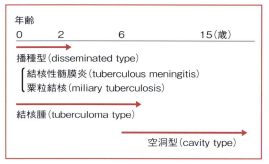

図1 小児結核の多様性

則であるが，成人型結核と異なり，発熱，活動性の低下など非特異的な症状で発症することが多く，治療が遅れ，症状の増悪から生命を脅かす事態に陥ることもある．小児期結核の特徴は，①年齢により臨床的な発病様式が異なる（図1）．すなわち乳幼児では，結核菌の感染が即発病のパターンをとる（一次結核）のに対し，学童以降では，成人例と同様に年少期に感染した結核菌が再活性化し，リンパ行性に肺内散布し，空洞形成しやすい（二次結核），②乳幼児型結核が多い（0〜6歳が75％を占める），③乳幼児では，家族内感染が多い（＞95％），④乳幼児は，髄膜炎・粟粒結核などの重症結核に進行しやすい，⑤乳幼児では，結核菌の排菌率が極めて低い，などが挙げられる[1]．

治療に必要な検査と診断

血液・抗酸菌・画像検査上での特徴を列挙すると，①小児結核に特異的・絶対的血液検査はなく，赤沈値，白血球数などの変動が少なく活動性指標とするのは難しい，②乳幼児では，活動性があると血清IgMが年齢相当値の2倍以上になる，③胸部X線写真で異常を発見できることが少ないため，胸部CTスキャンを行う，④肺門リンパ節および傍気管支リンパ節腫脹に注意する，⑤小児肺結核では空洞形成が少なく，胃液や喀痰の検鏡検査で結核菌を検出する頻度が少ない，などである．以上より，小児結核，特に乳幼児型結核の診断には，成人とは異なる特徴を十分に把握し，問診（特にBCG接種歴，家族歴の聴取），血液検査，抗酸菌検査，画像検査（特に胸部CT検査）を組合せた全体的評価が不可欠である[2]．

近年，BCGには存在しないPD-1領域の特異的抗原を使用したクォンティフェロン（QFT）-3G[3]もしくはT-SPOT[4]等のIGRA（interferon-gamma release assay）[5]という結核感染診断法が臨床応用されてきている．前者は被験者の全血を試験管内にて3種類の結核特異抗原で刺激し，全血中のT細胞が産生するインターフェロンγ（IFN-γ）をenzyme-linked immunosorbent assay（ELISA法）で定量的に測定する方法であり，後者は全血中を用いて，結核菌特異抗原の刺激を受けてエフェクターT細胞から遊離されたIFN-γを捕捉することにより，IFN-γ産生T細胞数を測定する方法である．両方法とも，BCG接種，非結核性抗酸菌のうち最も頻度の高い M. intracellulare の影響を受けないため，結核の診断および非結核性抗酸菌との鑑別に有用である．最近の報告では，乳児を含めた小児結核例に対し，診断法の補助および治療効果判定の指標として本法が有用であることが示されている（図2）．

治療の実際

小児に用いる抗結核薬は，イソニアジド（INH），リファンピシン（RFP），ピラジナミド（PZA）が基本であり，重症結核にストレプトマイシン（SM）あるいはエタンブトール（EB）を重ねる．治療の原則として

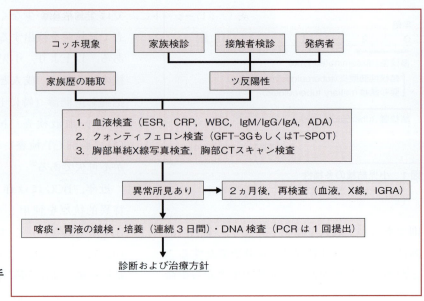

図2 小児期結核の診断手順

は，治療初期から多剤併用短期療法を行い，長期治療による耐性菌の出現を阻止することである[6]．

筆者の在職した施設では，前記問診および諸検査所見により表1に示したフローシートによる初期対応に従い，下記の3病型に分けてそれぞれの型に則した治療を行っている．

a）INH 予防投与

患児の接触歴が明確な場合，諸検査によって結核症を示唆する所見がなかったとしてもINH の予防投与を 6 ヵ月行う場合が多い．

b）初感染結核（初期変化群，結核腫），肺結核，肺外リンパ節結核

INH＋RFP＋PZA の 3 剤を併用．

c）重症結核（空洞病変，広範囲な浸潤像，粟粒結核，髄膜炎，胸膜炎，腸結核）

重症結核の治療は，INH＋RFP＋PZA＋SM の 4 剤を併用する．年長児であれば，SM の代わりに EB を用いることもある．特に，髄膜炎の治療は，抗結核療法を神経学的所見を欠く非特異的な症状を示す第 1 期のうちに開始できれば予後良好で後遺症を残さない．しかし，神経学的所見が出現する第 2 期および第 3 期になってから治療が開始される場合は，予後不良で水頭症や脳神経障害を残すことが多い．また急性期に頭蓋内圧の減圧をはかる必要がある．胸膜炎では側彎症を併発しやすいので，早期リハビリテーションに留意する．

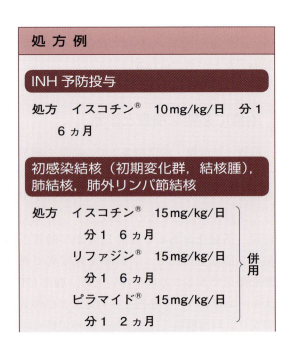

表1　フローシートによる小児期結核治療

対象	ツ反	QFT	排菌者との接触歴	胸部CT	BCG接種歴	初期対応
乳幼児	−		+	−	−	INHの化学予防
					+	経過観察，2ヵ月後再検査（ツ反もしくはIGRA，画像，血液検査）※
				+	有無に関係なし	外来にてINH＋RFP＋PZA投与．重症結核の場合入院治療
			−	−	有無に関係なし	経過観察，2ヵ月後再検査（ツ反もしくはIGRA，画像，血液検査）
				+		外来にてINH＋RFP＋PZA投与．重症結核の場合入院治療
	+		+	−	−	INHの化学予防
					+	経過観察，2ヵ月後再検査（ツ反もしくはIGRA，画像，血液検査）※
				+	有無に関係なし	外来にてINH＋RFP＋PZA投与．病変の大きさにより入院治療
学童	−	−	+	−	有無に関係なし	経過観察，2ヵ月後再検査（ツ反もしくはIGRA，画像，血液検査）
	−	+	+	+	−	外来にてINH＋RFP＋PZA投与．重症結核の場合入院治療
	+	+	不明あるいは有無に関係なし	−	有無に関係なし	INHの化学予防
	+	−		−		経過観察，2ヵ月後再検査（ツ反もしくはIGRA，画像，血液検査）
	+	+		+	−	病変が小さく，塗抹陰性の場合，外来にてINH＋RFP＋PZA投与
						病変が大きい，塗抹陽性の場合，外来にてINH＋RFP＋PZA投与
					+	外来もしくは入院してINH＋RFP＋PZA投与．病変の大きさによりSMまたはEBを追加

※感染者との接触状況や家族の希望によりINHによる化学予防も可．

（横浜市立大学方式2014年より一部改変）

> **重症結核（空洞病変，広範囲な浸潤像，粟粒結核，髄膜炎，胸膜炎，腸結核）**
>
> 処方　イスコチン® 15mg/kg/日　┐
> 　　　分1　9〜12ヵ月　　　　│
> 　　　リファジン® 15mg/kg/日　│
> 　　　分1　9〜12ヵ月　　　　│
> 　　　ピラマイド® 15mg/kg/日　├ 併用
> 　　　分1　2ヵ月　　　　　　│
> 　　　硫酸ストレプトマイシン®　│
> 　　　30mg/kg/日　分1　2ヵ月　│
> 　　　（エサンブトール® 20mg/　│
> 　　　kg/日　分1　9〜12ヵ月）　┘

* INH による末梢神経障害の予防のため，ビタミン B_6（INH 100mg に対して，ビタミン B_6 10mg を分1）を用いる．
* PZA による高尿酸血症の治療および予防にはアロプリノール（10mg/kg/日，最大量100mg/日，分1）が有効である．
* SM 使用時には，聴力検査として，乳幼児では ABR（聴性脳幹反応検査），学童以上では聴力検査（耳鼻科併診）を定期的に行う．
* EB：視神経障害（視力低下，視野の狭窄・欠損，色覚の異常など球後視神経炎の症状）に注意し，毎月1回視力検査を行う．眼科的検査のできない年少児，特に乳幼児では原則的に使用しない．

専門医に紹介するタイミング

結核症の診断がなされ入院加療する場合は，陰圧個室での入院管理を要するため，特殊な設備が整っている施設に紹介する．また，結核症の疑いがあるときでも早めの相談もしくは紹介をする．

専門医からのワンポイントアドバイス

有効な治療であれば，胸部 X 線上の陰影は改善するが，その改善速度は通常，菌陰性化の速度より遅れるため，治療の効果判定は結核菌鏡検（培養）検査の結果，特に治療開始2ヵ月目の鏡検陰性化を重視する．したがって，排菌の有無ならびに菌の薬剤感受性の確認が治療上重要であるため，治療開始前の結核菌検査は重要であり，可能なかぎり行っておく必要がある．また，薬剤耐性菌を検出した際には，不完全耐性菌では結核菌培養検査成績が好転しているときには，同一化学療法を継続して投与し，完全耐性菌であれば当該薬剤を感受性のある薬剤に変更し，2〜4剤併用療法を施行する．

─────文　献─────

1) WHO Global Tuberculosis Report. WHO Press 2018 www.who.int/fb/pubications/global_report/en/
2) 横田俊平 他：診断の指針/治療の指針 小児の結核．綜合臨牀 51：2289-2290，2002
3) 日本結核病学会予防委員会：クォンティフェロン® TB ゴールドの使用指針．結核 86：839-844，2011
4) 加藤誠也：T スポット®．TB について．複十字 No.348，2013
5) 森 雅亮：小児感染症 Q&A．IGRA は小児結核の診断において どの程度信頼できますか？ up-to-date 子どもの感染症 3：26-28，2015
6) 森 雅亮：小児における結核の予防と治療．今日の治療指針 52：1161-1163，2011

3. 感染症

真菌感染症

康 勝好
埼玉県立小児医療センター 血液・腫瘍科

POINT
- ●抗生物質不応性の感染症では真菌感染症を疑う.
- ●培養, 血清診断, 画像診断を組合わせて総合的に判断する.
- ●基礎疾患, 起炎菌に応じて適切な薬剤選択を行う.

ガイドラインの現況

　国内のガイドラインとしては, 2007年版を改訂した,『深在性真菌症の診断・治療ガイドライン2014』がある. 2015年に小児領域改訂版が刊行された[1]. 旧版と比べて小児領域の記載が大幅に増加し, 原発性免疫不全症, 血液・腫瘍性疾患, 新生児領域に分けてフローチャートが掲載されるなど, 充実した内容となった. 実際の臨床においては, このガイドラインに従えば, ほぼ標準的な治療が可能である. ただし, 刊行以降に保険適用となった造血細胞移植時のボリコナゾールの予防投与など, 一部の情報はupdateされていない. 英文では, 代表的な真菌感染症であるカンジダおよびアスペルギルス感染症について, 米国感染症学会(IDSA)が作成したガイドラインがあり[2,3], さらに詳細に学びたい場合には参照されたい. ポサコナゾールなど, 国内では小児適応がない薬剤があることに注意が必要である.

【本稿のバックグラウンド】 国内のガイドラインは2016年に小児領域が改訂され, 通常の診療には十分であるが, 以降はupdateされておらず, 残念ながら最近の進歩の反映は不十分である. IDSAのガイドラインも2016年以降のupdateは行われていない. 実際の診療で, 診断・治療困難例に遭遇した場合は, 適宜up to dateなども参照する必要がある.

どういう疾患・病態か

　通常は, 健常小児が弱病原性である真菌の深在性感染症を発症することは少ない. したがって, もともとリスク因子を有する小児に何らかの誘因が加わって発症することが多い. 主なリスク因子は, 新生児(特に低出生体重児), 免疫不全症, 化学療法施行中の悪性腫瘍患者, 造血幹細胞移植患者, 免疫抑制療法施行中の患者, 手術後の患者などである. 誘因としては, 長期の抗生物質使用, 粘膜障害, 中心静脈カテーテルなどの異物挿入, 起炎菌への大量の曝露などが挙げられる.

　起炎菌のうち, 内因性真菌症の代表的なものとしては, 皮膚, 消化管の常在菌であるカンジダが挙げられる. カンジダは, 肝臓・脾

真菌感染症　**191**

臓の膿瘍など，消化管カンジダ症を生じやすく，またカテーテル関連の敗血症の原因となることもある．外因性真菌症としては，アスペルギルス，クリプトコッカス，ムコールなどがある．これらは通常の食物や環境中に存在しており，これらの胞子を吸引することにより，呼吸器系（肺，副鼻腔など）の感染症をひき起こす．

治療に必要な検査と診断

血液，胸水など無菌的材料における真菌の同定は，診断の gold standard であるが，残念ながら陽性率は低い．咽頭，便などで陽性の場合には，必ずしも起炎菌とは限らず，他の臨床所見，検査結果などと総合して判断する．

胸部 X 線，腹部超音波，CT，MRI などの画像診断も補助的手段として重要である．特に超音波検査における肝臓，脾臓の膿瘍の存在や，胸部 CT における halo sign の存在は，それぞれカンジダ，アスペルギルス感染症の可能性を強く示唆する．

血清診断としては，カンジダ抗原，アスペルギルス抗原，β-D グルカン等が，早期診断および治療効果判定に有用なことがある．これらの検査単独の陽性では診断が確実ではなく，やはり他の所見と総合して判断する．

治療の実際

1 予防投与

ハイリスクの患者では，予防投与を考慮する．予防投与では経口薬が有用であり，アスペルギルスにも有効なイトラコナゾール（ITCZ）またはボリコナゾール（VRCZ）が用いられることが多い．カンジダの予防にはフルコナゾール（FLCZ）も有効である．造血幹細胞移植時には，注射薬であるミカファンギン（MCFG）の保険適用がある．移植片対宿主病を合併している場合の予防薬として，VRCZ が保険適用を取得した．

2 経験的治療

確定的ではないが，真菌感染が疑われる場合は経験的治療を行う．ガイドライン[1] では MCFG，FLCZ（カンジダ症のみ有効），リポ化アムホテリシン B 製剤（L-AMB）が挙げられている．カスポファンギン（CPFG）も有用である．

3 標的治療

診断確定例に対する治療をいう．カンジダ症では，FLCZ，MCFG，L-AMB，ボリコナゾール（VRCZ）のいずれも有効なことが多いが，*albicans* 以外のカンジダ属（*glabrata* や *krusei* など）では，FLCZ の抗菌力は不十分である．アスペルギルス症に対しては，VRCZ が第一選択とされるが，L-AMB もほぼ同等の有効性が期待される．難治例では，VRCZ または L-AMB と MCFG の併用も考慮する．

処 方 例

以下，体重 30 kg を例として示す．

予防投与

処方 A　イトリゾール®（50 mg）　3 カプセル　分 1
処方 B　ファンガード®（50 mg）　30 mg
　　　　1 日 1 回　点滴静注

経験的治療

処方 A　ファンガード®（75 mg）　150 mg
　　　　1 日 1 回　点滴静注

処方 B　アムビゾーム®（50 mg）　100 mg
　　　　1 日 1 回　点滴静注

標的治療

処方 A　ブイフェンド®（200 mg）　初日
　　　　は 270 mg，2 日目以降は 240 mg
　　　　1 日 2 回　点滴静注
処方 B　アムビゾーム®（50 mg）　150 mg
　　　　1 日 1 回　点滴静注
　●難治例では A または B に C を併用
処方 C　ファンガード®（75 mg）　150 mg
　　　　1 日 1 回　点滴静注

専門医に紹介するタイミング

　カテーテル関連などのカンジダ感染症では，ガイドラインに沿った治療を行うことにより，非専門医でも治療可能なことが多いが，難治性の場合には専門医に紹介する．アスペルギルスなどカンジダ以外の真菌感染症を疑った場合には，速やかに専門医に紹介するべきである．

専門医からのワンポイントアドバイス

　真菌感染症は，疑わなければ診断は困難である．何らかのリスク因子をもつ患者で抗生物質不応性の発熱をみたときには，必ず真菌感染症を念頭においた検索が必要である．

─────── 文　献 ───────

1) 深在性真菌症のガイドライン作成委員会 編：深在性真菌症の診断・治療ガイドライン 2014 小児領域改訂版. 協和企画，2016
2) Pappas PG et al：Clinical practice guideline for the management of candidiasis：2016 update by the Infectious Diseases Society of America. Clin Infect Dis 62：e1-50, 2016
3) Patterson TF et al：Clinical practice guidelines for the diagnosis and managent of Aspergilosis：2016 Update by the Infectious Diseases Society of America. Clin Infect Dis 63：e1-60, 2016

真菌感染症　193

3. 感染症

急性中耳炎

喜多村　健
茅ヶ崎中央病院 耳鼻咽喉科

POINT
- 急性中耳炎に対するガイドラインとして，日本耳科学会，日本耳鼻咽喉科感染症・エアロゾル学会，日本小児耳鼻咽喉科学会編集の『小児急性中耳炎診療ガイドライン2018年版』が推奨される．
- ガイドラインの対象は15歳未満の小児急性中耳炎で，鼓膜所見と臨床症状から軽症，中等症，重症に分類し，重症度に応じた推奨される治療法を提示し，正確な鼓膜所見の評価が重症度の判断ならびに治療法の選択に重要としている．

ガイドラインの現況

日本耳科学会，日本耳鼻咽喉科感染症・エアロゾル学会，日本小児耳鼻咽喉科学会の3団体が，小児急性中耳炎（15歳未満）の診断・検査法を示し，本邦の急性中耳炎症例の起炎菌と薬剤感受性を考慮し，エビデンスに基づき，ガイドライン作成委員のコンセンサスが得られた治療法を推奨し，小児急性中耳炎の診療ガイドラインとして，2018年5月に改訂第4版を公表している．本ガイドラインは，耳鼻咽喉科医や小児科医など小児急性中耳炎の診療に携わるすべての医師を利用者としている．対象は，15歳未満の反復性中耳炎を含む小児急性中耳炎で，滲出性中耳炎症例，鼓膜換気チューブが留置されている症例，頭蓋・顔面に先天的形態異常を有する症例，重大な免疫不全のある症例，顔面神経麻痺・内耳障害などの合併症を呈する急性中耳炎，急性乳様突起炎，頭蓋内合併症などがみられる急性中耳炎は対象としていない．急性中耳炎の診断・検査法，予防，治療について Clinical Question を作成し，2000〜2016年に発表された文献を検索した．その結果，急性中耳炎を鼓膜所見と臨床症状から軽症，中等症，重症に分類して，重症度に応じた推奨される治療法を提示し，正確な鼓膜所見の評価が重症度の判断ならびに治療法の選択に重要としている．

【本稿のバックグラウンド】　15歳未満の反復性中耳炎を含む小児急性中耳炎の診断・検査法，予防，治療について，日本耳科学会，日本耳鼻咽喉科感染症・エアロゾル学会，日本小児耳鼻咽喉科学会編集の『小児急性中耳炎診療ガイドライン2018年版』を参考にしている．

どういう疾患・病態か

ガイドラインでは，急性中耳炎を「急性に発症した中耳の感染症で，耳痛，発熱，耳漏を伴うことがある」と定義している．細菌感染による中耳の急性炎症で，上気道感染にひき続いて あるいは伴って，細菌の耳管経由による中耳の感染症として発症する．上気道感染の多い冬季に多い．生後6ヵ月～6歳の小児に好発し，起炎菌としては，肺炎球菌，インフルエンザ菌が最も多い．モラクセラ・カタラーリスによる感染も無視できない．肺炎球菌，インフルエンザ菌の約50～60％が薬剤耐性である．細菌が中耳に侵入すると中耳に種々の炎症性変化をきたすが，多くは軽度の病変で治癒する．しかし，病変が高度であれば，合併症を呈することもある．また，滲出性中耳炎へ移行することが多く，鼓膜穿孔の治癒が障害されると慢性化膿性中耳炎となる．通常は，以下のような病理学的な変化をきたす．細菌感染によって，耳管・中耳粘膜に充血・浮腫が生じる．次に耳管内腔が閉鎖して，中耳の換気障害が生じる．さらに中耳粘膜の分泌が亢進し，中耳には分泌物が貯留する．この貯留液は膿性となり，鼓膜の発赤・肥厚が強くなり疼痛も強くなる．鼓膜が自然に穿孔，あるいは鼓膜切開を行うと，中耳内の貯留液は排膿され治癒機転がはたらき，穿孔は閉鎖し炎症は消退する．

治療に必要な検査と診断

急性中耳炎の病変は中耳粘膜の急性炎症であり，炎症に伴う中耳貯留液や炎症変化を伴った鼓膜を手術用顕微鏡，内視鏡などを用いて詳細に観察することで確定診断される．急性中耳炎と診断される鼓膜所見としては，発赤，膨隆，耳漏，光錐減弱，肥厚，水疱形成，混濁，穿孔などである．これらの所見のなかで，鼓膜の膨隆は高頻度に認められ，中耳貯留液を強く疑わせる所見である．気密式耳鏡検査で鼓膜の動きが減少もしくは消失していれば中耳貯留液があるという強い証拠となる．また，ティンパノメトリーは，中耳内の貯留液の存在を推測する機器として信頼性が高い．したがって，鼓膜の色と可動性の所見を合わせて，膨隆は最も強く急性中耳炎を疑わせる所見である．鼓膜の混濁は，瘢痕によるもの以外では鼓膜の浮腫を示す場合が多い．炎症による鼓膜の発赤も高頻度に観察されるが，啼泣や高熱により誘発された発赤，ウイルス性中耳炎と鑑別する必要がある．また，1歳未満の乳児における急性中耳炎では膨隆が認められるにもかかわらず，発赤がほとんどみられない場合もある．

急性中耳炎は鼻咽腔に存在する起炎菌が経耳管的に中耳腔へ感染して発症する．そのため，起炎菌を同定するために口腔経由でなく，鼻経由による鼻咽腔からの検体採取も重要となる．

治療の実際

急性中耳炎には重症度に応じた治療が求められ，鼓膜所見を正確に判定して，重症度を把握することが適切な治療法の選択につながる．そのため，ガイドラインでは，前述した鼓膜所見と，発熱，啼泣・不機嫌などの臨床症状をスコアー化し，スコアーの総得点から，軽症，中等症，重症と3段階に分類している．この重症度を診療時に判定するスコアー表の例を示す（図1）．さらに，重症度に応じて，推奨されるアルゴリズムを図に示した（図2）．

1 軽症の小児急性中耳炎の抗菌薬非投与

　多くの急性中耳炎は，抗菌薬非投与で軽快すると報告されている．一方，抗菌薬耐性菌による急性中耳炎症例が本邦では高い比率を示している．そのため，ガイドラインでは，軽症例に限って3日間は抗菌薬の投与を行わず，自然経過を観察することを推奨し，抗菌薬を投与しない場合は，正確な鼓膜所見の観察による軽症の診断と抗菌薬非投与後の厳重な経過観察が重要とした．

2 使用する抗菌薬と投与期間

　本邦では，肺炎球菌の約50％，インフルエンザ菌の約60％は薬剤耐性である．ガイドラインでは，起炎菌の感受性に基づき，急性中耳炎の重症度に応じて，経口薬としてamoxicillin（AMPC），clavulanate/amoxicillin（CVA/AMPC），cefditoren pivoxil（CDTR-PI），tebipenem pivoxil（TBPM-PI），tosufloxacin（TFLX），注射薬としてampi-cillin（ABPC），ceftriaxone（CTRX）を推奨している．投与期間は，5日間投与とし，3～4日目に病態の推移を観察して，抗菌薬の投与量，種類の変更を考慮するように推奨している．

3 鎮痛薬の投与

　鎮痛薬の耳痛に対する効果は，ibuprofenはplaceboに比較して有意差があるが，acetaminophenには有意な鎮痛効果が認められていない．本邦の現状では，小児の鎮痛薬としてacetaminophenが選択肢となる．

4 鼓膜切開

　急性中耳炎の病態は中耳の炎症と貯留液であり，鼓膜切開による排膿，排液は病巣の治癒促進に有効である．しかし，鼓膜切開が急性中耳炎を有意に治癒促進するという報告は少ないのが現状である．ガイドラインでは，急性中耳炎の重症度に応じて鼓膜切開を選択

患者ID：＿＿＿＿＿＿＿＿＿＿＿＿＿

氏　名：＿＿＿＿＿＿＿＿＿＿＿＿＿

年　齢：＿＿＿歳＿＿＿ヵ月

受診日：＿＿年＿＿月＿＿日　　　体　重：＿＿＿＿＿＿＿　体　温：＿＿＿＿＿＿＿

性　別：＿＿男＿＿女＿＿　　　その他：

〈点数表〉

年　齢（24ヵ月齢未満）		3	
耳　痛	0	1（痛みあり）	2（持続性高度）
発　熱	0（体温＜37.5℃）	1（37.5℃≦体温＜38.5℃）	2（38.5℃≦体温）
啼泣・不機嫌	0	1	
鼓膜発赤	0	2（ツチ骨柄，鼓膜一部）	4（鼓膜全体）
鼓膜膨隆	0	4（部分的な膨隆）	8（鼓膜全体の膨隆）
耳　漏	0	4（鼓膜観察可）	8（鼓膜観察不可）

※鼓膜膨隆と耳漏のスコアは加算可とする．

合計点数　＿＿＿＿＿＿＿点

〈評　価〉

　軽　症：5点以下　　中等症：6～11点　　重　症：12点以上

図1　急性中耳炎診療スコアシート（2018年版）　　　　　　　　　　　（文献1より引用）

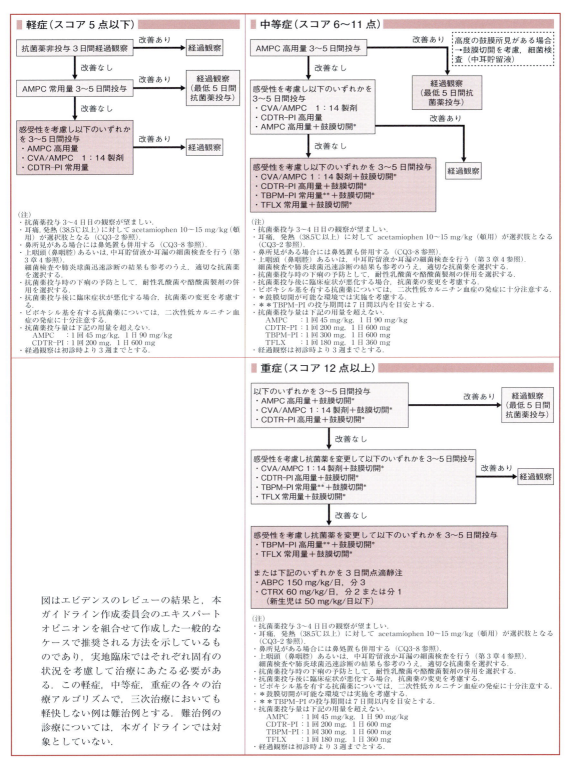

図2 小児急性中耳炎症例の治療アルゴリズム（2018年版） （文献1より引用）

肢としている.

5 その他で治療上注意すべき点

治療上注意が必要となるのは低年齢，保育園児であり，重症化しやすい．また，鼻疾患を合併している例では，鼻治療も併せて行うことが選択肢となる．

処 方 例（小児）

軽症の急性中耳炎（3日経過観察後改善ない場合）

処方　サワシリン® 細粒（10%）
40 mg/kg　分3　┐併用
ラックビー®R 散剤　1.5g
分3　┘

・3〜5日間投与

中等症の急性中耳炎（AMPC 高用量3〜5日投与後改善ない場合）

処方A　クラバモックス® 小児用
配合ドライシロップ
96.4 mg/kg　分2　┐併用
ラックビー®R 散剤
1.5g　分3　┘

・3〜5日間投与

処方B　サワシリン® 細粒（10%）
80〜90 mg/kg　分3　┐併用
ラックビー®R 散剤
1.5g　分3　┘

・3〜5日間投与に加え，
鼓膜切開が可能な環境
では実施を考慮する

重症の急性中耳炎

処方A　クラバモックス® 小児用
配合ドライシロップ
96.4 mg/kg　分2　┐併用
ラックビー®R 散剤
1.5g　分3　┘

・3〜5日間投与に加え，鼓膜切開が可能な環境では実施を考慮する．

専門医に紹介するタイミング

中耳炎の反復例，耳漏のある症例，中耳炎による合併症である感音難聴などの内耳障害，顔面神経麻痺，急性乳様突起炎が生じた症例は専門医に紹介する．

専門医からのワンポイントアドバイス

急性中耳炎では重症度に応じた治療が求められ，鼓膜所見が重症度をよく反映しているため，鼓膜所見の正確な判定が重要である．ガイドラインでは，急性中耳炎を鼓膜所見と臨床症状から軽症，中等症，重症に分類して，重症度に応じた推奨される治療法を提示し，正確な鼓膜所見の評価が，重症度の判断ならびに治療法の選択に重要としている．

――――――― 文　献 ―――――――

1）日本耳科学会 他：小児急性中耳炎診療ガイドライン2018年版. 金原出版, 2018

198　3. 感染症

3. 感染症

伝染性膿痂疹・
ブドウ球菌性熱傷様皮膚症候群

辻 学
九州大学医学部 皮膚科学教室

POINT

● 伝染性膿痂疹は，範囲が限局性であれば外用薬のみで治療可能であるが，広範囲である場合には抗菌薬の内服を行う．また，病変部より細菌培養を行い，MRSAによるものかを確認する．

● 湿疹病変を伴っている場合は，抗菌薬の内服を行い，抗菌薬とステロイドの両方を外用する．

● 最近では，1歳以上の伝染性膿痂疹患者において，2%オゼノキサシンクリームの1週間外用の高い有効性が示されている．

ガイドラインの現況

　本邦では，『抗菌薬使用のガイドライン』が2005年に日本感染症学会，日本化学療法学会によって作成された．この中の「皮膚科感染症」の項目で，伝染性膿痂疹，ブドウ球菌性熱傷様皮膚症候群（staphylococcal scalded skin syndrome：SSSS）が述べられている．また，2005年にIDSA（Infectious Diseases Society of America）から，皮膚・軟部組織感染症のガイドラインが発表されており，膿痂疹に対する抗菌療法も解説されている．

【本稿のバックグラウンド】　本稿では，2014年に改訂されたInfectious Diseases Society of Americaによる皮膚・軟部組織感染症に対するガイドラインを参考に，黄色ブドウ球菌による表在性皮膚感染症についてわかりやすく解説した．

どういう疾患・病態か

　伝染性膿痂疹は，小児に多い表在性皮膚細菌感染症である．黄色ブドウ球菌またはA群β溶血性連鎖球菌の表皮への感染により，紅斑，水疱，膿疱，びらん，痂皮などを生じる．黄色ブドウ球菌の場合，産生する表皮剥脱毒素により，表皮細胞間接着因子デスモグレイン1が融解されることで，表皮顆粒層レベルで水疱を生じ，水疱性膿痂疹と呼ばれる臨床像を呈する．市中感染型MRSAによるものが増加傾向にある．また，溶連菌によるものは痂皮性膿痂疹と呼ばれ，厚い黄色痂皮を生じ，発熱，咽頭痛など全身症状を伴

うことが多い．近年では溶連菌単独の感染は少なく，黄色ブドウ球菌との混合感染が多いとされる．

ブドウ球菌性熱傷様皮膚症候群（SSSS）は，鼻咽頭や皮膚（せつ，膿痂疹，熱傷潰瘍など）に感染した黄色ブドウ球菌から表皮剥脱毒素が産生され，それが血流を介して全身の皮膚に作用し，びまん性紅斑や水疱，びらんを生じる疾患である．乳幼児に多いが，稀に成人に生じる．発熱とともに口囲，眼瞼，鼻入口部の発赤に始まり，顔面の浮腫を生じる．頸部，腋窩，陰股部の発赤，ニコルスキー現象（一見健常な皮膚を擦ると表皮剥離を生じる），接触痛を伴う．

水疱性膿痂疹と同様に，市中感染型MRSAの占める割合がかなり増えている．小児の場合は適切に治療を行えば致死率は5％未満であるが，成人ではしばしば致命的である．

治療に必要な検査と診断

膿痂疹では，水疱，膿疱などの皮疹から細菌の塗抹，培養，薬剤感受性検査を行う．SSSSでは，定着部以外の皮膚病変は無菌性であるので，咽頭や鼻腔，眼脂，可能性のある皮膚感染病巣から検体を採取する．痂皮性膿痂疹やSSSSでは，血液検査で炎症反応の亢進が認められる．

アトピー性皮膚炎に伴う膿痂疹では，皮膚炎の増悪やカポジ水痘様発疹症などと鑑別を要することがある．SSSSの場合は，薬疹，特にやはりニコルスキー現象が陽性となるTEN型薬疹が疑われることがあるが，乳幼児にはTEN型薬疹は稀である．鑑別が困難な場合は，皮膚生検で組織学的検討を行う．また，水疱があまり形成されず潮紅が主体の場合には，トキシック症候群と鑑別を要する．

治療の実際

1 伝染性膿痂疹

黄色ブドウ球菌では，小児用の経口セフェム系薬剤などの β-ラクタム系薬を投与し，2～3日経っても症状が軽快しない場合は，市中感染型MRSAを考えてホスホマイシンを併用する．8歳以上ならミノサイクリン，16歳以上ならニューキノロンも有用である．市中感染型MRSAは，ST合剤にも感受性が高い．あくまで内服治療が基本であるが，皮疹が数個で限局している場合は，外用抗菌薬でも治療が可能である．ナジフロキサシンやフシジン酸などの外用薬が有効であるが，ゲンタマイシン軟膏にはMRSAだけでなく，ほとんどのMSSAが耐性であるので使用は不適当である．溶連菌（痂皮性膿痂疹）では，アモキシシリン，アンピシリン，ファロペネム，経口セフェム系薬などを使用し，感染後腎炎の発症を予防するため，軽快後約10日間は治療を続ける．

いずれも局所は石鹸を泡立てて洗浄し，外用抗菌薬を塗布する．湿疹，虫刺症，アトピー性皮膚炎に伴う場合は，ステロイド外用も併用する．

2 ブドウ球菌性熱傷様皮膚症候群（SSSS）

特に新生児や経口摂取ができない場合は，入院のうえ，輸液など全身管理を行いながら，抗菌薬を点滴静注投与する．MSSAに感受性のある β-ラクタム系抗菌薬から開始する．効果が得られない場合，もしくはMRSAが分離されれば，バンコマイシン，テイコプラニンに変更する．びらんを生じた部分や外眼角や口囲に生じた亀裂に対しては，保護のため白色ワセリンなどを塗布する．

処 方 例

伝染性膿痂疹

処方A セフゾン®細粒小児用 9〜18 mg/kg 分3

処方B ファロム®ドライシロップ 15 mg/kg 分3

● **上記で軽快しない場合，MRSA が検出された場合**

処方A セフゾン®細粒小児用 9〜18 mg/kg 分3

ホスミシン®ドライシロップ 40〜120 mg/kg 分3

処方B （8歳以上）
ミノマイシン®顆粒 2〜4mg/ kg 1〜2回に分けて 12あるいは24時間ごと

● **湿疹，虫刺症，アトピー性皮膚炎に伴う場合（上記内服に加えて）**

処方 リンデロン®-V 軟膏＋亜鉛華（10 %）単軟膏 混合もしくは重層 1日2回 洗浄後に外用

ブドウ球菌性熱傷様皮膚症候群 (SSSS)

処方A セファメジン®α 10〜20mg/kg/ 回 1日2回 静注

処方B ユナシン®-S（保険適用外） 20 〜50mg/kg/回 1日3回 点滴静注

● **上記で軽快しない場合，MRSA が検出された場合**

処方 バンコマイシン 20mg/kg/回 1日2回 点滴静注

専門医に紹介するタイミング

湿疹やアトピー性皮膚炎に伝染性膿痂疹が合併している場合は，非典型的な臨床像を呈することもある．また，ステロイド外用を行うかどうかなど，治療の判断が難しく，専門医に紹介したほうが良いと思われる．

SSSS の場合は，基本的には疑った時点で，入院施設のある専門医に紹介するのが望ましい．

専門医からのワンポイントアドバイス

伝染性膿痂疹，SSSS のいずれにおいても，市中感染型 MRSA が増加していることを念頭におき，初診時に必ず細菌塗抹，培養，感受性検査を提出しておくことが肝要である．

――――――― 文 献 ―――――――

1) 渡辺晋一：II-6. 皮膚科感染症. "抗菌薬使用のガイドライン" 日本感染症学会・日本化学療法学会 編. 協和企画，pp146-151，2005
2) Stevens DL, Bisno AL, Chambers HF et al：Infectious Diseases Society of America：Practice guidelines for the diagnosis and management of skin and soft-tissue infections. Clin Infect Dis 41(10)：1373-1406，2005
3) 荒田次郎：伝染性膿痂疹. "最新皮膚科学体系 第14巻" 玉置邦彦 他編. 中山書店，pp53-57，2003
4) 多田讓治：ブドウ球菌性熱傷様皮膚症候群. "最新皮膚科学体系 第14巻" 玉置邦彦 他編. 中山書店，pp99-102，2003

伝染性膿痂疹・ブドウ球菌性熱傷様皮膚症候群 **201**

3. 感染症

新型コロナウイルス感染症

堀越裕歩
東京都立小児総合医療センター 感染症科，免疫科

POINT
- 小児の新型コロナウイルス感染症のほとんどが無症候性から軽症で，対症療法で対応可能である．中等症以上の肺炎では，炎症に対するステロイドがメインの治療となる．
- 予防は成人と同様に新型コロナワクチンが有効で，接種可能な年齢であれば，すべての小児で接種が推奨される．
- 常に新しいエビデンスが出てくる感染症であり，最新の情報を参照する．

ガイドラインの現況

　新型コロナウイルス感染症は，世界的なパンデミックとなって，成人で疾病負荷が高いために，すさまじいスピードで治療や予防が研究開発された．小児におけるエビデンスは相対的に少ない．一般の関心も高いことから玉石混合の情報が出回り，医学の偽情報の拡散が問題となっており，信頼できるソースから情報を得る．各国でガイドラインが作成されて，最新の情報に基づいて逐次改訂され，オンライン上でも公開されている．頻繁に改訂が必要となる背景には，次々と新しい治療や予防が開発されて，新型コロナウイルスの変異によっても治療や予防が変わるという要因もある．国内ではガイドラインというよりは，手引きやガイダンスが作成されて公開となっている．

【本稿のバックグラウンド】 米国国立衛生研究所が新型コロナウイルス感染症の診療ガイドラインを公表しており，小児のセクションも含まれる．国内では小児のガイドラインはなく，手引きやガイダンスが出されている．厚生労働省の『新型コロナウイルス感染症診療の手引き』，日本小児科学会の『小児における COVID-19 治療薬に対する考え方』などがある．

どういう疾患・病態か

　2019 年に中国の武漢で発見された SARS-CoV-2（severe acute respiratory syndrome coronavirus 2，重症急性呼吸器症候群ウイルス 2）という，ヒトに感染疾患を起こす新型コロナウイルスが原因である．SARS-CoV-2 がひき起こす疾患を WHO（World Health Organization）は COVID-19（coronavirus diseases 2019）とし，日本では新型コロナウイルス感染症と訳される．世界中に感染が拡がるパンデミックとなる中で，変異を繰返すことで特徴が変化している．WHO は感染性，病原性，治療薬やワクチンへの影響

表1　新型コロナウイルス感染症の重症化リスク

小児の重症化リスク因子
・肥　満
・慢性呼吸器疾患
・慢性循環器疾患
・医学的合併症を抱える（神経疾患，精神運動発達遅滞，遺伝子異常など）
・免疫不全児

などの公衆衛生上の観点から懸念される変異株をVOC（Variant of Concern）とし，ギリシャ文字を割り当てている．日本でも2021年半ばにデルタ株，2022年の初頭からオミクロン株が流行した．

致死率は，60歳以上の基礎疾患なしで3.9％，60歳以上の基礎疾患ありで12.8％である．一方，健康な小児では，重症化や死亡頻度は稀である．小児では，無症状から軽度の気道症状，発熱，倦怠感，頭痛，消化器症状，嗅覚・味覚障害，関節痛などをきたすことが多い．クループ症候群，熱性けいれんなどの合併がある．基礎疾患のある小児では，稀に酸素需要のある肺炎に進展することがある（表1）．多くは急性期後に回復するが，罹患後2ヵ月以上経過しても倦怠感，集中力低下，呼吸苦，味覚・嗅覚異常などの慢性症状が成人や小児でみられる．因果関係が不明な不定愁訴も混在していて鑑別も困難なことが多く，COVID-19罹患後症状とし，因果関係を示唆するコロナ後遺症とは一律に呼ばない．急性感染後，2〜6週間でMIS-C（multisystem inflammatory syndrome in children，小児多系統炎症性症候群）と呼ばれる多臓器に強い炎症を起こす病態が知られているが，日本の小児では頻度は少ない．

主に高齢者，基礎疾患がある者が罹患すると肺炎から呼吸不全，血栓症などを合併する．ウイルスによって炎症が惹起され，肺炎や血管に血栓を生じるのが典型的な病態であ

る．主な治療戦略は，ウイルスに対しては抗ウイルス薬や中和抗体，ウイルスに惹起された炎症に免疫抑制薬，血管炎症による合併症の血栓症予防である．

理論上，ウイルスに作用する抗ウイルス薬や中和抗体は早期投与が望ましく，主にリスクの高い軽症者に重症化予防として開発されていることが多い．同様に重症化予防効果の高い新型コロナワクチンの接種ができるようになり，接種可能で規定回数の接種を終えていれば，重症化のリスクの軽症者の全例に予防的投与は必須とはならなくなってきている．ただしウイルスの変異によって，中和抗体，抗ウイルス薬，新型コロナワクチンの効果が減じることがあり，常に最新の流行情報をもとに投与適応を判断する．

抗ウイルス薬のレムデシビルは，高リスクの軽症者の重症化予防，中等症以上の者にも治療として投与するが，進行した重症者での効果は明らかでない．ニルマトレルビル/リトナビル（プロテアーゼ阻害薬）は，内服で12歳以上，40kg以上の小児で使用できる．適応は高リスクの軽症者の重症化予防で，薬剤の相互作用が多いので，併用薬の確認が必要である．

免疫抑制薬は，炎症によって肺炎などの臓器障害を呈している場合には効果があるが，臓器障害を伴わない軽症者に投与すると，副作用や易感染性の弊害のデメリットが問題になる．臨床的に呼吸障害があって新たな酸素投与が必要な肺炎像のある症例などが投与適応になる．小児では，ステロイドのデキサメタゾンが第一選択で，他の免疫調節薬の併用が必要になることはほとんどない．成人で使用される免疫調節薬のトシリズマブ（抗IL-6受容体抗体），バリシチニブ（ヤヌスキナーゼ阻害薬）は，小児で使用経験が乏しく，通常治療でも進行して人工換気が困難に

新型コロナウイルス感染症　203

なる超重症例で検討される.

承認されている新型コロナワクチンは，規定の回数を接種していれば重症化や死亡の予防効果は高い．ある程度の感染予防効果もある．ワクチンの効果は，ワクチンの種類，接種からの期間，流行しているウイルス株，免疫不全の有無などの影響を受ける．日本の小児では，5歳以上でワクチン接種が可能である（2022年5月現在）.

治療に必要な検査と診断

急性期の診断は，PCR（polymerase chain reaction）などの核酸増幅検査，イムノクロマトグラフィ法（抗原定性），化学発光酵素免疫法（抗原定量）などの迅速抗原検査で行う．迅速抗原検査は感度，特異度はPCRに劣るので，疑陽性が疑われる場合は，核酸増幅検査で再検査をする．一般に迅速抗原検査は，ウイルス量が低い状態，症状がない場合の使用には適さない．しかし，簡便で早く，特殊な機器を要さないので医療リソースの有効活用の観点から使用メリットもある．PCRなどは微量なウイルスの残骸でも検出するので，感染性のない数週間前の感染でも陽性になることがある．しばしば現在の急性感染との鑑別に苦慮することがある.

MIS-Cは，罹患後，数週間経っているので，PCRや抗原検査で検出できないことも多い．血清でSARS-CoV-2の抗体を検出することで，既感染の有無がわかる．S蛋白に対する抗体は，感染と新型コロナワクチンで陽転するが，N蛋白に対する抗体は，新型コロナワクチンに含まれておらず，一般に接種による抗体陽転化しない．日本で承認されている新型コロナワクチンは，主にS蛋白が抗原に含まれる（2022年5月現在）.

重症度分類は，一般に成人に準じて肺炎を主体とした呼吸状態で行い，酸素需要なしが軽症，新たな酸素需要の出現や非侵襲性人工呼吸管理が中等症，侵襲性人工呼吸や人工心肺管理が重症とされる．小児では，けいれん重積などで挿管されることがあり，定義上，重症と分類されるが，一過性の熱性けいれんであれば予後良好である.

治療の実際

小児で酸素投与を要さない軽症では，発熱や痛みに対するアセトアミノフェン，イブプロフェンなどの解熱鎮痛薬による対症療法が中心である．けいれん，経口摂取不良による脱水症，クループ症候群などの合併症は，それぞれの治療を行う.

小児COVID-19の対症療法以外の特異的治療は，①中等症から重症の治療，②ハイリスク者の重症化予防に分けられる．主に抗ウイルス薬，中和抗体薬，免疫抑制薬，抗凝固薬が使用される．呼吸状態に応じて酸素や呼吸療法を行う.

処 方 例（治療）

新たな酸素需要があって肺炎像のある小児の治療

処方A　デキサメタゾン静注・内服
　　　0.15mg/kg　1日1回　5～10日間
炎症が遷延している重症例では，使用期間の延長，漸減終了を検討する.
処方B　レムデシビル点滴静注　初日
　　　5mg/kg　2日目以降2.5mg/kg
　　　1日1回　5～10日間
早期投与が望ましく，原則は発症から7日以内で使用を考慮する．重症例では効果は見込めないかもしれない.

①中等症以上の寝たきりの小児，②重症の小児，③Dダイマー高値の小児

204　3．感染症

などの血栓症リスクがある時の血栓症
予防

処方　ヘパリン持続静注　10単位/kg/
時間

　出血傾向がある場合には注意する．凝
固検査を行いながら適宜調節する．

処方例（予防）

新型コロナワクチン未接種，酸素投与
を必要としない，12歳以上，体重
40kg以上，発症から7日以内で重
症化リスクの高い小児の予防

処方　中和抗体薬：ソトロビマブ
500mg点滴静注，カシリビマブ
600mg/イムデビマブ600mg原則
点滴静注　単回投与

　流行している変異株によっては，効果
が見込めないために使用が推奨されな
い．カシリビマブ/イムデビマブは，オ
ミクロン株に対しては推奨されない．ソ
トロビマブもオミクロン株BA.2への有
効性の減弱が報告されていて，BA.2流
行下では他剤の使用が推奨される．

新型コロナワクチン未接種，酸素投与
を必要としない，12歳以上，体重
40kg以上，発症から5日以内，併
用薬で使用禁忌がない，重症化リスク
の高い小児の予防

処方　抗ウイルス薬：ニルマトレルビ
ル300mg/リトナビル100mg内服
1日2回　5日間

　抗てんかん薬などの併用禁忌薬が多い
ので，添付文書で相互作用を確認する．

無症候性，軽症以上の重度の細胞性
免疫不全（造血幹細胞移植後の生着
前，悪性血液腫瘍の寛解前など），呼

吸循環状態が極めて不安定な基礎疾
患がある小児の予防

処方　抗ウイルス薬：レムデシビル点
滴静注　初日5mg/kg　2日目以降
2.5mg/kg　1日1回　3〜10日間

専門医に紹介するタイミング

　挿管症例でステロイド治療でも進行性に呼
吸状態が増悪して換気が困難になる場合，人
工心肺管理ができる施設への移送を検討する．

専門医からのワンポイントアドバイス

　小児症例のほとんどは軽症で，対症療法で
よい．稀に基礎疾患のある児，健常児でも中
等症以上になることがあるが，新型コロナワ
クチンの接種，ステロイドなどの抗炎症治療
で重症や致死的になることは稀である．変異
株の台頭，新たなエビデンスなどで，常に治
療や予防はアップデートされるので，最新の
情報を参照する．

文　献

1) NIH：COVID-19 treatment guidelines. https://www.covid19treatmentguidelines.nih.gov/
2) 診療の手引き検討委員会：新型コロナウイルス感染症診療の手引き．https://www.mhlw.go.jp/stf/seisakunitsuite/bunya/0000121431_00111.html
3) 日本小児科学会：小児におけるCOVID-19治療薬に対する考え方．http://www.jpeds.or.jp/modules/activity/index.php?content_id=346
4) 新型コロナウイルス感染症診療の手引き　別冊　罹患後症状のマネジメント編集委員会：新型コロナウイルス感染症診療の手引き　別冊　罹患後症状のマネジメント．https://www.mhlw.go.jp/content/000935241.pdf
5) 日本小児科学会：小児COVID-19関連多系統炎症性症候群（MIS-C/PIMS）診療コンセンサスステートメント．http://www.jpeds.or.jp/modules/activity/index.php?content_id=391

新型コロナウイルス感染症　205

4. 循環器疾患

4. 循環器疾患

川 崎 病

鮎澤 衛
あゆさわ まもる
神奈川工科大学 健康医療科学部，日本大学医学部 小児科学系 小児科学分野

POINT

● 診療上の最大の目標は，冠動脈病変の発生防止である．

● 早期に診断し，早期に適切な治療を開始することが重要である．

● 不全型の診断は，病初期から十分な鑑別診断を心がけ，同時に早期治療の開始に努める．

● 急性期の冠動脈病変の評価はZスコアで行うことが望ましい．

● 冠動脈病変が残存した場合には，形態や機能的評価を定期的に行う．

● 受診の中断なく，経年的な変化を継続して診察し，必要な薬剤内服を続けることが重要である．

ガイドラインの現況

2019年と2020年に，診断，急性期治療，心血管後遺症に関する3つのガイドラインがすべて改訂された．診断では，発熱日数の条件を削除したこと，BCGの発赤を主要症状の中に含めて，早期診断をより積極的に行えるようにしたことと，不全型の診断方法を明確化し，冠動脈病変の判定をZスコアで行うことを明記した．急性期治療では，各治療薬剤の効果についてエビデンスを明確に評価し，治療抵抗性予測による標準治療への強化治療を1st lineから行えることを明記し，実臨床に即した新しい治療アルゴリズムが作成された．心血管後遺症は，後遺症の重症度を急性期病状からの変化で分類するよう見直し，それぞれの病態によって，治療薬や検査のフォロー体制，学校生活管理と内科医への移行について記載した．

この3つのガイドラインをもとに，より正確で良質な診療が行われ，難治症例や後遺症のさらなる減少が得られることを期待したい．

【本稿のバックグラウンド】 診断の手引きは，2019年に改訂6版を日本川崎病学会ホームページに掲載し，翌年英文を日本小児科学会のPediatrics Internationalに掲載した[1]．急性期治療ガイドラインは，2020年に日本小児循環器学会で2回目の改訂を行い，同学会誌に和英文とも掲載[2]した．心血管後遺症のガイドラインは，2020年に2回目の改訂を行い，日本循環器学会，日本心臓外科学会の合同ガイドラインとして和英文とも掲載[3]した．

どういう疾患・病態か

　川崎病は，川崎富作博士が50例の臨床症状をまとめ，1967年にアレルギー誌に掲載した原因不明の小児発熱性疾患で，主に4歳以下の乳幼児に発症する全身性の血管炎とされている．後述する『診断の手引き』に示される，特異な急性期症状を示し，経過中，一部の患児で冠動脈拡張や瘤状変化を合併し，その血栓性閉塞による急性心筋梗塞や稀には瘤の破裂で死亡する例もある．現在，リウマチ熱が克服されている地域では，小児の後天性心疾患の原因として最も多い疾患である．冠動脈に後遺症を残さない患児の予後は良好である．

　有病率は，2018年5歳以降の小児人口10万人あたり，男402.6，女313.4と最多で，年間1万7千人の患者数が報告されており，過去最高になっている．現在では，世界でも多くの国・地域で発症が報告されているが，頻度を比較すると，日本で最も多く，次いで韓国，台湾など東アジアに多く，次いでヒスパニック系，黒人にもみられ，白人では少ない．

治療に必要な検査と診断

1 臨床症状

　川崎病は，発見から55年が経過した現在でも，診断に直結するような明確な原因が解明されていない．そのため診断は，まず症候群として必要な基準を満たしているかという判断が正確に行えるかという点が重要である．川崎病では，原因不明なことや，検査値の数値的基準も明確でないことから，現時点まで診断基準とは呼ばず『診断の手引き』としているが，臨床症状はかなり特異的・特徴的で，発熱，両側眼球結膜充血，口唇口腔の

変化，不定形発疹，手足の硬性浮腫・膜様落屑，非化膿性頸部リンパ節腫脹という診断に必要な6つの主要症候は，それぞれのみでも他の疾患と区別できることが多い．しかし，最近は早い病日でも診断を求められ，典型的な5つ以上の主要症状が揃わないが，川崎病以外に考えられない例，いわゆる「不全型」の場合にも，冠動脈病変を生じる前に，できるだけ早期に診断したいという傾向が強まっている．その方向性を強調する目的で，発熱の持続日数をあえて外し，また参考条項とされていたBCG接種部位の発赤を，主要症状に加えた．この所見は，発病時最も早期にみられることが多いが，認められる年齢層が限られており，欧米では共有できない所見であるため，参考条項になっていたが，他疾患でみられない症状で，診断の根拠として重要な所見であると考える．

　また，診断方法の主要症状の数についての考え方を記述し，主要症状3つあるいは4つの場合にも冠動脈病変が出現した報告がみられるため，不全型も含めて川崎病の可能性を考えるよう勧告する内容としている（**表1**）．

　その場合に参考条項として記載された各種の検査所見を確認することが有意義である．

2 臨床検査

　白血球増加や，CRP上昇など非特異的な炎症の病像を示すが，『診断の手引き』改訂6版では，川崎病に比較的特徴的でしばしばみられるものとして，肝逸脱酵素の上昇，尿中白血球の増加，低アルブミン血症，低ナトリウム血症などを挙げている．これらは後述する標準的治療への抵抗例で顕著になりやすい指標であり，検査しておく必要がある．また，診断に有用な新しい検査項目として，脳性ナトリウム利尿ペプチド（BNP）またはBNP前駆物質のN末端（NT-pro BNP）の

表1 川崎病（MCLS，小児急性熱性皮膚粘膜リンパ節症候群）診断の手引き
（日本川崎病学会作成 改訂6版）

初版1970年9月，改訂1版1972年9月，改訂2版1974年4月，改訂3版1978年8月，改訂4版1984年9月，改訂5版2002年2月，改訂6版2019年4月

本症は，主として4歳以下の乳幼児に好発する原因不明の疾患で，その症候は以下の主要症状と参考条項とに分けられる．

【主要症状】
1. 発熱
2. 両側眼球結膜の充血
3. 口唇，口腔所見：口唇の紅潮，いちご舌，口腔咽頭粘膜のびまん性発赤
4. 発疹（BCG接種痕の発赤を含む）
5. 四肢末端の変化：（急性期）手足の硬性浮腫，手掌足底または指趾先端の紅斑（回復期）指先からの膜様落屑
6. 急性期における非化膿性頚部リンパ節腫脹
   a. 6つの主要症状のうち，経過中に5症状以上を呈する場合は，川崎病と診断する．
   b. 4主要症状しか認められなくても，他の疾患が否定され，経過中に断層心エコー法で冠動脈病変（内径のZスコア＋2.5以上，または実測値で5歳未満3.0mm以上，5歳以上4.0mm以上）を呈する場合は，川崎病と診断する．
   c. 3主要症状しか認められなくても，他の疾患が否定され，冠動脈病変を呈する場合は，不全型川崎病と診断する．
   d. 主要症状が3または4症状で冠動脈病変を呈さないが，他の疾患が否定され，参考条項から川崎病がもっとも考えられる場合は，不全型川崎病と診断する．
   e. 2主要症状以下の場合には，特に十分な鑑別診断を行ったうえで，不全型川崎病の可能性を検討する．

【参考条項】以下の症候および所見は，本症の臨床上，留意すべきものである．
1. 主要症状が4つ以下でも，以下の所見があるときは川崎病が疑われる．
   1）病初期の血清トランスアミナーゼ値の上昇
   2）乳児の尿中白血球増加
   3）回復期の血小板増多
   4）BNPまたはNT-proBNPの上昇
   5）心臓超音波検査での僧帽弁閉鎖不全・心膜液貯留
   6）胆嚢腫大
   7）低アルブミン血症・低ナトリウム血症
2. 以下の所見がある時は危急度が高い．
   1）心筋炎
   2）血圧低下（ショック）
   3）麻痺性イレウス
   4）意識障害
3. 下記の要因は免疫グロブリン抵抗性に強く関連するとされ，不応例予測スコアを参考にすることが望ましい．
   1）核の左方移動を伴う白血球増多
   2）血小板数低値
   3）低アルブミン血症
   4）低ナトリウム血症
   5）高ビリルビン血症（黄疸）
   6）CRP高値
   7）乳児
4. その他，特異的ではないが川崎病で見られることがある所見（川崎病を否定しない所見）
   1）不機嫌
   2）心血管：心音の異常，心電図変化，腋窩などの末梢動脈瘤
   3）消化器：腹痛，嘔吐，下痢
   4）血液：赤沈値の促進，軽度の貧血
   5）皮膚：小膿疱，爪の横溝
   6）呼吸器：咳嗽，鼻汁，咽後水腫，肺野の異常陰影
   7）関節：仏痛，腫脹
   8）神経：髄液の単核球増多，けいれん，顔面神経麻痺，四肢麻痺

【備考】
1. 急性期の致命率は0.1％未満である．
2. 再発例は3〜4％に，同胞例は1〜2％にみられる．
3. 非化膿性頚部リンパ節腫脹（超音波検査で多房性を呈することが多い）の頻度は，年少児では約65％と他の主要症状に比べて低いが，3歳以上では約90％に見られ，初発症状になることも多い．

（日本川崎病学会ホームページより引用）

表2　代表的な IVIG 不応例予測スコア

1. Kobayashi（群馬）スコア：5点以上；感度76%，特異度80%	
閾値	点数
血清ナトリウム 133mmol/L 以下	2点
治療開始（診断）病日　第4病日以前	2点
AST 100IU/L 以上	2点
好中球比率 80%以上	2点
CRP 10mg/dL 以上	1点
血小板数 30.0×10^4/mm^3	1点
月齢 12ヵ月以下	1点
2. Egami（久留米）スコア：3点以上；感度78%，特異度76%	
閾値	点数
ALT 80IU/L 以上	2点
治療開始（診断）病日　第4病日以前	1点
CRP 8mg/dL 以上	1点
血小板数 30.0×10^4/mm^3 以下	1点
月齢 6ヵ月以下	1点
3. Sano（大阪）スコア：2点以上；感度77%，特異度86%	
閾値	点数
AST 200IU/L 以上	1点
総ビリルビン 0.9mg/dL 以上	1点
CRP 7mg/dL 以上	1点

（文献2より引用）

上昇が診断に有益であると考える報告が増え，今回の参考条項に加えた．また，急性期から回復期にかけて血小板，フィブリノゲンの増加は比較的特徴的な所見であり，急性期から経時的にフォローしておく必要がある．

　川崎病では，長期的に冠動脈病変が後遺症として残るかどうかが極めて重要な点であるため，心臓超音波法による冠動脈病変の有無を評価できることが，この疾患の診療にあたる小児科医にとって必須である．冠動脈病変は，多くの例で回復期に入る10病日頃から超音波所見で明らかになってくる．初期診断で可能性を高める所見として，僧帽弁閉鎖不

全と心膜液貯留がある．

治療の実際

　急性期の治療に関して，日本では，免疫グロブリン単回大量静注療法（intravenous immunoglobulin：IVIG）2g/kg とアセチルサリチル酸 30mg/kg 分3の内服を川崎病の標準的治療としている．80%以上の例ではこれによって，24～36時間以内に解熱し，病状改善に向かう．しかし20%近くの例では解熱せず，あるいはいったん解熱後，24時間以内に再発熱する例があり，「不応例」と

川崎病　211

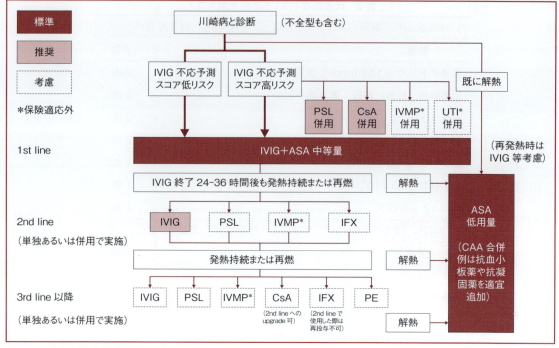

図1 川崎病急性期治療のアルゴリズム
各時相（line）における標準的な治療，推奨する治療，考慮してもよい治療を示した．
ASA：アスピリン，CsA：シクロスポリンA，IFX：インフリキシマブ，IVIG：免疫グロブリン療法，
IVMP：ステロイドパルス，PE：血漿交換，PSL：プレドニゾロン，UTI：ウリナスタチン

（文献2より引用）

呼ばれ，冠動脈病変が合併する例の多くはこの経過をとる例であり，その予測法が研究され，表2に示す予測スコアが確立されている．改訂された『診断の手引き』と急性期治療のガイドラインでは，診断時に予測スコアに関する項目を評価し，治療抵抗性が予測される場合には，図1のように，上記の標準的治療に加え，プレドニゾロンや2018年に治験結果が認められ保険適応となったシクロスポリンAなどを併用する強化治療を1st lineから行うことが推奨されている．エビデンスは確立されていないが，メチルプレドニゾロンによるパルス療法，ウリナスタチンの併用も考慮される．1st line治療の結果，治療抵抗性を示した例には，IVIGの再投与に加えて，インフリキシマブやメチルプレドニ ゾロンによるパルス療法を併用するが，さらに抵抗性を示す例では，3rd line治療として，上述のすべての治療法の再実施や，経験ある施設での血漿交換も考慮される．

冠動脈瘤合併例の治療

不全型で診断が遅くなった場合や，不応例で種々の治療を行ったにもかかわらず，冠動脈瘤を発病1ヵ月以後も残している場合は，その後の心筋梗塞や，心筋虚血の進行を予防するために，抗血小板薬として，アセチルサリチル酸3〜5mg/kg 分1の投与と，冠動脈瘤の程度によって，中等瘤ではクロピドグレルなどの2種類目の抗血小板薬併用や，内径8mm以上の巨大瘤ではワルファリンによる

抗凝固療法を併用することが必要である．心血管後遺症のガイドラインでは，中等瘤でも内径6mm以上では長期的に退縮する可能性はなく，狭窄と虚血をきたす可能性を示すエビデンスがあるとされており，内径6mm以上の瘤に対してワルファリンの使用を考慮することも示唆している．

処方例

急性期川崎病の典型例；標準的治療への抵抗性予測スコア（小林スコア）8点の症例

●体重12kg，肝逸脱酵素上昇（AST 370IU/L，ALT 290IU/L）

処方A　免疫グロブリン24g

最初の1時間は5mL/時間の速度で，悪寒戦慄，ショック，アナフィラキシーなどの副反応に注意し，問題なければ，残量を23時間で点滴静注する．最近製造認可されている免疫グロブリン10%製剤では，全体で12時間で投与終了可能なものもある．

処方B　プレドニゾロン24mg/日　静脈内投与　8時間ごと　1回8mg側管注（1回1時間）

解熱後，経口投与が確実にできる状態になれば内服に変更し，5日ごとに漸減する．胃粘膜保護のために，ファモチジン0.5mg/kg/日を併用する（静注または内服）．

処方C　アセチルサリチル酸

肝機能検査が改善傾向明らかになるまでは投与しない．

改善後，解熱していないときは，

360mg/日　分3で内服開始．解熱していれば60mg/日　1日1回内服を開始する．その後，退院し，外来フォローする段階では，発病1ヵ月までは継続．冠動脈病変合併がなく，血小板数とフィブリノゲン値がピークアウトし，血栓形成の可能性がなくなるまで継続（概ね2～3ヵ月間）．

発症50日目，内径8mmの左冠動脈瘤合併症例

●体重10kg，血小板65万/mm^3，CRP 0.3mg/dL，心電図に虚血所見は認めない．左室収縮機能正常

処方A　ワルファリン1mg/日　分1朝食後内服

2週間ごとにプロトロンビン時間（PT-INR）を測定し，2.0～2.5の範囲に投与量調整．納豆，海藻類などのビタミンK産生食品の摂取制限を指導する．

処方B　アセチルサリチル酸60mg/日　分1　朝食後内服

専門医に紹介するタイミング

発熱に加えて，川崎病の典型的な主要症状があれば，小児の心臓超音波検査が可能な施設へ紹介することが望ましい．典型的な症状とは，眼脂を伴わない明らかな両側眼球結膜，溶連菌やアデノウイルスの迅速検査が陰性の口唇発赤やイチゴ舌，BCG接種痕の発赤，明らかな頸部リンパ節腫脹，指趾末端の発赤と硬性浮腫などである．上記症状に加えて，不機嫌であることも川崎病にしばしばみられる症状である．症状は，半日ほどの間に

出没するので，確認するために連日の診察
と，気になった症状については携帯電話など
での写真撮影を保護者に指導しておくと良い．

　『診断の手引き』の備考にあるように，4
歳以上では発熱と頸部リンパ節腫脹のみが川
崎病の初発症状で，後日，徐々に他の主要症
状が出現する経過をとる例が多いので，早め
に専門施設へ相談をすることが望ましい．

専門医からのワンポイントアドバイス

　新型コロナウイルスの流行に伴い，主に年
長児の COVID-19 感染あるいは濃厚接触後
に，数週間をおいて，川崎病症状に加えて消
化器症状とショックや心不全症状，時に意識
障害を示す小児多系統炎症症候群（multisys-
tem inflammatory syndrome in children：
MIS-C）が川崎病との鑑別で注意喚起され

ていることにも注意しておきたい．

――――――――――― 文　献 ―――――――――――

1) Kobayashi T et al：Revision of diagnostic guide-
   lines for Kawasaki disease（6th revised edition）.
   Pediatr Int 62：1135-1138, 2020
2) 三浦　大 他：日本小児循環器学会 川崎病急性期治
   療のガイドライン（2020 年改訂版）. Pediatric Car-
   diology and Cardiac Surgery 36：S1.1-S1.29, 2020
3) 小林順二郎 他：日本循環器学会/日本心臓血管外科
   学会合同ガイドライン 2020 年改訂版 川崎病心臓血
   管後遺症の診断と治療に関するガイドライン.
   https://www.j-circ.or.jp/cms/wp-content/up-
   loads/2020/02/JCS2020_Fukazawa_Kobayashi.pdf
4) 特定非営利活動法人日本川崎病センター 川崎病全
   国調査担当グループ：第 25 回川崎病全国調査成績.
   https://www.jichi.ac.jp/dph/wp-dph/wp-content/up-
   loads/2020/09/e2e27b17833a88e36bf2008d23c9e385.pdf
5) 鮎澤　衛：川崎病―最近の進歩―診断の手引き改訂
   6 版について. 心臓 53：228-235, 2021

4. 循環器疾患

心 不 全

北川篤史，平田陽一郎
北里大学医学部 小児科学

POINT
- ●小児における心不全は，心ポンプ機能の破綻のみならず，心血管構築異常による循環不全など，疾患と病態が多岐にわたる．
- ●心不全の病期と循環病態を適切に診断し，早期に介入することが重要である．
- ●心不全の進展ステージに応じた治療法の選択，および疾患ごとに特異的な循環不全を改善するための治療が必要な場合がある．

ガイドラインの現況

わが国における心不全診療ガイドラインは，2000年に日本循環器学会より発表された『慢性心不全治療ガイドライン』および『急性重症心不全治療ガイドライン』に端を発する．その後，改訂と両ガイドラインの統合を経て，日本循環器学会と日本心不全学会の合同ガイドラインである『急性・慢性心不全診療ガイドライン（2017年改訂版）』が最も新しい[1]．これに若干の改訂を加えたものが，『2021年JCS/JHFSガイドラインフォーカスアップデート版　急性・慢性心不全診療』である[2]．

一方で小児科の特殊性を鑑み，2001年に日本小児循環器学会より『小児心不全薬物治療ガイドライン』が発表された．その後，2012年に発表された日本循環器学会の『小児期心疾患における薬物治療ガイドライン』との整合性を持たせ，小児期特有の先天性心疾患（心血管構築異常）に由来する広義の循環不全を補完する形で2015年に改訂された，『小児心不全薬物治療ガイドライン（平成27年改訂版）』が現状では最新のものとなっている[3]．

【本稿のバックグラウンド】　心不全診療における総論および診断については，日本循環器学会と日本心不全学会の合同ガイドラインである『急性・慢性心不全診療ガイドライン（2017年改訂版）』を，小児循環器領域特有の管理および治療に関しては，日本小児循環器学会の『小児心不全薬物治療ガイドライン（平成27年改訂版）』を参考にした．

どういう疾患・病態か

心不全の定義は，「なんらかの心機能障害，すなわち心臓に器質的および/あるいは機能的異常が生じて心ポンプ機能の代償機転が破綻した結果，呼吸困難・倦怠感や浮腫が出現し，それに伴い運動耐容能が低下する臨床症候群」である[1]．また心機能とは，収縮

性（収縮能，拡張能），前負荷，後負荷，心拍数という4つの要素で構成される．心不全の原因疾患は多岐にわたり，すべての心疾患が心不全の原因となりうるのはもちろんのこと，全身性疾患や外的因子による心筋障害も心不全の原因となることを忘れてはならない（表1）．

　心ポンプ機能不全による一回拍出量の減少は，神経体液性因子を中心とした全身性の代償機構によって補填される．一回拍出量減少による血圧低下は交感神経からのエピネフリン分泌をひき起こし，心拍数の増加，心収縮力の強化および末梢血管を収縮させ血圧を維持しようとする．また，うっ血などによるノルアドレナリンクリアランスの低下は血漿ノルアドレナリン濃度の上昇に寄与する．心拍出量の減少による腎血流量の低下はレニン分泌を促進し，賦活化されたレニン・アンジオテンシン・アルドステロン系はアンジオテンシンIIの過剰産生をひき起こす．アンジオテンシンIIは血管収縮による血圧上昇とアルドステロンを介した体液貯留による前負荷の増大に寄与する．循環血液量の低下を圧受容体

が感知すると，脳下垂体後葉からバソプレシンが分泌される．バソプレシンはV_1受容体を介して血管収縮を，V_2受容体を介して体液調節を行っている．

　心ポンプ機能が正常であっても心血管構築に異常がある場合，循環不全をきたすことがある．肺血流もしくは体血流が動脈管に依存しているものや，体肺血流短絡を有するもの，弁の逆流や狭窄などがある場合に循環不全が生じる．

治療に必要な検査と診断

　心不全の診断では，臨床症状，身体所見が重要であることは当然だが，心電図，胸部X線が検査の基本となる．そして血液検査，心エコーも心不全の診断に有用であり，さらなる精査として，CT，MRI，核医学検査や心臓カテーテル検査が行われることもある．

a) 臨床症状・身体所見

　静脈うっ血と低心拍出量による症状に分類される．左心不全による肺静脈のうっ血では，呼吸困難，頻呼吸，起坐呼吸を呈し，喘

表1　心不全の原因疾患

●心筋の異常による心不全
　虚血性心疾患：冠動脈奇形，川崎病冠動脈後遺症
　心筋症：拡張型心筋症，肥大型心筋症，緻密化障害，不整脈原性右室心筋症など
　心毒性物質など：抗癌剤（アントラサイクリンなど），免疫抑制薬，抗不整脈薬，放射線障害など
　感染性：ウイルス性心筋炎など
　内分泌疾患：甲状腺機能亢進症，褐色細胞腫，副腎不全など
　先天性酵素異常：ファブリー病，ポンペ病，ハーラー症候群，ハンター症候群
　筋疾患：筋ジストロフィ
●血行動態の異常による心不全
　高血圧
　弁膜症，心臓の構造異常：心室中隔欠損，房室中隔欠損，大動脈弁疾患，僧帽弁疾患など
　心外膜などの異常：収縮性心外膜炎，心タンポナーデ
　高心拍出心不全：貧血，甲状腺機能亢進症，ビタミンB_1欠乏症，動静脈シャント
　体液量増加：腎不全
●不整脈による心不全
　心房細動，心室頻拍，洞不全症候群，房室ブロックなど

鳴，ピンク色泡沫状痰，Ⅲ音やⅣ音を聴取する．右心不全による体静脈のうっ血では，食思不振，腹満感，肝腫大，頸静脈怒張などを認める．低心拍出量による症状は，意識障害，不穏，冷汗，四肢冷感やチアノーゼなどである．心不全の重症度分類としては，自分の症状を訴えることが困難な小児の場合，臨床症状に基づいた Ross 分類（**表2**）を用いることが多い[4].

b）心電図

心房負荷所見，心室肥大，心筋虚血などによる ST-T 変化，および不整脈を評価する．

c）胸部 X 線

心拡大，肺うっ血および胸水貯留を評価する．

d）血液検査

脳性ナトリウム利尿ペプチド（brain natriuretic peptide：BNP）は主に心室で合成される心臓ホルモンで，心室の負荷により分泌が亢進する．心不全では心臓での合成亢進に加えて，血中からのクリアランス低下により血漿 BNP 値は上昇する．BNP または BNP 前駆体の N 端側フラグメントである NT-proBNP は，心不全の存在，重症度および予後診断に有用である．心不全に陥りやすい症例の血漿 BNP 値のカットオフ値は 40 pg/mL（NT-proBNP では 125 pg/mL に相当）とされているが，年齢，腎機能，肥満など様々な因子にも影響を受けることを忘れてはならない．

e）心エコー

心機能評価，血行動態の評価および解剖学的異常の診断を行う．左室収縮能の指標には，B モードで modified Simpson 法を用いて計測した左室駆出率（left ventricular ejection fraction：LVEF）が用いられる．局所の壁運動評価には，スペックルトラッキング法を用いたストレイン測定が有用である．

表2　Ross 分類

Class	症　状
Ⅰ	無症状
Ⅱ	乳児：授乳中の軽い多呼吸または発汗 小児・学童：努力性呼吸
Ⅲ	乳児：授乳中の著明な多呼吸または発汗 　　　心不全による体重増加不良と哺乳時間 　　　の延長 小児・学童：著明な努力性呼吸
Ⅳ	安静時の多呼吸・陥没呼吸・呻吟あるいは発汗

左室拡張能の評価は，左室流入血流速波形 E 波と心房収縮期の流入血流速波形 A 波の比である E/A または，僧帽弁輪部拡張早期波（e'）を用いた E/e' で行われる．右室機能評価には，右室面積変化率（fractional area change：FAC）や三尖弁輪部移動距離（tricuspid annular plane systolic excursion：TAPSE）が用いられる．

f）その他

心臓 CT は主に心血管形態を評価するために用いられる．心臓 MRI は左右心室の駆出率，心筋重量が測定できるほか，T1 マッピングを用いた心筋バイアビリティの評価，位相コントラスト法による血流量の計測が可能である．しかし，時間・費用と画像解析における専門性の問題，そして小児に特異的な検査時の安静保持の問題があり，適応は限られる．心臓カテーテル検査は冠動脈造影や肺動脈圧測定のために行われることがある．

治療の実際

薬物治療の観点から，①収縮機能障害による急性心不全，②収縮機能障害による慢性心不全，③拡張機能障害，④小児期特有の先天性心疾患（心血管構築異常）に由来する広義

心不全　217

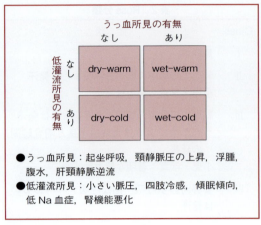

図1 Nohria-Stevenson 分類
（文献5を参照して作成）

の循環不全に分類し治療戦略を立てる.

a）収縮機能障害による急性心不全

身体所見から急性心不全の病態を分類する．Nohria-Stevenson 分類（図1）をもとに治療を行う[5]．うっ血（wet）の改善のために利尿薬投与，血圧低下や低心拍出量（cold）に対してはカテコラミンなどの強心薬が用いられる．薬物治療が無効な場合には，経皮的心肺補助装置（percutaneous cardiopulmonary support：PCPS）や心室補助装置（ventricular assist device：VAD）の使用が検討される．

b）収縮機能障害による慢性心不全

心不全の病期をステージ分類し，各ステージの進行を抑制することが心不全の治療目標である（図2）．しかし，小児においては病態が複雑で疾患は多岐にわたるため，成人領域で提唱されているステージ分類をそのまま適応できない場合がある．

心不全の進展ステージAでは心不全の原因となる器質的心疾患の発症予防，ステージBでは器質的心疾患の進展抑制と心不全の発症予防が中心となる．ステージCにおいて，LVEFの低下した心不全ではアンジオテンシン変換酵素（angiotensin converting enzyme：ACE）阻害薬またはアンジオテンシンⅡ受容体拮抗薬（angiotensin Ⅱ receptor blocker：ARB），β遮断薬，利尿薬，必要に応じてジギタリス，血管拡張薬，心臓再同期療法（cardiac resynchronization therapy：CRT）を検討する．また最新の成人領域でのガイドラインでは，新たなエビデンスの蓄積により，アンジオテンシン受容体ネプリライシン阻害薬（angiotensin receptor neprilysin inhibitor：ARNI）やナトリウム・グルコース共輸送体2（sodium glucose cotransporter 2：SGLT2），イバブラジンの導入も推奨されている[2]．これらの薬剤に関しては，今後小児循環器領域でも使用が検討される可能性がある．LVEFの保持された心不全では，利尿薬投与，併存症に対する治療が中心となる．ステージCにおける治療を十分に行っても著明な心不全症状を認め，急性増悪による入院を繰返す状況がステージDである．このステージDでは治療薬の見直し，補助人工心臓や心移植の検討，場合によっては緩和ケアが中心となる．

c）拡張機能不全

収縮機能障害を伴わない狭義の拡張機能障害に対する治療には，確立したエビデンスがない．経験と病態に基づいて，利尿薬やβ遮断薬，ACE阻害薬などの投与が症状によって検討される．

d）心血管構築異常に由来する心不全/循環不全

高心拍出性心不全あるいは血行動態異常を特徴とし，治療は手術や心臓カテーテルによる構築異常の修復が基本となる．したがって薬物治療は，術前および術後の血行動態異常の改善を主な目的とする．

肺動脈閉鎖など肺血流が動脈管に依存する病態もしくは，大動脈弓離断など体血流が動脈管に依存する場合は，プロスタグランジン

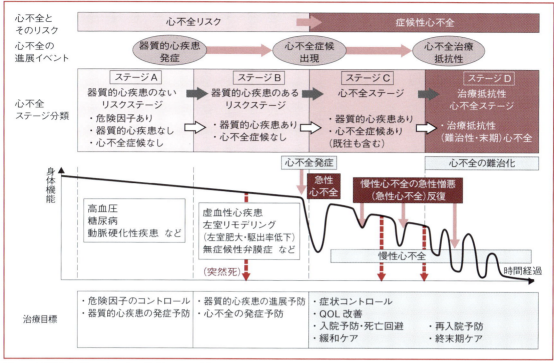

図2 心不全とそのリスクの進展ステージ　　　　　　　　　　　　　　　　　　　（文献1より引用）

E₁製剤を用いて動脈管の開存を維持する．心室中隔欠損や房室中隔欠損などの肺血流増加型疾患の場合，肺うっ血の改善のため利尿薬を投与する．左心低形成症候群などで肺血流制御が極めて困難な場合，術前管理として窒素を用いた低酸素療法を行うことがある．修復手術後に肺動脈性肺高血圧症を認める場合，肺血管拡張薬の投与を検討する．大動脈弁閉鎖不全や共通房室弁閉鎖不全などの弁逆流を認める場合，ACE阻害薬やARB，うっ血の改善のため利尿薬を用いることがある．

処方例

● カテコラミン

処方A　ドブタミン　1〜20μg/kg/分
処方B　ドパミン　1〜20μg/kg/分

● ホスホジエステラーゼ-Ⅲ阻害薬

処方A　ミルリノン　0.25〜0.75μg/kg/分
処方B　オルプリノン　0.1〜0.3μg/kg/分

● 経口強心薬

処方　ジギタリス　経口飽和量：乳児 0.03〜0.04mg/kg/日，幼小児 0.03〜0.05mg/kg/日　分2

● ACE阻害薬・ARB

処方A　エナラプリル　0.1〜0.4mg/kg/日　分1〜2
処方B　カンデサルタン　1歳以上6歳未満：0.05〜0.4mg/kg　1日1回，6歳以上：2〜8mg　1日1回

● β遮断薬

処方　カルベジロール　0.05mg/kg/回　1日2回から開始し，0.1〜0.4mg/kg/回　1日2回までゆっくり増量

● 利尿薬（内服）

処方A　フロセミド　0.5〜4mg/kg/日　分1〜4

処方B　スピロノラクトン　1〜4mg/kg/日　分1〜4

処方C　トルバプタン　0.3〜0.5mg/kg/日　1日1回

●肺血管拡張薬

処方A　ボセンタン　4〜8mg/kg/日　分2

処方B　シルデナフィル　1〜3mg/kg/日　分3〜4

●動脈管を開く薬

処方　アルプロスタジル（リポ化製剤）5ng/kg/分　持続静注　症状に応じて適宜増減する

専門医に紹介するタイミング

　症状を訴えることが難しい小児の場合，臨床症状から心不全の存在を疑わなければならない．体重増加不良，多呼吸，発汗が主に心不全を示唆する所見であるが，緊急性を判断する根拠としては，小児救急トリアージにおける Pediatric Assessment Triangle（表3）を利用するとよい．外観（Appearance），呼吸（Work of Breathing），循環（Circulation to Skin）をすばやく評価し，緊急性を認める場合は速やかに専門医へ紹介する．

専門医からのワンポイントアドバイス

　内科的・外科的治療の進歩により，多くの小児循環器疾患の生命予後が改善している．このことは，循環器疾患を有する小児患者数の増加を意味し，日常診療において潜在的に心不全へと進行する可能性のある症例に遭遇

表3　Pediatric Assessment Triangle

A：Appearance（外観）
　Tone：筋緊張
　Interactiveness：周囲への反応
　Consolability：精神的安定
　Look, Gaze：視線，注視
　Speech, Cry：会話，啼泣
B：Work of Breathing
　異常呼吸音，異常姿勢，努力性呼吸
C：Circulation to Skin
　蒼白，まだら皮膚，チアノーゼ

する機会は，確実に増加すると考えられる．すなわち小児の心不全はありふれた病態であり，一般小児科医であっても心不全診療に習熟する義務があると思われる．そして常に新たな知見を収集するように努め，それを臨床現場で実践していくことが小児科医の使命であると考える．

―――― 文　献 ――――

1) 日本循環器学会，日本心不全学会：急性・慢性心不全診療ガイドライン（2017年改訂版）．2017
https://www.j-circ.or.jp/cms/wp-content/uploads/2017/06/JCS2017_tsutsui_h.pdf

2) 日本循環器学会，日本心不全学会：2021年JCS/JHFSガイドライン フォーカスアップデート版 急性・慢性心不全診療．2021
https://www.j-circ.or.jp/cms/wp-content/uploads/2021/03/JCS2021_Tsutsui.pdf

3) 村上智明 他：小児心不全薬物治療ガイドライン（平成27年改訂版）．日小児循環器会誌 31（S2）：S2.1-S2.36, 2015

4) Ross RD et al：Plasma norepinephrine levels in infants and children with congestive heart failure. Am J Cardiol 59：911-914, 1987

5) Nohria A et al：Medical management of advanced heart failure. JAMA 287：628-640, 2002

4. 循環器疾患

頻脈・不整脈

金子正英
関東中央病院 小児科

POINT
- ●小児不整脈のガイドラインは，日本小児循環器学会の『小児不整脈の診断・治療のガイドライン』が推奨される．
- ●ATP 治療を中心に，時に診断的治療も含め，心電図および治療への反応から不整脈の病態を考えながら治療を進めることが重要である．

ガイドラインの現況

　小児不整脈のガイドラインとしては，『小児不整脈の診断・治療のガイドライン』（2010 年）が日本小児循環器学会ホームページ（HP）に掲載されている．通常遭遇する小児の不整脈に関しては，基本的にこのガイドラインに従って治療すべきである．学校検診で指摘されることが多い期外収縮等の管理に関しては，同 HP 掲載の『器質的心疾患を認めない不整脈の学校生活指導ガイドライン（2013 年改訂版）』に，カテーテルアブレーションに関しては，『先天性および小児期発症心疾患に対するカテーテル治療の適応ガイドライン』に記載されている．日本循環器学会からの『2022 年改訂版不整脈薬物治療ガイドライン』，『不整脈非薬物治療ガイドライン（2018 年改訂版）』，『遺伝性不整脈の診療に関するガイドライン（2017 年改訂版）』，『2016 年版学校心臓検診のガイドライン』，『2022 年改訂版不整脈の診断とリスク評価に関するガイドライン』など多数の関連するガイドラインが出ており，病態に応じて参照できる．

【本稿のバックグラウンド】　『小児不整脈の診断・治療のガイドライン』は，2010 年の発行のため，QT 延長症候群をはじめとする遺伝的不整脈などはそれぞれのガイドラインも参考にしている．

どういう疾患・病態か

　小児では成長過程によって不整脈の発生頻度が異なる．胎児期でも不整脈の発生があり，胎児発育に影響するものは胎児治療が行われるものもある．新生児期には，上室期外収縮がしばしばみられるが，多くの場合数日以内に減少，消失する．稀に基礎心疾患を伴わない心房粗動，先天性完全房室ブロックや先天性 QT 延長症候群などを見かけることがあり，加療を要することがある．乳児期は，WPW 症候群の房室結節回帰性頻拍の発生頻度が高い．WPW 症候群は，乳児期を過ぎると頻拍発作は減少し，投薬が必要な児で

頻脈・不整脈　221

も中止できることが多く，その後乳児期後期，学童期にかけて頻拍発作の頻度が上昇する．房室回帰性頻拍は，学童期以降で徐々に頻度が増えていく．また，学校健診で発見されるような無症状の上室期外収縮，心室期外収縮を見かけることが増え，成長とともに頻度が増えていく．思春期では，1～2度房室ブロックを特に夜間を中心に認めることが多いが，ほとんどが副交感神経優位の影響であり対処を要しない．発熱，感染，ワクチン，向精神薬（注意欠陥多動障害治療薬含む）等による二次的な不整脈もある．

　また，基礎心疾患を有するかどうかは非常に重要である．特に先天性心疾患を伴う場合は，その負荷や心構造が不整脈起因となったり，不整脈合併が原疾患の病態を悪化させたりすることがある．Ebstein奇形ではWPW症候群の合併，無脾症候群では上室性頻拍，多脾症候群では洞不全症候群，房室ブロック，修正大血管転位では房室ブロック，ファロー四徴症術後遠隔期の心室頻拍などがある．

　頻脈性不整脈の病態としては一般に，①リエントリー，②自動能亢進，③triggered activity，によると考えられる．リエントリーは，電気興奮が回路を回ることで頻脈となる．WPW症候群の房室回帰性頻拍や房室結節回帰性頻拍が主である．また，先天性心疾患術後に合併する頻拍も，切開創を回るリエントリーであることが多い．自動能亢進では，一部の心筋自動能が亢進することで頻脈となり，異所性心房頻拍や心臓術後にみられる接合部頻拍（junctional ectopic tachycardia：JET）などがある．triggered activityは心筋細胞が活動電位を形成した後に，異常な後電位（afterdepolarization）を形成することで不整脈を発生させるもので，QT延長症候群での多形性心室頻拍（torsades de pointes）やジギタリス・カテコラミン投与

での不整脈がある．

　徐脈性不整脈では，洞機能不全症候群，房室ブロックによる．基礎疾患を伴わないⅠ度からWenchebach型房室ブロックは，副交感神経亢進が関与し運動により改善する良好なものが多い．先天性完全房室ブロックは母体の抗SS-A，B抗体の関連である場合が多い．洞機能不全症候群や房室ブロックは，先天性心疾患術後の合併が主である．特に修正大血管転位や多脾症候群では手術の有無によらず合併が多い．

治療に必要な検査と診断

　自覚症状や特に失神の有無の確認や，突然死，ペースメーカ植込みなどの家族歴の聴取を行う．受診時に不整脈を認めなくとも，12誘導心電図での評価は必須である．3分程度の長めに記録すると期外収縮も記録できることもある．また，デルタ波やQT延長の有無，ST変化の有無の評価も必要である．一度は心臓超音波検査にて器質的要因の有無と心機能の確認をしておくべきである．

　最もよく遭遇する期外収縮は，学校検診で指摘されることが多い．運動により増加するかどうか，特に学校管理指導表のような運動制限をする必要があるかどうかの判断が重要となるため，学童期以上では，一度ダブルマスターやトレッドミル，エルゴメーターによる運動負荷を行うと良い．基礎疾患のない期外収縮は，運動によって減少し，運動制限を必要としない予後良好なタイプであることが多い．また，連発の有無や好発時間帯の評価には，ホルター心電図検査も症例に応じて行う．

　頻拍発作での来院を除き，動悸の主訴で頻脈性不整脈を疑う場合は，動悸が頻拍によるものであるという証拠を得なければいけな

い．発作時に医療機関で発作時心電図を記録できればベストであるが，持続しないものも多い．ホルター心電図や携帯型心電図記録装置での評価が有効となることもある．近年スマートウォッチによる不整脈診断も報告されており，各種新しいウェアラブルデバイスの開発が進んでいる．さらに，運動負荷検査にて誘発を試みるのも有用である．心筋症など基礎疾患を有する場合には，加算平均心電図は心室頻拍のリスク評価になる．植込み型ループレコーダーはてんかん発作を鑑別する場合等に有効であるが，治療を伴わない心臓電気生理検査（EPS）とともに観血的検査はリスク・ベネフィットを考え検討するべきである．

必要に応じて血液検査を行い，電解質（Na，K，Cl，Ca，Mg）をチェックする必要がある．BNP（脳性ナトリウム利尿ペプチド）は，不整脈による心負荷の評価，心筋症の発生の指標になる．甲状腺機能やカテコラミン分画の内分泌系評価も必要となることもある．遺伝性不整脈を疑う場合は遺伝子検査を検討する．

徐脈の評価として，房室ブロックが運動で改善するかどうか，および最大ポーズの評価目的に，ホルター心電図検査を検討する．

治療の実際（表1）

不整脈の診療においては，不整脈の鑑別，そして血行動態が保たれているかが大事である．頻脈性不整脈でショック状態や意識レベルの低下を認めるようなら，積極的に直流通電による治療を考える．安定している場合は，まず安静にし，vital sign を確認しながら必要に応じて酸素投与を行い，種々の薬物や除細動器も動作確認して処置を始めるのが望ましい．院内はもとより院外，特に学校で

の自動体外式除細動器（AED）は，早期治療に非常に有用であり，『学校管理下 AED の管理運用に関するガイドライン（2019年度）』を参考にしたい．

▮ Narrow QRS 頻拍

a）発作性上室性頻拍（paroxismal supra-ventricular tachycardia：PSVT）

一般に頻脈発作で一番多い．WPW 症候群に伴う房室回帰性頻拍，房室結節回帰性頻拍が主で，前者の頻度が高い．デルタ波を伴わない WPW（不顕性）であることも多く，電気生理検査を行わなければ両者の鑑別はできない．心拍数150〜250/分ほどの頻拍でP波はQRSに隠れるかQRS直後にあることが多い．通常，血行動態は保たれるため，まず迷走神経刺激手技を施行する．息こらえが年長児では簡便にできる．一般に顔面冷水刺激として，年長児では氷水の洗面器に顔を浸け，乳幼児では氷の袋で顔面を覆い，同時に鼻と口をふさぐ．数秒から10秒ほど行い，一時休憩し数回施行可能．無効の場合，ATP を原液のまま急速静注し，生理食塩水などで後押しする．ゆっくりだと効果がなく，ATP の原液を心臓にぶつけるイメージで，フラッシュも数 mL 急速に行う．気管支喘息，虚血性心疾患例は禁忌であり，テオフィリン，カフェイン投与例は効きにくく，ジピリダモールは逆に効きやすくなる．ベラパミル静注は年長児には有効だが，血圧が低下する可能性があるため乳幼児は避ける．

上記治療が無効例は Ia 群プロカインアミド，リスモダン，Ic 群を静注し，持続療法を施行する．陰性変力作用があるため心機能低下例は慎重投与．無効な場合，直流通電（0.5〜2J/kg）を施行する．

予防治療としては，顕性 WPW 症候群の場合はジゴキシン，ベラパミルは副伝導路の

表1　抗不整脈薬の投与量

抗不整脈薬	投与法		投与量	副作用や注意点
リドカイン	静　注		1mg/kg を希釈静注 有効ならば 25〜50γ/kg/分を持続点滴	過量で痙攣 洞房ブロック，房室ブロックなど
メキシレチン	静　注		2〜3mg/kg を5・10分で希釈静注 効果あれば 0.4〜0.6mg/kg/時で持続静注	血圧低下 消化器症状
	経　口		5〜15mg/kg，分3〜4	
プロカインアミド	静　注		5〜15mg/kg を希釈して5分以上でゆっくり静注．頻拍が停止すれば中止	低血圧に注意 心不全
	経　口		10〜30mg/kg，分3〜4	SLE 症状
ジソピラミド	静　注		1〜2mg/kg を5分以上で希釈静注	抗コリン作用に注意
	経　口		5〜15mg/kg を分3	キニジン様作用に注意
キニジン	経　口		試験投与 1〜2mg/kg を投与し副作用があれば中止 15〜30mg/kg，分4〜5 維持量 5〜15mg/kg	QT 延長，torsades de pointes に注意し心電図を持続的に監視
プロパフェノン	経　口		5〜10mg/kg，分3	torsades de pointes 洞停止 ペーシング閾値の上昇
フレカイニド	静　注		1〜2mg/kg　10分間で希釈静注	torsades de pointes 房室ブロック
	経　口		1〜4mg/kg，分2〜3	他の抗不整脈薬との相互作用があり，血中濃度が上昇することがある
ベラパミル	静　注		0.1mg/kg　5分以上で希釈静注	新生児は慎重に投与 心不全
	経　口		3〜6mg/kg，分2	陰性変力作用のある薬剤との併用に注意
ソタロール	経　口		1〜2mg/kg から始め，8mg/kg まで増量，分2	QT 延長に注意 β遮断作用あり 陰性変力作用
アミオダロン	経　口		初期投与量は 10mg/kg，分1〜2，1〜2週間 維持量は 5mg/kg，分1〜2	torsades de pointes，肺線維症，甲状腺機能異常，角膜色素沈着，長期間投与した時には血漿からの消失半減期が長い 種々の抗不整脈薬の血中濃度を上昇する可能性がある
プロプラノロール	静　注		0.05〜0.1mg/kg をゆっくり静注	喘息，うっ血性心不全，低血圧，低血糖などに注意
	経　口		1〜3mg/kg，分3〜4	陰性変力作用をもつ抗不整脈薬との併用に注意 心拍数の上昇が不良になる
アトロピン	静　注		0.01〜0.02mg/kg	緑内障には禁忌

（次頁へ続く）

表1 抗不整脈薬の投与量（続き）

抗不整脈薬	投与法	投与量	副作用や注意点
ATP	静 注	0.1～0.3 mg/kg を原液のまま急速静注	頭痛，不快感，徐脈，悪心 静注後，生食または 5％糖で後押しをする
ジゴキシン	静 注 経 口	乳幼児　0.04 mg/kg を急速飽和 学 童　0.03 mg/kg の急速緩和 乳幼児　0.01 mg/kg（維持量） 学 童　0.0075 mg/kg（維持量）	ジギタリス中毒 急速飽和ではまず飽和量の半量を投与し，8 時間後にそれぞれ飽和量の 1/4 を投与 経口では 0.04～0.05 mg/kg/日 維持量はその 1/4 量/日
硫酸マグネシウム	静 注	10～20 mg/kg を 1～2 分で静注 維持量は 50～300 γ/kg/分を持続静注	
イソプロテレノール	静 注	0.005～0.1 γ/kg/分で心拍をモニターしながら増減する	torsades de pointes，頻拍に注意

（文献 6 より引用）

不応期を短縮させ頻拍増悪（心室頻拍の可能性）するため使用せず，Na 遮断薬を使用する．それ以外は，β 遮断薬，ベラパミル，ジゴキシン，あるいは Na チャネルを用いる．5 歳以上で，発作を認める場合は，カテーテルアブレーションを検討すべきである．

b）心房頻拍（atrial tachycardia：AT）

異所 P 波を示す頻拍．洞性頻拍との鑑別には ATP 投与が有効．自然消失例があり，3 歳未満で 78％が自然消失し，3 歳以上では 16％のみだったという報告がある．頻拍が持続するものは二次性の心筋症を誘発する可能性がある．急性期治療には短時間作用型の塩酸ランジオロール静注（1～10 mg/kg/分より適宜増量）が使いやすい．また鎮静薬である塩酸デクスメデトミジンは，徐拍化作用を併せもつ．ATP が効く例，Ic，Ⅲ群が有効のものもある．予防治療では，Na チャネル，Ⅲ群，β 遮断薬，ベラパミルを検討する．心不全治療である HCN 遮断薬イバブラジンの効果報告もある．直流通電は無効なものもある．薬剤抵抗例では，年齢も考慮しカ

テーテルアブレーションを検討する．

c）心房粗動（atrial flutter：AF）

頻度は低いが，心臓術後例か，特発性では胎児，新生児例に多く認める．2：1 伝導の場合，PSVT との鑑別が難しく，ATP 投与にて F 波の出現，頻拍持続で鑑別可能．直流通電（R 波同期，0.5～2 J/kg）が，ほぼ確実に洞調律にできる方法である．Ic 群，Ⅲ群抗不整脈薬が有効であり，特に粗動停止には Na チャネルより Ⅲ群 K チャネル遮断薬がより有効性が高いという報告がある．新生児例の再発は稀だが，繰返す場合，遺伝子検査などの基礎疾患の検索が必要となる．術後症例で繰返す場合は，カテーテルアブレーションが適応となる．

2 Wide QRS tachycardia

心室内伝導障害を伴う上室性頻拍症の鑑別が必要である．

●心室性頻拍（ventricular tachycardia：VT）

QRS 幅の広い，心拍数 100～120 以上の 3 連発以上の頻拍である．小児では特発性のも

頻脈・不整脈　225

のが多いが，心筋炎，心筋症や心臓術後など
にも認める．血行動態が保たれなければ，直
流通電を行う．上室性頻拍との鑑別では，房
室解離，心室捕捉，融合収縮を認めれば VT
と診断できる．迷う場合，診断的治療として
ATP 投与を行い，PSVT や ATP 感受性（左
脚ブロック右軸偏位）VT であれば頻拍を停
止できる可能性が高い．変行伝導を伴った心
房粗動，細動も鑑別できる．効果がない場合
や VT の診断が確定なら，リドカインを投
与する．右脚ブロック左軸偏位型（比較的
QRS 幅が狭い）にはベラパミルが有効であ
り，左脚ブロック右軸偏位型は β 遮断薬，
ATP が有効である．無効例はプロカインア
ミドなどの静注を考慮する．心機能低下例や
Na チャネル遮断薬が無効の場合には，心筋
抑制がないニフェカラントやアミオダロンの
静注を考慮するべきだが，副作用の QT 延
長に注意する．以上の治療で効果のない場合
や血行動態が破綻する場合には，直流通電
（1〜2J/kg）を行う．

3 期外収縮

　上室性期外収縮（心房性），心室性期外収
縮，に分類される．先行する P 波をしっか
り同定することが必要で，一見 wide QRS で
あっても上室性期外収縮の変行伝導によるこ
ともある．新生児期に認める場合は，通常自
然経過で消退する．上室性期外収縮は，頻度
が低ければ通常フォロー不要である．心室性
は，運動で増加するものや連発するもの以外
は運動制限なしでフォロー可能で，投薬も必
要がない．稀に心機能低下や心室頻拍に進展
する例があるので注意を要する．自覚症状が
あったり，連発したりする場合は治療を検討

し，運動で増悪するものには β 遮断薬が効果
的で，ほかはメキシレチンなど I 群の抗不整
脈薬を検討する．

4 徐　脈

　原因として，洞徐脈，洞機能不全，房室ブ
ロックなどがある．徐脈により循環動態が破
綻する場合は，硫酸アトロピンの静注やイソ
プロテレノールの持続静注，または一時的
（体外式）ペーシングが行われる．抗血小板
薬であるシロスタゾール内服（1〜4mg/kg/
日 分2），テオフィリンが心拍増加に効果的
な例もある．症状のないもの，危険性の少な
いものは，経過観察を行い，症状の発現（心
不全，Adams-Stokes 症候群等），心拍休止
（ポーズ）が 3〜4 秒以上，QT 延長，心室性
不整脈の出現・増悪などがあれば，ペース
メーカ植込み術を検討する．

5 QT 延長症候群

　QT 延長症候群は，QT 時間の延長により
torsades de pointes が誘発され，失神や突然
死を起こす可能性のある疾患である．Bazett
の式（QT 時間/$\sqrt{\text{先行 RR 時間}}$）で QTc を
計算し，Schwarts の診断基準にて判定する
（表2）．乳幼児の心拍数が高い場合の QTc
は，Fridericia の 式（QT 時間/
$3\sqrt{\text{先行 RR 時間}}$）での補正が適切といわれ
ている．一見 QT がやや長め程度でも，運
動時やホルター検査にて明らかとなる例もあ
る．失神の有無や家族歴の突然死の有無が非
常に大事であり，疑わしいものは専門施設に
紹介すべきである．遺伝子診断によるタイプ
分類が治療に役立つ．torsades de pointes に
は硫酸マグネシウムが有効である．

表2 先天性LQTSのリスクスコアと診断基準

基準項目			点数
心電図所見	QT時間の延長（QTc）[*1]	≧480ms	3
		460～479ms	2
		450～459ms（男性）	1
	運動負荷後4分のQTc	≧480ms	1
	TdP[*2]		2
	視覚可能なT波オルタナンス		1
	Notched T波（3誘導以上）		1
	年齢不相応の徐脈[*3]		0.5
臨床症状	失神[*2]	ストレスにともなう	2
		ストレスにともなわない	1
	先天性聾		0.5
家族歴[*4]	確実な先天性QT延長症候群の家族歴[*5]		1
	30歳未満での突然死の家族歴		0.5

点数の合計により，≧3.5点：診断確実，1.5～3点：疑診，≦1点：可能性が低い，に分類される.

[*1]：治療前あるいはQT延長を引き起こす因子がない状態で記録し，Bazettの補正式を用いてQTcを算出する.

[*2]：TdPと失神が両方ある場合は計2点

[*3]：各年齢の安静時心拍数の2パーセンタイル値を下回る場合，遺伝性不整脈の診療に関するガイドライン（2017年改訂版）を参照

[*4]：両方ある場合は計1点

[*5]：先天性QT延長症候群リスクスコア≧3.5の家族歴

（「日本循環器学会/日本不整脈心電学会. 2022年改訂版 不整脈の診断とリスク評価に関するガイドライン. https://www.j-circ.or.jp/cms/wp-content/uploads/2022/03/JCS2022_Takase.pdf（22年5月閲覧）」より引用）

処 方 例

発作性上室性頻拍の予防に，体重10kgであれば

処方A インデラル® 10mg 分3

処方B デルタ波がなければ
　　　ジゴシン® 0.1mg 分2

処方C タンボコール® 30mg 分3
　　　より増量

専門医に紹介するタイミング

頻拍発作が迷走神経刺激やATPなどでコントロールできず，抗不整脈薬の持続静注療法や電気ショックが必要な場合には，より経験のある施設への紹介を考える．また，年長児で頻拍発作のある場合や内服でのコントロールが難しい場合は，カテーテルアブレーションを考慮し，加療のできる施設への紹介を検討する.

頻脈・不整脈　227

専門医からのワンポイントアドバイス

不整脈診療において最も重要なことは，正確な診断である．正確な診断のためにはP波をしっかり同定することが不可欠である．P波を同定するために，誘導や電位を変えること，ATPを投与し一過性の房室ブロックをつくること，食道誘導や術後ペーシングリードを用いて心電図をとることといった工夫が有効となる．

どこまで自分の施設で加療し，どこから専門施設に依頼するかの線引きが必要となる．症例の相談や搬送ができる近隣施設と連携できるネットワークをつくっておくことが望まれる．

文 献

1) 小児不整脈の診断・治療のガイドライン．日小児循環器会誌（Suppl），2010
2) 日本小児循環器学会HP：器質的心疾患を認めない不整脈の学校生活指導ガイドライン（2013年改訂版）．
3) 日本小児循環器学会：学校心臓検診2次検診対象者抽出のガイドライン─1次検診の心電図所見から─（2019年改訂版）．日小児循環器会誌 35（Suppl 3）：1-12, 2019
4) 日本循環器学会/日本不整脈心電学会．2020年改訂版 不整脈薬物治療ガイドライン．
https://www.j-circ.or.jp/cms/wp-content/uploads/2020/01/JCS2020_Ono.pdf（2022年5月閲覧）
5) 日本循環器学会/日本不整脈心電学会．2022年改訂版 不整脈の診断とリスク評価に関するガイドライン．
https://www.j-circ.or.jp/cms/wp-content/uploads/2022/03/JCS2022_Takase.pdf（2022年5月閲覧）
6) 長嶋正實 他：小児不整脈治療のガイドライン．日小児循環器会誌 16：967-972, 2000

4. 循環器疾患

心室中隔欠損症・心房中隔欠損症

小野 博
国立成育医療研究センター 循環器科

心室中隔欠損症

POINT
- 学校心臓検診で発見されることが最も多い先天性心疾患である.
- 収縮期雑音, Ⅱ音の固定性分裂, 心電図での右脚ブロックや孤立性陰性 T などの所見を見逃さない.
- カテーテル治療が主流になっており, その閉鎖栓も進化している.

ガイドラインの現況

『先天性心疾患の診断, 病態把握, 治療選択のための検査法の選択ガイドライン』（2008 年, 日本循環器学会）,『先天性心疾患並びに小児期心疾患の診断検査と薬物療法ガイドライン』（2018 年改訂版, 日本循環器学会）がある. 現在日本ではカテーテル治療は行われていないが, 欧米では行われていることもあり,『先天性および小児期発症心疾患に対するカテーテル治療の適応ガイドライン』（2012 年, 日本小児循環器学会）,『先天性心疾患, 心臓大血管の構造的疾患（structural heart disease）に対するカテーテル治療のガイドライン』（2021 年, 日本循環器学会）にも記載がある.『成人先天性心疾患診療ガイドライン』（2017 年改訂版, 日本循環器学会）では, 肺高血圧を認めず肺体血流比（Qp/Qs）>1.5 かつ左室拡大がみられる場合, Eisenmenger 症候群に至っていない肺高血圧を認めた例は肺動脈に可逆性を認める場合, 大動脈弁逸脱・逆流が著明で進行性の場合, 圧較差 50 mmHg 以上の右室流出路狭窄の場合は, 手術を考慮すると記載されている.

【本稿のバックグラウンド】 本疾患の病態, 検査に関しては『先天性心疾患の診断, 病態把握, 治療選択のための検査法の選択ガイドライン』, 治療に関しては,『先天性心疾患, 心臓大血管の構造的疾患（structural heart disease）に対するカテーテル治療のガイドライン』を参照している. 後者は 2021 年に改訂され, カテーテル治療の症例の蓄積により, そのエビデンスレベルや推奨レベルに変更があった.

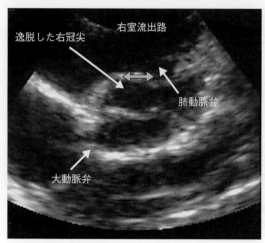

図1 大動脈弁右冠尖逸脱を合併した大血管下部漏斗部中隔欠損
逸脱した右冠尖で，心室中隔欠損孔がほぼ閉鎖されている．
⇔心室中隔欠損孔

どういう疾患・病態か

　左右心室の間に存在する中隔に欠損孔が存在する疾患．様々な心奇形に合併することが多いが，ここでは単独で存在する場合について述べる．

　先天性心疾患の20〜60％を占めるといわれている．症状は欠損孔を介したシャント量に規定される．欠損孔が大きい場合も，新生児期は肺血管抵抗が高いため，左右短絡量は少なく，症状は出にくい．生後1ヵ月頃には，肺血管抵抗の低下とともに，短絡量が増加し，頻脈，多呼吸，陥没呼吸，哺乳不良，体重増加不良などの心不全症状が出現する．ダウン症の児は欠損孔が大きくても，新生児期より肺血管抵抗が下がらず，心不全症状が出現しない場合があり，注意を要する．欠損孔が小さい場合，心雑音は大きいが，特に症状は呈さないことが多い．短絡量がさらに少ないときは，心雑音は聴取されない．

治療に必要な検査と診断

　聴診上，胸骨左縁下部で汎収縮期雑音を聴取する．筋性部欠損は，汎収縮期ではなく収縮期前期雑音であることが多い．新生児期で欠損孔が大きいと雑音が目立たない．雑音が目立たない場合もII音の亢進が存在するので，注意深く聴診をする．まず，心不全症状（多呼吸，哺乳不良，体重増加不良）の有無をチェックする．そして胸部X線を撮影し，心拡大および肺うっ血の有無，心電図で左右心室肥大の有無をチェックする．その後，心エコー検査を施行する．このとき，①欠損孔の大きさ，②欠損孔の位置，③合併奇形の有無（動脈管開存はないか，大動脈離断や縮窄は合併していないかなど），④心室中隔欠損孔を通過する血流の方向とその流速〔右室圧の推定＝肺動脈圧の推定（肺動脈に狭窄がないとき）〕，⑤三尖弁逆流の有無とその流速（右室圧の推定），⑥大動脈弁の変形や逆流の有無（特に大血管下部漏斗部欠損の場合：エコー上，肺動脈弁，大動脈弁直下に欠損孔を有する）をチェックする（図1）．大血管下部漏斗部欠損の場合，大動脈右冠尖が欠損孔に落ち込み，大動脈弁逆流を生じる．その逸脱部分が大きいと成人期にバルサルバ洞動脈瘤を形成し，破裂する危険性を有する．逸脱していると，あたかも小欠損に見えることがある．大動脈弁逆流を併発していると，手術適応がある場合があるが，その最適な手術時期は定まっていない．特に小欠損例の手術適応には議論がある．肺動脈圧，肺血管抵抗や肺体血流比の測定が必要なとき，合併奇形の評価が必要なとき，心臓カテーテル検査を施行する．

治療の実際

　心不全症状が存在しないときは，経過観察でよい．しかし感染性心内膜炎のリスクがあり，歯科治療時の抗菌薬の予防内服についての指導が必要である．心不全症状が存在するときは，通常，利尿薬，強心薬，血管拡張薬の内服を開始する．強い心不全症状を有するときは，外科的治療を選択する．肺血管病変が存在（肺高血圧を合併）し，病変が可逆性のときや，年長児は，容量負荷があり閉鎖傾向にない場合（通常欠損孔5mm以上，肺体血流比1.5以上），大動脈弁の変形や逆流が存在するとき，右室流出路狭窄（圧較差＞50mmHg）を合併するときは，手術適応になる（図1）．基本的には心内修復術を施行する．低体重，全身状態不良，合併症の重症度次第では，まず肺動脈絞扼術を施行し，その後，心内修復術を施行することがある．欧米ではカテーテル治療も行われており，近い将来，本邦でも筋性部欠損のカテーテル治療が開始される可能性があるが，なかなか進まない．

　『感染性心内膜炎の予防と治療に関するガイドライン（2017年改訂版）』では，中等度リスク群とされ，歯科口腔外科手技時の予防的抗菌薬投与は，推奨クラスⅠ，エビデンスレベルBと記載されている．

処 方 例

処方A　ラシックス®　1〜2mg/kg/日
　　　　分2〜3
　　　　アルダクトンA®　1〜2mg/kg/日　分2〜3

処方B　ジゴシン®　0.01mg/kg/日　分2

処方C　エナラート®　0.05〜0.2mg/kg/日

入院が必要な時（静脈ライン確保のうえ）

処方A　イノバン®　3〜10γ

処方B　ドブトレックス®　3〜10γ

処方C　ラシックス®（静注）　0.3〜0.5mg/kg/dose　反応をみて，さらに増量可

専門医に紹介するタイミング

　上述した手術適応の症例は，すぐに紹介すべきである．手術適応でなくても本疾患が疑われたら，一度は専門医を受診させる．合併奇形の有無や，欠損孔の位置など，正確な診断の必要がある．

専門医からのワンポイントアドバイス

　近年，心雑音というとすぐエコー検査を行う傾向がある．しかし正確な診断にはかなりの習熟が必要であり，エコー検査の前に，患者背景（ダウン症や，他の合併奇形の有無），聴診所見（収縮期雑音Ⅱ音の亢進の有無），心不全症状の有無（呼吸状態，皮膚色など），X線所見（肺うっ血，心拡大の有無），心電図所見（心室肥大所見）を総合的に判断することが重要である．

心房中隔欠損症

POINT
- ●先天性心疾患の 20～60％を占め，最も頻度が高い．
- ●欠損孔の部位により手術適応が異なるので注意を要する．
- ●本邦では現在カテーテル治療は行われておらず，外科的治療が必要な疾患である．

ガイドラインの現況

　日本小児循環器学会による『先天性および小児期発症心疾患に対するカテーテル治療の適応ガイドライン』（2012 年），『先天性心疾患，心臓大血管の構造的疾患（structural heart disease）に対するカテーテル治療のガイドライン』（2021 年）が存在し，心房中隔欠損症の治療はカテーテル治療が主流である．カテーテル治療の適応は，血行動態的に有意かつ解剖学的に適する二次孔 ASD を有する患者とされ，一次孔，静脈洞，冠静脈洞 ASD は，経皮的に行うより外科的に治療すべきである（推奨クラス I，エビデンスレベル B）とされている．

【本稿のバックグラウンド】　『先天性心疾患並びに小児期心疾患の診断検査と薬物療法ガイドライン（2018 年改訂版）』，『成人先天性心疾患診療ガイドライン（2017 年改訂版）』および『先天性心疾患の診断，病態把握，治療選択のための検査法の選択ガイドライン』を参照している．

どういう疾患・病態か

　左右心房の間に存在する中隔に欠損孔が存在する疾患である．部位によって，①一次中隔型，②二次中隔型，③静脈洞型，④単心房型，に分類される．先天性心疾患の約 10％を占める．ここでは単独で存在する場合について述べる．

　小児期は無症状であることが多い．学校心臓検診で発見される場合も少なくない．成長に伴い右室のコンプライアンスの増大により短絡量が増え，症状が出現する．欠損孔が大きく左右短絡が多い場合，小児期は体格が小さかったり，運動が不得意であったりする．思春期になると動悸，息切れなどが出現し，上室性の不整脈も認めるようになる．肺高血圧が存在する例は，乳児期からチアノーゼを認めることがある．しかし，心室中隔欠損と異なり早期に肺高血圧を合併する例は少ない．通常は，20 歳以上になると肺血管病変が進行してくるといわれている．

治療に必要な検査と診断

　小さい欠損孔の場合，雑音は聴取されず，治療も不必要なことが多い．右心系の容量負荷を認める症例は，治療の適応になる．治療が必要な程度の欠損孔の場合は（通常 5 mm 以上の欠損孔），胸骨左縁第 2～3 肋間で収縮期駆出性雑音を聴取することが多い．これは左右短絡が多いため，相対的肺動脈狭窄のために生じる．さらに短絡量が増すと，胸骨左縁第 3～4 肋間に拡張期ランブルを聴取する．これは相対的三尖弁狭窄のために生じる．II 音の固定性分裂は重要である，小児では多くないが，肺高血圧の存在する例では II

232　4. 循環器疾患

音の亢進を認める．胸部X線写真では，肺血流の増加および左右肺動脈の拡張，心拡大が認められる．心電図は右脚ブロックが特徴的である．孤立性陰性T波も認められることが多い．肺高血圧を認める例では，右室肥大パターンを呈する．右房負荷を認める例もあり，それが高じると上室性の不整脈や洞機能不全を認める．静脈洞型や左上大静脈遺残を合併していると，II，III，aVFで陰性Pを認めることがある．心エコーの所見は，欠損孔の描出が基本であるが，年長になると経胸壁エコーでは描出が難しくなるため，経食道エコーを用いる．所見は，右房右室の拡大，肺動脈の拡張，心室中隔の奇異性運動である．静脈洞型は，エコーで描出するのが難しい場合がある．上大静脈洞型には，部分肺静脈還流異常を，冠静脈洞型は，unroofed coronary sinusを合併することがしばしばあり，注意を要する．心臓カテーテル検査は，高度肺高血圧が疑われる症例には必要であり，肺血管の反応性を評価する必要がある．近年ではカテーテル治療が主流であり，閉鎖術時に経食道エコーも含めた検査をすることも多い．肺静脈還流異常の診断には，3D CTが有用である[1]．

治療の実際

不可逆的な肺高血圧症がない状態で，右心負荷所見を認めた場合に，治療適応がある．小児期から思春期に行われることが多い．妊娠可能な女性は，妊娠時の心不全症状の増悪が起こることがあり，注意を要する．乳児期に心不全症状がコントロールできない例があり，このときも治療の適応となる．2021年改訂版『先天性および小児期発症心疾患に対するカテーテル治療の適応ガイドライン』では，血行動態的に有意でない小さな二次孔心

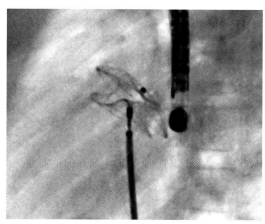

図2 AMPLATZER™ Septal Occluder（閉鎖栓）による閉鎖術

房中隔欠損を有する患者で他のリスクファクターをもたない場合には，カテーテル閉鎖術の適応はない（推奨クラスIII，エビデンスレベルB）とされ，径5mm未満の欠損孔ではほとんど適応はないが，心房位での一時的な右左短絡を有し，脳卒中や反復する脳虚血発作といった奇異性塞栓症の既往がある症例は推奨クラスIIa，エビデンスレベルAとされ，心房位での一時的な右左短絡を有し，チアノーゼ症状がある患者で，心拍出量の維持が欠損孔を通過する短絡に依存しない患者に対して，二次孔心房中隔欠損のカテーテル閉鎖術を行うことは推奨クラスIIa，エビデンスレベルBとされている．現在，閉鎖栓を用いたカテーテル治療が主流となっており，一般的には体重15kg以上の症例が適応になる（図2）．適応を慎重に判断された二次孔欠損のカテーテル閉鎖術の成績は外科的閉鎖術に匹敵し，カテーテル閉鎖術の合併症の頻度は低く，麻酔時間は短く，入院日数も短い[2]．閉鎖栓の材質は，ニチノール製のものやゴアテックスで被覆された製品も発売されている．二次孔以外の欠損孔（一次孔欠損，静脈洞欠損，冠静脈洞欠損など）や二次孔欠損であっても，肺静脈還流異常といった合併奇形

の存在がある場合，デバイスが安定するための適切な辺縁（リム）が存在しない場合，38 mm 以上を超える大きな欠損孔は，カテーテル治療の適応にはならない．外科治療には積み上げられたエビデンスがあり，どのような欠損孔でも適応となる．創を小さくする小切開手術を施行している施設もあり，傷の痛みや美容面でも，工夫がなされている．不可逆的肺血管閉塞性病変の進行を伴う患者では，閉鎖術は禁忌であるが「左右短絡があり肺動脈圧が動脈圧の 2/3 以下の場合や肺血管抵抗が全身血管抵抗の 2/3 以下の場合，肺血管拡張薬に反応し欠損孔のバルーン試験閉鎖下での血行動態に問題がなければ肺血管抵抗が 5 Wood 単位以上であっても，経皮的/外科的閉鎖術を考慮してもよい．ただし，肺高血圧症の管理に精通している者が治療に加わる必要がある」（推奨クラスⅡb，エビデンスレベル C）と『2021 年改訂版 先天性心疾患，心臓大血管の構造的疾患（structural heart disease）に対するカテーテル治療のガイドライン』に追記された[2]．感染性心内膜炎の予防に関しては，本疾患は低リスク群に分類され，歯科口腔外科手技（推奨レベルⅢ，エビデンスレベル C）に関する予防的抗菌薬投与は，推奨されていない[3]．

処方例

処方 A　ラシックス® 1〜2 mg/kg/日 分 2〜3
　　　　アルダクトン®A 1〜2 mg/kg/日 分 2〜3
処方 B　ジゴシン® 0.01 mg/kg/日 分 2
処方 C　（閉鎖栓留置後）アスピリン 5 mg/kg 6ヵ月間

専門医に紹介するタイミング

聴診所見，心電図より明らかに本疾患が疑われた場合は，専門医に紹介する．エコー上，静脈洞型，冠静脈洞型，部分肺静脈還流異常例などは，見逃される例が少なからず存在するからである．

専門医からのワンポイントアドバイス

聴診所見（Ⅱ音の固定性分裂），心電図所見（右脚ブロックや孤立性の陰性 T など）を見逃さないことが重要である．

――――――――― 文　献 ―――――――――

1) 日本循環器学会：先天性心疾患の診断，病態把握，治療選択のための検査法の選択ガイドライン．2008
2) 日本循環器学会：2021 年改訂版 先天性心疾患，心臓大血管の構造的疾患（structural heart disease）に対するカテーテル治療のガイドライン．2021
3) 日本循環器学会：感染性心内膜炎の予防と治療に関するガイドライン．2018

4. 循環器疾患

動脈管開存症

犬塚 亮
東京大学医学部附属病院 小児科

POINT
- 動脈管開存症の診断には，心臓エコーが有用である．
- 近年，動脈管閉鎖栓の普及により，乳児期早期であってもカテーテルによる動脈管の治療を行うことが可能になってきている．

ガイドラインの現況

日本循環器学会から『先天性心疾患並びに小児期心疾患の診断検査と薬物療法ガイドライン』が2018年に出版されており，動脈管開存症（patent ductus arteriosus：以下PDA）の病態や外科治療も含めた治療方針についても詳しく記されている．近年は，多くのカテーテル治療器具が開発され，PDAに対してもカテーテル治療が多く行われるようになってきたが，より up date されたカテーテル治療の適応に関しては日本循環器学会から2021年に出版された『先天性心疾患，心臓大血管の構造的疾患（structural heart disease）に対するカテーテル治療のガイドライン』に詳しく記載されている．

【本稿のバックグラウンド】 上記2つのガイドラインを参考にして，最近の動脈管の診療について紹介する．

どういう疾患・病態か

動脈管は，胎児循環において，大動脈と肺動脈をつなぐ血管である．生理的には，生後24〜48時間のうちに血管の収縮と内膜の肥厚により機能的に閉鎖し，生後数週で器質的に閉鎖する．動脈管が完全に閉鎖せず，内腔が開いているものがPDAである．動脈管を介した血流の左右短絡により，左心系に対する容量負荷となる（図1）．短絡量は動脈管の太さと長さ，体血管抵抗と肺血管抵抗のバランスにより規定される．動脈管が細く短絡量が少ない場合は，心雑音を認めるのみで無症状である．短絡の多いPDAでは，新生児・乳児期早期より心不全を発症する．心不全の症状として，頻呼吸，陥没呼吸，末梢冷汗，肝腫大，哺乳不良，体重増加不良などがある．また，太い動脈管では，肺高血圧を起こすことがある．PDAは他の先天性心疾患に合併することがあり，循環の維持に動脈管の開存が不可欠な病態も存在し，それらは動脈管依存性疾患と呼ばれる．正期産児における単独のPDAの頻度は約0.03〜0.08％とされ，男女比は1：2と女性に多い．在胎30週未満の早産児においては，動脈管の開存をより高頻度で認めるが，正期産児と早産児の

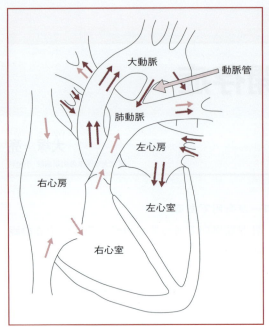

図1　動脈管開存症の血行動態
動脈管を介して，大動脈から肺動脈への左右短絡が生じるため，肺血流が増加し，左房・左室に対する容量負荷となる．

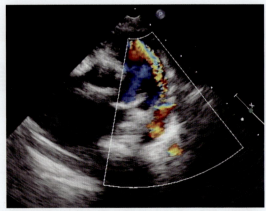

図2　動脈管開存症のカラードップラーエコー図
大動脈から主肺動脈に流入する短絡血流を認める．

PDAでは治療方針が全く異なる．ここでは，正期産児における単独のPDAの治療指針について述べる．

治療に必要な検査と診断

PDAを疑った場合に最も有用な検査は，心臓エコーである．断層心エコー図で動脈管を描出することもできるが，カラードップラー法により主肺動脈内に動脈管を介した左右短絡を検出することにより，比較的容易に診断できる（図2）．太い動脈管の場合は，心臓エコーで描出しにくい場合があるが，その場合はCTやMRIなどにより診断を行う．診断のために心臓カテーテル検査を要することは稀である．連続性雑音を呈する疾患として他に肺動静脈瘻，冠動脈瘻，Valsalva洞破裂などがあるが，心臓エコーにより鑑別は容易である．

PDAと診断したら，日本循環器学会のガイドラインに基づいて治療適応を評価する．心不全症状がある場合，左心系の容量負荷がある場合，肺高血圧合併例では，カテーテル治療または外科手術を行う．重度の肺高血圧のある例やEisenmenger症候群では動脈管の治療適応はない．無症状で心雑音のみの例でも，感染性心内膜炎のリスクがあるため，カテーテル治療の適応がある．心臓エコーなどで偶然見つかり，無症状で，心雑音のない症例における治療適応については今後の検討が必要だが，日本循環器学会のガイドラインではクラスⅡbとなっている．

治療適応の評価のために，心臓エコーにおいて，動脈管の形態，長さ，太さなどを評価する．また，三尖弁逆流の流速，心室中隔の形態，動脈管を介する短絡血流の流速などを計測することで，肺高血圧の有無についても診断する．胸部X線にて心拡大，肺血流増加所見，左第2弓の突出のみられる場合には中等以上の左右短絡の存在が示唆される．高齢者では瘤形成や動脈管に一致した石灰化像がみられる場合があり，治療のリスクの予測や治療法選択の参考になる．心電図では，中等度以上の短絡の場合，左房負荷および左房

負荷所見を認める．心電図上右室負荷所見を認める場合は，肺高血圧症の合併を疑う．体血圧の 2/3 以上または体血管抵抗の 2/3 以上の肺血管抵抗の肺高血圧を認める PDA では，治療適応の評価のために心臓カテーテル検査を行い，一酸化窒素などによる肺血管床の反応性を調べる必要がある．

治療の実際

　治療には，大きく分けてカテーテル治療と外科手術があるが，侵襲を考慮して，カテーテル治療が安全に行える例では，カテーテル治療が優先されることが多い．日本では，カテーテル治療は小さい動脈管（約 2.5〜3 mm 以下）ではコイル塞栓術（図3），それ以上の径では PDA 閉鎖栓（図4）が使用されることが多い．現在，PDA 閉鎖栓は限られた

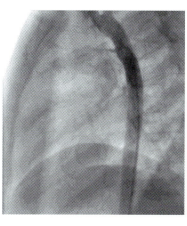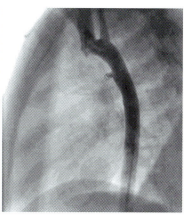

図3　動脈管のコイル塞栓術
　　コイル塞栓術前後の大動脈造影．

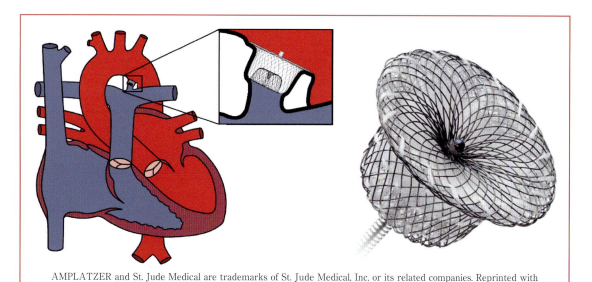

AMPLATZER and St. Jude Medical are trademarks of St. Jude Medical, Inc. or its related companies. Reprinted with permission of St. Jude Medical, ©2015. All rights reserved.

図4　Amplatzer® Duct Occluder
　　AMPLATZER Duct Occluder を用いた動脈管閉鎖術．

施設のみ施行が可能である．対象の動脈管最
小径は 2 mm 以上 12 mm 以下，肺血管抵抗 8
単位未満または肺体血管抵抗比 0.4 未満であ
ることが必要である．PDA 閉鎖栓は，Am-
platzer™ Duct Occluder（ADO），Am-
platzer™ Duct Occluder II（ADO II）など
様々な形状・サイズのものが日本でも承認さ
れ，乳児期早期でも安全に使用できるように
なっている．特に成人の場合は，開胸手術に
よる侵襲が大きいため，この治療法が第一選
択となる．瘤形成を伴っている場合や非常に
短い window タイプでは，ステント・グラ
フト内挿術や外科手術が選択される．外科手
術の安全性も非常に高いが，反回神経麻痺に
注意が必要である．

専門医に紹介するタイミング

　PDA は診断や治療適応の決定に専門的知
識を要するため，PDA を疑った時点で，小
児循環器専門医に紹介する．特に心不全症状
を有する例では，速やかに専門医に紹介する
ことが重要である．

専門医からのワンポイントアドバイス

　心臓手術の既往のない患者に連続性雑音を
認める場合は，まず PDA を疑う．短絡量が
少ない場合や肺高血圧のある症例では，収縮
期雑音しか認めない場合もあるため，注意を
要する．心不全症状を認める場合は稀である
が，そのような場合も鑑別診断の一つとして
考えておく．未修復の PDA がある症例で，
原因不明の発熱が持続する場合は，感染性心
内膜炎を疑うことが重要である．

――――――――― 文　献 ―――――――――

1）日本循環器学会：先天性心疾患並びに小児期心疾患
　の診断検査と薬物療法ガイドライン（2018 年改訂
　版）．
　https://www.j-circ.or.jp/cms/wp-content/uploads/
　2020/02/JCS2018_Yasukochi.pdf
2）日本循環器学会/日本心臓病学会/日本心臓血管外科
　学会/日本血管外科学会/日本胸部外科学会：2021 年
　改訂版先天性心疾患，心臓大血管の構造的疾患
　（structural heart disease）に対するカテーテル治療
　のガイドライン．
　https://www.j-circ.or.jp/cms/wp-content/uploads/
　2021/03/JCS2021_Sakamoto_Kawamura.pdf

4. 循環器疾患

Fallot 四徴症

山村健一郎
福岡市立こども病院 循環器集中治療科

POINT

- 心室中隔欠損は必ず大きく開存しているので，右室流出路狭窄の重症度が臨床症状を規定する．
- 右室流出路狭窄が軽度の場合は一期的心内修復術を行う．
- 右室流出路狭窄が中等度以上で肺動脈や左心室のサイズが不十分な場合は，短絡手術を経て二期的に心内修復術を行う．
- 生後 2〜3 ヵ月で発症する無酸素発作に注意する．
- 遠隔期には肺動脈弁閉鎖不全・肺動脈弁狭窄が問題となり，しばしば再手術を必要とする．

ガイドラインの現況

日本における Fallot 四徴症の小児期の内科的治療に関するガイドラインとしては，日本循環器学会の『先天性心疾患並びに小児期心疾患の診断検査と薬物治療ガイドライン（2018 年改訂版）』[1] 内に同疾患に関する記載がある．小児期の外科的治療に特化したガイドラインは国内外ともにない．

Fallot 四徴症は心内修復術後も肺動脈弁閉鎖不全症や肺動脈弁狭窄症を合併することが多く，遠隔期にしばしば肺動脈弁置換術を必要とする．成人期の治療については日本循環器学会の『成人先天性心疾患診療ガイドライン（2017 年改訂版）』[2] のほかに，米国（2018 年）[3]，欧州（2020 年）[4] からもガイドラインが発表されている．

【本稿のバックグラウンド】 小児期の治療については，日本循環器学会の先天性心疾患の診断検査と薬物治療ガイドラインに加えて，最新の総説等を参考に解説した．術後遠隔期の管理については，国内外の成人先天性心疾患ガイドラインを参考にした．

どういう疾患・病態か

1888 年に Arthur Fallot が，心室中隔欠損，肺動脈狭窄，右室肥大，大動脈騎乗の四徴候からなるチアノーゼ性先天性心疾患を報告した．頻度は 3,600 出生に 1 人で，先天性心疾患の 3.5 ％を占める．心室中隔欠損は大きく，右室流出路狭窄の程度により幅広い臨床像を示す[5]．右室流出路狭窄が軽度の症例では，低酸素血症はみられず，むしろ高肺血流による心不全となり，いわゆる pink Fallot と呼ばれる．右室流出路狭窄が中等度

Fallot 四徴症　**239**

以上の場合はチアノーゼがみられ，狭窄が重度で肺血流減少が著しい場合は，出生後肺血流を維持するためにプロスタグランジン E_1 （PGE_1）の点滴による動脈管の維持が必要となる．最重症のものは肺動脈が狭窄ではなく閉鎖となり，「心室中隔欠損を伴う肺動脈閉鎖（極型 Fallot 四徴症と同義）」の診断名となる．右室流出路狭窄は多くの症例で弁下部の筋性狭窄を合併するため，不安定かつ進行性で，特有の無酸素発作（hypoxic spell）を呈することがある．無酸素発作の予防には，β 遮断薬と鉄剤が有用である．近年は乳幼児期の外科治療により高い救命率と良好な長期予後が得られているが，遠隔期にも肺動脈弁閉鎖不全や肺動脈弁狭窄が問題となり，成人期にしばしば再手術（肺動脈弁置換術）が必要となる．

治療に必要な検査と診断（図1）

生後時系列に方針を決定すべきポイントを整理すると，まず出生後に，①動脈管開存維持のための PGE_1 点滴の要否，後に②肺動脈弁下部狭窄に対する β 遮断薬内服の要否，③姑息術（Blalock-Taussig shunt 手術等）の要否，④心内修復術の可否や術式，を判断する必要がある．そのためには，心室中隔欠損の部位とサイズ，右室流出路狭窄の部位，形

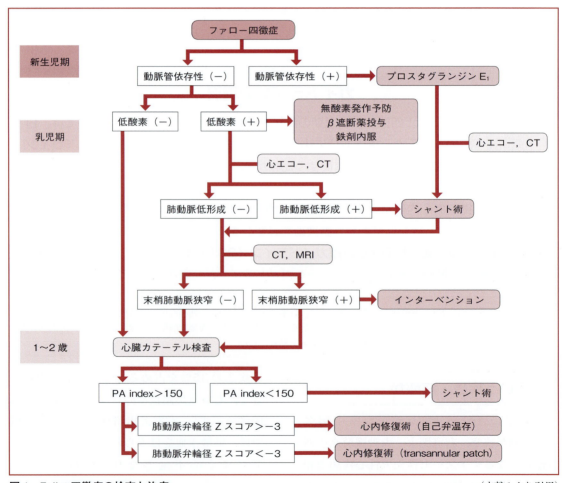

図1 Fallot 四徴症の検査と治療 （文献1より引用）

態および程度，肺動脈弁の形態と弁輪径，体肺側副血行路や他の異常血管の有無，冠動脈の起始と走行異常の有無について診断することが必要である．

聴診では，心室中隔欠損は大きいため心雑音を生じず，右室流出路狭窄による駆出性収縮期雑音を聴取する．心雑音は重症例ほど減弱し，無酸素発作時にはほとんど聴取しなくなる．胸部単純X線写真は重症度をよく反映する．心陰影は正常かやや小さく，左第2弓陥凹（肺動脈主幹部低形成）と心尖部挙上により木靴型となる．上行大動脈は拡大して気管を偏位させ，右大動脈弓が25％にみられる．肺血管影は多くで減少する．正側面で胸腺陰影が欠如していれば，22q11.2欠失症候群を疑う．心電図では右軸偏位，右室肥大が典型的な所見である．心エコーはFallot四徴症の診断に必須の検査である（クラスI）．左室長軸像では，大きな心室中隔欠損と大動脈の騎乗を認め，大動脈弁と僧帽弁の線維性連続は保たれている．大動脈基部短軸像は重要で，漏斗部，肺動脈弁，主肺動脈の狭窄の程度が評価できる．肺動脈弁輪径は術式決定に影響する．5％に合併する冠動脈異常の有無も慎重に観察する．心臓カテーテル検査では，心内修復術や姑息術の術前評価に最重要の情報が得られる（クラスI）．右室流出路を刺激することにより無酸素発作を誘発する危険性もあり，心エコー検査による診断補完を前提に目標を設定し短時間で終える．β遮断薬内服は継続し，カテーテルによる右室漏斗部の刺激を避け，右室造影を最優先に行う．循環血液量減少の予防のため，前夜から輸液して採血量も最小とする．肺動脈圧は肺静脈楔入圧で代用可能である．右室造影で漏斗部狭窄，肺動脈弁輪や弁の性状さらに肺動脈末梢部狭窄まで明瞭に描出するには，イメージ管を20〜30°頭側へ傾け（cra-nial tilt)，右室心尖部にカテーテルを安定させて十分量の造影剤を注入する．左室造影による心室容積分析や腕頭動脈分岐の確認は重要である．冠動脈走行確認のためには大動脈起始部での造影が有益である．3DCTおよびMRIも，心エコーや心臓カテーテル検査を補完する検査として有用である（クラスⅡa)．

治療の実際

低酸素血症の経時的進行を特徴とする疾患のため，自然歴は極めて厳しい．手術が行われない場合，1歳未満で25％，3歳未満で40％，そして10歳までに70％が死亡する．治療の中心は外科手術だが，的確な重症度診断に基づく手術適応の判断と術前術後の合併症への対応が小児科医の重要な仕事である．右室流出路狭窄が軽度の軽症例では，乳児期はむしろ高肺血流となり，利尿薬内服等の心不全治療を要することがある．体格の成長を待ち心内修復術を行う．中等症例では生後2〜3ヵ月頃に肺動脈弁下部狭窄が進行し，無酸素発作がみられることがある．予防にβ遮断薬や鉄剤の内服が有効である．肺動脈や左室のサイズ次第で，一期的に，もしくは短絡手術（modified Blalock-Taussig shunt や central shunt など）を経て，心内修復術を行う．重症例は，新生児期にPGE1点滴で動脈管により肺血流を維持し，短絡手術を行い退院，肺動脈・左室が成長してから心内修復術を行う．動脈管が開存している出生直後は，右室流出路狭窄の程度をSpO2値のみで判断することはできず，解剖学的な重症度評価をもとにPGE1投与の要否を判断する必要がある．海外では短絡手術に代わる手段として，肺動脈弁バルーン拡大術や右室流出路ステント留置術などのカテーテル治療が一部の

施設で増えつつあるが，国内では一般的ではない．

心内修復術は一般に1～2歳で行われ，施設によってはより早く行われる場合もある．

心室中隔欠損のパッチ閉鎖と右室流出路狭窄の解除を行うが，肺動脈と左室のサイズが十分にあることが条件である．動脈の発達を表す指標であるPA IndexはNakata Indexとも呼ばれ，$\{($左肺動脈径 $[mm]/2)^2+($右肺動脈径 $[mm]/2)^2\}×\pi/($体表面積 $m^2)$ で求められる．一般的にPA Index$>$100であれば心内修復術が可能とされるが，術後右室圧/左室圧$<$0.8とするには，PA Index$>$150が望ましい．左室サイズについては，一般的に左室容積が80%対正常以上であれば，心内修復術は可能とされている．心内修復術後の肺動脈弁閉鎖不全は予後に大きく影響するため，可能であれば自己肺動脈弁を温存したいが，著しい肺動脈弁輪低形成例（弁輪径のZ valueが-3以下）の場合には，自己弁温存は断念し，一弁付transannular patchの適応とする施設が多い．5%に合併する冠動脈異常，たとえば右冠動脈から前下行枝が分岐し右室流出路を横行する場合は，右室流出路切開は避け心外導管法（Rastelli法）を用いて手術を行う．

遠隔期の管理

成人期の最も重要な遺残症とされる肺動脈弁閉鎖不全は，経時的に増悪し，右室拡大・機能低下や心室性不整脈・突然死の原因となる．重症度評価にはMRIによる肺動脈弁逆流率，右室機能評価が有用である．基本的に生体弁による肺動脈弁置換術を行う．有症状の場合はすべて手術適応であるが，無症状の症例に対する再手術の適応については施設間に差がある．国内外のガイドラインでは，逆流率$>$25%かつ右室拡張末期容積（index）$>$150～170 mL/m^2，右室収縮末期容積（index）$>$82～90 mL/m^2 が適応基準とされている．右室流出路狭窄については，右室収縮期圧/体血圧$>$2/3が手術適応とされる．海外ではカテーテル治療による肺動脈弁置換術（transcatheter pulmonaly valve implantation：TPVI）が一定の役割を担っており，国内でも最近開始され，今後の普及が期待される．胸部CT，肺血流シンチグラフィーなどで認められた肺動脈末梢性狭窄の残存には，カテーテル治療（バルーン拡大やステント留置など）を行い外科治療を補完する．完全房室ブロックは稀ながら深刻な合併症で，ペースメーカ治療の対象となる．突然死の危険をはらむ心室性不整脈，特に心室頻拍が問題であり，アブレーションやICD植込みが必要となることがある．感染性心内膜炎予防は遠隔期にも必要であり，Rastelli手術後はハイリスクと認識すべきである．よく修復された症例の長期予後は良好で，妊娠・出産に関しても比較的安全である．

処 方 例

●動脈管開存維持
処方　アルプロスタジル 5 ng/kg/分
●無酸素発作の予防
処方A　カルテオロール 0.3 mg/kg/日
　　　分2
処方B　クエン酸第一鉄ナトリウム
　　　0.05 g/kg/日　分2

専門医に紹介するタイミング

最近は胎児心エコーで出生前に診断されることも多い．Fallot四徴症と診断した場合は

専門医に紹介する.

専門医からのワンポイントアドバイス

　出生当初はチアノーゼがみられない症例でも，肺動脈弁下部の筋性狭窄が徐々に進行し，生後2〜3ヵ月で無酸素発作を認めることがある．特に朝起きてすぐや，哺乳・排便後，発熱や下痢，便秘時などにみられやすい．本疾患の低酸素血症は変動があるので，外来のワンポイントのSpO_2だけでは判断が容易ではない．ご家族の問診から得られる情報にも注意して，無酸素発作を見逃さないように気をつける必要がある．

―――――――――― 文　献 ――――――――――

1) 日本循環器学会. 先天性心疾患並びに小児期心疾患の診断検査と薬物治療ガイドライン（2018年改訂版）
https://www.j-circ.or.jp/cms/wp-content/uploads/2020/02/JCS2018_Yasukochi.pdf（2022年8月閲覧）

2) 日本循環器学会. 成人先天性心疾患診療ガイドライン（2017年改訂版）
https://www.j-circ.or.jp/cms/wp-content/uploads/2020/02/JCS2017_ichida_h.pdf（2022年8月閲覧）

3) Stout KK et al：2018 AHA/ACC Guideline for the Management of Adults With Congenital Heart Disease：Executive Summary：A Report of the American College of Cardiology/American Heart Association Task Force on Clinical Practice Guidelines. Circulation 139：e637-e697, 2019

4) Baumgartner H et al：2020 ESC Guidelines for the management of adult congenital heart disease. Eur Heart J 42：563-645, 2021

5) 山村健一郎 他：Fallot四徴. "先天性心疾患" 中澤　誠 編. メジカルビュー社, pp198-207, 2014

Fallot 四徴症　243

4. 循環器疾患

大動脈縮窄症，大動脈弓離断，大動脈弁狭窄症

しんどうたかひろ
進藤考洋
国立成育医療研究センター 循環器科

POINT
- ●弁や血管の形態評価，他の合併心奇形のスクリーニング，重症度の推定には心臓超音波検査が重要である．
- ●既に何らかの症状が出現しているケースは治療の適応である．
- ●心臓超音波検査による重症度の推定は，必ずしもカテーテル検査結果と一致しない．

ガイドラインの現況

　小児における大動脈縮窄症，大動脈弓離断，大動脈弁狭窄症に対する検査，治療，遠隔期管理についてのコンセンサスは，日本循環器学会および日本小児循環器学会などの合同研究班による『先天性心疾患並びに小児期心疾患の診断検査と薬物療法ガイドライン』『先天性心疾患，心臓大血管の構造的疾患（structural heart disease）に対するカテーテル治療のガイドライン』『先天性心疾患術後遠隔期の管理・侵襲的治療に関するガイドライン』に記されている．

　日本，米国，欧州それぞれの学会によって，心臓弁疾患の診療ガイドラインが作成されており，小児の診療でも参考にされている現状があるが，元来は成人が対象としていることや，新生児・乳児の重症大動脈弁狭窄症は，特殊な配慮が必要な病態であることに留意する．

【本稿のバックグラウンド】 本稿の診断，治療については，日本循環器学会他による『先天性心疾患並びに小児期心疾患の診断検査と薬物療法ガイドライン（2018年改訂版）』，『2021年改訂版 先天性心疾患，心臓大血管の構造的疾患群に対するカテーテル治療のガイドライン』，『2020年改訂版 弁膜症治療のガイドライン』を参考にした．

大動脈縮窄症，大動脈弓離断

どういう疾患・病態か

狭義の大動脈縮窄症（coarctation of the aorta：CoA）は，大動脈峡部から下行大動脈の移行部（大動脈の動脈管接続部）に限局性狭窄を生じることにより生じる．2020年の国内サーベイランスによると，発生率は先天性心疾患のうち2.7%であった[1]．この限局性狭窄は，通常大動脈峡部の低形成を合併する．限局性狭窄を呈さない大動脈峡部の管状低形成例は狭義のCoAと区別する．本疾患の多くは他の心奇形を合併する「複合型」であり，合併心奇形疾患のない「単純型」と区別する．単純型，かつ狭窄が軽度の場合には，成人期まで診断されずに高血圧の原因となる場合がある．

また大動脈弓離断（interrupted aortic arch：IAA）は，大動脈弓部から大動脈弓峡部の一部が欠損することにより，本来あるべき体循環の血流障害を生じる疾患であり，先天性心疾患のうち1%弱を占める[1]．基本的には他の心奇形を合併するうえ，約40%に中枢神経異常や腎奇形，骨格系奇形，染色体異常などの心外奇形を合併する．本疾患は，大動脈弓の離断部位によりA型・B型・C型に区別され，A型が約65%と最も多く，次いでB型（約30%），C型の順に発生する[2]．B型の約60%は染色体22q11.2欠失に合併する．

CoAの狭窄が高度である場合やIAAでは，体血流が動脈管に依存するため，動脈管の閉鎖によってショックに陥る．重症CoAにより，左室後負荷が強い例では，左室収縮能の低下や重度の僧帽弁閉鎖不全による心不全を発症することがある．また，複合型CoAやIAAでは合併心奇形による心不全症状を新生児期から乳児期早期に発症する．

治療に必要な検査と診断

四肢の視診，脈の触診が重要である．上肢高血圧，上下肢血圧差，下肢脈拍触知の減弱や，上下肢のdifferential cyanosis（下肢酸素飽和度が上肢よりも低い）を契機に疑う．診断確定には，心臓超音波検査が必要である．胸骨上窩，胸骨左縁上部から大動脈弓部や動脈管の形態を観察する．新生児期には動脈管および縮窄部の形態が変化しうるため，経時的な観察を要する場合がある．CoAでは，腹部大動脈の拡張期血流が途絶しない特徴的な所見を認める場合がある．また，両疾患とも高率に心奇形を合併しているため，注意深いスクリーニングを要する．特に多い合併奇形は心室中隔欠損（VSD）と左室流出路狭窄である．病変部の形態を立体的に把握するために，造影CTやMRIも有用である．

術後遠隔期の再狭窄のスクリーニングの際に上肢高血圧や上下肢の血圧差を認める場合には，心臓カテーテル検査を行って診断する．もともとの血管形態や修復方法などの理由で再狭窄の有無を血圧で判断できず，心臓超音波検査所見でも再狭窄が疑わしい場合には，造影CTやMRIでの形態評価の追加を行い，心臓カテーテル検査による診断の必要性を判断する．安静時には比較的軽度な圧較差であっても，運動時には顕在化する場合がある．

治療の実際

単純型CoAでは，年齢に関係なく，上肢高血圧や，狭窄部の収縮期血圧差が20mmHgを超える例は治療適応である[3~4]．外科手

4

循環器疾患

大動脈縮窄症，大動脈弓離断，大動脈弁狭窄症　**245**

術，経皮的バルーン拡大術，ステント留置術，カバードステント留置術から，年齢や動脈管開存の有無，大動脈の瘤状変化の有無などをもとに治療法を選択する[4]．

複合型 CoA や IAA では，動脈管の開存を維持するためにプロスタグランジン E₁ 療法を行うが，動脈管が太い例に対してプロスタグランジン E₁ や酸素の過剰投与を行うことは，肺血流の増加によるショックを誘発する場合がある．これらの例では外科的修復が第一選択であり，合併心奇形や体格，容態などの要因を考慮し，乳児期早期に大動脈弓修復と肺動脈絞扼術を先行させ，後に心内修復術等へと進む段階的修復か，大動脈弓修復と心内修復術を同時に行う一期的修復が選択される．

処方例

● 動脈管依存の症例に対するプロスタグランジン E₁ 療法

処方 A　アルプロスタジル　5〜10 ng/kg/分

処方 B　アルプロスタジルアルファデクス　50〜100 ng/kg/分

上記用量は開始量の目安であり，適宜増減して有効最小量で維持する．

● その他

CoA 術後症例に対して推奨される内服治療はない．

専門医に紹介するタイミング

新生児期に上述の理学所見・症状を認める場合や，小児高血圧症のスクリーニングを要する場合には心臓超音波検査が必要である．心臓超音波検査でこれらの診断が疑われる場合には，専門医に紹介する．

専門医からのワンポイントアドバイス

心臓超音波検査で CoA や IAA は VSD や大動脈弁狭窄症（aortic stenosis：AS）の合併が多い．逆に VSD や AS を診断した際には，大動脈弓を入念に観察する．

大動脈弁狭窄症

どういう疾患・病態か

大動脈弁狭窄（aortic stenosis：AS）病変部位により，弁性・弁下部・弁上部狭窄に分けられる．弁性狭窄は交連部のうち一つが癒合と弁尖数の異常によって弁の開放制限が生じる．弁上部狭窄は Williams 症候群に認められることが多い．AS では左室の圧負荷を生じるため，その程度により左室は求心性に肥大する．左室圧上昇による心内膜下虚血が進み，左室内腔拡大および収縮能低下を呈することもある．AS に伴う症状は，労作時息切れなどの心不全症状，胸痛，失神などである．

新生児期から心不全を発症する重症 AS 例では，心内膜線維弾性症を合併することがある．胎生期から左室拍出量が減少しており，左室低形成や大動脈縮窄（CoA）などを合併する場合がある．

治療に必要な検査と診断

聴診では胸骨右縁第二肋間を最強点とし，頸部に放散する駆出性収縮期雑音を聴取する．診断確定のために心臓超音波検査で弁輪径，弁の肥厚や可動性制限の有無，弁尖の数・形態異常の有無，弁下部から上行大動脈の構造を確認するとともに，カラードプラ法

で狭窄部のモザイクパターンと血流速の加速を検出する．狭窄部の収縮期圧較差は簡易ベルヌーイ予測式「(圧較差 mmHg)＝(通過血流速 m/秒)^2×4」を用いて推定する．成人 AS のガイドラインでは大動脈弁最大血流速が 4 m/秒，ないし平均圧較差が 40 mmHg の症例を重症 AS とする[5~6]が，心機能低下に伴う低心拍出状態や左心室容積が小さい例ではこれらの基準を満たさない病態もある．胸部単純 X 線撮影では，左室拡大が進行した例では心胸郭比の増大，左房圧が上昇した例では肺静脈鬱血像がみられる．心電図で左側胸部誘導の ST 低下，陰性 T 波を伴うストレインパターンは，中等症以上の AS を示唆する所見である．

圧較差によらず心不全や失神，心電図変化を伴う狭心痛を認める AS は治療適応である．心臓カテーテル検査で測定した安静時収縮期圧較差が 50 mmHg 以上の症例や，AS による左室収縮能低下例，体血流が動脈管に依存している新生児重症 AS は治療適応である[3~6]．

治療の実際

成人，特に高齢者では弁の高度石灰化を伴う例が多く，外科的あるいは経皮的に人工弁置換術を行うことが第一選択である．しかし，小児では弁の石灰化が少なく，再狭窄も比較的少ないことから，経皮的大動脈弁形成術や外科的大動脈弁修復術が選択されることが多い．

処方例・生活指導

AS に対して推奨される薬物治療はない．

AS 軽症例では学校生活管理指導 E 可とする．その判定には，①心臓カテーテル検査で

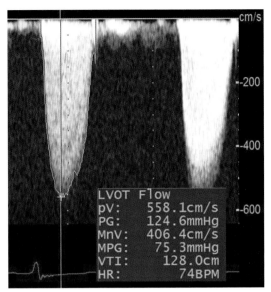

図1 連続波ドプラ法による平均圧較差推定の例

の左室－大動脈圧較差が 20 mmHg 未満，あるいは②心臓超音波連続波ドプラ法で得られた最高血流速度が 2.5 m/秒未満または平均圧較差 20 mmHg 未満を参考にする[7]．

専門医に紹介するタイミング

小児の場合には，AS の存在が疑われる時点で，診断時のスクリーニング，およびその後の重症度の変化を含めたフォローアップについて，いったんは専門医に任せたほうが安全である．

専門医からのワンポイントアドバイス

図1のように，連続波ドプラ法で描出した大動脈狭窄部通過血流波形の外縁をトレースすると，平均圧較差（mean pressure gradient：MPG）が算出，表示される．

文献

1) 日本小児循環器学会：小児期発生心疾患実態調査 2020 集計結果報告書.

2) Readon MJ et al：Interrupted aortic arch：brief review and summary of an eighteen-ear experience. Tex Heart Inst J 11：250-259, 1984

3) 日本循環器学会：先天性心疾患並びに小児期心疾患の診断検査と薬物療法ガイドライン（2018年改訂版）.
https://www.j-circ.or.jp/cms/wp-content/uploads/2020/02/JCS2018_Yasukochi.pdf（2022年9月閲覧）

4) 日本循環器学会 他：2021年改訂版 先天性心疾患，心臓大血管の構造的疾患群（structural heart disease）に対するカテーテル治療のガイドライン.
https://www.j-circ.or.jp/cms/wp-content/uploads/2021/03/JCS2021_Sakamoto_Kawamura.pdf（2022年9月閲覧）

5) 日本循環器学会 他：2020年改訂版 弁膜症治療のガイドライン.
https://www.j-circ.or.jp/cms/wp-content/uploads/2020/04/JCS2020_Izumi_Eishi.pdf（2022年9月閲覧）

6) 2021 ESC/EACTS Guidelines for the management of valvular heart disease.

7) 日本循環器学会 他：循環器病ガイドラインシリーズ 2016年度版：学校心臓健診のガイドライン.
https://www.j-circ.or.jp/cms/wp-content/uploads/2020/02/JCS2016_sumitomo_h.pdf（2022年9月閲覧）

4. 循環器疾患

左心低形成症候群

三﨑泰志
国立成育医療研究センター 循環器科

POINT
- ●左心低形成症候群は，新生児期に体血流が動脈管に依存し，早期に高肺血流を生じやすく，生後早期の治療目標は動脈管維持と高肺血流性心不全への対応である．
- ●将来的には良好な有心バイパス（フォンタン）循環の成立を目標とする．
- ●本疾患は集学的医療が必要で，胎児期に診断されれば胎児期に，生後診断されれば速やかに先天性心疾患専門施設へ搬送する．

ガイドラインの現況

左心低形成症候群に対する診療ガイドラインとしては，日本循環器学会の『循環器病診療に関するガイドライン（2007〜2008年度合同研究班報告）の先天性心疾患の診断，病態把握，治療選択のための検査法ガイドライン』があり，2013年に更新版が出されている．検査法のみならず治療適応決定のプロセスも示されており，診療に非常に役立つ内容となっている．

【本稿のバックグラウンド】左心低形成症候群は現在まだ比較的予後不良な疾患であり，治療法が確立していない部分もあり，ガイドラインを参照に最新の総説や論文をもとに作成した．

どういう疾患・病態か

左心低形成症候群（hypoplastic left heart syndrome：HLHS）は，左心房から大動脈に至る左心系構造物が低形成である疾患であり，左室が機能しないために，右室が体循環および肺循環を支える．体血流は主肺動脈から動脈管を介してすべて供給されるため，生命維持のためには動脈管の開存が必須である．また肺静脈血流は，左房から心房中隔欠損または卵円孔を経て右房・右室へと流入するため，心房間交通が小さいと肺静脈性肺高

血圧を呈する．HLHSの厳格な解剖学的定義として，「共通房室弁ではなく，正常な大血管関係を有し，有意な左室低形成を示す心奇形スペクトラムであり，大動脈弁・僧帽弁のいずれか，あるいは両方の低形成と，上行大動脈・大動脈弓の低形成を有する」との疾患概念が，いわゆる classic HLHS として定義されている．ただし上記の概念を満たさなくても，左室が機能せず，Norwood手術（右室および主肺動脈に左心機能を代替えさせる姑息手術）を経て Fontan 循環を満たさなければならない疾患も広義の HLHS（HLHS

左心低形成症候群　249

variant）とする場合もある．近年は多くの症例が胎児期に診断されるが，胎児診断されない場合は，動脈管閉鎖に伴う急激な循環不全（ductal shock）を生後1～7日に生じる可能性が高く，さらに生後1週以降は，肺血管抵抗減少による肺血流増加により，体血流減少による低心拍出をきたす可能性が高い．チアノーゼは軽度から中等度にみられることが多く，早期に多呼吸・呼吸困難・末梢循環不全を生じる．ductal shock をきたすと，急激なショックで突然発症する．

治療に必要な検査と診断

生後早期に急激に悪化する可能性が高い疾患であり，胎児期に診断することは予後改善のために非常に重要であり，胎児心エコーによる診断は非常に重要であるが，詳細は割愛する．心エコー検査は生後の診断に必須の検査といえる．左房は小さいが，ASD が小さいと拡大する場合もある．細い上行大動脈を認め，大動脈弁は閉鎖または狭窄し，僧帽弁も閉鎖または狭窄している．体循環は動脈管からの血流で維持され，大動脈弓および上行大動脈の血流は逆行性である．大動脈縮窄や離断を認めることもある．また心房間短絡がない，または小さい症例の場合は未だに予後不良であり，心房間交通の評価も重要である．術前の全身管理も重要であるため，肺体血流比の推定や適切な換気条件の評価のために，SpO_2，SvO_2 の評価や，血液ガス所見による PaO_2，$PaCO_2$，lactate などの評価が重要なことはいうまでもない．

治療の実際

根本治療は外科治療であるが，術前管理の治療の基本は，①動脈管を開存させ，②高肺血流にある低心拍出を防止することである．胎児診断できている場合は外科治療可能な施設で娩出する．動脈管収縮を防止するためにプロスタグランジン E_1（PGE_1）投与を開始する．呼吸管理として，不用意な酸素投与は肺血管抵抗の低下および動脈管閉鎖の促進が生じるため，原則禁忌である．FIO_2 0.21 でも高肺血流になる場合は，窒素ガス吸入による低酸素換気療法を施行する場合もある．過換気により PCO_2 が低下する場合は積極的に鎮静する．外科治療は，段階的修復術が必要であり，駆出心室が右室のみであることから Fontan 手術が目標である．第一期手術としては，Norwood 手術であるが，近年は新生児早期での開心術を回避し，予後改善のために生後早期に両側肺動脈絞扼術（bilateral pulmonary artery banding：BPAB）を行い，動脈管の維持および高肺血流の防止を行った後に，Norwood 手術につなげる場合が多くなっている（図1）．一期手術での BPAB は生存率が上昇するとの報告もあり，特にハイリスク症例（ASD が小さい，術前状態の悪化例，低出生体重例）では勧められる．また Norwood 手術時の肺血流確保として，Glenn 手術・RV-PA conduit・BT shunt の選択がある．Norwood ＋ Glenn 手術の選択の場合は，一般に Glenn 手術が可能となる生後3ヵ月まで，PGE_1 投与もしくは動脈管ステントにより動脈管を維持する必要がある．また，海外ではハイリスク症例を中心に心臓移植適応とされる場合もある．詳細をフローチャートに示す（図2）．

専門医に紹介するタイミング

生後早期に重症化する可能性が高く，原則は胎児診断を行い，出生前に専門医に紹介すべきであるが，胎児診断できなかった場合

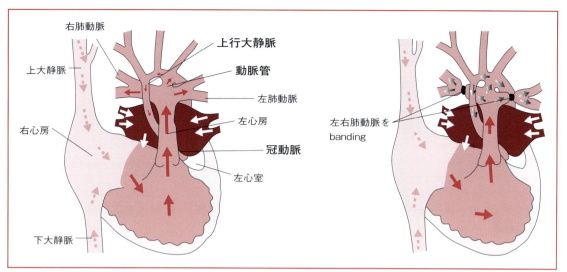

図1 両側肺動脈絞扼術

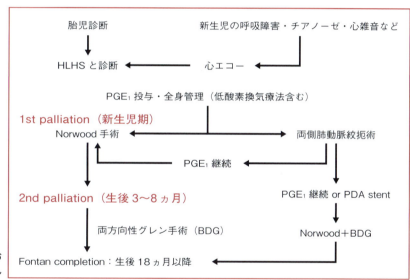

図2 左心低形成症候群における治療スケジュール

は，PGE₁製剤投与を行い，動脈管を維持して，血行動態の安定化をはかった後に，できるだけ早期に搬送を考慮する．

専門医からのワンポイントアドバイス

近年，Norwood手術成績は向上してきているが，未だに予後不良の疾患であり，本邦においても治療計画に関しては，専門治療施設においても治療方針が若干異なることも多く，各々の治療施設と十分に連携をとりながら治療にあたることが重要である．

——— 文 献 ———

1) 日本循環器学会：日本循環器学会の循環器病診療に関するガイドライン（2007～2008年度合同研究班報告）の先天性心疾患の診断，病態把握，治療選択のための検査法ガイドライン．（2013/7/2更新版）

4. 循環器疾患

心筋炎・心筋症

増谷 聡
埼玉医科大学総合医療センター 小児科

POINT

● 心臓のはたらきは，静脈の血液を受けて（拡張），動脈へ拍出する（収縮）ことである．

● そのはたらきを担うのが心筋であり，心ポンプ機能不全は心不全につながる．冠動脈疾患を有さない心筋の機能不全として，炎症に起因するもの（心筋炎）と，心筋自体に起因するのもの（心筋症）がある．

● 心筋炎も心筋症も専門医・専門施設の診療を必要とする疾患である．まずはそれらを疑い，専門医・専門施設にコンサルトすることが重要である．

ガイドラインの現況

心筋炎には，2009年の日本循環器学会（日循）のガイドライン（GL），2013年の欧州心臓病学会（ESC）ステートメント[1]，少し古いが2006年の小児循環器学会のガイドラインがある．心筋症には，2018年の日循ガイドラインがある．特に肥大型心筋症には，2020年米国心臓協会（AHA）ガイドラインと2014年の欧州心臓病学会（ESC）ガイドライン[2]がある．心不全治療については，2021年の日循の急性・慢性心不全診療ガイドラインがある．一つを除き，小児に特化したガイドラインは見あたらず，成人を主体としたガイドラインである．日循ガイドラインは日循ホームページからダウンロード可能である．本稿では2022年3月の情報に基づいて記載する．

【本稿のバックグラウンド】 重症心不全診療は日進月歩である．心筋炎のガイドライン制定から時間が経過したため，心筋炎は過去のガイドラインを参考にして記載した．心筋症は直近のガイドライン，その治療については日本循環器学会の急性・慢性心不全診療のガイドラインを参照した．いずれも，小児に特化した科学的根拠は少ないため，ガイドラインを目の前の患者にあてはめられるかを熟慮する．搬送のタイミングを逸しないことが重要である．

どういう疾患・病態か

心筋炎は，ウイルス等の感染，自己免疫，川崎病などにより起こされる心筋の炎症・壊死・変性である．心筋炎は，軽症・無症状で，時に気付かれずに経過するものから，心機能低下や房室ブロックなどの不整脈からショックをひき起こす重症型，その経過が急で補助循環なしでは救命できない劇症型，突然死の症例まで多彩である．本稿では小児で

最多のウイルス性の心筋炎について記載する．心筋症は“心機能障害を伴う心筋疾患”と定義され（日循 GL），拡張型心筋症と肥大型心筋症（非閉塞型と閉塞型），拘束型心筋症，不整脈源性右室心筋症，その他に分かれる．本稿では，代表的な心筋症である拡張型心筋症と肥大型心筋症について記述する．拡張型心筋症は，①左室のびまん性収縮障害と，②左室拡大を特徴とする疾患群と定義され，遺伝性と後天性の混合した疾患群である（日循 GL）．収縮能，拡張能が低下し，心不全症状や不整脈をきたす．拡張型心筋症は，小児では軽快する症例もあるが，多くは進行性で，死亡または移植に至る症例もあり，予後不良の疾患である．肥大型心筋症は，明らかな心肥大をきたす原因がないのに心室壁の異常肥厚をきたし，左室拡張能低下を特徴とする疾患である．日循 GL では，サルコメア関連遺伝子等に病因変異が同定されている場合や，可能なかぎり評価を行っても，蓄積疾患や心臓外病変を有する全身疾患などの原因がみられない場合を肥大型心筋症とし，蓄積疾患や心臓外病変を有する全身疾患に伴う心肥大については，肥大型心筋症様の病態を呈する疾患として区別している．ただし小児では，わが国では，歴史的に他に原因がある場合も肥大型心筋症として扱ってきた．形態では，左室流出路狭窄をきたすもの（HOCM）ときたさないもの（HCM）に大別される．肥大型心筋症は学校突然死の原因として重要であり，その予防に向けた管理が重要である．乳幼児期発症例では，うっ血性心不全のため多くが死亡し，予後不良である（日循 GL）．

治療に必要な検査と診断

1 心筋炎

感冒症状を有する活気のない小児では心筋炎を疑うことが何より大切である．血液検査，胸部 X 線，心エコー，心電図を行う．心電図は感度が高く重要で，心筋炎を疑ったら必ず記録し，経時的に評価する．不整脈，房室ブロック，wide QRS 波形（**図 1**），ST 変化などを認めれば，心筋炎の疑いを深める．血液検査は，心筋トロポニン，CK-MB，BNP のほか，AST，LDH，CRP，総ビリルビン値などの一般的項目を評価する．初期では胸部 X 線で心拡大を認めないことが多く，肺うっ血・胸水などの所見も認めないことも多い．心エコーでは心囊液貯留，壁運動低下，左房拡大，左室拡大，房室弁閉鎖不全，局所壁厚増大があれば参考になる．壁運動低下は，びまん性に認められることもあれば，炎症部位に一致した壁厚部位に認められることもある．そこまでの基本検査で心筋炎を十分に疑うことが重要である．症状や心電図から心筋炎を疑う症例の鑑別診断には，冠動脈奇形のほか，冠動脈の狭窄や攣縮が小児でも挙げられる．これらの治療は心筋炎と大きく異なるため，心臓の造影 CT あるいはカテーテル検査を考慮する．さらに，MRI，核医学検査にもそれぞれに意義がある（日循 GL）．心筋組織が得られれば，病態理解と診断に極めて有用で，心筋生検は日循 GL では急性心筋炎の診断に class I（レベル C）で，病状が許せば病初期の施行が推奨されている．しかし，偽陰性も多く，小児で心筋炎の診断に心筋生検を一律に施行すべきとはいえない．心筋生検・心臓カテーテル検査を施行するなら，冠動脈造影を施行し，冠動脈異常を除外診断する．ウイルス分離に努める．

2 拡張型心筋症

病歴・身体所見と，胸部 X 線で心拡大と肺うっ血，心電図所見，心エコーで左室拡大，壁運動びまん性低下，壁菲薄化などから，拡張型心筋症様病態であることをまず捉

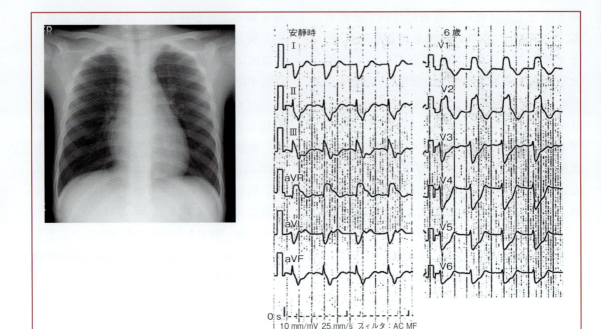

図1 6歳女児の心筋炎の3病日の胸部X線と心電図
発熱と腹痛を主訴に紹介受診し，後に補助循環を必要とした．画像検査で最も早期から異常を強く示唆したのが心電図のQRS波形であった．活気低下がみられ，比較的全身状態が保たれていたが，この心電図所見を呈していた．心電図の有用性をわかりやすく示唆する症例である．

える．血液検査では病勢評価および鑑別診断のために，BNPまたはNT-pro BNP，トロポニン，CRPを最低限検査する．次に拡張型心筋症か，臨床的に類似した他の心筋症であるかを，鑑別していく．日循GLでは，臨床的に類似した心筋症として23種類が挙げられている．これらの基礎疾患ないし全身性の異常に続発し類似した病態を示す「特定心筋症」にあたらないものを，日循GLでは拡張型心筋症としている．拡張型心筋症の鑑別診断では，治療可能な疾患であるカルニチン欠乏症，左冠動脈肺動脈起始症などを見逃さないことが特に大切である．左冠動脈肺動脈起始症は，心エコーによる偽陰性の報告があり，除外診断は極めて慎重に行う．

3 肥大型心筋症

肥大型心筋症の75～96%で異常Q波，ST-T変化，陰性T波，左室側高電位など何らかの心電図異常がみられ，心電図は感度の高い有用なスクリーニング検査である（日循GL）．不整脈は主要な病態であるため，ホルター心電図を行う．肥大型心筋症の基本病態は，心内腔の拡大を伴わない心筋の不均等な肥大であり，断層心エコー図により肥大様式の形態評価を行う．ドプラ法により，①左室流出路狭窄などの左室あるいは右室の閉塞の評価，②左室拡張能，③僧帽弁閉鎖不全などの合併症の評価を行う（日循GL）．心臓カテーテル検査では，心内圧の直接測定により拡張期コンプライアンスの低下を，閉塞型では左室内に収縮期圧較差を証明する．冠動脈造影は冠動脈疾患の除外のために，心内膜心筋生検は特定心筋疾患との鑑別のために施行する（日循GL）．

治療の実際

1 心筋炎

　症状があり心筋炎と考えられる軽症例は，入院のうえバイタルサインをモニタリングし，上記基本検査を反復する．重症化した場合は，補助循環が必要である．初期にその予測は困難であり，急激な悪化があり得るため，重症化した場合の対応を当初より決め，遅れずに判断する．高度房室ブロックによる徐脈には，一時的体外ペーシングを行う．心機能低下への対応が必要な場合，カテコラミン，ホスホジエステラーゼⅢ阻害薬，カルペリチドを（日循GL），刻々と変わる血行動態をよく評価したうえで適応を考えて使用する．以上が不十分であれば補助循環を施行する．生検を施行していない，心筋炎の原因が絞られていない状況での免疫グロブリン，ステロイド，その他の免疫抑制薬については，ランダム化比較試験による検討がみられず，ESCのステートメントでも一律には推奨されていない[1]．個別の症例ごとに判断する．ただし，免疫グロブリンは，日循GLでは"難治例への追加治療として有効性に注目"と記載されており，考慮検討に値する．急性期の運動を避ける．

2 拡張型心筋症

　症状は，呼吸困難・浮腫などのうっ血によるものと，低心拍出によるものに分かれる．薬物療法は症状改善と，予後改善のために行われる．以下，日循GLで強い推奨で挙げられている薬物療法を記す．ACE阻害薬は，心不全症状の有無にかかわらず左室収縮不全患者の予後を改善する（クラスⅠ，レベルA）．ARBは，ACE阻害薬と同等に心イベント抑制効果を有する（クラスⅠ，レベルA）．アルドステロン拮抗薬は，心不全症状を有する左室収縮不全患者の予後を改善する

（クラスⅠ，レベルA）．β遮断薬は，心不全症状の有無にかかわらず左室収縮不全患者の予後を改善する（クラスⅠ，レベルA）．カルベジロールは，用量依存性に予後改善効果が大きい．慢性心不全に対する予後改善効果の科学的根拠を有する3種類のβ遮断薬のうち，2022年現在，わが国で使用できるのはカルベジロール，ビソプロロールの2つである．経口強心薬の短期投与は，生活の質の改善，経静脈的な強心薬からの離脱（クラスⅡa）やβ遮断薬導入時（クラスⅡb）に弱い推奨で記載されている．うっ血を改善するための利尿薬として，ループ利尿薬，サイアザイド，トルバプタンの記載がある．2021年の急性・慢性心不全診療GL（日循）では，ACE阻害薬やARBからARNIへの切り替えやSGLT2阻害薬が記載されたが，成人での科学的根拠に基づいているため，小児への応用には慎重に判断する．薬物療法に抵抗する重症例では，心臓再同期療法や補助人工心臓，心臓移植について検討を行う．

3 肥大型心筋症

　肥大型心筋症で，治療が突然死をどれくらい予防できるかのデータはみられない．ハイリスク児には，十分な運動管理と薬物療法を積極的に行う．さらに外科的治療やDDDペースメーカ，およびICDなどの適応を検討する．薬物療法は，突然死予防，左室流出路狭窄改善，抗不整脈を目的に，β遮断薬，Ca拮抗薬，抗不整脈薬が用いられる．肥大型閉塞型心筋症では，強心薬やACE阻害薬は禁忌である（日循GL）．

処 方 例

心筋炎

　血行動態が不安定な急性期患者では，通常の心不全に対する治療[3]を行う[1]．

拡張型心筋症

以下は目標量であり，内服可能な状態であれば少量から開始し，忍容性を確認しながら漸増する[4]．

処方A　レニベース® 成人 5～10 mg/日（添付文書）

処方B　アーチスト® 成人 10～20 mg/日（日循GL），小児 0.1～0.4 mg/kg/日[5]

または，メインテート® 成人 5 mg/日（日循GL）

肥大型心筋症

インデラル®のような非選択的なβ遮断薬が使用される．使用量は一般的には 2.0～5.0 mg/kg/日（日循GL）

専門医に紹介するタイミング

いずれも重症な心疾患であり，専門医の関与が必要である．疑いが深まったら，速やかに専門医にコンサルトする．心筋炎は，どのように重症化するか，あるいはしないのか，時間経過を追わないとわからない．したがって，厳重にフォローし，重症化のサインがあれば，ペーシングやECMOが施行可能な施設への搬送を急ぐ．拡張型心筋症では，感冒等を契機に急性増悪して診断され，呼吸循環が不安定であれば，初期より呼吸循環管理を行える施設で治療する．全身状態が落ち着いている場合には，β遮断薬やエナラプリル等の内服を開始する．これらの開始・漸増には習熟を必要とするため，専門医の下での施行が良い．肥大型心筋症が強く疑われるときは，不整脈評価や生活指導が必要であり，専門医に紹介し，フォロー指針を決定する．運動環境でのAEDの所在とby-stander CPRの手順の確認を併せて行う．

専門医からのワンポイントアドバイス

心筋疾患では適切な初期診断と専門医コンサルトが重要である．特に心筋炎は，体外循環を要する症例でも，初期症状は感冒症状や活気低下に留まり，後に急激に悪化することも多い．日常診療で感冒症状をきたす多数の患者を診療する中で，心筋炎ではないか，と意識することが重要である．トロポニン，BNP測定だけでなく，心電図，心エコーをためらわず施行する．特に，夜間でも心電図をきちんと記録・評価する．モニタリングと反復測定が鍵である．

――――― 文　献 ―――――

1) Caforio AL et al：Current state of knowledge on aetiology, diagnosis, management, and therapy of myocarditis：a position statement of the European Society of Cardiology Working Group on Myocardial and Pericardial Diseases. Eur Heart J 34：2636-2648, 2648a-2648d, 2013

2) Elliott PM et al：2014 ESC Guidelines on diagnosis and management of hypertrophic cardiomyopathy：the Task Force for the Diagnosis and Management of Hypertrophic Cardiomyopathy of the European Society of Cardiology (ESC). Eur Heart J 35：2733-2779, 2014

3) McMurray JJ et al：ESC Guidelines for the diagnosis and treatment of acute and chronic heart failure 2012：The Task Force for the Diagnosis and Treatment of Acute and Chronic Heart Failure 2012 of the European Society of Cardiology. Developed in collaboration with the Heart Failure Association (HFA) of the ESC. Eur Heart J 33：1787-1847, 2012

4) 山本一博：心不全患者にβ遮断薬を上手に使いこなすコツ. 医事新報 57, 2014

5) 村上智明 他：日本小児循環器学会小児心不全薬物治療ガイドライン（平成27年改訂版）. 日小児循環器会誌 31：S2.1-S2.36, 2015

4. 循環器疾患

起立性調節障害

きぬまきあきこ
絹巻暁子
東京大学医学部附属病院 小児科

POINT

● 起立性調節障害（orthostatic dysregulation：OD）は基本的には身体疾患だが，心理社会的因子が関与することもあり，回復には年単位の時間を要することも多い．

● OD 診療においては問診や身体評価を丁寧に繰返し，本人・家族・学校の疾病理解・受容が進むようなマネジメントを心がける．

ガイドラインの現況

わが国における OD 診療は，日本小児心身医学会による『小児起立性調節障害診断・治療ガイドライン（改訂版）一般外来向け』[1]，『専門医向け小児起立性調節障害診断・治療ガイドライン』[2] に基づいて行われている．一般外来向けガイドラインは主に初診後 4 週間の初期対応について，専門医向けガイドラインは以降の対応について解説しているが，後者は必ずしも児童精神領域の専門医だけでなく，プライマリケア医や病院診療医も対象としている．同医学会より英語版ガイドラインも刊行されている．

欧米では，orthostatic intolerance など他の呼称が用いられており，OD サブタイプのひとつである体位性頻脈症候群に関する研究や診療指針が中心となっている．

【本稿のバックグラウンド】本稿では，前述した一般外来向けガイドライン，専門医向けガイドラインに基づいて診療の流れを解説する．

どういう疾患・病態か

OD では，自律神経系の循環調節不全のために起立に伴う循環動態の変化に対応できず，様々な身体的不調を訴える（**表1**参照）．一方で，自律神経系は心理的ストレスの影響も受けやすいため，心身症としての側面も有する．もともと OD になりやすい遺伝的体質傾向があることが多く，自律神経機能により代償できている間は問題とならないが，思春期のホルモンバランス変化や心理社会的ストレスが加わることにより自律神経のバランスが破綻すると症状が顕在化する．中学生の 2 割が OD を有し，OD の約半数には不登校を伴う．したがって，OD は心身医学的な対応を要する common disease といえる．

起立性調節障害　257

表1　OD身体症状項目

1. 立ちくらみ，あるいはめまいを起こしやすい
2. 立っていると気持ちが悪くなる，ひどくなると倒れる
3. 入浴時あるいは嫌なことを見聞きすると気持ちが悪くなる
4. 少し動くと動悸あるいは息切れがする
5. 朝なかなか起きられず午前中調子が悪い
6. 顔色が青白い
7. 食欲不振
8. 臍疝痛をときどき訴える
9. 倦怠あるいは疲れやすい
10. 頭痛
11. 乗り物に酔いやすい

（文献1より引用）

治療に必要な検査と診断

初診時はいわゆる不定愁訴を主訴に受診することが多く，保護者は身体面だけでなく心理面についての不安を訴えることもある．表1に示すOD身体症状の11項目のうち3つ以上あてはまるか，あるいは2つであっても症状が著しく生活への支障が大きい場合には，アルゴリズム（図1）に沿って診療を進める．まず，他の身体疾患の可能性を除外するための検査を実施する．また，失神の既往がある場合には心原性・神経原性の要因の有無について評価する．ただし，ここで異常が見つかってもそれだけで患者の症状を説明しきれない場合には，次の新起立試験に進む．

新起立試験では，10分間の安静臥床の後に起立し，起立後血圧回復時間に加え，起立後1分，3分，5分，7分，10分での血圧と心拍数を測定する．起立後血圧回復時間の測定に際しては，上腕に巻いた血圧計カフを起立直前に加圧し，コルトコフ音がわずかに聴こえるか，たまに聴こえなくなる血圧レベルでゴム管をクランプする．起立と同時にストップウォッチをスタートし，起立直後に消失したコルトコフ音が再び聴こえるまでの時間を計測する．

ODを有する場合，現時点では4つのサブタイプが確立している（図2）．検査で異常所見が得られなくても症状の訴えが強ければ，日を改めできる限り午前中に再検する．

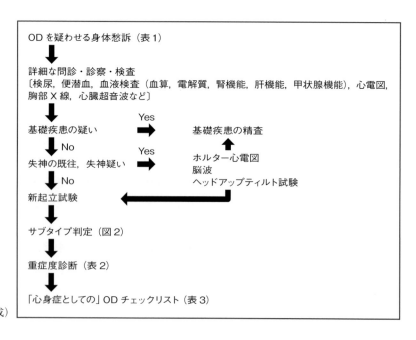

図1　OD診断アルゴリズム
　　　（文献1を参照して作成）

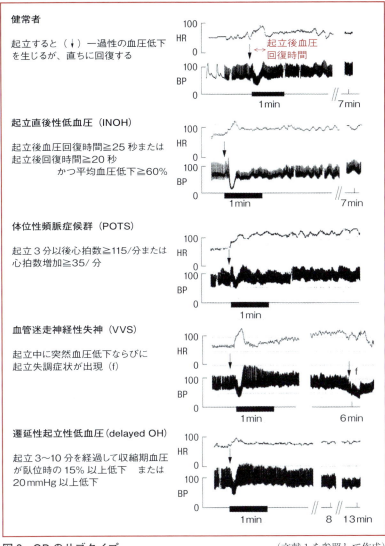

図2 ODのサブタイプ　　　　　　　　　　　　　　　　（文献1を参照して作成）

新起立試験は簡易検査であり，臨床上ODが強く疑われても検査で判断できない場合もある．

- 起立直後性低血圧（instantaneous orthostatic hypotension：INOH）：起立直後の血圧低下が著明で，血圧回復時間が長い．
- 体位性頻脈症候群（postural tachycardia syndrome：POTS）：起立時に収縮期血圧低下を伴わず，著しい心拍数増加を認める．
- 血管迷走神経性失神（vasovagal syncope：VVS）：起立中突然に収縮期と拡張期の血圧低下をきたし，意識障害や意識消失発作が出現する．
- 遷延性起立性低血圧（delayed orthostatic hypotension：delayed OH）：起立直後の変化は正常だが，起立数分以後に血圧が徐々に低下する．

新起立試験の結果と日常生活状況（表2）により身体重症度を判定する．また，「心身症としてのOD」診断チェックリスト（表

表2　身体的重症度の判定

	身体的重症度		
	軽　症	中等症	重　症
INOH	起立試験中に血圧が回復する		起立試験中 15％以上の収縮期血圧低下が持続
POTS	起立時心拍≧115 または 心拍数増加≧35		起立時心拍≧125 または 心拍数増加≧45
VVS	INOH または POTS を伴わない		INOH または POTS を伴う
症状や日常生活状況	時に症状があるが，日常生活や学校生活への影響は少ない	午前中に症状強く，しばしば日常生活に支障があり，週1〜2回遅刻や欠席する	強い症状のため，ほとんど毎日，日常生活や学校生活に支障を来す

（文献1を参照して作成）

表3　「心身症としてのOD」診断チェックリスト

1. 学校を休むと症状が軽減する
2. 身体症状が再発・再燃を繰り返す
3. 気にかかっていることを言われたりすると症状が増悪する
4. 1日のうちでも身体症状の程度が変化する
5. 身体的訴えが2つ以上にわたる
6. 日によって身体症状が次から次へと変化する

以上のうち4項目が週1〜2回以上みられる場合，心理社会的因子の関与ありと判定する。

（文献1より引用）

3）を用いて心理社会的因子の関与度を判定する．

治療の実際・処方例

疾病教育と非薬物療法を基盤とする．身体重症度と心理社会的因子の関与度に応じて，学校への指導や連携，薬物療法，環境調整，心理療法を組合わせる．

a）疾病教育

「ODは身体疾患である」ことを明言し，各症状を自律神経の機能に結び付けて丁寧に説明する．その一方で十分な回復までに年の単位でかかることを最初にはっきりと伝える．こうした説明は患者本人だけでなく，家族や学校関係者にも十分に実施する必要がある．周囲がODを正しく理解することで，誤解による患者自身のネガティブな心理状態，症状悪化の悪循環の是正につながる．

b）非薬物療法

起立（起床）時には時間をかける，日中は臥位にならない（起立耐性悪化防止のため），生活リズムを整える，十分な水分と塩分の摂取（1日に水分2Lと塩分10g），弾性ストッキングの着用など，取り組めることから開始する．

c）学校への指導や連携

学校側がODを正しく理解することで，患者本人の心理的負担が軽減される．ODの病態生理について医学的の機序を記載した説明文書などを作成すると効果的である．

d）薬物療法

身体的重症度が中等症以上の場合に導入する．塩酸ミドドリンが第一選択である．

処 方 例

**処方　塩酸ミドドリン（2mg錠）1〜2
錠，1日1回（起床時）**

起床時の内服を基本とし，状況に応じ
て昼（午後も症状が持続する場合）ある
いは眠前（早朝の症状が強い場合）に1
錠追加する．起立試験の所見改善（数週
間）が自覚症状の改善（数ヵ月）に先行
するため，効果判定は2週間を目途に起
立試験により実施し，「症状改善の実感
がなくても自己判断で内服を中断しな
い」よう説明する．起立試験に改善がな
い場合，INOHではメチル酸アメジニウ
ムに変更，POTSではプロプラノロール
を併用する．

e）環境調整・心理療法

身体的重症度が中等症かつ心理社会的関与
ありの場合，または身体的重症度が重症の場
合に行う．専門機関に限らず一般小児科で
あっても別枠（30分程度）での予約診療を
設ければ対応可能な部分も多い．丁寧な問診
や診察による身体評価を繰返し，ODという
体質を患者本人だけでなく周囲も正しく理解
し受容が進んでいるか確認することに主眼を
おく．患者本人に対して共感的態度に終始せ
ず，ODに関する医学的な治療介入を意識し
て対応する．彼らは自己評価が低下している
ことが多いため，身体症状の中で改善した部
分や生活指導において実践したことがあれば
高く評価するなど，行動療法的な対応を意識
する．また，本人が実行可能と思える目標を
設定し（30分だけ生活時間を前倒す，1週間
のうち決まった曜日の夕方15分だけ担任の

先生に会いに行く，など），確実に成功体験
を積みながらスモールステップで行動拡大に
つなげられるとよい．回復には年の単位でか
かるため，現状維持を目指すのが現実的であ
る．保護者らは，診断当初は病態理解が良好
であっても時間とともに子どもに対して批判
的な態度に戻ってしまうことも多い．保護者
自身の不安，家庭での困難感を十分に理解し
たうえで，疾病教育を繰返し，理解や受容が
進むようサポートする．

専門医に紹介するタイミング

4週間経っても全く改善のない場合や，初
回診察の時点で既に1ヵ月以上の不登校を伴
う場合には，専門医への紹介を検討する．前
述の通り，専門医への紹介は必須ではなく一
般小児科で対応可能な部分も多い．

専門医からのワンポイントアドバイス

症状の日内変動が消失する，娯楽に興味を
示さない，笑わない，急に泣く，イライラ，
体重減少など「うつ」を疑う二次的な精神症
状がある場合には精神科受診を勧める．ただ
し，精神科の診療が開始されても，身体面の
診療として小児科でのフォローは継続するの
が望ましい．

──────── 文　献 ────────

1) 日本小児心身医学会：小児起立性調節障害診断・治
療ガイドライン（改訂版）一般外来向け．子の心と
からだ　23：408-444，2015
2) 日本小児心身医学会：専門医向け小児起立性調節障
害診断・治療ガイドライン2011．子の心とからだ
21：191-214，2012

5. 消化器疾患

5. 消化器疾患

乳児肥厚性幽門狭窄症

石黒秋生
埼玉医科大学総合医療センター 小児科

POINT
- 診断技術の進歩により，古典的な臨床所見を呈する前に早期発見，早期治療が行われる傾向にある．
- 主たる診断は腹部超音波検査による．
- 海外では外科的治療が第一選択となるが，本邦では硫酸アトロピン投与による内科的治療が第一選択とされることもある．

ガイドラインの現況

　乳児肥厚性幽門狭窄症の小児科的管理に関するガイドラインは確立されていない．その外科的治療に関して，本邦では日本内視鏡外科学会より『肥厚性幽門狭窄症に対する腹腔鏡下幽門筋切開術のガイドライン』[1]，海外では International Pediatric Endosurgery Group より『Guidelines for surgical treatment of infantile hypertrophic pyloric stenosis』[2] などが提唱されているが，本稿では外科的治療の詳細については割愛させていただく．本疾患の小児診療ガイドライン作成にあたっては，外科的治療（術式）が確立され，さらにはより侵襲性の低い術式が提案されている中で，本邦でしばしば初期治療として取り入れられている硫酸アトロピンによる内科的治療を，今後どのように位置づけるかが，解決すべき重要なポイントである．

【本稿のバックグラウンド】 乳児肥厚性幽門狭窄症のガイドラインとして組織的に作成されたものはない．本稿では，外科的治療に関するガイドライン，施設ごとに作成されたガイドラインを参考とした．

どういう疾患・病態か

1 病　態

　乳児肥厚性幽門狭窄症は，幽門筋肥大を原因とした胃幽門部の閉塞をきたす，激しい嘔吐を主徴とする乳児疾患である．疾患の発症頻度は生産児 1,000 人あたり 1〜2 人で，男女比 4〜6：1 と男児に多く，早産児，第一子に多いとされる．

　多くの場合，生後 3〜6 週に好発する．12 週以降の発症は少ない．

　病因については明らかではないが，妊娠中の喫煙やボトル授乳などの環境的要因と，アポリポプロテイン A1 遺伝子群の関与[3] などの遺伝的要因とから成る多因子が関連して発症すると考えられている．

また，薬剤としてエリスロマイシンやアジスロマイシンの生後6週内投与，または分娩直前，授乳中の母体投与が，その発症リスクを上昇させると報告されている（クラリスロマイシンについては報告がない）．

2 症　状

乳児肥厚性幽門狭窄症は，噴水様嘔吐と称される，哺乳後の突発性の非胆汁性嘔吐を主徴とする疾患である．古典的には，本疾患を発症した児は"痩せていて，脱水状態にあり，右上腹部にオリーブ様腫瘤を触れる"とされてきた．

また，検査データ上，胃液嘔吐によりH^+，Cl^-を喪失して低クロール性代謝性アルカローシスを呈し，さらに嘔吐が続けば低カリウム血症を呈するとされている．しかしながら，本疾患は，超音波検査をはじめとする診断機器の拡がりや疾患周知によって早期に発見，加療される傾向にあり，診断時に上記に示したような高度の体重減少や脱水，オリーブ様腫瘤，低カリウム血症等の電解質異常を認める頻度は低下していると報告されている．また，早産児においてはこれらの症状を欠くことが多く，正期産児と比較して発症時期も遅いとされている．したがって，オリーブ様腫瘤などの典型的所見を欠いていても，繰返す非胆汁性嘔吐や低クロール性アルカローシス等があれば，乳児肥厚性幽門狭窄症を念頭において精査を進めるべきである．

合併症として，14%に間接ビリルビン優位の高ビリルビン血症を合併し，黄疸幽門症候群（icteropyloric syndrome）として知られる．この黄疸は，手術後に改善する傾向がある．

治療に必要な検査と診断

診断は，病歴と検査所見から行う．

1 病　歴

乳児肥厚性幽門狭窄症の病歴上の特徴としては，比較的進行性の経過，非胆汁性の嘔吐，哺乳直後に多発，嘔吐後の食欲旺盛，などが挙げられる．嘔吐の経過が長くなれば，体重減少や脱水所見が認められる．

診察所見では，右上腹部，腹直筋外側に50〜90%でオリーブ様腫瘤を触知する．近年，早期発見例が増加し腫瘤を触知する頻度は低下しているものの，本所見があれば同症が強く疑われる．腫瘤の触診は，安静時，嘔吐後，場合によっては胃管を挿入し胃内容を吸引した後に行うと触知しやすい．

また，双胎例での発症頻度が高いことが報告されていることから，家族歴の確認が必要である．さらに，マクロライド系抗生物質の母児の内服歴も確認すべきである．

2 臨床検査所見

a) 血液検査所見

低クロール性代謝性アルカローシスを呈する．発症からの時間が短ければ電解質は正常であることが多いが，発症から時間が経てば低カリウム血症や高または低ナトリウム血症をきたす．

血清クレアチニン，尿素窒素値の上昇があれば，脱水を疑う．その他，間接ビリルビン上昇があれば，icteropyloric syndromeを考える．

通常，肝逸脱酵素，アルカリフォスファターゼ，γGTP，直接ビリルビンなどの生化学検査値や血算は正常であるが，他疾患との鑑別上，併せて行っておく．

b) 画像診断

画像検査として，超音波検査，上部消化管

乳児肥厚性幽門狭窄症　265

造影等が挙げられるが，特に超音波検査は，熟練した検査者が施行すれば，感度，特異度とも95%の精度があるとされる．また，後述する硫酸アトロピン療法中の経時的な治療効果判定にも有用であると報告されている．

超音波検査では，横断像で肥厚した幽門筋が標的状にみられる target sign，縦断像で肥厚した幽門筋が前庭部に突出して子宮頸部に類似する cervix sign が認められる．計測値としては，幽門筋厚（PMT：pyloric muscle thickness），幽門管長（PML：pyloric muscle length），幽門直径（PD：pyloric diameter）が用いられる（**図1**）．文献的には，PMT 3〜4mm，PML 14〜19mm，PD 10〜14mm以上で肥厚性幽門狭窄症と診断される．ただし，これらの計測値は体格による差異が考慮されていないこと，幽門スパズムや十二指腸球部，胃前庭部におけるガス貯留により偽陽性となる場合があること，などに注意が必要である．

上部消化管造影は，身体所見，超音波で確定し得ない場合に行われる．幽門の造影所見として，延長，狭小化した胃幽門部を示す string sign，幽門の十二指腸への突出を示す umbrella sign，または mushroom sign，などの所見が得られる．

c）鑑別診断

嘔吐をきたす乳児期の鑑別診断として，非進行性で体重増加不良や電解質異常がなければ生理的胃食道逆流現象を，血便があればミルクアレルギーを，低血圧，高カリウム性アルカローシスがあれば副腎不全を，胆汁性嘔吐があれば消化管狭窄または閉塞を，直接優位の高ビリルビン血症があれば，胆道閉鎖症，代謝性疾患などの肝疾患を疑う．

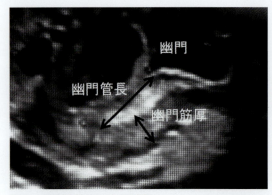

図1 超音波検査による計測

治療の実際

1 外科的治療

外科的治療として，Ramstedt幽門筋切開術が確立した治療である．

全身状態が良く，脱水や電解質異常もなければ，診断された当日でも施行可能である．脱水があれば，まずその補正を行う．

術前に pH≦7.45, base excess≦3.5, HCO$_3^-$<26mmol/L, Na≧132mmol/L, K 23.5mmol/L, Cl≧100mmol/L, 血糖値72mg/dL とすることが推奨されている[4]．

外科的治療に関しては，より侵襲性が低い，あるいはより整容的に優れる様々な新しい術式が提唱されている．内視鏡的幽門筋切開術については，日本内視鏡外科学会より『肥厚性幽門狭窄症に対する腹腔鏡下幽門筋切開術のガイドライン』が提唱されている[1]．内視鏡治療については，既存の術式と比較して，低侵襲，創部トラブルが少ない，術後の嘔吐が少ない等の効果が報告されている一方，切開が不十分となるリスク（2〜6%）があるとされる．

2 内科的治療

内科的治療としては，硫酸アトロピン療法が行われるが，その効果を検証する大規模研

究はない．手術侵襲がない以外の利点は報告されておらず，外科的治療と比較して，入院期間が長く，治癒率が低い（外科手術 100% vs アトロピン 79%）と報告されている[5]．海外では手術療法が主流であるが，本邦における全国規模の調査では，32% が初期治療として硫酸アトロピン療法が選択されている．

処 方 例

アルカローシスは，術後の無呼吸予防のため是正しておく．

脱水症に対する治療

● 電解質異常を伴わない軽度脱水症

通常の維持輸液組成で輸液を行う．

● 重度の脱水症

5% 糖液と生理食塩水を 1：1 から 1：2 で混合し，維持輸液速度の 1.5 倍の速度で投与する．利尿が十分についたら，K を 10〜20 mEq/L になるよう輸液に加える．

硫酸アトロピン療法

処方　アトロピン硫酸塩注　1 回 0.01 mg/kg　1 日 6 回ミルク前にゆっくり静注

・その後嘔吐症状がなければ

硫酸アトロピン　0.12 mg/kg　分 4　哺乳前 30 分以内の経口投与へと変更する．以降は症状をみながら減量中止とする．

専門医に紹介するタイミング

早期発見，早期治療により脱水等の全身状態の悪化や電解質異常等を防ぐことが可能であることから，発症の時期，嘔吐の性状などの病歴から本疾患が疑われた場合は，早期に小児外科医のいる施設へ紹介すると良い．

専門医からのワンポイントアドバイス

硫酸アトロピン療法に関しては，外科的治療に対する明確な優位性はなく，海外では一般的ではない一方，本邦では採り入れている施設も少なくない．自施設で硫酸アトロピン療法を行う場合には，本治療のメリット，デメリットを両親に伝えたうえで，本療法を選択された場合には，いたずらに治療期間を延長しないよう，外科的治療への切替え時期等を事前によく検討しておくべきである．

--- 文 献 ---

1) 日本内視鏡外科学会 編：内視鏡外科診療ガイドライン．小児外科 肥厚性幽門狭窄症に対する腹腔鏡下幽門筋切開術のガイドライン．金原出版，pp117-123，2008

2) International Pediatric Endosurgery Group：Guidelines For Surgical Treatment Of Infantile Hypertrophic Pyloric Stenosis.
http://www.ipeg.org/pyloric-stenosis/

3) Feenstra B et al：Plasma lipids, genetic variants near APOA1, and the risk of infantile hypertrophic pyloric stenosis. JAMA 310：714, 2013

4) van den Bunder FAIM et al：A Delphi analysis to reach consensus on preoperative care in infants with hypertrophic pyloric stenosis. Eur J Pediatr Sung 30：497-504, 2020

5) Takeuchi M et al：Pyloromyotomy versus i.v. atropine therapy for the treatment of infantile pyloric stenosis：nationwide hospital discharge database analysis. Pediatr Int 55：488-491, 2013

5. 消化器疾患

虫 垂 炎

小高哲郎
あきるの杜きずなクリニック

POINT
- ●虫垂炎は，小児の腹痛の代表的疾患で，虫垂内腔の閉塞から細菌増殖をきたすことにより発症する．
- ●小児の虫垂壁は薄く，穿孔しやすいため，診断が遅れると，腹膜炎から複雑な病態を呈する．
- ●診断は，臨床症状や血液検査などを点数化した虫垂炎スコアに，画像所見を加味して進められる．
- ●可及的早期に虫垂切除術を行うことが原則だが，炎症が進んだ例では，まず抗菌薬投与を行い，2〜3ヵ月後に待機的虫垂切除術が行われる．

ガイドラインの現況

　虫垂炎は，小児の代表的な腹部救急疾患であり，15人に1人は生涯のうちに発症するといわれている．虫垂炎の診療方針は，長らく施設ごとによって様々であったが，近年の診断装置や治療方法の進歩に伴い，診療ガイドラインの必要性が叫ばれるようになった．その結果，小児救急医学会ガイドライン作成委員会が中心となって2012年より診療ガイドライン作成が開始され，2017年6月に『エビデンスに基づいた子どもの腹部救急診療ガイドライン2017』（以下，ガイドライン2017）が報告されるに至った．これは，小児が腹部症状を訴える疾患のうち緊急性の高い「急性胃腸炎」と「急性虫垂炎」を対象としたもので，虫垂炎の評価スコア（虫垂炎スコア）に基づく対処法を示すとともに（図1，表1），確定診断のための画像検査として，CT検査よりも超音波検査を推奨している．また膿瘍形成した虫垂炎に対しては，まず抗菌薬で炎症を改善させ，待機的に虫垂切除を行うinterval appendectomyも選択肢として提示されている．

【本稿のバックグラウンド】 本稿は，小児救急医学会ガイドライン作成委員会により作成された『エビデンスに基づいた子どもの腹部救急診療ガイドライン2017』を参考にした．また，小児外科的視点について，『小児外科（東京医学社，2017年12月刊）』も参考にした．

どういう疾患・病態か

　虫垂炎は，何らかの原因による虫垂内腔の

閉塞から虫垂内腔で細菌増殖が起こる疾患である．内腔閉塞の原因としては，糞石，糞便うっ滞，異物などがあるが，小児では粘膜下

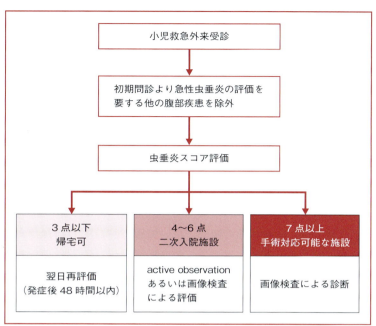

図1 スコアリング点数の評価
（文献1より引用）

表1 スコアリングの指標

Alvarado Score（MANTRES Score, 1986年）	
右下腹部に移動する痛み	1点
食欲不振	1点
悪心・嘔吐	1点
発熱（37.3℃以上）	1点
右下腹部の圧痛	2点
反跳痛	1点
白血球数増加（10,000/mm³以上）	2点
左方移動（好中球＞75%）	1点

合計スコア7点以上で急性虫垂炎と診断.

Pediatric Appendictis Score（PAS, 2002年）	
右下腹部に移動する痛み	1点
右下腹部痛	2点
咳・跳躍・打診による叩打痛	2点
嘔気・嘔吐	1点
食欲不振	1点
発熱（38℃以上）	1点
白血球数増加（10,000/mm³以上）	1点
左方移動（好中球 7,500/mm³以上）	1点

合計スコア7点以上で急性虫垂炎と診断.
（文献1より引用）

リンパ濾胞の過形成が多い．やがて粘液貯留，粘膜下の浮腫，細菌増殖を呈する（カタル性虫垂炎）．進行すると浮腫増大，虫垂壁循環障害をきたし，炎症は漿膜側まで波及する（蜂窩織炎性虫垂炎）．さらに内圧上昇が進むと，虫垂壁の壊死をきたし（壊疽性虫垂炎），穿孔に至る．［なお，海外の文献ではカタル性および蜂窩織炎性虫垂炎を単純性虫垂炎，壊疽性虫垂炎を複雑性虫垂炎として分類したものが多い．］

小児の虫垂は壁が薄いため，炎症は速やかに全層に達し容易に穿孔に至る（穿孔率15.9〜34.8％）．特に乳幼児では，穿孔率が高いことに加え，免疫学的に未熟であること，大網の発達が悪いことから汎発性腹膜炎を呈し，複雑な病態を呈することが多い．

治療に必要な検査と診断

虫垂炎の診断は，臨床経過，理学所見で推定し，血液検査・画像検査で確認する，という手順で進める．

典型的な臨床経過では，発熱，臍周囲や上腹部の痛み，食欲不振および嘔気・嘔吐が出現し，やがて右下腹部の持続痛，圧痛，筋性防御が出現する．上腹部の症状は，炎症の信号を虫垂壁にある stretch receptor が受け，腸間膜の神経線維を介して第10胸椎レベルの脊髄に入るために起こるもので，右下腹部に痛みが移動するのは，炎症が虫垂の漿膜まで波及し，さらに壁側腹膜を刺激することによるものである．

理学所見では，全身状態の観察，次いで腹部の聴診・触診へと進める．顔色，苦痛様顔貌，歩行時の姿勢は診断に重要である．腹部の触診は，痛くない場所から開始し，徐々に最強点に近づけていく．右下腹部の圧痛に加え，反跳痛や叩打痛，筋性防御を認める場合は，手術適応を決定づける所見である．

血液検査では，白血球数増加，左方移動，CRP 上昇などがあり，虫垂炎の進行度を推測するのに重要である．白血球は $10,000/m^3$ 以上となることが多いが，既に抗生剤投与を受けている症例では正常値であることもあり注意を要する．CRP は比較的良好に炎症度を反映するが，遅れて反応するため，発症初期には必ずしも上昇していないこともあり，診断の決め手にならないこともある．

画像検査では，超音波検査が最も有用であり，ガイドライン2017でも第一選択として推奨されている．まず，3.75 Mhz プローベで腹部全体を観察し，腹水や膿瘍，右腎盂尿管の拡張の有無などを観察する．次いで，プローベを右下腹部に移し，腸腰筋および右総腸骨動静脈を同定し，動静脈前面にて虫垂を同定し，痛みの部位と一致するかどうかを確認する．さらに 7.5 Mhz プローベに換えて虫垂の構造を詳細に観察する（図2a，b）．虫垂炎では蠕動のない壁肥厚を伴う虫垂が描出され，圧迫しても潰れない（compression test）．また虫垂外径6mm以上あれば虫垂腫大ありとする．腹部X線では，右下腹部の腸管ガスの集簇像，脊椎側弯，腸腰筋陰影の不鮮明化などが診断に有用である．右下腹部に糞石が認められることもある．

造影 CT は，超音波検査とともに虫垂の壁肥厚，糞石（図3a），膿瘍，腹水などの描出が容易である．また超音波検査では虫垂の描出に熟練が必要であり，腸管ガスが多い場合や虫垂が背側に回り込んでいる場合（図3b）に，虫垂の描出が困難であるのに対し，造影 CT ではどのような場合でも虫垂描出が可能

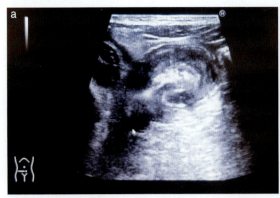
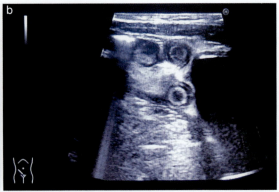

図2　腹部超音波検査
　　a：虫垂縦断像
　　b：虫垂横断像

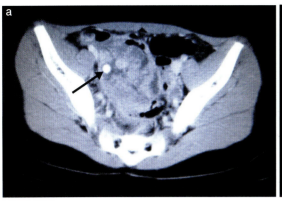
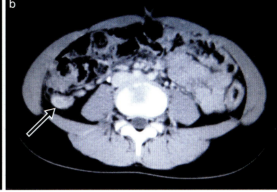

図3 造影 CT
　　a：糞石を伴う虫垂，b：背側に回りこんだ虫垂

である．ガイドライン2017では，超音波検査が第一選択として推奨されているが，診断に苦慮する場合などに有用である．

治療の実際

【ガイドライン2017に基づいた治療の実際】

　虫垂炎は基本的に外科疾患であり，治療の原則は可及的に早期に診断して，可及的早期に虫垂切除術を行うことである．ガイドライン2017では，虫垂炎スコアによる対処法を示しており（図1a, b），臨床症状や血液検査などを点数化したものが用いられる．虫垂炎スコア評価には，「Alvarado Score（MANTRES Score）」または「Pediatric Appendicitis Score（PAS）」が用いられ，7点以上では画像検査の所見を加味することで虫垂炎と診断できるとしている（PAS評価7点以上の患者の陽性的中率は72％）．一方，3点以下では，虫垂炎の可能性が低いと判断でき，帰宅させることができる．4点以上7点未満では，虫垂炎かを見極めるため，慎重な経過観察（active observation）を行う．

　虫垂炎と診断された場合，原則，診断がつき次第の緊急手術が望ましい．通常，全身麻

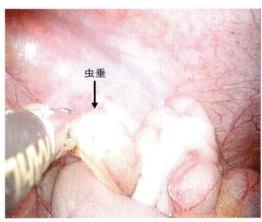

図4 腹腔鏡像

酔下に腹腔鏡下虫垂切除術が行われる（図4）．特に筆者らの行ってきた単孔式手術は，臍部のポート創部だけで行われ，整容性に優れた術式と思われる．

　一方，炎症性腫瘤や限局性膿瘍を形成した症例では，緊急手術に伴う合併症を回避する目的で，まず抗菌薬にて炎症を抑え込み，2〜3ヵ月後に手術を行う待機的虫垂切除術（interval appendectomy）が広く行われている．

専門医に紹介するタイミング

虫垂炎スコアによる評価により，7点以上の症例，または4点以上7点未満の症例でも画像検査で虫垂炎が疑われた症例では，専門医に早期に紹介すべきである．

専門医からのワンポイントアドバイス

虫垂炎治療の原則は，外科治療が必要か否かを早期診断し，早期に治療方針を決定することである．虫垂炎スコアによる評価により，虫垂炎の診断が進めやすくなったが，虫垂炎の可能性が少しでもあるようであれば，active observation も含めて専門医に紹介すべきである．

――――― 文　献 ―――――

1) 日本小児救急医学会ガイドライン作成委員会 編：エビデンスに基づいた子どもの腹部救急診療ガイドライン 2017. 2017
2) 特集 小児急性胃腸炎・急性虫垂炎. 小児外科 49, 2017
3) 新版小児外科学. 診断と治療社, 1996
4) 岡田　正 編著：系統小児外科学. 永井書店, 大阪, 2005
5) 特集 小児虫垂炎―診断・治療の現況―. 小児外科 33, 2001

5. 消化器疾患

腸重積症

余田　篤

川西市立総合医療センター 小児科/大阪医科薬科大学 小児科

POINT

● 腸重積は乳幼児の急性腹症として日常しばしば経験され，診断が遅れると外科治療となり，早期の診断と治療が望まれる．

● 診断方法では，腹部超音波検査による確定診断が推奨される．

● 発症後 24 時間以内なら非観血的な内科治療で整復されることが多く，また，整復後は再発に注意する．

ガイドラインの現況

現在わが国での腸重積の診断・治療に対するガイドラインは日本小児救急医学会より 2022 年に『エビデンスに基づいた小児腸重積症の診療ガイドライン 改訂第 2 版』[1] が報告されている．

【本稿のバックグラウンド】　欧文ではレビューなどが現在までいくつか散見され[2, 3]，それらとわが国のガイドラインを自験例を交えて，腸重積症の診断と治療について解説する．

どういう疾患・病態か

腸重積症は乳幼児の急性腹症の代表的疾患で，間欠的腹痛，嘔吐，血便，腹部腫瘤が主徴である．しかし血便がみられない例，腹部腫瘤の触知されない例などもしばしば経験する．腸管の一部が先進部（内筒）となり，肛門側の腸管（外筒）に嵌入して内筒と外筒からなる重積部を形成して，その結果，腸管血流が遮断され，診断が遅れると腸管は虚血から壊死へと進行する．診断には腹部超音波検査（以下，エコーと略）などの画像検査が必須である．内科治療は高圧浣腸による重積腸管の整復で，エコーで診断し，エコー下で整復する方法と，古典的な X 線透視下で整復する方法がある．上記の非観血的治療で整復不可能な場合は，開腹し，用手整復か腸切除が必要となる．

成因・病態

腸重積の発症機序については，アデノウイルスやロタウイルスなどの腸管感染，Peyer 板の肥厚などのいくつかの説があるが，未だによくわかっていない．本症のうち 90％以上が乳幼児に好発する器質疾患のない特発性腸重積で，男児に多く，この特発性腸重積の誘因として，腸管免疫（リンパ濾胞）を含め

腸重積症　273

た乳幼児特有の回盲部の脆弱性などの特徴が発症に関与しているといわれている．突然，腸管の一部が先進部となり肛門側に嵌入して内筒と外筒を形成しながら重積し，先進部の重積した腸管内筒は肛門側に進んでいき，腸閉塞をきたす．徐々に嘔吐は頻回となり，吐物は胃液から胆汁様になり，脱水，ショックをきたす．腸管の血流はうっ滞し，虚血に陥り，腸管浮腫を起こし，診断が遅れると腸管の壊死や穿孔を合併する．

乳幼児の腸重積の大部分は特発性であるが，一部で器質疾患（先進部病変）を伴ったものもある．基本的には，胃などの上部消化管から大腸まで，腸管のいずれの部分にも発症しうる．病型は回腸結腸型，小腸小腸型，結腸結腸型，その他に分類され，特発性では回腸結腸型が80％以上を占める．また，腸重積患児の5～10％はMeckel憩室，重複腸管，異所性胃・膵組織，腸管ポリープ，悪性リンパ腫，IgA血管炎などの器質疾患を合併している．

症　状

間欠的腹痛，嘔吐，血便が三主徴であるが，乳児では腹痛ではなく，機嫌不良となり，発症早期には，肉眼的血便がみられず，経過とともにイチゴジャム様の血便となる．腹痛は間欠的なことが多い．また，腹部腫瘤は診断後は高率に触知されるが，診断前の不機嫌な状態では触知困難な例も多い．血便や腹部腫瘤より特異度は低いが，年長児の腸重積を除くと嘔吐のみられない症例は少ない．いいかえると，乳幼児で機嫌不良と嘔吐があれば，腸重積も念頭において診療にあたり，エコーが外来で容易に施行できる施設では，気軽にエコーで腸重積を否定する．

診　断

上記の症状と腹部腫瘤が触知されれば本症が強く示唆されるが，問診と身体所見だけで，感染性腸炎や，内ヘルニア，腸軸捻転などの他の急性腹症と確実に鑑別することは困難である．触診で重積腸管を右季肋下にソーセージ様の腹部腫瘤として触知する．実際には腫瘤を触知できる症例は半数前後で，腫瘤を触知できなくても腸重積を除外してはいけない．

腸重積の診断では，被曝がないこと，簡便性，さらに感度と特異度が高いことから，エコーが画像診断の第一選択である[3, 4]．エコーが施行できない施設では，注腸によるX線透視で診断される．小腸小腸型で重積部が非常に長い例などの非典型例では，エコーではなく腹部CTやMRIで診断されることもある．

multiple concentric ring sign（target sign, doughnut sign）（**図1**）とpseudokidney sign（sandwich sign）（**図2**）が確認できれば診断は容易である．multiple concentric ring signは先進部の重積した腸管の短軸像である．嵌頓腸管の内筒（図1▲）と嵌頓腸管のすぐ肛門側の腸管の外筒（図1△）から成り，同心円状に見える．pseudokidney signは先進部の重積した腸管の長軸像である．注意すべきことは，必ずmultiple concentric ring signだけでなく，同時にpseudokidney signを観察することである．腸管の炎症が著しく，炎症性の浮腫が強いときには，その腸管の短軸像は同心円状に見えるが，multiple concentric ring signではない．具体的には*E.coli* O157：H7による出血性腸炎やGVHD腸炎などの腸管はドーナッツ様に見える．しかしこれらの場合には決してpseudokidney signは認められない．pseu-

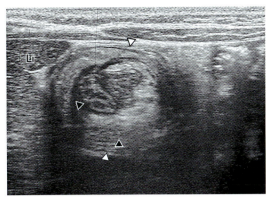

図1 multiple concentric ring sign
Li：肝臓，△：重積腸管の外筒，▲：重積腸管の内筒．

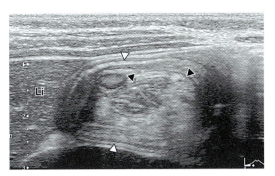

図2 pseudokidney sign
Li：肝臓，△：重積腸管の外筒，▲：重積腸管の内筒．

dokidney signでは，最近の機器の進歩で解像度が良くなり嵌入している様子が観察できる．

1 小腸小腸型腸重積

小腸小腸型腸重積で先進部が大腸まで進んでいない症例では，診断と治療に際して注意を必要とする．以下に注意点を記載する．

①小腸の蠕動に合わせて，multiple concentric ring sign様に見えることが正常（図3）で，時々みられる．このような例では数秒間でこの像は消失してしまう．もちろん消化器症状はなく，正常な小腸の蠕動運動の一部である．正常小腸ではmultiple concentric ring signとpseudokidney signは決しては恒常的には観察されない．

②腹痛がある真の小腸小腸型腸重積で，数分〜数十分で消失し，同時に腹痛も消失することがあり，自然整復してしまうことがある（benign small bowel intussusception）．このような小腸小腸型腸重積では症状が穏やかで，非観血的整復術を施行するか迷う症例があり，この場合には30分から1時間後にエコーを再検査することが勧められる．一方で，しっかりと嵌入して，非観血的整復術が困難で，外科治療を要する例もあり，このような症例では症状も強く，ショック状態への進展もより早いことが多い．

③腹痛がある小腸小腸型腸重積（図4）の中には，小腸大腸型よりもポリープ，重複腸管，Meckel憩室などの器質疾患を先進部病変とした症例が多い．このような症例は前述のような症状が穏やかな症例とは異なり，腸閉塞症状は進行していき，非観血的整復術が不可能で観血的整復術を必要とすることが多く，回腸結腸型との鑑別が重要で，超音波が鑑別に有用である[4]．

非観血的治療（エコー下整復を中心に）

治療としては，エコーで診断し，エコー下で続けて高圧浣腸で整復する方法と，X線透視下による注腸造影でカニの爪を確認し，高圧浣腸で整復する方法がある．上記の非観血的治療で整復不可能な場合は開腹し，Hutchinson手技による用手整復か腸切除が必要である．エコー下かX線透視下整復のいずれを選択するかは施設間で異なるが，エコー下整復が確立されて20年以上経過し，可能であればエコー下整復が望ましい．エコー下整復法に慣れない施設では，注腸液を6倍に希釈したガストログラフィンにして，

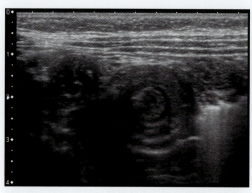 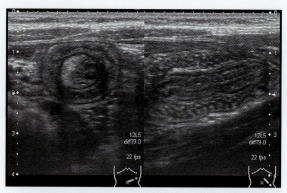

図3 multiple concentric ring sign に見えるが，決して pseudokidney sign は見られず，再現性もなく，小腸の正常な蠕動の一瞬をとらえている

図4 小腸小腸型腸重積で小さな multiple concentric ring sign（左）と pseudokidney sign（右）が見られる．回腸結腸型に比較して，小腸小腸型では重積部の直径が小さいことがわかる

エコー下整復を導入し，整復後腹部X線を撮影されることが勧められる．

1 非観血的整復法

a) エコー下整復[5]

① multiple concentric ring sign と pseudokidney sign が観察され，腸重積と診断したときは，同時に腸閉塞のエコー所見である小腸の Kerckring 皺壁が浮腫状になる keyboard sign と食物残渣が口側と肛門側を行ったり来たりする to and fro sign の有無，腸管壁の肥厚を観察し，腸閉塞の程度を評価する．また重積部の絞扼の程度をカラードプラで観察して，重積部のドプラが全く消失していて，腸管壊死が示唆される場合には，ショックなどの臨床症状と併せて観血的整復術が選択されることが多い．もちろん，消化管穿孔を合併している例では観血的整復術を選択する．

②血管を確保し，初期輸液を開始する．腸蠕動抑制薬の前投与を勧める報告もあるが，一般に必要ない．バルーン付きのカテーテルをイリゲーターに接続し，微温生理食塩水（以下，生食水と略）をイリゲーターに注ぎ，バルーン先端まで生食水を満たして空気を除く．カテーテルを直腸内に挿入し，生食水でバルーンを膨らます．初めから100cm水柱の圧にすると，生食水の注入開始後数十秒で整復されてしまうことがあり，先進部の観察が不十分になるので，イリゲーターの高さを50〜70cm の低めの圧に設定して，生食水の注入を開始する．この圧で整復可能な症例も多く，低めの圧で開始することで整復過程はゆっくりとなり，より詳細に病変部が観察できる．先進部は回盲部まではゆっくりと整復されていき，回盲部で一瞬停止（peninsula sign：図5）し，隆起部がその中央から落ち込むように口側に整復される．回腸結腸型腸重積では整復が完了すると急に生食水の流入が速くなり，回盲弁を通過して回腸内に流入する食物残渣の混じた生食水の流れを回盲部で観察できる．整復後は腫脹した回盲弁の crab-claw sign（図6）と，回盲弁から連続した浮腫状の終末回腸の postreduction doughnut sign（図7）を確認する．

③整復完了直後の生食水が充満した状態の腸管は観察に最適で，直腸から盲腸までの全大腸，および回腸末端部から口側の小腸も可能な範囲で観察し，ポリープ，憩室等の器質疾患の有無を観察する．ここで注意すること

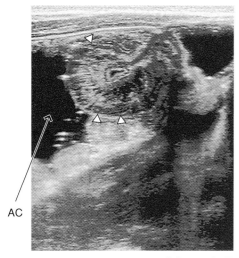

図5 peninsula sign で回盲部の上行結腸（AC）内に整復直前の重積先進部（△）が半島様に突出している

図6 整復後の腫脹した回盲弁（△）の crab-claw sign
AC：上行結腸

は，腸管壁の肥厚（浮腫）は器質疾患がなければ重積部腸管のみで認められ，他の腸管壁の肥厚は認められないことである．一般に重積部腸管以外の壁肥厚を認めたときは *E.coli* O157：H7 による出血性腸炎や IgA 血管炎などの器質疾患の合併を考慮する．整復終了後，注入した生食水を排出し，このときには回盲弁で生食水の肛門側への流れが観察される．同時に multiple concentric ring sign と pseudokidney sign が消失したことを確認する．

④重積部の整復が困難で高圧浣腸が数分以上になったときは，いったん注腸液を排液し，圧を解除し数分間腸管を弛緩させた後イリゲーターを 100〜150 cm の高さにして再度高圧浣腸を施行する．数回試みて整復されない場合には，観血的整復術を検討する．また，小腸小腸型腸重積でも先進部は大腸まで進んでいることが多く，回腸末端部までは整復されるが小さな雪だるま状の pseudokidney sign が回盲部や回腸末端部に残存して観察されることがある．この時点では整復は完了していないので，小腸小腸型腸重積の残存を見逃さないために，さらに整復を続けて上腹部でも生食水が充満した小腸ループ（honeycomb sign；図8）を確認する．

⑤容易にエコー下整復された症例でも，整復終了後 1 日は入院経過観察して翌日症状の再発のないことと，エコーで multiple concentric ring sign と pseudokidney sign がないことを再確認し，退院させる．

最近ではエコー下整復で生食水を使用せずに空気整復をする報告もあるが，生食水に比較して空気によるエコー下整復は先進部の観察が困難であるため，筆者は生食水によるエコー下整復を施行している．エコー下整復ではX線被曝がなく，比較的全身状態が良好で整復が困難な例では，数十分時間をあけて，再度非観血的整復を試みることで整復される例があり（delayed repeat enema）[5]，整復率も改善することが知られている．

b）注腸造影によるX線透視下整復

エコー下整復では注腸液として生食水を使用するが，その代わりに蒸留水で 6 倍に希釈

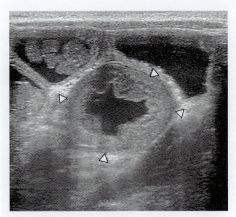

図7 浮腫状の終末回腸（△）のpostreduction doughnut sigh

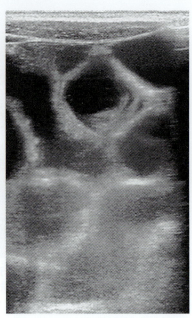

図8 整復完了後上腹部まで生食水が充満した小腸ループが蜂の巣様（honeycomb sign）に見える

したガストログラフィンを使用する．消化管穿孔時のバリウム腹膜炎を考慮してバリウムは使用しない．基本的には，エコー下整復と同じ手順である．ガストログラフィンが回盲部を通過しても整復終了とせず，より口側の小腸まで造影剤が行き渡ることを確認する．また，整復された瞬間から造影剤の流れが速くなる．この2点が，残存する小腸小腸型腸重積を見逃さないために重要である．造影剤を使用せず空気を注入する空気注腸整復もある．この方法は，造影剤を使用したときと整復率に差がなく，穿孔時の副作用が少ないといわれている．しかし腸重積では，もともと正常小児より腹腔内ガスが多く，診断と器質疾患の検索は，エコー下整復に比較して，困難なことが多い．

c）非観血的整復法の合併症

消化管穿孔が最も重篤な合併症である．発症後経過時間が長く全身状態が不良な症例や，強引な非観血的整復例などで合併しやすい．

2 観血的整復法

観血的治療の絶対適応は，消化管穿孔例，腸閉塞によるショックなどで全身状態が著しく悪い症例，非観血的治療で整復不可能な症例である．観血的治療の相対適応，あるいは早めの開腹術を考慮する症例として，腸重積発症後経過時間が長い症例，小腸小腸型腸重積症例，器質疾患を合併する症例がある．器質疾患を合併する例では開腹術の適応となることが多いが，非観血的治療でいったん整復できれば，全身状態を改善して後日開腹するほうが望ましい．大腸ポリープなどによる結腸結腸型腸重積では非観血的に整復後，内視鏡下のポリープ切除術などの選択肢もある．

臨床の現場では，すぐに開腹術が行える施設とそうでない施設とでも，開腹か非観血的整復かの選択基準は異なると考えられる．開腹までに穿孔などがなく，ある程度の時間的余裕があるときは術前に輸液などで全身状態を改善してから開腹したほうが望ましい．

予　　後

　非観血的整復後24時間以内の再発率は約10%前後であるが，患児の家族は必ず再発を危惧するので，典型的な乳幼児の腸重積は，ほとんどが予後良好で特発性では5〜6歳を過ぎると発症しなくなることと，同時に血便にこだわらずに機嫌不良や間欠的な腹痛と嘔吐が腸重積の初発症状であることを説明しておくと，再発時の早期の診断と治療につながる．一部の症例では器質疾患を合併することも説明し，再発性腸重積では種々の器質疾患のより詳細な検索を必要とすることも説明する．

専門医に紹介するタイミング

　一般的な腸重積の整復は，できるならば外科医のいる施設が望ましいが，発症頻度も高く，実臨床では小児科医による非観血的整復術も必要である．ショックなどの全身状態が悪い例，腸管壊死ないし腸管穿孔が疑われる例や，非観血的整復が困難な症例は小児外科医のいる専門施設への転院が望ましい．

専門医からのワンポイントアドバイス

　小児外科医が一般外科医に比較して少ない状況で，一般小児科医も本症の診断と非観血的整復術には慣れてほしい．少々の診断と治療の遅れで死亡することは稀である．画像診断はエコーが強く推奨され，ぜひ超音波診断に慣れてほしい．一次施設で非観血的整復が困難な例では繰返し試みることは避けて，専門施設に転送する．また，本症では5〜10%で基質疾患（先進部病変）を合併していることを念頭に置き，診断と治療をする．

文　献

1) 日本小児救急医学会 監：エビデンスに基づいた小児腸重積症の診療ガイドライン 改訂第2版．へるす出版，2022
2) Edwards EA et al：Intussusception：past, present and future. Pediatr Radiol 47：1101-1108, 2017
3) Flaum V et al：Twenty years' experience for reduction of ileocolic intussusceptions by saline enema under sonography control. J Pediatr Surg 51：179-182, 2016
4) Zhang M et al：Accurately distinguishing pediatric ileocolic intussusception from small-bowel intussusception using ultrasonography. J Pediatr Surg 56：721-726, 2021
5) González-Spínola J et al：Intussusception：the accuracy of ultrasound-guided saline enema and the usefulness of a delayed attempt at reduction. J Pediatr Surg 34：1016-1020, 1999

5. 消化器疾患

胃炎/胃・十二指腸潰瘍
(*H. pylori* 対策を含む)

奥田真珠美[1], 福田能啓[2]
1) 兵庫医科大学 小児科学, 2) 医療法人協和会 第二協立病院

POINT

● *H. pylori* 感染率低下に伴い胃・十二指腸潰瘍は減少しているが, *H. pylori* 陰性潰瘍の割合が高くなっている. 好酸球性消化管疾患や炎症性腸疾患を原因とするものが多い.

● 確定診断には内視鏡検査が必要である. 好酸球性消化管疾患の診断には病理組織検査が必須であり, 複数ヵ所の生検が望ましい.

● 酸分泌抑制薬の投与と原因疾患の治療が中心となる. *H. pylori* 陽性の場合は抗菌薬感受性検査を実施し, 除菌治療を行う.

ガイドラインの現況

　小児における胃炎, 胃・十二指腸潰瘍に関するガイドラインはない. 日本消化器病学会は『消化性潰瘍診療ガイドライン 2020 (改訂第 3 版)』を刊行している. 小児期 *H. pylori* 対策については, 日本小児栄養消化器肝臓学会が作成した『小児期ヘリコバクター・ピロリ感染症の診療と管理ガイドライン 2018 (改訂 2 版)』が公表されている. 胃・十二指腸潰瘍は *H. pylori* 除菌治療が推奨される疾患であり, エビデンスレベル A (質の高いエビデンス), 強い推奨 ("実施すること" を推奨する) である. しかしながら, 小児においては保険適用がなく, 成人における保険適用に準じて診療が実施されている. ガイドラインでは「このような小児の現状を十分に認識した上で, 本ガイドラインを利用し, 小児期 *H. pylori* 感染症を管理することが肝要である. 保険適用の状況も十分に考慮の上, *H. pylori* 感染診断および治療を行うベネフィットとリスクなどをエビデンスに基づいて丁寧に説明し, それぞれの小児に最良の医療を提供することを期待する.」と記載されている.

【本稿のバックグラウンド】　小児の胃炎, 胃・十二指腸潰瘍に関するガイドラインはなく, 日本消化器病学会『消化性潰瘍診療ガイドライン 2020 (改訂第 3 版)』を参考とした. 小児期 *H. pylori* 対策については, 日本小児栄養消化器肝臓学会が作成した『小児期ヘリコバクター・ピロリ感染症の診療と管理ガイドライン 2018 (改訂 2 版)』を参考とした. 病態や原因などについて, わかりやすく解説した.

どういう疾患・病態か

胃炎とは、様々な原因によって胃粘膜に炎症をきたした疾患で、急性胃炎と慢性胃炎がある。急性胃炎は胃粘膜の急性炎症であり、臨床的には、心窩部不快感から強い腹痛・嘔吐、消化管出血を伴うものまで、症状は多彩である。

内視鏡検査で急性出血性胃炎、急性潰瘍、急性びらん性胃炎などが混在する病変は、急性胃粘膜病変（AGML）と総称される。ストレスや食物（香辛料の強い食品など）、薬剤（非ステロイド性抗炎症薬；NSAIDs）、*H. pylori* やサイトメガロウイルス感染などが原因となって発症する。慢性胃炎は胃粘膜に好中球や単核球が慢性的に浸潤することで炎症が持続する状態である。胃もたれ、胃痛、胸焼けなどの心窩部を中心とするいわゆる（臨床的）慢性胃炎は機能性ディスペプシア（functional dyspepsia：FD）と呼ばれるが、内視鏡検査でも器質的疾患を認めず、全身性、代謝性疾患もないものである。

胃・十二指腸潰瘍（消化性潰瘍）は、酸、ペプシンなどにより消化管粘膜が傷害され、粘膜筋板を超える組織欠損の状態で、病変が粘膜にとどまる場合はびらんである。成因については攻撃因子、防御因子および調節因子の不均衡に基づくとしたバランス説が広く支持されてきたが、*H. pylori* の発見後は感染による傷害を中心として論じられるようになった。

小児の胃潰瘍は、新生児期を含め、どの時期にもみられる。胃潰瘍の腹痛は心窩部に限局することが多く、食後60〜90分で疼痛をきたすとされているが、十二指腸潰瘍に多い空腹時あるいは夜間の腹痛を呈することも稀ではない。悪心・嘔吐、腹部膨満感も頻度の高い症状である。吐血、下血を伴うこともあ

表1　消化性潰瘍の原因

H. pylori 感染症
NSAIDs（非ステロイド性抗炎症薬）
好酸球性消化管疾患
IgA 血管炎
炎症性腸疾患の胃粘膜病変
クローン病、潰瘍性大腸炎
Zollinger-Ellison 症候群
ストレス（精神的・肉体的）
H. pylori 以外の感染症
サイトメガロウイルス、単純ヘルペスウイルスなど
Helicobacter heilmannii
non-*H. pylori Helicobacter* species（NHPH）
肝硬変による門脈圧亢進

り、乳幼児では大量の吐血や穿孔を合併し、ショック症状を呈することもある。十二指腸潰瘍の症状は、心窩部あるいは右上腹部痛、悪心、嘔吐などで夜間、空腹時に痛みが強くなり、食事の摂取により一時的に緩和される。10歳以上の年長児に多く、突然の吐血や下血、貧血症状で発症する場合もある。小児で *H. pylori* 感染に伴うものは胃潰瘍より十二指腸潰瘍のほうが多い。

●胃・十二指腸潰瘍（消化性潰瘍）の原因（表1）

H. pylori 感染率低下に伴い、小児における胃・十二指腸潰瘍は減少している。*H. pylori* 陰性潰瘍の成因として、成人では NSAIDs が最も重要である。小児では NSAIDs 潰瘍の頻度は低いが、既知の原因として、炎症性腸疾患（IBD）、好酸球性消化管疾患、IgA 血管炎、Zollinger-Ellison 症候群などがある。感染による消化性潰瘍の原因として、ウイルス感染（サイトメガロウイルスなど）、*Helicobacter heilmannii*、non-*H. pylori Helicobacter* species（NHPH）などが報告されている。重篤な身体的ストレスに伴うものとして、頭部外傷（Cushing 潰瘍）や全身熱傷

胃炎/胃・十二指腸潰瘍（*H. pylori* 対策を含む）　281

（Curling 潰瘍），その他の身体的・心理的ストレスが原因となるものがある．これらの原因が明らかでないものは特発性潰瘍と呼ばれる．*H. pylori* 感染だけでなく，IBD や好酸球性消化管疾患などは治療法と直結するため，できる限り消化性潰瘍の原因を明らかにする．

治療に必要な検査と診断

　胃炎，胃・十二指腸潰瘍の確定診断には内視鏡検査が必要である．慢性胃炎の本来の定義は胃粘膜の慢性炎症細胞浸潤であり，組織検査が必要である．胃・十二指腸潰瘍であると診断された場合には除菌治療を考慮して，*H. pylori* 感染診断を行う．好酸球性消化管疾患に伴う消化性潰瘍の報告が増えており，同疾患を念頭に病理組織検査を行う（数ヵ所の生検が望ましい）．

● *H. pylori* 感染診断法（表2）

　内視鏡下で採取した生検組織を必要とする

ものと生検組織を必要としない検査法がある．検査法が複数であれば，感染診断の精度はさらに高くなる．

1 内視鏡による生検組織を必要とする検査法

　培養法は，診断のゴールドスタンダードで通常，胃組織を用いて行う．特殊培地が必要で，検体を他の検査機関に送付する際にも *H. pylori* 用の保存輸送培地が必要である．培養法の最大の利点は薬剤感受性検査ができることであり，内視鏡検査を実施した場合，除菌治療を考慮して検査することが強く勧められる．迅速ウレアーゼ試験は *H. pylori* の強いウレアーゼ活性（尿素をアンモニアと二酸化炭素に分解）を利用したものである．試薬は尿素と pH 指示薬を利用したもので，胃組織中に *H. pylori* が存在するとアンモニアの産生による pH の変化に伴う指示薬の変化で存在診断する．プロトンポンプ阻害薬

表2　*H. pylori* 感染診断と除菌判定法

	感染診断	除菌判定
生検組織が必要		
培養法	感度はやや劣るが薬剤感受性試験ができ推奨される．陽性であれば感染が確定	いずれも除菌判定に用いないことが推奨される
迅速ウレアーゼ試験	有用であるが，他の方法との併用が望ましい	
検鏡法	*H. pylori* 感染以外の疾患の鑑別が同時に可能となる．判定困難な場合がある	
生検組織が必要でない		
尿素呼気試験	高い精度が期待できる．薬剤の影響を受ける．診断薬が口腔にとどまった場合は飲用後うがいを行う	高い精度が期待できるが，値が低い陽性の場合には，不成功と判断せずに再検する
便中抗原	感染診断として推奨されるが他の検査との併用が望ましい（データが少ない）	推奨されるがデータが少ないため他の検査との併用が望ましい
抗体検査	偽陽性，偽陰性が少なくないため単一の検査で診断をしない	除菌判定には用いない

（PPI）によってウレアーゼ活性が低下し，偽陰性となる．組織検鏡法は胃生検組織標本上で菌による組織変化と併せて形態学的にらせん状菌を検出する．いずれの検査も精度が100％でないこと，*H. pylori* 感染率の低下に伴い陽性的中率が低下することを考慮し，2法での診断が望ましい．

2 内視鏡による生検組織を必要としない検査法

a）尿素呼気試験（UBT）（表3）

ウレアーゼ活性を間接的に測定する方法である．経口的に ^{13}C 尿素製剤（ユービット® 錠，ピロニック® 錠など．12歳未満75mg，12歳以上は100mgを目安とするが，年齢に関係なく100mg投与でも可）を服用し，胃内に *H. pylori* が存在すれば尿素はただちに胃内でアンモニアと CO_2 に分解され，CO_2 は呼気に排出される．^{13}C 尿素製剤投与前と投与20分後の呼気をバッグ内に採取し，$^{13}CO_2$ の増加率から存在を診断する．

フィルムコーティングされたユービット® 錠では必要がないが，ピロニック® 錠と，ユービット® 錠でも水で溶解した場合には，口腔内のウレアーゼ産生菌による偽陽性を避けるため "うがい" が必要である．フィルムコーティングされた錠剤でも内服に時間がかかった場合，口腔内で一部が溶解し偽陽性となるため飲用後にうがいが必要．小児ではカットオフ値を3.5‰としているが，成人ではカットオフ値2.5‰と設定されていることや，カットオフ値近傍（2.5〜5‰）はグレイゾーンとし，他の検査を追加することが望ましい．抗菌薬や酸分泌抑制薬，特にPPIなどで偽陰性になるため，最低2週間の休薬後に検査する．除菌治療の成否判定にも適応している．

表3　尿素呼気試験の実施方法

1. 約4時間の絶食後に検査を行う．
2. 服用前の呼気を採取する．
3. ^{13}C-尿素製剤（ユービット® 錠，ピロニック® 錠）を水で服用．錠剤が飲めない場合は，100mgを100mLに溶解して投与．
4. 服用後すぐに口腔内を水でうがいする（ユービット® 錠をそのまますぐに内服した場合は必要なし）．うがい水は飲まないように注意する．
5. 検査中の体位は坐位とする．
6. ^{13}C-尿素製剤服用後〔ユービット® 錠では20分，ピロニック® 錠では10分（質量分析法）あるいは15分（赤外分光法）〕に再度呼気を採取する．

b）便中抗原検出法

便中の *H. pylori* 抗原を検出するもので，非侵襲的・簡便で，乳幼児・重度の障害児にも検査ができる．国内外でいくつかの便中抗原検出試薬が発売されている．モノクローナル抗体を用いたものが推奨されるが，小児の精度に関する検討は十分とはいえない．抗菌薬投与の影響については明らかでないが，UBTと同様に2週間程度の休薬後に検査することが望ましい．

c）抗 *H. pylori* 抗体検出法

血清や尿を用いて測定できる．小児ではキット間で感度と特異度に差違がみられ，年少児では感度が低いことに注意が必要である．抗菌薬の影響は受けないが，母親からの移行抗体がある乳児やγグロブリン投与後などの受動抗体による偽陽性に注意する．現在の感染を必ずしも反映しないこと，偽陽性・偽陰性も少なくないことから，感染診断として単一で検査することは推奨されない．しかし，抗菌薬やPPIの影響は受けないため，これらの特性を知っていれば感染の目安となる．除菌判定には用いない．

表4 小児に保険適用のある（2022年7月時点）酸分泌抑制薬

	小児用量		成人用量
H₂ 受容体拮抗薬 ロキサチジン （アルタット®）	乳幼児以外に適応 30kg 未満 1 回 37.5mg 30kg 以上 1 回 75mg	1 日 2 回	1 回 75mg 1 日 2 回
プロトンポンプ阻害薬 エソメプラゾール （ネキシウム®）	1 歳以上 20kg 未満 1 回 10mg 20kg 以上 1 回 10〜20mg	1 日 1 回	1 回 20mg 1 日 1 回

治療の実際

急性胃炎，慢性胃炎の急性増悪時には，心身の安静，食事療法（香辛料，カフェイン，炭酸飲料などを避ける）を行い，症状の強いものでは H₂ 受容体拮抗薬（H₂RA）を考慮する（PPI は胃炎の適応なし）．胃・十二指腸潰瘍に対する薬物療法は，酸分泌抑制薬である PPI または H₂RA が中心的役割を担う（**表4**）．PPI の投与期間は胃潰瘍で 8 週間，十二指腸潰瘍で 6 週間までを原則とする（保険適用）．腹部単純立位 X 線像で遊離ガスが確認されれば，穿孔と診断され，緊急対応が必要である．持続出血のある場合，内視鏡的止血を試み止血できないものは外科的治療の適応となることがある．*H. pylori* 陽性潰瘍であっても H₂RA や PPI の投与で減酸をはかることにより，潰瘍治癒が得られる．*H. pylori* 陽性潰瘍では除菌療法を考慮する．その他の原因が明らかとなれば，原疾患の治療を行う．

● *H. pylori* 除菌療法（表5）

まず選択される除菌薬剤は，PPI とアモキシシリン（AMPC），クラリスロマイシン（CAM）の 3 剤併用（PAC）療法である．薬剤アレルギー（特にペニシリンアレルギー）に十分注意をする．投与期間は 7 日間を原則

とする．CAM は成人では 1 日量 400mg，800mg のいずれかを選択できるが，両者の治療成績に差はないという報告から，1 日量 400mg が選択されることが多い．一次除菌治療が失敗した場合，二次除菌治療として PPI，AMPC，メトロニダゾール（MNZ）3 剤併用（PAM）療法を行う．

副作用として，軟便や下痢，味覚異常，悪心，発疹などがみられる．小児における PAC 療法除菌成功率は 50％前後で，PAC 療法失敗の主な原因は CAM 耐性である．PAM 療法は 95％前後の除菌成功率である．*H. pylori* 培養による抗菌薬感受性試験を行い，CAM 耐性の場合は PAM 療法を選択する．

処 方 例

H. pylori 除菌療法（体重 30kg 以上 クラリスロマイシン感受性菌の場合）

処方 7 日間	ネキシウム® 20mg 2 カプセル 分2
	サワシリン® 250mg 6 カプセル 分2
	クラリス® 200mg 2 錠 分2
	ミヤ BM® 錠 3〜6 錠 分3

表5　*H. pylori* 除菌治療（2022年7月時点で小児保険適用なし）

	用量：mg/kg/日 朝夕2回に分ける	成人最大用量：mg/日
プロトンポンプ阻害薬*		
ランソプラゾール	1.5	60
オメプラゾール	1.0	40
ラベプラゾール	0.5	20
エソメプラゾール	4歳以上・体重30kg未満20mg/日	
	体重30kg以上40mg/日	
抗菌薬**		
アモキシシリン	50	1,500
クラリスロマイシン	15〜20	800***
メトロニダゾール	10〜20	500

*プロトンポンプ阻害薬は1剤を選択
**抗菌薬は2剤（アモキシシリンとクラリスロマイシン：一次除菌，またはア
　モキシシリンとメトロニダゾール：二次除菌）を使用．ペニシリンアレル
　ギーがある場合はアモキシシリンは禁忌であり他の薬剤に変更
***クラリスロマイシン投与量は成人では400mg，800mgでは大差なく，最大
　400mgが選択されることが多い．
・3剤を朝夕に分けて7日間投与
・副作用の下痢を予防するため，整腸剤を併用する

（文献1を参照して作成）

除菌によらない胃・十二指腸潰瘍治療（体重25kgの児）

処方A　ネキシウム® 20mg カプセル
　　　　　分1
処方B　アルタット® 37.5mg　2カプ
　　　　　セル　分2

専門医に紹介するタイミング

　吐血・下血，ショック症状，腹部単純X線検査で遊離ガス像などを認める場合には，緊急内視鏡，外科治療ができる施設に至急転送する．また，夜間・空腹時の強い心窩部痛，上腹部痛を繰返す年長児では，胃・十二指腸潰瘍が疑われるため，内視鏡検査を勧める．親の *H. pylori* 菌感染（除菌歴）がある場合は *H. pylori* 菌感染の可能性が高いこと

を念頭におく．

専門医からのワンポイントアドバイス

　H. pylori 感染率の低下により小児の胃・十二指腸潰瘍の頻度は減り，滅多に出会うことはない疾患となった．そのためか，心因性や便秘と診断されていた十二指腸潰瘍の年長児と出会うこととなる．内視鏡はできなくても，詳細な病歴，両親の *H. pylori* 感染（除菌）歴，痛みの性状や腹痛が強くなる時刻，理学的所見などから胃・十二指腸潰瘍を疑うことは可能である．保険適用ではないが非侵襲的 *H. pylori* 感染診断をまず行い，陽性であれば内視鏡検査を進めるというのもひとつの方法だと考える．もちろん *H. pylori* 陰性潰瘍が多くなっているということは忘れてはならない．

胃炎/胃・十二指腸潰瘍（*H. pylori* 対策を含む）　285

―――――― **文 献** ――――――

1) 日本小児栄養消化器肝臓学会：小児期ヘリコバクター・ピロリ感染症の診療と管理ガイドライン2018（改訂2版）.
https://www.jspghan.org/images/helicobacter_guideline2018.pdf

2) 日本消化器病学会 編：消化性潰瘍診療ガイドライン2020（改訂第3版）. 南江堂, 2020

3) Kato S et al：The prevalence of *Helicobacter pylori* infection in Japanese children with gastritis or peptic ulcer disease. J Gastroenterol 39：734-738, 2004

4) 今野武津子：胃・十二指腸潰瘍. "小児消化器肝臓病マニュアル" 藤澤知雄, 友政 剛 編. 診断と治療社, pp98-104, 2003

5) Okuda M et al：Nationwide survey of Helicobacter pylori treatment for children and adolescents in Japan. Pediatr Int 59：57-61, 2017

6) Mabe K et al：Randomized controlled trial：PPI-based triple therapy containing metronidazole versus clarithromycin as first-line treatment for Helicobacter pylori in adolescents and young adults in Japan. J Infect Chemother pii：S1341-321X（18）30078-3, 2018

5. 消化器疾患

イレウス・腸閉塞

金森 豊
国立成育医療研究センター 外科

POINT

- イレウス・腸閉塞は急性腹症として重要な疾患であり，特に術後癒着性腸閉塞は腹部手術後に起こる合併症として重要で，場合によっては致死的な結果を生むために注意が必要である．
- 多くの場合消化管減圧と輸液療法で軽快するが，腹膜炎・絞扼・虚血が疑われる場合には手術適応となり，その診断には，腹部造影 CT 検査が推奨されている．
- 癒着予防法として癒着防止材を使用することが推奨されている．内視鏡手術が癒着軽減や癒着剥離に有効である可能性が示されている．

ガイドラインの現況

消化管通過障害の診断で外科医が注目する点は，消化管通過障害が器質的なものかどうかと，消化管の穿孔・虚血を伴っているかどうかである．器質的な閉塞は，『急性腹症診療ガイドライン 2015』[1] によると，「腸閉塞」と呼称し，「イレウス」は機能性消化管通過障害に限って使用すべきとされている．そして腸閉塞の場合には手術治療を要する可能性があるために外科医の関与が重要となる．また 2018 年に報告された Bologna guideline[2] では，腸閉塞で腹膜炎・絞扼・虚血が疑われる場合には手術治療の適応となり，その徴候がなければ経鼻胃管やイレウス管による減圧と輸液療法で経過をみることが可能とされており，その鑑別診断には腹部造影 CT 検査が勧められている．

腸閉塞症例の全国統計[3] を見ても絞扼性腸閉塞の頻度は決して低くなく，その診断は重要である．

【本稿のバックグラウンド】 2018 年に報告された Bologna guidelines for diagnosis and management of adhesive small bowel obstruction（ASBO）は，術後癒着性腸閉塞に関する数少ないガイドラインであり，小児にも適応できる部分も多く，本稿中でも参考としている．

どういう疾患・病態か

消化管通過障害の原因は様々である．消化管の運動低下に起因する通過障害は，腸炎，腹膜炎などの消化管そのものや，その周囲の炎症反応が契機となって起こる．一方，消化管の器質的変化による通過障害は，腸管捻転症，腸管狭窄，ヘルニアなどで起こる．消化管通過障害の症状は，消化管の通過障害に伴うもので，腹満，腹痛を伴う嘔吐がある．特

に，吐物に黄色の胆汁が混ざる（胆汁性嘔吐）場合には消化管通過障害が強く疑われる．消化管通過障害部位が小腸上部であれば嘔吐は早期に出現するが，下部の場合には嘔吐が比較的遅く出現することがある．このような場合には，腸管内に溜まった胆汁が酸化して緑色の吐物となる．強い腹痛を訴える場合は，消化管の虚血を伴う絞扼性腸閉塞の可能性を示唆するので，緊急性が高くなると考えてよい．血性の便が出た場合にも消化管虚血が疑われる．全身症状の有無も重要で，顔面蒼白，頻脈，血圧低下，発熱などを伴う場合には，絞扼性腸閉塞の可能性がある．また，腹部手術の既往があるかどうかは重要で，その場合には癒着性腸閉塞の可能性が考えられる．腹部手術の既往がない場合には，内ヘルニア，鼠径ヘルニアの嵌頓，腸重積症などを念頭において検索を進める必要がある．腸重積症が乳児期後半に多いなどの年齢の要素を考慮することも重要である．

治療に必要な検査と診断

1 腹部診察

　まず腹痛，腹満，胆汁性嘔吐などの症状がある患児をみたら，腹部の診察を注意深く行う．外鼠径ヘルニア嵌頓の有無を見逃さないようにする．視診上腹満があるかどうか確認し，腸管蠕動の亢進などがみられるかどうかを確認する．新生児などでは，腸管蠕動が腹壁外から観察できることがある．次いで聴診を行う．麻痺性腸閉塞という機能的な通過障害では，蠕動は低下している．器質的な通過障害では，通過障害部位より口側の腸管に溜まった腸液が，亢進した腸管蠕動に伴って液体の振動音を発するのが聴かれる．高調な音で俗に金属音などと表現される．絞扼性腸閉塞では腸管蠕動音は低下する．次いで腹部触

診を行う．腹痛を訴えている場合には，腹痛の最強点がわかる場合がある．その部位が通過障害の部位であることがある．絞扼性腸閉塞では，絞扼腸管部が腫瘤を形成して触知されることがある．

2 腹部単純 X 線

　腹部単純 X 線検査は重要である．立位と臥位での撮影を行う．消化管通過障害部位より口側に腸液やガスが貯留して腸管拡張像がみられれば，腸閉塞と診断できる（**図 1 左**）．小腸のびまん性拡張をみた場合には，機能性の通過障害や大腸での通過障害を疑う．この場合には腸管の拡張も軽度であることが多い．立位撮影では，拡張腸管内に腸液とガスで形成された液面像（ニボー）を認める（**図 1 右**）．拡張腸管のループの数が多ければ下部腸管の通過障害であるなど，通過障害部位をおよそ判断できる．絞扼を伴わない単純性腸閉塞では，消化管通過障害部位よりも口側には腸液とガスが貯留するので，単純 X 線像でそれを判断できるが，絞扼性腸閉塞では，しばしば貯留ガス像を欠如するので，単純 X 線像で絞扼部がガスレスになることがある（**図 2 左**）．これは通過障害部位が口側，肛門側ともに締め付けられているために，ガスが口側から入らなくなるためで，このような X 線像を見たら，絞扼性腸閉塞を疑って早急に治療を始める必要がある．時に絞扼性腸閉塞では，壊死に陥った消化管壁にガスが発生している像を見る（pneumatosis intestinalis）．

3 腹部エコー

　腹部単純 X 線撮影で限局性にガスレスの像をみたら，腹部超音波検査をすることが勧められる．同部位には多くの場合，腸液の貯留がみられる．腸管の蠕動が全くみられない

288　5. 消化器疾患

図1 腸閉塞患児の腹部単純X線写真
　左：臥位では拡張した小腸ループが確認される．小腸であることはケルクリング襞が見られることで判断できる．
　右：立位ではニボーの形成が確認できる．

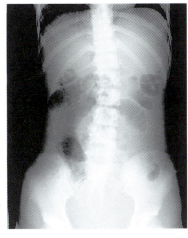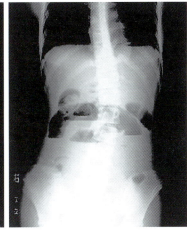

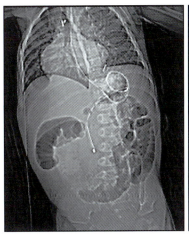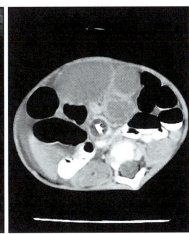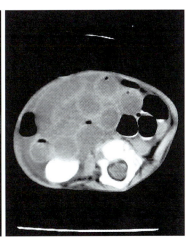

図2 絞扼性腸閉塞における画像診断
　左：腹部単純X線検査で腹部正中にガスレスの領域を認め，その周りに拡張した小腸ガスがみられる．イレウス管が挿入されているが，空腸上部で先進が止まっている．
　中，右：腹部CT検査では，ガスレスの部分には拡張した小腸と腸液が充満した像が得られた．腸管血流は保たれていると判断され，緊急手術に踏み切った．開腹の結果，内因性のバンドによる絞扼性イレウスであった．

場合には，絞扼が疑われる．また，その周囲に腹水が貯留していれば，腸管穿孔や，腸管の全層性の虚血浮腫に伴う滲出液の漏出が疑われ，緊急性がある像と考えられる．腸重積症では，陥入腸管が，ターゲットサインやシュードキドニーサインなどの特徴ある像で観察される．

4 腹部CT検査

　腸閉塞の診断に腹部造影CT検査が有効であるとされている．特に，腹膜炎・絞扼・虚血が疑われる場合には推奨されている（図2中，右）[2]．腸管の走行や閉塞起点が明らかになることもあり，特殊な内ヘルニアなども鑑別できる可能性がある．腹水の有無，腸管虚血の有無なども明らかにできて治療方針を

イレウス・腸閉塞　289

図3 イレウス管が進んだにもかかわらず腸閉塞が解除されなかった症例
左：術後癒着性腸閉塞に対してイレウス管が挿入された．イレウス管はある程度先進したが，通過障害は解除されなかった．絞扼の所見もなく経過観察とした．
右：その後，イレウス管挿入後通過障害が改善しないため，イレウス管からの造影検査を施行した．その結果，写真で示す右下腹部に小腸の狭窄と通過障害が描出された．開腹手術に踏み切ったところ，前回手術で行った小腸吻合部の狭窄が判明した．

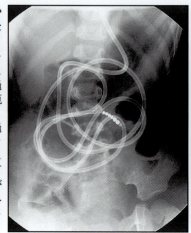
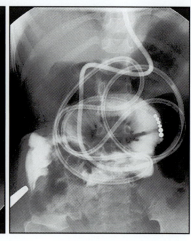

決定するために有効である．

5 腸管造影検査

　腸閉塞の治療としてイレウス管を挿入した場合には，イレウス管の挿入が止まったところで造影検査を行うと通過障害部位がはっきりすることがある（図3）．亜腸閉塞では，造影剤がそのまま大腸まで達する．本検査は，絞扼性腸閉塞ではないが，なかなか腸閉塞解除がされない場合などに治療方針を決定するため行うことがある．腸重積症や大腸捻転症などの下部消化管通過障害では，注腸検査が行われる．それぞれ，カニ爪サインや，バードビークサインが特徴的である．また水溶性造影剤を投与して，4〜24時間後に大腸まで造影剤が達した場合には，腸閉塞が解除され，手術が不要である確率が高いというメタアナリシスの報告があり，参考になる[4]．

6 血液検査

　診断を進める過程で血液検査を同時に行う．拡張腸管で細菌の異常増殖が起こり，その結果，腸管壁を通って細菌が血中に入り込む bacterial translocation を起こす可能性があり，白血球増加や CRP 上昇をみたら抗生物質の投与を始めなければならない．LDHやCKの上昇は腸管の虚血を示唆するので，全身状態とともに生化学検査結果にも注意する．腸液の大量喪失に起因する電解質異常も注意する．低カリウム血症やアシドーシスがあれば，適宜モニターしながら補正する必要がある．

治療の実際

1 輸液療法

　消化管通過障害では，消化管内に異常な腸液の貯留が起こり，これが再吸収できないために全身的な脱水状態になる．細胞外液型の輸液を速やかに開始する必要がある．脱水の程度が強い場合は，カリウムフリーの輸液から開始する．利尿がつけば腸液にはカリウムは相当量含まれているので，カリウムの補給を始める．絞扼性腸閉塞などで全身状態が不良の場合には，アシドーシスなどにも注意して補正する．減圧療法が開始されて胃管やイレウス管から排液が得られるようであれば（順調に減圧が効くようになれば），排液分を時間ごとに補正するかたちで維持輸液に追加していくこともある．減圧が効かずに腸管内

に貯留している腸液喪失分がもしあれば補正が不足するので，減圧が効いていない場合にはこの限りでない．絞扼性腸閉塞で全身状態が不良の場合には，カテコラミンなど腸管血流や腎血流を増加させる薬剤の投与を始める必要がある．また，発熱，血清炎症反応がみられる場合には，腸内細菌をねらった抗生物質の投与を開始する．

2 減圧治療

消化管通過障害が軽度の場合は，禁飲食と輸液で経過をみる．しかし嘔吐が激しい場合や腹痛が強い場合には，積極的に拡張腸管内容を減圧させる必要がある．経鼻胃管で減圧が効く場合もある．この場合は，通過障害は軽度で，胃内を減圧することで患児の症状を軽減することが主な目的である．しかし，腸管内減圧を行う必要がある場合には，イレウス管の挿入が必要になる．イレウス管は，先端にバルーンが付いていて，減圧のための側孔が多く開けてある胃管より長い特殊な管である．X線透視下に胃幽門部を通過させて，できればトライツ靭帯を過ぎたところまで挿入する．そこで，バルーンを蒸留水で拡張させ，この重みで腸管内容を減圧しながら管を進める．減圧が有効な場合には，次第にイレウス管は先進して通過障害部位まで進む．この段階で通過障害が解除されれば腸管拡張はなくなり，腸内容が下部腸管に流入して通過障害が解除される．減圧が効いても通過障害が解除されない場合には，イレウス管からの造影検査を行って消化管の器質的な狭窄等の確認をする（図3）．絞扼性腸閉塞では多くの場合，減圧は効かずにイレウス管も先進しない（図2）．このような場合には，全身状態を改善させるための治療を行いながら，早期に手術的腸閉塞解除に踏み切るべきである．

3 手術治療

腹膜炎・腸管の絞扼・虚血が疑われれば，早期に手術療法を行うべきである．腸管の完全壊死を起こす前に判断することが重要で，先に述べた症状や画像診断を有効に組合せて，早期に判断する必要がある．手術を行うためには，できれば脱水が補正されて利尿がついていることが望ましい．ショック状態では，急速輸液（20〜30mL/kg/時）によって可及的に全身状態の改善を行いながら手術室に向かう．絞扼性腸閉塞では，閉塞部位を同定して解除する際に虚血腸管から大量のカリウムやエンドトキシンを含んだ体液が全身に流れ込む可能性があり，心停止や血圧低下に注意を払う必要がある．血流が悪く変色した絞扼腸管部分は，腸閉塞解除後に温生食タオル等で温めて血流の回復を待つ．完全壊死腸管は切除する．急性期には完全壊死かどうかはっきりしない場合もある．このような場合には，セカンドルック手術として24〜48時間後に再度開腹手術を予定することもある．このような対応で壊死腸管の範囲がはっきりして，無駄な腸管切除を回避することができた症例もある．腸管穿孔や壊死がない場合には，再癒着を予防するために，セプラフィルム®やインターシード®という癒着防止シートを閉腹時に腹腔内腹壁直下に入れることが勧められる[5〜9]．しかし，汚染手術の際には挿入は行わないほうがよく[10]，消化管吻合部には当てないことが勧められる．また，単純な癒着性腸閉塞では，腹腔鏡下腸閉塞解除術が有効な場合がある[11]．腸管虚血のない慢性的な腸閉塞では適応となる．

専門医に紹介するタイミング

外科医は手術治療が必要かどうかで腸閉塞を判断するトレーニングを積んでいるので，

腸閉塞が疑われたら速やかに外科医に相談することを勧める．腹部手術後の癒着性腸閉塞は診断が比較的容易であるが，手術既往のない患児での消化管通過障害は，診断が遅れがちである．このような場合には，外科医も診断が確定しないまま手術に踏み切ることもありうることを知っておいてほしい．

専門医からのワンポイントアドバイス

①胆汁性嘔吐は外科的には，病的意義が高い．
②腸閉塞と考えたら，すぐに外科医に相談することが望ましい．
③特に，稀ではあるが，腹部手術の既往のない腸閉塞は急激に絞扼が進行することがあるので，ためらわず外科医に相談して欲しい．

文　献

1）急性腹症診療ガイドライン 2015．医学書院，2015
2）Ten Broek RPG et al：Bologna guidelines for diagnosis and management of adhesive small bowel obstruction（ASBO）：2017 update of the evidence-based guidelines from the world society of emergency surgery ASBO working group. World J Emerg Surg 13：24, 2018
3）恩田昌彦 他：イレウス全国集計 21,899 例の概要．日腹部救急医会誌 20：629-636，2000
4）Branco BC et al：Systematic review and meta-analysis of the diagnostic and therapeutic role of water-soluble contrast agent in adhesive small bowel Obstruction. Br J Surg 97：470-478, 2010
5）水野良児 他：小児開腹手術における合成吸収性癒着防止材（セプラフィルム®）の使用経験．新薬と臨床 49：395-399，2000
6）Ong TH：Prevention of intraabdominal adhesions in Kasai portoenterostomy. J Pediatr Surg 36：1613-1614, 2001
7）吉澤穣治 他：小児科手術に役立つ材料，器具，装置，癒着防止材料．小児外科 36：1029-1033，2004
8）Inoue M et al：Efficacy of Seprafilm for reducing reoperative risk in pediatric surgical patients undergoing abdominal surgery. J Pediatr Surg 40：1301-1306, 2005
9）Fujii S et al：Reduction of postoperative abdominal adhesion and ileus by a bioresorbable membrane. Hepatogastroenterology 56：725-728, 2009
10）小松義直 他：消化管手術後にセプラフィルムを留置した腹壁直下に膿瘍を形成した3例．日臨外会誌 67：1413-1417，2006
11）牟田裕紀 他：小児術後癒着性イレウスに対する腹腔鏡下癒着剥離術の経験．日小外会誌 50：60-65，2014

5. 消化器疾患

ヒルシュスプルング病

田口智章[1,2]，**吉丸耕一朗**[2]，**小幡　聡**[2]

1) 福岡医療短期大学，2) 九州大学大学院医学研究院 小児外科学分野

POINT

● 新生児期からの腹部膨満，胆汁性嘔吐などの下部消化管閉塞症状.

● 胎便排泄遅延が 90% にみられる.

● 無神経節領域（狭小部）は肛門から連続的に存在し，そこよりも近位腸管が拡張.

● 無神経節領域が S 状結腸までにとどまる短域型が約 80%.

● 注腸造影により caliber change がみられ，病変範囲の診断に有用.

● 確定診断は直腸粘膜生検のアセチルコリンエステラーゼ染色.

● 治療は手術が必要.

ガイドラインの現況

　本邦では厚労科研の難治性疾患政策研究班（難治性小児消化器疾患の医療水準向上および移行期・成人期の QOL 向上に関する研究（20FC0201）（令和2～4年度）代表：田口智章）で全国調査を実施し，現在ガイドラインの作成を進めている.

　欧米でのガイドラインは，国際小児内視鏡外科学会（IPEG）から手術のガイドラインが 2005 年に発表されている[1]. これによると，短域型（通常型）の本症に対して一期的な低侵襲（腹腔鏡）手術が推奨されている. また，本症や類縁疾患などを包括する機能的腸閉塞症の診断ガイドラインが 2005 年に小児外科のグループから[2]，2013 年に小児科のグループから[3] 提唱されている. さらに 2018 年に我々の研究班から「ヒルシュスプルング病類縁疾患診療ガイドライン」（メジカルビュー社）が出版されている[4].

【本稿のバックグラウンド】 ヒルシュスプルング病は 2015 年から小児慢性特定疾患（慢性消化器疾患 14-38）および指定難病（291）に指定され，診断基準，重症度，疾患概要，診断の手引き等はホームページに公開されている（http://www.shouman.jp/disease/details/12-14_038/，http://www.nanbyou.or.jp/entry/4699）. この内容は日本小児外科学会の承認を得ている. また，本症は 10 年ごとに過去 4 回の全国調査を実施しており，本稿はその結果[5] に基づいた.

どういう疾患・病態か

　腸管の筋間神経叢（Auerbach plexus）および粘膜下神経叢（Meissner plexus）の神経節細胞が先天的に欠如する病気. そのため別名 aganglionosis とも呼ばれる. 神経節細胞が欠如する無神経節腸管（aganglionic segment）が肛門から連続的に存在するのが

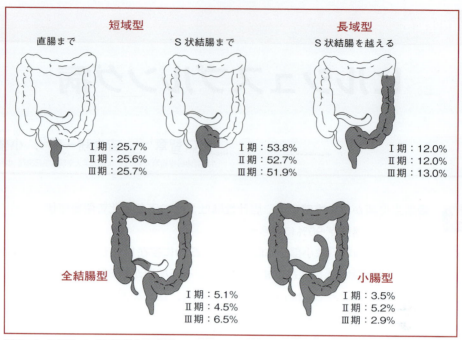

図1　ヒルシュスプルング病の病型（文献5を参照して作成）
　　　　無神経節腸管．
全国調査（Ⅰ期：1978～1982年，Ⅱ期：1988～1992年，Ⅲ期：1998～2002年）の結果．

特徴で，無神経節腸管は狭小化し，そこよりも近位の正常神経節腸管が拡張する．新生児期からの腹部膨満，胆汁性嘔吐などの下部消化管閉塞症状で発症することが多い．無神経節腸管が全結腸以上に達する場合は，回腸閉鎖に類似する新生児イレウス症状を呈する．生後24時間以内に胎便が排泄されない症例（胎便排泄遅延）が90％にみられる．持続する頑固な便秘で乳児期以降に発見される場合も多い．稀であるが学童期や成人に達して診断されることもある．

無神経節腸管の長さにより，S状結腸までの短域型（short segment）約80％，それを超える長域型（long segment）約10％，全結腸型（total colonic）と小腸型（extensive）で約10％，稀であるが全腸管型（total intestinal）の病型がある（図1）．この病型の内訳は本邦では30年間不変で[5]，全世界的にもほぼ同様である．典型例の短域型では結腸が拡張し巨大結腸を呈するため，先天性巨大結腸症とも呼ばれてきた．

成熟児の男児に多く，出生5,000人に1人で人種差はないが，血族結婚の多い地域（たとえばイスラエルのガザ地区など）では頻度が高い．全症例のうち家族発生が3％程度で，親子例や兄弟例がみられる．男女比は3：1で男児に多いが，病変部が長い全結腸型および小腸型では男女差がない[5]．

原因は，①craniocaudal migrationの途絶（Okamoto）：胎生6～12週にかけて神経堤から神経節細胞が消化管の食道から肛門に分布する．これが何らかの原因で途絶するとそこより遠位の消化管の神経節細胞が欠如する．②血行障害：移行部を中心に異常な形態をした動脈（fibromuscular dysplasia）が1/3の症例にみられる．腸管の組織のうち神経が最も血行障害に弱いため，異常血管が原因でmildな血行障害を起こし神経節細胞が

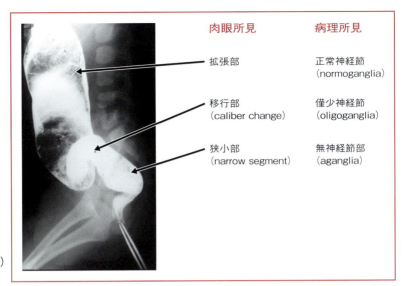

図2 注腸造影検査（肉眼所見）と病理の関係（自験例）

消滅する．③遺伝的素因：原因遺伝子として *RET*，*ENDBR*，*SOX10* などの変異が報告されている．長域型では *RET* の異常，短域型では *ENDBR* の異常の症例が多い傾向にある．また，兄弟発生や親子発生などの家族発生が3％程度あり，Down症の合併が5％前後みられ短域型が多い，など遺伝的素因を疑わせる evidence がある．

治療に必要な検査と診断

1 臨床所見

新生児期からの腹部膨満，胆汁性嘔吐などの下部消化管閉塞症状で発症することが多い．無神経節腸管が全結腸以上に達する場合は，回腸閉鎖に類似した新生児イレウス症状を呈する．また，乳児期以降では持続する頑固な便秘で発見される場合も多い．病歴聴取において，生後24時間以内に胎便が排泄されない胎便排泄遅延が90％にみられる．胎便排泄遅延は重要である．

腹部単純写真では結腸の拡張像がみられ，仰臥位にて骨盤内の直腸ガス像が欠如する．また便が異臭を放ったり，便の色が灰緑色を呈することもある．直腸肛門指診にて指を引き抜くと，多量のガスや異臭をする水様便が噴出する（explosive defecation）．腸閉鎖とは異なり，浣腸や排気である程度の排便・排ガスはみられる．

臨床症状および腹部単純X線写真から本症を疑う．浣腸や綿棒刺激などの保存的治療が奏効しない場合は，本症を疑い以下の検査を進める．

2 診断に必要な検査

注腸造影，直腸肛門内圧検査，直腸粘膜生検を行う．この3つの検査は「ヒルシュスプルング病の3種の神器」と呼ばれてきた．この検査ができない施設は本症を診断できない．本症が疑われる場合は，ただちに検査ができる小児外科の専門施設に紹介すべきである．

1．注腸造影

肛門から連続的に腸管が狭小化し，その近位の正常神経節部が拡張し caliber change を呈する．無神経節部の範囲を同定するのに重要な検査である（図2）．ただし，全結腸型では結腸の途中に caliber change がみられ

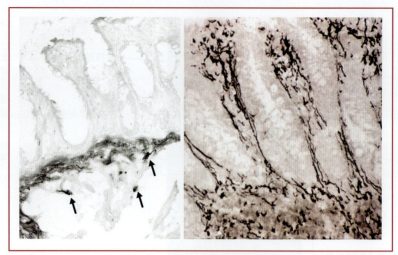

図3 アセチルコリンエステラーゼ（AchE）染色ルベアン酸増感法（自験例）
（左）正常：粘膜下層神経節細胞（矢印）を認める．
（右）ヒルシュスプルング病：粘膜筋板から粘膜固有層にかけて太いAchE陽性神経線維の増生を認める．陽性線維は粘膜固有層の先端に達しネットワークを形成する．

る場合があり注意を要する．小腸型ではmicrocolonを呈し，先天性回腸閉鎖と紛らわしい場合もある．

2. 直腸肛門内圧検査

正常では直腸をバルーンで拡張して刺激すると肛門管の圧が低下する「直腸肛門反射」が陽性であるが，本症ではこれが欠如する．したがってこの検査を行い，反射が陽性に出れば本症は否定できる．ただし，鎮静が必要なこと，検査に経験と時間を要することが欠点である．

3. 直腸粘膜生検

この検査は最も正診率が高い検査で，無麻酔で安全に施行できる．歯状線よりも10mm以上口側の直腸粘膜をK-punchまたは吸引生検により採取し，直ちに凍結する．10μmに薄切しアセチルコリンエステラーゼ染色を行う．正常では粘膜下層に神経節細胞がみられ，粘膜筋板および粘膜固有層に神経線維はほとんどみられないが，本症では，粘膜下層に神経節細胞が欠如し，代わりに太い神経線維束が出現する．さらに粘膜筋板と粘膜固有層に神経線維の増生がみられる．神経細胞の欠如と神経線維増生をもって陽性と判定する．ルベアン酸による増感でさらに見やすくなる（図3）．

最近は直腸粘膜生検が外来にて無麻酔で安全に施行可能で，しかも正診率が高いので，内圧検査を省略し，注腸造影と直腸粘膜生検で診断することが多い．

治療の実際

術前管理と診断治療のアルゴリズム：拡張腸管に便が貯留し腸炎を起こすと重篤化し，敗血症から死に至る場合もある．短域型では，浣腸や腸洗浄によりコントロール可能であれば，経口摂取で体重増加を待って根治術を行う．新生児期に根治術を行う施設もあるが，経肛門手術ではある程度体が大きく，肛門を指ブジーにより十分に拡張させて手術したほうが安全で確実な手術ができるので3ヵ

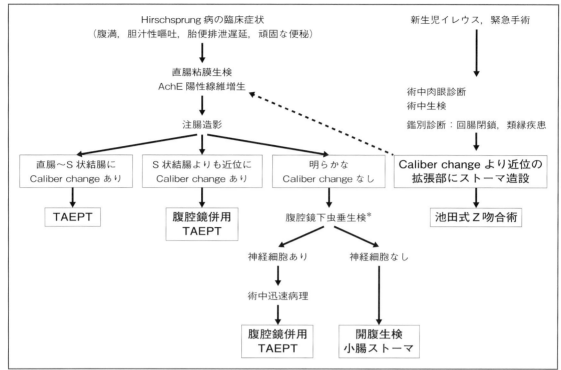

図4 ヒルシュスプルング病の診断治療フローチャート　　(九州大学小児外科)
＊虫垂生検による病理診断は賛否両論あるが，最近の報告では正診率100％とされており[6]，我々は有用と考えている．

月以後に手術を行っている．全結腸型では新生児イレウスのかたちで発症し，回腸閉鎖との鑑別で開腹により診断され，いったん拡張腸管に人工肛門を造設し，体重増加を待って根治術を行う．なお，無神経節領域の長さにより治療指針が異なるので，診断治療のアルゴリズムを図4に示す．

処方・治療例

本症の治療は無神経節腸管を切除して正常神経節腸管を肛門に吻合する手術療法である．その方法として，①無神経節部をほぼ完全に切除して正常腸管を肛門に吻合するSwenson法（rectosigmoidectomy），②無神経節の直腸の前壁を残し後壁の後ろに正常腸管を引き下ろすDuhamel法（retrorectal pull-through），③無神経節の直腸の粘膜を抜去し，直腸筋層を残したカフの中に正常腸管を引き下ろすSoave法（endorectal pull-through）を三大術式として，開腹手術による根治手術が標準とされ，それぞれの欠点を補う改良術式が多く報告されてきた．Duhamel法ではblind pouchをなくす術式として圧挫鉗子やGIAを用いるZ型吻合術が本邦で考案され，本邦で最も多い術式で，術後成績も満足すべきものであった．

しかし，腹腔鏡の登場により本症の根治手術は大きな革命がもたらされた．1994年からDuhamel法，Soave法，Swenson法それぞれにおいて，腹腔鏡による低侵襲手術が導入されてきた．腹腔鏡手術では，腹部の術創はカメラポートを含めて3ヵ所の小創で十分となった．さらに腹腔鏡手術を経験していく

うちに，腸間膜の血管処理は腹腔鏡が必要であるが，直腸の粘膜剥離は肛門からのアプローチのみで十分であることが判明してきた．そこで 1998 年に腹腔鏡を用いない肛門からの操作のみの transanal endorectal pull-through（TAEPT；経肛門的プルスルー）が発表され，この方法が普及するようになった．

経肛門的プルスルーでは腹部には全く創はなく，腹腔内の操作や吻合がないため，出血や他の臓器の損傷や癒着性イレウスや縫合不全などの心配がない．最近は確実な手術を施行するために，腹腔内の観察による腸管の走行やねじれやカフの確認のため，臍部からのカメラポートのみの one port 腹腔鏡補助下 TAEPT が主流である．また，術中迅速病理検査にて肛門部に吻合する腸管が正常神経節であることを確認するのが必須なため，施設として術中迅速病理検査が可能で，神経節細胞を診断できる病理医が存在することも必要である．術中迅速で無神経節腸管が長い場合は鉗子を追加し，腸間膜の血管処理や，下行結腸の外側から脾彎曲部にかけての剥離で，より近位の結腸を引き下ろすことが可能である．

専門医に紹介するタイミング

生後 24 時間以内に胎便が排泄されない胎便排泄遅延が 90％にみられるため，病歴聴取において胎便排泄遅延は重要である．腹部単純 X 線写真では，結腸の拡張像がみられ，仰臥位にて骨盤内の直腸ガス像が欠如する．また，便が異臭を放ったり，便の色が灰緑色を呈することもある．直腸肛門指診にて指を引き抜くと，多量のガスや異臭をする水様便が噴出する（explosive defecation）．腸閉鎖とは異なり，浣腸や排気である程度の排便・排ガスはみられる．以上の臨床所見がみられ，浣腸や綿棒刺激などの保存的治療が奏効しない場合は，本症の検査が可能な小児外科専門医に紹介する．

専門医からのワンポイントアドバイス（してはいけない対応）

本症を放置すると拡張腸管に重篤な腸炎を発症し，敗血症から急死する場合がある．古くは toxic megacolon の状態から致死的になる症例がみられた．近年本症の疾患概念が周知され，新生児期から乳児期に根治術が行われ死亡例が減少してきたが，なかには診断が遅れる症例も経験する．腹部膨満など腸閉塞症状が継続し，病歴として胎便排泄遅延がある場合は本症を疑い，ためらわずに小児外科専門医に紹介してほしい．

───────── 文　献 ─────────

1) IPEG Guidelines Committee：IPEG Guidelines for surgical treatment of Hirschsprung's disease. J Laparoendosc Adv Surg Tech A 15：89-91, 2005

2) Martucciello G et al：Controversies concerning diagnostic guidelines for anomalies of enteric nervous system：A report from the fourth International Symposium on Hirschsprung's disease and related neurocristopathies. J Pediatr Surg 40：1527-1531, 2005

3) Schappi MG et al：A practical guide for diagnosis of primary enteric nervous system disorders. J Pediatr Gastroenterol Nutr 57：677-686, 2013

4) ヒルシュスプルング病類縁疾患診療ガイドライン作成グループ 編：ヒルシュスプルング病類縁疾患診療ガイドライン．メジカルビュー社，2018

5) Taguchi T et al：Current status of Hirschsprung's disease：based on a nationwide survey of Japan. Pediatr Surg Int 33：497-504, 2017

6) O'Hare T et al：A retrospective cohort study of total colonic aganglionosis：Is the appendix a reliable diagnostic tool？ J Neonatal Surg 5：44-47, 2016

5. 消化器疾患

シトリン欠損症

虻川大樹
（あぶかわだいき）
宮城県立こども病院 総合診療科・消化器科

POINT

- シトリン欠損症には，新生児・乳児早期に発症するシトリン欠損による新生児肝内胆汁うっ滞症（NICCD）と，思春期以降に発症する成人発症Ⅱ型シトルリン血症（CTLN2）の2つの臨床型が存在する．
- この間に見かけ上健康な適応・代償期があるが，一部の患者では低血糖，易疲労感，慢性肝障害，胃腸障害や，成長障害と脂質異常症（FTTDCD）がみられる．
- 食事療法（低炭水化物・高蛋白・高脂質，MCT補給療法）が重要である．

ガイドラインの現況

シトリン欠損症に関するわが国のガイドラインは，2019年9月に出版された『新生児マススクリーニング対象疾患等診療ガイドライン2019』（日本先天代謝異常学会 編集）に収載されており，病態，診断，治療に関して詳細に記載されている[1]．また，日本小児医療保健協議会（四者協）治療用ミルク安定供給委員会による『特殊ミルク治療ガイドブック』でも，シトリン欠損症に対する特殊ミルクの選択について解説されている[2]．シトリン欠損症に関する海外のガイドラインは検索した範囲では見あたらないが，わが国の著者による英文総説[3,4]が病態や管理・治療に関して詳細に記載している．

【本稿のバックグラウンド】『新生児マススクリーニング対象疾患等診療ガイドライン2019』および『特殊ミルク治療ガイドブック』，ならびに近年の総説や原著論文を参考にして解説する．

どういう疾患・病態か

シトリン欠損症は*SLC25A13*遺伝子異常による先天代謝異常症である．新生児期から乳児期早期に発症するシトリン欠損による新生児肝内胆汁うっ滞症（neonatal intrahepatic cholestasis caused by citrin deficiency：NICCD，OMIM 605814）と，思春期以降に発症する成人発症Ⅱ型シトルリン血症（adult-onset type 2 citrullinemia：CTLN2，OMIM 603471）の2つの年齢依存性の臨床型が存在する．この間に見かけ上健康となる適応・代償期がある（**図1**）[1,3]．

シトリン欠損症は日本で最初に報告され，東アジアから東南アジアで頻度が高く，最近ではアジア以外からの報告もある．常染色体潜性遺伝形式をとり，わが国での保因者頻度は1/65または1/42，理論上の有病率は

シトリン欠損症　**299**

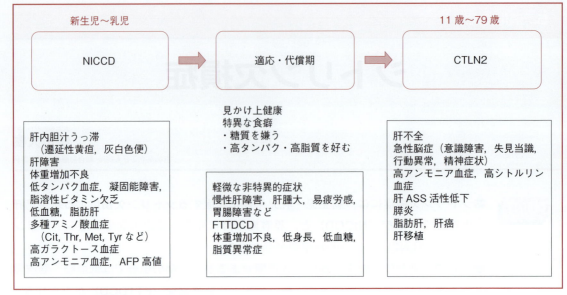

図1 シトリン欠損症の病態と自然歴
Cit：シトルリン，Thr：トレオニン，Met：メチオニン，Tyr：チロシン，AFP：αフェトプロテイン，FTTDCD：failure to thrive and dyslipidemia caused by citrin deficiency. （文献1より引用）

1/17,000もしくは1/7,100と報告されている[1,3,5]．CTLN2の発症頻度は10万人に1人であり，シトリン欠損症患者のごく少数がCTLN2を発症することを示唆している[3]．

シトリンは肝ミトコンドリア内膜に局在するアスパラギン酸・グルタミン酸キャリア（AGC）であり，ミトコンドリアで生成するアスパラギン酸を細胞質に供給するとともに，リンゴ酸・アスパラギン酸シャトルの一員として細胞質で生じたNADH還元当量をミトコンドリアに輸送する（図2）[1]．シトリン欠損症ではシトリンの機能低下によりNADH還元当量が細胞質内に過剰蓄積してしまうことで，尿素・蛋白合成，好気的解糖，糖新生，さらにはエネルギー代謝などに障害を与える．その結果，シトリン欠損症患者では多彩な症状を呈する．

治療に必要な検査と診断

年齢ごとに下記の臨床症状，検査所見からシトリン欠損症を疑う（図1）[1]．

1 NICCD（新生児期〜乳児期）

NICCDの40％は新生児マススクリーニング陽性（ガラクトース，メチオニン，フェニルアラニン高値）を契機に発見され，残りの症例の大部分は遷延性黄疸，便色異常（淡黄色〜灰白色便）を主訴に生後1〜4ヵ月の間に受診する．ほかに症状・所見として，子宮内発育遅延，低出生体重児，体重増加不良，胆汁うっ滞性肝障害（直接型高ビリルビン血症，AST・ALT・γ-GTP上昇），高胆汁酸血症，凝固能低下，くる病（高ALP血症やX線所見），低蛋白血症，低血糖，アンモニア軽度上昇，α-フェトプロテイン上昇，多種高アミノ酸血症（シトルリン，チロシン，フェニルアラニン，メチオニン，トレオニン

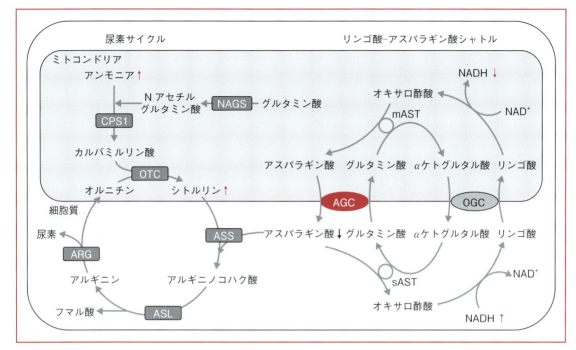

図2 代謝経路
NAGS：N-アセチルグルタミン酸合成酵素, CPS1：カルバミルリン酸合成酵素I, OTC：オルニチントランスカルバミラーゼ, ASS：アルギニノコハク酸合成酵素, ASL：アルギニノコハク酸リアーゼ, ARG：アルギナーゼ, AGC：シトリン（アスパラギン酸・グルタミン酸キャリア）, OGC：リンゴ酸・αケトグルタル酸キャリア. （文献1より引用）

など）といった非常に多彩な臨床像を呈する．肝組織像では，胆汁うっ滞像とともに大小脂肪滴の沈着を伴う広汎な脂肪肝が特徴的である．

2 適応・代償期（幼児期以降）

多くの NICCD 患児は生後 6〜12 ヵ月までに肝機能が正常化し，見かけ上健康となる．しかし，一部の患者では，低血糖，易疲労感，脂肪肝，慢性肝障害，肝腫大，体重減少，胃腸障害，けいれん，膵炎などの様々な症状を呈する．コントロールが不十分な患者の中には，成長障害に加えて中性脂肪・総コレステロール・LDL コレステロール高値，HDL コレステロール低値といった脂質異常症を呈する症例がおり，failure to thrive and dyslipidemia caused by citrin deficiency（FTTDCD）と呼ばれる．

幼児期になると甘いジュースやお菓子，米飯を嫌い，豆製品，乳製品，卵，魚，肉や揚物などの低炭水化物・高蛋白・高脂肪食品を好むという特徴的な食癖が現れる．シトリン欠損症では過剰な糖負荷により細胞質の NADH 過剰・NAD^+ 枯渇状態に陥るため，糖類を嫌う食癖はこれを避けるための自己防衛反応と考えられる．

3 CTLN2（思春期以降）

意識障害，失見当識，けいれん，急性脳症様症状，行動異常，精神症状で発症し，高アンモニア血症，高シトリン血症，肝不全を呈して致死的な経過をとる．発症時は様々な神経精神症状を示すため，てんかん，うつ病，統合失調症と診断されることも珍しくな

い．飲酒や糖質摂取過剰などが CTLN2 発症の引き金となることが報告されている．

いずれの病型においても，*SLC25A13* 遺伝子解析により両アレルに病因変異を認めることで診断が確定される．日本人患者では代表的な 11 個の変異で変異頻度の 95% を占めることが知られている[5]．かずさ DNA 研究所がシトリン欠損症遺伝子解析を受託しており，2022 年 4 月から保険適用となった．

治療の実際

1 食事療法

シトリン欠損症に対する食事療法の基本は，低炭水化物・高蛋白・高脂質である[1~3]．蛋白：脂質：糖質のエネルギー比を 15~25%：40~50%：30~40%（日本人の食事の一般平均は 15%：25%：60%）とすることが推奨されている[1,2]．母乳やミルクはこの組成に近く，シトリン欠損症に適している[2]．

NICCD に対しては，胆汁うっ滞の下でも吸収がよく，脂肪酸 β 酸化系からエネルギーを産生できる中鎖脂肪（MCT）含有フォーミュラの使用が推奨される[1~4]．特殊ミルク事務局より無償で提供される治療用ミルクのうち，必須脂肪酸強化 MCT フォーミュラ（明治 721），蛋白質加水分解 MCT 乳（森永 ML-3），ガラクトース除去フォーミュラ（明治 110）がシトリン欠損症に対して適応となっている．ガラクトース 10 mg/dL 以上，またはガラクトース -1- リン酸 20 mg/dL 以上の高ガラクトース血症を認める場合は，乳糖が除去された森永 ML-3 を用いる[2]．明治 110 もしくは市販の乳糖除去乳を用いる場合は，ミルク 100 mL に対し MCT オイル（マクトンオイル®など）を 2 mL 添加して用いる[1,2]．

MCT 補給療法は，肝細胞にエネルギーを供給し，脂質生成を促進し，細胞質内の NAD^+/NADH 比を補正することができ，シトリン欠損症の合理的な治療法である[4]．適応・代償期に MCT オイル 5 mL を 1 日 2 回与えることで，7~10 歳の患児の低血糖発症を抑えることが報告されている[3]．

特異な食癖は単なる好き嫌いではなく，自己防衛反応であると考えられるため，矯正するべきではない．学校や病院の食事にも同様の注意が必要である．また，長期の絶食は低血糖をひき起こす可能性があるため，幼児では 3 食に加えて朝・午後・就寝前に補助食品が必要になる場合がある．

CTLN2 の発症予防のため，低炭水化物食を励行し，アルコールや過剰の糖質摂取を禁止する．

2 薬物療法

NICCD に対しては，脂溶性ビタミンの補充と利胆薬（ウルソデオキシコール酸）の投与を行う．原因不明の肝不全で NICCD が鑑別に挙がった場合には，糖質による高カロリー輸液の使用は禁忌であり，ブドウ糖濃度 5% を使用する[1]．細胞質内の NADH を NAD^+ に変換することを目的にピルビン酸ナトリウム 0.1~0.3 g/kg/日 の投与が試みられ，体調の改善や食癖の変化が報告されている[1,3]．また，CTLN2 におけるけいれんや急性脳症に対して，グリセオール® は禁忌であり，注意を要する．

3 肝移植

NICCD 症例の多くは軽快するが，一部の症例で肝不全の進行のため肝移植を要する場合がある[1]．一方，内科的治療で改善しない CTLN2 症例は，肝移植が行われなければ予後不良である．

処 方 例

- ●脂溶性ビタミン補充として，
  - ・パンビタン®末 0.05〜0.1g/kg　分2
  - ・ユベラ®顆粒を
    - 軽症には 5〜10mg/kg　分2
    - 中等症には 20〜50mg/kg　分2
  - ・アルファロール®内用液 0.05〜0.1
    μg/kg　分1
  - ・ケイツー®シロップ 2mg/週〜5mg/
    日　分1
  - 処方する．
- ●初診時に血液凝固障害を呈する症例に
  対しては，頭蓋内出血，消化管出血の
  予防のため，直ちにケイツー®N 静注
  用　2〜5mg×1日1回静注を行う．
- ●胆汁うっ滞に対する利胆薬として，ウ
  ルソ®顆粒 10〜15mg/kg　分2〜3を
  処方する．

専門医に紹介するタイミング

　胆道閉鎖症や他の肝内胆汁うっ滞との鑑別を要する場合，肝不全が疑われる場合，詳細な栄養指導や遺伝カウンセリングを希望する場合には，精査・加療の可能な専門施設に転送する．

専門医からのワンポイントアドバイス

　新生児・乳児早期に閉塞性黄疸を呈する場合は，胆道閉鎖症を第一に疑う．NICCD は新生児一過性胆汁うっ滞（"特発性"新生児肝炎）に比べて直接ビリルビン，γ-GTP，総胆汁酸が高値をとることが多く，血清生化学検査では胆道閉鎖症と鑑別が困難なことが多い．肝門部腸吻合術（葛西手術）の手術時日齢が術後早期の成績および長期予後に深く関係するため，胆道閉鎖症が否定できない場合は，試験開腹・術中胆道造影を考慮すべきである．

--- 文 献 ---

1) シトリン欠損症．"新生児マススクリーニング対象疾患等診療ガイドライン 2019" 日本先天代謝異常学会 編．診断と治療社，pp57-66，2019
2) シトリン欠損症．"特殊ミルク治療ガイドブック" 日本小児医療保健協議会（四者協）治療用ミルク安定供給委員会 編．診断と治療社，pp21-22，2020
3) Okano Y et al：Current treatment for citrin deficiency during NICCD and adaptation/compensation stages：Strategy to prevent CTLN2. Mol Genet Metab 127：175-183, 2019
4) Hayasaka K：Metabolic basis and treatment of citrin deficiency. J Inherit Metab Dis 44：110-117, 2021
5) Kikuchi A et al：Simple and rapid genetic testing for citrin deficiency by screening 11 prevalent mutations in SLC25A13. Mol Genet Metab 105：553-558, 2012

5. 消化器疾患

急性肝炎・慢性肝炎

伊藤玲子
国立成育医療研究センター 総合診療部

> **POINT**
> ●小児期のB型，C型肝炎ウイルスによる肝炎では，インターフェロンや抗ウイルス薬による適切な治療開始時期までは，対症療法や経過観察が行われる．また，年齢や遺伝子型により，適切な薬剤を選択する必要がある．
> ●B型肝炎ワクチンが定期接種化する前に出生しHBs抗体をもたない小児に関しては，水平感染などでB型肝炎に罹患する可能性があり，少なくとも同居家族にHBV陽性者が確認できた際には（現状では保険外診療となるが）ワクチン接種を勧める．
> ●B型肝炎ウイルスに一度感染してしまうと，一過性感染で終わりHBs抗体が陽転したとしても，肝細胞内にはHBVDNAが半永久的に残り，免疫状態によっては再活性化し再び肝炎を生じることがある．

ガイドラインの現況

　B型肝炎，C型肝炎に関しては，日本肝臓学会・肝炎診療ガイドライン作成委員会が作成した『B型肝炎治療ガイドライン（第4版）』[1]（小児B型慢性肝炎の治療に関する記載を含む），『C型肝炎治療ガイドライン（第8.1版）』[2]（小児に対する治療薬の臨床試験の結果や『C型肝炎母子感染小児の診療ガイドライン』の要点の記載を含む），また，自己免疫性肝炎に関しては，「難治性の肝・胆道疾患に関する調査研究」班から『自己免疫性肝炎（AIH）診療ガイドライン』（2021年）が，非アルコール性脂肪肝炎に関しては日本消化器病学会・日本肝臓学会より『NAFLD/NASH診療ガイドライン2020（改訂第2版）』[3]が発表されている．小児例に関しては『小児の栄養消化器肝臓病診療ガイドライン・指針』（診断と治療社）[4]，『小児B型慢性肝炎の治療指針（平成29年度版）』，『C型肝炎母子感染小児の診療ガイドライン』などが作成されている[5]．

【本稿のバックグラウンド】　B型，C型慢性肝炎に対する治療に関しては，国内の小児例のみでは良質なエビデンスが少なく，小児用の治療指針やガイドラインのほかに，海外の小児例に関する報告や，成人におけるガイドラインを参考にした．

どういう疾患・病態か

肝炎を起こすウイルスのうち特にＡ型からＥ型までの肝炎ウイルスは，これらのウイルスが直接肝細胞を障害するのではなく，ウイルス特異的細胞障害性Ｔ細胞によるウイルス感染細胞の障害，排除を中心とした細胞性免疫応答やインターフェロン，サイトカイン，NK細胞，マクロファージなどが活性化した結果として，肝炎を発症すると考えられている．

急性肝炎とは肝細胞に生じた急性の障害で，様々な原因により，肝細胞からAST，ALTなどのトランスアミナーゼやLDHなどが逸脱し，血中で上昇する．胆管系酵素は上昇することもしないこともある．発熱，全身倦怠感，嘔気，嘔吐，黄疸などのほかに，意識障害，凝固異常などを伴い肝不全を呈することもある．

慢性肝炎とは肝細胞に6ヵ月以上認められる慢性炎症のことでHBV（B型肝炎ウイルス），HCV（C型肝炎ウイルス）によるもののほかに，自己免疫性肝炎，非アルコール性脂肪性肝炎などがある．肝臓の線維化が進めば肝硬変に至ることもあり，門脈圧亢進や肝不全による症状を伴うこともある．HBV感染症では，小児期の肝細胞癌発症の報告もある．

HBV，HCV感染症の一部を除くAからE型までの肝炎ウイルスによる肝炎は，いずれも全数把握の対象感染症であり，診断した場合には届け出が必要である．

治療に必要な検査と診断

肝炎を治療するためには，肝胆道系酵素や炎症に関する一般的な指標のほかに，肝炎の原因を把握するための肝炎ウイルスマーカーや自己抗体，凝固系，線維化マーカーなどの測定が必要である．肝臓の炎症および線維化の程度の把握のために，腹部超音波検査をはじめとする画像検査や肝組織検査（肝生検）が必要となることもある．

- A型肝炎：IgM-抗HAV（A型肝炎ウイルス）抗体は発症後数日で上昇し始め，2～3週後以降は徐々に低下し，3～6ヵ月後には陰性化する．IgG-抗HAV抗体はやや遅れて出現する．発症の1～2週間前から血液中，便中に，発症後1～2ヵ月間便中にHAVRNAが検出される．

- B型肝炎：HBV感染状態の把握や治療の適応や方法の選択などのために，HBs抗原，HBs抗体，IgM-HBc抗体，HBc抗体，HBe抗原，HBe抗体，HBVDNA量，ゲノタイプ，HBコア関連抗原などを測定する（図1）．AFPの測定が必要なこともある．

- C型肝炎：HCVの感染や感染既往の把握のため，HCV抗体やHCVRNAを測定する．治療や経過観察にはHCVRNA量やゲノタイプの測定が必要である．

- D型肝炎：HDV（D型肝炎ウイルス）の感染や感染既往は，HDV抗体やHDVRNAを組合せて診断する．HBs抗原陽性例の数％の人にHDVの感染が認められるとされる．

- E型肝炎：HEVRNAが，血清中では発症早期の短期間，便中では発症後2～3週間検出される．IgM-抗HEV抗体は発症後2週間以内に上昇し始め，IgG-抗HEV抗体はIgM-抗HEV抗体出現後やや遅れて陽転する．現在保険収載されているIgA-抗HEV抗体はIgM-抗HEV抗体よりも感度，特異度とも優れているとされている．

いずれのウイルス性肝炎でも肝組織では，肝細胞の壊死，炎症細胞浸潤，胆汁

急性肝炎・慢性肝炎　305

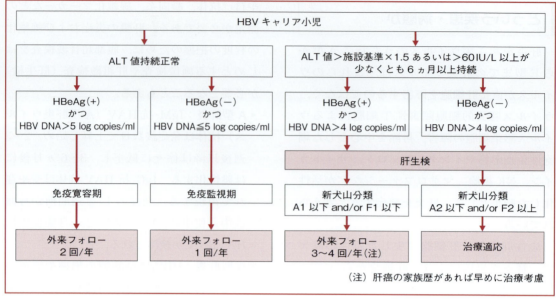

図1 HBVキャリア小児の診療アルゴリズム
（「日本小児栄養消化器肝臓学会 編：小児の栄養消化器肝臓病診療ガイドライン・指針．p104，診断と治療社，2015」より引用）

うっ滞，線維化などが様々な程度で認められる．

- **自己免疫性肝炎**：肝炎ウイルスを含む他の原因の肝炎が否定的で，IgGや抗核抗体，抗平滑筋抗体，抗LKM-1抗体などが高値である場合に診断される．HLA-DRの測定を行うこともある．診断基準（**表1**）には肝組織所見の項目も含まれる．ステロイド薬による治療反応性がポイントになる診断基準もある．

- **非アルコール性脂肪肝炎**：ウイルス性肝炎，ウイルソン病，自己免疫性肝炎など，他の原因を除外し，腹部超音波検査，腹部CT検査などの画像検査や肝生検にて脂肪肝を確認し，肝組織の壊死炎症反応や線維化などの所見を確認する必要がある．鉄の負荷の関与やインスリン抵抗性の把握のため血清鉄，フェリチン，血糖値，インスリンやアディポネクチンなどの測定を行うこともある．

治療の実際

A型からE型の肝炎ウイルスによる急性肝炎に関しては，安静の確保と輸液などの対症療法にて改善することも多い．

- **B型肝炎**：B型慢性肝炎の小児で治療の対象となるのは，HBe抗原陽性例では約2年以上，HBe抗原陰性例でも約1年以上肝炎が持続し，肝組織所見で炎症や線維化が高度な場合である．3歳以上の小児に対して，IFN（インターフェロン）やPEG-IFN（ペグインターフェロン）を投与する．核酸アナログ製剤による治療の適応となる例もある．

- **C型肝炎**：C型慢性肝炎の3歳以上の小児では，最近PEG-IFNやPEG-IFN＋リバビリン以外に，DAA（直接作用型抗ウイルス薬）による治療も保険適用になっている．成人と比較して小児では治療後のHCV消失率が高いが，母子感染例では3

表1　自己免疫性肝炎国際診断スコア

項　目	点数		註
女　性	+2		*1. ALP と ALT 値との比は，それぞれを正常の上限値で除した比で表される．すなわち，(ALP 値÷ALP 正常上限値)÷(AST 値÷AST 正常上限値)．ALT についても同様に計算する．
ALP：AST または ALP：ALT		*1	
＜1.5	+2		
1.5～3.0	0		
＞3.0	−2		
血清グロブリンまたは IgG 値・正常上限値との比			*2. げっ歯目組織切片を用いた間接免疫蛍光法による自己抗体力価．ANA 力値は Hep-2 細胞を用いた間接免疫蛍光法による測定も可．小児は低力価でも陽性．
＞2.0	+3		
1.5～2.0	+2		
1.0～1.5	+1		
＜1.0	0		
ANA，SMA または LKM-1 抗体		*2	*3. A 型，B 型，C 型肝炎ウイルスマーカー（すなわち IgM anti-HAV, HBs Ag, IgM anti-HBc, anti-HCV および HCV RNA）．これらの肝炎ウイルスマーカーが陰性であっても肝障害を惹起し得るウイルス（CMV, EBV など）の関与が想定される場合には，それぞれのウイルスマーカーを測定する．
＞1：80	+3		
1：80	+2		
1：40	+1		
＜1：40	0		
AMA 陽性	−4		
肝炎ウイルスマーカー		*3	*4. 肝障害出現時までに肝障害を惹起し得る既知またはその可能性のある薬物服用歴．
陽性	−3		
陰性	+3		
薬物服用歴		*4	*5. 胆管病変とは，PBC または PSC に特徴的な病変（適切な生検肝組織標本により確認された胆管消失を伴う肉芽腫性胆管炎や胆管周囲の高度の同心円状線維化）および／または銅／銅関連蛋白の沈着を伴った門脈周囲の顕著な胆管反応（いわゆる marginal bile duct proliferation with cholangiolitis）．
陽性	−4		
陰性	+1		
平均アルコール摂取量			
＜25g/日	+2		
＞60g/日	−2		
肝組織像			*6. 異なる病因を示唆する明らかな病変または複数の疑わしい病変．
interface hepatitis	+3		
リンパ球や形質細胞優位の細胞浸潤	+1		*7. 患者または一親等での他の自己免疫疾患の合併．
肝細胞のロゼット形成	+1		
上記のいずれの所見も認めない	−5		*8. 他の自己抗体や HLA DR3 または DR4 に対する加点は，ANA, SMA および LKM-1 のいずれも陰性の症例に限る．
胆管病変	−3	*5	
他の病変	−3	*6	
他の自己免疫疾患の合併	+2	*7	*9. 他の自己抗体とは測定方法が確立され，AIH への関連が明らかとされた自己抗体で，pANCA, anti-LC1, anti-SLA, anti-ASGP-R, LSP, anti-LP, anti-sulfatid などが含まれる（成書参照）．
付加項目		*8	
他の自己抗体陽性	+2	*9	
HLA DR3 または DR4 陽性	+1	*10	*10. HLA DR3 や DR4 は主として北欧コーカソイドや日本民族に関連している．他の人種では AIH との関連が明らかとされた DR3, DR4 以外の HLA class II 抗原が陽性の場合 1 点加点する．
治療反応性：寛解	+2		
再燃	+3	*11	
総合点数による評価			*11. 治療に対する反応性の評価時期は問わず，治療前の合計得点に加点する．
治療前：AIH 確診例（definite）	＞15		
AIH 疑診例（probable）	10～15		
治療後：AIH 確診例（definite）	＞17		
AIH 疑診例（probable）	12～17		

（文献 5 および「難病情報センター 自己免疫性肝炎 https://www.nanbyou.or.jp/entry/268」を参照して作成）

急性肝炎・慢性肝炎　307

〜4歳までに HCVRNA の自然消失があり
えること，PEG-IFN にて治療中にけいれ
んの発症や身長の伸び率低下の報告がある
こと，DAA が 3 歳以上で使用可能となっ
たなどの理由で，治療開始時期の検討は必
要である．

- **D 型肝炎**：現在のところ評価の定まった
有効な治療法はない．
- **E 型肝炎**：劇症肝炎例や，臓器移植後に E
型肝炎が慢性化した例では，血漿交換や抗
ウイルス薬を要したと報告されている．
- **自己免疫性肝炎**：ステロイド薬内服または
パルス療法と免疫調節薬，特にアザチオプ
リン内服にて治療することが多い．治療抵
抗性である例も認められる．
- **非アルコール性脂肪肝炎**：肥満者では，あ
る程度の体重減少や食事療法，運動療法な
どが必要である．ω–3 系多価不飽和脂肪
酸，食物繊維の摂取が推奨され，抗酸化療
法としてビタミン E，高脂血症治療薬，利
胆剤などの効果も報告されているが，薬物
療法については現時点で評価の定まったも
のはない．

処 方 例

慢性 C 型肝炎の 12 歳，38 kg，ゲノ
タイプ I b

処方　グレカプレビル水和物・ピブレン
　　　タスビル錠　3 錠　分 1

専門医に紹介するタイミング

急性肝炎では肝不全への進行が予想される

場合や肝不全を伴う場合，慢性肝炎では抗ウ
イルス薬による治療が必要な場合．免疫抑
制・化学療法により発症した B 型肝炎であ
る場合など．

専門医からのワンポイントアドバイス

- HBV 陽性の児の集団生活への受け入れ
は，施設によっては困難をきたすことがあ
り，そのような際には厚生労働省，集団生
活の場における肝炎ウイルス感染予防ガイ
ドラインの作成のための研究班が発行して
いる，『保育の場において—血液を介して
感染する病気を防止するためのガイドライ
ン』などを使用し，親，施設の職員と話し
合い，方針を決定するようにしている．
- C 型肝炎の抗ウイルス薬のなかには，最近
3 歳以上の小児に保険適用となったものも
ある．

─────── 文　献 ───────

1) 日本肝臓学会・肝炎診療ガイドライン作成委員
会 編：B 型肝炎治療ガイドライン（第 4 版）．2022
2) 日本肝臓学会・肝炎診療ガイドライン作成委員
会 編：C 型肝炎治療ガイドライン（第 8.1 版）．
2022
3) 日本消化器病学会，日本肝臓学会 編：NAFLD/
NASH 診療ガイド 2020（改訂第 2 版）．南江堂，
2020
4) 日本小児栄養消化器肝臓学会 編：小児の栄養消化
器肝臓病診療ガイドライン・指針．診断と治療社，
pp96-121，2015
5) Alvarez F et al：International autoimmune hepati-
tis group report：review of criteria for diagnosis of
autoimmune hepatitis. J Hepatology 31：929-938,
1999

5. 消化器疾患

蛋白漏出性胃腸症

戸田方紀，新井勝大
国立成育医療研究センター 消化器科

POINT

●蛋白漏出性胃腸症は，様々な原因によって発症する病態である．

●主な症状は，下痢・浮腫・腹痛などである．

●診断には，血液検査や α_1-アンチトリプシン試験，消化管シンチグラフィーが有用であり，消化管内視鏡検査や遺伝子検査が必要な場合がある．

●治療は，症状に対する対症療法，原疾患に応じた治療，および栄養療法である．

●予後は原疾患や重症度に応じて様々である．

ガイドラインの現況

現時点で，本邦には蛋白漏出性胃腸症の診療ガイドラインは存在しない．

蛋白漏出性胃腸症は，様々な原因で消化管から血漿蛋白が漏出し，漏出量が肝での合成量を上回ることで，低蛋白血症を呈する症候群である．主な症状は下痢・浮腫などであり，一般臨床の場で遭遇する可能性のある病態である．原因は多岐にわたり，原因疾患を正確に診断し，低蛋白血症に対する対症療法と，原疾患に対する治療をしていくことが重要である．

【本稿のバックグラウンド】 蛋白漏出性胃腸症は種々の原因疾患に伴う病態であるため，蛋白漏出性胃腸症についてのガイドラインはない．そのため本稿では，近年の総説論文と疾患ごとの文献を参考に解説した．

どういう疾患・病態か

蛋白漏出性胃腸症とは，消化管粘膜からの血漿蛋白，特にアルブミンの胃腸管腔への異常漏出によって生じる低蛋白血症を主徴とする症候群である．

本症をきたす原疾患として様々なものが報告されているが，病態としては，①リンパ系の異常を伴う疾患，②消化管粘膜の異常を伴う疾患，③血管透過性の亢進を伴う疾患，に

大別され，それぞれが単独または複数関与している．

①リンパ系の異常では，リンパ管の低形成や閉塞により生じたリンパ管圧の上昇に伴うリンパ管の拡張や破綻の結果，消化管内に血漿蛋白やリンパ球が漏出することになる．疾患としては，腸リンパ管拡張症，リンパ管腫，悪性リンパ腫，心不全，Fontan術後がある．

②消化管粘膜の異常では，腸管壁の炎症や

潰瘍により，消化管内に血漿蛋白が漏出する．疾患としては，感染性胃腸炎，炎症性腸疾患，好酸球性胃腸炎，セリアック病，Ménétrier病などがある．

③血管透過性の異常では，血管炎や壁の異常により，血管浸透圧が亢進して血漿蛋白が漏出する．疾患としては，感染性胃腸炎，寄生虫，IgA血管炎，膠原病などがある．

アルブミンは，血漿蛋白の約半量を占める主要な蛋白である．健常者においてもアルブミンは消化管内に排出されているが，それとほぼ同量のアルブミンが肝で合成されることで，血中濃度が一定に保たれている．消化管へのアルブミン漏出が，肝でのアルブミン合成を上回ることで，低アルブミン血症を生じることになる．

低蛋白血症の結果として，浮腫，体重増加，胸水，腹水などの症状を認めることがある．腸管壁の浮腫による下痢や腹痛を認める場合もあるが，消化管症状を伴わない症例もある．

消化管内にはアルブミンだけでなく，すべての血漿蛋白が漏出する．γ-グロブリンの漏出による低γ-グロブリン血症により，免疫不全をきたす場合もある．アルブミンの漏出により，アルブミンに結合している様々な成分も喪失する．なかでもカルシウムは低下をきたしやすく，テタニー症状や低カルシウム血症によるけいれんなどを認める場合がある．

経過が長い場合は，蛋白漏出や脂肪吸収障害による低栄養，ビタミン欠乏症，必須脂肪酸欠乏症，成長障害を認める場合がある．これらの症状に加え，蛋白漏出性胃腸症では，原疾患に伴う様々な症状，臨床所見を認めるのが特徴的である．予後は原疾患により異な

り，経過も一過性のものから慢性のものまで様々である．

治療に必要な検査と診断

蛋白漏出性胃腸症を診断するには，蛋白摂取不足，肝での蛋白合成の低下，蛋白尿の存在，内分泌異常（甲状腺機能亢進症など）を否定する必要がある．それらが否定された後に消化管内への蛋白漏出の確認と部位の特定を行い，基礎疾患の診断を行っていく．その際に近年実用化が進んでいる遺伝子診断についても検討の余地がある．

①血液生化学検査：低蛋白血症，低アルブミン血症，低γ-グロブリン血症，低カルシウム血症，貧血，リンパ球の減少，好酸球の増加を認める場合がある．また，尿検査で蛋白尿がないことを確認する．

②α_1-アンチトリプシン試験：α_1-アンチトリプシンは，分子量が大きく腸管で再吸収されないため，蛋白漏出の指標となりうる．正確な評価をするためのクリアランス検査は3日間の蓄便が必要である（正常値20mL/日以下）．小児では蓄便が困難であるため，1回便中濃度がよく用いられる．1回便中濃度（正常：1.31±0.72mg/g便質重量）[2]が，蛋白漏出性胃腸症では大きく上回る．しかし，この試験も一定以上の量の便量が必要であり，乳児や特に下痢をしている場合は，採取が困難な場合がある．

③消化管シンチグラフィー：^{99m}Tc標識ヒト血清アルブミンを用いて，腸管への漏出の有無を確認する．感度・特異度は高いが，漏出部位の特定が困難な場合がある．

④超音波検査：非侵襲的であり，被曝のリ

スクもなく腸管粘膜の肥厚などを評価できる．具体的に腹部超音波検査で，Ménétrier 病では胃壁が，小腸 Crohn 病では小腸壁が肥厚する．原発性リンパ管拡張症では，病変部位の壁肥厚だけでなくエコー輝度が上昇した腸間膜や腹水を認める場合がある．また，肝臓，脾臓や門脈なども評価することができる．

心臓超音波検査では，心機能の評価や心囊液貯留を確認することができる．

⑤消化管内視鏡検査：腸管粘膜を直接観察し，生検もできるため非常に有用な検査である．Ménétrier 病では巨大趨壁を認め，組織像でも胃底腺粘膜が蛇行して走行する特徴的な像を認める．腸リンパ管拡張症では，腸粘膜に散在する白斑や白色絨毛，乳糜様物質の付着などを認める．組織像では，拡張したリンパ管腔を認める．通常の上下部消化管内視鏡検査で評価が困難な小腸病変には，小腸カプセル内視鏡検査が有用であるとの報告がある[3]．

⑥遺伝子検査：近年の網羅的遺伝子解析技術の進歩によって，先天性蛋白漏出性胃腸症の原因遺伝子が複数同定されている[4]．補体調節蛋白である CD55 の欠損（CHAPLE 症候群）[4] やリンパ管の正常発生に関わる *CCBE1* や *FAT4* の遺伝子変異（Hennekam 症候群）[5]，脂質代謝に関わる *DGAT1* の遺伝子変異などが報告されており，原因遺伝子の同定により，その病態が明らかにされつつある．さらには，CD55 欠損に対する抗補体モノクローナル抗体製剤（エクリズマブ）の有効性を示した報告[4] があるように，原因遺伝子の同定が新規治療の開発につながる可能性も期待される．

治療の実際

治療は，食事療法，薬物療法，外科的療法に分けられる．

1 食事療法

基本としては，高蛋白低脂肪食とする．脂質は，中鎖脂肪酸（MCT）を用いる．MCT は，小腸で吸収されると直接門脈循環に入るため，リンパ流に入らずリンパ管内圧の上昇を抑えることができる．腸管安静に伴い，低栄養が著明な場合には，成分栄養剤や高カロリー輸液が必要と思われる．MCT オイルでは，必須脂肪酸の補充には脂肪乳剤の経静脈的投与を併用し，必要に応じて微量元素の補充も行う．

2 薬物療法

浮腫や胸水，腹水に対しては，フロセミド，スピロノラクトンなどの利尿薬を用いる．有意な低蛋白血症に対しては，アルブミンの点滴静注を行う．原疾患が炎症性腸疾患やアレルギー性胃腸炎である場合は，ステロイドを用いることもある．リンパ管拡張症に対しては，ステロイド，抗プラスミン薬，オクトレオチドの有効性も示唆されているが，確立された治療はない．Fontan 術後の場合は，ヘパリン療法やステロイド投与が行われることがある．

3 外科的療法

Ménétrier 病 や Crohn 病，ポリポーシス，腫瘍など，漏出をきたす病変が限局している場合は，腸管切除を行うことで症状が改善することがある．また，リンパ管の狭窄解除やリンパ管静脈吻合も有効とされている．Fontan 術後の場合は，心房開窓術を行い静脈圧の低下をすることで，蛋白漏出の改善を

認めることが報告されている.

処 方 例

低蛋白血症に対して

処方 A 25％アルブミン注 1回0.5〜
1g/kg 2時間で静注
処方 B ラシックス®注 1回0.5〜1mg/
kg 適宜もしくは1日3回

リンパ管拡張症に対して

処方 トランサミン®散 20〜50mg/kg
（max 2,000mg） 分3

炎症性疾患に対して

処方 プレドニン® 1〜2mg/kg 分3

Fontan術後やリンパ管異常に対して

処方 ヘパリン 3000〜5000単位/m²
持続静注

専門医に紹介するタイミング

①蛋白漏出性胃腸症が強く疑われるが，病態の確定と原因疾患の診断が困難な場合.
②原因疾患の治療に難渋する場合.

専門医からのワンポイントアドバイス

蛋白漏出性胃腸症の原因は多岐にわたり，原因疾患によって，治療方法は異なる．原因疾患の確定診断には，これまで消化管内視鏡検査や病理組織検査が行われてきたが，今後，遺伝子検査により，さらなる病態の解明や治療法の開発も期待される．治療が長期化する場合もあり，原因の早期診断と適切な介入が重要である．

——————— 文 献 ———————

1) Braamskamp MJ et al：Clinical practice. Protein-losing enteropathy in children. Eur J Pediatr 169：1179-1185, 2010
2) Kulesza E et al：Alpha 1-antitrypsin as an endogenous marker of protein-losing enteropathies. Pol Tyg Lek 47：98-101, 1992
3) Wu J et al：The diagnostic value of capsule endoscopy in children with intestinal lymphangiectasia. Rev Esp Enferm Dig 113：765-769, 2021
4) Ozen A et al：CD55 deficiency, early-onset protein-losing enteropathy, and thrombosis. N Engl J Med 377：52-61, 2017
5) Alders M et al：Hennekam syndrome can be caused by FAT4 mutations and be allelic to Van Maldergem syndrome. Hum Genet 133：1161-1167, 2014

5. 消化器疾患

小児炎症性腸疾患

西澤拓哉, 石毛 崇
群馬大学大学院医学系研究科 小児科学

POINT
- 小児の炎症性腸疾患では, 成人と比較し病変部位が広範囲かつ重症化しやすく, 成長障害や学校生活など小児期特有の問題を有する.
- 患児はもちろんのこと, 難病をもつ家族への配慮も忘れずに診療にあたる.
- 生物学的製剤など新規治療薬が増えているため, ガイドラインや診断・治療指針などを用いて知識のアップデートを行う.

ガイドラインの現況

小児炎症性腸疾患（inflammatory bowel disease：IBD）を対象としたエビデンスガイドラインはない. 日本小児栄養消化器肝臓学会から, IBD を専門としない医療者でも概念が理解できるように, 2019 年に『小児潰瘍性大腸炎治療指針』[1), 『小児クローン病治療指針』[2) が公表されている. また, 成人 IBD の治療を行う医療者向け, かつ最新の情報が記載されている『潰瘍性大腸炎・クローン病診断基準・治療指針』[3) が毎年厚生労働省難治性疾患等研究班により改訂され, 2022 年 3 月 31 日に令和 3 年度版が発表された. ワクチン, 移行期医療についても研究班から 2022 年に公表されている.

成人領域では, 2016 年に日本消化器病学会から炎症性腸疾患診療ガイドラインが出版され, 4 年後の 2020 年に『炎症性腸疾患診療ガイドライン 2020』[4) として改訂出版されている.

【本稿のバックグラウンド】 小児 IBD に特化したガイドラインはない. 厚生労働省難治性疾患等研究班や日本小児栄養消化器肝臓学会から公表されている指針を参考にしている.

どういう疾患・病態か

炎症性腸疾患（inflammatory bowel disease：IBD）は, 寛解・再燃性の慢性腸炎を起こす疾患の総称である. 主に潰瘍性大腸炎（ulcerative colitis：UC）, クローン病（Crohn's disease：CD）に大別される. 食事や感染などの環境要因や腸内細菌叢の異常や腸管免疫, 遺伝学的要因などの関与が報告されているが, 原因については未だ不明である.

UC は, 大腸粘膜を直腸から連続性に侵し, しばしばびらんや潰瘍を形成する原因不明のびまん性非特異性大腸炎である[4). CD は, 非連続性に分布する全層性肉芽腫性炎症

小児炎症性腸疾患 **313**

や瘻孔をきたし，口腔から肛門までの全消化管に炎症をきたしうる．UC，CD に分類するのが困難である場合に分類不能型腸炎（inflammatory bowel disease-unclassified：IBD-U）と呼ぶ．

小児期発症の IBD 患者は増加傾向であり，IBD 患者全体の約 2 割が小児期もしくは思春期に発症するとされる．中でも，6 歳未満で発症した超早期発症型炎症性腸疾患（very early onset-IBD：VEO-IBD）では，典型的な UC や CD ではなく，IBD 治療に抵抗例が少なくない．また IL-10 異常症や慢性肉芽腫症などの単一遺伝子異常に伴う腸炎（monogenic IBD）があるが，VEO-IBD 同様にガイドラインの対象ではない．

治療に必要な検査と診断

繰り返す腹痛や遷延性下痢，血便，肛門病変といった消化管症状のほかにも，不明熱や成長障害といった腸管非特異的な症状からも IBD を疑うべきである．IBD の鑑別疾患として，感染性腸炎，好酸球性消化管疾患，腸管ベーチェット病，腸結核，虚血性大腸炎，薬剤性大腸炎などが挙げられており，鑑別のために血液疾患や便検査や必要に応じて結核菌スクリーニングを行う．IBD を疑った場合，確定診断のために消化管内視鏡検査および組織生検が必要である．診断時には，上部消化管内視鏡検査や MR enterography（MRE）や小腸カプセル内視鏡検査，バルーン内視鏡検査などを用いて全消化管評価を行うことが望ましい．

●便中カルプロテクチン

カルプロテクチンは腸管粘膜で炎症が生じることにより好中球から放出される物質であり，腸管の炎症を定量的かつ非侵襲的に評価することができ，過敏性腸症候群などの機能

性消化管疾患との鑑別にも有用である．ただし，IBD に特異的な検査ではなく，大腸がんや NSAIDs，PPI 使用でも陽性となることがあり，注意を要する[4]．

治療の実際

これまで IBD の治療目標としては，患者自身の症状を改善することがメインであったが，近年，内視鏡的・組織学的寛解が長期予後の改善につながることがわかってきた．そのため，臨床症状，PUCAI（pediatric ulcerative colitis activity index）や PCDAI（pediatric Crohn's disease activity index）といった疾患活動性スコア，便中カルプロテクチンや内視鏡検査などの様々なモダリティを組み合わせて診療を行っていくことが重要である．治療薬の詳細については各治療指針を参照いただきたい．

1 潰瘍性大腸炎の治療

治療においては，短期目標（臨床的改善）として PUCAI が 20 以上減少すること，中期目標（臨床的寛解）としては PUCAI が 10 未満となること，長期目標としては，内視鏡的治癒が得られ QOL が回復し，日常生活に支障がない状態を目指すことが重要であり，小児では正常な成長を得ることも重要な目標である[3]．

小児に多い左側大腸炎・全大腸炎型の治療について述べる（図 1）．軽症〜中等症（PUCAI 45 以下）では，まず経口 5-ASA 製剤の投与を行い，十分量の 5-ASA 製剤で奏効しない場合にステロイド薬を追加する．ステロイド投与を行っても 1〜2 週間以内に明らかな効果を得られない場合には難治例へ移行する．中等症以上（目安：PUCAI 50 以上）では入院管理を要し，常に外科治療の適

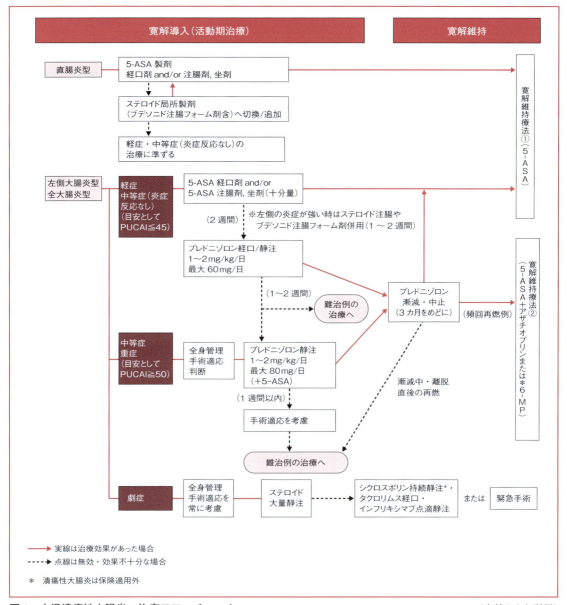

図1 小児潰瘍性大腸炎 治療フローチャート (文献3より引用)

応がないか注意を要する．ステロイド静注療法（1～2mg/kg/日，最大60～80mg/日）を行い，概ね1週間程度で効果判定を行う．改善が得られない場合には，劇症例や難治例（**図2**）に準じ，生物学的製剤の導入やタクロリムス経口投与，血球成分除去療法などを導入する．劇症型（目安：PUCAI 65以上）では，外科医と緊密な連携をとり，緊急手術

の適応を考慮しながら治療を行う．入院を要するようなら中等症以上の症例では，専門施設に必ず連絡を行う．

ステロイド抵抗例ではクロストリジウム感染やサイトメガロウイルス感染の合併検索を行う．ステロイド依存例では，免疫調節薬であるチオプリン製剤の投与を検討するが，チオプリン製剤の使用前には*NUDT15*遺伝子

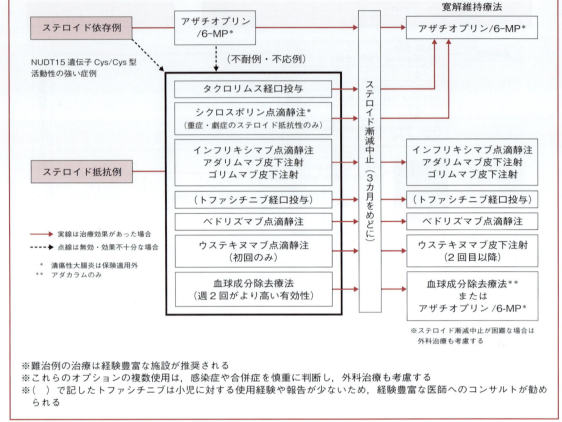

図2 小児潰瘍性大腸炎 難治例の治療 （文献3より引用）

多型検査を行うことが推奨されている．

　潰瘍性大腸炎の基本治療薬である 5-ASA 製剤による不耐症の報告が増えており，5-ASA 製剤内服開始 2 週間以内に発熱，腹痛，下痢，血便，頭痛などの症状をきたす場合には原疾患の増悪以外に 5-ASA 不耐症も念頭におく必要がある．5-ASA 製剤中止により，症状の改善が得られるか確認する．

2 クローン病の治療

　小児クローン病の治療目標は，腸管炎症に伴う消化器症状を改善し，腸管内外の合併症や外科手術を回避するとともに，二次性徴を含めた正常な身体的発育と精神面での発達を達成することである[2,3]．小児 CD の寛解導入療法の第一選択は完全経腸栄養療法であるが，予後不良予測因子を有する症例では，通常の治療に加えて，時機を逸さずに抗 TNF-α 抗体製剤を導入することを検討する（図3）．その他小児 CD に用いられる治療薬として，抗菌薬，ステロイド，チオプリン製剤，生物学的製剤が用いられる．5-ASA 製剤は軽症例で選択されるが，小児 CD に対する有効性を示す根拠は乏しい．

　寛解導入療法として完全経腸栄養を行う際には，経腸栄養剤を用いて 1 日の全必要エネルギー量（学童では 50〜60 kcal/kg/日）を投与する．寛解導入後は低残渣・低脂肪の CD 食を開始するが，可能な限り必要なエネルギー量の 50％程度を経腸栄養剤で摂取す

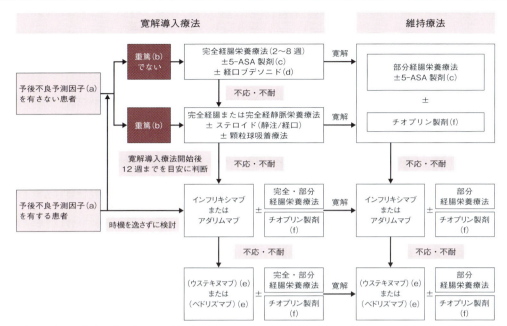

(注1) 治療開始後も，非侵襲的で腸管選択的なバイオマーカー（便中カルプロテクチン等）や，画像診断（上部消化管内視鏡検査，大腸内視鏡検査，小腸内視鏡検査，MR enterography，腸管エコー検査等）を活用して，治療効果を適切に判定することが重要である．
(注2) 特に治療効果が不十分な場合は，時機を逸さないようにするためにも，小児クローン病の診療経験のある医師や施設に治療方針を相談することが望ましい．
(注3) どの段階でも外科治療の適応を十分に検討した上で内科治療を行う．なお肛門病変（g）・狭窄の治療，術後の再発予防の詳細については本文参照．
(注4) 治療を開始する前に予防接種歴・感染罹患歴を確認し，定期・任意接種とも，積極的に行うことが望ましいが，詳細については本文参照．

a. 以下の予後不良予測因子を有する患者は，早期の抗 TFN-α 抗体製剤導入を検討する

Paris classification*	追加のリスク因子		リスク層別化	推奨治療
B1	炎症型	なし	低	完全経腸栄養療法・ステロイド
B1	炎症型	寛解導入療法開始後12週時点で非寛解	中	抗 TNF-α 療法への step-up
B1+G1	炎症型	成長障害	中	完全経腸栄養療法 抗 TNF-α 療法導入（考慮）
B1+[L3+L4]	炎症型	広範病変（小腸＋大腸） 深い大腸潰瘍	高	抗 TNF-α 療法導入
B1+p	炎症型	肛門病変（g）	高	抗 TNF-α 療法導入＋抗菌薬・外科治療
B2	狭窄型	なし	高	抗 TNF-α 療法導入
B2	狭窄型	狭窄前拡張あり 閉塞症状・閉塞徴候あり	高	腸管切除術＋術後抗 TNF-α 療法
B3	穿通型	腸管穿孔・内瘻・炎症性腫瘤・膿瘍形成	高	外科治療＋術後抗 TNF-α 療法

* B1：炎症型，B2：狭窄型，B3：穿通型，G1：成長障害あり，p：肛門病変あり，L1：小腸型，L2：大腸型，L3：小腸大腸型，L4：上部消化管病変（L4a）および回腸末端 1/3 よりも口側の小腸病変（L4b）

> b. 重篤な場合とは下記 1〜5 のいずれかの場合である
>   1. 頻回（6 回 / 日以上）の激しい下痢，下血，腹痛を伴い経腸栄養が困難
>   2. 消化管出血が持続
>   3. 38℃以上の高熱，腸管外症状（関節炎，結節性紅斑，壊疽性膿皮症，口内炎など）により衰弱が強く，安静の上全身管理を要する
>   4. 著しい栄養障害がある
>   5. PCDAI が 70（又は CDAI が 450）以上
> c. 5-ASA 製剤は，軽症例の寛解導入・寛解維持薬として選択されるが，クローン病に対する有効性を示す根拠はない
> d. 経口ブデソニド（ブデソニド腸溶性顆粒充填カプセル）は，完全経腸栄養療法が困難な回盲部病変に対して使われることがある
> e. 小児でのウステキヌマブ・ベドリズマブの使用経験は少なく，インフリキシマブ・アダリムマブの不応例・不耐例に対して使用を検討する
> f. チオプリン製剤の安全性について，患者・家族に十分説明した上で使用されるべきである
> g. 肛門病変，瘻孔にメトロニダゾールやシプロフロキサシンの併用が有用な場合がある

図3　小児クローン病治療フローチャート　　　　　　　　　　　　　　　　　　（文献 3 より引用）

ることが望ましい．国内で広く用いられているエレンタール®には必須脂肪酸や微量元素（セレン等）が含まれていないため，欠乏しうることに留意し，評価や補充を検討する．

ステロイドを使用する場合は長期投与による成長障害の原因となることを念頭におく．また，成人 CD で使用されるブデソニド（ゼンタコート®）の内服は，国内では小児適応がないものの，プレドニゾロンの全身投与と比較し副作用が少ないといった利点がある．

処方例　原則として外来診療を想定（UC：軽症〜中等症）

UC の処方例（40kg）

● 5-ASA 製剤（内服）

処方　ペンタサ® 錠（250mg）　9 錠（2.25g）　分 3

副作用や効果をみながら，最大 4g/日まで増量可

● ステロイド内服

処方　プレドニン® 錠（5mg）　6 錠（30mg）　分 2　（0.5〜1mg/kg/日，最大 40mg/日）

治療効果に乏しい場合は入院，ステロイド増量等を考慮

● チオプリン製剤

処方　イムラン® （50mg）錠　0.5 錠（25mg）　分 1（0.5kg/mg/日程度から開始）

副作用や効果をみながら，1.0〜2.5mg/kg/日（最大 100mg/日）まで増量

CD の処方例（40kg）　※ステロイド内服（プレドニン®）やチオプリン製剤は UC を参照

● 成分栄養剤

処方　エレンタール® （80g/袋）を水 600mL で溶解（0.5kcal/mL）し，徐々に濃度を漸増していく．最終的には水 300mL で溶解（1kcal/mL）し使用する（※初発時は入院のうえ，栄養療法を導入している施設が多い）

●抗菌薬

処方　フラジール® 錠（250 mg）　2 錠
　　　分 2　あるいは粉砕し 600 mg　分 2
　　　（15 mg/kg/日，成人 750 mg/日，
　　　長期服用での神経障害に注意）

●経口ブデソニド

処方　ゼンタコート®（3 mg）　3 カプセ
　　　ル　分 1（9 mg/日）

専門医に紹介するタイミング

　小児 IBD では成人と比較し罹患範囲が広
く，重症例が多いといった特徴がある．診断
のためには消化管内視鏡検査が必要であるた
め，IBD を疑ったタイミングで専門医に相
談・紹介を検討してよい．成長障害や腸管外
合併症を有する場合，治療抵抗例や 6 歳未満
発症である場合には必ず専門医に紹介する．

専門医からのワンポイントアドバイス

　診断に関して，不明熱や成長障害，慢性腹
痛といった場合でも IBD を鑑別に入れるこ

とが重要である．診断のためには内視鏡検査
が必要であるが，患児や家族の受け入れが不
十分な場合には便中カルプロテクチンの測定
を先に行うことも有用である．現時点では，
IBD は完治する疾患ではないため，患児・
家族と十分なコミュニケーションをとって関
係性を構築し，診療を行うことが大切である．

――――――― 文　献 ―――――――

1) 日本小児栄養消化器肝臓学会・日本小児 IBD 研究会
小児 IBD 治療指針 2019 改訂ワーキンググループ：
小児潰瘍性大腸炎治療指針（2019 年）
https://www.jspghan.org/guide/doc/shounikaiyou_
chiryou_guide_2019.pdf
2) 日本小児栄養消化器肝臓学会・日本小児 IBD 研究会
小児 IBD 治療指針 2019 改訂ワーキンググループ：
小児クローン病治療指針（2019 年）
https://www.jspghan.org/guide/doc/shouni_clone_
chiryou_gyude_2019_02.pdf
3) 厚生労働科学研究費補助金　難治性疾患政策研究事
業「難治性炎症性腸管障害に関する調査研究班」
（久松班）：潰瘍性大腸炎・クローン病診断基準・治
療指針　令和 3 年度改訂版
http://www.ibdjapan.org/pdf/doc15.pdf
4) 日本消化器病学会：炎症性腸疾患診療ガイドライン
2020．南江堂，2020

小児炎症性腸疾患　319

5. 消化管疾患

過敏性腸症候群

八木龍介[1]，羽鳥麗子[2]，友政　剛[3]

1) 利根中央病院 小児科，2) 群馬大学医学部附属病院 小児科，3) パルこどもクリニック

POINT

● 過敏性腸症候群は，脳腸相関が障害されることで反復する腹痛や下痢，便秘などの便通異常を呈する疾患である．

● 患者の QOL が著しく低下することがあり，学童期・思春期の慢性・反復性の腹痛では本疾患を疑い，積極的に診断することが重要である．

● 「患者が困っていることは何か」に焦点を当て，丁寧な問診と病気の説明，生活指導，薬物療法を組合せて患者ごとに適切な治療を行う．

ガイドラインの現況

　過敏性腸症候群（irritable bowel syndrome：IBS）は，学童期・思春期における慢性・反復性腹痛の原因として頻度が高く，繰返す消化器症状から学校生活に支障をきたすとともに，生活の質（quality of life：QOL）の低下，不安症やうつ，不登校につながり，小児心身医学的な介入が必要となる場合もある．国内の小児患者向けガイドラインは，2015 年に改訂第 2 版が発表された日本小児心身医学会による治療アルゴリズムが唯一であり，子どもの発達的観点に重点を置き，IBS の病型別に治療指針を提示している．

　一方，成人領域では，近年，国際基準である Rome 基準を用いて IBS を診断することが標準化されてきており，2020 年に改訂第 2 版が発表された成人患者向け診療ガイドラインでも，2016 年発表の Rome Ⅳ基準で強調された，IBS を含めた機能性消化管疾患（functional gastrointestinal disorders：FGIDs）の病態における脳腸相関の重要性が色濃く反映された内容となっている．

　ストレス応答としての脳腸相関を神経科学および分子生物学的見解から理解することが可能となり，成人領域の IBS 診療では新たな治療戦略が打ち出されているが，その多くが小児科領域での適応はなく，今後の進展が期待される．2022 年，欧州で発表された小児 IBS の治療指針では，最新の知見含め系統立ててまとめられており，実地臨床の参考にされたい．

【本稿のバックグラウンド】 国際的な診断基準である Rome 基準が発表，改訂されるたび，IBS 診療は，その方針が変遷してきた．機能性消化管疾患の病態が脳腸相関の障害であることが強調され，成人領域では脳腸相関を標的にした治療薬の開発が進む一方，小児領域における IBS 治療薬のエビデンスは十分とはいえない．本稿では，より実践的に診療するための一助として，日本小児心身

医学会ガイドライン集，成人患者向け IBS 診療ガイドライン，欧州の小児 IBS 治療指針について概説する．

どういう疾患・病態か

IBS は，症状の原因となる器質的異常を伴わず，反復する腹痛と下痢や便秘などの便通異常を主症状とする疾患である[1,2]．腹痛は"排便により軽減"することが多く，診断の決め手となる．便性の変化から，下痢型（IBS-D），便秘型（IBS-C），下痢と便秘を繰返す混合型（IBS-A または IBS-M），分離不能型（IBS-U）の4つの病型に分類される．腹痛，便痛異常は，時に嘔気・嘔吐，食欲不振を伴うこともあり，軽快と悪化を繰返しながら，長期間にわたり経過する．小児心身医学会ガイドラインでは，主症状から IBS を4つの類型（**表1**）に分類し，生活指導および食事指導を提案している[3]．

IBS は，機能性消化管疾患（functional gastrointestinal disorders：FGIDs），すなわち，慢性的なあるいは繰返す消化器症状があるにもかかわらず，その症状の原因となる器質的異常を認めない消化管疾患の代表的疾患であり，その病態は「脳腸相関障害（disorders of gut-brain interaction）」にある[4,5]．腸は「第2の脳」とも呼ばれる独自の神経ネットワークを持っており，脳からの指令がなくても独立して活動することが可能である．一方，脳と腸は，自律神経系を介した中枢神経系と消化管に存在する腸管神経系との相互間のシグナル伝達，脳腸相関（brain-gut axis）により調節されている．脳腸相関は内外分泌や消化管運動，消化や吸収など消化管のあらゆる機能に関与し，その障害により，消化管運動機能異常，内臓知覚過敏，心理的要因（ストレス）が相互に関連し，多彩な身体症状を呈する[3,4]．

消化管運動機能異常により，上部消化管では胃排出および小腸輸送が遅延し，下部消化管では排便や下痢が誘発される．内臓知覚過

表1　小児 IBS の各病型特徴

1. RAP 型[注]	頻回に臍部を中心とする腹痛を訴えるのが特徴．便通は一定しない．起床時に症状が強く，長い時間トイレにこもることが多い．午後は自然に腹痛は治まることが多い．低年齢児に多い
2. 便秘型	下剤を用いなければまったく便意が生じない場合と，便意は頻回にあるにもかかわらず，実際には排便できない場合がある．女子に多いが，比較的頻度は少ない
3. 下痢型	起床時，すぐに腹部不快感や腹痛，便意が始まる．頻回の便意のため，何度もトイレに行くが，すっきりせず不快感も軽くならないこともある．便性状ははじめ軟便で，次第に下痢便となる．排便へのこだわりは，そのまま不登校にもつながることもある．男子に多い．子どもにとって「朝」は苦痛の多い時間となる
4. ガス型	放屁や腹鳴，腹部膨満感などガス症状に対する恐怖・苦悩が強い．便通そのものはあまり問題にされない．静かな狭い教室内でとくに症状が強くなる．圧倒的に女子に多い．20代になれば多くは軽快するが，一部は治療に抵抗性を示し，精神疾患へ発展することもある

各亜型は固定的なものでなく，発達年齢や状況により相互に移行することも多い．
注）小児の IBS の病型分類にはさまざまな分類法があるが，本ガイドラインでは RAP からの移行を考慮して，IBS（RAP 型）を採用している．
※ RAP：反復性腹痛（recurrent abdominal pain）
（「日本小児心身医学会 編：くり返す子どもの痛みの理解と対応ガイドライン，小児心身医学会ガイドライン集—日常診療に活かす5つのガイドライン，改訂第2版．p.247，2015，南江堂」より許諾を得て転載）

過敏性腸症候群　321

表2 Rome IV 基準による小児 IBS 診断基準*

以下のすべての項目を満たすこと
1）少なくとも月に 4 日，以下の症状のうち 1 つ以上と関連する腹痛がある
　　a）排便に関係する
　　b）排便頻度の変化
　　c）便形状（外観）の変化
2）便秘のある小児では，便秘の改善により腹痛が改善しない（改善する場合は，IBS でなく機能性便秘症とする）
3）適切な評価ののち，症状を他の病態では説明できない

＊少なくとも最近 2 ヵ月間は上記の基準を満たすこと

敏はバロスタット法により確認でき，IBS 患者では消化管に伸展刺激を加えると消化管知覚閾値の低下を認め，健常者より強く消化管知覚を自覚する．これらの消化管の情報は神経系を介して大脳に伝わり，腹痛とともに抑うつや不安など情動変化もひき起こす（腸から脳）．そして，この情動変化が副腎皮質刺激ホルモン放出因子（Corticotropin releasing factor：CRF）や自律神経を介して消化管へ伝達され，さらに消化管の運動異常を悪化させることになる（脳から腸）．また，CRF はストレス関連ペプチドとして視床下部-下垂体-副腎系（hypothalamic-pituitary-adrenal axis：HPA axis）を介して微小炎症を惹起しストレスによる IBS 発症に関与する[4〜6]．近年，新たに「脳-腸-腸内細菌軸（brain-gut-microbiota axis）」という概念も提唱され，腸内細菌叢の異常（dysbiosis）や微小炎症の関与が指摘されている[7]．

治療に必要な検査と診断

小児 IBS の Rome IV 基準を示す（表2）．Rome III 基準との違いは，症状から「腹部違和感」が削除され「腹痛」のみになった点，便秘を治療し腹痛が改善した場合は IBS ではなく機能性便秘症とすることが明記された点である．IBS の診断では，症状が診断基準

表3 反復性腹痛の小児の診療に際し注意すべき警告徴候

・炎症性腸疾患，セリアック病，消化性潰瘍の家族歴
・持続する右上腹部または右下腹部の疼痛
・嚥下困難
・嚥下痛
・持続性嘔吐
・消化管出血
・夜間の下痢
・関節炎
・肛門部病変
・意図しない体重減少
・成長障害
・思春期遅発
・不明熱

に合致することの確認とともに，症状の原因となる他疾患の除外が重要である．病歴を注意深く聴取し，身体所見と合わせて鑑別診断を進める．反復性腹痛の小児の診療に際し注意すべき警告徴候（表3）は，器質的疾患の鑑別に有用である．スクリーニング検査として行う血液検査，尿検査，便潜血反応，感染症，画像診断（超音波）では，いずれも器質的疾患を示唆する所見を認めない．遷延する下痢，成長障害，貧血，便潜血陽性，CRP や赤沈など炎症反応の上昇を認める場合，炎症性腸疾患を鑑別するため消化管内視鏡検査が必要となる．成長曲線が正常のそれに沿っ

表4　問診のポイント

1. 痛みが始まってからの期間・反復する痛みか否か
2. 部位・痛みの種類・持続時間・頻度・痛む時間帯・曜日
3. 食欲の有無・食事との関連
4. 嘔吐・下痢・便秘などの随伴症状の有無・排便による痛みの変化
5. 症状を増悪（緩和）させる体位
6. 痛みによる睡眠障害・中途覚醒
7. 体重減少・頭痛・四肢痛などの合併
8. アレルギーの有無
9. 月経との関連（女児）
10. 生育歴（下痢や便秘をしやすい，吐きやすい，登園・登校との関連）
11. 症状を増悪させるエピソード
12. *H.pylori* 感染を疑う家族歴・薬物服用歴・外傷歴・手術歴

（「日本小児心身医学会 編：くり返す子どもの痛みの理解と対応ガイドライン，小児心身医学会ガイドライン集—日常診療に活かす5つのガイドライン，改訂第2版．p. 238，2015，南江堂」より許諾を得て転載）

ていることの確認や肛門病変の把握は日常診療で見落としがちであり注意が必要である．主な鑑別すべき疾患として，下痢を呈する消化管感染症，炎症性腸疾患，好酸球性胃腸炎，便秘を呈する機能性便秘症，甲状腺機能低下症，神経性無食欲症，好酸球性胃腸炎などが挙げられる．

また，IBS では，抑うつ・不安など精神症状，注意欠陥・多動性障害や学習障害，自閉スペクトラム症など発達障害，不登校やひきこもりなど適応障害と併存することがある．家族背景，生活歴，学校や友人関係など，身体症状の背景因子について社会的要因も含めた詳細な問診が必要である．小児心身医学ガイドラインによる問診のポイントを示す（**表4**）[3, 9]．

治療の実際

治療目標は，患者および家族が疾患を理解することと症状の軽減であり，①丁寧な問診と病気の説明，②生活指導，③薬物療法が，治療の三本柱となる．

1 問診と説明

患者ごとに適切な治療を行うためには，丁寧な問診から IBS を積極的に診断することが重要である．患者と家族から生活状況や心理的ストレスについて詳細に問診を行い，腹痛は気のせいではなく "存在する" こと，腹痛の改善や便性の正常化には時間がかかること，IBS の症状は不快であるが重篤な疾患ではなく，治療により症状が軽くなる可能性があることを繰返し説明する．

2 生活指導

小児の IBS では，学校での腹痛や下痢が患児の最大の負担となる．学校に登校しようとすると腹痛，下痢が出現し，欠席すると決めてしまうと症状が軽快するといった経過から，症状や疾患について家族や教員の理解が得られにくく，患者の精神的苦痛は決して軽微なものとはいえない．治療の第一目標は，痛みを完全に消失させることではなく，食生活や学校生活に支障をきたさない，十分な睡眠が確保できるなど，QOL の向上である．

朝の起床時刻や夜の就寝時刻を確認し，規

過敏性腸症候群　**323**

則正しい生活が送れているか確認するとよい．夜更かしや睡眠不足などの生活の乱れがみられる場合，根気強く生活指導にあたることが求められる．学校関係者に対して，IBSの概念や患児の病態を説明することにより，患児の学校生活での症状が改善される場合が少なくない．

3 食物繊維

食物繊維の摂取は，大腸内圧を低下させ，腸の通過時間を早め，腹痛を軽減させることが期待される．食物繊維の効果に関するエビデンスは十分とはいえないが，安価で容易に入手できること，重大な副作用がないことから，すべてのIBS患者に対して試みてよい．水溶性食物繊維の摂取によりIBS-Cの便秘症状が軽快する可能性もある．

4 プロバイオティクス

プロバイオティクス投与により，腸内細菌叢の異常（dysbiosis）や病原菌の過剰繁殖を妨げることで，腸管の炎症抑制と透過性亢進が期待される[7]．

5 低FODMAP食

消化，吸収されにくい糖質を含む高FODMAP食品を控える食事療法である．F（発酵性の），O（オリゴ糖類），D（二糖類），M（単糖類），A（and），P（ポリオール）の頭文字を取りFODMAPと略される．ガス産生が低下し，腸管腔の膨張が軽減され，疼痛が減少する[8]．FODMAPを多く含む食品には，リンゴ，アプリコット，ブラックベリー，チェリー，マンゴー，桃，梨，スイカ，多量のフルーツジュース，豆類，カリフラワー，アスパラガス，ニンニク，キノコ類，タマネギ，牛乳，ヨーグルト，アイスクリーム，小麦，蜂蜜，ソルビトールやキシリ

トールを含む菓子類などがある．

6 グルテンフリー食

成人領域では，グルテン過敏症とIBS発症との関連が指摘され，非セリアックグルテン過敏症として知られている．小児におけるエビデンス構築は今後の課題である．

7 薬物療法

成人領域ではIBS治療薬に関する様々なランダム化比較試験が行われ，使用可能な薬剤も多い．IBS-D，IBS-Cいずれにも用いられる薬剤に，トリメブチンマレイン塩酸塩やポリカルボフィルカルシウムがある．選択的セロトニン5-HT3受容体拮抗薬のラモセトロン塩酸塩は，当初成人男性のIBS-Dにのみ適応であったが，用量を減量し成人女性のIBS-Dにも適応が拡大された．また，グアニル酸シクラーゼC受容体作動薬のリナクロチドがIBS-Cに対して適応となった．

一方，小児領域では使用薬剤が限定的であり，効果や安全性に関するエビデンスも乏しい．IBS-Cでは下剤（ラクツロースやポリエチレングリコール）が，IBS-Dでは止瀉剤（塩酸ロペラミド）が有用な場合があり，その他，主症状に応じて，抗コリン薬，整腸剤，漢方製剤なども使用される．また，頭痛，胸痛，背部痛，関節痛，四肢痛などの消化管外症状を75％の小児IBS患者に認め，睡眠障害，心理社会的苦痛，QOLの低下につながることから，痛みの緩和を目的に非ステロイド性抗炎症薬（NSAIDs）や鎮痛剤（アセトアミノフェン）を使用することがある．腹痛や不安症状に対して，海外の治験ではランダム化比較試験により有効性が示されている抗不安薬や抗うつ薬もあるが，やはり小児領域のエビデンスは不足している．

処 方 例

症例 1　13 歳女児　IBS-C

処方A　モビコール®配合内用剤 LD　3
　　　　包　分1　夕食後

処方B　セレキノン®錠（100 mg）　3 錠
　　　　分3　毎食後

＊刺激性下剤の内服により，腹痛が悪
　化することがあるため，できるだけ
　使用を控える．

＊腹痛や腹部膨満に対して，漢方製剤
　が有効な場合がある．

症例 2　15 歳男児　IBS-D

処方A　イリボー®錠（5 μg）　1 錠　分
　　　　1　朝食後

処方B　ポリフル®錠（500 mg）　3 錠
　　　　分3　毎食後

処方C　・ロペミン®カプセル（1 mg）
　　　　　1 カプセル
　　　　・チアトン®カプセル（10 mg）
　　　　　1 カプセル
　　　　下痢時頓用

＊学校や部活動への参加の際，腹痛や
　下痢の対応として頓用できる薬剤を
　携帯させることにより，症状および
　不安の軽減をはかる．

専門医に紹介するタイミング

　腹痛や下痢が遷延する小児の診断をする際
に重要なポイントは，器質的疾患を除外する
ことである．除外のための臨床検査は，患児
が訴えている症状が器質的疾患によるもので
はないことを証明する必要最低限の検査項目
にとどめるべきである．器質的疾患の除外診
断後，臨床的特徴を捉えて IBS の疑いが濃

厚と判断した段階で，生活指導と薬物による
治療的診断を行いながら診断を進める．

　消化器症状の改善がみられない場合や，
IBS 以外の他の器質的疾患の鑑別として消化
管内視鏡検査が必要な場合には，小児消化器
医への紹介を検討する．また，学校生活や日
常生活への影響の程度が大きい場合や，症状
により抗不安薬や睡眠導入薬など向精神薬の
投与を検討する場合，生活指導や薬物療法に
加え，心理療法として認知行動療法，催眠療
法を含めた心身医学的治療からなる診療で
は，小児心身専門医や精神科医を含めた専門
家への紹介を検討する．

専門医からのワンポイントアドバイス

　IBS の生命に対する予後は良好であるが，
症状が改善と悪化を繰返すことや，疾患の病
態に対して周囲の理解が得られにくいことな
どから，患児やその家族の QOL が著しく損
なわれている場合も少なくない．診療にあた
る医師は"気持ちの問題"として捉えずに，
患児の訴える身体症状に真摯に向き合い，治
療に臨むことが重要である．

おわりに

　IBS には画一化された治療法はないが，患
者と家族が疾患を受け容れ，消化器症状をコ
ントロールすることで，患者と家族の QOL
が向上しうることを強調したい．

―――――――――― 文　献 ――――――――――

1) Hyams JS et al：Functional disorders：children
　and adolescents. Gastroenterology 15：S0016-5085
　(16) 00181-5, 2016

2) Robin SG et al：Prevalence of pediatric functional
　gastrointestinal disorders utilizing the Rome IV
　Criteria. J Pediatr 195：134-139, 2018

過敏性腸症候群　**325**

3) くり返す子どもの痛みの理解と対応ガイドライン—腹痛編."小児心身医学会ガイドライン集. 日常診療に活かす5つのガイドライン（改訂第2版）"日本小児心身医学会編. 南江堂, pp236-264, 2015

4) Vanner S et al：Fundamentals of neurogastroenterology：basic science. Gastroenterology 18：S0016-5085（16）00184-0, 2016

5) Drossman DA et al：Neuromodulators for functional gastrointestinal disorders（disorders of gut-brain interaction）：a Rome Foundation Working Team Report. Gastroenterology 154：1140-1171. e1, 2018

6) 福土　審：ストレスと脳腸相関の法則を探る. 心身医学 57：335-342, 2017

7) Barbara G et al：Probiotics in irritable bowel syndrome：Where are we? Neurogastroenterol Motil 30：e13513, 2018

8) Chumpitazi BP et al：Gut microbiota influences low fermentable substrate diet efficacy in children with irritable bowel syndrome. Gut Microbes 5：165-175, 2014

9) 奥見裕邦：子どもの機能性消化管障害〜小児心身医学的解釈〜. 日小児会誌 122：1-7, 2018

5. 消化管疾患

鼠径ヘルニア

藤代　準
東京大学医学部 小児外科

POINT

- ●小児の鼠径ヘルニアは，自然閉鎖せずに開存した腹膜鞘状突起に腸管・大網・卵巣などの腹腔内臓器が脱出することで生じる.
- ●治療の基本は手術によるヘルニア嚢（腹膜症状突起）の高位結紮で，鼠径部切開法と腹腔鏡手術がある. 成人の鼠径ヘルニアと異なり，鼠径管の後壁補強は不要である.

ガイドラインの現況

　国内の診療ガイドラインとしては，2015 年に発行された『鼠径部ヘルニア診療ガイドライン』（日本ヘルニア学会ガイドライン委員会 編）がある[1]. 本ガイドラインは小児を含めたすべての年齢を対象とした鼠径部ヘルニアのガイドラインであるが，全 40CQ のうち 9CQ が小児を対象としており，小児鼠径ヘルニアの手術方法，麻酔，術後処置と指導，併発症の予防と治療などが扱われている.

　海外からは，European Pediatric Surgeons'Association (EUPSA)[2]，International Pediatric Endosurgery Group (IPEG)[3] から小児鼠径ヘルニアに対するガイドラインが出版されている. 前者では内視鏡外科手術も含めた小児鼠径ヘルニア全般について記載されており，後者は内視鏡外科手術に関する内容となっている.

【**本稿のバックグラウンド**】小児の鼠径ヘルニアは小児外科領域で最も頻度が多い疾患であるが，小児領域に特化した国内のガイドラインはない. 手術による治療という原則には異論はないが，手術時期・手術法（鼠径部切開/腹腔鏡手術）については，施設により異なる.

どういう疾患・病態か

　胎生 3 ヵ月に腹膜の一部が内鼠径輪（深鼠径輪）から鼠径管に入り込み，腹膜鞘状突起が形成される. 男児では胎生 7 ヵ月以降に精巣が鼠径管内を下降し，その後に腹膜鞘状突起の近位側は閉鎖し，遠位側は精巣を包んで精巣固有鞘膜として残存する. 腹膜鞘状突起が出生後も開存し，腹腔内臓器の一部が脱出するようになった状態が小児の鼠径ヘルニアである（図 1）. 小児の鼠径ヘルニアはほぼすべてが内鼠径輪から脱出する外鼠径ヘルニアであり，内鼠径輪を通らず鼠径管後壁から直接脱出する内鼠径ヘルニアは稀である. 一方で，開存した腹膜鞘状突起に腹水が貯留したものが陰嚢水腫である. 女児では腹膜鞘状

鼠径ヘルニア　327

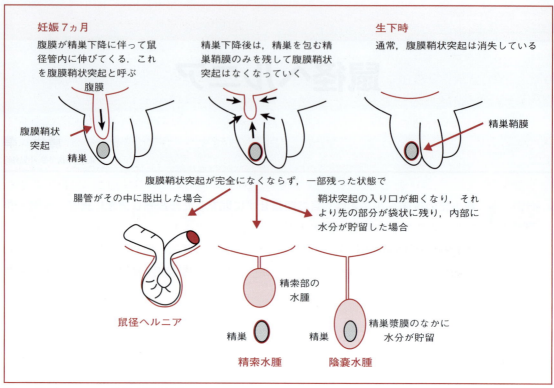

図1 鼠径ヘルニア，陰嚢水腫の発生
〔日本小児外科学会HPより許可を得て転載（一部改変） https://www.jsps.or.jp/archives/sick_type/innou-shuishu〕

突起をNuck管と呼び，子宮円索に沿って大陰唇に達している．男児と同様に鼠径ヘルニア，Nuck管水瘤（男児の陰嚢水腫に相当する）の原因となる．

鼠径ヘルニアの頻度は満期産児で1〜5％，早期産児で16〜25％と報告されている．性別では男児にやや多く（男女比3：2），罹患側の割合はおおよそ右：左：両側が6：3：1で右側発生が多いとされる[4]．

治療に必要な検査と診断

鼠径ヘルニア，陰嚢水腫は主に臨床症状と身体所見を基に診断される．

受診の契機は鼠径部，陰嚢部の膨隆であることが多く，啼泣時や入浴時に膨隆を認めるとの訴えが多い．嵌頓時など疼痛を伴う際には救急受診することもある．

診察時に鼠径部の膨隆が確認されれば診断は容易であり，触診により内容の同定も可能である．鼠径部（または陰嚢）に半球状の腫瘤として認められるが，脱出臓器が小さく，皮下脂肪が厚い場合は視診にて腫瘤を確認できないことがある．脱出臓器が腸管の場合は柔らかい腫瘤であり，内鼠径輪に向けて圧迫するとクチュクチュという感触とともに還納される．鼠径ヘルニアの脱出臓器は男女とも腸管が最も多く，男児では大網，女児では卵巣，大網がこれに次ぐ．

診察時に膨隆が認められない場合には，立位や腹圧，跳躍，風船を膨らませるなどの行為で膨隆を誘発，確認できることもある．診察時に膨隆が確認されない場合，筆者は家族に膨隆時の写真撮影を依頼して診断の補助と

している.

鼠径部の触診でヘルニア嚢（腹膜鞘状突起）がこすれる感触を触知する silk sign は有名であるが，皮下組織の厚い乳児では判断が難しい．また silk sign のみで臓器脱出を伴う鼠径ヘルニアであるかどうかの診断は困難である．

1 画像検査

鼠径ヘルニア，陰嚢水腫の診察にはエコー検査が有用である．膨隆時のエコー検査では脱出臓器が腹腔内から連続する様子が確認され，脱出臓器の判別や陰嚢水腫，Nuck 水腫との鑑別が容易である．非膨隆時にもヘルニア嚢（腹膜鞘状突起開存）が確認される．対側で腹膜鞘状突起開存が確認されることがある．また，稀ではあるがエコー検査により鼠径部のリンパ管奇形（リンパ管腫）や精巣腫瘍・傍精巣腫瘍が診断されることもある．

2 鼠径ヘルニア嵌頓

整復できない鼠径ヘルニアで血流障害を伴わないものを非還納性ヘルニア，何らかの血流障害を伴うものを嵌頓ヘルニア（鼠径ヘルニア嵌頓）というが，しばしば同じ意味で用いられている．鼠径ヘルニア嵌頓では，膨隆部は硬く触知し，疼痛を伴う．不機嫌，腹痛，嘔吐などイレウス症状を呈することもある．鼠径ヘルニア嵌頓は乳幼児に多く，また乳幼児では疼痛等の訴えが困難なため発見が遅れることもあり注意を要する．鼠径ヘルニアの乳幼児の家族には，不機嫌などの際には嵌頓ヘルニアを疑って鼠径部を確認するよう指導する必要がある．嵌頓ヘルニアは速やかに徒手整復する必要があり，整復不能時には緊急手術の対象となる．

治療の実際

1 手術時期

小児鼠径ヘルニアの治療の基本は手術であるが，手術時期については明確なコンセンサスはない．乳児期までは腹膜鞘状突起の自然閉鎖が生じうるがそれ以降では自然閉鎖はないと考えられていること，乳幼児期に嵌頓の危険性が高いこと，低年齢での手術・麻酔のリスク，患児の状態などを考慮して各施設で総合的に判断されている．筆者の施設では，嵌頓を生じていない患児の場合は生後半年から1歳程度まで待機したのちに手術を実施することが多い．嵌頓の既往や家族の不安が強い場合には，より早期の手術を実施している．

一方で，陰嚢水腫では自然軽快の可能性があること，鼠径ヘルニアの合併がなければ嵌頓などの緊急事態が生じないことから，2，3歳まで経過観察したのちに自然軽快せず家族の希望がある場合に手術を実施することが多い．

2 手術法

小児鼠径ヘルニアに対する手術の原則はヘルニア嚢（腹膜鞘状突起）を内鼠径輪の高さで結紮する高位結紮であり，成人の鼠径ヘルニアとは異なり鼠径管の後壁補強は不要である．手術アプローチ法としては大きく鼠径部切開法と腹腔鏡がある．

鼠径部切開によるヘルニア嚢へのアプローチ法として，鼠径管前壁を一部切開するPotts 法，鼠径管前壁を外鼠径輪まで解放するLucas-Championniere 法，鼠径管を切開しないMitchell-Banks 法などがある．いずれの術式でも下腹部のしわに沿った1〜2cmの皮膚切開がおかれることが多く，術後遠隔期には創部は目立たなくなる．

腹腔鏡手術においても，従来の鼠径部切開

による手術と同様にヘルニア嚢の高位結紮・閉鎖が行われる．国内では，特殊な穿刺針を用いて腹腔鏡下に腹膜外でヘルニア嚢を高位結紮する腹腔鏡下経皮的腹膜外閉鎖術（LPEC法[5]）が行われることが多い．腹腔鏡手術では対側（健側）の腹膜鞘状突起開存の有無が観察可能であり，開存を認めた場合には鼠径ヘルニアの異時性対側発症の防止のため予防的な対側手術が行われることが多い．腹腔鏡手術の利点としては，対側発症の予防が可能なこと，整容面で優れていると考えられること，稀ではあるが女児の性分化疾患の発見契機となることなどが挙げられる．一方で，鼠径部切開法では不要な腹腔内操作を要すること，予防的対側手術に伴う手術合併症の懸念などの問題点が指摘されている．現時点では，鼠径部切開法と腹腔鏡手術では術側の術後再発率と合併症の頻度はほぼ同等とされている[6〜8]．

専門医に紹介するタイミング

鼠径ヘルニアが疑われた場合，または鼠径ヘルニアと診断した場合には，早期に手術可能な小児外科施設の専門医に紹介し手術治療の方針を定めることが望ましい．嵌頓時の用手整復は慣れた施設・医師であれば対応可能であり，必ずしも小児外科施設へ紹介する必要はない．

専門医からのワンポイントアドバイス

鼠径ヘルニアは小児外科領域では頻度が高い疾患ではあるが，上述のとおり手術時期やアプローチには一定の見解がなく各施設が各々の考え方を基に診療している．一方で陰嚢水腫では，しばらくは経過観察されることが多いが，大網脱出の鼠径ヘルニアが陰嚢水腫と誤診されることもある．そのため，鼠径ヘルニア，陰嚢水腫と診断した場合には，早期に手術可能な小児外科施設の専門医に紹介することが望ましい．

─────── 文 献 ───────

1) 日本ヘルニア学会ガイドライン委員会 編：鼠径部ヘルニア診療ガイドライン．金原出版，2015
2) Morini F et al：Surgical management of pediatric inguinal hernia：a systematic review and guideline from the European Pediatric Surgeons' Association Evidence and Guideline Committee. Eur J Pediatr Surg, 2021 [online ahead of print]
3) Davies DA et al：The International Pediatric Endosurgery Group Evidence-Based Guideline on Minimal Access Approaches to the Operative Management of Inguinal Hernia in Children. J Laparoendosc Adv Surg Tech A 30：221-227, 2020
4) 窪田昭男：鼠径ヘルニア．"標準小児外科学，第6版"高松英夫 他. pp259-264, 2012
5) Takehara H et al：Laparoscopic percutaneous extraperitoneal closure for inguinal hernia in children：clinical outcome of 972 repairs done in 3 pediatric surgical institutions. J Pediatr Surg 41：1999-2003, 2006
6) Amano H et al：Comparison of single-incision laparoscopic percutaneous extraperitoneal closure（SILPEC）and open repair for pediatric inguinal hernia：a single-center retrospective cohort study of 2028 cases. Surg Endosc 31：4988-4995, 2017
7) Miyake H et al：Comparison of percutaneous extraperitoneal closure（LPEC）and open repair for pediatric inguinal hernia：experience of a single institution with over 1000 cases. Surg Endosc 30：1466-1472, 2016
8) Fujiogi M et al：Outcomes following laparoscopic versus open surgery for pediatric inguinal hernia repair：Analysis using a national inpatient database in Japan. J Pediatr Surg 54：577-581, 2019

6. 神経筋疾患

6. 神経筋疾患

発達の遅れ

阿部裕一
国立成育医療研究センター 神経内科

POINT
- 発達の遅れは，大脳を中心とした脳内ネットワーク等による脳機能，基底核や小脳系による調整，末梢神経，筋・運動器を中心とした出力系，感覚器からの入力などがそれぞれ関係している.
- 発達の遅れは，言語，社会性および認知面優位の発達遅滞，粗大運動発達・巧緻運動などを中心とした運動発達遅滞，もしくはいずれの要素においても遅れを認める全般性発達遅滞に大きく分類できる.
- また，発達の遅れが非進行性であるのか，進行性もしくは退行しているのかという視点も必要であり，総合的に原因を検討していくことが重要である.

ガイドラインの現況

現在わが国において発達の遅れに関する診療ガイドラインは存在していない. 運動発達の指標については各種発達検査および WHO による motor development milestone を参考に，それぞれの月・年齢において特定の発達段階に到達できていない場合を発達の遅れと考え，療育的な介入を行うのと同時に原因を明らかにする必要がある.

【本稿のバックグラウンド】 現在わが国において発達の遅れに関する診療ガイドラインは存在していない. したがって，発達の遅れを主訴に外来を受診された場合に備えて，あらかじめ診察するポイントや症状に対する考え方について知識を整理しておく必要がある.

どういう疾患・病態か

人間の発生については一哺乳動物として，受精から個体としての出生までの神経系の発生学的な過程：神経細胞の増殖，遊走，分化，ネットワーク形成といった中枢神経の形態形成と成熟，およびそれらに連続した形で出生から成体に至るまでおおよその時間経過と発達の過程が規定されており，満期で出生した後に中枢神経系および末梢神経・運動器

の成熟に従っておおよその期間で到達できる発達の状態＝マイルストーンが知られている. 中枢神経では髄鞘化とネットワークの形成と合理化が進み，自らの意思＝大脳機能により運動をはじめとした出力ができるようになり発達が進むにつれて，元々備わっていた脳幹下部もしくは脊髄に反射中枢のある原始反射と呼ばれる特有の動きは徐々に消失していく. これら中枢神経から末梢の運動器や感覚器までの入出力のいずれかの部位に問題が

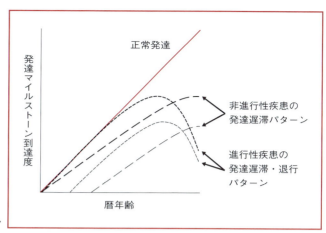

図1 暦年齢と発達遅滞のパターン

表1 発達遅滞のタイプと疾患

発達遅滞のタイプ	非進行性疾患・病態	進行性/退行性疾患・病態※
認知・社会性・言語面優位	自閉スペクトラム症 知的発達症 聴覚障害 傍シルビウス裂症候群	Landau-Kleffner 症候群 幼児期以降発症の発達性てんかん性脳症（DEE） （Lennox-Gastaut 症候群, 徐波睡眠期に持続性棘徐波を示すてんかん性脳症, ミオクロニー脱力てんかん）
運動優位	先天性ミオパチー 先天性筋無力症 脊髄髄膜瘤	脊髄性筋萎縮症 進行性筋ジストロフィー（Duchenne 型筋ジストロフィー） 非進行性疾患における関節拘縮の影響
全般性発達遅滞	周産期障害（低酸素性虚血性脳症, 脳室周囲白質軟化症, 子宮内感染症） 染色体異常症 先天異常症候群 脳形成異常 乳児期発症の DEE 福山型先天性筋ジストロフィー 先天性筋強直性ジストロフィー	神経変性疾患（Rett 症候群, 歯状核赤核淡蒼球ルイ体萎縮症, など） 代謝疾患（アミノ酸代謝異常, 有機酸代謝異常, ライソゾーム病, ペルオキシソーム病, 脂肪酸代謝異常, 尿素サイクル異常症, ミトコンドリア異常症） 亜急性硬化性全脳炎 （これらの疾患は認知・社会性の退行が先行することも多い）

※進行性・退行性の経過では常に脳腫瘍や水頭症といった偶発的に発症する可能性のある疾患の鑑別を念頭におく

生じた場合に, 粗大運動, 巧緻運動といった運動面優位の発達遅滞, 言語, 社会性, 認知といった言語・認知面優位の発達遅滞, あるいは運動面と言語・認知面いずれも遅れを認める全般性発達遅滞を認める. 発達の遅れという観点からみた発達マイルストーン到達度と暦年齢の関係を示した図を示す（図1）. 正常発達の場合は年齢が進むに従って運動面, 言語・社会性・認知面の発達が認められるが, 発達を阻害する非進行性の病態が存在している場合には発達の始まる時期が遅れたり進度が遅かったりすることで, 一定の年齢における発達到達度に差が生じる形での遅れを認める. 一方で進行性の病態の場合には, 正常発達のマイルストーンに沿った発達を認めている経過に対して影響を及ぼしてくるた

め（初期から遅れる場合もあるが），ある時期以降からの発達の遅延・停滞，あるいは一度達成できたことが実施困難となる退行として観察されることになる．粗大運動の遅れは，脳，脊髄，末梢神経，神経筋接合部，筋肉のいずれかに部分に障害を認めた場合に生じる．巧緻運動や微細運動の遅れは，軽微な脳障害や高次脳機能障害，基底核や小脳による運動制御系の障害，視覚障害でも生じる．言語・社会，認知面の遅れは，大脳高次脳機能および視覚，聴覚障害，構音障害などの原因が考えられる．全般性発達遅滞では中枢神経の機能障害を中心に，疾患によっては筋や末梢神経などの障害も合併する形で，運動および認知・社会性・言語面の遅れが認められる（**表1**）．

治療に必要な検査と診断

月例と発達の指標に関する表を示す（**表2**）．乳児期の発達には個人差があるが，小児科もしくは小児神経関連の各参考書にも記載されている粗大発達評価のマイルストーンの指標では，頸定：4ヵ月，寝返り：7ヵ月，坐位：8ヵ月，独歩：18ヵ月がクリアできていない場合には粗大運動発達の遅れがあると考えてよい．また発達検査の実施によって，ある程度客観的な発達の遅れの程度を知ることができる（**表3**）．WHOの6つの粗大運動マイルストーンの到達年齢期間では，坐位：183.3±33.4（日齢平均±標準偏差），支持立位：230.5±42，四つ這い：260.0±50.4，介助歩行：281.1±47.3，ひとり立ち：335.6±56.4，独歩：369.3±53.6と記載されており，平均的な発達の参考になる（WHO motor milestones：https://www.who.int/tools/child-growth-standards/standards/motor-development-milestones）．

まずはなんらかの発達の遅れがあることを発見することが重要である．発達のマイルストーンを参考に発達の経過と状態の評価を正確に行い，進行性の病態や治療介入が必要な疾患を見逃さずに診断を進めていくことが必要となる．図に発達の遅れと診断に関するアルゴリズムを示す（**図2**）．病歴の聴取や身体所見の特徴の確認のほか，視覚や聴覚の評価は非常に重要である．家族歴から児の発達の遅れの原因の説明ができる場合には，その診断に関する検査を行う．家族歴のない場合には，身体所見，病歴や経過を参考に必要な検査を行い総合的に発達遅滞の原因精査を進めていく．

◼ 発達検査

まずは従来から行われている発達検査によって，ある程度客観的な発達評価を行う（表3）．乳幼児期の発達検査では発達全体をみる検査が一般的である．年長児になればその年齢における運動発達の遅れはそれまでに評価されている場合も多く，発達検査での評価よりは一般神経診察の記載が重要である．認知・言語面の評価では2歳代から行うことのできるものから，ある程度の年齢と発達を認めているうえで実施可能な検査があるので，児の年齢とある程度の発達の程度を考慮して行う検査を選択するのがよい．

周産期歴や家族歴，身体所見から特定の疾患が疑われる場合には，診断に有用な検査を優先的に行ってもよい．

◼ 一般検査

頭部画像検査（MRI，MRS，CT），血液検査，尿検査，髄液検査，脳波，誘発電位（聴性脳幹反応，視覚誘発電位，体性感覚誘発電位），神経伝導検査・筋電図（末梢神経伝導速度，F波，針筋電図，表面筋電図）な

表 2 月齢と発達の指標

月齢	姿勢・反射	異常姿勢、所見	粗大運動マイルストーン	巧緻・微細運動	認知・社会性	言語
1ヵ月	仰臥位：上下肢軽度屈曲位、ATNR姿勢、腹臥位：下肢屈曲臀部挙上、水平抱き：上下肢軽度屈曲、モロー反射	異常姿勢：自発運動が乏しい、腹臥位で頭部挙上が強い、水平抱き：頭部挙上・下肢進展、著明な緊張低下			固視・追視	
3~4ヵ月	引き起こし：頚が体幹と平行、下肢屈曲	引き起こし：下肢伸展緊張、頚部後屈・筋緊張低下、異常姿勢：ATNR、手を常時握る、蛙足肢位		ものを持たせるともつ（手掌で握る）	追視、あやし笑い、手を眺める	
4ヵ月			頚定			
6ヵ月	坐位：前傾、仰臥位：下肢の屈曲、挙上	手を強く握ったまま	前傾坐位	手指全体で握る	手を伸ばしてものをつかむ	
7ヵ月			寝返り、側方パラシュート	顔布掛け試験（両側）、母指、示指でつかむ	顔布掛け試験	
8ヵ月	腹臥位：上体挙上		手の支えを必要としない安定した坐位	両手でおもちゃを持つ、母指と示指の腹でつまむ	人見知り	
10ヵ月			前下方パラシュート		バイバイのまね動作をする	喃語
12ヵ月	引き起こし：頚部は体幹と平行より前屈、反応みられはじめる	尖足傾向、呼名に反応しない、追視がない	ひとり立ち、伝い歩き、ハイガード歩行	母指と示指の先端でつまむ	呼名に反応、音源定位、ペンライトの追視、生活動作の模倣、指さし	まんま、ママ、パパ程度の有意語出始める
18ヵ月		発語無し、指さし無し、視線が合わない	独歩	積み木を2つ重ねる（両手を使用）		有意語をいう（一語）
24ヵ月						二語文

ATNR：非対称性緊張性頚反射

表3 小児で行われる主な発達検査（文献2を参照して作成）

	検査名	対象年齢（歳：月）	評価領域
発達全体をみる検査	遠城寺式乳幼児分析的発達検査法	0:0〜4:7	運動：移動運動，手の運動／社会性：基本的習慣，対人関係／言語：発語，言語理解
	新版K式発達検査	0:0〜	姿勢・運動／認知・適応／言語・社会
	DENVER II，デンバー発達判定法	0:0〜6:0	粗大運動／言語／微細運動―適応／個人―社会
認知・言語面をみる検査	日本版 WISC-IV 知能検査	5:0〜16:11	言語理解／知覚推理／ワーキングメモリー／処理速度
	日本版 WIPPSI-III 知能検査	2:6〜7:3	言語理解／知覚推理／処理速度／語い総合得点
	日本版 K-ABC-II	2:6〜18:11	認知尺度：継次，同時，計画，学習／習得尺度：語彙，読み，書き，算数
	田中ビネー知能検査V	2:0〜	結晶性／流動性／記憶／論理推理

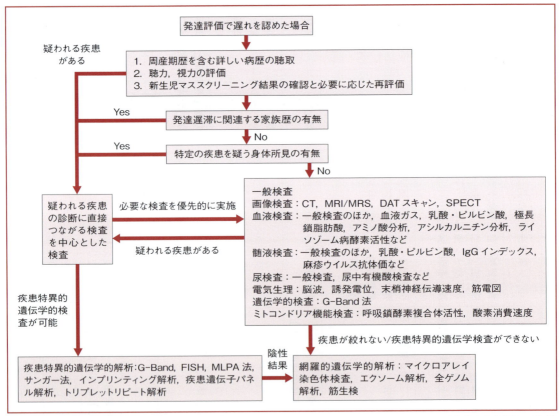

図2 発達遅滞の検査および評価アルゴリズム　　　　　　　　　　　　　　　　　　（文献1を参照して作成）

どを組合せて実施する．近年，尿中有機酸分析や血中アシルカルニチン分析の普及，ライソゾーム病酵素活性，極長鎖脂肪酸，ミトコンドリア呼吸鎖複合体活性測定，そして様々な遺伝学的検査も行われるようになり，診断精度も向上している．

3 遺伝学的検査

G-Band法は一般的な検査として行われることが多いが，身体的特徴から特定の染色体異常を疑って実施する場合もある．疾患特異的な遺伝学的検査としては，FISH（疾患責任領域のコピー数解析），MLPA法（疾患遺伝子のエクソンコピー数），サンガー法（疾患遺伝子塩基配列），インプリンティング解析（疾患責任遺伝子領域メチル化解析），疾患遺伝子パネル解析（特定の疾患遺伝子に注目した次世代シークエンサーによる塩基配列解析，網羅的でもある），トリプレットリピート解析が挙げられる．身体所見および総合的な検査結果から疾患が絞れない場合や，疾患特異的遺伝学検査ができない場合には，網羅的な遺伝学的検査を行う．網羅的な解析としてはマイクロアレイ染色体検査，疾患遺伝子パネル解析，エクソーム解析，全ゲノム解析が挙げられるが，マイクロアレイ染色体検査を除いて発達遅滞の網羅的遺伝学的検査としては研究レベルでの実施となる．

治療の実際

発達遅滞の治療は，原病の治療がメインとなるが，並行して療育・リハビリテーションを行うことが重要である．就学前であれば療育施設への通所，就学以降や年長児では訪問リハビリテーションなども積極的に取り入れていくのがよい．主治医は家庭だけでなく療育施設や学校とも連携をはかり，患者の発達向上や状態の維持について検討していく必要がある．

専門医に紹介するタイミング

発達の遅れとなっている基礎疾患の診断のために必要な検査の実施が困難であったり，自施設で診断を進めることが困難であったりする場合には，専門施設への検査の依頼，もしくは検査を含めた紹介を検討する．特に発達の退行や進行性の経過，けいれんなど治療が必要な病態がある場合には，早期に紹介することをためらう必要はない．

専門医からのワンポイントアドバイス

健診でわが子の発達が月齢もしくは年齢相応の発達マイルストーンに到達できていないことを告げられた場合，保護者が児の将来に不安を抱くのは当然のことである．したがって，発達の遅れについての紹介を受けた場合には，専門家として発達の評価，症状の解釈，および原因疾患の診断を行うのと並行して，定期外来でその子の発達を見守りながら不安を抱え悩んでいる保護者に寄り添う診療を行うことが必要である．

―――――――――― 文　献 ――――――――――

1) 久保田雅也 他：発達の遅れ．"小児科診療ガイドライン 第4版" 五十嵐隆 編．総合医学社，pp300-304, 2016
2) 萩原広道：認知・言語の発達．"小児リハ評価ガイド" 楠本泰士 編．メジカルビュー社，pp145-153, 2019
3) 精神運動発達遅滞と退行．"フェニチェル臨床小児神経学，原著第7版 日本語版" J. Eric Pina-Garza 原著，前垣義弘 他監訳．診断と治療社，pp128-164, 2015
4) 水口 雅 編：小児神経・発達診断．中山書店，2010
5) 佐々木征行 他編著：国立精神・神経医療研究センター 脳神経小児科診断・治療マニュアル 改訂第4版．診断と治療社，2022

6. 神経筋疾患

熱性けいれん

てらしま　ひろし
寺嶋　宙
心身障害児総合医療療育センター　小児科

POINT

● 熱性けいれんは common disease であり，基本的に良性疾患である．

● 初期対応では，けいれん持続時には呼吸・循環管理をしながら速やかなけいれん頓挫を目指し，一方で細菌性髄膜炎や脳炎・脳症等鑑別のため症状を観察し，適宜検査を行う．

● 頓挫後のジアゼパム坐剤予防投与はルーチンには不要．使用の際は社会的要因を加味して総合的に判断する．

● 再発予防目的の発熱時ジアゼパム坐剤投与は，適応基準を満たす場合に行う．

ガイドラインの現況

　本邦では 1996 年に，Fukuyama らによりつくられた『熱性けいれん診療ガイドライン』[1] が長い間使用されてきた．しかしその後の新たなエビデンスの蓄積や，エビデンスに基づいて体系的につくられたガイドラインの必要性から，2015 年に現ガイドライン（以下，現 GL）[2] がつくられた．この現 GL は総論と計 16 個のクリニカルクエスチョンから成る各論から構成されており，日常診療に即した包括的なガイドラインとなっている．本稿は主に現 GL の要約となる．

　一方，米国小児科学会では，単純型熱性けいれんに限定されたガイドラインが初期対応[3, 4] および予防投薬[5] についてつくられている．1996 年時点では，1 歳未満または抗生剤使用後の単純型熱性けいれん症例において髄液検査が強く推奨されていたが[3]，2011 年の改訂版[4] では Hib ワクチンおよび肺炎球菌ワクチンにより細菌性髄膜炎の頻度が減少したことで，髄液検査の推奨度が "option" へと下がったことが大きな改訂点である．

【本稿のバックグラウンド】　本稿の大部分は日本小児神経学会監修の『熱性けいれん診療ガイドライン 2015』に基づく．ただし 2022 年にガイドライン改訂予定であり，本稿に加えそちらも参照することが望ましい．初期治療の一部は『小児けいれん重積治療ガイドライン 2017』の追加情報を参考にした．

どういう疾患・病態か

熱性けいれんで重要なことは，①common diseaseであること（有病率は諸外国で2〜5%，本邦では7〜11%と高め），②基本的に良性疾患であることである．

それを頭に入れたうえで，現GLの総論で述べられている疾患の定義と疫学を以下に抜粋（一部表現を変更）する．

a）熱性けいれん

主に生後6〜60ヵ月までの乳幼児期に起こる，通常は38℃以上の発熱に伴う発作性疾患（けいれん性，非けいれん性を含む）で，髄膜炎などの中枢神経感染症，代謝異常，その他の明らかな発作の原因がみられないもので，てんかんの既往のあるものは除外される．

b）単純型熱性けいれんと複雑型熱性けいれん

熱性けいれんのうち，以下の3項目の一つ以上をもつものを「複雑型熱性けいれん」と定義し，これらのいずれにも該当しないものを「単純型熱性けいれん」とする．

①焦点性発作（部分発作）の要素

②15分以上持続する発作

③一発熱機会内の，通常は24時間以内に複数回反復する発作

c）熱性けいれん重積状態

熱性けいれんにおいて長時間持続する発作，または複数の発作でその間に脳機能が回復しないものを「熱性けいれん重積状態」と呼ぶ．30分以上と定義されることが多いが，持続時間の定義を短くすることが議論されている．乳幼児においては未だ十分なデータはないが，現GLでは発作が5分以上持続している場合を薬物治療の開始を考慮すべき熱性けいれん重積状態のoperational definition（実地用定義）とする．

d）熱性けいれんの再発頻度と再発予測因子

1. 熱性けいれんの再発予測因子は，以下の4因子である．

①両親いずれかの熱性けいれん家族歴

②1歳未満の発症

③短時間の発熱−発作間隔（概ね1時間以内）

④発作時体温が39℃以下

いずれかの因子を有する場合，再発の確率は2倍以上となる．

2. 再発予測因子をもたない熱性けいれんの再発率は約15%である．なお，再発予測因子を有する症例も含めた熱性けいれん全体の再発率は約30%である．

e）熱性けいれんの既往がある小児のその後のてんかん発症頻度と，てんかん発症関連因子

1. 熱性けいれんの既往がある小児が，後に誘因のない無熱性発作を2回以上繰返す，すなわち熱性けいれん後てんかんの発症率は2.0〜7.5%程度であり，一般人口におけるてんかん発症率（0.5〜1.0%）に比し高い．

ただし，保護者への説明においては，熱性けいれん患児の90%以上がてんかんを発症しないことの理解を促すように努める．

2. 熱性けいれん後のてんかん発症関連因子は以下の4因子である．

①熱性けいれん発症前の神経学的異常

②両親・同胞におけるてんかん家族歴

③複雑型熱性けいれん〔ⅰ．焦点性発作（部分発作），ⅱ．発作持続が15分以上，ⅲ．一発熱機会の再発，のいずれか一つ以上〕

④短時間の発熱−発作間隔（概ね1時間以内）

上記①〜③の因子に関して，いずれの因子も認めない場合のてんかん発症は1.0%と，一般人口のてんかん発症率と同等である．1

因子を認める場合は2.0%，2〜3因子の場合は10%であった．④短時間の発熱−発作間隔は，その後のてんかん発症の相対危険度は概ね2倍であった．

抜粋は以上であるが，複雑型熱性けいれんの定義について補足をすると，この定義は元々てんかん発症関連因子としてできたものであり，細菌性髄膜炎などの治療すべき原因の存在や認知機能予後と直接の関係はない．よって後に述べるが，複雑型だからといって髄液検査が必要になるわけではない．

治療に必要な検査と診断

熱性けいれんの診療は，初期対応と長期対応とに分けられる．初期対応では，①けいれんが持続している場合は，気道確保，呼吸・循環管理に気を配りながら適切な抗けいれん薬を用いて速やかな頓挫を目指すこと，②細菌性髄膜炎や急性脳炎・脳症，低血糖などの，無治療では致死的であったり後遺症を残したりする疾患を鑑別することが重要である．この鑑別に関わる検査として，現GLでは髄液検査，血液検査，頭部画像検査が採り上げられ，その必要性について書かれている．

まず髄液検査は，ルーチンに行う必要はないとされ，髄膜刺激症状，30分以上の意識障害，大泉門膨隆など，細菌性髄膜炎をはじめとする中枢神経感染症を疑う例では，積極的に行うとされている．

一方，米国のガイドラインでは当初，1歳未満または抗生剤使用後の単純型熱性けいれん症例において髄液検査が強く推奨されていた[3]．しかし実際には，多くの臨床家がこの推奨に従っていないことが明らかになり，またHibワクチンおよび肺炎球菌ワクチンにより細菌性髄膜炎の頻度が減少したことを根拠として，2011年の改訂版[4]では細菌性髄膜炎を疑う症状・所見がない場合は，上記予防接種が推奨どおりに行われていない，または抗生剤使用後の単純型熱性けいれん症例において，髄液検査を"option"とするよう変更されている．なお，熱性けいれん症例において，上記予防接種の有無や抗生剤使用の有無で，細菌性髄膜炎の発症率に差があるかどうかを検討した報告はない．

現GLでは，米国のガイドラインと異なり複雑型熱性けいれんも含まれるが，けいれんが複雑型であること自体は細菌性髄膜炎のリスクといえないとして，単純型同様の扱いとしている．また本邦でも2013年から上記予防接種が定期接種化されているので，米国のガイドラインを援用することができるが，米国と異なり，予防接種や抗生剤投与の有無で対応を変えるという推奨はされていない．その分，特に所見のとりづらい乳児例においては，けいれん頓挫後に神経学的異常所見がないかどうかをより注意深く経過観察することが求められるだろう．

血液検査についてもルーチンに行う必要はなく，全身状態不良などにより重症感染症を疑う場合，けいれん後の意識障害が遷延する場合，脱水を疑う所見がある場合などに，血清電解質，血糖値，白血球数，血液培養を考慮するとされる．

頭部画像検査についてもルーチンに行う必要はなく，発達の遅れを認める場合，発作後麻痺を認める場合，焦点性発作（部分発作）や遷延性発作（持続時間15分間以上）の場合などは考慮するとされる．

それに対して熱性けいれん重積状態を起こした小児においては，意識の回復が悪い場合や発作の再発がみられる場合，上記検査に加えて，急性脳症鑑別のために頭部MRIの検査を経時的に複数回行うことや脳波検査を行

うことの有用性が書かれている．これは，本邦で多い「二相性けいれんと拡散低下を呈する急性脳症」を意識した記述である．残念ながら同疾患に対する決定的な治療法は現時点で見つかっていないが，脳低温・平温療法，複数ビタミン投与療法などの治療選択肢はいくつか報告されており，今後治療法を確立させていくうえで早期診断が重要である．

　一方，長期対応では，注目すべき予後として，①熱性けいれん再発，②てんかん発症，③認知機能，の3つが挙げられる．重要なのは，①の予防手段はあるが，②の予防にはならないこと，②の率は一般人口より高いとはいえ90％以上は発症しないこと，③について単純型熱性けいれんであれば，何度再発しても悪影響はないことである．②を予測するための検査として脳波検査が考えられるが，現GLでは，(1)単純型熱性けいれんにおいてはルーチンに行う必要がないこと，(2)複雑型熱性けいれんにおいては，ローランド発射を含むてんかん放電の検出率が高いこと，が報告されているが，てんかん発症の予防における臨床的意義は確立していないことが述べられている．

治療の実際 （図1[2)] 参照）

　初期対応と長期対応（抗けいれん薬の予防投与）に分けて説明する．

　初期対応では，①熱性けいれん重積状態での使用薬，②熱性けいれん頓挫後のジアゼパム坐薬使用の必要性，③入院適応が問題となる．

　①について現GLでは，けいれん発作が5分以上持続している場合，ジアゼパムまたはミダゾラムの静注を行うか，静注が可能な施設に搬送する．ただし呼吸抑制に注意する．

とされる．

※　なお，欧米でてんかん重積状態に対する第1選択薬とされているロラゼパムの静注薬が，2018年9月に本邦でも製造販売承認され，2019年2月より市販された．『小児けいれん重積治療ガイドライン2017』の追加情報には使用方法が記載されている．

※※　2020年12月に，てんかん重積状態に対して，ミダゾラム口腔用液が市販された．『小児けいれん重積治療ガイドライン2017』の追加情報には使用上の注意や使用方法が記載されている．

　②について，ジアゼパム坐薬には発作の再発予防に一定の効果があると考えられるが，ふらつきでの転倒といった副作用や，眠気により意識障害などの髄膜炎や急性脳症の症状がマスクされる危険性を考えると，ルーチンに使用する必要はないとしている．

　③については，(1)けいれん発作が5分以上続いて，抗てんかん薬の静注を必要とする場合，(2)髄膜刺激症状，発作後30分以上の意識障害，大泉門膨隆がみられたり，中枢神経感染症が疑われる場合，(3)全身状態が不良，または脱水所見がみられる場合，(4)けいれん発作が一発熱機会内に繰返しみられる場合，(5)上記以外でも診療した医師が入院が必要と考える場合が入院を考慮する目安として示されている．

　一方，長期対応としては熱性けいれんの再発予防が問題となる．対象が単純型に限定されている米国のガイドライン[5)] では，単純型熱性けいれんは有病率が高く，予後が極めて良好であることをふまえ，抗けいれん薬による効果的な再発予防策はあるものの，肝毒性や多動性，傾眠などの副作用が上回るとし，またてんかん発症の予防もできないことから，抗けいれん薬の予防投与は勧められない

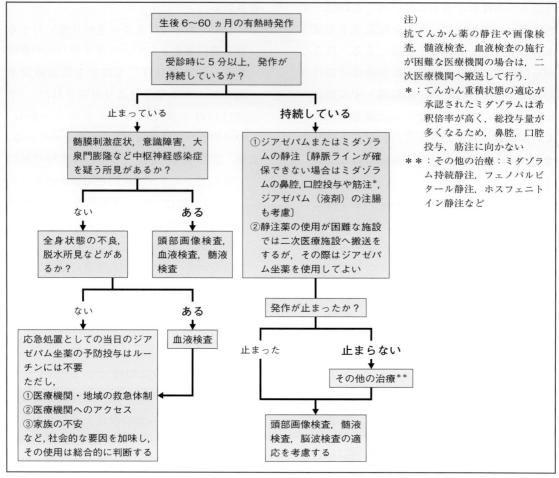

図1 有熱時発作の初期対応 （文献2より引用）

としている．ただし親の不安が強い場合は，発熱時のジアゼパム投与を選択肢として認める記述も見られる．また解熱薬については，子どもの苦痛を取る効果はありうるが，熱性けいれんを予防することはできないとしている．

現GLでも同様の考察がされているが，対象として複雑型熱性けいれんも含むため，特に遷延性発作を予防する目的で，発熱時のジアゼパム投与適応基準として以下の項目を挙げている．

①遷延性発作（持続時間15分以上）
②次のⅰ～ⅳのうち2つ以上を満たした熱性けいれんが2回以上反復した場合

ⅰ）焦点性発作（部分発作）または24時間以内に反復する
ⅱ）熱性けいれん出現前より存在する神経学的異常，発達遅滞
ⅲ）熱性けいれん または てんかんの家族歴
ⅳ）12ヵ月未満
ⅴ）発熱後1時間未満での発作
ⅵ）38℃未満での発作

またジアゼパムの投与量，投与方法，投与対象期間および使用上の注意事項については，
・37.5℃を目安として，1回0.4～0.5mg/kg（最大10mg）を挿肛し，発熱が持続して

いれば8時間後に同量を追加する.

・鎮静・ふらつきなどの副反応の出現に留意し，これらの既往がある場合は少量投与にするなどの配慮を行いつつ注意深い観察が必要である．使用による鎮静のため，脳炎・脳症の鑑別が困難になる場合があることにも留意する.

・最終発作から1〜2年，もしくは4〜5歳までの投与が良いと考えられるが，明確なエビデンスはない.

とされている.

抗てんかん薬の継続的内服については，原則推奨されず，ジアゼパム坐薬による予防をはかったにもかかわらず，長時間（15分以上）のけいれんを認める場合や，ジアゼパム坐薬の予防投与を行っても繰返し発作がみられた場合に，抗てんかん薬（フェノバルビタールやバルプロ酸）の継続的内服を考慮するとされている.

なお，現GLでは新たな項目として，熱性けいれんの既往がある小児で注意すべき薬剤が採り上げられている．そこでは，鎮静性抗ヒスタミン薬とテオフィリン等のキサンチン製剤について，発熱性疾患に罹患中は熱性けいれんの持続時間を長くする可能性があり，推奨されないとしている.

熱性けいれんと予防接種について

初回熱性けいれんを除けば，当日の体調を考慮し，速やかにすべての予防接種を施行してよいとしたことも，従来の考え方と異なる点である．初回は他のけいれん性疾患の鑑別が必要になり一定の経過観察が必要となるが，この場合も2〜3ヵ月以内の接種が望ましい.

処 方 例

発熱時のジアゼパム投与適応基準を満たす患者に対して，発熱時の予防投与として，

体重6〜8kg

処方　ダイアップ®坐剤6mg　1/2個を37.5℃以上で使用．発熱が持続していれば8時間後に同量を追加.

体重8〜12kg

処方　ダイアップ®坐剤4mg　1個を37.5℃以上で使用．発熱が持続していれば8時間後に同量を追加.

体重12〜20kg

処方　ダイアップ®坐剤6mg　1個　使用方法は4mg同様.

体重20kg以上

処方　ダイアップ®坐剤10mg　1個　使用方法は4mg同様.

専門医に紹介するタイミング

けいれんが頓挫しない場合（全身麻酔が必要になるため），けいれん頓挫後の意識障害が遷延する場合（急性脳炎・脳症などの中枢神経疾患の可能性があり，その治療として中枢神経管理を含む高度な全身管理が必要になるため），全身状態が安定しない場合（高度な全身管理が必要になるため）など.

専門医からのワンポイントアドバイス

けいれん頓挫後に意識清明，神経学的に正常であれば，重大な疾患は否定的である．意

識障害などの神経学的異常所見があれば，細菌性髄膜炎や急性脳炎・脳症などを疑い，異常の判断が困難であれば，注意深い経過観察を続け，適切な精査・治療を行うため，入院や高次医療機関への転院を考慮する．

一方で，熱性けいれんは基本的に予後良好であること，てんかん発症予防手段が現時点では存在しないことを知ったうえで，保護者に適切な説明を行うことが重要である．熱性けいれん再発予防については，効果と副作用をふまえて，症例ごとに適応を検討する．

―――――― 文　献 ――――――

1) Fukuyama Y et al：Practical guideline for physicians in the management of febrile seizures. Brain Dev 18：479-484, 1996
2) 日本小児神経学会　監，熱性けいれん診療ガイドライン策定委員会　編：熱性けいれん診療ガイドライン 2015．診断と治療社，2015
3) American Academy of Pediatrics, Provisional Committee on Quality Improvement and Subcommittee on Febrile Seizures：Practice parameter：the neurodiagnostic evaluation of the child with a first simple febrile seizure. Pediatrics 97：769-775, 1996
4) American Academy of Pediatrics, Subcommittee on Febrile Seizures：Clinical practice guideline-febrile seizures：guideline for the neurodiagnostic evaluation of the child with a simple febrile seizure. Pediatrics 127：389-394, 2011
5) American Academy of Pediatrics, Steering Committee on Quality Improvement and Management, Subcommittee on Febrile Seizures：Febrile seizures：clinical practice guideline for the long-term management of the child with simple febrile seizures. Pediatrics 121：1281-1286, 2008

6. 神経筋疾患

てんかん発作，けいれん重積状態

こばやしよしのり なべたに
小林由典，鍋谷まこと
淀川キリスト教病院 小児科

POINT
- ●2017 年に国際抗てんかん連盟（ILAE）からてんかん発作とてんかん分類に関する新たな提言がなされ，分類と用語が一部変更された．
- ●近年，新規抗てんかん薬が相次いで発売されて治療選択肢が広がった．正確な診断のもと，年齢，性別，併存症，併用薬を考慮して適切な薬剤選択を行うことが重要である．
- ●けいれん重積状態に対しても新規薬剤が発売されており，その使用方法について十分に理解しておく必要がある．

ガイドラインの現況

　従来，てんかん発作型分類とてんかん分類は，それぞれ国際抗てんかん連盟（ILAE）が提言した 1981 年，1989 年分類が使用されてきたが，2017 年に新たな提言が公表され，今後のてんかん診療における国際基準になるとされている．『ILAE の提言文献』[1,2] のほか，日本てんかん学会による『てんかん学用語集 第 6 版』[3] でその詳細が把握できる．

　てんかんの治療に関しては近年新規薬剤が相次いで発売されており，その使用方法は日本神経学会による『てんかん診療ガイドライン 2018』[4]，英国の『NICE ガイドライン 2022』[5] が参考になる．

　けいれん重積状態に関しては小児神経学会が『けいれん重積治療ガイドライン 2017』[6] を公表しており，ガイドライン公表後に発売された新規薬剤は小児神経学会ホームページに追加情報として掲載されている．また，関連ガイドラインとして小児神経学会による『熱性けいれんガイドライン 2015』と『急性脳症ガイドライン 2016』があるが，改訂版が近々公表される予定である．

【本稿のバックグラウンド】 本稿の執筆にあたり，てんかんの新たな分類に関しては『ILAE の提言文献』[1,2] と『てんかん学用語集 第 6 版』[3]，てんかんの治療に関しては『てんかん診療ガイドライン 2018』[4] と『NICE ガイドライン 2022』[5]，けいれん重積状態に関しては『けいれん重積治療ガイドライン 2017』[6] を参考にした．

どういう疾患・病態か

　小児におけるてんかんの有病率は 1,000 人あたり 5.3〜8.8 人，けいれん重積状態の発症率は 10 万人あたり年間約 40 人と報告されており，小児神経科医だけでなく一般小児科医や小児救急に携わる医師も少なからず遭遇する疾患といえる．

　てんかんとは，大脳神経細胞の過剰な興奮に由来する反復性の発作を呈する脳の障害である．ただし，てんかんの診断には必ずしも 2 回の発作を待つ必要はなく，ILAE の 2014 年の定義改定により，病歴や検査所見から発作再発率が 60 ％以上と予想される場合，てんかん症候群と診断できる場合は 1 回の発作でてんかんと診断できることになった[4]．

　また，ILAE は 2017 年にてんかん発作とてんかん分類について新たな提言を行い，てんかん発作型・てんかん病型・てんかん症候群の 3 段階でてんかんを分類診断し，病因と併存症の評価をあわせて包括的に診断，治療すべきとしている[1]．さらに，新たな知見の蓄積に伴い問題となっていた定義の不明瞭さや用語の曖昧さについても改定が行われ，てんかん発作は焦点起始発作・全般起始発作・起始不明発作の 3 つに分類され[2]，てんかん病型は焦点てんかん・全般てんかん・全般焦点合併てんかん・病型不明てんかんの 4 つに分類されることになった[1]（図 1，2）．今後はこの分類が国際基準となって普及する予定であり，一般小児科医においても概要を理解しておく必要がある．旧分類と新分類の主な用語の変更点を表 1 に示す．なお，新生児の発作型に関しては 2020 年に別枠で分類が提唱され，新生児発作は焦点発作と考えられることから焦点・全般の分類は行わず，運動発作（自動症，間代，強直，ミオクロニー，てんかん性スパズム），非運動発作（自律神経，動作停止），sequential，分類不能発作に分類された．

　けいれん重積状態は従来，「発作がある程度の長さ以上に続くか，短い発作でも反復してその間意識の回復がないもの」と定義され，発作の持続時間は明確にされていなかった．その後の知見から，ILAE は 2015 年に新たな定義を公表し，自然停止しがたくなる時間（time point：t1）と脳に長期的な影響を残しうる時間（time point：t2）を定めた．t1 は早期治療介入のタイミングという臨床的な時間といえる．なお，t1 と t2 の設定時間は臨床発作型によって異なり，けいれん重積状態における t1 は 5 分，t2 は 30 分とされている[6]．

治療に必要な検査と診断

1 てんかん

　てんかんを疑う症状を認めた場合，鑑別疾患（熱性けいれん，憤怒けいれん，軽症胃腸炎関連けいれん，低血糖や電解質異常，失神，心因性非てんかん発作など）の除外が必要で，詳細な病歴聴取に加え，血液検査や心電図検査が必要に応じて行われる．てんかんの診断において脳波検査は最も有用な検査であるが，1 回の検査では異常を認めず，睡眠賦活を含めた複数回の検査が必要な場合もある．さらに，てんかんであっても複数回の脳波検査で異常を認めない場合や，逆にてんかんでないのに脳波異常を認める場合もあり，感度特異度ともに十分な検査ではない[4]．てんかんの診断は病歴が主体であり，脳波はあくまで補助検査であることに留意する．

　てんかんの診療では図 1 に示すように，病歴聴取および脳波検査を参考にてんかん発作型，てんかん病型の順に分類し，年齢・発作症状・脳波所見などに特徴的なまとまりがあ

346　6. 神経筋疾患

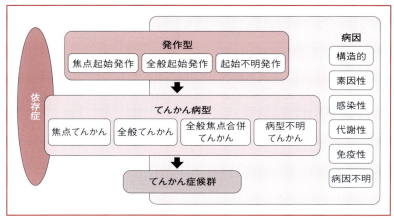

図1 ILAE2017 てんかん分類体系　　　　　　　　　　（文献1，3より引用）

図2 ILAE2017 てんかん発作型分類（基本版*）
＊専門医向けに再分類されている拡張版分類は文献1，3を参照
（文献2，3より引用）

表1　2017年分類での重要な用語改定

旧用語	新用語・代替用語
部分発作	焦点起始発作
部分（局在関連）てんかん	焦点てんかん
単純部分発作	焦点意識保持発作
複雑部分発作	焦点意識減損発作
二次性全般化発作	焦点起始両側強直間代発作
良性（てんかん）	自然終息性（てんかん），薬剤反応性（てんかん）
悪性，破局的（てんかん）	廃止
早期発症てんかん性脳症，早期乳児てんかん性脳症	発達性てんかん性脳症
特発性，潜因性，症候性	素因性，構造的，代謝的，免疫性，感染性，病因不明のいずれかへ分類

（文献3より引用）

ればてんかん症候群に分類する．また，可能な範囲で病因について評価し，併存症の有無も確認する．病因の検索として一般的に実施されるのは頭部画像検査で，CT よりも情報量の多い MRI が推奨される[4]．てんかん症候群およびてんかん発作型の同定は抗てんかん薬の選択に直結するため，正確に行うように努める．

2 けいれん重積状態

けいれん重積状態では発熱の有無で原因は異なる．有熱時の原因で最も多いものは熱性けいれんであり，本邦における報告では，熱性けいれん81.6％，てんかん7.6％，脳炎/脳症6.6％，髄膜炎0.8％となっている[7]．予防接種の普及により有熱時けいれん重積においても細菌性髄膜炎の頻度はかなり低く，逆に脳炎脳症の重要性が増している．無熱時の場合の原因の多くはてんかんである．

けいれん重積状態における初期検査では，血液検査（抗てんかん薬内服中の場合は抗てんかん薬血中濃度を含む），頭部 CT が推奨され，急性脳炎・脳症や脳梗塞が疑われる場合は頭部 MRI が考慮される．髄液検査は主に有熱時の場合に検討されるが，明確な適応基準はない．有熱時けいれん重積状態では非重積時と比べて細菌性髄膜炎の頻度が高いという報告はあるが，髄液検査は全例で必要とはいえず，髄膜刺激症状，意識障害の遷延，大泉門膨隆など細菌性髄膜炎を含む中枢神経感染症を疑う所見を認める場合に全身状態を考慮して適応を検討する．けいれん重積状態の急性期対応における脳波検査は，発作持続の有無や脳機能の評価に有用である．特にけいれん抑制後の意識障害遷延時は，非けいれん性発作重積状態や急性脳症の有無の評価として，難治性発作重積状態時は治療効果判定として持続脳波モニタリングが有用である[6]．

治療の実際・処方例

1 てんかん

てんかんの治療には抗てんかん薬，てんかん外科治療，ケトン食療法があるが，最初に試されるのは主に抗てんかん薬である．抗てんかん薬をいつ開始するかに関しては，初回発作を起こした未治療の患者の半分では発作の再発がみられないというエビデンスがあり，原則として2回目の発作以降で開始される．ただし，初回発作が重積発作であった場合や患者の社会的状況，希望を考慮し，てんかんの診断がつけば初回発作後から治療を開始することも可能である[4]．抗てんかん薬は現在20種類以上が発売されているが，その選択は上記の診断に基づいて行われ，てんかん症候群，てんかん発作型に応じた有効性の高い薬剤，避けるべき薬剤を把握し，患児の背景（年齢，性別，併存症など）を加味して薬剤を選択する．一般的に，焦点起始発作と焦点てんかんにはラモトリギンかレベチラセタム，全般起始発作と全般てんかんにはバルプロ酸が第一選択薬として推奨されている．ただし，バルプロ酸は催奇形性や児の知的面へ悪影響を及ぼす可能性があるため，妊娠可能年齢の女性には可能な限り避ける必要があり，NICE ガイドラインでは妊娠可能年齢まで服薬が予想される女児においても使用を避けるように推奨しており，全般起始発作と全般てんかんにはラモトリギンかレベチラセタム（ただし，ミオクロニー発作ではラモトリギンによる発作増悪の懸念があるためレベチラセタム）が第一選択薬として推奨されている[5]．また，薬剤の選択にあたっては，小児適応や単剤・併用療法の承認の有無の有無についても把握しておく必要がある．詳細はてんかん診療ガイドライン2018[4]，NICE ガイドライン 2022 を参照されたい[5]．

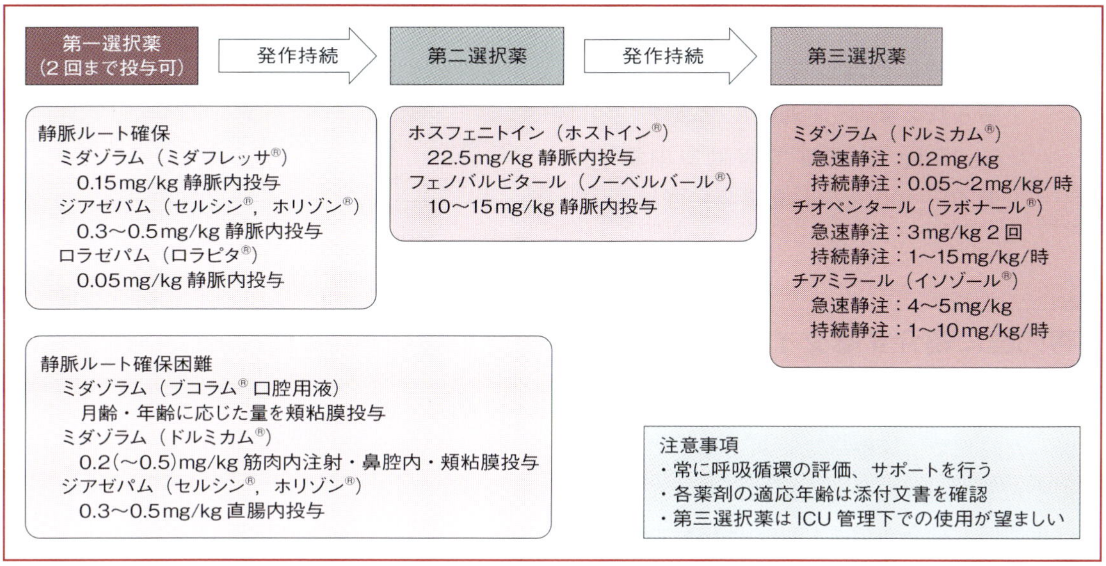

第一選択薬 （2回まで投与可）	発作持続	第二選択薬	発作持続	第三選択薬

静脈ルート確保
　ミダゾラム（ミダフレッサ®）
　　0.15mg/kg 静脈内投与
　ジアゼパム（セルシン®，ホリゾン®）
　　0.3～0.5mg/kg 静脈内投与
　ロラゼパム（ロラピタ®）
　　0.05mg/kg 静脈内投与

静脈ルート確保困難
　ミダゾラム（ブコラム® 口腔用液）
　　月齢・年齢に応じた量を頬粘膜投与
　ミダゾラム（ドルミカム®）
　　0.2（～0.5）mg/kg 筋肉内注射・鼻腔内・頬粘膜投与
　ジアゼパム（セルシン®，ホリゾン®）
　　0.3～0.5mg/kg 直腸内投与

ホスフェニトイン（ホストイン®）
　22.5mg/kg 静脈内投与
フェノバルビタール（ノーベルバール®）
　10～15mg/kg 静脈内投与

ミダゾラム（ドルミカム®）
　急速静注：0.2mg/kg
　持続静注：0.05～2mg/kg/時
チオペンタール（ラボナール®）
　急速静注：3mg/kg 2回
　持続静注：1～15mg/kg/時
チアミラール（イソゾール®）
　急速静注：4～5mg/kg
　持続静注：1～10mg/kg/時

注意事項
・常に呼吸循環の評価，サポートを行う
・各薬剤の適応年齢は添付文書を確認
・第三選択薬は ICU 管理下での使用が望ましい

図3　けいれん重積状態の薬物治療の流れ　　　　　　　　　　　（文献4，6を参照して作成）

抗てんかん薬の実際の処方にあたっては，各薬剤の副作用に注意しながら初期量から維持量へ漸増し，なるべく単剤治療を目指す．てんかん治療の終結は，小児では2年以上発作が寛解してから考慮するが，発作再燃リスクはてんかん症候群や病型により異なるため症例ごとに本人，家族と話し合って決める必要がある．断薬時は発作の再発に注意しながら3ヵ月以上かけて漸減中止するが，特にベンゾジアゼピン系およびバルビツール酸系抗てんかん薬では離脱症状に注意を要し，より慎重な減量が求められる[4]．

2 けいれん重積状態

けいれん重積状態では，5分以上持続すると自然収束しにくく遷延状態に移行しやすいため，治療開始が推奨される．呼吸循環の確保に努めながら，図3に示す流れで治療を行う．2014年にミダフレッサ®，2019年にロラピタ®が発売され，初期治療として使用可能なベンゾジアゼピン系薬剤の選択肢が増えたが，各薬剤で濃度および推奨投与量は異なっていることに注意する．また，ミダゾラムの筋肉内注射・鼻腔内・頬粘膜投与やジアゼパム直腸内投与の有効性が示されている．これらの投与方法は静脈ルート確保が困難なことの多い小児では有用であり，2020年にミダゾラム口腔用液（ブコラム®）が発売され，病院前治療および静脈ルート確保困難な場合に使用可能になった[6]．

処 方 例

焦点てんかん

処方　イーケプラ®

　　10mg/kg/日　分2で開始．副作用に留意しながら発作が抑制されるまで，2週間程度あけて10～20mg/kg/日ずつ最大投与量（60mg/kg/日）まで増量．

全般てんかん

処方　セレニカ®R（男児の場合）

てんかん発作，けいれん重積状態　　**349**

10 mg/kg/日　分1〜2で開始．副作用に留意しながら発作が抑制されるまで，1週間以上あけて5〜10 mg/kg/日ずつ有効血中濃度40〜100μg/mL を参考に増量．

専門医に紹介するタイミング

　てんかんの診療経験がない場合はてんかんを疑った時点で，診療経験がある場合でも抗てんかん薬2剤程度で発作抑制に至らない場合は専門医へ紹介が望ましい．けいれん重積状態では，第二選択薬で抑制できない場合，抑制後に意識障害が遷延する場合は集中治療が可能な施設への救急搬送が望ましい．

専門医からのワンポイントアドバイス

　てんかんの診断では脳波検査が重要視される傾向があるが，最も重要なのは病歴である．脳波検査を過信せず，詳細な病歴のもと適切に脳波検査を使用して診療にあたるのが望ましい．
　けいれん重積状態の対応は緊急を要するため，普段から初期対応のシミュレーションを行っておくのが望ましい．

―――――― 文　献 ――――――

1) Scheffer IE et al：ILAE classification of the epilepsies：Position paper of the ILAE Commission for Classification and Terminology. Epilepsia 58：512-521, 2017
2) Fisher RS et al：Operational classification of seizure types by the International League Against Epilepsy：Position Paper of the ILAE Commission for Classification and Terminology. Epilepsia 58：522-530, 2017
3) 日本てんかん学会分類・用語委員会 編：てんかん学用語集 第6版．日本てんかん学会，pp1-5，2021
4) 「てんかん診療ガイドライン」作成委員会 編：てんかん診療ガイドライン2018．医学書院，pp2-5，12-22，39-51，64-90，113-118，2018
5) National Institute for Health and Care Excellence：Clinical guideline［NG217］：Epilepsies in children, young people and adults, 2022
https://www.nice.org.uk/guidance/ng217（2022年5月29日アクセス）
6) 小児けいれん重積治療ガイドライン策定ワーキンググループ 編：けいれん重積治療ガイドライン2017．診断と治療社，pp4-13，18-32，40-52，62-76，2017
7) Hayakawa I et al：Epidemiology of pediatric convulsive status epilepticus with fever in the emergency department：a cohort study of 381 consecutive cases. J Child Neurol 31：1257-1264, 2016

6. 神経筋疾患

West 症候群

三牧正和
帝京大学医学部 小児科

- West 症候群は，シリーズ形成性のてんかん性スパズム，脳波のヒプスアリスミア，発達の停止・退行を特徴とする，乳児期に好発する発達性てんかん性脳症である．
- 発症後早期に診断し，可能な限り早く有効性の高い治療を導入することが大切である．
- ACTH，次いでビガバトリンの有効性が高い．基礎疾患が結節性硬化症の場合，ビガバトリンの有効性が特に高い．
- ACTH やビガバトリンが無効の場合，病因に応じて てんかん外科手術やケトン食療法の適応を検討する．

ガイドラインの現況

　West 症候群の治療成績はその多様な病因に強く依存するため，最適な治療法を確立するエビデンスの蓄積は容易ではない．しかしながら，2004 年に米国の神経学会と小児神経学会合同で infantile spasms に対する治療ガイドラインが発表され，2012 年にはその後の研究を含むさらなる検討に基づいた治療に関する報告がまとめられた．2013 年には infantile spasms の治療に関するシステマティックレビューがコクランライブラリーに加えられ，2015 年には国際抗てんかん連盟（ILAE）のタスクフォースから乳児期の発作に対する診療指針が示されるなど，知見の集積とエビデンスに基づいた治療の標準化，最適化がはかられている．本邦においては，2006 年に日本てんかん学会により『ウエスト症候群の診断・治療ガイドライン』が作成され，発作抑制について一定の治療指針が示されている．

【本稿のバックグラウンド】　日本てんかん学会の『ウエスト症候群の診断・治療ガイドライン』，2012 年に米国の神経学会と小児神経学会によってアップデートされた infantile spasms に対する治療ガイドライン，ILAE によって 2015 年に示された治療方針の推奨や 2022 年に提唱された新生児・乳児期発症のてんかん症候群の分類・概念を参考に解説した．

どういう疾患・病態か

West 症候群は，本邦では点頭てんかんとも呼ばれているが，日本てんかん学会のガイドラインでは，国際的な呼称に合わせ，特有の臨床発作（群発するスパズム）と特徴的な発作間欠期脳波（ヒプスアリスミア）を示すWest 症候群を中核群とし，ヒプスアリスミアを示すがスパズムが群発しないもの，およびスパズムは群発するがヒプスアリスミアを示さない West 症候群の不全型を含んだスペクトラム全体を，infantile spasms と呼ぶと定義した．

乳幼児期に発生するこの特徴的な発作は，坐位や立位では頭部を一瞬垂れることから点頭発作と呼ばれたり，強直相がみられることから強直スパズムと呼ばれたりしたが，てんかん発作型の最近の分類では，「てんかん性スパズム（epileptic spasms：ES）」とされている．ES は焦点起始発作，全般起始発作，起始不明発作のいずれにも分類される．さらに特徴として，2 歳を超える小児での発症は稀で，通常は乳児期に発症すること，発達の停滞や退行を伴うことが挙げられる．てんかん以外の遺伝子異常などの病因自体に直接起因する発達の異常と，てんかん性脳波活動による認知や行動の障害を伴う「発達性てんかん性脳症」の代表的疾患である．しかしながら，発症当初は発達遅滞が明らかでない場合や，脳波が典型的なヒプスアリスミアを呈さない症例もみられるので注意が必要である．後述のように早期の治療介入が望まれるため，最近は West 症候群の中核群のみならず，典型的な脳波所見や発達の停滞を示さない infantile spasms を含めた infantile epileptic spasms syndrome（IESS）という用語が提唱されている．

従来，明らかな基礎疾患を有する症候性と，発症までの発達が正常で基礎疾患がはっきりしない潜因性とに大別され，一般的に潜因性の場合には症候性よりも治療反応性や予後が良い傾向がある．現在の病因分類では，素因性（遺伝性），構造性，代謝性，感染性，免疫性，病因不明に分けられる．近年の中枢神経画像検査技術の向上や，遺伝子検査（マイクロアレイや次世代シーケンサーを用いたパネル検査や全エクソーム解析など），代謝異常症の診断技術の進歩により，かつては原因不明とされてきた症例の病因診断が可能になっている．

治療に必要な検査と診断

診断は，臨床発作と脳波所見により行う．

発作は群発する ES を特徴とする．典型的な発作は，両側性，左右対称性に生ずる頸筋，躯幹筋，四肢筋の 0.2～2 秒間の短い攣縮である．強直性けいれんがひき続く場合もある．しかし，左右非対称の発作型，眼球上転の反復のみで気づかれるような微細な発作型など非典型例もみられ，診断上注意が必要である．発作型のもう一つの特徴は，群発すること，いわゆるシリーズ形成性を示すことである．攣縮が 5～40 秒周期，多くは 10 秒前後の間隔で，数回ないし数十回反復する．

検査では，発作間欠期脳波にてヒプスアリスミアの有無を確認することが重要である．ヒプスアリスミアは，通常 200 μV を超える振幅が多様な徐波が同期性を失って無秩序に出現し，棘波，鋭波が多焦点性に混じる混沌とした無秩序な外観を特徴とする．ただし，睡眠ステージや年齢によっても，その同期性や棘波の出現率が変化することを考慮して解釈する必要がある．

治療効果・予後は原因疾患に強く依存しているため，できるだけ病因を明らかにするこ

とが大切である．血液一般生化学，凝固系，微量元素，乳酸・ピルビン酸，アミノ酸分析，尿中有機酸，染色体，頭部 MRI や CT，必要に応じて脳の SPECT や PET 検査を考慮する．素因性病因の検索には，網羅的解析を含む遺伝子検査を検討する．近年 *ARX*，*CDKL5*，*PAFAH1B1/LIS1*，*DCX*，*TUBA1A*，*STXBP1* などの原因遺伝子が多数報告され，遺伝子診断の重要性が増している．

治療の実際

発作抑制に最も効果のある治療法が ACTH 療法であることは多くの報告で明らかにされている．長期予後についても，他の治療法に比し ACTH 療法のほうが発作予後や知的予後が良かったという報告，より早期に ACTH 療法を行った症例で知的予後が良かったとする報告がみられる．そのような背景から，国内外のガイドラインでは，ACTH 療法の有効性と，その早期治療の重要性が強調され，特に潜因性の場合には，発症後遅くとも 1 ヵ月以内に開始することが望ましいとされており，多くの施設でより早期に導入される傾向が強まっている．最も高い有効性が示されている抗てんかん薬はビガバトリンである．本邦でも 2016 年に承認されており，重要な治療選択肢となっている．

1 ACTH 療法

副作用として，体重増加，不機嫌，易刺激性，易感染性，高血圧，電解質異常，内分泌異常，心筋肥大，心臓腫瘍肥大，可逆性の大脳退縮などがある．本邦では副作用を軽減するために少量投与が行われており，1 日投与量を 0.0125 mg/kg 以下で開始する施設が多く，2 週間連日筋注後に漸減中止する方法が大多数を占めている．効果不十分な場合は一回投与量の増量，期間の延長を検討する．重篤な副作用出現時は中止する．

なお，海外ではホルモン療法として経口ステロイド薬が使用されることも多い．有効性において ACTH と同等であるというエビデンスはないが，ACTH が使用できない場合はプレドニゾロンの投与を考慮する．

2 ビガバトリン

特に結節性硬化症を基礎にもつ West 症候群に対する有効性が高いため，第一選択薬として使用されることもある．潜因性の症例に対する発作抑制効果においては，ACTH 療法に劣るとされているが，ACTH 療法が奏効しなかった症例にも効果が認められている．副作用として不可逆的な視野障害の起こる危険性があるため，本邦では小児神経・てんかん専門医，眼科医と薬剤師の連携が可能な登録医療機関での投与に限定されている．

3 ビタミン B6 大量療法

一部の症例で有効である．1〜2 週間の短期間で効果判定でき，ACTH 療法前に試みる施設も多く，ある程度有効であれば継続して併用することもある．無効であれば早期に他の治療法に切り替える．

4 抗てんかん薬内服治療

バルプロ酸，ゾニサミド，トピラマート，ラモトリギン，ベンゾジアゼピン類（ニトラゼパム，クロバザムなど）が一部で有効である．ACTH 療法の副作用を考慮して先んじて選択されることが多いが，2 週間以内に効果判定を行い，無効であればできるだけ早期に ACTH やビガバトリンを開始する．

5 その他の治療法

ケトン食療法の有効性が報告されており，ACTHやビガバトリンが奏効しない場合は検討してもよい．外科治療が奏効する場合があるので，局所病変が原因と考えられる難治例では，てんかん外科医への紹介を考慮する．ガンマグロブリン大量療法，TRH療法などが有効とする報告があるが，十分なevidenceはない．

処 方 例

処方A コートロシン®Z筋注0.0125mg/kg連日2週間，無効なら0.025mg/kgに増量して1週間投与．発作消失，脳波改善をみれば，その時点で漸減中止．

処方B プレドニゾロン散40mg 分4を14日間連日，その後5日毎に10mgずつ減量．ただし，West症候群に対しては保険適用外．

処方C サブリル®散50mg/kg 分2より開始，3日以上の間隔で最大50mg/kgずつ，150mg/kgまたは3gの少ないほうを上限に増量．

処方D アデロキザール®散20mg/kg（力価）分3より開始，3日ごとに10mg/kgずつ50mg/kgまで増量．

処方E デパケン®シロップ15～20mg/kg 分3より開始，3日ごとに10mg/kgずつ，血中濃度100μg/mL前後を上限に増量．

処方F エクセグラン®散3～4mg/kg 分2より開始，3日ごとに3mg/kgずつ10mg/kg程度まで増量．

専門医に紹介するタイミング

早期治療が重要であること，類似した症状を呈する他のてんかんや，身震い発作等の非てんかん性の症候との鑑別を誤ると過剰な治療を行う危険性があることから，West症候群が疑われた場合は，速やかに脳波検査を行って専門医にコンサルトする．

専門医からのワンポイントアドバイス

West症候群と診断した場合，ただちに治療を開始する．ビタミンB_6や抗てんかん薬内服を行う場合の治療効果判定は短期間で行い，無効であれば早期にACTH療法やビガバトリン投与を行う．

--- 文 献 ---

1) 伊藤正利 他：日本てんかん学ガイドライン作成委員会報告 ウエスト症候群の診断・治療ガイドライン．てんかん研究 24：68-73，2006
2) Go CY et al：Evidence-based guideline update：medical treatment of infantile spasms. Report of the Guideline Development Subcommittee of the American Academy of Neurology and the Practice Committee of the Child Neurology Society. Neurology 78：1974-1980, 2012
3) Hancock EC et al：Treatment of infantile spasms. Cochrane Database Syst Rev 6：CD001770, 2013
4) Wilmshurst JM et al：Summary of recommendations for the management of infantile seizures：Task Force Report for the ILAE Commission of Pediatrics. Epilepsia 56：1185-1197, 2015
5) Hamano S et al：Treatment of infantile spasms by pediatric neurologists in Japan. Brain Dev 40：685-692, 2018
6) Zuberi SM et al：ILAE classification and definition of epilepsy syndromes with onset in neonates and infants：Position statement by the ILAE Task Force on Nosology and Definitions. Epilepsia 63：1349-1347, 2022

6. 神経筋疾患

急性脳炎・急性脳症

水口　雅
<small>みずぐち　まさし</small>
心身障害児総合医療療育センター　むらさき愛育園

POINT
- 小児の急性脳炎に関連したガイドラインとして，日本神経感染症学会，日本神経学会，日本神経治療学会監修の『単純ヘルペス脳炎診療ガイドライン』がある．
- 小児の急性脳症についてのガイドラインとして，日本小児神経学会編集の『小児急性脳症診療ガイドライン』がある．

6
神経筋疾患

ガイドラインの現況

　急性脳炎には，一次性脳炎（ウイルスの直接侵襲）と二次性脳炎（アレルギー・自己免疫）がある．一次性脳炎の代表である単純ヘルペス脳炎に関しては，日本神経感染症学会が中心となって刊行した『単純ヘルペス脳炎診療ガイドライン2017』があり，小児に対する診断と治療についても述べられている．二次性脳炎の代表である急性散在性脳脊髄炎に関しては，日本神経学会の『多発性硬化症・視神経脊髄炎診療ガイドライン2017』の中に簡単な記載がある．

　急性脳症に関しては，日本小児神経学会の刊行した『小児急性脳症ガイドライン2016』があり，前半の総論で急性脳症全体の初期対応と診断，後半の各論で個々の症候群ごとの診断・治療が解説されている．

【本稿のバックグラウンド】 日本では小児の急性脳炎・急性脳症に関する研究が活発で，臨床家・研究者の数も多い．日本小児神経学会の急性脳症ガイドラインは現在，世界で唯一のものである．本稿では病因や病態，診断と治療に関して，日本でこれまでに発表された成果を概観している．

どういう疾患・病態か

　急性脳炎・急性脳症では，ウイルスやマイコプラズマなどの感染症を契機に，急性の脳障害が生じる．臨床的には，発熱のほかにけいれん，意識障害が多くの例で認められ，頭蓋内圧亢進徴候，髄膜刺激徴候，神経学的局所症状を伴いやすい．

　急性脳炎では，脳実質に炎症（白血球の浸潤）がある．一次性脳炎と二次性脳炎とに分類される．一次性脳炎では，ウイルスの直接侵襲が主たる病態で，単純ヘルペス脳炎がその代表である．二次性脳炎では，アレルギー・自己免疫が主たる病態で，その典型は急性散在性脳脊髄炎（acute disseminated encephalo-myelitis：以下ADEM）である．

　急性脳症では，脳内に炎症がないにもかかわらず，脳浮腫（細胞性ないし血管性）が生じ

急性脳炎・急性脳症　**355**

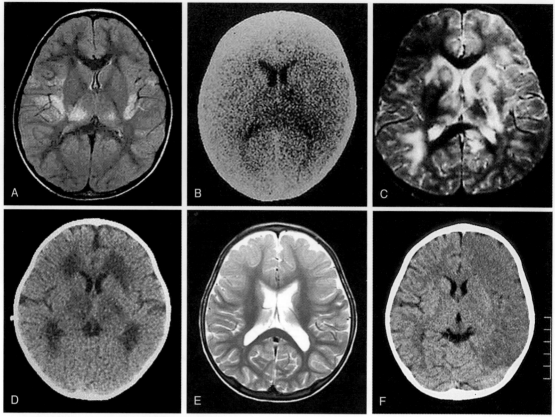

図1 急性脳炎・急性脳症の頭部画像所見
A. 単純ヘルペス脳炎（MRI，FLAIR画像）：両側前頭葉・側頭葉・視床病変．
B. 日本脳炎（CT）：びまん性脳浮腫と両側視床病変．
C. 急性散在性脳脊髄炎（MRI，T2強調画像）：多発性・散在性の大脳白質・基底核・視床病変．
D. 急性壊死性脳症（CT）：両側対称性の視床・大脳白質病変．
E. けいれん重積型（二相性）急性脳症—前頭葉障害型（MRI，T2強調画像）：両側前頭葉皮質病変．
F. けいれん重積型（二相性）急性脳症— hemiconvulsion-hemiplegia 症候群（CT）：一側大脳半球皮質病変．

る．急性脳症は，病原ウイルスにより，インフルエンザ脳症，ヒトヘルペスウイルス6型脳症などに，臨床病理学的特徴により，急性壊死性脳症，けいれん重積型（二相性）急性脳症などに分類される．

治療に必要な検査と診断

発熱，発疹，感冒様症状など，身体所見の診察から感染症を診断する．けいれんの性状を聴取・観察し，意識障害の程度を評価する．神経学的診察により，頭蓋内圧亢進徴候，髄膜刺激徴候，神経学的局所症状の有無を知る．

血液検査では，炎症反応のほかにウイルス抗体価，血液学的・生化学的変化（播種性血管内凝固，電解質異常，多臓器障害，高血糖，低血糖，アシドーシスなど）をみる．病原体の検査として，鼻咽頭拭い液，便，血液，髄液を用い，ゲノム・抗原検出を行う．髄液検査では，細胞数，蛋白など一般検査の他に，二次性脳炎では，ミエリン塩基性蛋白などを測る．頭部画像検査（CT，MRI）では，びまん性脳浮腫や局在性病変が描出され

表1　けいれん重積状態と中等度～重度の意識障害に対する初期治療

A. けいれん重積・遷延状態への対応

1. 治療の留意点

   全身管理を行いながら，けいれん持続時間に応じた適切な薬物治療の選択を行う．

2. 非静脈的治療法

   けいれん遷延状態に対して，ミダゾラムの頬粘膜投与，鼻腔内投与，筋肉内投与を行う．

3. 経静脈的治療法

   第1選択薬として，ミダゾラムないしジアゼパム，第二選択として，ホスフェニトイン，フェニトイン，フェノバルビタール，レベチラセタムを急速静脈投与する．難治性けいれん重積状態に対して，ミダゾラムの持続静注，チオペンタールないしチアミラールの急速静注・持続静注を行う．

B. 全身管理

適切なモニター装置を使用し，全身状態をできうる限り改善・維持するための支持療法を行う．

1. PALS 2010 に準拠した初期蘇生
2. 三次救急医療施設ないしそれに準ずる施設への搬送
3. 必要な場合，集中治療室（ICU）への入室
4. 呼吸，循環，中枢神経，体温，血糖・電解質，栄養を含む全身管理

（文献3を参照して作成）

る．特に側頭葉・前頭葉病変は単純ヘルペス脳炎に，視床・基底核・黒質病変は日本脳炎に，多発・散在性白質病変は ADEM に，両側対称性視床病変は急性壊死性脳症に，両側前頭葉皮質病変や一側大脳半球皮質病変はけいれん重積型（二相性）急性脳症に特徴的な所見である（**図1**）．脳波では大脳皮質の，聴性脳幹反応では脳幹被蓋の機能を評価する．

単純ヘルペス脳炎の確定診断においては，髄液でのウイルス DNA 検出（PCR 法），または抗体検出が根拠となる．インフルエンザ脳症では，特異的な頭部画像所見（両側対称性視床病変など）が存在する例を除けば，検査所見のみによる確定診断は不可能であり，意識障害の程度・持続を観察したうえで，臨床的に診断する．

治療の実際

一次性脳炎，二次性脳炎，急性脳症のいずれにおいても，来院時にけいれん重積状態や，中等度～重度の意識障害があれば，それ

らへの対応（**表1**）を最初に行う．

一次性脳炎で，病原ウイルスに対する原因療法の有効性が確立しているのは，単純ヘルペス脳炎のみである．したがって単純ヘルペス脳炎の疑いが少しでもあれば，抗ヘルペス薬（アシクロビル）の投与を開始する．単純ヘルペス脳炎の診断が確定した場合，抗ヘルペス薬を十分長期間投与することが重要である．これは小児の単純ヘルペス脳炎の20～30％に再発がみられるからである．

二次性脳炎である ADEM では，中等症以上の症例に対して，メチルプレドニゾロン・パルス療法が施行され，多くの場合，有効である．パルス無効例，重症例の一部に対して，免疫グロブリン大量療法，血漿交換療法が選択される．

急性脳症のうち，脳浮腫が急速に進行し，凝固異常や多臓器障害を伴いやすい病型には，メチルプレドニゾロン・パルス療法，脳低温・平温療法など抗サイトカイン，脳保護を狙った治療が施行される．

急性脳炎・急性脳症　357

処方例

単純ヘルペス脳炎（治療開始時）

処方 15歳以上では，ゾビラックス®
10 mg/kg を8時間ごと，3ヵ月～
15歳では，15 mg/kg を8時間ご
と，新生児～2ヵ月では，20 mg/kg
を8時間ごと，低出生体重児では，
20 mg/kg を12時間ごと，免疫不
全状態の小児では，20 mg/kg を8
時間ごとに，21日間点滴静注．た
だし治療開始7日，14日後の髄液
PCRの結果により，薬を増量ない
し変更．

ADEM，急性脳症に対するメチルプレドニゾロン・パルス療法

処方 ソル・メドロール® 20～30 mg/
kg（最大量1 g）を 1日1回2時
間で，3日間点滴静注する
＊注：血栓形成予防のため抗凝固療法
（ヘパリン 100～150 IU/kg/日
持続静注，4日間）を併用する．

専門医に紹介するタイミング

けいれんの重積・群発，または意識障害の
遷延（概ね1時間以上）・悪化をみた場合，
集中的な管理・治療が必要なので，それが可
能な施設へ移送する．

専門医からのワンポイントアドバイス

乳幼児が高熱に伴って，けいれん（ひきつ
け）や軽度・一過性の意識障害を生ずること
は，しばしばある．前者は熱性けいれん，後
者は熱せん妄であり，いずれも予後良好で，
特別の治療を必要としないものである．急性
脳炎・急性脳症の場合，けいれんが重積・群
発したり，意識障害が遷延・悪化しやすい
が，発症直後の時点で，これを熱性けいれ
ん・熱せん妄と区別することは，しばしば不
可能である．この段階で検査をしても，両者
の鑑別に直結する良い指標はない．結局，意
識障害の経過を1～数時間にわたって観察す
るのが，ベストの診断法である．そのために
は，催眠作用の強い抗けいれん薬を必要以上
に濫用しない注意も必要である．なお近年，
けいれん重積の数時間後～半日後にけいれん
重積型（二相性）急性脳症の診断を予測する
スコアが複数作られた．

文 献

1) 日本神経感染症学会，日本神経学会，日本神経治療
学会 監：単純ヘルペス脳炎診療ガイドライン
2017. 南江堂，2017
2) 日本神経学会 監：多発性硬化症・視神経脊髄炎診
療ガイドライン 2017. 医学書院，2017
3) 日本小児神経学会 監：小児急性脳症ガイドライン
2016. 診断と治療社，2016

6. 神経筋疾患

片 頭 痛

阿部裕一
国立成育医療研究センター 神経内科

POINT
- 片頭痛の診療に関するガイドラインとして，日本神経学会・日本頭痛学会・日本神経治療学会監修の『頭痛の診療ガイドライン2021』が推奨される．
- 二次性の頭痛をしっかり除外したうえで片頭痛の診断を行うこと，年齢を考慮したうえで急性期，慢性期それぞれで使用する薬剤を適切に選択することが重要である．

ガイドラインの現況

片頭痛をはじめとする最新の頭痛分類は，国際頭痛学会による国際頭痛分類　第3版（The International Classification of Headache Disorders of 3rd edition：ICHD-3）が用いられている[1]．また，2021年に日本神経学会・日本頭痛学会・日本神経治療学会監修の『頭痛の診療ガイドライン2021』が出版されており[2]，このガイドラインを参考に片頭痛の診療が行われている．

【本稿のバックグラウンド】頭痛は受診の主訴として非常に多いと思われるため，より適切に診断し治療することが必要である．頭痛の診療に関する分類やガイドラインは定期的にアップデートが行われるため，執筆時点で可能な限り最新の情報を参考にしている．

どういう疾患・病態か

1 病　態

三叉神経終末の無髄C線維や有髄Aδ線維が刺激を受けることによって，カルシトニン遺伝子関連ペプチド（CGRP）や下垂体アデニル酸シクラーゼ活性化ポリペプチド（PACAP）38といった神経ペプチドが放出され，結果として起こる血管拡張や神経原性炎症が片頭痛の原因であるとの説が提唱されているほか[3]，皮質拡延性抑制（cortical spreading depression：CSD）という現象に

よって片頭痛の前兆が生じていると考えられている[4]．また，光過敏性については，内因性光感受網膜神経節細胞（ipRGCs）が発症に関与していることが明らかになっている．

2 疫　学

日本における疫学調査の結果では，片頭痛の年間有病率が8.4％で，前兆のない片頭痛が5.8％，前兆のある片頭痛が2.6％で，20～40代女性に多い．小児では小学生3.5％（男4.0％，女2.9％），中学生4.8～5.0％（男3.1～3.3％，女6.5～7.0％），高校生15.6％（男

片頭痛　359

表1　片頭痛の分類

ICHD-3 コード	診断
1.1	前兆のない片頭痛
1.2	前兆のある片頭痛
1.2.1	典型的前兆を伴う片頭痛
1.2.1.1	典型的前兆に頭痛を伴うもの
1.2.1.2	典型的前兆のみで頭痛を伴わないもの
1.2.2	脳幹性前兆を伴う片頭痛
1.2.3	片麻痺性片頭痛
1.2.3.1	家族性片麻痺性片頭痛（FHM）
1.2.3.1.1	FHM 1
1.2.3.1.2	FHM 2
1.2.3.1.3	FHM 3
1.2.3.1.4	FHM, 他の遺伝子座
1.2.3.2	孤発性片麻痺性片頭痛
1.2.4	網膜片頭痛
1.3	慢性片頭痛
1.4	片頭痛の合併症
1.4.1	片頭痛発作重積
1.4.2	遷延性前兆で脳梗塞を伴わないもの
1.4.3	片頭痛性脳梗塞
1.4.4	片頭痛前兆により誘発される痙攣発作
1.5	片頭痛の疑い
1.5.1	前兆のない片頭痛の疑い
1.5.2	前兆のある片頭痛の疑い
1.6	片頭痛に関連する周期性症候群
1.6.1	再発性消化管障害
1.6.1.1	周期性嘔吐症候群
1.6.1.2	腹部片頭痛
1.6.2	良性発作性めまい
1.6.3	良性発作性斜頸

（「日本頭痛学会・国際頭痛分類委員会　訳：国際頭痛分類　第3版. p. 2, 医学書院, 2018」より）

表2　頭痛の分類

ICHD-3 コード	診断
第1部　一次性頭痛	
■ 1.	片頭痛
■ 2.	緊張型頭痛
■ 3.	三叉神経・自律神経性頭痛
■ 4.	その他の一次性頭痛疾患
第2部　二次性頭痛	
■ 5.	頭頸部外傷・傷害による頭痛
■ 6.	頭頸部血管障害による頭痛
■ 7.	非血管性頭蓋内疾患による頭痛
■ 8.	物質またはその離脱による頭痛
■ 9.	感染症による頭痛
■ 10.	ホメオスターシス障害による頭痛
■ 11.	頭蓋骨，頸，眼，耳，鼻，副鼻腔，歯，口あるいはその他の顔面・頸部の構成組織の障害による頭痛あるいは顔面痛
■ 12.	精神疾患による頭痛
第3部　有痛性脳神経ニューロパチー，他の顔面痛およびその他の頭痛	
■ 13.	脳神経の有痛性病変およびその他の顔面痛
■ 14.	その他の頭痛性疾患

（「日本頭痛学会・国際頭痛分類委員会　訳：国際頭痛分類　第3版. 医学書院, 2018」より）

13.7%，女17.5%）と年齢層毎に有病率が高くなり，学年が上がると女性で有病率が高くなる．

❸ 主要症状

狭義の片頭痛，いわゆる典型的な片頭痛では，前兆を伴う拍動性の頭痛発作を繰返す．**表1**（ICHD-3における片頭痛の分類）に示すように，診断の第一部：一次性頭痛の一つである片頭痛には，前兆を伴わない片頭痛か

ら片麻痺性片頭痛，周期性嘔吐症候群や良性発作性めまいといった，頭痛症状を伴わない症状まで幅広く片頭痛と診断する必要がある．一方で，片頭痛の特徴を有する頭痛があっても，頭痛の原因となる疾患が同時期に認められる場合や二次性頭痛の診断基準を満たす場合には，二次性頭痛と診断してコード化する必要がある（**表2**）．代表的な2つのタイプ：1.1「前兆のない片頭痛」と1.2「前兆のある片頭痛」の症状と診断基準について述べる（**表3**）．

ICHD-3において「前兆のない片頭痛」は，"文字通り前兆を認めない頭痛発作を繰返す．発作は4〜72時間持続する．片側性，拍動性で，日常生活によって頭痛が増悪する．悪心，光過敏・音過敏などの随伴症状を

表3 片頭痛の診断基準（抜粋）

1.1 前兆のない片頭痛

A. B〜D を満たす発作が 5 回以上ある
B. 頭痛発作の持続時間は 4〜72 時間（未治療もしくは治療無効の場合）
C. 頭痛は以下の 4 つの特徴の少なくとも 2 項目を満たす
  ① 片側性
  ② 拍動性
  ③ 中等度〜重度の頭痛
  ④ 日常的な動作（歩行や階段昇降など）により頭痛が増悪する．あるいは日常的な動作を避ける
D. 頭痛発作中に少なくとも以下の 1 項目を満たす
  ① 悪心または嘔吐（あるいはその両方）
  ② 光過敏および音刺激
E. ほかに最適な ICHD-3 の診断がない

1.2 前兆のある片頭痛

A. B および C を満たす発作が 2 回以上ある
B. 以下の完全可逆性前兆症状が 1 つ以上ある
  ① 視覚症状
  ② 感覚症状
  ③ 言語症状
  ④ 運動症状
  ⑤ 脳幹症状
  ⑥ 網膜症状
C. 以下の 6 つの特徴の少なくとも 3 項目を満たす
  ① 少なくとも 1 つの前兆症状は 5 分以上かけて徐々に進展する
  ② 2 つ以上の前兆がひき続き生じる
  ③ それぞれの前兆症状は 5〜60 分持続する
  ④ 少なくとも一つの前兆は片側性である
  ⑤ 少なくとも 1 つの前兆は陽性症状である
  ⑥ 前兆に伴って，あるいは前兆発現後 60 分以内に頭痛が発現する
D. ほかに最適な ICHD-3 の診断がない

（「日本頭痛学会・国際頭痛分類委員会　訳：国際頭痛分類　第 3 版．p. 3, 5, 医学書院，2018」より）

伴う" と記載されている．18 歳未満では，片頭痛は成人期の場合と比べて発作時間が 2 時間程度と短い場合や，両側性であることが多いといわれている（持続時間に関するエビデンスは立証されていない）[1]．

一方「前兆のある片頭痛」は，"数分間持続する，片側性完全可逆性の視覚症状，感覚症状またはその他の中枢神経症状からなる再発性発作であり，これらの症状は通常徐々に進展し，また通常，それにひき続いて頭痛が生じる" とされている[1]．前兆は頭痛が始まった後に出現する場合や，始まった後も持続する場合がある．前兆では視覚性が最も多く，何回かの頭痛発作において「前兆のある片頭痛」患者の 90 ％以上に認められる．視覚性前兆は閃輝暗点として出現することが多い．ほかには感覚障害，言語障害を認めることがある．

片頭痛　361

治療に必要な検査と診断

片頭痛の診断は，表3に示したような症状を照らし合わせて診断するが，"いわゆる頭痛"だけでも多くの症状や原因があるため，頭痛の性状，頭痛以外の随伴症状，経過および発症形式，前駆症状・随伴症状，誘発・増悪・軽快因子，家族歴などを参考に，一次性頭痛かどうか鑑別していくことが重要であるだけでなく，常に二次性の頭痛の可能性を念頭におき，疑いをもって診断することが必要である（表2）．小児の場合も，感染症や腎疾患に伴う高血圧性疾患，耳鼻科・眼科的疾患，脳腫瘍，脳血管障害，ミトコンドリア脳筋症，てんかん関連性といった鑑別は必要である．頭痛の診断では，これら二次性頭痛の鑑別目的に画像検査（CT，MRI・MRA）や脳波，髄液検査，血液検査などを確認する必要がある．

治療の実際[2]

片頭痛の治療は，急性期治療と予防を含めた慢性期治療に分けられる．ガイドライン上の片頭痛急性期治療薬として，①アセトアミノフェン，②NSAIDs，③トリプタン，④エルゴタミン，⑤制吐剤がある（エビデンスの確実性は①：A，②：A〜C，③：A，④：B，⑤：A〜B）．軽症から中等症には①②，中等から重度，または軽症〜中等症でも①，②の効果がなかった場合には③が推奨される．それでも効果のない場合には①または②と③の併用を考慮する．いずれの場合にも制吐剤は有効である（弱い推奨／エビデンスの確実性B）．

また，小児・思春期の場合の片頭痛急性期治療薬の第一選択はイブプロフェンである（強い推奨／エビデンスの確実性B）．やや効果が落ちるがアセトアミノフェンも有効である（強い推奨／エビデンスの確実性C）．トリプタンは，12歳以下ではスマトリプタン点鼻とリザトリプタン，思春期ではスマトリプタン，リザトリプタン，エレトリプタン，ナラトリプタン，ゾルミトリプタンが推奨され，スマトリプタンとナプロキセンの併用も有効である（強い推奨／エビデンスの確実性C）．トリプタン製剤はいずれも添付文書では小児への安全性は確立されていないとされている．

小児・思春期における片頭痛予防薬の適応は，非薬物療法では改善が乏しく，日常生活に支障をきたす頭痛が月に4回以上に認める場合に考慮する．小児・思春期の片頭痛予防薬で確立したものはなく，非薬物療法で改善しない場合には，アミトリプチリン，トピラマート（保険適用外），プロプラノロール，ロメリジンを副作用に注意しながら少量より開始する（強い推奨／エビデンスの確実性B〜C）．バルプロ酸は保険適用となっているが，メタアナリシスにより有効性が否定されている．他の薬剤が無効の場合には10mg/kg（血中濃度21〜50μg/mL，500mg/日まで）の低用量で使用する．

処方・治療例

鎮痛薬（頭痛時頓用）

処方A ブルフェン®（イブプロフェン） 頭痛時1回100〜200mg（5〜10mg/kg）1日2回最大600mgまで

処方B カロナール®（アセトアミノフェン） 頭痛時1回200〜500mg（10〜15mg/kg）1回500mg，1日最大1,500mgまで

● 6～12歳

処方C　イミグラン® 点鼻液（スマトリプタン）20mg/0.1mL　頭痛発現時に鼻腔内投与（13～17歳も同量）

処方D　マクサルト®RPD錠（リザトリプタン）10mg　頭痛発現時.＜40kg：1回5mg内服，＞40kg：1回10mg（13～17歳も同量）

● 13～17歳

処方E　イミグラン® 注（スマトリプタン）3mg/1mL　1回3mg，皮下注. 1時間以上空けて追加投与可. 1日2回　最大6mgまで

処方F　イミグラン® 錠（スマトリプタン）50mg　頭痛発現時　1回50mg内服，効果不十分には2時間以上あけて追加投与可

処方G　レルパックス® 錠（エレトリプタン）20mg　頭痛発現時　1回20mg内服

処方H　アマージ® 錠（ナラトリプタン）2.5mg　頭痛発現時　1回2.5mg内服

処方I　ゾーミッグ® 錠（ゾルミトリプタン）2.5mg　頭痛発現時　1回2.5mg内服

処方J　ナイキサン® 錠（ナプロキセン）100mg　頭痛発現時　1回200～300mg（5～7mg/kg）内服，スマトリプタンと併用

予防薬

処方A　トリプタノール® 錠（アミトリプチリン）10mg　5～10mg/日から開始，就寝前. 維持量5～60mg/日（1.5mg/kgまで）. 片頭痛に対しては当該使用事例が審査上認められている

処方B　トピナ® 錠（トピラマート）（適応外）25mg（0.5～2mg/kg）から開始. 維持量25～600mg（＜9mg/kg）

処方C　ミグシス® 錠ロメリジン10mg/日から開始. 維持量10～20mg/日

処方D　インデラル® 錠（プロプラノロール）20～30mg（0.5～1mg/kg）から開始. 維持量30～60mg/日. 気管支喘息には禁忌，リザトリプタンとの併用も禁忌

処方E　デパケン®R（バルプロ酸ナトリウム）片頭痛予防薬として1日～500mg以下（10mg/kg/日）

文　献

1) 片頭痛. "国際頭痛分類 第3版" 日本頭痛学会・国際頭痛分類委員会 訳. 医学書院，pp2-20, 2018
2) 片頭痛. "頭痛の診療ガイドライン 2021" 日本神経学会・日本頭痛学会・日本神経治療学会 監，「頭痛の診療ガイドライン」作成委員会 編. 医学書院，pp87-26, pp57-390, 2021

6. 神経筋疾患

ギラン・バレー症候群

竹中　暁
岡山大学病院　小児神経科

POINT
- ●糖脂質抗体を主とした免疫的機序により，急性発症して進行の早い末梢神経障害である．
- ●急速に進行する四肢筋の弛緩性麻痺や感覚障害が多くみられるが，呼吸筋麻痺，嚥下機能障害，致死的不整脈の出現にも備える．
- ●歩行障害などの後遺症を残す症例があり，積極的に疑って電気生理検査等で診断に努め，発症後早期に血液浄化療法や経静脈的免疫グロブリン療法といった免疫治療を行うことを目指す．

ガイドラインの現況

　ギラン・バレー症候群（Guillain–Barré syndrome：GBS）について，日本神経学会から『ギラン・バレー症候群，フィッシャー症候群診療ガイドライン 2013』が刊行されている．すでに 2003 年の日本神経治療学会・日本神経免疫学会合同による『神経免疫疾患治療ガイドライン』で GBS の治療方針が採り上げられていたが，それに加えて疾患の基本情報や診断方法も盛り込んだ診療ガイドラインとなった．

　一方，欧米では，1978 年（1990 年改訂）米国国立神経疾患・脳卒中研究所より診断基準が，2003 年（2016 年改訂）米国神経学会より免疫治療の指標が各々発表されたのに始まる．その後，2013〜2014 年にフランス領ポリネシアで Zika ウイルス感染症が流行し，それと時期を同じくする GBS のアウトブレイクが報告された．これを機に世界保健機関が，1993 年の診断面重視のものを改めて，2016 年に治療面も包括する診療ガイドラインを公表した．Zika ウイルス感染を契機とした GBS に偏重していることが前書きされているものの，診療方針は日本のガイドラインと概ね合致している．

【本稿のバックグラウンド】日本神経学会から刊行された『ギラン・バレー症候群，フィッシャー症候群診療ガイドライン 2013』を主な参考としている．

どういう疾患・病態か

　GBS は，先行感染を契機に免疫介在性に

急性発症し，単相性の経過をたどる末梢神経障害であり，主に運動神経が侵されて四肢筋力低下，腱反射減弱を呈し，時に呼吸筋まで

障害される．感覚神経や自律神経，脳神経が侵されることもある．急性期血清中から糖脂質抗体がしばしば検出されており，その標的抗原は末梢神経上に分布し，神経症候と密接に関連することがわかってきている．一般に予後良好だが，後遺症例や死亡例もある．

■1 疫　学

GBS はあらゆる年齢層で発症し，日本では厚生省特定疾患免疫性神経疾患調査研究班による疫学調査（1993〜1998 年）の結果，人口 10 万人あたり 1.15 人と報告された．

■2 先行感染

GBS の約 7 割に先行感染が認められ，先行感染の約 6 割が上気道感染で，約 2 割が消化器感染である．病原体は特定できないことが多いが，*Campylobacter jejuni*, *Cytomegalovirus*, *Epstein-Barr virus*, *Mycoplasma pneumoniae*, *Haemophilus influenzae* などが報告されている．感染以外にワクチン接種，外傷，手術なども先行イベントとして報告されている．なお，現行のワクチンで統計学的に有意に相関するといわれるのは狂犬病ワクチンのみである．

■3 症　状

先行感染から 4 週間以内に手足のしびれ感または脱力で発症し，ほぼ左右対称性に筋力低下が日ごとに進行する．下肢から上肢へ上行性に筋力が低下する例が半数を超える．重症例は歩行不能や四肢麻痺となり，さらに呼吸筋麻痺（13%）をきたすこともある．通常，感覚障害は運動障害に比べて軽度で，異常感覚（90% 以上）や痛み（66%）が多い．また腱反射は減弱する（98%）ことが多い．重症例ほど脳神経障害（顔面神経麻痺・球麻痺・眼球運動障害），自律神経障害（起立性

低血圧，高血圧，洞性頻脈，徐脈，神経因性膀胱）を伴う傾向にあり，時に致死的な徐脈性不整脈が生じるため注意を要する．症状は約 7 割が発症後 2 週間以内，遅くとも 4 週間以内に極期に達し，単相性に軽快する．再発は 2〜5% にみられ，発症年齢が若く，軽症例が多い傾向にある．

■4 病　型

病理学的・電気生理学的検討に基づく GBS の病型として，運動・感覚神経の髄鞘障害が主病態の脱髄型（acute inflammatory demyelinating polyneuropathy：AIDP），運動神経の軸索障害型（acute motor axonal neuropathy：AMAN），運動・感覚神経の軸索障害型（acute motor and sensory axonal neuropathy：AMSAN）が挙げられる．ほかにも障害の分布が限局した特殊な亜型が多数あり，外眼筋麻痺・運動失調・腱反射消失を呈する Fisher 症候群，感覚障害の全くみられない純粋運動型，球麻痺症状と頸部および上肢近位の筋力低下を呈する咽頭頸部上腕型などが知られている．

■5 予　後

一般的に予後良好とされ，極期を迎えた後 3〜12 ヵ月で徐々に回復し，補助呼吸を要さなければ，発症 6 ヵ月後に少なくとも支持があれば歩行可能になると期待できる．日本の疫学調査によれば極期に独歩不能な重症例では，症状固定時にも独歩不能な例が 1〜2 割にみられ，また死亡率 1% であった．イランにおける大規模前向き研究でも発症後 6 ヵ月時に独歩不能な患者の割合は 9.5% であり，そのような予後不良を早期に予想させる要因として，極期に支持があっても 5m の歩行ができない重症度，自律神経障害合併，脳神経障害合併，複合筋活動電位の導出不能が挙げ

ギラン・バレー症候群　**365**

られている．病型別には AIDP のほうが呼吸管理を要し，生命予後に関わる自律神経障害を合併することが多く，AMAN のほうがより急速に極期に達し，急速回復例と予後不良例とに二分されるという報告がある．

治療に必要な検査と診断

診断基準には 1990 年の米国国立神経疾患・脳卒中研究所の Asbury, Cornblath らの基準が比較的広く用いられ，筋力低下の重症度は Hughes らの機能グレード尺度（**表1**，以下 FG）で評価される．典型例は病歴と臨床症候から診断可能であり，先行感染の有無を確認し，病原体の同定を試み，診察にて二肢以上の進行性筋力低下，腱反射減弱〜消失，軽度の感覚障害，自律神経障害，脳神経障害を評価する．電気生理検査は多くの例で初期から異常がみられ，診断の感度・特異度ともに高い．糖脂質抗体は診断の特異度が非常に高く診断困難例に有力である．脳脊髄液検査は侵襲が大きく，蛋白細胞解離の所見は初期にみられず感度・特異度とも高くない．細胞数増多があれば他疾患の可能性が高まる点で役立つ．

1 電気生理

正中神経，尺骨神経，脛骨神経，総腓骨神経の運動神経伝導検査，F 波検査，正中神経，腓腹神経の感覚神経伝導検査が有用である．発症数日〜1週間以内の初期評価でも高率に異常を示し，F 波の消失・潜時延長，豊富な A 波出現，複合筋活動電位の振幅低下，伝導ブロック，感覚神経活動電位の sural sparing（abnormal median normal sural：AMNS）などがみられる．前述の AIDP は F 波潜時延長，運動神経伝導速度低下，遠位潜時延長，複合筋活動電位の時間的分散の増

表1 Hughes の機能グレード尺度

FG 0：正常
FG 1：軽微な神経症候を認める
FG 2：歩行器，またはそれに相当する支持なしで5m の歩行が可能
FG 3：歩行器，または支持があれば5m の歩行が可能
FG 4：ベッド上あるいは車椅子に限定（支持があっても5m の歩行が不可能）
FG 5：補助換気を要する
FG 6：死亡

大がいずれも顕著で，AMAN と鑑別される．

2 血清糖脂質抗体

約 50〜60% の症例で急性期血清から糖脂質抗体ないし糖脂質複合体抗体が検出される．標的抗原は末梢神経の細胞膜上の脂質ラフトにあり，その分布と神経症候には密接な相関がみられる．例えば，電気生理検査で AMAN を示す純粋運動型 GBS では，抗 GM1 抗体が最も高頻度に検出されるが，その標的抗原は後根より前根に多く分布し，運動神経ランビエ絞輪軸索膜上に局在すると考えられている．特異度が高く確定診断に有用である．

3 髄液検査

発症後1週間以内では約 20〜30% の症例で脳脊髄液蛋白は正常範囲内である．初回検査正常でも，その後の再検で蛋白細胞解離を認めるときは診断的意義が高い．

4 MRI 検査

脊髄神経根のガドリニウム造影効果の検出は，電気生理検査困難例で考慮される．

以上のような検査をもとに，急性脊髄圧迫・脊髄炎・サルコイドニューロパチー・

critical illness polyneuropathy・重症筋無力症・周期性四肢麻痺などと鑑別する.

治療の実際

GBS の治療は免疫療法と支持療法に大きく分かれる.

1 免疫療法

多施設ランダム対照試験により重症度を軽減し回復を早める効果が実証されているのが血液浄化療法（以下 PE）であり，これと同等の有効性を実証されているのが経静脈的免疫グロブリン療法（以下 IVIg）である．経口・点滴静注によらず単独の副腎皮質ステロイド治療は無効とされる．PE に比べて IVIg のほうが導入しやすく，患者の負担が比較的少ないことから，第一選択とされることが多い．IVIg の禁忌には，①ヒト免疫グロブリン過敏症，②IgA 欠損症，③肝・腎不全，④高血清粘度の症例，⑤深部静脈血栓症既往などがあり，PE の禁忌には，①循環不全状態，②活動性感染症，③出血傾向，④ACE 阻害薬内服中，⑤妊娠などが挙げられる．保険上は，IVIg は，発症 2 週間以内の FG 4 以上の症例や FG 3 の進行性の症例が適応となり，PE は，FG 4 以上の症例に月 7 回まで，3 ヵ月間に限り適応となる．しかし実際には，超急性期の軽症進行例や急性期以降の重症例でも治療が考慮される．免疫療法後も症状改善のない場合や再燃する場合に再施行することも有効と考えられている．一方，発症 8 週間後以降あるいは後遺症に対する免疫療法の適応はない.

近年，補体系を抑制する eculizumab が有望視されている．日本での多施設共同治験において，独歩不能な GBS の患者に IVIg に追加して eculizumab を投与したところ，発症後 6 ヵ月時点で走行可能な症例が IVIg 単独治療群よりも有意に多かったと報告されている.

2 支持療法

a）呼吸障害

GBS の呼吸不全は呼吸筋の筋力低下による換気障害であり，肺活量は人工呼吸管理の適応の優れた指標であり，予測値の 30〜40% 低下，12〜15 mL/kg 以下が目安である．しかし，肺活量は測定できないことも多く，人工呼吸管理の必要性を早期に予測するのに Erasmus GBS Respiratory Insufficiency Score が一考に値する．このスコアリングでは，発症から入院までの日数，入院時の上下肢各三筋群の徒手筋力テストで病勢をはかり，入院時の顔面神経麻痺または球麻痺の有無で誤嚥性肺炎のリスクを評価している.

b）自律神経障害

脈拍数や血圧変動をモニターし，致死的な徐脈性不整脈や医療処置時の急激な血圧低下などに留意する．排尿障害には尿道カテーテル挿入を考慮する.

c）脳神経障害

球麻痺には胃管挿入を考慮する.

d）その他

GBS における疼痛の合併率は 60〜80% と高率であり，ガバペンチンやカルバマゼピンなどで鎮痛をはかる．リハビリテーションや塞栓症予防などにも配慮する.

処 方 例

処方 A　献血ベニロン®-Ⅰ　400 mg/kg/日　点滴静注　5 日間投与

処方 B　単純血漿交換　血漿処理量　40〜50 mL/kg/回　2 週間以内に 2〜5 回（隔日）

ギラン・バレー症候群　367

専門医に紹介するタイミング

症状が急速に進行し，約1〜2割の症例で人工呼吸管理を要し，時に重篤な不整脈を起こすこともあるため，GBS を疑ったら，集中治療管理が可能な医療機関に紹介するのが良い．

専門医からのワンポイントアドバイス

診断に難渋する症例もあり，病勢，自律神経系も含めた全身の神経学的所見，早期診断に有用な電気生理学的検査，確定診断に有用な血清糖脂質抗体検査などを総合的に評価す

る．重篤な不整脈や血圧変動のリスクを考慮に入れながら，人工呼吸管理の機を逸することのないよう備え，免疫療法と支持療法にあたりたい．

———————— 文　献 ————————

1) 日本神経学会：ギラン・バレー症候群　フィッシャー症候群　診療ガイドライン 2013.
2) 免疫性神経疾患．日本臨牀 73（増刊号）：359-399, 2015
3) Hughes RAC et al：Guillain-Barré syndrome. Lancet 366：1653-1666, 2005
4) Shahrizaila N et al：Guillain-Barre syndrome. Lancet 397：1214-1228, 2021

6. 神経筋疾患

重症筋無力症

佐藤敦志

東京大学医学部附属病院 小児科

POINT
- 小児期発症の重症筋無力症（MG）はアジアにおいて高頻度にみられ，その多くは眼筋型である．
- MG の診断に必要な各種試験は必ずしも容易でなく，実施や判定に自信がなければ専門施設へ紹介する．
- 急性期は速やかに症状を最小限まで抑えること，慢性期は免疫抑制薬を適宜使用してステロイドを可能な限り減量することを目指す．

ガイドラインの現況

2014 年の日本神経学会監修ガイドライン，2016 年の国際ガイドラインが主な指針である．各国における保険適用の相違を除くと，診断治療の方針はほぼ同様である．成人対象の新規治療は前版刊行後も開発されており，それを反映して国際ガイドラインは 2020 年に一部改訂されている．小児に関するガイドラインの改訂はないが，2020 年にレビューが発表されており参考になる

【本稿のバックグラウンド】 『重症筋無力症診療ガイドライン』[1]，2016 年公開の国際ガイドライン[2] ならびにこれを一部改訂した 2020 年公開の国際ガイダンス[3]，および小児 MG のレビュー[4] を参考にしている．

どういう疾患・病態か

神経筋接合部のシナプス後膜にある標的蛋白質に対する自己抗体によって，神経筋接合部での刺激伝達が阻害され，筋力低下を呈する．アセチルコリン受容体（AchR），筋特異的チロシンキナーゼ（MuSK）が代表的な標的であるが，従来 seronegative の症例にも LDL 受容体関連蛋白質 4（Lpr4）など自己抗体が検出され，病態への関与が研究されつつある．

a）病 型

①眼筋型，②全身型，③新生児一過性型，に分かれる．日本を含む東アジアでは，5 歳以下で発症する眼筋型が多く，全年齢を通じた患者の 7〜10％を占める．③は MG 母体から血液中の自己抗体が胎児へ移行したもので，出生後に一過性の症状をみる．

b）症 状

眼筋型は眼瞼下垂，斜視，複視で発症し，発症時は片側性のことが多い．発症後 2 年間は症状が眼以外へ進行して全身型と判明する

重症筋無力症 **369**

ことがある．全身型では眼症状に加えて，頸部および四肢近位優位の筋力低下，球症状（嗄声，嚥下障害など），呼吸障害を生じる．運動による易疲労性，午後に増悪する日内変動，睡眠による回復が特徴的とされるが，重症例では休息後の症状改善は乏しい．

c）鑑　別

先天性筋無力症，ミトコンドリア病，脳神経障害，先天性眼瞼下垂などがあり，sero-negative の症例では慎重に鑑別する．

治療に必要な検査と診断

2014 年ガイドラインの診断基準に基づく．**表 1A** の症状を有し，**表 1B** の自己抗体陽性，または**表 1C** 神経筋接合部障害を示す検査所見があり，他疾患を鑑別できるときに MG と診断される．表 1C の検査方法はガイドラインに記載があり，注意を要するものを以下に解説する．

塩酸エドロホニウム（テンシロン）試験：投与前よりモニターを装着し，投与前から投与中の症状を録画すると良い．アンチレクス® を，初回は 0.04 mg/kg（最大 2 mg）投与する．症状の変化をみながら，0.16 mg/kg（最大 8 mg）以内の量を 3 回ほどに分けて追加投与する．終了後，副作用がないことを確認して末梢ラインを抜去する．

反復刺激試験：鼻筋，僧帽筋などで行う．3 Hz で 10 回の刺激を行い，第 1 刺激の複合筋活動電位（CMAP）に対する，最小の CMAP の減衰率＞10％を異常とする．4〜5 発目の CMAP が最小で，以後はやや増加に転じる J 型の記録が，正しい陽性所見である．

病型分類には **MGFA 分類**（**表 2**）を用いる．重症度の評価には MG-ADL scale，QMG score，MG composite scale（ガイドライン参照）を用いる．甲状腺疾患，膠原病

表 1　診断基準 2013

A. 症　状
（1）眼瞼下垂
（2）眼球運動障害
（3）顔面筋力低下
（4）構音障害
（5）嚥下障害
（6）咀嚼障害
（7）頸部筋力低下
（8）四肢筋力低下
（9）呼吸障害
〈補足〉上記症状は易疲労性や日内変動を呈する

B. 病原性自己抗体
（1）アセチルコリン受容体（AChR）抗体陽性
（2）筋特異的受容体型チロシンキナーゼ（MuSK）抗体陽性

C. 神経筋接合部障害
（1）眼瞼の易疲労性試験陽性
（2）アイスパック試験陽性
（3）塩酸エドロホニウム（テンシロン）試験陽性
（4）反復刺激試験陽性
（5）単線維筋電図でジッターの増大

D. 判　定
以下のいずれかの場合，重症筋無力症と診断する
（1）A の 1 つ以上があり，かつ B のいずれかが認められる
（2）A の 1 つ以上があり，かつ C のいずれかが認められ，他の疾患が鑑別できる

（文献 1 を参照して作成）

（SLE など），胸腺腫を合併しうるため，血液検査（甲状腺機能，抗核抗体など），胸部 CT または MRI を実施する．胸腺腫陽性例では赤芽球癆，円形脱毛を合併しやすい．治療開始後は，MGFA postintervention status（ガイドライン参照）を用いて，治療効果を追跡する．

表2 MGFA分類

分 類	症 状
Class I	眼筋筋力低下，閉眼の筋力低下 他のすべての筋力は正常
Class II	眼筋以外の軽度の筋力低下
IIa	主に四肢筋，体幹筋をおかす それよりも軽い口咽頭筋の障害は あってもよい
IIb	主に口咽頭筋，呼吸筋をおかす それよりも軽いか同程度の四肢筋， 体幹筋の筋力低下はあってもよい
Class III	眼筋以外の中等度の筋力低下
IIIa	主に四肢筋，体幹筋をおかす それよりも軽い口咽頭筋の障害は あってもよい
IIIb	主に口咽頭筋，呼吸筋をおかす それよりも軽いか同程度の四肢筋， 体幹筋の筋力低下はあってもよい
Class IV	眼筋以外の高度の筋力低下
IVa	主に四肢筋，体幹筋をおかす それよりも軽い口咽頭筋の障害は あってもよい
IVb	主に口咽頭筋，呼吸筋をおかす それよりも軽いか同程度の四肢筋， 体幹筋の筋力低下はあってもよい
Class V	気管内挿管された状態，人工呼吸器 の有無は問わない 通常の術後管理における挿管は除く 挿管がなく経管栄養のみの場合はIVb とする

（文献1を参照して作成）

治療の実際

成人の治療目標は「経口プレドニゾロン5mg/日以下で，症状がminimal manifestationレベル」に，可及的早期に至ることである．小児では成人より寛解しやすいが，早期の症状消失を目指すのは同じである（図1）.

a）眼筋型

抗コリンエステラーゼ薬（抗コ薬）を開始

して漸増し，症状が消失した用量で継続する．1ヵ月ほど投与して効果不十分であれば，全身型に準じた治療へ速やかに移行する．抗コ薬の効果は大量長期投与で減弱し，中止で改善する．有効例でもいたずらに高用量を続けず，drug holidayを交えるなど工夫する．

年少例では治療と併せて視機能訓練を行うことも重要である．

b）全身型

入院のうえ，症状と重症度に応じて初期治療を選択する．

1 急性期

a）内服ステロイド

プレドニゾロン1mg/kg/隔日から開始し，2〜3mg/kg/隔日まで漸増する．初期増悪（ステロイドの投与開始後早期に，一過性にMG症状が増悪する現象）を避けるためとされる．重症度が高い，または球症状を呈する症例は，初期増悪のリスクが高い．内服ステロイドによる症状改善には数ヵ月以上を要するため，効果発現がより早い以下の治療法を併用する．

b）免疫グロブリン（IVIg）

クリーゼを含め中等度以上の症例に対して，急性期における治療効果がある．血漿交換よりは若干劣る可能性はあるが，実施が容易で有害事象が軽微であり，特に年少例では優先的に考慮される．長期効果に関するエビデンスはない．献血ヴェノグロブリン®IHが保険適用を有し，400mg/kg/日を5日間投与する．

c）ステロイドパルス療法

MGに対する保険適用はないが，早期の症状改善効果はRCTによって示されている．投与開始翌日から5日後までは初期増悪のリスクがあり，初発の全身型に対する初期治療

重症筋無力症　371

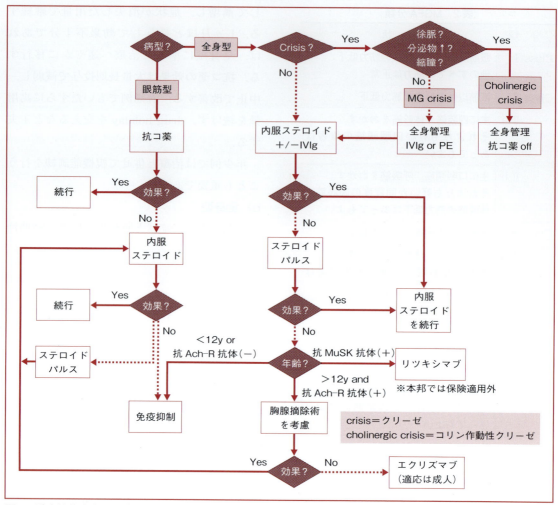

図1 重症筋無力症の治療法フロー （文献1, 2を参照して作成）

としては勧められていない．

d) リツキシマブ（RTX）

抗MuSK抗体陽性の全身型MGはRTXが奏効しやすく，治療早期より投与の検討が勧められる（本邦では保険適用外）．詳細はガイドラインを参照．

e) 血液浄化療法

クリーゼ，胸腺摘除術前などに考慮される．効果は24時間〜数日以内に現れるが持続しない．詳細はガイドラインを参照．

2 慢性期

a) 内服ステロイド

高用量投与による副作用を考慮し，隔日投与や早期漸減・少量維持が推奨される．減量方法はガイドラインを参照．

b) 免疫抑制薬

シクロスポリン，タクロリムスが保険適用を有し，効果も同等である．保険適用外の薬剤では，アザチオプリン，ミコフェノール酸モフェチル，シクロホスファミドが使用されうる．ステロイド治療に対する難治例が対象

とされるが，実際には罹病期間が短いほど有効性が高い．ステロイドの減量目的でも併用される．用量はガイドラインを参照．

c）胸腺摘除

胸腺腫陽性例は，原則として胸腺摘除が勧められる．胸腺腫陰性例における胸腺摘除は，抗 AChR 抗体陽性の成人全身型 MG 患者において有効性が示されており，小児においても有効と考えられる[4]．他の全身型 MG では，胸腺摘除は有効性を示すエビデンスがなく推奨されない．

眼筋型 MG に対する胸腺摘除のエビデンスは乏しいが，免疫抑制薬が奏効しない症例や，副作用のため継続困難な症例では考慮される．

d）エクリズマブ

エクリズマブは補体 C5 に対するモノクローナル抗体である．抗 AChR 抗体陽性の全身型 MG において，胸腺摘除を含む各種治療が奏効しない成人症例に対して保険適用を有する．本剤は非典型的溶血性尿毒症症候群の治療薬として小児適用を有し，用法用量も設定されている．使用上の注意は添付文書参照．

e）エフガルチギモド

MG の病態に関与する自己抗体は主に IgG である．体内で IgG は FcRn に結合してリサイクルされるが，エフガルチギモドは IgG と競合して FcRn へ結合し，IgG のリサイクルを阻害する．その結果，自己抗体を含む IgG の分解が促進されて MG の治療効果が発揮されると考えられる．本剤は自己抗体の有無によらず，ステロイドを含む免疫抑制薬が奏効しない成人の全身型 MG に有効である[5]．使用上の注意は添付文書参照．

3 急性増悪（クリーゼ）

MG 患者が急性増悪し，呼吸困難をきたした状態をさす．呼吸管理をしつつ，IVIg または血漿交換によって早期改善をはかり，免疫療法を再検討する．抗コ薬は使用せず，気管切開は増悪の誘因となるため極力避ける．

コリン作動性クリーゼ：抗コ薬の過剰投与によって生じる．呼吸管理をしつつ抗コ薬の中止，硫酸アトロピンの投与などを行う．

MG 増悪の誘因は感染が多く，過労，ストレス，手術，薬剤などがある．小児科領域で使われる薬剤では，アミノグリコシドおよびマクロライド系抗生物質，ベンゾジアゼピン系，バルビツール酸などが MG を増悪させる可能性があり，注意を要する．

処 方 例

抗コリンエステラーゼ阻害薬

処方 A　メスチノン®　0.5～1mg/kg　分3

処方 B　マイテラーゼ®　0.2～0.3mg/kg　分 2

副腎皮質ステロイド

処方　プレドニゾロン　1mg/kg/隔日　初期増悪に備えて入院にて開始する．

専門医に紹介するタイミング

・診断検査に不慣れであれば，眼筋型でも専門医療施設への診断検査を依頼する．

・眼筋型で初期治療に反応しないときは，専門医療施設へ紹介する．

・全身型が疑われるときは，速やかに専門医療施設へ紹介する必要がある．

専門医からのワンポイントアドバイス

　小児，特に年少児では自己抗体陰性の眼筋型が多い．診断検査（塩酸エドロホニウム試験，反復刺激試験）には慣れを要する．自然寛解することも長期間の治療を要することもあり，視機能維持，内服ステロイドの副作用低減など，長期的視野に立った治療計画をもつ必要がある．

文　献

1) 「重症筋無力症診療ガイドライン」作成委員会 編：重症筋無力症診療ガイドライン 2014.
2) Sanders DB et al：International consensus guidance for management of myasthenia gravis：Executive summary. Neurology 87：419-425, 2016
3) Narayanaswami P et al：International Consensus Guidance for Management of Myasthenia Gravis：2020 Update. Neurology 96：114-122, 2021
4) O'Connell K et al：Management of juvenile myasthenia gravis. Front Neurol 11：743, 2020
5) Howard JF Jr et al：Safety, efficacy, and tolerability of efgartigimod in patients with generalised myasthenia gravis（ADAPT）：a multicentre, randomised, placebo-controlled, phase 3 trial. Lancet Neurol 20：526-536, 2021

6. 神経筋疾患

脊髄性筋萎縮症

星野英紀
ほしの ひでき
帝京大学医学部 小児科

POINT
- 脊髄性筋萎縮症は *SMN1* 遺伝子の欠失・変異を原因として脊髄前角細胞病変によって生じる進行性の筋萎縮症で，下位運動ニューロン障害により近位筋優位の筋力低下と神経原性筋萎縮をきたす疾患である．
- 近年，複数の遺伝子治療が実用化されたため，疾患の早期発見，早期治療の重要性が増している．
- 基本的には進行性の疾患であるため，病状に応じた呼吸ケア，リハビリテーション，整形外科的処置が重要である．

ガイドラインの現況

脊髄性筋萎縮症（spinal muscular atrophy：SMA）は稀少難病であり，本邦ではこれまで Minds に準拠した包括的なガイドラインは存在しない．神経筋疾患・脊髄損傷の呼吸リハビリテーションガイドラインでは，早期からの呼吸理学療法の有用性が推奨されている（grade B）．欧米では 2017 年に診断，リハビリ，栄養，整形外科対応，呼吸理学療法から生命倫理に至るまで，標準ケアの詳細なガイドラインが発表されている[1,2]．本邦でも 2017 年よりヌシネルセン髄注療法が保険適用となったのを皮切りに，2020 年にオナセムノゲン アベパルボベク点滴療法，2021 年に初の内服治療薬であるリスジプラムが承認され，実用化されている．診断から治療，リハビリテーション，日常ケアにわたる包括的なガイドライン作成が待望されている．

【本稿のバックグラウンド】 SMA 診療マニュアル編集委員会 編『脊髄性筋萎縮症診療マニュアル』および文献[1]，文献[2] に示した海外の SMA 標準ケアガイドライン，本邦の神経筋疾患呼吸リハビリテーションガイドラインを参考にしている．

どういう疾患・病態か

SMA は脊髄前角細胞の病変によって生じる筋萎縮症であり，下位運動ニューロン障害により，体幹・四肢の近位筋優位の筋力低下と神経原性筋萎縮を示す疾患である．発症年齢と最高到達運動機能により，Ⅰ型（Werdnig-Hoffmann 病：生涯坐位保持不能），Ⅱ型（Dubowitz 病：生涯立位不能），Ⅲ型（Kugelberg-Welander 病：独歩獲得），Ⅳ型（成人期発症）に分類される．

小児期発症の SMA は，第 5 染色体長腕

脊髄性筋萎縮症　**375**

5q13 に存在する *SMN1*（survival motor neuron 1）遺伝子の欠失もしくは変異により生じる常染色体劣性遺伝性疾患である．アジア人で最も高率の 2.4％ がキャリアであると推定されている．本邦における SMA 患者数は 1,000〜2,000 人と推定されている．*SMN* 遺伝子は RNA スプライシングに関与しており，産生される *SMN* 蛋白は細胞骨格制御，運動ニューロンの軸索輸送，低分子リボ核蛋白質の生合成などに関与する．小児期発症の SMA の原因遺伝子は *SMN1* 遺伝子であり，この遺伝子の存在する同領域には向反性に重複した配列の *SMN2* 遺伝子も存在する．*SMN* 遺伝子の異常により脊髄全域の前角細胞と脳神経核（三叉神経，顔面神経，舌下神経）の変性による筋萎縮を呈する．

最重症である I 型では，生後 6 ヵ月までに発症し，典型的には frog-leg 肢位を呈するフロッピーインファントで，舌の線維束性攣縮が認められる．筋力低下の進行に伴い，呼吸に合わせて胸部ではなく腹部が挙上する奇異性呼吸が明らかとなり，徐々に哺乳困難，嚥下困難，呼吸不全が増悪する．誤嚥性肺炎のリスクも高く，人工呼吸器を用いない場合は 95％ が 18 ヵ月までに死亡するといわれており，遺伝子治療の実用化以前は長期生存のためには多くの例で気管内挿管や気管切開と人工呼吸管理が必要となっていた．近年では，I 型は亜分類において，その発症年齢と重症度によって重症の Ia 型と軽症の Ib 型に分けられ，その差異は *SMN2* 遺伝子のコピー数が異なることなどに起因すると考えられている．II 型は 1 歳 6 ヵ月までに発症し，坐位保持は可能であるが，生涯歩行は獲得しない．坐位までの運動発達を認めた後に運動発達が停滞し，徐々に関節拘縮と側彎が認められるようになる．舌の線維束性攣縮や手指振戦がみられる．III 型は 1 歳 6 ヵ月以降に発症し，自立歩行獲得後，転びやすい，歩けないなどの症状が緩徐に進行する．臨床像としては，小児期から歩行障害をきたして車椅子が必要な症例から成人期にわたって歩行可能な症例まで幅広い．

治療に必要な検査と診断

SMA が疑われる場合，現在では遺伝学的検査が最も広く行われている非侵襲的な診断方法である．臨床症状や経過から SMA の可能性がある場合には，筋電図や筋生検などの侵襲的な検査より優先して実施することが可能となっている．末梢血リンパ球から DNA を抽出し，*SMN1* 遺伝子の欠失の有無を確認することにより診断する．通常，MLPA（multiplex ligation-dependent probe amplification）法により *SMN1* および *SMN2* 遺伝子のコピー数解析が行われる．I 型，II 型では 95％ 以上，III 型では 40〜50％ に *SMN1* 遺伝子のエクソン 7，8 の両者またはエクソン 7 のみの欠失を認める．*SMN1* 遺伝子が 0 コピーの場合はホモ接合性欠失による SMA と診断されるが，*SMN1* 遺伝子が 1 コピーの場合は，欠失と点変異との複合ヘテロ接合体の可能性があり，塩基配列解析が必要となる．*SMN1* 遺伝子の機能喪失型変異による SMA の重症度を規定する最も大きな要因は *SMN2* 遺伝子コピー数である．通常，type1 では 2 コピー，type2 および 3a（3 歳未満発症）は 3 コピー，type3b（3 歳以降に発症）は 4 コピー，type4 では 4〜6 コピーであることが多い．

診断のための検査に際しては遺伝カウンセリングをしっかりと施行し，本人および家族の心理サポートを行うことが重要である．

治療の実際

1 治療薬

SMA には長年根本的な治療は存在せず，運動リハビリテーション，呼吸ケアなどの対症療法が主体であった．2016 年に米国食品医薬品局（Food and Drug Administration：FDA）がアンチセンスオリゴヌクレオチドであるヌシネルセン（SPINRAZA®）を初めて認可し，本邦でも 2017 年 7 月に SMA Ⅰ型に対し，同 9 月にはⅡ型，Ⅲ型に対しても承認された．

ヌシネルセンは標的 RNA と結合して *SMN2* のスプライシングが変化し，機能的に SMN 蛋白質の量を増やすことで運動ニューロンの変性が抑制されて効果が発現する．定期的に髄腔内注射することで症状の進行が抑制され，効果が示されている．治療的な介入効果を経時的に捉える方法として，特に運動機能評価スケールとして，Expanded Hammersmith Functional Motor Scale（HFMSE）が一般的に用いられる[3]が，特にⅠ型 SMA 患者に対するスケールとしては，Children's Hospital of Philadelphia Infant Test of Neuromuscular Disorders（CHOP INTEND）も用いられている．

2020 年には，アデノ随伴ウイルス（AAV）をベクターとして *SMN1* 遺伝子を組込んだ遺伝子治療薬であるオナセムノゲン アベパルボベクが承認され保険収載された．本剤は点滴静注薬であり，1 回の投与で長期にわたって効果を発揮するように設計されている．適応が 2 歳未満に限定されていることから，診断確定後早期に行うことで生命予後と運動機能の改善が期待できる．しかし，本剤投与による副作用として肝機能障害はほぼ必発であり，発熱，血小板減少症，より重篤な副作用である血栓性微小血管症が報告されて

いる．そのため，治療開始 24 時間前よりプレドニゾロンの服用を行い，投与後も最低 1〜2 ヵ月間の内服を行うとともに，週 1 回の血液検査（肝機能，血小板，心筋トロポニンⅠ）が必要である．本薬剤は遺伝子組換えウイルスを利用した治療薬のため，投与後 24 時間はカルタヘナ議定書に基づき制定された「遺伝子組換え生物等の使用等の規制による生物の多様性の確保に関する法律（カルタヘナ法）」に基づいた管理が必要である．

さらに 2021 年，SMN2 スプライシング修飾薬としては初の経口内服薬であるリスジプラムが承認された．本剤もヌシネルセン同様，*SMN2*pre-mRNA の選択的スプライシングを修飾してエクソン 7 を含んだ完全長 mRNA へと産生をシフトさせることにより機能性 SMN 蛋白質の産生量を増加させる．髄腔内投与の侵襲性および側彎などでヌシネルセンの投与自体が手技的に難しかった患者にも投与可能となった．

2 リハビリテーション

SMA では日常的な理学療法（physical therapy：PT）などの積極的なリハビリテーションが臨床症状の進行に良い影響を与えることが報告されている[4]．坐位，歩行可能な症例を対象とした最近の研究では，関節拘縮や急激な側彎，体重増加がなければ，1 年以上にわたって機能的には大きく変化しないことがわかっている．装具や運動の効果も報告されている．坐位がとれない患者でも，姿勢の安定化を目的とした胸郭装具の使用や，坐位保持装具の使用が推奨されている．関節拘縮や廃用性の骨量減少からの易骨折性が問題になることがあり，痛みへの対処や，ビタミン D の補充を考慮する必要がある．

3 整形外科的対応

　Ⅰ型およびⅡ型SMA患者の60〜90％で，早期より側彎がみられる．低緊張に由来した脊椎の変形は小児期を通して進行し，程度の差こそあれ，胸郭の亀背も多くの患者でみられるため，定期的な評価が必要である．20°を超える側彎にならないように，骨格系が完成するまでは6ヵ月ごとに，骨格系が完成した後は1年ごとにX線検査で評価を行うことが望ましい．胸郭装具については，硬性の装具と軟性の装具のどちらを用いるべきかについては議論がある．骨格の装具は坐位姿勢の維持や呼吸機能の維持のための保存的治療であるが，外科治療に関しては，Cobb角が50°を超える高度の側彎や，1年に10°以上の急速な進行例に対して考慮する．高度の亀背，呼吸機能の低下，肋骨の変形，運動機能への悪影響などでも考慮される．一般的に，脊椎の変形に対する外科的治療は，4歳になるまでは待つべきであるとされている．

4 呼吸ケア

　特にSMAⅠ型では早期から呼吸筋の萎縮を認めるため，呼吸器感染により気道分泌物の増多や呼吸困難から呼吸不全を呈しやすい．気道分泌物の吸引と酸素投与を行い，誤嚥予防に経管栄養の導入を検討する．急性呼吸不全では気管内挿管による人工呼吸を考慮するが，抜管困難になる可能性もあり，長期的な呼吸補助デバイスの装着の希望について患者本人・家族と事前に話し合いをしておくことが望ましい．慢性呼吸不全が進行すると呼吸筋疲労が問題となり，非侵襲的陽圧換気療法（non-invasive positive pressure ventilation：NPPV）や気管切開の適応について考慮する．SMAⅠ型では，長期生存のためには気管切開後の人工呼吸装着が必要となり，濃厚な医療的ケアが必要となる．

処方・治療例

ヌシネルセンナトリウム（商品名：スピンラザ®）

　乳児型SMAでは体重に応じた規定量を1〜3分かけて髄腔内投与し，初回投与後，2週，4週および9週，以降4ヵ月の間隔で投与する．乳児型以外のSMAでは，同量を初回投与後，4週および12週に投与し，以降6ヵ月間隔で投与を行う．

オナセムノゲン アベパルボベク（商品名：ゾルゲンスマ®）

　2歳未満のSMA患者（臨床所見は発現していないが，遺伝子検査によりSMAと診断された患者を含む）で，抗AAV9抗体陰性患者に限り，体重2.6kg以上の患者に対し，1.1×10^{14}ベクターゲノム（vg）/kgを60分かけて静脈内に単回投与する．肝機能障害の発現予防のため，薬剤投与24時間前にプレドニゾロン1mg/kg/日を内服し，以後，投与後30日間はプレドニゾロンを1mg/kg/日で継続する．

専門医に紹介するタイミング

　乳児型では，乳幼児健診などで筋力低下，フロッピーインファント，運動退行などの症状がみられた場合は，呼吸障害や嚥下障害が進行しないうちに早急に専門医に紹介する．本疾患では，治療薬が存在すること，早期の診断からリハビリテーション・合併症の管理に至るまでトータルケアが重要であることからも，早めに専門医に相談することが望ましい．

専門医からのワンポイントアドバイス

　SMA に対する画期的な治療薬が創薬され，長らく不治の病とされていた筋疾患の根本的治療に光明が見えてきた．最も大事なことは疾患の早期発見であり，乳幼児健診を含め，一般小児科医が担うべき役割は大きい．本疾患についての知識を深め，専門医への紹介を遅滞なく行うことが患者の生命予後・機能予後の改善に重要であることを改めて強調したい．

文　献

1) Mercuri E et al：Diagnosis and management of spinal muscular atrophy：Part 1：Recommendations for diagnosis, rehabilitation, orthopedic and nutritional care. Neuromuscul Disord 28：103-115, 2018

2) Finkel R et al：Diagnosis and management of spinal muscular atrophy：Part 2：Pulmonary and acute care；medications, supplements and immunizations；other organ systems；and ethics. Neuromuscul Disord 28：197-207, 2018

3) O'Hagen JM et al：An expanded version of the Hammersmith Functional Motor Scale for SMA Ⅱ and Ⅲ patients. Neuromuscl Disord 17：693-697, 2007

4) Montes J et al：Single-blind, randomized, controlled clinical trial of exercise in ambulatory spinal muscular atrophy：why are the results negative? J Neuromuscul Dis 2：463-470, 2015

6. 神経筋疾患

筋ジストロフィー

下田木の実
東京大学医学部 小児科

POINT

●早期に診断し，早期に予防・治療することにより，予後が改善してきている．

＊予　防：呼吸循環機能の評価

①診断時から定期的に評価，②NPPV 導入時期の検討，③心保護療法開始時期の検討，④側彎の評価と治療

●現在保険適用になっているエクソン・スキッピングによる治療の対象は限定的であるが，様々な新しい治療が開発されているので，必ず専門医に相談することが大切である．

ガイドラインの現況

　筋ジストロフィーには，様々なタイプがあるが，その中でデュシェンヌ型筋ジストロフィー（Duchenne muscular dystrophy：DMD），福山型先天性筋ジストロフィーが小児では多い．ここでは，頻度が一番高く，重篤な経過をとる DMD について記載する．DMD は筋力低下のほか，心不全，呼吸不全，側彎も合併するため，リハビリテーション，呼吸不全に対する非侵的襲的陽圧換気療法（noninvasive positive pressure ventilation：NPPV）導入，心不全・側彎に対する予防・治療が必要である（2014 年 DMD 診療ガイドライン．その他，2014 年 NPPV ガイドライン，2014 年神経筋疾患・脊髄損傷の呼吸リハビリテーションガイドラインにも記載）．また，2013 年にDMD にステロイド療法が保険適用となり，歩行期間の延長のみならず，NPPV の導入時期を遅らせる効果や，側彎の進行抑制に関するエビデンスが蓄積されてきている．2014 年 DMD 診療ガイドラインが発刊され，ステロイド治療が普及してきているが，2020 年にエクソン・スキッピング治療が保険適用となった（ガイドラインにはまだ記載されていないが）．

【本稿のバックグラウンド】　2014 年の DMD 診療ガイドライン，NPPV ガイドラインを参考にしているが，検査，治療について，ガイドラインにまだ記載がないが保険適用になっているものを含めて最近の総説論文を参考にして追記した．また，予防接種については，小児科学会のホームページを参考にした．

どういう疾患・病態か

　筋ジストロフィーは，骨格筋の壊死・再生を主体とする進行性の遺伝性筋疾患であり，最近は遺伝子変異により細かい分類がなされている．DMDは，X連鎖劣性遺伝で原則男児に発症する．稀にTurner症候群や相互転座（X染色体と常染色体）などの染色体異常で女児にも発症する．また，女性保因者でも症状（筋力低下，拡張型心筋症）を示すものがある．X染色体短腕（Xp 21）上にあるジストロフィン遺伝子変異により，筋細胞膜が不安定になり筋繊維が変性し，筋力低下を呈する．3〜5歳頃より転びやすく，走るのが遅いことから気付かれる．運動機能は，5歳をピークに症状が進行し，登攀性起立（Gowers徴候）・腓腹筋の仮性肥大が認められる．5〜10歳の間に歩行障害が進行し，動揺性歩行となり，12歳までには車椅子が必要となる．10歳以降より脊椎の変形，呼吸筋の低下，心筋症が出現する．呼吸不全と拡張型心筋症による心不全が生命予後を左右するが，人工呼吸器の普及，心不全の予防などにより，生命予後は30歳を超えるようになってきた．また，DMD患者の1/3は精神遅滞を合併し，平均IQは80〜90であり，発達障害の合併率も高い．

治療に必要な検査と診断

　血液検査では，CKが正常値の数倍や数十倍に上昇し，AST，ALT，LDH，アルドラーゼも上昇する．DMDの診断には，MLPA法（Multiplex ligation-dependent probe amplification）により，エクソン単位の欠失・重複変異が検出可能（2006年より保険適用）であるが，DMD患者の30％（点変異などの微少変異）は，MLPA法では検出できない．

MLPA法で診断できない場合はジストロフィン遺伝子のシークエンス（かずさDNA研究所に依頼，保険適用）をし，それでも診断できない場合は，筋生検でジストロフィン欠損を蛋白質レベルで証明する．ただし，遺伝子診断を行う際は，遺伝カウンセリングを実施することが重要である．確定診断後，現状評価のために，検査が必要である．また，症状がない場合でも，心機能（①診断時または6歳までに心電図・心エコーを1回，②10歳までは2年に1回，③10歳以降は年1回）・呼吸機能検査〔①歩行可能時期；肺活量（vital capacity：VC）年1回，②歩行能喪失後；VC，覚醒時の酸素飽和度，咳のピークフロー（cough peak flow：CPF）年1回〕を定期的に施行．胸部X線は，心拡大，側彎，気胸評価のために年1回程度施行．注意すべきことは，DMDの場合，一般的な心不全とは異なるため，脳性ナトリウム利尿ペプチド（brain natriuretic peptide：BNP）が正常であっても，心機能障害は否定してはならない．症状が進行した場合，腎機能評価は筋量が低下するため，血清シスタチンCを測定する．また，診断がついた場合は，患者登録サイトRemudyに登録をすることを推奨する．（サイト：http://www.remudy.jp/）

治療の実際

■1 リハビリテーション

　幼少期に足関節の背屈制限が生じてくるので，比較的早期に関節可能域確保のためリハビリテーションを開始することが大切である．骨格筋の脆弱性があるために，過用による筋のダメージを避ける配慮が必要であるが，一方で運動量が少ないことによる廃用の影響も考慮する必要がある．小児の場合は，

自主的に行う運動については制限は原則ないが，無理強いさせるような運動や瞬発的に力が加わる運動は控える．また，歩行能喪失と同時期に側彎症が発症することが多く，側彎症は QOL・ADL の低下のみではなく，呼吸機能のみでなく多臓器にも悪影響を与えるので，装具・リハビリテーションで側彎進行の予防をすることが大切である．また，側彎が進行した場合，手術も考慮する．

2 心筋障害治療

DMD では，拡張型心筋症は必発であり，最大の死因は心不全である．心筋障害の進行を遅らせるための早期治療が推奨されている．左室収縮能低下は，10 歳代で始まることが多いが，6 歳未満の症例もある．心エコーにて左室駆出率＜55％，または局所的左室壁運動異常を認めたときに治療開始するのが一般的であるが，予防的に開始することも推奨されてきている．早期発見のためには，潜在的な心筋障害の診断に有用な myocardial perfomance index（MPI）と，局所心筋障害を評価する心筋ストレインエコー法がある．治療は心筋リモデリング予防効果がある angiotensin converting enzyme（ACE）阻害薬が第一選択であるが，空咳などの副作用があるときは，angiotensin converting II 受容体拮抗薬（ARB）も考慮してもよい．また，β 遮断薬併用の有用性も報告されている．BNP は経時的な心機能評価には有用である．

3 呼吸ケア

気管切開などを回避するため，肺・胸郭の弾力性を維持し，気道のクリアランスを保ち，肺炎・無気肺などを予防することが大切である．筋力低下に伴い排痰困難となるため，補液による水分補給と去痰薬投与，ネブライザー吸入，喀痰吸引，体位ドレナージ，徒手により咳介助を積極的に施行していくことが大切である．％VC が 40％以下の場合，CPF 270L/分以下（12 歳以上），または呼吸器感染が頻回である場合は，徒手による咳介助を導入する．徒手のみで気道のクリアランスが保てない場合は，徒手介助併用の機械による咳介助（mechanically insufflation-exsufflation：MI-E）の陽圧を利用する．朝の頭痛，目覚めが悪いなど低換気の症状があるときは，睡眠時・覚醒時の酸素飽和度・炭酸ガス分圧の評価を行い，ある一定の基準（％VC 低下，覚醒時・睡眠時の SpO2 低下や高炭酸ガス血症，AHI 10/時間以上ある場合など．詳細はガイドライン参照）の条件を満たすならば，非侵襲的陽圧換気療法（noninvasive positive pressure ventilation：NPPV）を行うことが推奨されている．夜間の NPPV から開始し，自覚症状がなくても体重増加不良や酸素飽和度低下・炭酸ガス分圧上昇があれば，昼間を含めた長期 NPPV も考慮する．酸素投与は，CO_2 ナルコーシスを惹起する可能性があるため注意が必要である．また，％VC が 40％以下の場合，肺や胸郭の可動性と咽頭や喉頭の機能の総合的な指標である最大強制吸気量（maximum insufflation capacity：MIC）を評価することは大切である．咽頭・喉頭機能の著明な低下により気道が確保できないときは，NPPV は使用すべきではない．

4 ステロイド療法

DMD に対するステロイド療法は，進行予防に効果があり，2013 年より保険適用になった．開始時期は，運動機能が発達している段階ではなく，運動機能の発達が止まった時期・低下し始めた時期には，開始することが推奨される．2 歳以下の投与開始は勧められ

ない．生ワクチンを済ませてから開始するのがよい（6歳頃）．有効性のエビデンスが最も高い投与方法は，プレドニゾロン0.75mg/kg　連日投与（朝　分1　極量30mg）である．隔日投与よりも連日投与のほうが，より効果的である．副作用（体重増加など）で減量する場合は，0.3mg/kg連日投与方法もある．歩行可能期間の延長，側彎進行の抑制・心肺機能の温存に効果があるという報告がある．ただし，本邦ではプレドニゾロン0.5mg/kg　隔日投与や10日服薬20日休薬が多いので，日本人に合った量の調整が必要と考えられる．歩行能喪失後にも有用であるという報告もあるために，米国のDMD Care Consideration Working Groupは，プレドニゾロン0.3〜0.6mg/kg連日を推奨しているが，投与継続する場合は，必ず患者および家族に説明し，同意を得て，副作用に注意して投与する．

　＊ワクチン接種：感染による心臓・呼吸の急性増悪の予防のために，ワクチン接種は大切である．また，ステロイド内服する場合は，ワクチン接種に注意が必要である．プレドニゾロンとして2mg/kg/日以上，あるいは，体重10kgを超える患者では，20mg/日以上を内服している場合は，生ワクチン，不活化ワクチンは控えることが推奨されている（日本小児科学会）．免疫抑制状態の場合も同様である．また，水痘と麻疹・風疹のワクチンは，ステロイド導入までには済ませておくことが推奨される．

処 方 例

処方例1（筋力低下に対して）

●プレドニゾロン（商品名：プレドニン®，プレドニゾロン）

・0.75mg/kg/日/連日　朝　分1　極量30mg

副作用をモニターする．体重増加などの副作用があるならば，減量（0.5mg/kg/日→0.3mg/kg/日と適宜漸減する）

または，

・0.5〜1mg/kg/日　隔日　朝　分1　極量30mg

副作用は少ないが，連日投与のほうが効果ありとの報告ある．副作用を減らす目的で10日投与20日休薬，週末高用量投与などの方法もある．

● **ステロイド潰瘍の予防薬**

H₂ブロッカー（商品名：ガスター®）などを併用する．

● **エクソン・スキッピング治療（短縮型ジストロフィン蛋白発現を誘導）**

ビルトラルセン（商品名：ビルテプソ®点滴静注250mg）80mg/kg/日　週1回，1時間かけて点滴静注

ただし，この治療法は条件付の承認であり，現在，心筋への効果は期待できない．腎機能に注意する．

処方例2（心機能低下・予防）

● **エナラプリル（ACE阻害薬）（商品名：レニベース®）**

低用量より開始（常用量の1/8ないし1/2）．

　＊小児では，高血圧症には適応になっているが，慢性心不全の臨床試験は行われてない．

● **カンデサルタン（ARB）（商品名：ブロプレス®）**

　＊空咳などの副作用があり，ACE阻害薬が使いにくい場合，ARBを変更．

＊小児では，ARB の慢性心不全の臨床試験は行われていない.

●カルベジロール（β遮断薬）（商品名：アーチスト®）

低用量から開始.

＊開始時は，必ず循環器の専門医と連携する.

＊小児に対する安全性は確立してない.

専門医に紹介するタイミング

筋力低下，歩容異常，CK 上昇（症状がなくても）など，本疾患が疑われた時点で専門医に紹介し，早期診断し，ステロイド内服やエクソン・スキッピング治療による進行抑制や合併症に対しての早期介入をすることが大切である.

専門医からのワンポイントアドバイス

DMD に対する新しい治療が開発されてきている. 早期診断していかに進行を遅らせられるかが予後に影響を与える. ステロイド治療が合併症の進行抑制に有用であるため，早期診断し，各専門医の下で適切な時期に適切なケア・治療することが大切である. また，心筋障害は，骨格筋障害の程度とは相関しないため注意が必要である.

───── 文　献 ─────

1）日本神経学会 他監修：デュシェンヌ型筋ジストロフィー診療ガイドライン作成委員会 編：デュシェンヌ型筋ジストロフィー診療ガイドライン. 南江堂，2014
2）Bushby K et al：Diagnosis and management of Duchenne muscular dystrophy, part 1：implementation of multidisciplinary care. Lancet Neurol 9：77-93, 2010
3）Bushby K et al：Diagnosis and management of Duchenne muscular dystrophy, part 2：implementation of multidisciplinary care. Lancet Neurol 9：177-189, 2010
4）竹内芙実 他：Duchenne 型筋ジストロフィーのステロイド治療 update. 脳と発達 47：266-271，2015
5）橋本泰昌 他：Duchenne 型筋ジストロフィーのエクソン・スキップ治療. 神経治療 38：270-273，2021

6. 神経筋疾患

ミトコンドリア病

後藤雄一

国立精神・神経医療研究センター メディカル・ゲノムセンター / 国立精神・神経医療研究センター 神経研究所 疾病研究第二部

POINT
- ●ミトコンドリア病は症状が多彩であり，小児においても内科系以外の診療科が関わることが多い．
- ●原因として核 DNA 上の 200 以上の原因遺伝子とミトコンドリア DNA の質的・量的異常が知られている．確定診断には遺伝学的検査の重要性が増しているが，その病因性を裏付ける生化学や病理学的所見も重要である．
- ●治療は種々の臓器症状に対する対症療法が中心である．原因に対する治療法の一つとして，MELAS に対するタウリン大量治療が保険適用された．

ガイドラインの現況

ミトコンドリア病は，その臓器症状の多様性，200 以上の病因遺伝子の多様性などから，世界標準の診断基準や重症度分類は未だできていない．また，中枢神経症状（脳卒中，てんかん，運動発達遅延，認知症など），筋症状（筋力低下），心症状（心筋症，心伝導障害など），眼症状（夜盲，外眼筋麻痺など），耳症状（感音性難聴），膵症状（糖尿病）などの比較的頻度の高い臓器症状と稀な臓器症状があり，その組合わせや重症度が異なるために，実に多彩な臨床像を呈し，病型分類も複雑にならざるを得ない[1]．欧米のミトコンドリア病研究者グループは，エビデンスレベルの高い Minds 方式の診療ガイドラインではなく，専門家が支持する標準的患者対処法（ベストプラクティス）をまとめたマニュアルを作成し，適宜更新している[2]．わが国においては，ミトコンドリア学会が『ミトコンドリア病診療マニュアル 2017』を刊行しており[3]，厚生労働省難病研究班，AMED 研究班が，合同で改訂版の作成に当たっている．

【本稿のバックグラウンド】 ミトコンドリア学会が 2016 年 12 月に発行した『ミトコンドリア病診療マニュアル 2017』を基本に，その後の保険適用された薬剤等の新しい情報を記載している．2022 年度中に改訂版が発行される予定である．

どういう疾患・病態か

ミトコンドリア病は，ミトコンドリアの機能低下を本態とする病気の総称である．ミトコンドリアは，エネルギー産生の主体であるため，その機能低下とはエネルギー代謝障害，すなわち ATP 産生低下であると考えられている．細胞内のミトコンドリア機能異常

ミトコンドリア病　**385**

は，その細胞の活動低下や細胞死として表現される．しかしその細胞レベルの障害が臨床症状として出現するには，組織・臓器レベルの障害となる必要があり，その因果関係を証明することが困難な場合もある．エネルギー依存度の高い細胞を多く有する組織，臓器が障害を受けやすいことは想像に難くなく，実際に，中枢神経，骨格筋，心筋などが障害される症例の多いことから，歴史的に中枢神経症状を中心とする臨床病型が提唱され，現在も利用されている．

治療に必要な検査と診断

ミトコンドリア病を疑う根拠の収集を行うことが基本である．症状は多岐に及ぶのが本疾患の特徴である．中枢神経症状を伴うことが多いが，別の臓器症状から発症する場合があること，いくつもの臓器症状が合併する場合のあることを念頭に，まずは本疾患を疑う姿勢が肝要である．検査所見としては，血中・髄液中の乳酸・ピルビン酸値の測定が重要であり，血中GDF15/FGF21の測定値の上昇がさらにミトコンドリア病を疑う根拠となりうる[4]．中枢神経症状があれば画像検査が必須であるが，それぞれの臓器症状に応じて，専門的な検査が必要になることも多い．確定診断は核DNAおよびミトコンドリアDNAの遺伝学的検査が重要である．病因性が確認できているバリアントが見つかった場合はよいが，明確な病的バリアントがない場合などは，罹患臓器の代表である骨格筋のミトコンドリア形態異常（病理学的異常），罹患臓器や培養細胞（線維芽細胞や筋芽細胞など）でのミトコンドリア内エネルギー産生関連酵素の活性低下や代謝産物の減少（生化学的異常）などを捉えて総合的に診断する（図1）．

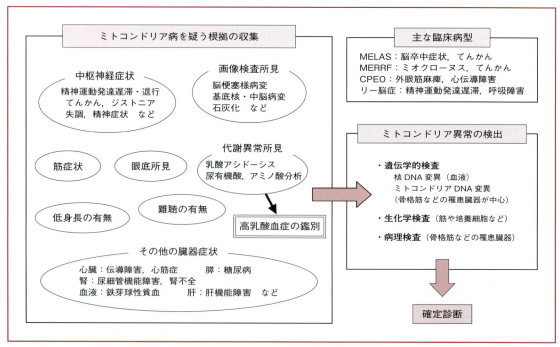

図1　ミトコンドリア病の診断プロセス

治療の実際

1 対症療法

　対症療法は，基本的に各臓器症状に応じて適切に行われる必要があり，患者の全身状態を改善させるために極めて重要である．糖尿病を合併した場合には，血糖降下薬やインスリンの投与が必要になる．てんかんを合併した場合には，抗てんかん薬の投与が必要になる．また，心伝導障害に対するペースメーカ移植や難聴に対する補聴器の使用をはじめ，極度の下痢や便秘，貧血や汎血球減少症（Pearson症候群）なども対症療法が重要である．各臓器症状への対症療法は，それぞれの専門医へのコンサルトが必要になるであろう．

2 原因療法（図2）

　一方，ミトコンドリアの機能を高める目的の原因療法には，現在のところ確実なものはない．その理由は，ミトコンドリア病患者の酵素欠損の部位が明らかになる場合が少なく，しかも明らかになっても適切な薬剤を選択できないという理由による．現在までに臨床で試みられてきた代謝を活性化させることを目的とした代表的薬剤を解説する．

a）水溶性ビタミン類（ナイアシン，ビタミンB$_1$，B$_2$，リポ酸など）

　ミトコンドリア内の代謝経路では，各種のビタミンが補酵素としてはたらいており，その補充は理にかなっている．

b）コエンザイムQ$_{10}$

　電子伝達系における電子運搬体の一つで，臨床的に最も汎用されている．酸化ストレス除去の効能もあると考えられている．ランダム化比較試験などを行っておらず，効果については定かでない．

c）コハク酸

　コハク酸脱水素酵素は，TCA回路の構成酵素であるとともに，電子伝達系複合体Ⅱの

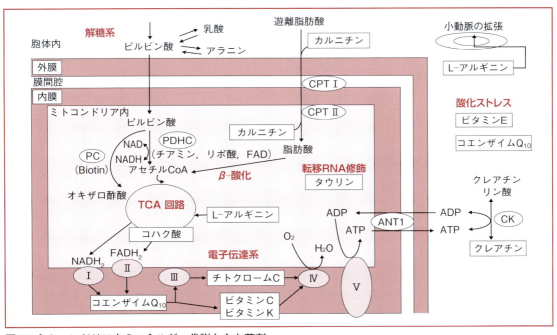

図2　ミトコンドリア内のエネルギー代謝と主な薬剤

表1　ミトコンドリア病の治療薬

投与目的	化合物名	投与量	注意事項
基質，反応物の補充	コエンザイム Q_{10}	3〜5mg/kg/日または150mg/日	
	コハク酸	3〜6g/日	試薬
ビタミン類	B_1（チアミン）	50〜100mg/日	
	B_2（リボフラビン）	50〜100＋mg/日	
	B_3（ナイアシン）	50〜100mg/日	
	B_6（ピリドキサールリン酸）	適宜	
	ビオチン	2.5〜10mg/日	
	リポ酸	60〜200mg/日	
その他	カルニチン	30〜60mg/kg/日	
	L-アルギニン	0.02〜0.5g/kg/日	
	ビタミンE	1mg/kg/日　または100mg/日	

部分反応でもある．この酵素の基質であるコハク酸の投与で，TCA回路の活性化とともに，複合体Ⅱからの電子の流れを促すことを目的にしている．複合体Ⅰ欠損のときに有効である可能性が高い．コハク酸は工業用試薬である．

d）ビタミンC，Kの併用

両者を使用すると，電子が複合体Ⅲを経ずにバイパスできるので，複合体Ⅲ欠損症に使用される．

e）カルニチン

新生児，乳児期発症の重症例に，カルニチン欠乏が共存していることがあり，その際には劇的な効果を出すことがある．カルニチン欠乏の把握には，生検骨格筋での脂肪染色やカルニチン量測定などが必要である．

f）L-アルギニン

NOの産生を促し，小動脈の拡張を意図している．MELASの急性期の症状の軽減（静注法）や慢性期の発作頻度の減少（経口法）

が認められるとされている．アルギニンは代謝されてTCA回路へとつながっており，エネルギー代謝そのものを活性化する作用もあると考えられる．有意な副作用は今のところ認められていない．

g）タウリン

3243変異などのMELASと関連する点変異は，ロイシン転移RNAのタウリン修飾低下をきたし，それが蛋白合成を障害することが知られている．この病態に対して，タウリン大量治療の臨床試験が行われ，MELAS発作の低減が認められ[5]．保険薬として承認を受けた．

専門医に紹介するタイミング

診断の際に，ミトコンドリア検査の専門家，各科の専門医にコンサルトすることが必要である．治療についても上記のごとく確定したものはなく，いくつもの科の専門医がみ

ることになる場合が多い．その意味で患者の医療全体を把握するコーディネーターとして小児科医の役割は重要である．

専門医からのワンポイントアドバイス

①ミトコンドリア病は，エネルギー代謝障害が基礎にあり，栄養バランスのとれた食事が大切である．

②日常生活では，心症状が強くなければ特に運動制限をしないが，疲れやすいことが本疾患の主症状であるので，過度の運動はしないように指導する．

③個々の患者で症状の有無や軽重が異なることを説明し，症状の変化を的確に捉えること，定期検査が極めて重要なことを説明する．

文　献

1) Gorman GS et al：Mitochondrial diseases. Nat Rev Dis Primers 2：16080, 2016
2) Parikh S et al：Patient care standards for primary mitochondrial disease：a consensus statement from the Mitochondrial Medicine Society. Genet Med 19：1380-1397, 2017
3) 村山　圭 他：ミトコンドリア病診療マニュアル2017．診断と治療社，2017
4) Yatsuga S et al：Growth differentiation factor 15 as a useful biomarker for mitochondrial disorders. Ann Neurol 78：814-823, 2015
5) Ohsawa Y et al：Taurine supplementation for prevention of stroke-like episodes in MELAS：a multicentre, open-label, 52-week phases III trial. J Neurol Neurosurg Psychiatry 90：529-536, 2019

7. 血液疾患・悪性腫瘍

7. 血液疾患・悪性腫瘍

血球貪食性リンパ組織球症

松石登志哉, 神薗淳司
北九州市立病院機構 北九州市立八幡病院 小児血液・腫瘍内科

POINT
- 血球減少を伴う発熱患者をみた際は, HLH を念頭に診療を進める. 早期に診断基準を満たさない場合, HLH への進行を予想して, 全身診察, 血液検査を繰返し行う.
- 基礎疾患の精査と治療を並行して行う必要がある. 治療開始前には悪性疾患の除外が必要であり, 安易な副腎皮質ステロイドの投与は慎むべきである.
- 治療は基礎疾患, 重症度により異なる.

ガイドラインの現況

1994 年に国際組織球学会が HLH に対する最初の診療プロトコール HLH-94 を, 次いで 2004 年に HLH-2004 を開始した. HLH-2004 で用いられた診断基準は, 現在 HLH の診断基準として広く用いられる. HLH-94/2004 の治療プロトコールは直接の比較試験はないが同等の成績であり, いずれのレジメンも標準治療とされている. 全身療法としてエトポシド, デキサメタゾン, シクロスポリンを用い, 遺伝性, 再燃性, 重症・持続例に対して造血細胞移植を行うことが一般的である. これらのプロトコールは, 欧米の HLH 症例のほとんどを占める一次性 HLH を主な対象としており, 日本では二次性 HLH（主に EBV-HLH）が多く, 画一的な使用には注意が必要である. 小児血液・がん学会から『小児 HLH 診療ガイドライン 2020』が公開されており, 病態に応じた診断・治療について指針が示されている.

【本稿のバックグラウンド】　『小児 HLH 診療ガイドライン 2020』を参考に, HLH の各病態に応じて診断と治療の注意事項をまとめた. 具体的な治療プロトコールは HLH-94/2002 を引用した.

どういう疾患・病態か

血球貪食性リンパ組織球症（hemophagocytic lymphohistiocytosis：HLH）は, 持続する発熱や肝脾腫などの臨床所見と, 汎血球減少, 高トリグリセリド血症, 低フィブリノ ゲン血症, 高フェリチン血症, 高可溶性インターロイキン 2 受容体（IL-2R）などの異常検査所見を特徴とする稀な疾患である. 骨髄や中枢神経系を含む網内皮系に, 血球貪食活性を有するリンパ球や組織球の浸潤がみられる. HLH は, 一次性と二次性に分類される.

表 1　HLH の基礎疾患と誘因

一次性 HLH	遺伝形式	責任遺伝子	臨床的特徴
細胞傷害活性異常症			
FHL 1 型	常染色体劣性	不明	乳児期早期発症，中枢神経浸潤
FHL 2 型	常染色体劣性	*PRF1*	ミスセンス変異の場合には年長発症もあり
FHL 3 型	常染色体劣性	*UNC13D*	5 型では重度の浸透圧性下痢，近位尿細管障
FHL 4 型	常染色体劣性	*STX11*	害を伴う
FHL 5 型	常染色体劣性	*STXBP2*	
Chediak-Higashi 症候群	常染色体劣性	*LYST*	白皮症，銀灰色髪，羞明，白血球内巨大顆粒
Griscelli 症候群 2 型	常染色体劣性	*Rab27A*	白皮症，銀灰色髪，羞明
Hermansky-Pudlak 症候群 2 型	常染色体劣性	*AP3B1*	白皮症，茶褐色髪，羞明，出血傾向
免疫不全/制御異常症			
X 連鎖リンパ増殖症候群 1 型	X 連鎖劣性	*SH2D1A*	低γ-グロブリン血症，EBV-HLH，リンパ腫
XMEN 病	X 連鎖劣性	*MAGT1*	低マグネシウム血症，EBV 関連リンパ増殖症，リンパ腫
ITK 欠損症	常染色体劣性	*ITK*	低γ-グロブリン血症，CD4$^+$T 細胞低下，EBV-HLH，リンパ腫
CD27 欠損症	常染色体劣性	*CD27*	低γ-グロブリン血症，メモリーB 細胞低下，EBV-HLH，リンパ腫
Inflammasome 異常症			
X 連鎖リンパ増殖症候群 2 型	X 連鎖劣性	*XLAP*	炎症性腸疾患，脾腫
NLRC4 異常症	常染色体優性	*NRCL4*	炎症性腸疾患

二次性 HLH	誘因
感染症関連	EB ウイルス・サイトメガロウイルス・アデノウイルス感染症など
悪性腫瘍関連	鼻型 NK/T 細胞性白血病，血管内大細胞型 B 細胞性リンパ腫，未分化大細胞型リンパ腫，ランゲルハンス細胞組織球症など
自己免疫疾患関連	全身型若年性特発性関節炎，全身性エリテマトーデス，川崎病など
薬剤過敏症関連	抗けいれん薬，抗菌薬など
同種造血細胞移植関連	生着に伴う免疫反応など

FIIL，家族性 HLH；XMEN 病，X-linked immunodeficiency with magnesium defect, Epstein-Barr virus infection and neoplasiadisease；ITK，IL-2 inducible T-cell kinase；MAGT1，magnesium transporter 1；XIAP，X-linked inhibitor of apoptosis；NLRC4，NLRfamily，CARD domain-containing protein 4.
（Brisse E et al. Br J Haematol 174：175-187, 2016/Morimoto A et al. Pediatr Int 58：817-825, 2016/Marsh RA et al. Br J Haematol 182：185-199, 2018/Risma KA et al. J Allergy Clin Immunol Pract 7：824-832, 2019/HLH 診療ガイドライン 2020 vr.1.0 を参照して作成）

一次性 HLH には家族性 HLH（FHL）や X 連鎖性リンパ増殖症候群などがあり，二次性 HLH は Epstein-Barr ウイルス（EBV）などの感染，リンパ腫やその他の悪性腫瘍，自己免疫疾患など様々な誘因によってひき起こされる（**表 1**）．FHL の原因となる遺伝子異常は，日本では FHL 2 型の *PRF1*，FHL 3 型の Munc13-4（*UNC13D*）が多い．二次性 HLH では，感染症関連 HLH，特に EBV-HLH が日本では高い発症率を占める．HLH の詳細な病態は未解明であるが，細胞傷害性 T 細胞（cytotoxic T lymphocyte：CTL）とマクロファージが相互作用して過剰な活性化からサイトカインストームがひき起こされると考えられている．

表2　HLH-2004 診断基準

以下の A または B のいずれかを満たせば HLH と診断する.
　A. 家族性 HLH に一致した遺伝子異常，または，家族歴を有する.
　B. 以下の 8 項目のうち 5 項目を満たす
　　1. 発熱の持続（7 日以上，ピークが 38.5℃以上）
　　2. 脾腫（季肋下 3cm 以上）
　　3. 血球減少（末梢血で 2 系統以上の減少，骨髄の低形成・異形成によらない）
　　　 好中球＜1,000/μL，ヘモグロビン＜9.0g/dL，血小板＜10 万/μL
　　4. 高トリグリセリド血症および/または低フィブリノゲン血症
　　　 トリグリセリド≧265mg/dL（空腹時）
　　　 フィブリノゲン≦150mg/dL
　　5. 骨髄，脾，リンパ節に血球貪食像をみる. 悪性を示す所見がない.
　　6. NK 活性の低下
　　7. 高フェリチン血症（≧500ng/mL）
　　8. 高可溶性 IL-2 受容体血症（≧2,400U/mL）

（文献 2 より引用）

治療に必要な検査と診断

　一次性と二次性の鑑別はしばしば困難である. 一次性の素因のある患者が感染症を契機として発症することがあり，また感染関連 HLH と思われる患者に遺伝子変異が明らかになることがある. HLH の診断は，HLH-2004 診断基準（表2）によりなされる. この診断基準は一次性を念頭においているため，二次性 HLH の診断に適応するには注意を要する. 膠原病・リウマチ性疾患，特に全身型若年性特発性関節炎（systemic juvenile idiopathic arthritis：sJIA）に合併するマクロファージ活性化症候群（macrophage activation syndrome：MAS）の診断は米国および欧州リウマチ学会より 2016 年に提唱された MAS に対する分類基準を用いる[3]. 問診では，家族歴や血族婚，以前からの脾腫，炎症性腸疾患の合併の情報が重要である. 薬剤過敏症に伴う HLH もあるため，発症の 2〜3 週間前から開始した薬剤を検討する必要がある.

　HLH 早期診断のためのスクリーニング検査項目（表3）を作成した. 免疫不全/免疫異常症の鑑別として，血清免疫グロブリン，リンパ球マーカー検査は必須である. フローサイトメトリー検査によるパーフォリン発現や CD107a 脱顆粒試験（いずれも保険適用外）ならびに遺伝子解析を行う必要がある. 感染症関連 HLH が疑われる場合は，EBV 定量や各種ウイルス抗体価/PCR 検査が必要である. 悪性腫瘍，特にリンパ腫の除外のため胸腹部の造影 CT 検査や PET-CT 検査が必要となる. 組織生検をした場合には，CD30 や ALK，CD1a の免疫染色，EBV 関連の悪性腫瘍の除外のため EBER-ISH 検査も必要である.

治療の実際

　HLH 診療アルゴリズム（図1）を示す. 病状が安定している場合は少量の副腎皮質ステロイド（corticosteroids：CS），ガンマグロブリン投与でコントロールが得られることがある. 白血病やリンパ腫は CS 投与により診断が困難となるため，CS 投与前には悪性

394　7. 血液疾患・悪性腫瘍

表 3　HLH 診断のためのスクリーニング検査項目

STEP 1. 来院時早期に施行すべき検査項目	
末梢血血液検査	汎血球減少所見の有無
血液凝固検査	DIC 所見（Fbg 低下，FDP D-dimer 出現）の有無
生化学検査	AST/ALT，LDH，UN，Cre 上昇の有無 T-bil 上昇，低 Na 血症の出現の有無
血清，血漿保存	サイトカイン測定（可溶性 IL-2R），Ferritin 測定，ウイルス量（PCR 法）
髄液検査	起炎菌の同定
血液培養	起炎菌の同定
胸部 X 線写真	胸水の有無
腹部エコー	腹水，肝脾腫の評価

STEP 2. HLH 確定診断のための必要な検査		
骨髄	骨髄塗沫標本	骨髄低形成の有無 hemophagocytosis の有無，LGL 出現の有無
リンパ節	病理細胞診	
脾	同上	
髄液	細胞数増多，蛋白上昇，稀に hemophagocytosis	

※中枢神経系症状を有する例では必ず頭部 MRI を施行すること

STEP 3. 基礎疾患鑑別と HLH の病型診断		
MAHS の鑑別	骨髄，末梢血	骨髄，末梢血での異常芽球の出現 TCR，Ig 遺伝子再構成の有無 染色体 G-banding 検査 単核球の表面 marker 解析（CD3，CD19，CD56，HLA-DR）
	MRI，Ga シンチグラフィ，PET-CT	リンパ腫の鑑別
EBV-HLH	骨髄，末梢血	血漿中 EBV 定量（real-timePCR）迅速診断に有効 EBV 抗体価（慢性活動性 EB ウイルス感染症の鑑別） EBV clonality の有無（EB TR，遺伝子検査）
	骨髄クロット切片	EBER 抗体染色
その他の感染症関与の鑑別	血液	各種ウイルスの抗体価 CMV，HSV，HZV，HHV-6，Parvo，Adeno，etc
	血液，尿，髄液	ウイルス分離
FHL	血液	NK 細胞活性，フローサイトメトリーによる CD107α（LAMP-1 の表面発現） 細胞傷害性 T 細胞（CTL）活性
	遺伝子検査	FHL の鑑別（*perforin MUNC13-4 syntaxin11*）

血球貪食性リンパ組織球症　395

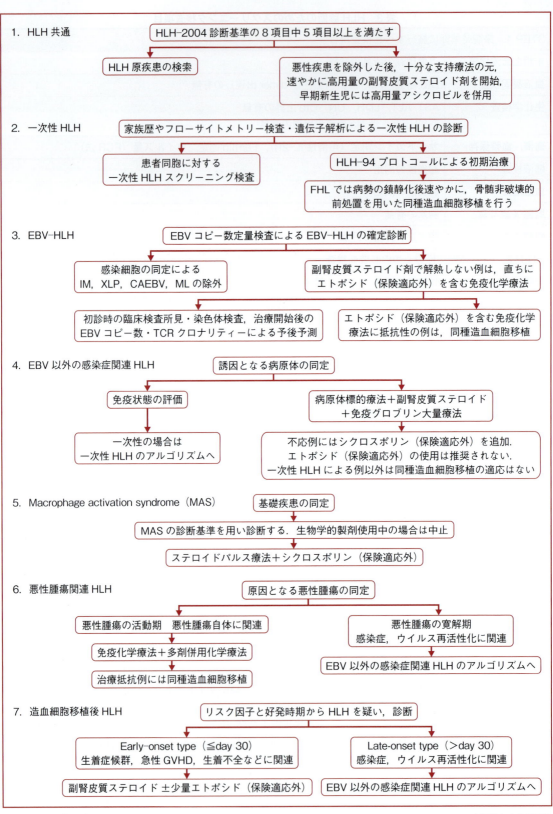

図1 アルゴリズム

(文献1より引用)

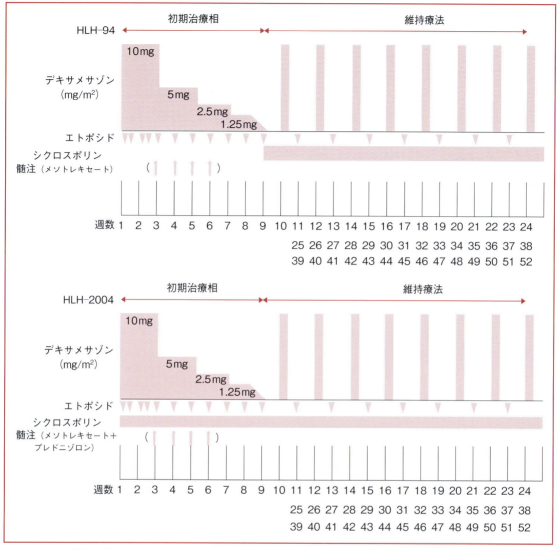

図2 HLHに対する治療 （文献2, 4より引用）

疾患の除外が必要である．HLHと診断した場合には，速やかにHLH-94/2004プロトコール（図2）に準じた免疫抑制療法を開始するとともに，原疾患の検索を並行して進める．サイトカインの除去と凝固異常の是正を目的に，交換輸血や血漿交換（保険適用外）が行われることがある．好中球減少を伴う発熱を認める場合，血液培養採取のうえ，広域の抗菌薬を使用する．必要に応じて輸血を行い，DICを合併する場合はDIC治療を並行して行う．特にエトポシド（etoposide：ETP）を用いた免疫抑制療法に際しては，ST合剤および抗真菌薬の予防投与を行う．新生児の単純ヘルペスウイルス（HSV）関連HLH（HSV-HLH）を含む新生児HSV感染症においては速やかな高用量アシクロビル（ACV）の投与が予後を改善することから，疾患を疑う時点でACVを開始し，HLHの診断および鑑別を並行して進める必要がある．

シクロスポリン（cyclosporin A：CSA）

はいずれの HLH でも考慮されるが，腎毒性や PRES（posterior reversible encephalopathy syndrome）などの合併症に注意が必要である．FHL に対しては HLH-94 プロトコールが推奨されている[1]．

FHL や CS に反応しない EBV-HLH では速やかに ETP の投与が必要であるが，EBV 以外の感染症関連 HLH，新生児の HSV-HLH，MAS などでの ETP 投与は過剰な免疫抑制による感染症の増悪や，細胞毒性などにより有害となることもあり得る．

同種造血細胞移植は一次性 HLH のほとんどで適応となる．HLH の寛解後，速やかに同種造血細胞移植が推奨される．二次性 HLH では治療抵抗性の EBV-HLH や悪性腫瘍関連 HLH，生着不全となった移植後 HLH などで適応となる場合がある．

専門医に紹介するタイミング

HLH を疑い，進行が予想される症例では直ちに血液専門医を有する施設に紹介する必要がある．

専門医からのワンポイントアドバイス

HLH の初期症状は多彩であり，細菌性髄膜炎，激症型心筋炎，敗血症，脳炎・脳症をはじめとした発熱を呈する危急疾患と類似する．見逃さないためには，遷延する発熱（38.5℃以上）児の診療時の First Impression は非常に重要である．HLH 患児の初診時所見は，Pediatric Assessment Triangle（PAT）を構成する，外観（Appearance：A），呼吸状態（Work of Breathing：B），循環（Circulation：C）の初期観察でいずれも "異常" と判断され，極めて "緊急性が高い" バイタルサインの異常を伴う shock 状態であることが多い．年齢・月齢に応じた呼吸数増加，心拍数増加，末梢循環不全の徴候を見逃さない対応が常日頃から望まれ，早期発見と適切な治療開始が望まれる．

───────── 文　献 ─────────

1) 日本小児血液・がん学会組織球症委員会 監：小児 HLH 診療ガイドライン 2020. vr. 1.0
https://www.jspho.org/pdf/journal/hlh/hlh2020_v1.pdf

2) Henter JI et al：HLH-2004：Diagnostic and therapeutic guidelines for hemophagocytic lymphohistiocytosis. Pediatr Blood Cancer 48：124-131, 2007

3) Ravclli A et al：2016 Classification Criteria for Macrophage Activation Syndrome Complicating Systemic Juvenile Idiopathic Arthritis. Arthritis Rheumatol 68：566-576, 2016

4) Henter JI et al：HLH-94：a treatment protocol for hemophagocytic lymphohistiocytosis. HLH study group of the Histiocyte Society. Med Pediatr Oncol 28：342-347, 1997

7. 血液疾患・悪性腫瘍

顆粒球減少症

菊田　敦

福島県立医科大学 周産期間葉系幹細胞研究講座

POINT

● 顆粒球減少症の要因は多岐にわたるため，背景にある要因として内因性か外因性か判断する必要がある．

● 基礎疾患の診断が確定した場合には，基礎疾患に対応した感染予防・治療が必要である．

● 重症感染症を発症している場合は発熱性好中球減少症として，日本小児血液・がん学会編集の『小児白血病・リンパ腫診療ガイドライン 2016 年版』に準じた対応が推奨される．

ガイドラインの現況

本邦において好中球減少症に対する診断・治療に関する包括的ガイドラインは，まだ整備されておらず，発症頻度等の疫学的調査も十分ではない．

しかし，好中球減少症自体の診断および重症度に関しては，本邦においても欧米と同様の基準でコンセンサスが得られていると考えられる．またこの病態には，多様な基礎疾患が含まれてくるので，好中球数による重症度に加え，臨床的重症度は基礎疾患の相違，感染症の有無により大きく左右される．

さらには，治療法に関しても一部を除き統一された見解はないが，感染症に対する治療が予後を左右し，基礎疾患を有するものに対しては，それらに対する治療も同時に施行する必要がある．特に重症感染症を合併している場合は，発熱性好中球減少症のガイドライン『小児白血病・リンパ腫診療ガイドライン 2016 年版（第 3 版）』[1]（第 4 版は 2022 年現在改訂中）に準じて，速やかな治療開始が重要であり，治療開始の遅れは，死亡率の増加に直結する．

【本稿のバックグラウンド】 診断分類に関しては Nathan and Oski's Hematology and Oncology of Infancy and Children, 8th ed から，診療に関しては『小児白血病・リンパ腫診療ガイドライン』や米国 COG 支持療法ガイドラインを参考にしている．

どういう疾患・病態か

顆粒球減少症は通常，好中球減少症と同義語として用いられており，末梢血中の全白血球数に分葉核好中球と桿状球の比率を乗じた絶対数（absolute neutrophil count：ANC）

表1　好中球減少症の分類

外因性要因による好中球減少症
　　感染症
　　薬物誘発性好中球減少症
　　自己免疫性好中球減少症
　　新生児好中球減少症（同種免疫性）
　　代謝性疾患
　　栄養障害
　　脾機能亢進（網内系捕捉）
　　骨髄浸潤
　　慢性特発性好中球減少症（内因性かもしれない）

顆粒球系細胞またはその前駆細胞における内因性欠損による好中球減少症
　　Reticular dysgenesis
　　周期性好中球減少症
　　重症先天性好中球減少症
　　Myelokathexis/WHIM 症候群
　　Shwachman-Diamond 症候群
　　白皮症 /好中球減少症症候群（Chédiak-Higashi を含む）
　　家族性良性好中球減少症
　　骨髄不全症候群（先天性，後天性）
　　免疫異常に伴う好中球減少症
　　代謝異常に伴う好中球減少症

WHIM：warts, hypogammaglobulinemia, infections, myelokathexis

（文献 2 を参照して作成）

の減少状態である．

　生後 2 週～1 歳の乳児では，好中球減少症の判断は ANC 1,000/μL 未満であり，1 歳以降は通常，ANC 1,500/μL 未満の状態と定義される．感染に対する相対的危険度により，軽症 1,000～1,500/μL，中等症 500～1,000/μL，重症 500/μL 未満に分類される．重症感染症の発生率が高いのは，ANC 500/μL 未満の場合であり，急性で重症状態が数日以上続く場合には，致命的感染症のリスクが高くなる．

　数日間で進行する急性好中球減少症は，産生障害か，末梢での利用または破壊の亢進によることが多い．慢性好中球減少症は，好中球減少が 6 ヵ月以上持続する場合であり，産生減少あるいは好中球の脾臓による捕捉過剰から生じる．

　骨髄の顆粒球系細胞に対する外因的要因に続発したものか，あるいは顆粒球系細胞の内因的異常により発症したものかにより，外因性と内因性に分類される（表1）．

治療に必要な検査と診断

　好中球減少症の診断は，繰返す細菌感染症がみられる場合に疑われ，好中球絶対数の低下によって確定する．頻度の高い化膿性感染症は，皮膚蜂巣炎，皮下膿瘍，フルンケル症，肺炎，敗血症である．口内炎，歯肉炎は，しばしば慢性的であり，特に小児では，肛門周囲の炎症と中耳炎をよく認める．

　しかし，好中球減少症のみでは，ウイルス感染と寄生虫感染には罹患し難く，内因性細菌が起因菌として最も一般的であるが，院内感染を起こす種々の細菌もまた，しばしば原

因となる.

頻度の高い分離菌は,黄色ブドウ球菌とグラム陰性菌であり,一般に局所所見は好中球減少がない者に比べて不明瞭である.つまり滲出液,波動,潰瘍形式,局所リンパ節腫脹などの局所の感染症に伴う症状,所見を認めることは少ない.

重症好中球減少症の患者においても,細菌感染症の徴候は,基礎疾患により様々である.例えば,自己免疫が関与した慢性好中球減少症では,長年にわたり好中球数200/μL,あるいはそれ未満であっても,重症感染症の既往歴はないことが多い.これは,これらの患者の骨髄造血能が正常であり,多くの慢性好中球減少症の患者では単球数が増加しており,感染防御の役割を担っているためである.

好中球数1,000/μL未満の場合は,**図1**に示したアルゴリズムに沿って注意深く観察する.好中球減少症のある患者では,既往歴,奇形などの身体所見の評価を十分に行い,現時点の細菌感染症の有無,リンパ節腫大,肝脾腫,慢性炎症に伴う他の徴候について観察し,最近の感染歴と薬物への曝露について確認する.

症状出現の頻度と期間は重要であり,歯根膜炎,歯膿瘍,歯の喪失は慢性で,かつ再燃性の好中球減少症の重要な所見である.

好中球単独の減少で,他の血球系の異常がなく,何の臨床的症状もない場合は,すべての治療を中止し,数週間経過観察することが最も良い方法である.発熱を有する中等症,重症の好中球減少症で,急性細菌感染症が疑われた場合には,迅速な評価と治療が必要である.

好中球減少が遷延する患者では,白血球数と分画を週2～3回,6～8週間測定し,周期性の有無を評価する.クームス試験,血清

γ-グロブリン値,T細胞検査(CD4,CD8),HIV抗体価を測定する.必要があれば,骨髄検査も追加する.状況により,抗好中球抗体,膠原病の評価を行い,身体所見により骨X線写真,膵外分泌能を評価し,葉酸,ビタミンB_{12}を測定する.

治療の実際

好中球減少症の管理は,原因と好中球減少の重症度により異なってくる.好中球減少患者において最も重大なことは,重症化膿性感染症への進展であり,コストマン(Kostmann)症候群,再生不良性貧血および化学療法後など,骨髄造血の予備能低下を伴う重症好中球減少症(ANC<500/μL)は,感染症の重症化や敗血症発症の高リスク群である.このような患者では,好中球数が低下しているために炎症所見に乏しく,発熱が感染症の唯一の指標であることが多い.このような好中球減少時の発熱性疾患を発熱性好中球減少症とする概念で捉え,原因検索を行うとともに経験的な感染症治療を開始する[1].

造血予備能低下のために好中球減少症となっている場合には,速やかに広域抗生物質を開始し,診断が確定するまで使用する.解熱し血培が陰性化しても,解熱後3日間はその抗生物質を使用する.広域抗生物質の投与にもかかわらず発熱が7日間以上持続する場合には,真菌感染の可能性が高く,抗真菌薬による経験的治療を追加する.明らかな真菌感染または細菌感染があり,治療に対して反応不良であれば,顆粒球輸血も考慮する[5].

慢性良性好中球減少症のように骨髄造血能が保たれている場合には,全身状態が良い限り外来治療が可能である.

自己免疫が関与している場合には,ステロ

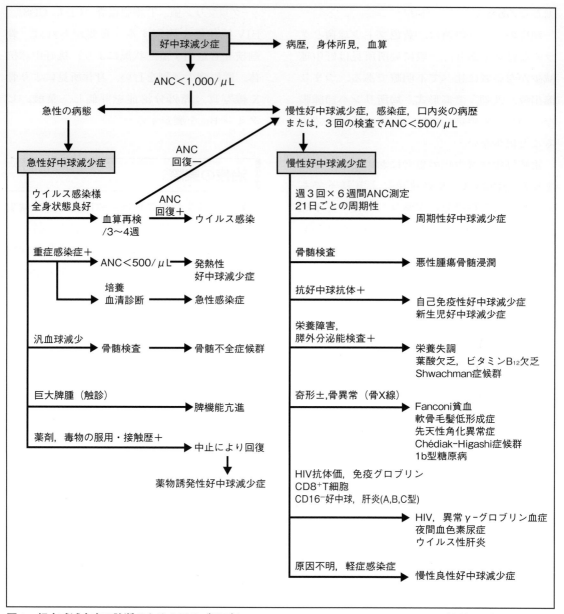

図1 好中球減少症の診断のためのアルゴリズム （文献3を参照して作成）

イド薬やγ-グロブリン療法が有効なことがあるが，効果は一定しない．脾摘の効果は一時的であり，さらに重症感染症のリスクを伴うので推奨できない．G-CSFおよび他の造血因子は，重症先天性好中球減少症，周期性好中球減少症および免疫性好中球減少症など，種々の好中球減少症において広く有効性が認められている．また，重症先天性好中球減少症など，骨髄造血能低下に由来する慢性好中球減少症で，重症感染症に進展するリスクが高い場合には，長期的な予防投与の有効性も認められているが現時点での根治療法は造血細胞移植である．しかし，G-CSF製剤の使用は，自己免疫性好中球減少症のように

感染症があっても，全身状態に問題がなければ使用は控え，重症の場合に限られる．

抗生物質の予防投与の効果[1,4]は，議論の余地があるが，ST合剤は細胞性免疫不全におけるカリニ肺炎の予防に効果的であり[6]，重症好中球減少症が長期に続く場合は，細菌感染症の頻度も減らす．

処 方 例

ST合剤予防投与

処方　バクタ®またはバクトラミン®（散剤，錠剤）　0.05〜0.1g/kg/日　分2　週3回

全身状態が保たれている場合

処方　小児用バクシダール®（50mg）錠6〜12mg/kg/日　分3（必要に応じ粉砕）

ANC＜500/μLで重症化膿性感染症の場合の経験的治療

処方　セフェピム塩酸塩静注（1g）20〜40mg/kg/回（最大4g）1日2回（30分以上かけて静注）

＋

G-CSF製剤（グラン®，ノイトロジン®）

併用

・必要に応じ，アミカシン硫酸塩注射液を併用

・全身状態が不安定で，明らかにグラム陽性菌の感染症が疑われる場合はバンコマイシンの併用も考慮する

＊基礎疾患により使用量が異なるので適応症に準ずる．

専門医に紹介するタイミング

基礎疾患を有している場合，あるいはその可能性が高い場合には，診断可能な施設に紹介する．既に重症化膿性感染症を合併している場合には，治療可能な施設に紹介する．

専門医からのワンポイントアドバイス

詳しい病歴の聴取，身体所見の観察が重要であり，診断の助けとなる．好中球数が500/μL未満であっても，必ずしも重症感染症を合併するとは限らないので，経時的に血液検査を行い経過観察を十分に行う．

発熱が認められた場合には，まず血液培養を含む各種培養を実施し，広域抗生物質の投与を速やかに開始する．原因菌が同定されたら，感受性に合わせて適切な抗生物質に変更する．

─────── 文　献 ───────

1）菊田　敦 他：小児白血病・リンパ腫診療ガイドライン2016年版．日本小児血液・がん学会 編．金原出版，pp121-146，2016

2）Nathan DG et al：Nathan and Oski's Hematology and Oncology of Infancy and Childhood 8th ed. Philadelphia, pp800-815, 2015

3）Sill RH：Practical Algorithms in Pediatric Hematology and Oncology. Basel, 2003

4）COG Supportive Care Endorsed Guideline. The COG Supportive Care Guideline Committee, pp3-9, 2022

5）大谷慎一 他：スタンダード輸血検査テキスト第3版．認定輸血検査技師制度協議会カリキュラム委員会 編．医歯薬出版，pp188-193，2017

6）Stern A et al：Prophylaxis for Pneumocystis pneumonia（PCP）in non-HIV immunocompromised patients. Cochrane Database of Syst Rev 2014：CD005590, 2016

顆粒球減少症　**403**

7. 血液疾患・悪性腫瘍

貧　血

照井君典
弘前大学大学院医学研究科 小児科学

POINT
- ●小児の貧血に関する包括的な診療ガイドラインは作成されていないが，個々の貧血や治療法については，国内外で作成された様々な診療ガイドラインを利用できる．
- ●小児では年齢によって貧血の成因が異なることを念頭において診療にあたる．
- ●白血病や再生不良性貧血などの重症・難治性疾患を見逃さないことが重要である．

ガイドラインの現況

　小児の貧血に関する包括的な診療ガイドラインは作成されていないが，日本透析医学会から『慢性腎臓病患者における腎性貧血治療のガイドライン』，日本輸血・細胞治療学会から『科学的根拠に基づいた赤血球製剤の使用ガイドライン』と『科学的根拠に基づいた小児輸血のガイドライン』，日本新生児成育医学会から「新生児に対する鉄剤投与のガイドライン」が発行されている．また，日本小児血液・がん学会から『先天性骨髄不全症診療ガイドライン2017』が出版されているほか，特発性造血障害に関する調査研究班による『特発性造血障害疾患の診療の参照ガイド』にも小児に関する記載がみられる．

　代表的な海外のガイドラインとしては，英国血液学会が作成した自己免疫性溶血性貧血，遺伝性球状赤血球症，再生不良性貧血（他稿参照），輸血，鉄過剰症，脾臓摘出術後の感染対策，鉄欠乏性貧血やグルコース-6-リン酸脱水素酵素異常症の診断についてのガイドラインが挙げられる．

【本稿のバックグラウンド】　小児の貧血に関する包括的な診療ガイドラインは作成されていないため，関連する国内外のガイドラインや総説論文，教科書などを参考にして本稿を執筆した．

どういう疾患・病態か

　貧血は一般に，赤血球総容積の減少あるいは末梢血中のヘモグロビン濃度の低下と定義される[1]．赤血球の機能は酸素を運搬し末梢組織に供給することであるから，貧血では末梢組織の酸素不足を招来する．緩徐に発症した軽度の貧血では症状に乏しいが，貧血の進行に伴い皮膚，粘膜の蒼白，不機嫌，不活発，易疲労性，労作時の息切れ，動悸などの症状が出現する．

　貧血は発症機序の面から，①赤血球あるい

はヘモグロビンの産生障害，②赤血球の破壊の亢進または喪失の増大，の２つに分けて考えると理解しやすい．**表１**に，発症機序による小児の貧血の分類を示す．小児の貧血のなかで最も多いのは鉄欠乏性貧血であり，鉄の不足によりヘモグロビンの合成が障害され，小球性貧血をきたす．鉄の需要が増大する乳児期と思春期に好発する．

治療に必要な検査と診断

貧血は一般に，ヘモグロビン濃度が正常人の平均値よりも－2 SD 未満の場合に診断される[1)]．小児のヘモグロビン濃度の正常値は年齢によって異なるので，診断の際には患者の年齢を考慮する必要がある．**表２**に WHO の貧血判定基準を示す．

各種貧血の鑑別診断を進めていく際には，他の疾患と同様，第一に問診と診察が重要である．栄養性貧血では食事習慣や月経の状態，薬剤の服用歴などが，先天性溶血性貧血では家族歴や新生児期の黄疸の程度などが，診断の助けとなる．小児では年齢によって貧血の成因が異なることを念頭において問診，診察を進めることが重要である．発熱，出血傾向，臓器腫大などの症状を認めた場合に

表１　貧血の病因による分類

A. 赤血球産生障害

1. 骨髄不全
　a. 再生不良性貧血
　　先天性
　　　Fanconi 貧血，先天性角化不全症，
　　　Shwachman-Diamond 症候群（SDS）
　　後天性
　　　特発性，二次性（肝炎後，薬剤性）
　b. 赤芽球癆
　　先天性
　　　Diamond-Blackfan 貧血（DBA）
　　後天性
　　　小児一過性赤芽球減少症（TEC），
　　　ヒトパルボウイルス B19 感染症，薬剤性
　c. 骨髄での造血を行う場所の減少
　　　悪性腫瘍（白血病，悪性リンパ腫），
　　　大理石病，骨髄線維症
2. エリスロポエチン産生障害
　　慢性腎臓病
3. 慢性疾患に伴う貧血

B. 赤血球成熟障害・無効赤血球造血

1. 細胞質の成熟障害
　　鉄欠乏性貧血，サラセミア，鉄芽球性貧血，
　　鉛中毒
2. 核の成熟障害
　　ビタミン B_{12} 欠乏，葉酸欠乏，
　　チアミン反応性貧血，オロチン酸尿症
3. 先天性赤血球異形成貧血
4. 赤芽球増殖性ポルフィリン症
　　（骨髄性ポルフィリン症）
5. Pearson 症候群

C. 溶血性貧血

1. 赤血球自体に異常のあるもの
　a. ヘモグロビン異常
　　質的異常：不安定ヘモグロビン症，
　　　　　　　鎌状赤血球症
　　量的異常：サラセミア
　b. 赤血球膜異常
　　遺伝性球状赤血球症，遺伝性楕円赤血球症
　c. 赤血球酵素異常
　　G6PD 異常症，PK 異常症
　d. 発作性夜間ヘモグロビン尿症
2. 赤血球以外に原因のあるもの
　a. 免疫性溶血性貧血
　　自己免疫性溶血性貧血（温式，冷式），
　　同種抗体による溶血性貧血
　　（母児間血液型不適合，血液型不適合輸血）
　b. 非免疫性溶血性貧血
　　溶血性尿毒症症候群（HUS）
　　血栓性血小板減少性紫斑病（TTP）

D. 失血性貧血

（文献１を参照して作成）

は，白血病，再生不良性貧血，血球貪食症候群などの緊急性の高い重篤な疾患である可能性があり，早急に検索を進める必要がある．

その後の診断のアプローチとしては，まず平均赤血球容積（MCV）により小球性，正球性，大球性，の3群に分類する方法が広く用いられている．この方法に従った診断のフローチャートを図1に示す．小球性貧血の鑑別診断には，鉄動態の評価が有用である（表3）．

表2 貧血の判定基準

年　齢	ヘモグロビン（g/dL）
6ヵ月〜4歳	11.0
5〜11歳	11.5
12〜14歳	12.0
15歳以上の女性（非妊娠）	12.0
妊娠女性	11.0
15歳以上の男性	13.0

（WHO，2011）

表3 小球性貧血の鉄動態からの鑑別

	血清鉄	総鉄結合能	フェリチン
鉄欠乏性貧血	↓	↑	↓
慢性炎症性疾患に伴う貧血	↓	正常〜↓	正常〜↑
鉄芽球性貧血/サラセミア	正常〜↑	正常〜↓	正常〜↑

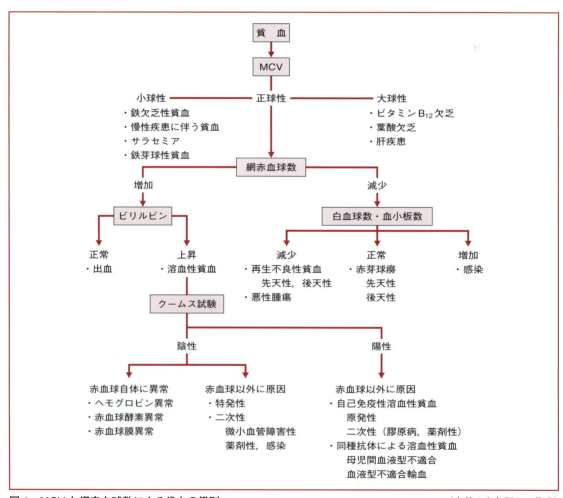

図1 MCVと網赤血球数による貧血の鑑別

（文献6を参照して作成）

治療の実際

最も頻度の高い鉄欠乏性貧血と，温式抗体による自己免疫性溶血性貧血（AIHA），遺伝性球状赤血球症，の3疾患について述べる．

1 鉄欠乏性貧血

治療の原則は，鉄欠乏状態を改善し，基礎疾患がある場合には，その治療を行うことである．

a）食事療法

不適当な離乳食の摂取，牛乳の過量摂取，偏食，体型を気にした過度の食事制限などがあれば是正する．吸収の良い鉄を多く含む肉や魚などの動物性食品の摂取を勧める．

b）薬物療法

鉄剤の経口投与が原則であり，注射薬は服用困難，吸収障害などの特殊な場合を除いて行わない．乳幼児にはシロップ剤，年長児には徐放鉄剤が用いられる．空腹時のほうが鉄の吸収は良いが，食欲不振，悪心，腹痛などの副作用がみられる場合には，投与時間を空腹時から食後に変更する．貯蔵鉄を満たすため，貧血が改善した後，さらに2〜3ヵ月以上鉄剤の内服を続ける必要がある[2]．

2 温式抗体による AIHA

小児では感染症に続発して急性に発症することが多く，数週から数ヵ月で自然軽快する傾向がある．

治療の第一選択はステロイドの投与である[3]．プレドニゾロン2mg/kg/日の投与が多くの場合有効である．輸血はできるかぎり避けるべきとされるが，循環不全の徴候がみられるような高度の貧血に対しては輸血を考慮する．免疫グロブリン大量静注療法が救済療法として有用である可能性がある．第二選択の治療としてはリツキシマブが最もよく研究されており，奏効率も高い．脾臓摘出術の有効性も報告されているが，感染症の問題もあり，第三選択という位置づけである．その他の治療としては，アザチオプリン，シクロスポリン，ダナゾール，シロリムスなどが報告されている．

3 遺伝性球状赤血球症

無形成発作のために高度の貧血をきたした場合には輸血を行う．

定期的に輸血を必要とする例，貧血による臨床症状が持続的にみられる例，胆石症の合併例などでは脾臓摘出術を考慮する．英国のガイドラインでは，中等症例（Hb 8〜12g/dL，網赤血球6〜10％，総ビリルビン2〜3mg/dL）で脾臓摘出術を考慮し，重症例（Hb 6〜8g/dL，網赤血球＞10％，総ビリルビン＞3mg/dL）では脾臓摘出術を行うべきとしている[4]．脾臓摘出術を行う時期は6歳以降が望ましく，可能なら腹腔鏡下に行う．脾臓摘出術後は重症の細菌感染症を合併する危険があるため，患者教育や，肺炎球菌，インフルエンザ菌b型，髄膜炎菌の予防接種，抗菌薬の予防投与などの対策を行う[5]．

処方例

鉄欠乏性貧血（乳幼児）

処方　インクレミン® シロップ（鉄として6mg/mL）

　　　1歳未満：2〜4mL，1〜5歳：3〜10mL，6〜15歳：10〜15mL　分3〜4

鉄欠乏性貧血（年長児）

処方　フェロ・グラデュメット®（鉄として105mg）1錠　分1　空腹時

> **温式 AIHA**
>
> 処方　プレドニン®　2mg/kg/日　分3

専門医に紹介するタイミング

白血病，再生不良性貧血，血球貪食症候群などの緊急性の高い重篤な疾患が疑われた際には，速やかに専門医に紹介すべきである．

鉄欠乏性貧血以外の貧血は，診断に特殊な検査を必要とすることが多く，適切な治療，管理が行われないと急速な貧血の悪化をきたす疾患も含まれるため，診断に苦慮する際には早期に専門医にコンサルトすべきであろう．

専門医からのワンポイントアドバイス

臨床の現場で最も重要なのは，白血病などの重症疾患を見逃さないことである．発熱，出血傾向，臓器腫大などの臨床症状，白血球数の異常，血小板減少などの貧血以外の検査所見に注意する．

小児では，年齢によって貧血の成因が異なるということを念頭において診療にあたる．鑑別診断を進める際には，Fanconi 貧血，Diamond-Blackfan 貧血などの先天性骨髄不全症候群，溶血性尿毒症症候群，血球貪食症候群など，小児期に特徴的な疾患を見逃さないようにしたい．

─────── 文　献 ───────

1) Brugnara C et al：A diagnostic approach to the anemic patient. In "Nathan and Oski's Hematology of Infancy and Childhood" eds. Orkin SH et al. WB Saunders, Philadelphia, pp293-307, 2015

2) Sills R：Iron-deficiency anemia. In "Nelson Textbook of Pediatrics" eds. Kliegman RM et al. Elsevier, Philadelphia, pp2323-2326, 2015

3) Hill QA et al：The diagnosis and management of primary autoimmune haemolytic anaemia. Br J Haematol 176：395-411, 2017

4) Bolton-Maggs PH et al：Guidelines for the diagnosis and management of hereditary spherocytosis - 2011 update. Br J Haematol 156：37-49, 2012

5) Davies JM et al：Review of guidelines for the prevention and treatment of infection in patients with an absent or dysfunctional spleen：prepared on behalf of the British Committee for Standards in Haematology by a working party of the Haemato-Oncology task force. Br J Haematol 155：308-317, 2011

6) Lanzkowsky P：Classification and diagnosis of anemia in children. In "Manual of Pediatric Hematology and Oncology" ed. Lanzkowsky P. Academic Press, London, pp32-41, 2016

7. 血液疾患・悪性腫瘍

ITP

ささはらようじ
笹原洋二
東北大学大学院医学系研究科 小児病態学分野

POINT

● 免疫性血小板減少性紫斑病（immune thrombocytopenia：ITP）は，自己免疫学的機序による血小板減少症である．

● わが国の小児 ITP 診療ガイドラインと難治性治療ガイドが，専門家の意見に基づいて提唱されている．

● 先天性血小板減少症との鑑別が重要であり，診療ガイドとコンサルトシステムが整備されている．

● 自己免疫疾患や原発性免疫不全症の一部として ITP を合併する場合がある．

ガイドラインの現況

　日本小児血液・がん学会血小板委員会では，長年にわたり診療ガイドや診療ガイドラインの作成と改訂が行われている．これまでの診療ガイドに基づき，2022 年に『小児免疫性血小板減少症診療ガイドライン』が，最新知見を網羅しながら Minds の推奨ガイドライン策定方法に基づいて作成されているため是非参照されたい[1]．また，難治症例の治療に特化した内容で，2019 年に『小児難治性 ITP 治療ガイド』が発表されている[2]．ITP は基本的に除外診断であるため，ITP との鑑別に重要な『先天性血小板減少症・異常症の診療ガイド』が発表されている[3]．小児 ITP 症例のほとんどは成人期に移行するため，厚生労働省研究班より妊娠合併時の診療ガイド[4]や成人の診療ガイド[5]が発表されており，症例の年齢に従って参照する必要がある．

【本稿のバックグラウンド】 小児の血小板減少には，ITP が頻度として最も多い．基本的に除外診断であるため，遺伝性血小板減少症や他の全身性疾患を鑑別する必要がある．本稿では小児期の ITP 診療ガイドラインを中心にその概要をまとめ，その鑑別診断や成人移行症例の診療ガイドも含めて紹介する．

どういう疾患・病態か

　血小板減少とは，血小板数が 10 万以下であることを示す．

　ITP は，血小板に対する自己抗体が産生

されるために，血小板減少をきたす疾患である．自己抗体が産生される機序は不明な点が多いが，先行感染あるいは予防接種後に発症する例が含まれ，抗原提示細胞から血小板抗原由来の抗原ペプチドが抗原提示細胞を介し

てCD4陽性T細胞に提示され，反応したB細胞から産生される自己抗体により発症する．その後，自己抗体が血小板に結合し，脾臓などの網内系での血小板の破壊亢進をきたす．

罹病期間により，これまで臨床的に急性ITP（6ヵ月以内に治癒）と慢性ITP（6ヵ月以上持続）に分類されているが，国際基準としては，新規診断ITP（3ヵ月以内），持続性ITP（3～12ヵ月持続），慢性ITP（12ヵ月以上持続）に分類される．

鑑別すべき疾患として，血小板産生に重要な遺伝子異常による遺伝性血小板減少症があり，慢性かつ難治性ITP症例の中に，遺伝性血小板減少症が混在している可能性がある．遺伝性血小板減少症は，遺伝学的機序により，血小板の産生が低下する病態である[3]．

治療に必要な検査と診断

わが国の小児ITP診療ガイドラインが，専門家の意見に基づいて提唱されている[1]．先行感染の有無や内服歴を確認し，発症以前の過去の血液検査で血小板数が正常であることが確認できれば先天性でない可能性が高くなるため，これらの問診を必ず行う．血小板サイズは正常かやや大型のことが多く，MPV（mean platelet volume）のほかに検鏡にて必ず血小板サイズを確認する．末梢血の幼弱血小板比率（immature platelet fraction：IPF）が増加し，骨髄中の巨核球数も正常か増加する．骨髄検査は必須ではないが，肝脾腫がある場合や赤血球，白血球の数的・形態的異常を有する非典型例では骨髄検査を実施する．自己免疫疾患の一面があるため，抗核抗体や各種自己抗体が陽性となる症例が存在する．ITPの確定診断法にGPⅡb/Ⅲa抗体産生B細胞数定量があるが，保険適用外検査となっている．

出血症状により重症度分類を行う．重症度分類は，修正Buchanan and Adixの重症度分類を用いる（**表1**）[1,2]．

表1　修正 Buchanan and Adix 出血スコア

Grade	リスク	備　考
0	無	新しい出血がまったくない
1	軽微	少数の点状出血（合計100個以内）および/または5個以内の小さな出血斑（直径3cm以内），粘膜出血なし
2	軽症	多くの点状出血（合計100個以上）および/または5個以上の大きな出血斑（直径3cm以上），粘膜出血なし
3	低リスク中等症	鼻孔の血痂，痛みのない口腔紫斑，口腔/口蓋の点状出血，臼歯に沿った頬側紫斑のみ，軽度の鼻出血≦5分
	高リスク中等症	鼻出血＞5分，血尿，血便，痛みを伴う口腔紫斑，著しい月経過多
4	重症	重い粘膜出血または脳，肺，関節などの内出血の疑いがあり，直ちに医師の診察または介入が必要な場合
5	生命を脅かす/致命的	確定された頭蓋内出血またはあらゆる部位での生命を脅かすか，または致命的な出血

（Schoettler ML et al. Pediatr Blood Cancer 64：10.1002/pbc.26303, 2017／日本小児血液・がん学会 編：小児免疫性血小板減少症診療ガイドライン2022年版を参照して作成）

治療の実際

臨床的な出血の重症度と治療介入の必要性との関係は，軽症は経過観察が可能，中等症は治療介入が必要，重症は致死的になる可能性があり，緊急の治療介入が必要である[1]．

1 ファーストラインの治療介入

ITP の治療においては，ガイドラインを参考にしながらも，各症例の臨床所見に応じて治療方針を決定することが重要である．小児 ITP に対する治療は，副腎皮質ステロイド，大量ガンマグロブリン療法（IVIG），リツキシマブ，トロンボポエチン受容体作動薬，脾臓摘出術の 5 つであり，それぞれの薬剤の作用部位が解明されている．

出血のない（Grade 0）または粘膜出血のない軽症出血（Grade 1 および 2）の新規診断 ITP 患者には，血小板数にかかわらず無治療経過観察を推奨する．ただし，頭部外傷のリスクが高い乳幼児や健康に関連した生活の質の低下した患者には，副腎皮質ステロイドあるいは IVIG を考慮してもよい．

粘膜出血のある（Grade 3 以上）新規診断 ITP 患者には，IVIG あるいは副腎皮質ステロイド治療を推奨する．

重症感染症や糖尿病の合併，水痘患者との接触歴など副腎皮質ステロイド治療が禁忌である患者，粘膜出血のある新規診断 ITP 患者には IVIG を推奨する．また，緊急の外科手術前や重症出血（Grade 4 以上）など速やかに血小板数を増加させたいときには，IVIG を推奨する．

長期的には小児 ITP の多くは自然軽快および治癒する症例が多いため，過度の治療とならないようにすることも重要である．

2 セカンドライン以降の治療適応

『小児難治性 ITP 治療ガイド』に掲載されているように，慢性 ITP で難治例・治療抵抗性である場合に，リツキシマブおよびトロンボポエチン受容体作働薬が選択肢として挙げられるが，小児での適応基準や長期的効果と安全性はまだ十分に定まっていないため，リスクとベネフィットを十分に説明したうえで適応を検討する[2]．

3 脾臓摘出術の適応

慢性 ITP で治療抵抗性であり，出血症状のコントロールが困難な場合のみ検討するが，可能な限り回避すべきであり積極的推奨はされない．5〜10 歳以上が望ましく，副脾の有無をエコーや MRI 検査で確認したうえで，腹腔鏡下手術で行う場合が多い．術前に肺炎球菌ワクチンを投与する．術後の抗菌薬予防内服は低年齢などリスクが高い場合に個別に検討することが推奨されている．

4 日常生活上の指導と留意点

治療内容を説明し，日常・学校生活上の管理の必要性を理解していただく．頭蓋内出血の頻度は極めて少なく生命予後は良好であるが，外傷予防については注意を払っていただく．

スポーツにおける接触リスクについては**表2**にまとめられている．血小板数が 7.5〜10 万以下では高リスクスポーツを制限し，5 万以下では中間リスクスポーツ参加を控える．ただし，2.5 万以上であれば競技性が低い場合には参加を検討してもよい．低リスクには血小板数にかかわらず参加は制限しないことが望ましい．

予防接種は経静脈免疫グロブリン投与後 6 ヵ月以上経過し，副腎皮質ステロイドや他の免疫抑制薬の投与がない患児に，説明と同

表 2　スポーツにおける接触リスク

リスク分類	接触リスク	スポーツの例
高リスク	意図的に身体への強い衝撃が与えられる可能性があるスポーツ	ボクシング，アメリカンフットボール，アイスホッケー，ラグビー，レスリング，柔道
中間リスク	ルールでは意図的な接触を制限するが，偶発的な接触が起こりうるスポーツ	野球，バスケットボール，サッカー，バレーボール，乗馬
低リスク	参加者間の接触がないスポーツ	水泳，ゴルフ，ジョギング，テニス，サイクリング，ダンス

(D'Orazio JA et al. J Pediatr Hematol Oncol 35：1-13, 2013／Kumar M et al. Pediatr Blood Cancer 62：2223-2225, 2015／Daneshvar DH et al. Clin Sports Med 30：1-17, 2011／Lincoln AE et al. Am J Sports Med 39：958-963, 2011／日本小児血液・がん学会 編：小児免疫性血小板減少症診療ガイドライン 2022 年版を参照して作成)

意を得たうえで行う．リツキシマブ投与後は，B 細胞が十分に回復した後に行う．

5 妊娠合併時および成人移行症例の診療について

　小児患者が成人に移行し，女性では妊娠時の管理が重要となる．安全な妊娠，出産と新生児の管理に必要な妊娠合併時の診療ガイドが作成されている[4]．個々の症例の臨床所見に基づき，小児科・血液内科・産婦人科が連携して事前に臨床情報を共有して診療することが必要である．

　成人移行後の成人 ITP についても診療ガイドが作成されている．小児科から血液内科へのトランジッションを十分に行っておくために，この診療ガイドを参照されたい[5]．

処方例

急性 ITP に対する処方例

●副腎皮質ホルモン処方例

処方　プレドニン®錠（5mg），プレドニン®散 1%　1〜2mg/kg/日（最大量 60mg/日）　1 日 2〜3 回に分割し食後内服　7〜14 日間投与し，1 週間かけて漸減中止する．

●免疫グロブリン製剤処方例

処方　献血ヴェノグロブリン®IH　1g/kg　6 時間以上かけて点滴投与する
　　　Fc intact ガンマグロブリン製剤を使用，infusion reaction に注意し，最初は投与速度を遅くして開始する．

慢性 ITP に対する処方例

●副腎皮質ホルモン剤処方例

処方　プレドニン®錠（5mg），プレドニン®散 1%　概ね 0.1〜0.5mg/kg/日
　　　1 日 1 回　朝食後内服
　　　症状と血小板数により増減する．

　慢性 ITP で治療抵抗性である場合にリツキシマブおよびトロンボポエチン受容体作働薬があるが，その適応は慎重に考慮する．

●リツキシマブ処方例

処方　リツキサン® 点滴静注（100 mg, 500 mg）1回 375mg/m² 1週間隔で4回投与

Infusion reaction 予防のため，抗ヒスタミン薬と解熱鎮痛薬（必要時は副腎皮質ステロイド）を前投与し，最初は投与速度を遅くして開始する．

●トロンボポエチン受容体作動薬処方例

処方　レボレード® 錠（12.5 mg, 25 mg）12.5 mg〜25 mg/日（最大量 50 mg/日）1日1回　食事の前後2時間を避けて空腹時に内服

12.5 mg より開始し，症状と血小板数により増減する．

専門医に紹介するタイミング

ITP の確定診断に不安がある場合，ITP の治療に不応性である場合，先天性血小板減少症や全身性疾患が疑われる場合は，早めに専門医にコンサルトすることが望ましい．

専門医からのワンポイントアドバイス

ITP は基本的に除外診断であることを忘れずに診療にあたることが重要である．治療は長期的な観点を常に視野にいれて，ステロイドの過量に注意しながら方針を決定する．

治療不応性である，長期的な臨床経過で血小板数の変動が少ない，IPF の上昇がない，血小板サイズが大きい，家族歴がある，血小板減少以外の臨床所見がある場合などは，先天性血小板減少症の鑑別診断を進める[3]．

--- 文　献 ---

1) 石黒　精 他：日本小児血液・がん学会 2022 年小児免疫性血小板減少症診療ガイドライン．日小児血がん会誌 59：50-57，2022

2) 高橋幸博 他：小児難治性 ITP 治療ガイド 2019．日小児血がん会誌 56：61-68，2019

3) 笹原洋二 他：先天性血小板減少症・異常症の診療ガイド．日小児血がん会誌 58：253-262，2021

4) 宮川義隆 他：妊娠合併特発性血小板減少性紫斑病診療の参照ガイド．臨床血液 55：934-947，2014

5) 柏木浩和 他：成人特発性血小板減少性紫斑病治療の参照ガイド 2019 改訂版．臨床血液 60：877-896，2019

7. 血液疾患・悪性腫瘍

血友病

山下敦己[1]，瀧　正志[2]

1) 聖マリアンナ医科大学横浜市西部病院 小児科, 2) 聖マリアンナ医科大学 小児科学

POINT

● 血友病の治療はインヒビターの有無により大きく異なり，それぞれ急性出血や手術・処置時の止血治療と長期的に出血を抑制する治療とに大別される.

● 血友病の治療は，単に出血時の対応だけではなく，長期的な治療展望に基づき包括的な医療を提供することが重要である.

ガイドラインの現況

　わが国では 5,000〜6,000 人の血友病患者が 500 以上の医療施設で治療されており，施設間差が大きいことから治療ガイドラインの策定が望まれ，日本血栓止血学会より血友病治療ガイドラインの作成が開始された．ガイドラインはインヒビターの有無により分かれ，『インヒビターのない血友病患者に対する止血治療ガイドライン 2013 年改訂版』[1] と『インヒビター保有先天性血友病患者に対する止血治療ガイドライン 2013 年改訂版』[2] が 2013 年に刊行された．その後，半減期延長型製剤や皮下注の抗体製剤など新薬が登場し，2019 年には『血友病患者に対する止血治療ガイドライン：2019 年補遺版　ヘムライブラ®（エミシズマブ）使用について』[3] が刊行された．なおこれらのガイドラインには血友病の周産期管理に関する記載がなく，2017 年に日本産婦人科・新生児血液学会から『エキスパートの意見に基づく血友病周産期管理指針 2017 年版』[4] も刊行された.

【本稿のバックグラウンド】 本稿では，『インヒビターのない血友病患者に対する止血治療ガイドライン 2013 年改訂版』，『インヒビター保有先天性血友病患者に対する止血治療ガイドライン 2013 年改訂版』を参考に，インヒビター非保有例と保有例の治療法をそれぞれ解説した．さらに『血友病患者に対する止血治療ガイドライン：2019 年補遺版　ヘムライブラ®（エミシズマブ）使用について』を参考に，エミシズマブの使用法についても解説を加えた.

どういう疾患・病態か

　血友病は，凝固第Ⅷ因子あるいは第Ⅸ因子が産生されないか，機能をもたない異常な凝固因子が産生されるために，血液の凝固過程

が遷延する遺伝性の出血性疾患であり，前者を血友病 A，後者を血友病 B という．ともに X 連鎖潜性遺伝性であることから，ごく一部の例外を除き，男性に発症する．両病型の臨床症状に差異はない.

出血症状の特徴は，反復性の関節内血腫と筋肉内血腫である．頭蓋内出血，消化管出血，血尿などの臓器出血も稀ではない．その他，口腔内出血，鼻出血，皮下血腫，紫斑など，出血症状は多岐にわたる．出血の頻度と程度は，一般的に凝固因子活性と逆比例する．1%未満を重症，1%以上5%未満を中等症，5%以上を軽症と分類する．

以前は，関節拘縮などによる肢体不自由や，出血死等で予後不良の疾患であったが，近年の治療薬や治療法の進歩により，普通の人と変わらない学校生活，社会生活が可能となりつつある疾患である．

治療に必要な検査と診断

血友病の診断のための検査の手順を図1に示した．血友病は，血小板数，出血時間，プロトロンビン時間，活性化部分トロンボプラスチン時間の4種類の組合せによる出血傾向スクリーニング検査のうち，活性化部分トロンボプラスチン時間（APTT）のみが延長する疾患である．APTT が単独で延長した場合，まず補正試験を行い，循環抗凝血素（ループスアンチコアグラントおよび内因系の凝固因子に対する抗体）を否定する．

次いで，第Ⅷ因子活性，第Ⅸ因子活性を測定する．第Ⅸ因子の低下が認められれば，血友病 B と診断する．第Ⅷ因子活性の低下が認められた場合は，フォン・ヴィレブランド因子（VWF）を測定し，異常がなければ血友病 A と診断する．軽症のフォン・ヴィレブランド病（VWD）は，出血時間が正常のことが多く，重要な鑑別すべき疾患である．第Ⅺ因子欠乏症，接触因子系の第Ⅻ因子，高分子キニノゲン，プレカリクレイン異常症も同様の検査所見を示すが，接触因子系の異常は，出血傾向を示さない．

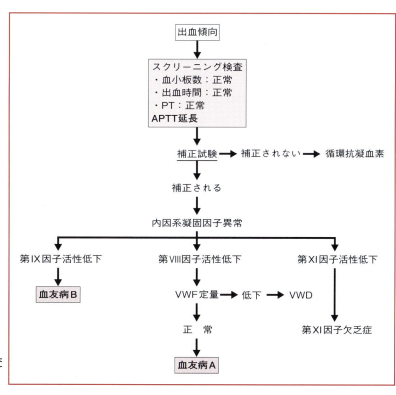

図1 血友病診断のための検査の手順

治療を行う際に重要な検査は，凝固因子の回収率，半減期，インヒビターの測定である．インヒビターは，血友病 A の 15～30％，血友病 B の約 5％に発生するので，止血効果が悪い場合はもちろんのこと，定期的（例えば，インヒビターの発生する可能性の高い最初の 50 exposure days までは，1～2 ヵ月に1 回，それ以降は 6 ヵ月～1 年に 1 回）に検査する．

治療の実際

1 インヒビターのない血友病患者の治療

欠如する凝固因子の補充療法が治療の原則である．血友病 A，血友病 B に対して，第Ⅷ因子製剤，第Ⅸ因子製剤をそれぞれ静注する．ただし，軽症，中等症の血友病 A の軽度な出血には，DDAVP の緩徐な静注が第一選択となる．

補充療法には，出血時に止血目的に行うオンデマンド療法，長期間にわたり出血抑制・関節障害防止を目的に定期的に行う定期補充療法[5]，遠足や運動会などの出血する危険性が高い活動の前に予防的に行う予備的補充療法，の 3 種類がある．補充療法に加え，2018年に皮下注射の抗血液凝固第Ⅸa/Ⅹ因子ヒト化二重特異性モノクローナル抗体血液凝固第Ⅷ因子機能代替製剤（エミシズマブ）が上市され，血友病 A に対する出血抑制療法として使用可能となった．

急性出血の補充療法は，出血の程度，出血の部位，出血から治療までの経過時間などにより投与量，投与期間などが左右される．急性出血および手術・処置における補充療法，各種処置・小手術における補充療法について，2013 年改訂版[1] に詳細が示されているが，その一部を表 1 に紹介する．なお，エミシズマブ投与中の患者においては，エミシズマブと第Ⅷ因子製剤の併用は相加効果であると報告されていることから，FⅧ製剤の補充は同ガイドラインに準じて行う．エミシズマブ投与中の凝固機能は FⅧ等価活性 15％程度と推測されていることを考慮し，出血の程度や処置の侵襲度に応じて補充の必要性や必要量を判断する[3]．

出血を長期的に予防する方法としては，凝固因子製剤の定期補充療法がある．血友病A では，活動性の高さや標的関節の有無等を考慮し，エミシズマブによる出血抑制治療も選択できる[3]．定期補充療法の方法はいくつかあるが，ここでは標準型製剤による方法を示す．代表的なスウェーデンの方法は，トラフレベルを 1％以上に保つことを目標に，25～40 単位/kg 体重を，血友病 A には週に3 回あるいは 1 日おき，血友病 B には週に 2回あるいは 2 日おきの投与を行う．その他，週に 1 回から開始し，個々の出血の状態で週2 回，さらに隔日投与と回数を増加させる方法（カナダ方式）もある．本治療法の対象は，重症型が主であったが，最近は出血頻度に応じて，中等症や一部の軽症にも広がっている．関節障害の発症前に開始する一次定期補充療法と発症後に開始する二次定期補充療法の 2 つがある．

予備的補充療法の輸注量の目安として，散歩などの近距離の徒歩運動などの運動量が少ない場合は，目標ピーク因子レベルを 20～40％に，長距離の徒歩移動やスポーツなどの運動量が多い場合は 40～60％とする[1]．

なお，半減期延長型製剤ではそれぞれの添付文書に基づき行う．

2 インヒビター保有血友病患者の治療

インヒビターが発生すると，通常の補充療法の効果は減弱あるいは消失する．治療戦略は大別して 2 つある．止血治療とインヒビ

表1 急性出血の補充療法

出血部位	目標ピーク因子レベル	追加輸注の仕方	備考
関節内出血 軽度 重度*	20～40% 40～80%	原則初回のみ（B，Ⅲ） ピーク因子レベルを40%以上にするよう12～24時間ごとに出血症状消失まで（B，Ⅲ）	急性期は局所の安静保持を心掛ける．外傷性の関節内出血もこの投与法に準じて行う．なお，急性期に関節穿刺を行う場合には「各種処置・小手術」の項に従って補充療法を行う．
筋肉内出血 （腸腰筋以外）	関節内出血に準ずる（C，Ⅳ）		急性期は局所の安静保持を心掛ける．
腸腰筋出血	80%以上	以後トラフ因子レベルを30%以上保つように出血症状消失まで（C，Ⅳ）	原則入院治療として安静を保つ（B，Ⅲ）．関節手術に準じて持続輸注を選択してもよい（C，Ⅳ）
肉眼的血尿 ※止血困難時	原則不要 40～60%	症状に応じて12～24時間ごとに1～3日間（C，Ⅳ）	安静臥床と多めの水分摂取を行い，原因検索を行う．トラネキサム酸の使用は禁忌．
鼻出血 ※止血困難時	原則不要 20～40%	症状に応じて12～24時間ごとに1～3日間（C，Ⅳ）	局所処置とトラネキサム酸1回15～25 mg/kgを1日3～4回内服か1回10 mg/kgを1日3～4回の静注を優先（C，Ⅳ）
頭蓋内出血**	100%以上	トラフ因子レベルを50%以上保つように少なくとも7日間続ける（C，Ⅳ）	入院治療とする．持続輸注が望ましい（C，Ⅳ）
乳幼児の頭部打撲	50～100%	速やかに1回輸注し，必要に応じてCTスキャンを行う（C，Ⅳ）	CTスキャン検査で頭蓋内出血が否定された場合でも2日間は注意深く観察を行う（C，Ⅳ）．乳幼児の頭蓋内出血の初期は典型的な症状を呈することが少ないので注意を要する

＊：初期の出血の自覚症状に気づかず，何らかの身体所見が出現してから気づく場合，何らかの理由で速やかな補充療法が行われなかった場合，頻繁に出血を繰返す target joint に出血が連続した場合を重度とした．
＊＊：専門医のいる施設，または専門医に相談のうえで対応できる施設への入院が望ましい．

（文献1より許可を得て，一部抜粋）

ターそのものを駆逐する治療である．

止血治療は，出血時の止血治療と出血抑制治療に分かれる．

出血時の止血治療は，出血の重症度もしくは手術の内容，最新のインヒビター値，インヒビターの既往免疫応答の有無，の3点を基本に，安全性や経済性を含めて総合的に判断し，治療法，すなわち中和療法かバイパス療法のいずれかを選択する．その治療アルゴリズムを図2に示す．バイパス治療薬として，活性型プロトロンビン複合体製剤，遺伝子組換え活性型第Ⅶ因子製剤（rFⅦa），血漿由来第Ⅹ因子加活性化第Ⅶ因子（FⅦa/FX）製剤が用いられる．ただし，エミシズマブ投与中の止血治療では副作用やモニタリングの面から，このアルゴリズムでは対応できないことに留意する．ヘムライブラ®投与中にバイパス治療薬を使用する際はrFⅦaを第一選択とし，1回投与量は最大90 μg/kgとする[3]．

出血抑制治療は，血友病Aではエミシズマブの投与が推奨される[3]．血友病Bでは，バイパス止血製剤の定期輸注療法が行われる．

インヒビターそのものを根絶する治療法と

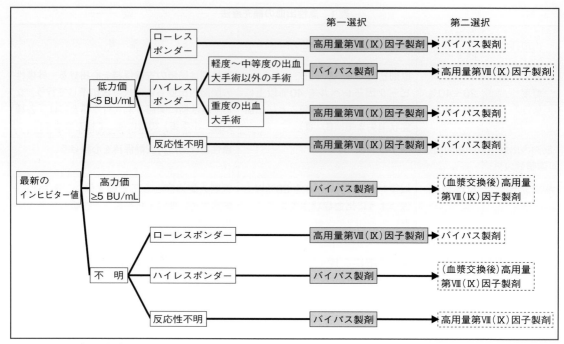

図2 インヒビター保有血友病患者の出血時の止血管理の治療製剤選択のアルゴリズム （文献2より引用）

して，免疫寛容導入療法（ITI）が行われる．インヒビター保有先天性血友病患者に対して，定期的に第Ⅷ（あるいはⅨ）因子製剤を投与し，第Ⅷ（あるいはⅨ）因子への免疫寛容を誘導しようとする治療である．ただし，インヒビター保有血友病B患者に対してのITI成功率は低く，また第Ⅸ因子製剤に対するアナフィラキシー反応や，ネフローゼ症候群の合併がみられることがあり，未だ一般的治療法とは認められていないので，専門医への相談あるいは連携を必要とする．インヒビター保有血友病A患者に対してのITIのレジメンは，25〜50単位/kgの週3回投与の低用量レジメン，200単位/kgの連日投与の高用量レジメン，その中間の中等量レジメンなどいくつかの方式があるが，現時点ではいずれのレジメンが最も優れているかに関して，一定の見解は得られていない．ただし，ITI療法反応良好予測群を対象とした国際研究では，低用量レジメンと高用量レジメ ンではITI成功率に差異はみられなかったが，成功到達までの期間が低用量レジメンで有意に長く，その間の出血回数も多いことが報告された．エミシズマブ治療下におけるITIの併用に関しては，有効性と安全性についての統一見解がないため，安易な併用は望ましくなく，併用する場合は専門施設への紹介が必要である[3]．

専門医に紹介するタイミング

血友病患者の治療は，単に出血時の対応だけではなく，長期的な治療展望に基づき包括的な医療を提供することが重要である．そのためには，一般医家は，専門医へのコンサルテーション，専門施設との医療連携を効率的に行う必要がある．そのためには，疾患が疑われた場合には速やかに専門医に紹介し，確定診断後は治療の役割分担を行うなど，緊密に連携をとりながら治療にあたることが重要

である.

専門医からのワンポイントアドバイス

血友病治療は，未だ根治治療が確立されていない．しかし，在宅自己注射療法，定期補充療法やエミシズマブによる出血抑制治療の早期導入および適切な運用，疾病に対する教育などで，QOL を高めることが可能な疾患となった．出血時に凝固因子製剤を注射するだけでなく，長期的視野に立ちトータルケアを提供することが大切である．

文 献

1) 藤井輝久 他：インヒビターのない血友病患者に対する止血治療ガイドライン 2013 年改訂版. 血栓止血誌 24：619-639，2013

2) 酒井道生 他：インヒビター保有先天性血友病患者に対する止血治療ガイドライン 2013 年改訂版. 血栓止血誌 24：640-658，2013

3) 徳川多津子 他：血友病患者に対する止血治療ガイドライン：2019 年補遺版ヘムライブラ®（エミシズマブ）使用について. 血栓止血誌 31：93-104，2020

4) 瀧 正志 他：エキスパートの意見に基づく血友病周産期管理指針 2017 年版. 日産婦新生児血会誌 27：53-66，2017

5) 瀧 正志：血友病に対する定期補充療法. 日小血会誌 19：67-73，2005

7. 血液疾患・悪性腫瘍

再生不良性貧血

吉田奈央
日本赤十字社愛知医療センター名古屋第一病院 小児医療センター血液腫瘍科

POINT

● 小児再生不良性貧血の診断に際しては，遺伝性骨髄不全症候群も念頭に，家族歴や身体的異常の有無を十分に確認するとともにスクリーニング検査を実施する必要がある．

● 重症型や輸血依存のある小児再生不良性貧血に対する治療の第一選択は，HLA一致血縁者間骨髄移植であり，血縁ドナーが得られなければ免疫抑制療法が選択肢となる．

● 診断から治療開始までの期間が治療効果に直結するため，再生不良性貧血を診断した際には速やかに治療可能な専門施設への紹介を行う．

ガイドラインの現況

　国内のガイドラインとしては，特発性造血障害に関する調査研究班が，『再生不良性貧血診療の参照ガイド（令和元年度改訂版）』を発行している．また先天性再生不良性貧血の代表疾患である Fanconi 貧血，先天性角化不全症に対しても，同研究班によってそれぞれ診療の参照ガイドが作成されている（http://zoketsushogaihan.umin.jp/resources.html）．治療法の一つである造血細胞移植に関しては，『日本造血・免疫細胞療法学会ガイドライン小児再生不良性貧血（第3版）』が参照可能である[1]．海外では，イギリス血液学会による『成人再生不良性貧血に対する診断と治療のガイドライン』をもとに小児版が2018年に出版された[2]．また遺伝性骨髄不全症候群や骨髄異形成症候群との鑑別に重きを置いた，小児重症再生不良性貧血における診断のコンセンサスガイドラインが北米小児再生不良性貧血コンソーシアムから2021年に新たに出版された[3]．

【本稿のバックグラウンド】 難治性疾患政策研究事業特発性造血障害に関する調査研究班による診療の参照ガイド（令和元年度改訂版）および日本造血・免疫細胞療法学会ガイドラインに加えて，最近のエビデンスが反映された総説論文も合わせて参考にした．

どういう疾患・病態か

　再生不良性貧血（aplastic anemia：AA）は，末梢血における汎血球減少と骨髄低形成

を特徴とする症候群である．国内小児における年間発症数は70～100人であり，成因によって先天性と後天性に分けられる．先天性 AA はおよそ10%を占め，Fanconi 貧血，先

表1　再生不良性貧血の診断基準（平成28年度改訂）

1. 臨床所見として，貧血，出血傾向，時に発熱を認める.
2. 以下の3項目のうち，少なくとも2つを満たす.
   ①ヘモグロビン濃度：10g/dL未満，②好中球：1,500/μL未満，③血小板：10万/μL未満
3. 汎血球減少の原因となる他の疾患を認めない. 汎血球減少をきたすことの多い他の疾患には，白血病，骨髄異形成症候群，骨髄線維症，発作性夜間ヘモグロビン尿症，巨赤芽球性貧血，癌の骨髄転移，悪性リンパ腫，多発性骨髄腫，脾機能亢進症（肝硬変，門脈圧亢進症など），全身性エリテマトーデス，血球貪食症候群，感染症などが含まれる.
4. 以下の検査所見が加われば診断の確実性が増す.
   1）網赤血球や未成熟血小板割合の増加がない.
   2）骨髄穿刺所見（クロット標本を含む）は，重症例では有核細胞の減少がある. 非重症例では，穿刺部位によっては有核細胞の減少がないこともあるが，巨核球は減少している. 細胞が残存している場合，赤芽球にはしばしば異形成があるが，顆粒球の異形成は顕著ではない.
   3）骨髄生検所見で造血細胞割合の減少がある.
   4）血清鉄値の上昇と不飽和鉄結合能の低下がある.
   5）胸腰椎体のMRIで造血組織の減少と脂肪組織の増加を示す所見がある.
   6）発作性夜間血色素尿症形質の血球が検出される.
5. 診断に際しては，1.，2. によって再生不良性貧血を疑い，3. によって他の疾患を除外し，4. によって診断をさらに確実なものとする. 再生不良性貧血の診断は基本的に他疾患の除外による. ただし，非重症例では骨髄細胞にしばしば形態異常がみられるため，芽球・環状鉄芽球の増加や染色体異常がない骨髄異形成症候群との鑑別は困難である. このため治療方針は病態に応じて決定する必要がある. 免疫病態による（免疫抑制療法がききやすい）骨髄不全かどうかの判定に有用な可能性がある検査所見として，PNH型血球・HLAクラスIアレル欠失血球の増加，血漿トロンボポエチン高値（320ng/mL）などがある.

（文献4より引用）

天性角化不全症などがその代表的疾患である. 通常，生殖細胞系列の遺伝子変異により造血不全を発症する. 後天性AAには原因不明の特発性（一次性）AAと，薬剤・放射線被曝などによる二次性AAがある. 特発性AAの多くは，造血幹細胞を標的とする自己免疫機序による造血抑制が病因と考えられている. 特殊なものとして，肝炎に関連して発症する肝炎関連AAや発作性夜間血色素尿症に伴うものがあり，同様に免疫機序の関与が考えられる.

治療に必要な検査と診断

特発性造血障害に関する調査研究班によって提案された改訂診断基準を**表1**に示す[4]. 末梢血の汎血球減少と骨髄低形成からAA

を疑うが，骨髄の細胞密度を正確に評価するには，骨髄生検が必須である.

小児AAの診断において最も問題となるのは，低形成性骨髄異形成症候群（myelodysplastic syndrome：MDS）との鑑別である. 鑑別には骨髄細胞の形態評価と染色体分析が有用であるが，細胞形態に異常を認めない典型的なAAにおいても染色体異常が認められる場合がある. また，2008年改訂以降のWHO分類では，小児における芽球の増加を伴わないMDSとして，小児不応性血球減少症（refractory cytopenia of childhood：RCC）が分類されたが[5]，国内の検討では，免疫抑制療法（immunosuppressive therapy：IST）への反応性やclonal evolutionの頻度に差を認めず，AAとRCCを厳密に分ける臨床意義は明らかではない.

表 2　再生不良性貧血の重症度分類

stage 1	軽　症	下記以外で輸血を必要としない
stage 2	中等症	以下の 2 項目以上を満たし， 　　網赤血球　　60,000/μL 未満 　　好中球　　　 1,000/μL 未満 　　血小板　　 50,000/μL 未満 a) 赤血球輸血を必要としない b) 赤血球輸血を必要とするが，その頻度は毎月 2 単位未満
stage 3	やや重症	以下の 2 項目以上を満たし， 　　網赤血球　　60,000/μL 未満 　　好中球　　　 1,000/μL 未満 　　血小板　　 50,000/μL 未満 毎月 2 単位以上の赤血球輸血を必要とする
stage 4	重　症	以下の 2 項目以上を満たす 　　網赤血球　　40,000/μL 未満 　　好中球　　　　500/μL 未満 　　血小板　　 20,000/μL 未満
stage 5	最重症	好中球 200/μl 未満に加えて，以下の 1 項目以上を満たす 　　網赤血球　　20,000/μL 未満 　　血小板　　 20,000/μL 未満

　先天性 AA のうち最も頻度の高い Fanconi 貧血の診断には，汎血球減少，皮膚の色素沈着，骨格系の異常，低身長，性腺機能不全といった特徴的な臨床像の有無を確認するとともに，染色体脆弱性試験を行う必要がある．先天性角化不全症は皮膚の網状色素沈着，爪の萎縮，口腔粘膜白斑を三徴とするが，これら身体的特徴が揃わない場合も多い．診断には末梢血でのフロー FISH 法またはサザンブロット法によるテロメア長測定が有用である．これら先天性 AA の確定診断には遺伝子検査が用いられるが，近年，先天性 AA を含む遺伝性骨髄不全症候群の原因遺伝子を次世代シークエンサーを用いて網羅的に検索するターゲットシークエンスシステムが開発され，診断に利用可能である．

　AA は重症度によって予後や治療方針が異なり，血球減少の程度により重症度を判別する．特発性造血障害に関する調査研究班による重症度分類（**表 2**）では，最重症，重症，やや重症，中等症および軽症，の 5 段階に分類される．国際的には Camitta らの分類が用いられている[6]．

治療の実際

　小児 AA の治療は，造血回復を目指した治療と支持療法から成り，前者は重症度および造血細胞移植ドナーの有無によって決定される（**図1**）．最重症，重症および輸血依存であるやや重症の AA では，HLA 一致血縁ドナーが得られれば，骨髄移植が治療の第一選択である．近年，HLA1 抗原不一致血縁ドナーからの移植成績は HLA 一致血縁者間移植と同等であることが示され，HLA1 抗原不一致血縁者間骨髄移植も第一選択となりうる．HLA 一致・1 抗原不一致血縁ドナーが得られなければ，免疫抑制療法（immunosuppres-

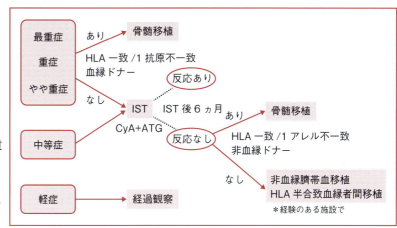

図1 小児再生不良性貧血の重症度別治療指針
IST：免疫抑制療法，CyA：シクロスポリン，ATG：抗胸腺細胞グロブリン

sive therapy：IST）を行う．IST不応例や再発例は，非血縁者間骨髄移植の対象となる[1]．

1 支持療法

感染症に対する抗生剤や輸血などが用いられる．ヘモグロビン値7g/dL以上を保つことを目安に赤血球輸血を行う．血小板数1万/μL以下で出血症状があれば，血小板輸血を行う．

2 造血細胞移植

やや重症以上の小児AA患者に対する治療の第一選択はHLA一致・1抗原不一致血縁者間移植であり，国内小児例では長期生存率は90％に達している．幹細胞ソースとしては，末梢血では慢性GVHDの頻度が高いことから，骨髄が推奨される．IST不応例や再発例は非血縁者間骨髄移植の適応となり，HLA1アレル不一致までのドナーが選択される．近年その成績は向上し，現在国際的には小児重症AAに対してupfrontに非血縁者間骨髄移植を行うことが試みられている．国内においては慢性GVHDのリスクや非血縁骨髄ドナーのコーディネート期間を考慮すると，現時点では全例を適応とすることは難しいが，ISTへの反応が期待できない患者やコーディネートが待てる状況の患者に対しては今後upfront非血縁者間骨髄移植も考慮されうる．適切な非血縁骨髄ドナーが得られない場合には，非血縁臍帯血移植またはHLA半合致血縁者間移植が試みられる．小児AAに対する標準的移植前処置としては，シクロフォスファミド（CY）＋抗胸腺細胞グロブリン（ATG）±低線量TBIまたはフルダラビン（FLU）＋CY＋ATG±低線量TBIが用いられる．しかしながら，二次性生着不全や，ドナー血球の生着が得られたにもかかわらず十分な造血能の回復がみられないドナー型造血不全をしばしばきたすことが問題となっており，日本小児再生不良性貧血治療研究会では，CYに替えてメルファラン（MEL）を使用する前処置法を提案している[1]．

3 免疫抑制療法

HLA一致血縁ドナーの得られないやや重症以上，および中等症の患者は，免疫抑制療法の対象である．日本小児再生不良性貧血治療研究会では，1993年より小児AAに対する前方視的多施設共同研究を開始した．この研究結果に基づき，小児AAに対する標準的ISTとして，ATGとシクロスポリン（CyA）の併用療法が行われている．最重症例には顆粒球コロニー刺激因子（granulo-

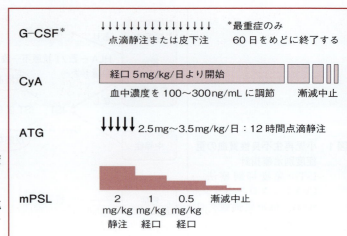

図2 小児再生不良性貧血に対する免疫抑制療法の概略
G-CSF：顆粒球コロニー刺激因子，CyA：シクロスポリン，ATG：抗胸腺細胞グロブリン，mPSL：メチルプレドニゾロン

cyte colony stimulating factor：G-CSF）が併用されるが，G-CSF長期投与とMDS発症の関連が報告されており，短期の使用が望ましい．従来ATGにはウマ由来の製剤が使用されてきたが，2009年以降，国内でウマATGは入手不可能となり，ウサギ由来のATG製剤（サイモグロブリン®）に切替わっている．実際に用いられている治療の概略を図2に示す．ISTにより，40～60％の症例で造血回復が得られるが，再発やMDSへの移行もみられるため長期の観察が必要である．

専門医に紹介するタイミング

診断から治療開始までの期間が短いほど，治療効果が高いことが示されている．診断早期から専門医とコンタクトをとり，やや重症以上の症例では速やかに造血細胞移植が可能な専門病院へ紹介することが望ましい．

専門医からのワンポイントアドバイス

病初期には血小板減少のみが先行し，特発性血小板減少症との鑑別が困難な場合があるが，赤血球が大球性の場合や，好中球数が正常下限であればAAも考慮し骨髄検査の施行を勧める．小児では後天性AAと診断されるなかに遺伝性骨髄不全症候群が隠れていることがあるということにも留意すべきである．

文献

1) 吉田奈央 他：造血細胞移植学会ガイドライン：再生不良性貧血（小児）（第3版）．日本造血細胞移植学会ガイドライン委員会 編．2018 https://www.jshct.or.jp/uploads/files/guideline/02_05_aa_ped03.pdf
2) Samarasinghe S et al：Paediatric amendment to adult BSH Guidelines for aplastic anaemia. Br J Haematol 180：201-205, 2018
3) Shimano KA et al：Diagnostic work-up for severe aplastic anemia in children：Consensus of the North American Pediatric Aplastic Anemia Consortium. Am J Hematol 96：1491-1504, 2021
4) 中尾眞二 他：再生不良性貧血．"特発性造血障害疾患の診療の参照ガイド 令和元年度改訂版" 三谷絹子 編．特発性造血障害に関する調査研究班，2020
5) Baumann I et al：Childhood myelodysplastic syndrome. In "World Health Organization Classification of Tumors of Haematopoietic and Lymphoid Tissues, 4th ed" eds. Swerdlow SH et al. IARC Press, Lyon, pp104-107, 2008
6) Camitta BM et al：Severe aplastic anemia：a prospective study of the effect of early marrow transplantation on acute mortality. Blood 48：63-70, 1976

7. 血液疾患・悪性腫瘍

白 血 病

<small>とみざわだいすけ</small>
富澤大輔

国立成育医療研究センター 小児がんセンター

POINT
- 小児白血病に対するガイドラインとして，日本小児血液・がん学会編集の『小児白血病・リンパ腫診療ガイドライン（2016年版）』が推奨される．
- 一方で，上記ガイドライン発行以降も新たな知見が続々と得られつつある．小児白血病の診療は，臨床試験への参加によって，あるいは十分なエビデンスに基づいて，実施されるべきである．

ガイドラインの現況

小児急性白血病のガイドラインとしては，国内では日本小児血液・がん学会による『小児白血病・リンパ腫診療ガイドライン（2016年版）』[1] が存在する（https://www.jspho.org/journal/guideline.html）．一方で，小児白血病の治療は，有効性・安全性においてさらなる改善をはかる必要から，全国規模の多施設共同臨床試験に参加するかたちで行われる[2,3]．本邦では，日本小児がん研究グループ（JCCG）によって，数多くの臨床試験が行われている．なお，米国には，小児急性リンパ性白血病に関して National Comprehensive Cancer Network® （NCCN）のガイドライン（https://www.nccn.org/guidelines/guidelines-detail?category=1&id=1496）が存在するほか，National Cancer Institute が PDQ（Patient Data Query）として各種の小児悪性疾患情報をウェブサイトに提供している（https://www.cancer.gov/publications/pdq/information-summaries/pediatric-treatment）．

【本稿のバックグラウンド】 小児白血病の診療について，『小児白血病・リンパ腫診療ガイドライン（2016年版）』に準拠して執筆した．一方で，本ガイドライン発行後にも様々な新規知見が得られつつあることをふまえて，国内外で実施された小児白血病を対象とした様々な臨床試験の結果を反映した内容とした．

どういう疾患・病態か

◼️1 疾患・病態の概要

急性白血病は，造血器の悪性腫瘍である．原因は不明だが，造血細胞に染色体異常や遺伝子変異が生じた結果，増殖能を獲得するとともに分化能を失った幼若造血細胞（芽球）が，自律的かつ無秩序に増殖することで白血病を発症する．ダウン症など，ある種の先天性疾患では，白血病の発症頻度が高い．ま

白血病 **425**

た，別の悪性腫瘍に対する化学療法や放射線治療後に白血病を発症することもある（治療関連白血病）．

急性白血病のうち，芽球形質がリンパ系造血細胞へ分化傾向を示すものを急性リンパ性白血病（acute lymphoblastic leukemia：ALL），骨髄系造血細胞へ分化傾向を示すものを急性骨髄性白血病（acute myeloid leukemia：AML）という．白血病は，小児期の悪性腫瘍の約1/3を占める最大の疾患で，2〜6歳にALLの発症頻度が高い結果，小児白血病全体ではALLが約70％，AMLが約20％を占める．リンパ系および骨髄系双方の形質を有する混合表現型急性白血病（mixed phenotype acute leukemia：MPAL）や，いずれにも分類し得ない急性未分化型白血病（acute undifferentiated leukemia：AUL）もある．なお，小児白血病の約5％を占める慢性骨髄性白血病（chronic myeloid leukemia：CML）は，WHO分類第4版[4]にて骨髄増殖性疾患に分類されており，本稿では取り扱わない．

2 主要症状

急性白血病の症状は，骨髄における芽球増殖に起因する正常造血の障害と，芽球の髄外浸潤によるものに大別される．前者では貧血，血小板減少，正常白血球数の減少が生じる．芽球の髄外浸潤によってリンパ節腫脹，肝脾腫，中枢神経系（CNS）や精巣への浸潤，皮膚浸潤などが起こる．白血病は特異的な症状で発見されることは少なく，不特定の症状が長引くことが疾患を疑う契機になる．

なお，白血病初発時に緊急を要する病態（oncologic emergency）が生じることがある．T細胞性ALLなどで胸腺浸潤を伴う場合に，上大静脈症候群/上縦隔症候群を呈し，不用意な体位変換や鎮静処置によって突然の呼吸停止や心停止をきたすことがある．急性前骨髄球性白血病（acute promyelocytic leukemia：APL）では，播種性血管内凝固症候群（DIC）を合併し，重篤な出血症状が生じる．初診時点で末梢血白血球数が10万/μLを超えるなど白血球増多症を示す症例では，腫瘍崩壊症候群（白血病細胞内容物の遊出による高尿酸血症，腎障害，高カリウム血症，高リン血症など），過粘度症候群に伴う頭蓋内出血などをきたすことがある．

治療に必要な検査と診断

1 急性白血病の確定診断

急性白血病の確定診断は，穿刺吸引した骨髄液の塗抹標本において，有核細胞中に芽球が一定割合以上（ALLは25％以上，AMLは20％以上）占めることを形態学的に証明して行う．芽球比率が低かった場合には，1〜2週間の間隔をおいて繰返し検査を行う必要がある．なお，骨髄液が吸引困難であった場合は，骨髄組織を直接採取する骨髄生検を実施することが望ましい．

2 急性白血病の病型診断

白血病の病型診断には，塗抹標本の特殊染色が必要になる．一般的にALLはペルオキシダーゼ染色（POX）陰性，AMLでは陽性となるが，AMLでもPOX陰性となるものがある（FAB分類のM0，M5，M6，M7）．この他，エステラーゼ染色が単球系AML（M4やM5）の診断に有用である．

最近は，細胞系列に特異的な細胞表面抗原あるいは細胞質内抗原を，フローサイトメトリーで検出する免疫診断が，白血病病型診断の主役となっている．B前駆細胞性とT細胞性ALLとの区別，治療上はリンパ腫に分類される成熟B細胞性ALLの診断，POX

陰性 AML の各病型診断など，正確な病型診断に欠かせないツールである．

もう一つ欠かせないのは，白血病細胞の遺伝子・染色体検査である．ALL や AML の特定の遺伝子・染色体異常は予後と密接に関係し，再発リスクに応じた層別化治療に欠かせない情報である．また，フィラデルフィア染色体として知られる t（9;22）（q34;q11）/ *BCR-ABL1* が陽性だった場合は，チロシンキナーゼ阻害薬（TKI）を用いた分子標的治療の適応となるなど，治療選択においても重要である．

3 髄外病変の評価

特に ALL では，診断時の CNS 浸潤の有無は予後と強く相関し，CNS 浸潤陽性例に対しては，治療強化が必要になる．traumatic tap となった場合に，それ自体が CNS 再発のリスクとなるため，必ず検査と同時に抗がん剤の髄腔内注射（髄注）を行う．ただし，出血傾向が強い場合など，脳脊髄液検査が安全に施行できないときは行わない．その他の部位の髄外浸潤については臨床的意義が明らかでないことから，画像検査や生検は必須ではない．

治療の実際

急性白血病治療の主体は，多剤併用化学療法であり，複数の治療相に分けて実施する．*BCR-ABL1* 陽性 ALL にはイマチニブなどの TKI を併用した化学療法を行う．最終的に患者の体内のすべての白血病細胞を排除することを目標にする（total cell kill）．加えて，既知の予後因子（診断時の白血球数や年齢，白血病細胞の遺伝子・染色体異常，微小残存病変（MRD）など治療早期の反応性など）により再発リスクを評価し，それに基づく層別化治療を行う（図1，2）．現在，ALL では約80%，AML では約70%の長期生存率が得られている．

■1 急性リンパ性白血病（ALL）の治療

a）寛解導入療法

白血病を寛解（形態学的に白血病細胞を認めず，かつ正常造血の回復など白血病に起因する臨床症状を認めない状態）に至らしむことを目的として行う．プレドニゾロンまたはデキサメタゾン，ビンクリスチン，L-アスパラギナーゼ，アントラサイクリン系抗がん剤（ATC）の4剤を中心に，4〜6週間の治療を行う．

b）強化療法

寛解導入療法以降の治療相は，寛解後の残存白血病に対して行われる．6-メルカプトプリン（6-MP），シタラビン（Ara-C），シクロホスファミド，大量メトトレキサート（MTX）療法などを用いる．

c）中枢神経予防治療

脳血液関門により「聖域」となっている CNS からの白血病再発を防ぐ目的で，各治療相において MTX，Ara-C などの髄注を複数回行う．一部の CNS 再発リスクが非常に高い患者においては，放射線の全脳照射を行うが，晩期合併症の問題からその適応は縮小されつつある．

d）維持療法

通常，経口の抗がん剤（6-MP，MTX）により，外来で1〜2年かけて行う．寛解導入療法から維持療法まで，全治療期間が計2〜3年にわたる．

e）再発・難治 ALL の治療

従来，再発・難治 ALL に対しては，化学療法とさらなる再発リスクに応じて造血幹細胞移植を適用した治療が行われていたが，最近になり，抗 CD19 二重特異性 T 細胞誘導

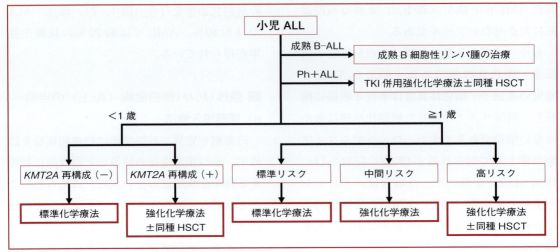

図1 初発未治療急性リンパ性白血病（ALL）のアルゴリズム　　　（文献1を参照して作成）

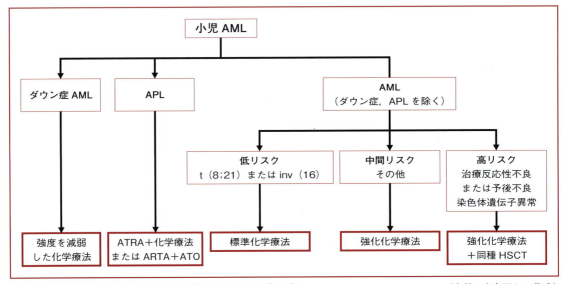

図2 初発未治療急性骨髄性白血病（AML）のアルゴリズム　　　（文献1を参照して作成）

抗体製剤ブリナツモマブや抗CD22抗体薬物複合体製剤イノツズマブ・オゾガマイシン，抗CD19キメラ抗原受容体（CAR）T細胞チサゲンレクルユーセルなどの免疫療法の役割が増しつつある．

2 急性骨髄性白血病（AML）の治療

AML治療の中心は，Ara-CとATCであるが，小児AMLではさらにエトポシドを併用することが多い．これらの3剤を用いた寛解導入療法と大量Ara-C療法を含む強化療法を計4～5コース程度行うのが標準的である．近年，抗CD33抗体薬物複合体製剤ゲムツズマブ・オゾガマイシンの少量併用化学療法も導入されつつある．

APLでは，化学療法に全トランスレチノイン酸（ATRA）による分化誘導療法を併用した治療が標準であったが，近年同じく分

化誘導効果を持つ三酸化ヒ素（ATO）とATRA の併用療法が広く行われるようになってきている．前述のように，APL はそれ自体が oncologic emergency であり，疑った段階で速やかに ATRA を開始する必要がある．

ダウン症に発症した AML では，治療合併症が多い一方で，Ara-C による治療反応性が良好であり，治療強度を減じた多剤併用化学療法を行う．

3 造血幹細胞移植

造血幹細胞移植は，移植前処置（全身放射線照射や大量化学療法）および移植後の同種免疫効果（Graft-versus-leukemia 効果）による抗白血病効果が期待できる強力な治療法であるが，様々な急性期および晩期合併症のリスクを伴う．急性白血病における適応は，第 1 寛解期では特に再発リスクが高いと考えられる場合や，再発例に限定されている．

4 支持療法

白血病治療において有害事象の発生は必発であり，時には致死的な経過をたどる．骨髄抑制に対する輸血療法，ニューモシスチス肺炎予防目的の ST 合剤投与，発熱性好中球減少を含めた感染症発症時の抗菌薬投与，抗がん剤投与時の制吐療法など，適切な対策を講じる必要がある．

専門医に紹介するタイミング

白血病患者の診断，初期マネージメント，および治療には，高度の専門性を要する．少なくとも白血病の可能性が相当に疑われる場合は，原則として専門医に紹介するのが望ましい．特に，ステロイドの使用は ALL の診断を困難にする可能性があり，事前に専門医に相談すべきである．

専門医からのワンポイントアドバイス

白血病の初発症状は非特異的であり，「疑う」ことから診断プロセスが始まる．成人の悪性腫瘍と異なり，早期発見・診断の意義はないとされる．しかし，高度の貧血状態での不適切な輸血・輸液負荷や，oncologic emergency の際には患者が急変することもある．治療はもちろんのこと，診断自体も高度の専門性を要するため，白血病が疑われた段階で，積極的に専門医に相談することが望ましい．

──────── 文　献 ────────

1）日本小児血液・がん学会 編：小児白血病・リンパ腫診療ガイドライン（2016 年版）．金原出版，2016
2）Pui C-H et al：Childhood acute lymphoblastic leukemia：progress through collaboration. J Clin Oncol 33：2938-2948, 2015
3）Zwaan CM et al：Collaborative efforts driving progress in pediatric acute myeloid leukemia. J Clin Oncol 33：2949-2962, 2015
4）Swerdlow SH et al：WHO Classification of Tumours of Haematopoietic and Lymphoid Tissues, Revised 4th edition. World Health Organization, 2017

白血病　**429**

7. 血液疾患・悪性腫瘍

リンパ腫

加藤元博
東京大学医学部附属病院 小児科

POINT
- リンパ腫の治療には，病期分類と病型診断により適切な治療骨格と強度を選択することが重要である．
- リンパ腫の診断時には縦郭腫大や巨大腫瘤などで全身状態が悪いことがあり，速やかな対応が必要なことがある．
- 診療には様々な部門の技術や知識が必要であり，治療に習熟した専門施設での治療が望ましい．

ガイドラインの現況

本邦では，日本小児血液・がん学会から『小児白血病・リンパ腫の診療ガイドライン』が 2016 年に改訂されている．一部の病型は成人とも共通しており，日本血液学会から『造血器腫瘍診療ガイドライン（2018 年補訂版）』も発行されている．米国では NCCN（National Comprehensive Cancer Network）による Clinical Practice Guidelines in Oncology が示されている．これらのガイドラインに掲載されている標準治療により，多くの病型で一定の治療成績が達成されているが，未だに再発・難治群の一群がいる一方で，強力な治療による晩期合併症も重要な課題となっている．さらなる治療成績の向上と晩期合併症の最小化を目指して，国内外で臨床試験が実施されている．

【本稿のバックグラウンド】 日本小児血液・がん学会による『小児白血病・リンパ腫の診療ガイドライン（2016 年版）』および，一部の病型については日本血液学会による『造血器腫瘍診療ガイドライン（2018 年補訂版）』も参考にし，最近の論文による情報も含めて標準治療の考え方について解説した．

どういう疾患・病態か

リンパ腫は，リンパ組織から がん細胞が生じた悪性腫瘍であり，固まりをつくって増殖するものの，リンパ組織由来であることから，一般的には造血器腫瘍として扱われる．病型の分布に差はあるものの，小児から成人までみられる疾患であり，本邦において小児期のリンパ腫は，年間に約 100～200 人の罹患が報告されている[1]．希少疾患であるうえに，診断と治療には，小児科医だけでなく，小児外科医，放射線科医，病理医などの密な連携が必要であるため，集約化して治療が行われている．

臨床試験の積重ねによる標準的な治療骨格の確立，分子病態を含めた病型分類の適正

化，支持療法の進歩によって，リンパ腫の治療成績は確実に向上し，現在では小児リンパ腫全体の長期生存率は，80％ に達している[2]．

体内のリンパ組織に，リンパ腫細胞が浸潤し，腫大することによる様々な症状がみられる．表在性のリンパ節が腫大することや，腹腔内のリンパ節腫大を契機に受診することが多いが，縦隔の腫大による呼吸障害で，緊急受診が必要になることも珍しくない．骨髄転移により血球減少をきたすこともあるが，骨髄中の芽球が 25％ を超えた場合には，リンパ腫ではなく，白血病と診断する．

治療に必要な検査と診断

リンパ腫の治療に必要なのは，病理組織診断による組織学的分類と，病期の把握である．

1 病理組織診断

組織型としては，大きく「ホジキンリンパ腫」と「非ホジキンリンパ腫」に分類され，本邦の小児では，非ホジキンリンパ腫に大きく偏っている[1]．非ホジキンリンパ腫のなかでも，組織型によって治療骨格が異なることから，最適な治療を選択するためにも生検による病理学的な診断確定は必須である．

リンパ腫は，化学療法に対する反応性が良好であり，外科的に根治切除を目指す必要はない．表在リンパ節や胸水，骨髄などから，可能な限り最小限の侵襲で診断のための検体を採取することが推奨される．

採取された検体は，病理検査を行うだけでなく，表面マーカー検査や，核型分析を含めた分子遺伝学的な検索を行うことが必要なため，標本をすべてホルマリン固定せずに，少なくとも一部は生検体として処理する必要がある．一般的には，1cm 角の腫瘍検体が採取されれば，治療の選択に必要な検査は可能である．

病理組織診断分類には，2016 年に改訂された WHO 分類が広く使用されているが，実際の治療方針の選択の目的からは，非ホジキンリンパ腫は「成熟 B 細胞性リンパ腫」「リンパ芽球性リンパ腫」「未分化大細胞リンパ腫」に分類される．

2 病期の把握

リンパ腫が疑われる患者に対し，まず必要なのは，画像検査を行い腫瘍の局在と拡がりを把握し，さらに，どの部位が生検に最も適しているかを判断することである．

造影 CT が，胸腹部の腫瘍の評価に用いられるが，骨盤や頭頸部の病変の評価には，造影 MRI のほうが優れている．ただし，縦隔に病変のある場合は，呼吸症状がなくても，撮影などのために臥位をとるだけで，気道閉塞に至ることがあるため注意が必要である．また，中枢神経転移，骨髄転移，骨転移の有無を診断する目的で，髄液検査，骨髄検査，骨シンチグラムが それぞれ行われる．小児リンパ腫における診断時の PET 検査の意義は，未だ確定していない．

病期分類としては，非ホジキンリンパ腫では Murphy 分類[3] が，ホジキンリンパ腫では Ann Arbor 分類[4] が用いられている（**表 1**）．

治療の実際

病理組織診断分類によって標準治療が異なるが，いずれもステロイド剤と抗がん剤を併用した多剤併用化学療法が治療の中心となる．本邦でも，それぞれの病型分類に対して臨床試験が行われることがあるが，いずれも標準治療を基にした治療骨格である．

1 成熟 B 細胞性リンパ腫の治療

成人でみられる濾胞性リンパ腫などは，小

表1　リンパ腫の病期分類の概要

病　期	非ホジキンリンパ腫 （Murphy 分類[3]）	ホジキンリンパ腫 （Ann Arbor 分類[4]）
Ⅰ	・単一ヵ所の病変 　（縦隔と腹部のものは除く）	・単一ヵ所の病変
Ⅱ	・領域リンパ節の浸潤を伴う ・横隔膜の同一側にある2ヵ所以上の病変 ・消化管原発の病変で全摘出されたもの	・横隔膜の同一側にある2ヵ所以上の病変
Ⅲ	・横隔膜の両側にある病変 ・胸腔内（縦隔など）の病変 ・消化管原発の病変で全摘出できなかったもの	・横隔膜の両側にある病変
Ⅳ	・中枢神経または骨髄に浸潤があるもの	・リンパ節外臓器にびまん性に浸潤している ・遠隔のリンパ節外臓器に病変がある

大まかな理解のために簡略化した病期分類の概要を示す．実際の病期分類においては付記条件があることに注意すること．

児では稀であり，成熟B細胞性リンパ腫の大部分は，バーキットリンパ腫またはびまん性大細胞型B細胞リンパ腫である．この両者に対する標準治療は共通しており，短期に集中して濃厚な多剤併用化学療法を行うことで長期生存率の改善が得られる．

ただし，成熟B細胞性リンパ腫では，化学療法に対する反応性は極めて良いことがあり，急速な腫瘍細胞の死滅による腫瘍崩壊症候群への対策が，治療初期の合併症を回避するために重要である．

プレドニゾロン/デキサメタゾンなどのステロイドと，ビンクリスチン，シクロフォスファミドにアントラサイクリン系薬剤などを中心としたブロック型の治療が行われる．上述のように，短期集中治療で治療成績が向上した病型であることから，骨髄回復後に速やかに次コースの治療を開始することが重要である．小児急性リンパ性白血病で行われるような長期の維持療法は，通常は行われない．

また，成人の成熟B細胞性リンパ腫では，抗CD20モノクローナル抗体であるリツキシマブが予後の改善に寄与し，標準治療に組込まれている．小児でも高リスク群を中心に用いられるようになった．

2 リンパ芽球性リンパ腫の治療

リンパ芽球性リンパ腫の臨床的な特徴は，急性リンパ性白血病に類似しており，治療においても急性リンパ性白血病と同様のステロイド，ビンクリスチン，アスパラギナーゼを併用した寛解導入療法と，メソトレキセートを含んだ強化療法，ひき続く維持療法で良好な成績が報告されている．

特にドイツBFMグループが報告したNHL-BFM 90/95研究では，80%を超える5年無イベント生存率が達成されており，世界的な標準治療と考えられている．しかし，このNHL-BFM 90/95以降の治療成績の改善は乏しいことが大きな課題である．分子遺伝学的な解析などの橋渡し研究（translational research）の進歩により，分子病態に基づいた分子標的治療や層別化治療の開発が必要と考えられる．

❸ 未分化大細胞型リンパ腫の治療

小児の未分化大細胞型リンパ腫として，大規模な国際共同臨床試験である ALCL 99 試験が，高いエビデンスレベルで 80% 前後の無イベント生存率を報告しており，標準治療と位置付けられている．

しかし近年，小児でも承認された抗 CD30 抗体であるブレンツキシマブ・ベドチンなどの位置付けは未だなされておらず，さらに，未分化大細胞型リンパ腫のほとんどで *NPM-ALK* 融合遺伝子が検出されることから，*ALK* 阻害薬の有効性も期待される．今後，まずは難治例・再発例を対象とした臨床試験により，これらの薬剤の意義が確認され，将来的に標準治療に組込まれることが期待される．

❹ ホジキンリンパ腫の治療

ホジキンリンパ腫は，連続的に進展することから，多剤併用の化学療法に加えて放射線照射が標準的に用いられてきた．病期にもよるが，化学療法としては，ステロイド，ビンクリスチン，ドキソルビシン，エトポシド，もしくはプロカルバジンを用いた組合せなどが国際的には広く用いられている．ホジキンリンパ腫も，非ホジキンリンパ腫と同様に，80% を超える無イベント生存率が得られている．一方で，放射線照射に関連する二次がんの発症が大きな問題となっており，いかに高い生存率を維持しつつ放射線照射を削減するかが，小児ホジキンリンパ腫の標準治療における課題である．

成人では，PET 検査による残存病変の評価の有用性が認識されており，小児ホジキンリンパ腫でも PET 検査による評価の意義を検証することが必要と考える．

専門医に紹介するタイミング

小児リンパ腫は，臨床症状が現われてからの病変の増大はしばしば加速度的であり，急速に状態が悪化する例や，診断時には既に全身状態が不良な例があるため，遅滞なく診断的検査を行わねばならない．診断を疑った段階で必要最低限の画像検査を行い，速やかに専門医に紹介することが望まれる．

専門医からのワンポイントアドバイス

リンパ腫は，長期生存率が向上したからこそ，治療初期の合併症を最小限にとどめることが重要である．不必要な検査を行って診断や治療開始が遅れることは避けなければならない．また，発熱や倦怠感，骨痛や上気道炎症状などが診断の契機になることもしばしばあるため，非特異的な症状が長引く場合には，リンパ腫を含めた悪性腫瘍性疾患の存在を念頭におく必要がある．

文　献

1) Horibe K et al : Incidence and survival rates of hematological malignancies in Japanese children and adolescents (2006-2010) : based on registry data from the Japanese Society of Pediatric Hematology. Int J Hematol 98 : 74-88, 2013

2) Kobayashi R et al : Treatment of pediatric lymphoma in Japan : Current status and plans for the future. Pediatr Int 57 : 523-534, 2015

3) Murphy SB : Classification, staging and end results of treatment of childhood non-Hodgkin's lymphomas : dissimilarities from lymphomas in adults. Semin Oncol 7 : 332-339, 1980

4) Lister TA et al : Report of a committee convened to discuss the evaluation and staging of patients with Hodgkin's disease : Cotswolds meeting. J Clin Oncol 7 : 1630-1636, 1989

7. 血液疾患・悪性腫瘍

神経芽腫

滝田順子
京都大学大学院医学研究科 発達小児科

POINT

● 神経芽腫は小児の固形腫瘍の中では脳腫瘍に次いで頻度が高い.

● 乳児の自然退縮をきたす予後良好群と, 致死的な経過をたどる年長児の予後不良群の2群に分類される.

● 治療方針を決めるために, リスク分類が重要.

● 高リスクには, 外科治療, 化学療法, 造血細胞移植, 放射線療法を組合せた集学的治療が必要である.

ガイドラインの現況

神経芽腫は, 乳児の自然退縮をきたすような予後良好群と, 致死的な経過をたどる年長児の予後不良群の2群に分類される. わが国では1985年より, 乳児例に対する乳児神経芽腫全国統一プロトコールと, 1歳以上で発見される病期3, 4の進行神経芽腫を対象とした厚生省研究班プロトコールが施行されてきた. また2006年からは, 日本神経芽腫研究グループ (JNBSG) による各リスクに対する臨床試験が施行されている. JNBSGは現在, 日本小児がん研究グループ (JCCG) の神経芽腫委員会として活動している. 一方, 米国のCOG (Children Oncology Group) でも, 年齢 (18ヵ月以上か未満か), 病期, 病理組織, *MYCN*増幅の有無によって, 低リスク群, 中間リスク群, 高リスク群の3群に分類した臨床試験が行われている. わが国の治療成績は, 乳児の限局例は90%以上の5年生存率であり, COGの治療成績も, 低リスク群と中間リスク群は約90%の治療率である. 一方, 高リスク群は, 大量化学療法併用の造血細胞移植を行っても30～40%の5年生存率となっている.

【本稿のバックグラウンド】 本稿は, 日本小児血液・がん学会が出版した『小児がん診療ガイドライン第2版』を参考に, 最近の文献をふまえて, 神経芽腫の診断, 治療に関して解説したものである.

どういう疾患・病態か

神経芽腫は, 胎児期の神経堤由来の悪性腫瘍で, 小児固形腫瘍中では脳腫瘍に次いで頻度が高い. 米国での発生頻度は, 1～15歳の小児人口100万人あたり年間10.4人と報告されており, 小児悪性腫瘍全体の約10%を占める. 副腎および全身の交感神経節から発

434　7. 血液疾患・悪性腫瘍

生し，5歳までに約90％が発症する．神経芽腫群の病理組織分類は，神経芽腫（neuroblastoma），神経節芽腫（ganglioneuroblastoma），神経節腫（ganglioneuroma），の3群に分類され，この順に進んだ分化段階を示していると考えられる．このうち神経節腫は良性である．さらに詳細な分類は，国際分類（International Neuroblastoma Pathology Classification：INPC）が標準的なものとして用いられている．

本疾患は，発症年齢，病理組織型，病期，遺伝学的背景により，治療への反応性，予後が大きく異なることが特徴である．一般的に，18ヵ月未満に発症する例は，予後良好（5年生存率90％以上）であるのに対し，18ヵ月以上に発症し，遠隔転移を有する進行例は，予後が極めて不良である（5年生存率40％以下）．分子生物学的には，*MYCN*増幅，DNA diploid および 11q の LOH（ヘテロ接合性の消失）を示す例は予後不良であり，*TRKA* の高発現を有する例は予後良好といわれている．

症状としては，乳児例では限局性のものが多く，しばしば健診や他の疾患の診察時に腹部腫瘤として偶然発見される．新生児や3ヵ月未満の例では，呼吸困難を伴った肝腫大で発見されることもある．年長児例は一般的に，腹部膨満，発熱，顔色不良，四肢痛で発見されるが，特異的な症状はない．その他の症状は，腹痛，高血圧（腫瘍から分泌されるカテコールアミンあるいは腎性高血圧による），下痢（血管活動性小腸ペプチド産生によるVIP症候群），眼球突出や眼球運動異常（眼窩転位による），リンパ節腫脹，皮下腫瘤など極めて多彩である．腫瘍が脊柱管内に進展し（dumb-bell型），下肢麻痺などの神経症状を呈する例もある．頸部交感神経節原発例は，しばしば Horner 症候群を呈する．

治療に必要な検査と診断

カテコールアミン産生腫瘍であるため，特異的マーカーである尿中 vanyllylmandelic acid（VMA），または homovanillic acid（HVA）のいずれかの上昇を90％以上の症例で認める．非侵襲的な検査であるため，尿中 VMA，HVA の測定は第一に行う．血清 NSE，LDH，フェリチン値は非特異的であるが，病勢を反映するので併せて測定する．画像検査としては，CT および MRI 検査が有用である．腹部超音波検査や腹部 X 線は簡便に行えるので，腹部腫瘍を疑った初期段階で施行するとよい．全身の転移巣の検索には，MIBG 腫瘍シンチグラフィー，骨シンチグラフィーおよび2ヵ所以上の骨髄穿刺または生検を行う．確定診断のためには，腫瘍の生検が必要である．生検により神経芽腫の病理組織診断を確定するのみならず，*MYCN* の増幅の有無，DNA ploidy，染色体異常などの生物学的予後因子の検索も行う．病的分類には International Neuroblastoma Staging System（INSS）が標準的に用いられている．

治療の実際

リスクに応じた治療が行われている．リスクは，年齢（18ヵ月），病期，病理組織所見（International Neuroblastoma Pathology Classification：INPC），生物学的特性などの予後因子により，極低，低リスク，中間リスク，高リスク，の4群に分類される．病期は，国際神経芽腫リスクグループ病期分類（International Neuroblastoma Risk Group：INRG）によって，4つに分類される（表1）．最近，国際的なリスク分類として，国際神経芽腫リスクグループ分類（International Neuroblastoma Risk Group Risk：INRGR）

神経芽腫　435

表1 神経芽腫の病期分類（INRG 病期分類）

病期	定義
L1	限局性腫瘍で多臓器への浸潤なし
L2	限局性腫瘍で多臓器への浸潤あり
M	遠隔転移あり
MS	原発巣が L1，L2 の腫瘍で，骨髄，皮膚，肝臓へ転移あり

(International Neuroblastoma Risk Group Risk (INRGR). J Clin Oncol 27, 2009 を参照して作成)

が提唱されている（**表2**）．神経芽腫の治療は，外科的治療，化学療法，放射線療法が基本であるが，18 ヵ月以上の進行例，もしくは *MYCN* 増幅例（高リスク群）に対しては，大量化学療法併用造血細胞移植も行われている．

1 低リスク群に対する治療

大部分の限局例は，外科的治療のみで化学療法，放射線療法を行わずに治癒可能である．残存腫瘍および摘出不能例に対しては，シクロホスファミド（CPA），ビンクリスチン（VCR）を中心とした強度の弱い化学療法が行われる．病期 4S 例では，肝腫大により呼吸不全を生じることがあり，そのような場合には，緊急で放射線照射を行う．乳児例は，低もしくは中間リスクに分類されることが多いが，18 ヵ月未満の *MYCN* 増幅例に対しては，高リスク群に準じた治療を行う．

2 中間リスク群に対する治療

中間リスク群は，生物学的特性，臨床症状も多彩であり，遺伝学的にヘテロな集団と考えられている．標準治療は確立されておらず，様々な治療がなされている．この群のほとんどの症例は，一期的全摘出が不可能な例であり，初回手術は生検にとどめ，初期治療

として，CPA，シスプラチン（CDDP），カルボプラチン（CBDCA），ドキソルビシン（DOX），エトポシド（VP-16）から，2～4剤を組合せた化学療法が施行されることが多い．腫瘍の縮小を待って，二期的な切除術が施行される．COG では，中間リスク群に対して，化学療法の投与期間と投与量を減量した大規模臨床試験を実施し，全体として95％以上の 3 年生存率といった，極めて良好な治療成績を出している．

3 高リスク群に対する治療

多剤併用化学療法による強力な初期導入療法，外科的治療，大量化学療法併用自家幹細胞移植，および放射療法を組合せた集学的治療が一般的に行われる．わが国の進行神経芽腫に対する臨床試験では，CPA，VCR，CDDP，ピラルビシンを用いた寛解導入療法を 5～6 コース行うことで，寛解導入率 93％と良好な成績を得ている．COG 3881 研究では，CDDP，VP-16，DOX，CPA を組合せた化学療法 5 コースによる寛解導入療法により，78％の寛解導入率を得ている．大量化学療法（前処置）には，メルファラン（L-PAM），CBDCA，VP-16，もしくは L-PAM とブスルファンを高用量用いることが多い．テスパミンと L-PAM との併用も考慮される．近年は重篤な晩期障害を回避するために，前処置に全身放射線照射は用いられない傾向にある．移植ソースとしては，自家骨髄血または自家末梢幹細胞を用いるのが現時点での標準であるが，自家の移植ソースが得られない例などでは，同種移植が行われることもある．欧米では，大量化学療法後にレチノイン酸による分化誘導療法や抗 GD2抗体を含む免疫療法を行い，再発予防を行っている．本邦においても 2021 年より抗 GD2モノクリーナル抗体であるジヌツキシマブが

436　7．血液疾患・悪性腫瘍

表2　神経芽腫のリスク分類（INRG リスク群類：INRGR）

病期	月齢	病理	MYCN遺伝子	11番染色体長腕の異常	Ploidy	治療前リスク
L1/L2		神経節腫　成熟 神経節芽腫　混合型				極低
L1		上記以外	非増幅			極低
			増幅			高
L2	18ヵ月未満	上記以外	非増幅	なし		低
				あり		中間
	18ヵ月以上	神経節芽腫　結節型 神経芽腫　分化型	非増幅	なし		低
				あり		中間
		神経節芽腫　結節型 神経芽腫　低分化型＋未分化型	非増幅			中間
			増幅			高
M	18ヵ月未満		非増幅		高2倍体	低
	12ヵ月未満		非増幅		2倍体	中間
	12ヵ月以上 18ヵ月未満		非増幅		2倍体	中間
	18ヵ月未満		増幅			高
	18ヵ月以上					高
MS	18ヵ月未満		非増幅	なし		極低
				あり		高
			増幅			高

（International Neuroblastoma Risk Group Risk（INRGR）. J Clin Oncol 27, 2009 を参照して作成）

保険収載され，大量化学療法後の症例に用いられている．

専門医に紹介するタイミング

　本疾患を疑った時点で，小児外科医と小児血液腫瘍の専門医がいる施設に紹介する．特に進行神経芽腫の疑いがある場合は，移植可能な施設を紹介することが望ましい．

専門医からのワンポイントアドバイス

　進行神経芽腫例は，初診時に既に DIC などを合併して全身状態が不良であることも多く，また新生児は肝腫大により呼吸不全をきたしやすいので，速やかに専門施設に紹介することが望ましい．脊柱管に浸潤している dumb-bell 型も神経症状が急速に進行し，不可逆的な麻痺などの後遺症を残す可能性もあるので，迅速な対応が肝要である．

神経芽腫

文 献

1) 家原知子 他：乳児神経芽腫における治療の軽減. 小児外科 33：1221-1227，2001

2) Matthay KK et al：Treatment of high-risk neuroblastoma with intensive chemotherapy, radiotherapy, autologous bone marrow trans-plantation and 13-cis-retinoic acid. N Engl J Med 341：1165-1173, 1999

3) Baker DL et al：Outcome after reduced chemotherapy for intermediate-risk neuroblastoma. N Engl J Med 363：1313-1323, 2010

4) Monclair T et al：The International Neuroblastoma Risk Group（INRG）staging system：an INRG Task Force report. J Clin Oncol 27：298-303, 2009

5) Yu AL et al：Anti-GD2 antibody with GM-CSF, interleukin-2, and isotretinoin for neuroblastoma. N Engl J Med 363：1324-1334, 2010

7. 血液疾患・悪性腫瘍

脳神経腫瘍

寺島慶太
国立成育医療研究センター 小児がんセンター 脳神経腫瘍科

POINT
- わが国で初めての小児脳腫瘍診療ガイドラインが作成された.
- 小児脳腫瘍は非常に種類が多く，診療も複雑なため，ガイドラインを理解して診療できる専門施設への紹介が不可欠な疾患である.
- 小児脳腫瘍診療の経験が豊富な，脳神経外科医と小児科医の連携が取れている施設での治療が望ましい.

ガイドラインの現況

2022年に，国内で初めての小児脳腫瘍の診療ガイドラインが発刊された[1].脳腫瘍学会が中心となり，小児腫瘍科医，放射線医も参加し，Mindsの診療ガイドライン作成法に準拠して，システマティックレビューによりエビデンスを評価し，益と害のバランスを勘案したガイドラインが，髄芽腫，上衣腫，中枢神経胚細胞腫瘍，視神経膠腫，橋部びまん性神経膠腫，上衣下巨細胞性星細胞腫の6種類の小児脳腫瘍について作成された.

国外に目を向けると，標準的な小児脳神経腫瘍診療については，米国立がん研究所（NCI）が提供するがん情報サイトPDQ® 日本語版[2]が，最新で信頼できる情報を提供している.

【本稿のバックグラウンド】『脳腫瘍診療ガイドライン』は第1版が2016年に，第2版が2019年に発刊されたが，膠芽腫，転移性脳腫瘍，中枢神経系原発悪性リンパ腫という成人の脳腫瘍に限定されていた.一方，『小児がん診療ガイドライン』は，第1版が2011年に，第2版が2016年に発刊されたが，小児の固形がんで最も頻度の高い脳腫瘍は扱われていなかった.したがって，今回の『脳腫瘍診療ガイドライン 小児脳腫瘍編（2022年版）』が，国内初めての小児脳腫瘍のガイドラインである.

どういう疾患・病態か

小児の中枢神経系に発生する新生物は，その病理学的悪性度にかかわらず，広義の「小児がん」と定義される.脳神経腫瘍は，血液腫瘍である白血病に次いで頻度が高い小児がんで，小児がん死亡の主要な原因となってい

る.また，長期生存できた患者においても，腫瘍や治療に伴う発達途中の脳，感覚器，内分泌組織等の晩期障害が，非常に大きな問題となることが多い.小児脳神経腫瘍は多くの異なる疾患の集合で，治療戦略が各腫瘍によって大きく異なる.また，同じ腫瘍であっても発症年齢や発生部位によって，治療方法

が異なる．そのため，経験豊富な多職種チームによる診療が重要である．

治療に必要な検査と診断

1 病歴聴取[3]

　小児の脳神経腫瘍の症候は，非常に多彩であり，時に見逃されやすい．原則として，症状は中枢神経経路の障害によって生じるが，非特異的な症状である頭痛や吐き気が，診断時の最も多い症状である．頭痛や吐き気を訴える患者に，歩行異常や脳神経麻痺など他の神経学的異常を伴う場合は，中枢神経画像検査の適応となるであろう．小児が頭痛，吐き気・嘔吐，歩行時のふらつき，の三徴を呈した時，特にそれが進行性の場合は，脳神経腫瘍による脳脊髄液腔の閉塞（閉塞性水頭症）を考えなくてはならない．視神経やトルコ鞍上部に発生する腫瘍は，視力・視野を障害する．しかし，小児 特に年少時は，片眼の視力が極端に低下しても，大きな視野欠損があっても，緩序進行の場合は，相当重度になるまで本人も家族も気付かないことが多い．眼球運動異常は，脳幹部・松果体・小脳腫瘍で生じることが多い．脳神経腫瘍の診断の何ヵ月も前から，内分泌学的異常をきたしていることも稀ではない．脳神経腫瘍に関連する内分泌異常による症状のなかで頻度が高いものは，思春期異常（早発・遅発），食欲不振（間脳症候群），多飲多尿（尿崩症）であり，視床下部-下垂体に発生する腫瘍（下垂体腺腫，胚細胞腫瘍，低悪性度グリオーマ）によって生じる．

　大脳皮質に発生する脳腫瘍の初発症状として，けいれん（特に部分けいれん）は多い．また，基底核，中脳，白質深部に発生する，胚細胞腫瘍や低悪性度グリオーマによって，チック，運動障害，学習障害が起こることが

ある．年少児の脳腫瘍の初発症状のうち頻度が高いのは，頭囲拡大，嘔吐，不機嫌，不活発であるが，見逃されやすいものとしては，体重増加不良と早期の利き手決定や変更が挙げられる．体重増加不良は間脳症候群によるもので，ほとんどの場合，その原因は視床下部－視交差に発生する低悪性度グリオーマである．

2 診察所見[3]

　脳神経腫瘍を疑う患者における，神経学的診察の評価項目は，意識状態，脳神経，運動神経，感覚神経，腱反射，協調運動，歩行である．小児脳神経腫瘍を疑う患者の診察において，全身の皮膚診察は，神経線維腫症や結節性硬化症の診断のため，極めて重要である．

3 画像診断[3]

　脳腫瘍を疑われ，症状に緊急性がある場合は，患者を救急センターに紹介のうえ，速やかに頭部CT（緊急時は単純撮影からでかまわない）を撮影するべきである．単純CTでは，脳幹部，小脳，鞍上部の腫瘍，そして白質の浸潤性腫瘍が見逃されやすいことは注意すべきである．脳腫瘍を疑う異常像を認めた場合，もしくはCT上の異常は認めないが，ひき続き脳・脊髄腫瘍の存在が否定できない場合には，脳と全脊髄の単純およびガドリニウム造影MRI撮影を行うべきである．

4 病理診断

　小児脳神経腫瘍の確定診断には，一部の例外を除いて，摘出または生検標本による病理診断が必要である．病理診断はWHO国際分類に準拠して行う[4]．初回手術を摘出術にするか，生検にするかの判断は，臨床情報と画像情報を，知識と経験豊かな専門医が判断する必要がある．多くの場合，術中の迅速病

440　　7. 血液疾患・悪性腫瘍

理診断が手術の方針決定に有用であり，病理医が待機できる状況での手術計画が必要である．近年，より詳細な診断に基づいた治療戦略決定において，遺伝子・分子診断が重要な位置を占めるようになってきており，がんゲノムパネル検査などが行えるよう，検体の処理や保存ができる体制が，専門施設に求められている．

治療の実際

■1 摘出術

多くの小児脳神経腫瘍において，腫瘍摘出術が最初に試みられる治療である．肉眼的全摘出（Gross Total Resection）のみで後療法は行わずに治癒する，低悪性度の小児脳腫瘍も少なくない．しかしながら，腫瘍摘出術によって許容しがたい神経学的障害が予想される場合，化学療法を先行して腫瘍縮小と術中出血のコントロールを行い，セカンドルック手術で肉眼的全摘出を目指す戦略が有効な場合がある．腫瘍によっては，化学療法や放射線療法による後療法で残存腫瘍があった場合も，肉眼的全摘出が行われた場合と同等の治療成績が期待できることもある．生検の方法には，開頭術，定位生検，内視鏡手術があり，経験豊かな脳神経外科医と相談して最適な方法を選択する．また腫瘍摘出術前に，閉塞性水頭症のコントロールのために，ドレナージまたはシャント術を行う必要があることもある．例外的に組織学的診断なしに，非外科的治療を行う適応がある腫瘍としては，びまん性脳幹グリオーマ，一部の腫瘍マーカー陽性の胚細胞腫瘍，典型的な臨床像と画像から診断された視神経膠腫などが挙げられる．

■2 放射線療法

脳神経組織は，比較的耐用線量が高い臓器であり，放射線療法によって抗腫瘍効果が期待できる腫瘍が多い．しかしながら，小児期の発達中の脳神経組織，および隣接する感覚器や内分泌組織に対する放射線の長期的な影響は大きく，その適応は経験豊かな放射線治療医を中心とした診療チームが慎重に判断する必要がある．腫瘍の種類，部位，リスク分類などの複雑な要素で，治療範囲および線量が決定される．放射線療法は多くの場合，化学療法と組合されるプロトコール治療の一環として行われる[1]．

■3 化学療法

化学療法の適応は，腫瘍の種類，摘出度，年齢などによって決まる．単剤で行われる内服治療から，自己造血幹細胞移植を伴う多剤併用大量化学療法まで，幅広いレジメンが用いられる．各腫瘍における推奨レジメンは成書を参考されたい[1]．使用する薬剤も腫瘍によって異なるが，脳神経腫瘍治療において脳血管関門を通過しやすい薬剤を使用することが重要である．抗腫瘍療法以外に，脳神経腫瘍治療に欠かせないのが，脳圧亢進時のグリセオールやマンニトール，脳浮腫改善のためのデキサメタゾン，その他 化学療法一般に用いられる支持療法薬である．

■4 その他の治療

脳神経腫瘍治療にとって，リハビリテーション，けいれん・水・電解質コントロール，ホルモン補充療法はとても重要であり，ソーシャルワーカーや心理士による患者と家族の社会心理的サポートも大切な治療である．これらの多彩な治療やサポートを有機的に提供するためには，多職種からなるフラットな組織によるチーム医療が必要である．

脳神経腫瘍　**441**

専門医に紹介するタイミング

小児脳神経腫瘍は，症候および理学的診察によって疑われた場合は，速やかに CT および MRI が撮影可能な医療機関に紹介し，画像検査を行う必要がある．脳神経腫瘍が画像上疑われる場合は，たとえ手術のみで治癒可能な鑑別疾患が想定されたとしても，集学的治療が可能で経験豊富な多職種チームを有する専門施設と連携しながら診療を進めるべきである．

専門医からのワンポイントアドバイス

小児のプライマリーケア・専門医療に関わる専門家が，小児脳腫瘍の多彩な症候を理解し，適切な神経学的検査を行うことが，早期の診断，ひいては生命・機能予後の改善において極めて重要である．そして脳神経腫瘍を疑ったら，時間外であっても画像検査を躊躇しないことが肝要である．

文　献

1) 日本脳腫瘍学会 編：脳腫瘍診療ガイドライン 小児脳腫瘍編 2022 年版. 金原出版, 2022
2) がん情報サイト
   http://cancerinfo.tri-kobe.org/
3) Crawford J：Childhood brain tumors. Pediatr Rev 34：63-78, 2013
4) WHO Classification of Tumours Editorial Board：Central Nervous System Tumours. WHO Classification of Tumours, 5th Edition, Volume 6. International Agency for Research on Cancer Publiuations. 2021

8. 腎・泌尿器・生殖器疾患

8. 腎・泌尿器・生殖器疾患

ネフローゼ症候群（ステロイド感受性）

いいじまかづもと
飯島一誠
兵庫県立こども病院

POINT

● 高度な浮腫，循環不全や腎機能障害を呈している場合，腎生検の適応となる場合，頻回再発型やステロイド依存性の場合や難治性頻回再発型/ステロイド依存性症例は専門医に紹介すべきである．

● 初発に対する治療としては，経口ステロイド薬（プレドニゾロン）の8週間治療が推奨される．

● 再発の早期発見のために，少なくとも2年間は，毎朝，早朝尿を家庭でチェックするよう患者および患者家族に指導する．

ガイドラインの現況

　日本小児腎臓病学会では，2005年に『小児特発性ネフローゼ症候群薬物治療ガイドライン1.0版』を作成したが，2013年に改訂版である『小児特発性ネフローゼ症候群ガイドライン2013』を公表・刊行した．2020年には，さらに最新知見とトピックを加え，厚生労働科学研究費補助金（難治性疾患政策研究事業）「小児腎領域の希少・難治性疾患群の診療・研究体制の確立」と日本小児腎臓病学会が協力のうえ，『小児特発性ネフローゼ症候群診療ガイドライン2020』を公表・刊行した．この2020年版は，クリニカルクエスチョン形式と記述形式を合わせた形式で記載されており，遺伝学的検査，移行医療なども積極的に取り上げており，免疫抑制療法にとどまらない小児特発性ネフローゼ症候群診療の様々な側面をカバーし，複雑な診療を支援することが心がけられている．

　本稿では，ステロイド感受性ネフローゼ症候群の診療ガイドラインについて述べる．

【本稿のバックグラウンド】　本稿は，厚生労働科学研究費補助金（難治性疾患政策研究事業）「小児腎領域の希少・難治性疾患群の診療・研究体制の確立」と日本小児腎臓病学会が協力のうえ2020年に公表・刊行した『小児特発性ネフローゼ症候群診療ガイドライン2020』[1]と，その刊行後に公表されたエビデンスを拠り所として執筆した．

どういう疾患・病態か

　ネフローゼ症候群は，糸球体毛細血管障害の結果，高度蛋白尿，低蛋白血症と全身性の浮腫が起こる病態の総称である．最近の調査で，わが国では1年間に小児10万人あたり6.5人が発症することが明らかになった．小児ネフローゼ症候群の約90%は，原因不明

な特発性ネフローゼ症候群である．特発性小児ネフローゼ症候群の初発時の第一選択薬は経口ステロイド薬で，この治療により約80％が寛解に至るが，この病態をステロイド感受性ネフローゼ症候群（steroid sensitive nephrotic syndrome）と呼ぶ．ステロイド感受性ネフローゼ症候群の組織型は，80～90％が微小変化型ネフローゼ症候群であり，腎不全に進行することは稀であるが，その70～80％は再発し，そのうち半数が頻回再発型ネフローゼ症候群（frequently relapsing nephrotic syndrome：FRNS），あるいはステロイド依存性ネフローゼ症候群（steroid dependent nephrotic syndrome：SDNS）となり，肥満，成長障害，高血圧，糖尿病，骨粗鬆症，副腎不全等の副腎皮質ステロイド薬による薬物有害反応が発現しやすい．FRNS/SDNS に対しては，ステロイド減量・中止の目的で，種々の免疫抑制薬が用いられるが，そのうちの少なくとも20％程度の症例は，免疫抑制薬治療中あるいは治療後に FRNS/SDNS となり，難治性 FRNS/SDNS（complicated FRNS/SDNS）と呼ばれる．

治療に必要な検査と診断

小児特発性ネフローゼ症候群に関する用語の定義を表1に示す．

腎生検の適応は以下のとおりである．

1）ネフローゼ症候群発症時に，①1歳未満，②持続的血尿，肉眼的血尿，③高血圧，腎機能障害，④低補体血症，⑤腎外症状（発疹，紫斑など）を認める場合には微小変化型以外の組織型の可能性があり，治療開始前に腎生検による組織診断を考慮する．

2）ステロイド抵抗性を示す場合は，腎生検による組織診断を行ったうえで治療方針を決定する．

3）カルシニューリン阻害薬を長期に投与する場合には，血液検査で明らかな腎機能障害が認められなくても，投与開始後定期的（2～3年後）に腎生検を行い，腎毒性の有無を評価することが望ましい．

治療の実際

1 初発に対する治療

上記のごとく，初発時に，①1歳未満，②持続的血尿，肉眼的血尿，③高血圧，腎機能障害，④低補体血症，⑤腎外症状（発疹，紫斑など）を認めない場合には，経口ステロイド薬を投与する．

『小児特発性ネフローゼ症候群診療ガイドライン2020』では，8週間治療（ISKDC 法）を推奨している．

2 再発時の治療

再発に対する治療法としては，経口ステロイド薬の ISKDC 法変法，もしくは長期漸減法を提案している．しかし，最近，イタリアやインドで実施されたランダム化比較試験の結果では，非頻回再発型のステロイド感受性ネフローゼ症候群の再発時のステロイド投与はより少量・短期にできる可能性が示唆されており，近い将来，再検討される可能性がある[2,3]．

3 FRNS/SDNS に対する治療

FRNS/SDNS では，種々のステロイドの副作用が出現するため，免疫抑制薬の導入が推奨される．わが国では，シクロスポリン，シクロホスファミド，ミゾリビンの3剤であるが，このうちでエビデンスの高い薬剤は，シクロスポリンとシクロホスファミドである．

ミコフェノール酸モフェチルは，副作用により標準的な免疫抑制薬を使用できない頻回

ネフローゼ症候群（ステロイド感受性）　445

表1 小児特発性ネフローゼ症候群に関する用語の定義

ネフローゼ症候群	持続する高度蛋白尿（夜間蓄尿で $40\,mg/hr/m^2$ 以上または早朝尿で尿蛋白クレアチニン比 $2.0\,g/gCr$ 以上） 　　かつ 低アルブミン血症（血清アルブミン $2.5\,g/dL$ 以下）
完全寛解	試験紙法で早朝尿蛋白陰性を3日連続して示すもの 　　または 早朝尿で尿蛋白クレアチニン比 $0.2\,g/gCr$ 未満を3日連続で示すもの
不完全寛解	試験紙法で早朝尿蛋白1＋以上または早朝尿で尿蛋白クレアチニン比 $0.2\,g/gCr$ 以上を示し 　　かつ 血清アルブミン $2.5\,g/dL$ を超えるもの
再　発	試験紙法で早朝尿蛋白3＋以上（尿蛋白クレアチニン比 $2.0\,g/gCr$ 以上）を3日連続して示すもの
ステロイド感受性 ネフローゼ症候群	ステロイド連日投与開始後4週間以内に完全寛解するもの
頻回再発型ネフローゼ症候群	初回寛解後6ヵ月以内に2回以上再発，または任意の12ヵ月以内に4回以上再発したもの
ステロイド依存性 ネフローゼ症候群	ステロイド減量中またはステロイド中止後14日以内に2回連続して再発したもの
ステロイド抵抗性 ネフローゼ症候群	ステロイドを4週間以上連日投与しても，完全寛解しないもの
難治性ネフローゼ 症候群[*1]	ステロイド感受性のうち，標準的な免疫抑制薬治療[*2]では寛解を維持できず頻回再発型やステロイド依存性のままで，ステロイドから離脱できないもの（難治性頻回再発型・ステロイド依存性ネフローゼ症候群） ステロイド抵抗性のうち，標準的な免疫抑制薬治療[*2]では完全寛解しないもの（難治性ステロイド抵抗性ネフローゼ症候群）

[*1]:「エビデンスに基づくネフローゼ症候群診療ガイドライン 2017」では成人の「難治性ネフローゼ症候群」を「種々の治療を施行しても6ヵ月の治療期間に完全寛解ないし不完全寛解に至らないもの」としている．小児を対象とした，ガイドライン 2020 では治療抵抗性の頻回再発型・ステロイド依存性ネフローゼ症候群とステロイド抵抗性ネフローゼ症候群を併せて「難治性ネフローゼ症候群」と定義した．

[*2]:今後，免疫抑制薬の適応承認状況によって定義が変化する可能性があるが，2020 年3月現在で，頻回再発型・ステロイド依存性に関してはシクロスポリン，シクロホスファミドを用いても管理困難なもの，ステロイド抵抗性に関してはシクロスポリンとステロイドパルスの併用療法を行っても寛解導入できないもの，をそれぞれ「難治性」と定義する．

再発型/ステロイド依存性ネフローゼ症候群患者に対する治療の選択肢の一つとして検討してもよい．タクロリムスは，美容的副作用によりシクロスポリンを使用できない頻回再発型/ステロイド依存性患者に対する治療の選択肢の一つとして検討してもよい．

なお，ミコフェノール酸モフェチルおよびタクロリムスを使用する場合には適応外使用であることを留意すべきであるが，2022 年2月 28 日付で，社会保険診療報酬支払基金において，「ステロイド依存性ネフローゼ症候群」または「頻回再発型ネフローゼ症候群」

へのミコフェノール酸モフェチルの保険償還が認められている.

④ 難治性 FRNS/SDNS に対する治療

わが国で実施された医師主導治験により，リツキシマブの難治性 FRNS/SDNS に対する有効性・安全性が検証され，平成 26 年 8 月 29 日に世界で初めて適応拡大が承認，保険診療下で使用可能となった[4]．承認された用法・用量は，「1 回量 375 mg/m^2（最大投与量 500 mg）を 1 週間間隔で 4 回点滴静注」である.

最近，リツキシマブ投与後のミコフェノール酸モフェチル維持投与が有用であることを示唆する報告がなされたが，現時点ではミコフェノール酸モフェチル維持投与は適応外使用である[5].

⑤ 一般療法

a) 浮腫の管理

軽度の浮腫に対しては，治療が不要なことが多く，安易な利尿薬やアルブミン製剤の使用は慎む．塩分制限は必要だが，水分制限は原則的には必要でない.

b) 食事療法

浮腫改善に対して塩分制限が推奨される．腎機能が正常範囲にあるネフローゼ患者に対しては，同年齢の健常小児の栄養所要量に準じた蛋白量を指示する．年齢相当のエネルギーを指示する.

c) 運動制限

寛解導入，再発予防に対して，運動制限が有用とはいえない．急性期に血圧異常，肺水腫を有する重症例では運動制限を要するが，血栓症の予防，ステロイド等による治療に伴う骨粗鬆症，肥満の予防に対して，過度な運動制限を避けることが推奨される.

処 方 例

初発に対する治療

●国際法：プレドニゾロン（プレドニン®）

① 60 mg/m^2/日または 2.0 mg/kg/日（最大 60 mg/日）　分 1～3　連日 4 週間

② 40 mg/m^2/日または 1.3 mg/kg/日（最大 40 mg/日）　分 1　朝　隔日 4 週間

再発に対する治療

●国際法変法：プレドニゾロン（プレドニン®）

① 60 mg/m^2/日または 2.0 mg/kg/日（最大 60 mg/日）　分 1～3　連日で少なくとも尿蛋白消失確認後 3 日目まで，ただし 4 週間を超えない

② 60 mg/m^2/日または 2.0 mg/kg/日（最大 60 mg/日）　分 1　朝　隔日 2 週間

③ 30 mg/m^2/日または 1.0 mg/kg/日（最大 30 mg/日）　分 1　朝　隔日 2 週間

④ 15 mg/m^2/日または 0.5 mg/kg/日（最大 15 mg/日）　分 1　朝　隔日 2 週間

FRNS/SDNS に対する治療

処方 A　シクロスポリン（ネオーラル®）：2.5～5 mg/kg/日　分 2 で開始，以下の血中濃度を目標として投与量を調節する.

・トラフ値管理の場合：80～100 ng/mL で 6 ヵ月間，以後 60～80 ng/mL

・C2 値管理の場合：600～700 ng/mL で 6 ヵ月間，以後 450～550 ng/mL

　長期に投与する場合は，腎機能障害が認められない場合でも腎生検を行い，慢性腎障害の有無を評価する.

ネフローゼ症候群（ステロイド感受性）　447

処方B　シクロホスファミド（エンドキサン®）：2〜2.5mg/kg/日（最大100mg）で8〜12週 分1で投与. 累積投与量は300mg/kg を超えてはならず，投与は1クールのみとする.

処方C　ミゾリビン（ブレディニン®）：7〜10mg/kg/日　分1（高用量）で投与. 以下の血中濃度を目標として投与量を調節する.

血中濃度ピーク値（C2値またはC3値）：3.0μg/mL 以上.

処方D　ミコフェノール酸モフェチル（セルセプト®）：副作用により標準的な免疫抑制薬を使用できない場合に投与する. 1,000〜1,200mg/m²/日（または24〜36mg/kg/日，最大2g/日）分2.

処方E　タクロリムス（プログラフ®）：副作用により標準的な免疫抑制薬を使用できない場合に投与する. 0.1mg/kg/日　分2で開始. 以下の血中濃度を目標として投与量を調節する.

トラフ値：5〜7ng/mL で6ヵ月間，以後 3〜5ng/mL

難治性 FRNS/SDNS に対する治療

処方　リツキシマブ（リツキサン®）：寛解期に1回量375mg/m²（最大投与量500mg）を1週間間隔で1〜4回点滴静注する.

専門医に紹介するタイミング

高度な浮腫，循環不全や腎機能障害を呈している場合，腎生検の適応となる場合，FRNS/SDNS や難治性 FRNS/SDNS 症例は専門医に紹介すべきである. 特にリツキシマブは，長期の有効性・安全性については不明であり，安易に使用すべきではなく専門医による管理が必須である.

専門医からのワンポイントアドバイス

ステロイド感受性ネフローゼ症候群は70〜80％が再発するが，早期に再発に対するステロイド治療を開始できれば，その多くは高度浮腫や循環不全などを起こすことは少なく，外来で治療を行うことが可能である. 再発の早期発見のために，少なくとも2年間は，毎朝，早朝尿を家庭でチェックするよう，患者および患者家族に指導してほしい.

文　献

1) 日本小児腎臓病学会監，難治性疾患政策研究事業「小児腎領域の希少・難治性疾患群の診療・研究体制の確立」（厚生労働科学研究費補助金）：小児特発性ネフローゼ症候群診療ガイドライン2020. 診断と治療社，2020
https://minds.jcqhc.or.jp/docs/gl_pdf/G0001231/4/Idiopathic_nephrotic_syndrome_in_children.pdf

2) Gargiulo A et al：Results of the PROPINE randomized controlled study suggest tapering of prednisone treatment for relapses of steroid sensitive nephrotic syndrome is not necessary in children. Kidney Int 99：475-483, 2021

3) Kainth D et al：Short-duration prednisolone in children with nephrotic syndrome relapse：a non-inferiority randomized controlled trial. Clin J Am Soc Nephrol 16：225-232, 2021

4) Iijima K et al：Rituximab for childhood-onset, complicated, frequently relapsing nephrotic syndrome or steroid-dependent nephrotic syndrome：a multicentre, double-blind, randomised, placebo-controlled trial. Lancet 384：1273-1281, 2014

5) Iijima K et al：Mycophenolate mofetil after rituximab for childhood-onset complicated frequently-relapsing or steroid-dependent nephrotic syndrome. J Am Soc Nephrol 33：401-419, 2022

8. 腎・泌尿器・生殖器疾患

ネフローゼ症候群（ステロイド抵抗性）

おぐらまさお
小椋雅夫
国立成育医療研究センター 腎臓・リウマチ・膠原病科

POINT
- ●ステロイド抵抗性ネフローゼ症候群は，治療に反応せずネフローゼ状態が続くと10年で30〜40%が腎不全に進行する．
- ●高度蛋白尿が継続することでネフローゼ症候群の合併症頻度が高くなる．注意すべき合併症は，急性腎障害，血栓症，感染症である．
- ●治療はシクロスポリンを中心とする免疫抑制薬の併用療法であり，ステロイド抵抗性ネフローゼ症候群になりつつある場合は，小児腎臓専門医へのコンサルトが望ましい．

ガイドラインの現況

　小児ステロイド抵抗性ネフローゼ症候群のガイドラインは国際的には2012年に「KDIGO（Kidney Disease：Improving Global Outcome）ガイドライン」[1] が発表された．本邦では，日本小児腎臓病学会より小児特発性ネフローゼ症候群ガイドラインが刊行されている．2005年初版，2013年の改訂に続く3版目となる『小児特発性ネフローゼ症候群診療ガイドライン2020』[2] が最新版となる．KDIGOガイドラインや日本腎臓学会『エビデンスに基づくネフローゼ症候群診療ガイドライン』，『腎疾患の移行期医療支援ガイド —IgA腎症・微小変化型ネフローゼ症候群—』もふまえ改訂されたため，小児の特発性ネフローゼ症候群における薬物療法以外にも，支持療法や成人内科への移行についても言及されている．小児腎臓専門医のみならず，一般小児科医にとっても治療の流れを把握するうえで有用なガイドラインである．

【本稿のバックグラウンド】 日本小児腎臓病学会監修『小児特発性ネフローゼ症候群ガイドライン2020』を参考に要点を解説した．

どういう疾患・病態か

　ネフローゼ症候群は，尿中に大量の蛋白が喪失することで低蛋白血症を惹起し，血管外への水分漏出・血管内脱水を呈する疾患であ

る．その結果，浮腫が著明となり，腸管浮腫がひどくなれば，腹痛・嘔吐・下痢などの消化器症状を認める．また重症例では，胸水・腹水を呈することもある．一方で血管内の水分量は低下し，血液が濃縮され，アンチトロ

ンビンⅢの尿中への漏出も重なり，凝固能が亢進し血栓症を起こすこともある．ほかの合併症としては，細菌性腹膜炎，急性腎障害などがある．

本稿では，小児特発性ネフローゼ症候群においてステロイド抵抗性と診断された場合の治療について概説する．小児のネフローゼ症候群の初期治療は，ステロイド（プレドニゾロン）を使用するが，詳細は「ネフローゼ症候群（ステロイド感受性）」の項を参照されたい．

本邦では，「ステロイドを4週間以上連日投与しても，完全寛解しないもの」をステロイド抵抗性ネフローゼ症候群と定義する（KDIGOガイドラインでは，プレドニゾロン連日8週間投与で完全寛解しないものとされており，本邦の定義とは異なる）．完全寛解とは，試験紙法で早朝尿蛋白陰性を3日連続で示すか，または早朝尿で尿蛋白クレアチニン比0.2 g/gCr未満を3日連続で示す場合と定義される（なお，蛋白尿が陰性にならず血清アルブミン値が2.5 g/dL以上となる場合は，不完全寛解と呼ぶ）．

小児特発性ネフローゼ症候群の10～20％がステロイド抵抗性であり，免疫抑制薬による治療が必要となる．治療に反応せずにネフローゼ状態が続く場合は，10年で30～40％が末期腎不全へ進行するといわれる．当センターにおけるステロイド抵抗性ネフローゼ症候群の45例の検討では，寛解に至らなかった9例中6例が，末期腎不全に至っている[3]．

治療に必要な検査と診断

1 本症の診断方法

ネフローゼ症候群発症時に，①1歳未満，②持続的血尿，肉眼的血尿，③高血圧，腎機能障害，④低補体血症，⑤腎外症状（発疹，紫斑など）を認めない場合，腎組織は微小変化型である可能性が高いため，小児特発性ネフローゼ症候群として治療を行う（「ネフローゼ症候群（ステロイド感受性）」の項参照）．

4週間のプレドニゾロン治療によって寛解せず，ステロイド抵抗性ネフローゼ症候群と診断された場合は，腎生検による組織学的診断を行い，膜性腎症など慢性糸球体腎炎の除外をしたうえで治療方針を決定する（腎炎であれば治療方針が異なるためである）．特発性ネフローゼ症候群の場合，組織学的には微小変化型，巣状分節性糸球体硬化症，びまん性メサンギウム増殖に大別されることが多い．

ステロイド抵抗性ネフローゼ症候群を呈する患者のうち，30％が単一遺伝子異常を検出するといわれている．ステロイド感受性の既往がある場合は遺伝子異常が発見されないため遺伝子検査の対象外であるが，初発ネフローゼ症候群でステロイド抵抗性かつ治療抵抗性の場合は遺伝子検査を検討しても良い．遺伝子異常があれば，不要なステロイドや免疫抑制治療を中止できること，腎移植後再発のリスクが低いこと，腎外合併症の検索を重点的に行えることなどメリットが多い．

2 ステロイド抵抗性ネフローゼ症候群による合併症

a）急性腎障害（acute kidney injury：AKI）

ネフローゼ症候群では，尿量は減少するが，腎機能は保たれることが多い．しかし，稀に腎機能障害を併発する（AKIを呈する）こともあり，急激な尿量の減少や浮腫の増悪，高血圧などがある場合には，血液検査で腎機能を確認する必要がある．

ネフローゼ症候群に合併するAKIの原因は不明であるが，血管内脱水に伴う腎前性による要因や，尿細管内に蛋白円柱が形成され

表1 ステロイド抵抗性ネフローゼ症候群の治療（抜粋）

シクロスポリン投与量は，以下のトラフ値を目安に調節することを推奨	
シクロスポリン投与開始後の時期	トラフ値
開始～3ヵ月	100～150ng/mL
3ヵ月～1年	80～100ng/mL
1年以降	60～80ng/mL

ることによる閉塞機転などの複合的な要因が示唆されている．治療は，アルブミンと利尿薬の点滴静注により改善することが多いが，利尿がつかない場合は，高血圧や肺水腫をひき起こすことがあり，慎重な投与が必要である．

また，後述する血栓症での腎障害のケースも稀にあり，腹部超音波検査で腎血流の確認を行う必要がある．

b）血栓症

ネフローゼ症候群の病態である血管内脱水（血液濃縮），高コレステロール血症に加え，ステロイド投与による過凝固傾向，浮腫による運動量の低下などの要因により，血栓症を起こすことがある．静脈血栓が多いといわれるが，動脈血栓を起こすこともあり，ステロイド抵抗性ネフローゼ症候群で蛋白尿が長期に続く場合は，抗血小板療法・抗凝固療法が必要である．経過中に血液検査でDダイマーが上昇する場合は，血栓の検索（血管エコーや造影CT）を行い，血栓塞栓に対する治療が必要となることもある．

c）易感染性

免疫グロブリンの尿中漏出やステロイドによる治療により，易感染性を呈する．ネフローゼ症候群で注意すべき細菌感染症は，肺炎など下気道感染や，貯留した腹水の感染により起こる細菌性腹膜炎である[4]．起炎菌は肺炎球菌であることが多く，アンチバイオグラムに従った抗菌薬投与を行う必要がある．

免疫抑制治療下で注意すべきウイルス感染症は水痘・帯状疱疹ウイルス（Varicella-Zoster Virus）である．水痘初感染や播種性帯状疱疹は免疫抑制治療下で重症化するリスクがあり，抗ウイルス薬の投与を行う．

また，ニューモシスチス肺炎など深在性真菌症のリスクもあり，ネフローゼ状態が長期に続き強力な免疫抑制療法を行っている場合は，β-Dグルカンを定期的に施行しST合剤の予防投与を検討する．

治療の実際

1 薬物療法

低用量プレドニゾロンとシクロスポリンの併用が寛解導入に有効で，寛解導入率は80～90％とされる[2]．

シクロスポリンは，2.5～5mg/kg分2で開始し，血中濃度をみて投与量を調整する．また，投与開始後の時期に応じて目標とする血中濃度が異なる（**表1**）．

プレドニゾロンは，ガイドラインでは0.5～1mg/kg分1隔日投与を推奨している．シクロスポリンとの併用期間としては，1～1.5年とされているが，副作用やステロイド離脱症状のリスクを考慮しながら漸減中止を行う[3]．

ステロイドパルス療法（メチルプレドニゾロン30mg/kgを2時間かけて点滴静注，3日間連日投与を1クールとし，合計1～10

ネフローゼ症候群（ステロイド抵抗性）　451

クール施行[5]）については，シクロスポリンとの併用で寛解導入に有効な可能性があるが，単独でのステロイドパルス療法はエビデンスが乏しく推奨されない．現在，ステロイド抵抗性ネフローゼ症候群において，低用量プレドニゾロン＋シクロスポリン併用療法にメチルプレドニゾロンパルス療法を加えるか否かのランダム化比較試験（UMIN ID：C000000007）を行っており，その結果によりガイドライン変更の可能性がある[5]．なおステロイドパルス投与日は，高血圧性脳症の予防のため，シクロスポリン投与は避ける必要がある．

シクロスポリンが何らかの理由で使用できない場合，適用外使用となるが，タクロリムスやミコフェノール酸モフェチルの使用が検討される．

タクロリムスはシクロスポリンと同等の寛解効果を示し，多毛や歯肉肥厚などの副作用も少ない．有効な治療薬ではあるが，腎毒性，高血圧，糖尿病の副作用があり，長期使用での安全性は不明である．

ミコフェノール酸モフェチルはステロイド抵抗性ネフローゼ症候群の寛解導入療法でのエビデンスに乏しく，報告されているケースシリーズではカルシニューリン阻害薬（シクロスポリンやタクロリムス）に比べ寛解率は決して高くない．したがってミコフェノール酸モフェチルは，ステロイドとカルシニューリン阻害薬で不十分な症例に追加して使用を検討する薬剤である．

なお，リツキシマブは，ステロイド抵抗性ネフローゼ症候群の有効性について，一定の見解はまだ得られていない．

2 その他

巣状分節性糸球体硬化症に対して，LDL吸着療法・血漿交換療法の保険適用が認めら

れている．LDL吸着療法は，回路の血液充填量が多く，小児では血漿交換療法が適している．免疫抑制薬で難治のステロイド抵抗性ネフローゼ症候群には一定の効果を認めるが，ランダム化比較試験などによる質の高い研究などはなく，科学的な根拠についての情報は少ない．

3 一般療法

a) 浮 腫

軽度の浮腫や低アルブミン血症に対して，アルブミン製剤の投与は不要なことが多い．浮腫が強い場合は，アルブミン製剤と利尿薬を併用して投与することで，水とナトリウムの排泄を促すことが可能である．具体的には，アルブミン1g/kgを2時間程度で輸注し，終了時にフロセミドを1mg/kg投与する．

ただし血管内脱水が強い場合には，アルブミン投与のみ，腎障害を伴い血管内容量が過剰な場合は，利尿薬投与のみ等，その時の病態に合わせた治療が必要で，身体所見，バイタルサイン，血液検査，画像検査（胸部X線や超音波）などによる総合的な血管内容量の評価が必須である．血管内脱水時に利尿薬を使用することは，有効循環血漿量低下を招き，血栓症のみならずショックを誘発する可能性がある．逆にアルブミン投与で利尿がつかない場合は，高血圧，肺水腫，心不全を起こし透析による除水が必要になる場合があり，極めて慎重な経過観察が必要である．

b) 塩分・水分摂取について

ネフローゼ症候群は，症状として浮腫は著明であるが，血管内は脱水傾向で，血液濃縮は血栓症のリスクとなるため，水分制限は不要である．

ただしネフローゼ症候群では，尿中Na排泄が低下していることが多く，塩分の摂取は

身体の水分貯留に直結しているため，塩分制限は浮腫の軽減に有効である．ただし小児の場合，過度の塩分制限は食欲減退につながることもあることに留意する．

c）運動について

運動がネフローゼ症候群を増悪する科学的根拠はない．また，血栓症のリスクが高まっていることから，過度の安静は推奨されない．ステロイドによる副作用である骨粗鬆症の観点からも，適度な運動は必要である．そのため，ネフローゼ症候群では原則，安静・運動制限は不要である．ただし，浮腫が非常に強く本人が痛みを自覚しているときや，高血圧があるときは，無理に運動をさせる必要はない．

専門医に紹介するタイミング

治療開始28日（4週）以内に寛解が得られないステロイド抵抗性ネフローゼ症候群では，腎生検による組織診断が必要であること，慢性的な高度蛋白尿・低アルブミン血症に対する合併症の治療や長期にわたるステロイドや免疫抑制薬の使用が必要になることから，専門施設への紹介が望ましい．

小児のネフローゼ症候群は，ステロイド治療開始後1～2週間で完全寛解することが多いため，治療開始後2～3週を過ぎても寛解しない場合は，一度小児腎臓専門医へ相談することを推奨する．

専門医からのワンポイントアドバイス

ステロイド抵抗性ネフローゼ症候群は，寛解が得られない場合，末期腎不全に移行する可能性が高いため，専門医による治療が望ましい．一度寛解に持ち込めば，その後再発をしてもステロイドの感受性が戻るケースも多く，ステロイド抵抗性ネフローゼ症候群の治療は，保険適用外の薬剤での治療（タクロリムスやミコフェノール酸モフェチルなど）も選択肢となると考える．

文　献

1) Kidney Disease：Improving Global Outcomes（KDIGO）：Steroid-resistant nephrotic syndrome in children. Kidney Int（suppl 2）：172-176, 2012
2) 日本小児腎臓病学会 監：小児特発性ネフローゼ症候群診療ガイドライン2020．診断と治療社，pp1-100，2020
3) 伊藤秀一：ステロイド抵抗性ネフローゼ症候群（疫学・治療）．"小児科臨床ピクシス22　小児のネフローゼと腎炎" 五十嵐隆 総編集．中山書店，pp70-73，2010
4) 田村啓成 他：小児特発性ネフローゼ症候群における細菌性腹膜炎．日小児会誌 113：935-938，2009
5) 飯島一誠：ステロイド抵抗性ネフローゼ症候群．"小児腎臓病学" 日本小児腎臓病学会 編．診断と治療社，pp215-221，2012

8. 腎・泌尿器・生殖器疾患

急性腎炎症候群

佐々木　聡
愛育病院 小児科

POINT
- ●急性腎炎症候群は，急激に血尿，蛋白尿，高血圧，腎機能低下などをきたす症候群である．小児ではA群β溶連菌感染後急性糸球体腎炎が多い．
- ●慢性糸球体腎炎の急性腎炎様発症の可能性も念頭におくことも大切である．
- ●治療管理のなかで最も大切なことの一つが血圧の管理であり，小児の高血圧基準値や降圧薬の使用法を熟知する必要がある．

ガイドラインの現況

　小児における急性腎炎症候群は，その多くが溶連菌感染後急性糸球体腎炎であり，血尿，蛋白尿，乏尿および浮腫を特徴とする．一般的に自然軽快・治癒傾向が強く，予後は良好なことが多い．鑑別としては，IgA腎症など慢性腎炎の急性腎炎様発症に注意する．治療としては，急性期の安静・保温，塩分・水分制限がまず基本となる．症例によっては，中枢神経障害をはじめとする重篤な合併症につながりうる高血圧などの急性期症状をいかにモニタリングし，治療するかが鍵となる．小児高血圧の診断や治療については，ガイドラインが整備されつつあり，降圧薬使用の際も最新のガイドラインを参考にしながら調節する．

【本稿のバックグラウンド】急性腎炎症候群や溶連菌感染後糸球体腎炎に特化したガイドラインはない．本稿内で述べたIgA腎症の急性腎炎様発症については，日本小児腎臓病学会のガイドラインにおける記述が参考になる．血圧の管理については，日本循環器学会の『小児期心疾患における薬物療法ガイドライン』，日本小児腎臓病学会の『小児腎血管性高血圧診療ガイドライン』を参考にした．

どういう疾患・病態か

　急性腎炎症候群とは，急激に発症する（肉眼的，顕微鏡的）血尿，蛋白尿，円柱の出現，ナトリウム・水分過多を伴う高血圧，または腎機能低下などを特徴とする[1]．本症候群の原因は多様で，小児において最も頻度が高いのがA群β溶血性連鎖球菌（溶連菌）

感染後急性糸球体腎炎（acute post-strepto-coccal glomerulonephritis：APSGN）である．時に，他の細菌・ウイルスなどの感染によるものや，IgA腎症[2]やループス腎炎など，慢性糸球体腎炎の急性腎炎様発症例が含まれる．本稿では，小児における急性腎炎症候群の代表例であるAPSGNについて述べる．

　APSGNは，主にA群β溶血性連鎖球菌の

454　8. 腎・泌尿器・生殖器疾患

腎炎惹起株による急性咽頭炎（多くはこれによって起こる）や皮膚感染（膿痂疹）によってひき起こされる．年齢的に2〜12歳にみられることがほとんどで，男児に約2倍多い．感染から腎炎発症までの潜伏期は，咽頭炎の場合1〜2週間，皮膚感染の場合3〜5週間といわれている．感染症が発症して，すぐに腎炎症状が出現した際は，むしろ慢性糸球体腎炎の急性増悪を疑わせる．また，腎外症状である浮腫，高血圧のみが前面に出て，尿所見に乏しい例がAPSGNの数％にみられ，腎外症候性急性糸球体腎炎といわれる．APSGNによる腎糸球体病変の基本は，高度の炎症細胞の浸潤・活性化を伴う管内増殖性病変がもたらす糸球体血管内腔の狭小化である．本病変に起因する溢水，高血圧，高カリウム血症などの急性期症状に特に留意したい．急激な血圧の変動は，高血圧性脳症や可逆性後頭葉白質脳症をひき起こすことがある．

治療に必要な検査と診断

代表的な臨床症状として，浮腫，乏尿，肉眼的血尿，高血圧が挙げられる．浮腫は，幼小児においては全身にみられることが多いが，年長になると顔面や下腿に限局して認められることも多い．非特異的な症状として，悪心，嘔吐，全身倦怠，食欲低下，背部痛，腹部不快感がみられることがある．以上の症状をみた際には，咽頭炎などの先行感染の有無を確認する．また，検尿異常を含む腎疾患，高血圧の既往がないこと，SLEをはじめとする全身性疾患を示す所見の有無を問診や診察で確認することが大切である．一方，浮腫などの症状を全く示さずに，尿異常や低補体血症などで発見される症例があり，無症候性急性糸球体腎炎と呼ばれる．

APSGN急性期においては，血清ASO，

ASKが上昇し，低蛋白，低アルブミン血症，BUN，血清クレアチニンの上昇，血清補体価やC3値の低下がみられる．血清IgG，IgMの上昇がみられ，免疫複合体も時に陽性を示す．鑑別診断として，抗核抗体・抗DNA抗体陰性，血清IgA値正常を確認する．尿所見では，dysmorphicな赤血球に加えて，白血球・赤血球円柱，硝子円柱，顆粒円柱を認める．蛋白尿は，軽度から中等度のことが多く，ネフローゼに至るものは5〜10％である．

APSGNが強く疑われる場合は，腎生検の適応とならない．低補体血症が認められないなど，他の糸球体腎炎との鑑別が必要な場合や，腎機能低下，ネフローゼ状態が遷延する場合には，腎生検を行う．また，2〜3ヵ月以上にわたり低補体血症が持続する場合は，膜性増殖性糸球体腎炎やループス腎炎などの鑑別を要する．

治療の実際

乏尿をはじめAPSGNの急性期症状がみられた際は，入院管理が原則である．高血圧がみられる際は安静とするが，そうでない際は穏やかな日常生活制限で十分である．APSGN治療の基本は，乏尿期の水分（前日尿量＋不感蒸泄約400 mL/m²）と食塩摂取量の管理（3 g/日以下）である．高カリウム血症の合併がみられる際は，カリウム制限食にする．安静，食事療法でも十分利尿がみられず浮腫を認める際は，ループ利尿薬であるラシックス®（0.5〜1 mg/kg/回，2〜4回/日，経口または静注）投与を行う．なお，カリウム保持性利尿薬は使用しない．高血圧を判断する際には，ガイドラインによる年代別基準[3,4]を参考にして，注意深く治療コントロールする．乏尿，浮腫で入院当初に頭痛，嘔気，意識障

害，けいれんなどをひき起こした際は，高血圧性脳症を必ず念頭におくことが大切である．降圧薬[4,5]としては，Ca拮抗薬が第一選択である．そのうち本邦で小児に承認されているものはアムロジピンのみで，0.06〜0.3mg/kg/日 分1（6歳以上2.5mg/日 分1，最大5mg/日）で投与する．ニフェジピン0.25〜0.5mg/kg/日（徐放）分1〜2で投与されることもある．高血圧性緊急症に対しては，ニカルジピン 0.5μg/kg/分で持続点滴を開始し，以後血圧をモニタしながら点滴速度を調節する（0.5〜3μg/kg/分）．レニンアンジオテンシン系阻害薬は，高カリウム血症を惹起する可能性があり，原則的には使用しない．

カリウム制限下でも存在する高カリウム血症に対しては，イオン交換樹脂（カリメート®，またはケイキサレート® 0.5〜1g/kg/日 分3，経口）を投与する．以上の治療によっても，高血圧溢水，肺水腫，心不全，高カリウム血症コントロール不良を認める場合には，透析療法が必要である．透析療法は，血液透析でも腹膜透析でもよく，各施設でスムーズに導入可能な方法を選択する

腎炎と診断した際の迅速抗原検査や咽頭培養で溶連菌が認められる場合には，サワシリン® 30mg/kg/日 分3の10日間内服を行う．

専門医に紹介するタイミング

発症時，慢性糸球体腎炎の急性増悪など，感染症以外の要因が強く疑われる際には，経過をみて専門医にコンサルトする．また，APSGNとして診断，治療した後においても，血清補体価低下が3ヵ月以上にわたる場合は，膜性増殖性糸球体腎炎やループス腎炎などの鑑別を要するため，紹介が必要である．保存的治療や薬物療法によっても，高血圧・溢水・電解質異常の管理が難しい際は，透析療法が可能な施設に紹介する．

専門医からのワンポイントアドバイス

APSGNの多くは，自然軽快傾向が強く，治療の基本は安静，保温と塩分・水分制限である．発症初期は確定診断に至らずとも，保存的治療下に経過観察を行っているうちに，尿所見や血清補体価の自然回復がみられて，のちに本症と診断できる場合も少なくない．本症を，思わぬ後遺症を残すことなく治療するためには，急性期の浮腫や高血圧の出現を見極めて適切に対応することが重要である．

——— 文 献 ———

1) Rodriguez-lturbe B et al：Acute postinfectious glomerulonephritis in children. In "Pediatric Nephrology 7th ed"eds. Avner ED et al. Springer-Verlag, Berlin, Heidelberg, pp959-980, 2016
2) 日本小児腎臓病学会：小児IgA腎症診療ガイドライン2020，2020
3) 日本高血圧学会：高血圧治療ガイドライン2019. 2019
4) 日本小児腎臓病学会：小児腎血管性高血圧診療ガイドライン2017. 2017
5) 日本循環器学会：小児期心疾患における薬物療法ガイドライン. 2012

処 方 例

乏尿時

処方　ラシックス®細粒　3mg/kg　分3

高血圧時

処方　ノルバスク®，アムロジン®（2.5mg錠）　0.06〜0.3mg/kg　分1（6歳以上の小児に対し2.5mg　分1，適宜増減，1日最大5mg）

8. 腎・泌尿器・生殖器疾患

慢性腎炎症候群（IgA 腎症を中心に）

漆原真樹[1]，香美祥二[2]

1）徳島大学大学院医歯薬学研究部 小児科学分野，2）徳島大学病院

POINT

●慢性腎炎症候群は，蛋白尿，血尿が持続し，しばしば高血圧，浮腫を呈して緩徐に腎機能障害が進行する病態であり，その中でも IgA 腎症が最も頻度が高い．

●IgA 腎症に対するガイドラインとして，日本小児腎臓病学会編集の『小児 IgA 腎症診療ガイドライン 2020』が推奨される．

ガイドラインの現況

小児の慢性腎炎症候群の中で最も頻度の高い IgA 腎症は，その長期予後が決して楽観できないことより，治療法の確立が強く望まれている疾患である．

本邦では，日本小児腎臓病学会が 2007 年に『小児 IgA 腎症治療ガイドライン 1.0 版』を作成した．これは小児期発症の IgA 腎症患者に対する治療指針の作成と，不適切な薬物治療により，ステロイドによる成長障害などの小児特有の副作用を防止することを目的としたものである．

さらにエビデンスの蓄積により同学会から 2020 年には改訂版を作成し『小児 IgA 腎症診療ガイドライン 2020』を発表した[1]．本ガイドラインでは EBM 普及推進事業 Minds（マインズ）の推奨する診療ガイドラインの作成方法を準拠している．エビデンスの収集にあたっては，小児 IgA 腎症に関して PubMed による検索で文献，コクランレビュー等によるシステマティックレビューやその他の総説，および国際的な成書を参照されている．

【本稿のバックグラウンド】 小児の慢性腎炎症候群の中で最も頻度が高い IgA 腎症の診療について『小児 IgA 腎症診療ガイドライン 2020』を中心にその病態，検査診断，治療についてわかりやすく解説した．

どういう疾患・病態か

慢性腎炎症候群とは，蛋白尿，血尿が持続し，しばしば高血圧，浮腫を呈して緩徐に腎機能障害が進行する病態であり，基本的には多種の糸球体疾患より成る．肉眼的血尿，浮腫などの急性腎炎様症状にて発症し遷延するものや，発症時期が不明で学校検尿などで偶然発見されるものがある．小児では原発性には，IgA 腎症，非 IgA 腎症，膜性増殖性腎炎（MPGN），巣状分節性糸球体硬化症（FSGS），膜性腎炎（MN）があり，続発性

としては，紫斑病性腎炎，ループス腎炎(LN)，遺伝性腎炎（アルポート症候群）などがある．特にIgA腎症は，慢性腎炎症候群の中で最も頻度が高く，その多くが学校検尿（受診者の5,000人に1人の頻度）で発見されており，無治療であれば，その3割近くが腎不全に進行すると考えられている予後不良の疾患である．

IgA腎症は，糸球体メサンギウム領域へのIgA1の優位な沈着を特徴とし，病理学的には，様々な程度のメサンギウム細胞（MC）の増殖とメサンギウム基質（MM）の拡大がみられることを基本とする（図1）．IgA1の沈着要因として，粘膜免疫系の異常による外来抗原（細菌，ウイルス，食事抗原）の慢性刺激，糖鎖異常（O-結合型糖鎖不全）を有するpolymeric IgA1の産生増加，IgA1含有免疫複合体のメサンギウムへの易沈着性が挙げられている．ひとたびIgA1免疫複合体沈着により炎症が惹起されると，MC，炎症細胞，血小板の活性化や補体，増殖因子・サイトカイン，凝固因子，プロテアーゼ，フリーラジカル等の炎症性メディエーターが作用して上述の基本病変が誘導され，種々の程度の活動性病変（びまん性のMC増殖，係蹄壁の壊死性病変，細胞性半月体）が形成される．さらに慢性・進行性のIgA腎症では，他の慢性腎炎症候群の各疾患の進展と共通した糸球体高血圧や，糸球体局所でのアンジオテンシンII作用，催線維性のTGF-β，PDGF作用，フリーラジカル作用が優勢となり，糸球体硬化，線維性半月体形成，癒着などの慢性炎症性組織変化が形成され，次第に腎機能が低下してくる．

治療に必要な検査と診断

本症候群の患児の予後を推定し，適切な治療を施行するためには，各疾患の病態に関連する検尿所見や生化学・免疫学検査所見の理解と腎生検による確定診断が必要である．同時に，浮腫，高血圧，皮疹，関節腫脹，難聴などの理学的所見の有無の確認や，腎疾患の家系内発症など，家族歴の詳細な聴取などが正確な診断の助けとなる．検尿では，蛋白尿，血尿が持続している場合には，尿蛋白/クレアチニン比（正常：0.15未満）を測定し，沈渣で赤血球円柱や白血球円柱（活動性腎炎），卵円形脂肪体（高度蛋白尿），蝋様円柱（腎不全状態）の存在に注意しておく．一般的には，蛋白尿の程度や異常尿沈渣所見と組織障害度が比例すると考えてよく，治療に反応し組織所見が改善すれば，蛋白尿，UP/UCは減少し，尿沈渣所見も改善する．血液検査では，検血一般と通常の生化学検査（BUN，クレアチニン，コレステロール，総

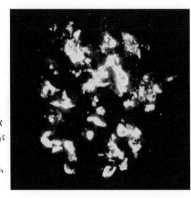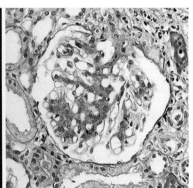

図1　IgA腎症
　　左：蛍光抗体所見：糸球体メサンギウム領域にIgAが沈着している．
　　右：光顕所見：メサンギウム増殖を示す糸球体．

蛋白，アルブミン，尿酸，電解質）を基本とし，各種腎炎に特徴的な検査項目を検索する．IgA 腎症では，患児の 30〜40％に粘膜免疫系の異常を反映した血清 IgA 値の上昇がみられる．IgA 腎症，MPGN，LN の急性発症と溶連菌感染後腎炎を鑑別するために，ASLO，ASK を提出する．MN や FSGS では，高度蛋白尿とともに低蛋白血症，高コレステロール血症がみられ，ネフローゼ状態となることが多い．MPGN には，血清補体価（CH50）低値，補体蛋白（C3）低値がみられ，C3 nephritic factor が陽性となることがある．LN では，自己免疫異常による CH50，C3，C4 低値と抗 DNA 抗体や抗核抗体が検出される．MPGN と LN は，ともに疾患活動性と CH50 値がパラレルに推進することを念頭におき，治療を進めていく．腎機能を評価するために，クレアチニンクリアランスや推算 GFR（eGFR）も算出しておく[2]．

治療の実際

本症候群の治療法は，基本的に生活指導，食事療法，薬物療法よりなる．

1 生活指導

小・中学生の腎疾患を有する者には，日本学校保健会が作成した学校生活管理指導表を参考にして，できうるかぎり運動に参加できるようにして QOL を高めるよう配慮する[3]．しかし，予後不良の FSGS や活動性の高い MPGN の場合は，尿所見が安定（蛋白尿 1＋程度）するまでは，慎重に経過を観察すべきである．

2 食事療法

浮腫，高血圧を呈する場合には，塩分制限，水分制限が必要である．年長児では腎不全の進行に伴い，低蛋白食も考慮する．

3 薬物療法

本症候群における各症例の病態や病理所見の重症度，病期（活動期，慢性期）により，使用薬剤が選択されている．ここでは本邦で最新の小児 IgA 腎症のガイドラインである『小児 IgA 腎症診療ガイドライン 2020』から薬物療法のポイントについて述べる．

a）軽症例

臨床症状として軽度蛋白尿（早朝尿蛋白/クレアチニン比が 1.0 未満）かつ腎機能が正常（eGFR 90 mL/min/1.73 m^2 以上），さらに病理組織像がメサンギウム細胞増多，半月体形成，癒着，硬化病変のいずれかの所見を有する糸球体が 30％未満である軽症例では，レニン・アンジオテンシン系（RA 系）阻害薬を使用する．

b）重症例

高度蛋白尿（早朝尿蛋白/クレアチニン比として 1.0 以上）または腎機能低下（eGFR 90 mL/min/1.73 m^2 未満），もしくはメサンギウム細胞増多，半月体形成，癒着，硬化病変のいずれかの所見を有する糸球体が全糸球体の 80％以上，または半月体形成が全糸球体の 30％以上の病理組織像を認めるものを重症例と定義する．治療はステロイド薬，免疫抑制薬，RA 系阻害薬を用いた 2 年間の多剤併用療法とする．本治療の実際には，腎臓専門医と十分に相談することを推奨する．

処 方 例

小児 IgA 腎症 軽症例

定義：次の 2 項目を満たすもの．①軽度蛋白尿（早朝尿蛋白/クレアチニン比が 1.0 未満）かつ腎機能正常

（eGFR 90 mL/min/1.73 m^2 以上）．
②病理組織像でメサンギウム増多，
半月体形成，癒着，硬化病変のいず
れかの所見を有する糸球体が全糸球
体の 80％未満，かつ半月体を認め
る糸球体が 30％未満であるもの．

処方　リシノプリル　0.4 mg/kg/日　分
1（最大：20 mg/日）

小児 IgA 腎症　重症例

定義：次の 2 項目のいずれか 1 つを満
たすもの．①高度蛋白尿（早朝尿蛋
白/クレアチニン比として 1.0 以上）
または腎機能低下（eGFR 90 mL/
min/1.73 m^2 未満）．②病理組織像
でメサンギウム細胞増多，半月体形
成，癒着，硬化病変のいずれかの所
見を有する糸球体病変が全糸球体の
80％以上，または半月体形成が全
糸球体の 30％以上であるもの．

● ステロイド薬

処方　プレドニゾロン内服　2 mg/kg/
日　分 3（最大：60 mg/日），連日
投与，4 週間．その後は 2 mg/kg
分 1，隔日投与とし，以後漸減中止．

● 免疫抑制薬

処方　ミゾリビン　4 mg/kg/日　分 1
（最大：150 mg/日），原則 2 年間

● RA 系阻害薬

処方　リシノプリル　0.4 mg/kg/日　分
1（最大：20 mg/日），原則 2 年間

専門医に紹介するタイミング

　本症候群の患児で，軽度の蛋白尿が持続す
る場合は，1 年間ほど経過をみた後に確定診
断のために，腎生検のできる専門医のいる施
設に紹介すべきである．肉眼的血尿を繰返し
たり高度蛋白尿がみられる場合，明らかな腎
機能の低下（クレアチニン値が 1 以上）や高
血圧がある場合は，重症の腎炎の存在する可
能性が高く，速やかに専門医に紹介する．

専門医からのワンポイントアドバイス

　本症候群では，一般的に蛋白尿，血尿等の
検尿異常のほかは，腎機能障害も軽度で，自
覚症状が乏しい．そのために，長期的投薬の
コンプライアンスが低下して，成人期に腎不
全状態で再受診した例や，IgA 腎症に多くみ
られる上気道炎，腸炎などを契機とする急性
増悪が見落とされた例もある．したがって，
患児のみならず，保護者にも各疾患の特徴と
病状を十分理解してもらうことに努め，定期
検診（検尿）による長期にわたる細やかな
フォローアップが大切である．

─────────── 文　献 ───────────

1) 日本小児腎臓病学会 編：小児 IgA 腎症診療ガイド
　ライン 2020．診断と治療社，2020
2) 香美祥二：シンプル小児科学．南江堂，2016
3) 日本腎臓学会 編：エビデンスに基づく CKD 診療ガ
　イドライン 2018．
　https://minds.jcqhc.or.jp/docs/gl_pdf/G0001093/4/
　CKD.pdf
4) 日本学校保健会：腎疾患児　学校生活管理指導のし
　おり（令和 2 年度改訂）．2021

8. 腎・泌尿器・生殖器疾患

急性腎障害

幡谷浩史
東京都立小児総合医療センター 総合診療科

POINT
- 急性腎障害は，時間尿量と血清 Cr 値の変化によって診断・stage 判断する.
- 年齢・性別ごとの血清クレアチニン値を意識することが大切である.
- 腎前性，腎実質性，腎後性によって治療アプローチが異なるため，鑑別をしっかり行う.

ガイドラインの現況

旧来の急性腎不全（acute renal failure：ARF）に比べ，より軽微な段階の腎機能低下をも包括する急性腎障害（acute kidney injury：AKI）という新しい疾患概念が導入された．早期診断・早期介入することで予後を改善することが期待され，着実に根付いている.

いくつかの定義があるが，2012 年に提唱された KDIGO（Kidney Disease：Improving Global Outcomes）による診断基準[1]（翻訳版[2]）は，旧来の ARF では不可能だった早期の腎機能障害の検出について，尿量，腎機能低下の速度・程度を利用することで診断し，他の診断基準より簡便性・検出力に優れている．本邦関連 5 学会の協力により作成された『AKI（急性腎障害）診療ガイドライン 2016』[3] は，KDIGO 診断基準を用いることを推奨し，特に小児では，生後 3 ヵ月以上では KDIGO 診断基準の利用を，3 ヵ月未満では新生児修正 KDIGO 診断基準の参考を推奨した．血液浄化法や重篤な障害を有する場合についても言及されており，一読をお勧めする.

【本稿のバックグラウンド】 ポイントに記載した KDIGO による診断基準が世界標準であり，本邦の『AKI（急性腎障害）診療ガイドライン 2016』でも採用している．小児の急性腎障害について，NICE と国際腹膜透析学会を除き新たなガイドラインはない.

どういう疾患・病態か

急性腎不全（ARF）は，「急速（数時間〜数週間）に腎機能が低下したことにより，老廃物の蓄積や体液量や電解質のバランス調節が破綻した状態」と定義される症候群である．原因によって 3 つに分類（**表 1**）される．腎前性は，有効循環血漿量の減少・腎灌流圧の低下に伴って生じる機能的な腎機能低下である．腎実質性（腎性）は，輸入細動脈や糸球体病変，尿細管・間質に病変をきたすものが該当する．腎後性は尿管・尿道などの

表 1　急性腎不全（ARF/AKI）の分類

腎前性 ARF/AKI

循環血漿量の減少：

　　　　出血，脱水，消化管への喪失，熱傷，塩分喪失性の腎・副腎疾患，中枢性・腎性尿崩症，間質への喪失（敗血症，外傷，ネフローゼ症候群，capillary leak syndrome）

有効循環血漿量の減少：

　　　　ショック，うっ血性心不全，心膜炎，心タンポナーデ，肝腎症候群，薬物（NSAIDs, ACEI/ARB）

腎実質性 ARF/AKI

急性尿細管壊死*

　　　　虚血・低酸素障害

　　　　　　薬物：アミノグリコシド，アムホテリシンB，造影剤，シスプラチン，イホスファミド，NSAIDs，アセトアミノフェン，シクロスポリン，タクロリムス

　　　　　　毒素：外因性（エチレングリコール，重金属）

　　　　　　　　　内因性（ミオグロビン，ヘモグロビン）

尿酸腎症，腫瘍崩壊症候群，横紋筋融解症

間質性腎炎：薬剤性（抗生剤，抗けいれん薬），特発性

糸球体腎炎（各種）

血管病変：HUS（感染性，薬剤性，補体異常関連，骨髄移植腎症），皮質壊死，腎動脈・静脈血栓症，血管炎

感染症：敗血症，DIC，腎盂腎炎

腎後性 ARF/AKI

両側性尿管閉塞，片腎症例における尿路閉塞

　　　　　　結石，尿路感染症，尿管術後浮腫，腫瘍，血栓

尿道閉塞：後部尿道弁，神経因性膀胱，結石，腫瘍

＊：典型的な壊死像がないことが多く，急性尿細管障害と表現することもある．

NSAIDs：non-steroidal anti-inflammatory drugs, ACEI：angiotensin converting enzyme inhibitor, ARB：angiotensin II receptor blocker

---

尿路閉塞が原因である．

　ARF の定義では，腎機能低下の程度やその期間について明確でないため，発症頻度や治療効果，予後などが報告によって異なり，比較できない欠点がある．

　成人の集中治療分野で，クレアチニン（sCr）値 0.3 mg/dL の上昇が予後不良因子と報告されたことから，腎不全に至る前段階の軽微な腎障害を含め，広い疾患スペクトラムを有し，様々な病態を背景として発症する広い概念[3] として，急性腎障害（AKI）が提唱された．特に集中治療室における AKI は頻度が高く，前述した分類に分けることが困難なことが多く，また多臓器不全の一つとし

て発症し，予後不良であることが多いという特徴を有する．

　統一された基準に基づいた AKI の発症頻度，予後などの報告が集積されつつある．例えば，発展途上国と先進国，新生児と乳児期以降，市中発症と集中治療室では，原因頻度・予後が大きく異なることが知られている．同時に病態についても新たな知見が得られているが，腎前性，腎実質性，腎後性という古典的な原因・病態分類が，診断・治療方針を決定する際に有用であることは変わりない．

　AKI は分類定義上，腎後性腎不全を除外するなど狭い概念であるが，多くの報告と同様，腎機能低下を急速にきたす病態を広義の

462　8. 腎・泌尿器・生殖器疾患

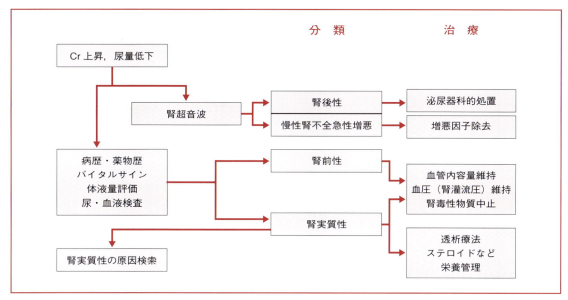

図1 診断・治療のアルゴリズム

表2 腎前性・腎実質性 ARF/AKI の鑑別の目安

	腎前性	（新生児）	腎実質性	（新生児）
尿量	乏尿		乏尿/非乏尿	
尿浸透圧（mOsm/L）	>400～500	(>350)	<350	(<300)
尿中 Na 濃度（mEq/L）	<10	(<20～30)	>30～40	(>30～40)
FE_{Na}	<1%	(<2.5%)	>2%	(2.5～3.0%)
RFI	<1		>2	

FE_{Na} =（尿 Na × 血清 Cr）/（血清 Na × 尿 Cr）× 100
RFI：renal failure index =（尿 Na × 血清 Cr）/尿Cr

AKI と捉えることとし，本稿では急性腎不全を ARF/AKI として表記する．

治療に必要な検査と診断

特に ARF/AKI の原因となるリスク因子を有する症例では，腎機能の変化に注意を払う必要がある．ARF/AKI の分類（表1）を念頭におき，腎後性 ARF/AKI を除外（図1）できたら，腎前性 ARF/AKI か腎実質性 ARF/AKI か，各種パラメータ（表2）を参考に判断する．

腎機能低下の原因と程度を特定するために下記の検査を行い，血液浄化療法が必要か否かを検討する．

腎機能低下の分類には，近年いくつかの分類（pRIFLE 分類，AKIN 分類）が提唱されていたが，それらを基にして KDIGO（Kidney Disease：Improving Global Outcomes）による新たな基準（表3）が 2012 年に提唱された．腎機能の推算式を用いずに sCr 値の変化と尿量の減少を基準しているため，診断基準に単純化をもたらした．3ヵ月未満の小児では，周産期因子や未熟性などの背景があるため，新生児修正 KDIGO 診断基準[4]が提唱された（表3）．3ヵ月未満の小児の Cr 基準値が本邦では確立していないため，診断以前の最低値を基礎値として用いるなど，特

表3　KDIGO 診療ガイドラインによる AKI 診断基準と病期分類（文献 1，4 を参照して作成）

Stage	KDIGO 血清 Cr 値	共通 時間尿量	新生児修正 KDIGO[4] 血清 Cr 値
0*	———————	≧0.5mL/kg/時 （新生児のみ）	変化なし または <0.3mg/dL の増加
1	基礎値の 1.5 倍以上 （7 日以内）， または 0.3mg/dL 以上の増加 （48 時間以内）	<0.5mL/kg/時，6 時間以上	基礎値**の 1.5 倍以上 （7 日以内）， または 0.3mg/dL 以上の増加 （48 時間以内）
2	基礎値の 2 倍以上	<0.5mL/kg/時，12 時間以上	基礎値**の 2 倍以上
3	基礎値の 3 倍以上， または 4 mg/dL 以上の増加， または 腎代替療法開始， または eGFR<35mL/分/1.73m² （18 歳未満）	<0.3mL/kg/時，24 時間以上， または 12 時間以上の無尿	基礎値**の 3 倍以上， または 2.5mg/dL***以上の増加， または 腎代替療法開始

Cr：クレアチニン
eGFR：estimated glomerular filtration rate（推定糸球体濾過量）
*stage 0 は，新生児修正 KDIGO にのみ設定.
**新生児の血清 Cr 基礎値は，診断以前の最低値とする.
***新生児の血清 Cr 値 2.5mg/dL は，GFR<10mL/分/1.73m² を意味する.
注：血清 Cr 値と尿量による重症度分類では，より高い重症度を採用する.

別な注意が必要である.

1 病歴，バイタル所見

先行感染（溶連菌による急性糸球体腎炎では 2 週間前，IgA 腎症などでは発熱と同時に肉眼的血尿を認める）や下痢（HUS，エルシニアなど）などの現病歴とともに，過去の尿検査歴や既往歴，基礎疾患，使用薬剤を確認する．体重変化，血圧の評価は必須である.

2 尿量評価と尿検査

正確に尿量を評価するためには膀胱カテーテルを留置する．腎前性か腎実質性かを判断する手がかりを得るため，尿検査を行う.

3 血液検査

腎機能の程度を評価するために sCr，シスタチン C を測定するが，sCr では腎機能の急激な変化を反映できていない可能性を考慮する必要がある．末梢血液像，総蛋白，アルブミン，尿素窒素，AST，ALT，LDH，CK，ミオグロビン，尿酸，ナトリウム，カリウム，クロール，総コレステロール，血液ガス分析を行う.

新しいバイオマーカーとして NGAL（neutrophil gelatinase-associated lipocalin），L-FABP（liver type fatty acid-binding protein），KIM-1（kidney injury molecule-1），IL-18（interleukin-18）などが早期診断・生命予後予測に有用である可能性が示唆されている[3].

4 画像検査

超音波検査は，腎後性（尿路の閉塞）とその他を鑑別するために有用であるが，急性期

表4　血液浄化療法導入目安

- 利尿薬に反応しない溢水状態：心不全，肺水腫，重症高血圧
- 尿毒症症状の出現
- 高カリウム血症（K 7.5mEq/L 以上，あるいは心電図上 wide QRS）
- BUN 150mg/dL あるいは 100mg/dL だが改善が見込めないとき
- NaHCO$_3$ 投与で反応しない重症酸血症（HCO$_3^-$ 12mEq/L 以下）
- 溢水の危険のため，輸血・輸液ができない場合

＊最近の成人の報告では，より早期の導入（例として BUN 76mg/dL）のほうが予後良好であるとされるが，小児における血液浄化療法の難易度・合併症を考慮すると，一概に早期導入を勧められない．

では著明な水腎症にはならないことがあり注意を要する．また腎サイズが小さい場合に acute on chronic（慢性腎不全があるところに発症した急性増悪）を疑うことができる．下大静脈径，左室容量は血管内容量を推測する目安になる．心臓超音波で心機能評価も必要である．

胸部 X 線では心胸郭比を測定し，胸水貯留，肺水腫の有無を確認する．

5 腎生検

糸球体腎炎に伴う ARF/AKI では，病理分類のために腎生検を要す．

6 基礎病態の評価

小児集中治療室発症の ARF/AKI では敗血症や手術，心奇形などに伴って発症することが多い．血液培養や血圧変動，投与薬剤歴の確認，心機能評価を行う．

治療の実際

緊急の血液浄化療法が必要（絶対適応，表4）か否かを判断する．また，新生児期を除き，生命予後と関連する体液過剰率〔% fluid overload＝（fluid in－fluid out）/PICU 入室時体重×100（%）〕の評価をガイドラインは提案する[3]．病態，体格，慣れた手技などを考慮して，適切な血液浄化療法を開始する[3]．

腎前性・腎実質性 ARF/AKI では，適切な循環動態（腎血流，糸球体灌流圧）を維持

し，基礎疾患があれば治療し，腎毒性物質を避けることが基本治療である．適切な循環動態を維持するためには，輸液療法を開始後も水・電解質バランスに細心の注意を払い，適宜輸液量を調節する．

1 腎前性 ARF/AKI

脱水など血管内容量が減少している病態であれば積極的に補正する．カリウムを含まない晶質液製剤で血圧の維持ができるように輸液を行う．ネフローゼ症候群に伴う腎前性の場合には，アルブミンを用いることもある．原因が心原性の場合には，心機能の変化を経時的にみながら調節する．

本病態は機能的な腎機能低下であり，適切な輸液管理で回復するが，長期間にわたると尿細管障害をひき起こし，腎実質性になる．

2 腎後性 ARF/AKI

尿路閉塞の解除が根本治療である．閉塞部位・程度により膀胱カテーテル，尿管ステント，腎瘻など対応法が異なる．閉塞機転の解除後に1日数Lもの尿が産生されるため，積極的な補液（尿量の8割を目安）を必要とすることがある．

3 集中治療室発生 ARF/AKI

適切な循環動態を維持し，糸球体灌流圧を保つために，晶質液の輸液療法以外に昇圧薬を必要とすることがある．renal dose のドブタミン（2〜5μg/kg/分）の有用性は否定されたが，敗血症性ショック時に血圧を保つた

急性腎障害　**465**

めに使われるノルアドレナリンとともに血圧維持目的で現在でも頻用されている.

処方例

高血圧

● 循環血液量過多のとき
処方　ラシックス® 1〜2mg/kg/回
● 緊急時
処方　ペルジピン® 0.5〜6μg/kg/時 点滴静注
● 通常時
処方A　カプトリル® 1〜2mg/kg/日 分3
処方B　ロンゲス® 0.2〜0.5mg/kg/日 分1
処方C　アムロジン® 0.1〜0.2mg/kg/日 分1

高カリウム血症

処方A　カルチコール®注射液8.5% 0.6mL/kg 5〜10分かけて静注
処方B　メイロン®静注8.4% 3mL/kg 5分かけて静注
処方C　グルコース 0.5g/kg（20%グルコース 2.5mL/kg）＋レギュラーインスリン 0.15IU/kg 2時間かけて静注
処方D　カリメート®（またはケイキサレート®）0.5〜1g/kg 内服
処方E　ベネトリン®
　　　　乳児 0.2〜0.4mL
　　　　幼児 0.4〜0.8mL
　　　　小学生 0.8〜1.2mL
　　　　中学生 1〜2mL
　　　　生食2mLに混ぜて吸入

専門医に紹介するタイミング

透析導入の可能性があれば，早めにコンサルトもしくは紹介することをお勧めしたい．また，集中治療室におけるARF/AKIは予後が不良であるため，基礎値からのsCrの変化に注意し，多臓器不全を伴うようであれば，より早めに紹介する．

専門医からのワンポイントアドバイス

腎機能評価の簡易法として，体格（筋肉量）相当の正常sCrと比較する方法がある．簡易的には身長（m）×0.3を正常sCrの基準値[5]として用いると便利である．

市中発症ARF/AKIのうち，乳幼児期に最も多いHUSの重症合併症（脳症，無尿）は，血便発症から5日以内に生じる．他の検査値に比べLDH・血小板数が早期に回復し，病勢・急性血液浄化療法導入判断の目安になる．

───────── 文献 ─────────

1) Kidney Disease：Improving Global Outcomes（KDIGO）Acute Kidney Injury Work Group：KDIGO Clinical Practice Guideline for Acute Kidney Injury. Kidney Int 2（suppl 1）：1-138, 2012
2) 日本腎臓学会，KDIGOガイドライン全訳版作成ワーキングチーム：急性腎障害のためのKDICO診療ガイドライン．東京医学社，2014
3) AKI（急性腎障害）診療ガイドライン作成委員会編：AKI（急性腎障害）診療ガイドライン2016．日腎会誌 59：419-533，2017
4) Jetton JG et al：Acute kidney injury in the neonate. Clin Perinatol 41：487-502, 2014
5) Uemura O et al：Reference serum creatinine levels determined by an enzymatic method in Japanese children：relationship to body length. Clin Exp Nephrol 13：585-588, 2009

8. 腎・泌尿器・生殖器疾患

慢性腎臓病

三浦健一郎，服部元史
東京女子医科大学 腎臓小児科

POINT
- 慢性腎臓病（CKD）は腎機能（糸球体濾過率；GFR）によってステージ分類される.
- 血清クレアチニンの基準値が年齢によって変化することを把握する必要がある.
- 小児の血清クレアチニンの基準値をもとにした CKD ステージ分類は『CKD 診療ガイドライン 2013』や『学校検尿のすべて 令和 2 年度改訂』などに掲載されており，推定 GFR は日本小児腎臓病学会ホームページで計算できる.

ガイドラインの現況

慢性腎臓病（chronic kidney disease：CKD）は，2002 年に K/DOQI（kidney disease outcomes quality initiative）診療ガイドラインにおいて定義された，腎臓の構造または機能の異常を包括した疾患概念である. 本邦では『エビデンスに基づく CKD 診療ガイドライン 2009』が発刊され（2013 年と 2018 年に改訂され，2023 年にも改訂予定），CKD の定義と重症度（ステージ）分類が記載されている. このなかで小児 CKD ステージ分類と治療についても述べられている. 先天性腎尿路異常（CAKUT）は小児 CKD の主要疾患であり，水腎症，膀胱尿管逆流を含めてガイドラインまたは診療の手引きが整備されている. また，『学校検尿のすべて 令和 2 年度改訂』が発刊され，学校生活における管理法や専門医紹介の具体的な基準が示されている.

【本稿のバックグラウンド】 先天性腎尿路異常をはじめとする小児の CKD の病態と管理について概説するとともに，CKD 発症予防として重要な役割を担っている学校検尿と尿異常への対応についても簡単に触れた.

どういう疾患・病態か

1 慢性腎臓病（CKD）の病態

慢性腎臓病（chronic kidney disease：CKD）は高血圧，腎性貧血，代謝性アシドーシス，骨ミネラル代謝異常（chronic kidney disease-mineral and bone disorder：CKD-MBD）をひき起こし，成人のみならず小児においても末期腎不全や心血管疾患の重要な危険因子である. また，小児特有の病態として，上記症候や成長ホルモンの相対的不足によって起こる成長障害が重要である.

2 CKD の原因疾患

小児末期腎不全の原因として最も多いのは先天性腎尿路異常（CAKUT）であり，これ

慢性腎臓病　**467**

表1　CKDの定義

① 尿異常，画像診断，血液，病理で腎障害の存在が明らか．特に0.15g/gCr以上の蛋白尿（30mg/gCr以上のアルブミン尿）の存在が重要
② GFR<60mL/分/1.73m^2

①，②のいずれか，または両方が3ヵ月以上持続する　　　　　　　　　　　　（CKD診療ガイド2012より引用）

に遺伝性腎症（Alport症候群，先天性ネフローゼ症候群など），巣状分節性糸球体硬化症，嚢胞性腎疾患（多発性嚢胞腎やネフロン癆など），慢性糸球体腎炎が続く[1]．近年，CKDの起源が胎児期にあるとするdevelopmental origins of health and disease（DOHaD）仮説が検証され，低出生体重・早期産・胎児発育不全がCKD発症の重要な危険因子であることが注目されている[2]．

治療に必要な検査と診断

1 CKDの診断基準と重症度分類

　CKDは2002年に発表されたK/DOQI診療ガイドラインの一つであるchronic kidney disease：evaluation, classification, and stratificationにおいて定義され[3]，一部の改訂を経て2012年版のKDIGO（kidney disease：improving global outcomes）ガイドラインで「CKDは腎臓の構造または機能の異常が3ヵ月を超える場合」と定義された[4]．2013年に日本腎臓学会から発刊された『CKD診療ガイドライン』におけるCKDの定義を表1に示す[5]．このなかで原疾患，腎機能，蛋白尿・アルブミン尿に基づいたCKD重症度（ステージ）分類であるCGA分類が示され，2018年版においても踏襲されている[2,5]．

　小児CKDの診断基準は成人と同様であるが，ステージ分類に関しては乳幼児期の腎機能が成熟段階にあることを考慮する必要があ

表2　小児CKDのステージ分類（2歳以上）

病期ステージ	重症度の説明	GFR mL/分/1.73m^2	治療
1	腎障害※は存在するがGFRは正常または亢進	≧90	移植治療が行われている場合は1-5T
2	腎障害が存在し，GFR軽度低下	60〜89	
3	GFR中等度低下	30〜59	
4	GFR高度低下	15〜29	
5	末期腎不全	<15（または透析）	透析治療が行われている場合は5D

※腎障害：蛋白尿，腎形態異常（画像診断），病理の異常所見などを意味する．　（文献5より引用）

る．また，小児では蛋白尿・アルブミン尿の程度による細分類と末期腎不全への進行に関するエビデンスが乏しいため，小児CKDでは糸球体濾過率（GFR）のみを指標としたCKDステージ分類が採用されている（表2）[5]．日本人小児の推定糸球体濾過率（eGFR）は5次式を用いて算出され[6,7]，日本小児腎臓病学会ホームページで計算およびダウンロードができる[8]．なお，2歳未満の小児のGFRは成人と比べて生理的に低いため，GFRを用いたステージ分類ができない．そこで，この年齢（生後3ヵ月〜2歳未満）の日本人の血清クレアチニン（Cr）の基準値を基にしたCKDステージ分類が示されている（表3）[9]．

2 診断に必要な検査

　3歳児検尿および学校検尿は小児CKDの早期発見と早期診断のために有用である[2,5]．持続的な血尿・蛋白尿を呈し慢性糸

表3 日本人小児2歳未満血清Cr (mg/dL) とCKDステージ (男女共通)

年齢	病期ステージ			
	2	3	4	5
3〜5ヵ月	0.27〜	0.41〜	0.81〜	1.61〜
6〜8ヵ月	0.30〜	0.45〜	0.89〜	1.77〜
9〜11ヵ月	0.30〜	0.45〜	0.89〜	1.77〜
1歳	0.31〜	0.47〜	0.93〜	1.85〜

(Ishikura K et al. Nephrol Dial Transplant 28：2345-2355, 2013/文献9より引用)

球体腎炎が疑われる例や病的な糸球体性蛋白尿が持続する場合は腎生検の適応である．上記の糸球体機能検査のほか，特に閉塞性腎症，逆流性腎症，異形成・低形成腎，単腎・馬蹄腎・遊走腎，囊胞性腎疾患では超音波検査が非侵襲的で有用である[5]．閉塞性尿路疾患の診断，手術適応の決定には利尿レノグラフィー（^{99m}Tc-MAG3シンチグラフィー，^{99m}Tc-DTPAシンチグラフィー）を用いる[5,10]．膀胱尿管逆流症例の分腎機能評価・腎瘢痕の評価には^{99m}Tc-DMSA腎シンチグラフィーが適している[11]．ほかにも，CT，MRI，排尿時膀胱尿道造影が必要に応じて施行される[10,11]．

治療の実際

① 運 動

運動制限は小児CKDの腎機能障害の進行を抑制するかどうか明らかでないため，推奨されない[5]．症状が安定していれば，むしろQOL，運動機能，呼吸機能の改善の点から，軽度〜中等度の運動を行うことが提案されている[2]．

② 食 事

蛋白質摂取制限は小児CKDの腎機能障害進行の抑制効果が明らかでなく，行わないよう提案されている[2]．ただし，CKDが進行

し高窒素血症，高リン血症を認める場合は蛋白質摂取制限，リン制限が必要となる．

高血圧がある場合は食塩摂取制限を行うが，多尿・塩類喪失傾向のあるCAKUTではむしろ水分と塩分の補充が腎機能障害の進行抑制や成長障害の改善に有用である可能性がある[5,12]．

③ 予防接種

小児CKD患者における不活化ワクチン，生ワクチンの抗体獲得率は健常児と遜色なく，安全に接種することが可能であり，積極的な接種が推奨されている[2]．特に腎移植を予定している場合は，少なくとも腎移植3ヵ月前までに計画的に接種を終了することが重要である[2]．

④ 降圧薬療法

高血圧がある場合は適度な運動や食塩摂取制限などの生活指導，および降圧薬（レニン-アンジオテンシン系阻害薬やカルシウム拮抗薬）による治療を行う[2,12]．蛋白尿を有する場合，レニン-アンジオテンシン系阻害薬が蛋白尿減少効果と腎機能障害の進行抑制効果のために推奨されるが，保険適用外である点に留意する[5]．

⑤ CKD-MBD管理

CKD-MBDの管理（リン制限やリン吸着

薬，活性型ビタミンD投与）は骨病変や心血管系への影響を改善させる可能性がある．血清カルシウムおよびリンの管理目標はすべてのCKDステージで年齢相当の正常範囲内である．血清インタクトPTH値の管理目標は，CKDステージG3までは正常範囲内，G4は100pg/mL以下，G5，5Dでは100～300pg/mLと提案されている[2,5,13]．

6 貧血の管理

ヘモグロビン値11g/dL以上を維持することが推奨されている[5,13]．鉄分の補充は血清フェリチン値100ng/mL以上，トランスフェリン飽和率（TSAT：血清鉄/総鉄結合能）20%以上を目標とする．そのうえで，エリスロポエチン製剤を使用する[5,14]．

7 ヒト成長ホルモン（rHuGH）療法

成長障害のある小児CKD患者に対して，rHuGHは有意に身長を獲得させることから投与が推奨されている[2,5]．本邦での保険適用は，①骨年齢が男子17歳未満，女子15歳未満，②身長が－2SD以下，あるいは年間の成長速度が2年以上－1.5SD以下，③血清Crが年齢性別ごとの中央値の1.5倍以上またはeGFR<75mL/分/1.73m^{2}である．身長が－2.5SDから－2SDの場合は全額補助ではないことに留意する．

8 腎代替療法

腎移植は生命予後とQOLの両面において透析療法より優れると考えられ，腎代替療法の第一選択として透析を経ない腎移植（先行的腎移植）が推奨されている[2,5]．ただし体格や原疾患を考慮する必要があり，腎移植までの待機期間中の腎代替療法としては腹膜透析が推奨されている[5]．

処方例

降圧薬

処方A　アムロジン® 2.5mg 1錠　分1（6歳以上）

処方B　レニベース® 0.08～0.3mg/kg/日　分1（生後1ヵ月以上）

処方C　ロンゲス® 0.07～0.6mg/kg/日　分1（6歳以上）

処方D　ディオバン® 20mg 1錠　分1（35kg未満），40mg 1錠　分1（35kg以上）

CKD–MBD管理

処方A　沈降炭酸カルシウム 0.5g（1歳），0.7g（3歳），1g（7.5歳），1.4g（12歳）　分3　食直後

処方B　アルファロール® 0.05～0.1μg/kg/日　分1

貧血の管理

処方A　インクレミン®シロップ 2～4mL/日　分3（1歳未満），3～10mL/日　分3（1～5歳），10～15mL/日　分3（6～15歳）

処方B　ネスプ®
初回用量：2週に1回0.5μg/kg　皮下または静脈内投与
維持用量：2週に1回5～120μg/kg　または4週に1回10～180μg/kg　皮下または静脈内投与

ヒト成長ホルモン療法

処方A　ジェノトロピン®ゴークイック 0.175mg/kg/週を6～7回に分けて皮下注射．投与開始6ヵ月後以降，基準を満たした場合は0.35mg/kg/週まで増量可能．

表4 専門医への紹介基準

1. 早朝尿の蛋白および蛋白尿・クレアチニン比（g/g）がそれぞれ
   1＋程度，0.15〜0.4の場合は6〜12ヵ月程度
   2＋程度，0.5〜0.9の場合は3〜6ヵ月程度
   3＋程度，1.0〜1.9の場合は1〜3ヵ月程度
2. 肉眼的血尿（遠心後の肉眼的血尿を含む）
3. 低蛋白血症（血清アルブミン値＜3.0 g/dL）
4. 低補体血症
5. 高血圧
6. 腎機能障害

（文献15を参照して作成）

専門医に紹介するタイミング

学校検尿で異常が発見された場合の専門医への紹介基準が日本学校保健会発行の小冊子『学校検尿のすべて 令和2年度改訂』に掲載されている（表4）[15]．

専門医からのワンポイントアドバイス

・血清Cr値の正常値は年齢によって大きく変わることを常に念頭におく必要がある．
 2歳以上12歳未満の正常血清Cr中央値は0.30×身長（m）の簡易式で計算され，有用である．
・学校検尿異常の診療においては，蛋白尿単独の場合はまず体位性（起立性）蛋白尿を除外することが重要である．血尿単独の場合は経過観察可能であるが，経時的に悪化する場合や，血尿（糸球体性血尿）に蛋白尿が伴う場合は早期の専門医紹介が望ましい．

―――――― 文 献 ――――――

1) Hattori M et al：End-stage renal disease in Japanese children：a nationwide survey during 2006-2011. Clin Exp Nephrol 19：933-938, 2015
2) 日本腎臓学会 編：エビデンスに基づくCKD診療ガイドライン 2018. 東京医学社，2018
3) National Kidney Foundation：K/DOQI clinical practice guidelines for chronic kidney disease：evaluation, classification, and stratification. Am J Kidney Dis 39（2 suppl 1）：S1-S266, 2002
4) KDIGO 2012 clinical practice guideline for the evaluation and management of chronic kidney disease. Kidney Int Suppl 3：1-150, 2013
5) 日本腎臓学会 編：エビデンスに基づくCKD診療ガイドライン 2013. 東京医学社，2013
6) Uemura O et al：Age, gender, and body length effects on reference serum creatinine levels determined by an enzymatic method in Japanese children：a multicenter study. Clin Exp Nephrol 15：694-699, 2011
7) Uemura O et al：Creatinine-based estimated glomerular filtration rate for children younger than 2 years. Clin Exp Nephrol 22：483-484, 2018
8) 日本小児腎臓病学会ホームページ．
http://www.jspn.jp
9) 平成29年度厚生労働科学研究費補助金（難治性疾患等政策研究事業）「小児腎領域の希少・難治性疾患群の診療・研究体制の確立」．小児慢性腎臓病（小児CKD）：小児の「腎機能障害の診断」と「腎機能評価」の手引き．診断と治療社，2019
10) 日本小児泌尿器科学会学術委員会：小児先天性水腎症（腎盂尿管移行部通過障害）診療手引き2016. 日小児泌会誌 25：76-121, 2016
11) 日本小児泌尿器科学会学術委員会：小児膀胱尿管逆流（VUR）診療手引き2016. 日小児泌会誌 25：122-169, 2016
12) 厚生労働科学研究費補助金 難治性疾患等克服研究事業（難治性疾患等政策研究事業（難治性疾患政策研究事業））「腎・泌尿器系の希少・難治性疾患群に関する診断基準・診療ガイドラインの確立」研究班：低形成腎・異形成腎を中心とした先天性腎尿路異常（CAKUT）の腎機能障害進行抑制のためのガイドライン．2016
13) 日本透析医学会：慢性腎臓病に伴う骨・ミネラル代謝異常の診療ガイドライン．透析会誌 45：301-356, 2012
14) 2015年版日本透析医学会：慢性腎臓病における腎性貧血治療のガイドライン．透析会誌 49：89-158, 2016
15) 日本学校保健会：学校検尿のすべて 令和2年度改訂．2021

8. 腎・泌尿器・生殖器疾患

志賀毒素産生性大腸菌による
溶血性尿毒症症候群

伊藤秀一
横浜市立大学大学院医学研究科 発生成育小児医療学

POINT

● 血栓性微小血管症（thrombotic microangiopathy：TMA）は，致死率が高い危急病態である．溶血性貧血，血小板減少，急性腎障害を含む臓器症状，脳症を含む中枢神経症状が主症状である．早期診断と早期介入が重要である．

● 小児 TMA では，志賀毒素産生性大腸菌（Shiga-toxin-producing *E. coli*：STEC）による溶血性尿毒症症候群（hemolytic uremic syndrome：HUS）が最も多い．STEC-HUS の治療は保存的治療が基本であり，とりわけ等張性輸液製剤を用いた脱水の治療が予後の改善のために重要である．

● 脳症への特異的治療はないが，メチルプレドニゾロンパルス療法の有効性の可能性が示唆されている．

ガイドラインの現況

1996 年，大阪府堺市において，学童を中心に約 1 万人が志賀毒素産生性大腸菌（STEC）に感染し，世界最大の集団感染が発生した．2011 年 4 月には，富山県を中心に汚染されたユッケにより約 180 人が O111 に感染し，34 名が溶血性尿毒症症候群（HUS）を発症し，21 名が脳症を発症し，5 名が死亡した．また同時期に，ドイツを起点に欧州全域で，汚染されたスプラウトが原因で O104：H4 の大規模集団感染が発生した．ドイツ国内では 4,000 人弱が感染し，HUS 855 名，死亡 52 名であった．2011 年の 2 つの事例は，過去の集団感染と比べ HUS の合併率と死亡率が高かったために，2013 年に STEC-HUS を主体とした診療・治療ガイドラインを作成した[1]．以下の STEC-HUS の海外ガイドライン，鑑別すべき非典型溶血性尿毒症症候群（atypical HUS：aHUS），血栓性血小板減少性紫斑病（TTP）の診療ガイドラインも参照すると良い．

【本稿のバックグラウンド】　①「溶血性尿毒症症候群（HUS）の診断・治療ガイドライン」[1]
②海外の STEC-HUS のガイドライン（Bagga A et al：Indian Society of Pediatric Nephrology：Hemolytic uremic syndrome in a developing country：Consensus guidelines. Pediatr Nephrol 34：1465-1482, 2019）

③「非典型溶血性尿毒症症候群（aHUS）診療ガイド」[2]
④「血栓性血小板減少性紫斑病（TTP）診療ガイド 2020」(https://www.naramed-u. ac.jp/~trans/news/pdf/ttp.pdf)
⑤「伊藤秀一：志賀毒素産生性大腸菌による HUS の治療. 日腎会誌 56：1075-1081，2014」

どのような疾患・病態か

1 血栓性微小血管症と鑑別診断

血栓性微小血管症（TMA）とは，溶血性貧血，血小板減少，急性腎障害を含む臓器症状を3主徴とする臨床病理学的概念である．TMA の病態は，血管内皮障害に起因した多発性の微小血栓の生成に起因する，①血小板の消費，②微小血栓に赤血球が衝突し破砕し生じる溶血性貧血，③血流障害による急性腎障害を含む臓器症状で説明される．

TMA の原因は4つに大別される．出血性大腸炎の起因菌である STEC による溶血性尿毒症症候群（STEC-HUS），von Wille-brand 因子（von Willebrand factor：VWF）切断酵素の ADAMTS13（a disintegrin-like

and metalloproteinase with thrombospondin type 1 motifs 13）の活性の著減（10% 未満）に起因する TTP，補体制御異常による非典型溶血性尿毒症症候群（atypical HUS：aHUS）これら3疾患以外の二次性 TMA の4つである（**表1**）[2]．

2 STEC-HUS の病態の概要

小児 TMA では STEC-HUS が最も多い．わが国では毎年約 1,500〜2,000 人が STEC に感染するが，約 1/3 は無症状であり，約 2/3 は急性腸炎を発症する．HUS は感染者の1〜10% に発症し，幼児や老人に多く，わが国では STEC-HUS は年間 100 名未満の発生である．原因の約5割は O157：H7 で，O26 が約2割を占める．aHUS は STEC-HUS と

表1　血栓性微小血管障害の原因

1) 感染症
   ・志賀毒素産生性大腸菌（STEC）
   ・肺炎球菌感染症
   ・その他：HIV，インフルエンザウイルス，百日咳
2) 補体制御因子異常症
   ・補体蛋白の遺伝子変異：H 因子（CFH），I 因子（CFI），トロンボモジュリン membrane cofactor protein（MCP，CD46），C3，B 因子（CFB）
   ・後天性：抗 H 因子抗体
3) コバラミン C 代謝異常症
4) DGKE（diacylglycerol kinase ε）異常症
5) 血栓性血小板減少性紫斑病（抗 ADAMTS13 抗体，Upshaw-Schulman 症候群）
6) その他
   ・骨髄移植，抗腫瘍薬（マイトマイシン C，ゲムシタビン，抗 VEGF 抗体など）
   ・放射線治療
   ・移植，免疫抑制薬（シクロスポリン，タクロリムスなど）
   ・妊娠関連（HELLP 症候群）
   ・自己免疫疾患・膠原病（SLE，抗リン脂質抗体症候群など）
   ・悪性腫瘍関連（胃癌，悪性リンパ腫など）
   ・薬剤性（抗血小板薬：チクロピジン，クロピドグレル，キニーネなど）

（文献1を参照して作成）

比較するとさらに稀な疾患である（別項参照）.

STEC が産生する志賀毒素（Shiga-toxin：STX）は，細胞内の 60S リボゾーム RNA の蛋白合成を阻害し，細胞傷害や細胞死を惹起する. STX の受容体である globotriosylceramide 3 が腎臓（糸球体内皮細胞，尿細管上皮細胞），中枢神経，消化管などの血管内皮細胞に発現が多いため，主にこれらの臓器が障害されやすい. 加えて STX は血管内皮細胞や単球からの IL-1β，IL-6，IL-8，TNF-a などの炎症性サイトカインやケモカインの産生，補体活性化，活性酸素の産生を誘導する. また，血管内皮の ICAM-1，VCAM-1，E-selectin などの細胞接着因子の発現増強や VWF の特異的切断酵素である ADAMTS13 の活性低下をもたらし，血管内皮障害と血栓形成を促進し，TMA の病態が形成される.

診断と検査

1 STEC-HUS の診断と臨床症状

STEC-HUS は以下の 3 主徴をもって HUS と診断するが，前述した 4 つの TMA のうちから，該当する疾患以外の 3 つの TMA の除外が必要である.

■STEC-HUS の 3 主徴

1）溶血性貧血（破砕状赤血球を伴う貧血で Hb 10 g/dL 未満）
2）血小板減少（血小板数 15 万/μL 未満）
3）急性腎障害（血清クレアチニン値が年齢・性別基準値の 1.5 倍以上. 血清クレアチニン値は小児腎臓学会の基準を用いる）

STEC-HUS では，1/3～1/2 の患者に急性腎障害を認めるが，20～60％に脳症を含む中枢神経症状（意識障害，けいれん，頭痛，出血性梗塞等），ほぼ全例になんらかの消化器症状（下痢，血便，腹痛が多く，稀に腸管穿孔，腸狭窄，直腸脱，腸重積，膵炎等）を認め，循環器症状（心筋傷害，心不全，不整脈，高血圧症），DIC なども呈する. 腹部超音波や CT による大腸を中心とした強い浮腫は診断の参考になる. aHUS においても，中枢神経症状，心不全，呼吸障害，腸炎，高血圧などの多臓器症状を呈し，消化器症状（腹痛，下痢，血便）は約 30％程度の患者で認められるため，消化器症状イコール STEC-HUS ではない.

3 主徴の検査異常以外に，溶血性貧血による LDH の著明な上昇，末梢血中の破砕赤血球の出現，ハプトグロビン低下，ビリルビン上昇等も TMA を示唆する所見である. 臨床検査的には，血小板低下，LDH が早期からみられ，その後貧血の進行や腎機能障害が追従する.

2 STEC-HUS の診断フロー

TMA の診断フローチャートを示す（図1）. STEC-HUS の診断には，その他の TMA の可能性の除外が必要である. ADAMTS13 活性が 10％未満であれば TTP と診断する. STEC-HUS の診断は，STEC の分離培養，便志賀毒素の直接検出，便 O157 抗原，血清 O157 LPS 抗体の迅速診断，志賀毒素 PCR（フィルムアレー等も含む）が陽性の場合を確定診断とする. ソルビトールマッコンキー寒天培地は，O157 を検出するための培地であり，その他の血清型の分離はできない. O157 以外の診断には，便（血清型 PCR）やペア血清（抗体価）を保存し，後日各地域もしくは国立の感染研究所に解析を依頼する必要がある.

aHUS の診断は，原因遺伝子の病的変異や抗 H 因子抗体を参考にするが，約 1/3 の患者では病因を説明しうる変異は発見されない. そのような場合も，TTP，STEC-HUS，

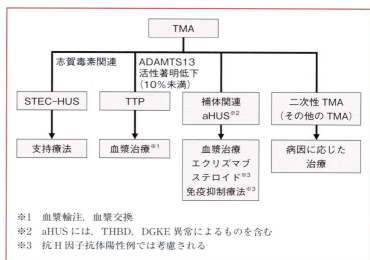

図1 TMAの鑑別と治療のフローチャート
（文献2を参照して作成）

※1 血漿輸注，血漿交換
※2 aHUSには，THBD，DGKE異常によるものを含む
※3 抗H因子抗体陽性例では考慮される

二次性TMAが否定される場合はaHUSと診断する．遺伝子検査は保険償還されているが（かずさDNA研究所），結果を得るまでには時間を要するため，aHUSを疑った場合は速やかに積極的治療を開始すべきである．

治療の実際

1 STEC-HUSの治療

a）STEC-HUS発症前および早期の治療

HUS未発症あるいは発症早期の，STEC感染者への抗菌薬の使用による，HUSの発症や予後への影響に関しては，2021年までに複数のメタ解析やsystematic reviewが実施されたが一定の結論は出てない．抗菌薬による菌体崩壊に伴う毒素放出を懸念する意見も少なくない．一方，2011年のドイツでの集団感染時には，抗菌薬が多剤併用された患者では死亡例がいなかったことから，特定の状況下では，臨床的有用性がある可能性がある[3]．止痢剤は毒素の排泄を妨げるため禁忌である．腹痛，下痢，嘔吐などの消化器症状の消失後は，早めに経口あるいは経管による栄養を再開する．

HUS発症前の消化器症状を主とするSTEC感染者に対して，血管内脱水の回避のために，等張性輸液製剤を用いた積極的な輸液療法は，急性腎障害（乏・無尿）の予防や透析療法の回避をもたらし推奨される[4]．急性期の無尿や透析療法は，慢性期の腎後遺症の危険因子であり，乏尿，無尿の予防は重要である．一方，HUS発症後の過剰輸液は高血圧，肺水腫，電解質異常をひき起こすため，血管内容量やバイタルサインをモニタリングしつつ，尿量＋不感蒸泄量＋便等による水分喪失量を1日の輸液量の基本とする．

b）STEC-HUS発症前および早期の治療

急性期HUSにおいて，Hb 6.0g/dL以下の際は濃厚赤血球輸血を行う．輸血しても溶血するため，過剰輸血は心不全，肺水腫，胆石の原因となる．Hb値の正常化が必要なく，Hb 8〜10g/dLが目標である．血小板輸血は，血栓形成を促進させ，病態の悪化をもたらすこともある．出血傾向が問題となる場合や侵襲的処置や手術等の場合以外は避ける．その他のTMAにおいても輸血の考えかたは同様である．

c）急性腎障害への透析療法

透析導入は小児透析に慣れている専門施設で行うべきである．内科的治療に反応しない，以下の急性腎障害による症状がある際は，急性透析の適応となる．

乏尿（尿量 0.5 mL/kg/時未満が 12 時間以上持続），尿毒症症状，高 K 血症（6.5 mEq/L 以上）や低 Na 血症（120 mEq/L 未満）等の電解質異常，代謝性アシドーシス（pH 7.20 未満），溢水，肺水腫，心不全，高血圧，腎機能低下のために安全に水分（輸液，輸血，治療薬）を投与できない場合などである．血液透析，腹膜透析のどちらを選択してもよいが，血管内の水分量の管理は血液透析のほうが容易である．

d）STEC-HUS に伴う脳症への治療

STEC-HUS 脳症には確立した治療法がない．支持療法が中心となる．安定した呼吸循環の維持と脳浮腫およびけいれんの治療を行う．積極的治療としては，エビデンスは低いが，メチルプレドニゾロンパルス療法（methyl-prednisolone pulse therapy：MPT）と血漿交換療法（plasma exchange：PE）が挙げられる．

2011 年の富山県の集団感染時に，HUS 脳症患者 21 名中 12 名に MPT が施行され，11 名が神経学的後遺症を認めず，1 名は後遺症を残したが死亡例はなかった．一方，MPT 未施行の 9 名中 5 名が死亡し，4 名は後遺症なく回復した．多変量解析でも MPT の有無が死亡に最も影響していた（P = 0.046）[5]．MPT の有効性のエビデンスは未確立だが，神経学的・生命学的予後が不良と推定される患者には，安全性を確認のうえで施行を検討してもよい．

血漿交換療法については，少数例での後方視的検討にとどまり，有効という報告も無効という報告も存在する．ガイドラインでは「推奨グレード該当せず」とした．しかし，重症患者には安全性を確認のうえ，同療法の施行を検討してもよい．

e）aHUS の治療

かつて aHUS の治療は，血漿療法（血漿交換，血漿輸注）が主に行われていたが，腎予後生命予後ともに不良であった．2014 年に抗 C5 モノクローナル抗体のエクリズマブが aHUS に保険適用された．その後，2020 年には長時間作用型のラブリズマブも承認された．エクリズマブの登場により，急性期の TMA からの離脱が容易になり，再発防止も可能となり，わが国の小児 aHUS の予後は劇的に改善した[6]．aHUS は予後不良な疾患であり，疑った際は小児腎臓医に相談し速やかに治療を開始すべきである（詳細は別項参照）．

専門医に紹介するタイミング

HUS 発症時から，血清 Cr 値が年齢性別ごとの中央値の 2 倍以上となった患者は，早期に透析療法が必要になる可能性が高い．さらに，脳症を発症あるいはその疑いがある患者では，重篤な経過も想定される．そのため，これらの患者は，早期に小児の血液浄化療法や集中治療が可能な施設に紹介すべきである．

専門医からのワンポイントアドバイス

HUS は急性疾患であるが，後遺症にも配慮する．腎後遺症は，アルブミン尿，蛋白尿，腎機能低下，高血圧である．HUS 患者の約 20〜40% が慢性腎臓病に移行する．さらに，消化管後遺症（胆石，慢性膵炎，大腸狭窄等），糖尿病，神経学的後遺症，認知行動障害等の腎外の後遺症が残ることもある．治癒後も最低限 5 年間は定期的に経過観察す

べきであり，何らかの障害が残存する場合は
成人への移行を含め長期管理が必要である．

———————— 文　献 ————————

1) 五十嵐　隆 他：溶血性尿毒症症候群（HUS）の診
　　断・治療ガイドライン.
　　https://jsn.or.jp/academicinfo/report/hus2013book.
　　pdf
2) 香美祥二 他：非典型溶血性尿毒症症候群（aHUS）
　　診療ガイド.
　　http://www.jpeds.or.jp/uploads/files/20160210
　　aHUS_guide.pdf
3) Menne J et al；EHEC-HUS consortium：Validation
　　of treatment strategies for enterohaemorrhagic

Escherichia coli O104：H4 induced haemolytic
uraemic syndrome：case-control study. BMJ 345：
e4565, 2012
4) Hickey CA et al：Early volume expansion during
　　diarrhea and relative nephroprotection during sub-
　　sequent hemolytic uremic syndrome. Arch Pediatr
　　Adolesc Med 165：884-889, 2011
5) Takanashi J et al：Clinical and radiologic features
　　of encephalopathy during 2011 *E coli* O111 out-
　　break in Japan. Neurology 82：564-572, 2014
6) Ito S et al：Eculizumab for paediatric patients with
　　atypical haemolytic-uremic syndrome：full dataset
　　analysis of post-marketing surveillance in Japan.
　　Nephrol Dial Transplant, 2022〔online ahead of
　　print〕

8. 腎・泌尿器・生殖器疾患

非典型溶血性尿毒症症候群

芦田 明
大阪医科薬科大学 小児科学教室

POINT
- 非典型溶血性尿毒症症候群は補体制御因子異常による血栓性微小血管症である.
- 正確な診断を行うためにも,発症時の検体(血漿,血清,便など)採取・保存に努める.
- 長時間作用型の抗補体薬が承認され,患者の QOL 改善に寄与すると考えられる.
- 抗補体薬投与時には,常に髄膜炎菌感染に留意し,早急な検査,治療体制をとるべきである.

ガイドラインの現況

1998 年に aHUS の原因遺伝子として H 因子遺伝子異常が報告されて以来,aHUS の原因の多くが補体制御因子異常症であることが判明した.わが国では,2013 年に日本小児科学会と日本腎臓学会合同で『非典型溶血性尿毒症症候群診断基準』が上梓され,2016 年には,『非典型溶血性尿毒症症候群(aHUS)診療ガイド 2015』[1] として改訂された.そこでは,「aHUS は先天性および後天性の補体制御因子異常によるもの」と狭義に定義された.一方,海外では aHUS の疾患定義として,わが国と同様に定義する報告や補体関連の aHUS を primary aHUS,二次性 TMA に原疾患を冠して pregnency aHUS, malignancy-aHUS などと呼称する提唱もある[2].また,基準値からの逸脱を診断基準とする報告もある[2].これらの状況をふまえて,現在本邦における本診療ガイドが改訂中である.本稿において aHUS の定義は,補体制御因子異常による aHUS として概説する.

【本稿のバックグラウンド】 aHUS の診療ガイドとして,わが国で 2016 年に日本腎臓学会・日本小児科学会合同で上梓された『非典型溶血性尿毒症症候群(aHUS)診療ガイド 2015』[1] を中心に参考とした.現在,本診療ガイドは改訂作業中であり,改訂版が上梓されることが期待される.また,Fakhouri らの総説[3] も参考とした.

どういう疾患・病態か

1 疾患・病態の概要

非典型溶血性尿毒症症候群(atypical he-molytic uremic syndrome:aHUS)は,補体活性経路のうち第二経路の異常活性化により発症する補体関連 aHUS を指す.歴史的に aHUS は溶血性尿毒症症候群(hemolytic

図1 わが国における「非典型溶血性尿毒症症候群診断基準」と「非典型溶血性尿毒症症候群（aHUS）診療ガイド2015」におけるaHUS定義の違い
（文献1を参照して作成）

uremic syndrome：HUS）のなかで志賀毒素産生性腸管出血性大腸菌感染症に続発して発症するHUS（STEC-HUS）に対峙する疾患概念として提唱されたため，その時点ではaHUSの疾患概念には補体関連aHUSばかりでなく，薬剤や悪性疾患，妊娠，移植関連など様々な病因を含んでいた．わが国においても2013年に発表された非典型溶血性尿毒症症候群診断基準では「aHUSはTMAからSTEC-HUSとTTPを除外した疾患」と定義された．しかし，aHUSの50～60％が第二経路異常で生じる補体の異常活性化であること，原因として補体関連因子ばかりでなく凝固系に関連する遺伝子異常も同定されつつあること，わが国において指定難病や小児慢性特定疾患の指定に際してaHUSが補体制御異常によるものを指していることなどから，2016年に上梓された『非典型溶血性尿毒症症候群（aHUS）診療ガイド2015』[1]では「先天性および後天性の補体制御異常によるもの」とaHUSは定義された（図1）．

2 主要症状

臨床的には，HUSの診断基準と同様に以下の3主徴により診断する．

1）微小血管症性溶血性貧血：Hb 10 g/dL未満
（末梢血スメアによる破砕赤血球の存在の確認，LDH上昇，ハプトグロビン著減などを参考とする）
2）血小板減少：血小板数15万/μL未満
3）急性腎障害：血清クレアチニン値が年齢・性別基準値の1.5倍以上
（血清クレアチニン基準値は小児腎臓病学会の基準を用いる）
（この診断に際しての3主徴の基準値については，上記のように数値設定を行うのではなく，正常基準値からの逸脱を基準とする報告もあり，本邦のデータの解析をもとに，議論すべき点である）

特発的な発症のほか，感染を契機に発症することも多く，上記3主徴以外に中枢神経症状や心不全，呼吸障害，皮膚壊疽，高血圧など多臓器障害を呈する場合もある．血栓による虚血性腸炎などの消化器症状を認める場合もあり，下痢の有無のみでSTEC-HUSと鑑別することはできない．

治療に必要な検査と診断

診断に際しては，図1にあるようにSTEC-HUS，TTP，二次性TMAを除外する．STEC-HUS感染の否定には便培養による

STEC の分離培養，志賀毒素をコードする遺伝子（*STX1，STX2*）の PCR による増幅・検出，便中志賀毒素，便 O157 抗原，血清 O157LPS 抗体測定を用い，腹部画像検査による大腸壁の腫脹などを参考とする．TTP の否定には ADAMTS13 活性を測定し，その活性が 10％未満であることを確認する．二次性 TMA の除外については，薬剤服用歴，感染歴，妊娠・出産歴，家族歴を含めた詳細なる問診に加えて，各種自己抗体検査，細菌検査など原疾患の診断に要する検査を進める．血液検査では，クームス試験により自己免疫性溶血性貧血を鑑別し，止血機能検査で DIC との鑑別を行う．血清 C_3，C_4，CH_{50} をはじめとする補体関連因子を測定し異常の有無を検討するが，常に異常値をとるとは限らないことに留意し，最終的には遺伝子変異の検索を行う．

治療の実際

1 全身管理を目的とした支持療法

aHUS を発症した際には，STEC-HUS と同様に溶血性貧血に対する濃厚赤血球による輸血を最低限度で行い，急性腎障害に対しては厳格な水分出納の管理や必要に応じて透析療法を行う．血小板減少については TTP と同様原則禁忌であると考えられるが，出血傾向の問題や侵襲的処置の際には最小限にとどめる．

2 血漿治療（血漿交換，血漿輸注）

従来，血漿輸注は正常補体制御因子の補充を目的とし，血漿交換は正常補体制御因子の補充に加えて機能異常を呈する補体制御因子の除去，内皮細胞障害物質やサイトカインの除去，抗 CFH 抗体など自己抗体の除去に加え，血漿輸注に伴う容量負荷の回避を目的に施行されてきた．血漿治療による一定の効果は期待されるものの，後方視的な検討では，

3～5 年間での死亡率，末期腎不全への移行率は小児で 7～14％と 36～48％，成人で 2～4％と 64～67％と報告され，aHUS に対する血漿治療を検証する論文でも 71 例中 59 例（83％）で血漿治療が施行され，発症 33 日までに 8 例（11％）が血液学的寛解に至らず，12 例（17％）が透析加療中であると報告されており[3]，それぞれ満足な結果を得られていない．STEC-HUS，TTP の鑑別のため便培養や ADAMTS13 活性の結果が得られるまでの bridging therapy として施行されることがある．

3 抗補体薬治療

抗補体薬として抗ヒト C_5 モノクローナル抗体であるエクリズマブによる aHUS 治療は，血漿治療に代わり first-line の治療となりつつあり，aHUS の確定診断例ではエクリズマブを投与する．特に小児領域においては，二次性 TMA の頻度が低く，血漿交換療法に必要なバスキュラーアクセスの確保・管理における合併症発症率が高いことなどから，臨床的に aHUS と診断した段階で早期よりエクリズマブ投与を行うことが推奨されている[3]．わが国においても現在まで成人[4]，小児[5]にかかわらず aHUS に対する有効性，安全性は多数報告されている．

しかし，一方で終末補体活性を阻害することから，莢膜形成細菌，特に髄膜炎菌や淋菌などのナイセリア属の感染症に対しては留意が必要である．なかでも髄膜炎菌感染のリスクは 1,000 倍程度にまで増大するとされ，エクリズマブ投与時には髄膜炎菌ワクチンの接種は必須とされている．しかし，ワクチン接種でも髄膜菌感染を完全に抑制できるものではなく，エクリズマブ投与中の患者に対しては常に髄膜炎菌感染を念頭において対応すべきである．

エクリズマブ投与時には，医療コストの問

題，上述した髄膜炎菌感染症に対する危険性に加えて，反復した静脈内投与に伴うQOLの低下の問題となる．この点に関しては，長時間作用型のリサイクリング抗体製剤であるラブリズマブが2020年にaHUSに対する治療承認を受け，本薬剤の使用により投与間隔が延長することからQOLの改善につながると期待される．

しかし，抗補体薬の中止時期については未だ一定の結論は得られていない．

Fakhouriらの総説では，既報のcase seriesやreportを集積した97例の結果より病因と考えられる変異遺伝子の種類により，エクリズマブ中止後再発の頻度は異なり，H因子，MCP，C3の遺伝子異常例でのエクリズマブ中止後再発率は高く，変異遺伝子が同定されない例で低いと報告している[3]．

4 抗H因子抗体によるaHUS（autoimmune type of aHUS）に対する治療

H因子に対する自己抗体により発症する後天的aHUS症例に対しては，早期よりの血漿交換療法導入に免疫抑制薬を併用する治療は，重症CKDへの移行率・死亡率とも劇的に低下させ有効とされている．また，エクリズマブには抗H因子抗体を抑制するはたらきは認められないと思われるが，aHUS発症期には有効であり，免疫抑制薬（ミコフェノール酸モフェチル，ステロイドなど）と併用することで抗H因子抗体価を低下させるという治療法も提唱されている[3]．

専門医に紹介するタイミング

STEC-HUS（典型的HUS）と同様に，発症時より血清クレアチニン値の上昇が顕著であり血液浄化療法を必要とする可能性の高い患者や，腎外症状として脳症などの中枢神経症状や，心不全などを呈する症例では重篤な経過をとることが予想されるため，早期に小児の血液浄化療法や集中治療が可能な施設に紹介すべきである．

また，aHUSの診断は，原因遺伝子の解析によるが，遺伝子変異が検出されない場合も半数近くにのぼる．このような場合には，STEC-HUS，TTP，二次性TMAを除外したうえでの診断となることから，各診断の除外に際しては専門医にコンサルトしながら適切に進めることが望ましい．

専門医からのワンポイントアドバイス

抗補体薬で治療を行う疾患対象は補体制御異常に伴うaHUSであり，STEC-HUSや二次性TMAに対しては認められた治療法ではない．遺伝子検索には非常に時間を要し，治療開始時期を逃してしまう可能性があるため，治療開始に際して遺伝子診断は必須とはされていないが，可能な限り他のTMAを除外し補体制御因子異常に伴うaHUSの診断を行うべきである．

文　献

1) 香美祥二 他：非典型溶血性尿毒症症候群（aHUS）診療ガイド2015．日腎誌58：62-75，2016
2) Lee H et al：Consensus regarding diagnosis and management of atypical hemolytic uremic syndrome. Korean J Intern Med 35：25-40, 2020
3) Fakhouri F et al：Anticomplement treatment in atypical and typical hemolytic uremic syndrome. Semin Hematol 55：150-158, 2018
4) Kato H et al：Safety and effectiveness of eculizumab for adult patients with atypical hemolytic-uremic syndrome in Japan：interim analysis of post-marketing surveillance. Clin Exp Nephrol 23：65-75, 2019
5) Ito S et al：Eculizumab for paediatric patients with atypical haemolytic-uraemic syndrome：full dataset analysis of post-marketing surveillance in Japan. Nephrol Dial Transplant, 2022 [online ahead of print]

非典型溶血性尿毒症症候群　481

8. 腎・泌尿器・生殖器疾患

尿路感染症

神田祥一郎
東京大学医学部 小児科，東京女子医科大学 腎臓小児科

POINT
- ●小児尿路感染症は，非特異的な症状を呈することが多いため診断が困難な場合がある．
- ●尿検査には様々な方法があり，それぞれの感度と特異度を理解しておく必要がある．
- ●尿路感染症診療ガイドラインは複数存在している．それぞれ，診断や治療方針が異なっているため，その違いを知っておくことが望ましい．

ガイドラインの現況

American Academy of Pediatrics（AAP）[1]，National Institute for Health and Care Excellence（NICE）[2]，European Association of Urology/European Society of Pediatric Urology（EAU/ESPU）[3] がそれぞれ尿路感染症のガイドライン（GL）を作成している．本邦では，日本化学療法学会から『JAID/JSC 感染症ガイドライン 2015 ―尿路感染症・男性性器感染症―』[4] が作成され，その中に「小児の尿路感染症」の項目がある．

【本稿のバックグラウンド】 本稿は AAP，NICE，EAU/ESPU，日本化学療法学会が作成している尿路感染症のガイドラインを参考に，それぞれの違いがわかるように解説した．

どういう疾患・病態か

尿路に微生物が侵入し発症する感染症である．原因微生物には細菌のほか，ウイルス，真菌がある．小児では大腸菌の頻度が最も高く 80％を占めている．感染部位により上部尿路（腎実質，腎杯，腎盂，尿管）と下部尿路（膀胱，尿道）に分けられるが，両者の鑑別が困難な場合が少なくない．また基礎疾患の有無により複雑性尿路感染症と単純性尿路感染症に分けられる．前者は膀胱尿管逆流症（vesicoureteral reflux：VUR）などの先天性腎尿路異常を合併し，尿路感染症を反復したり治療に抵抗性を示したりすることがあるため注意が必要である．

臨床症状は患児の年齢，炎症部位によって様々である．上部尿路感染症の場合，年長児では発熱，腹痛，腰背部痛（叩打痛）を訴えることが多いが，新生児や乳幼児の症状は発熱のほか，哺乳力低下や不機嫌など非特異的

表1　尿検査の感度・特異度

	感度（%）	特異度（%）
白血球エステラーゼ検査	83	76
亜硝酸塩検査	53	98
白血球エステラーゼ検査 or 亜硝酸塩検査	93	72
膿尿（顕微鏡検査）	73	81
細菌尿（顕微鏡検査）	81	83
白血球エステラーゼ検査 or 亜硝酸塩検査 or 顕微鏡検査	99.8	70

（文献1より引用）

であることが多く診断に難渋する例もある．下部尿路感染症の場合は年長児では頻尿や排尿時痛，残尿感を訴えるのに対し，新生児・乳幼児は排尿時啼泣や尿失禁などを呈することが多い．

治療に必要な検査と診断

1 尿 検 査

a）採取方法

尿の採取方法にはクリーンキャッチ，中間尿採取のほか，採尿パック，カテーテルを使用する方法，恥骨上穿刺による採尿など複数の方法が存在する．各ガイドラインが推奨している方法は様々である．

NICE GLでは，クリーンキャッチ（中間尿採取も含む）を推奨している．それが困難な場合は非侵襲的な方法として採尿パック使用を勧めている．その際，綿花ガーゼは使用しない．カテーテル採尿，恥骨上穿刺は，採尿パックで採取困難な場合として挙げられている．

EAU/ESPU GLでは，トイレトレーニングが終了していない児と終了した児とに分けて記載されている．

①トイレトレーニングが終了していない児：採尿パック，クリーンキャッチ，カテーテル採尿，恥骨上穿刺の4種類の方法が並列に挙げられ，それぞれの利点，欠点がまとめられている．例えば，採尿パックを使用した場合は，結果が陰性であれば尿路感染症を否定する根拠となりうるが，陽性の場合は診断を確定するには不十分であると明記されている．

②トイレトレーニングが終了している児：まず中間尿採取が勧められている．次に上部尿路感染症が強く疑われる場合や，敗血症の鑑別を要する場合はカテーテル法と恥骨上穿刺が勧められている．

AAP GLは採尿パックのものは信頼度が不十分なため，カテーテル採尿，恥骨上穿刺を勧めている．

b）試験紙法と顕微鏡検査（表1）

培養検査結果が得られるのには時間がかかるため，試験紙法と顕微鏡検査が行われる．すべてのガイドラインで，試験紙法では白血球エステラーゼ試験と亜硝酸塩試験を，顕微鏡検査では膿尿と細菌尿を尿路感染症の診断，治療に有用としている．結果の信頼性を確保するために，尿検体は室温保存の場合は採取後1時間以内に，冷蔵保存の場合は4時間以内に検査が行われるのが望ましい．

試験紙法で亜硝酸塩試験が陽性であれば尿路感染症としての治療を開始する．陰性の場

表2 尿検査結果とその後の戦略

a：試験紙法結果と方針			
	生後3ヵ月未満	生後3ヵ月〜3歳	3歳以上
白血球エステラーゼ試験（＋） 亜硝酸塩試験（＋）	顕微鏡検査 尿培養検査 を行う	顕微鏡検査 尿培養検査 を行い， 抗菌薬治療を開始する	尿培養検査を行い， 抗菌薬治療を開始する
白血球エステラーゼ試験（−） 亜硝酸塩試験（＋）			
白血球エステラーゼ試験（＋） 亜硝酸塩試験（−）			顕微鏡検査，尿培養検査を行う 尿路感染症を示唆する 他の所見がない場合は 抗菌薬治療を開始しない
白血球エステラーゼ試験（−） 亜硝酸塩試験（−）		特別な場合（注）を除き 顕微鏡検査・尿培養検査， 抗菌薬治療を行わない	顕微鏡検査・尿培養検査， 抗菌薬治療を行わない

注：上部尿路感染症が疑われる，中等症から重症の状態，尿路感染症を反復している，24〜48時間以内に治療に反応しない，臨床症状と試験紙法の結果が合わないなどの場合

b：顕微鏡検査結果と方針		
	膿　尿（＋）	膿　尿（−）
細菌尿（＋）	尿路感染症と診断する	
細菌尿（−）	臨床的に尿路感染症であれば 抗菌薬治療を開始する	尿路感染症ではないと診断する

（文献2より引用）

合は，白血球エステラーゼ試験が陽性であれば顕微鏡検査と尿培養検査を行い，白血球エステラーゼ試験も陰性ならば尿路感染症が完全に否定できないことは認識しつつ，尿路感染症治療を開始せずに経過観察を行うのが望ましい．顕微鏡検査で膿尿と細菌尿がともに陰性の場合は尿路感染症と診断せず治療も開始しない．また，生後3ヵ月未満の児の場合は試験紙法の結果にかかわらず，全例で顕微鏡検査と尿培養検査を行うことが勧められている（**表2**）．

c）尿培養検査

尿路感染症の診断には，定量的な尿培養検査の結果が用いられ，その単位をコロニー形成単位（Colony Forming Unit：CFU）と呼ぶ．

AAP GLでは膿尿あるいは細菌尿の存在に加えて，カテーテル採尿または恥骨上穿刺によって得られた尿検体の培養で50,000 CFU/mL以上の菌量が確認された場合，尿路感染症と診断している．一方，EAU/ESPU GLでは尿の採取方法ごとに基準を設けている．恥骨上穿刺による検体の場合は10 CFU/mL以上，カテーテル採尿の場合は1,000〜50,000 CFU/mL以上，中間尿の場合は症状があれば10,000 CFU/mL以上，症状がなければ100,000 CFU/mL以上を陽性としている．

2 血液検査

CRPやプロカルシトニンがモニターに使用されるが，これらの検査の特異度は低く，

表3　画像検査のスケジュール

		治療反応良好	非典型例[a]	反復例[a]
生後6ヵ月以下	超音波検査（急性期）	No	Yes[c]	Yes
	超音波検査（6週以内）	Yes[b]	No	No
	DMSA（4〜6ヵ月後）	No	Yes	Yes
	VCUG	No	Yes	Yes
生後6ヵ月〜3歳	超音波検査（急性期）	No	Yes[c]	No
	超音波検査（6週以内）	No	No	Yes
	DMSA（4〜6ヵ月後）	No	Yes	Yes
	VCUG	No	No[d]	No[d]
3歳以上	超音波検査（急性期）	No	Yes[c, e]	No
	超音波検査（6週以内）	No	No	Yes[e]
	DMSA（4〜6ヵ月後）	No	No	Yes
	VCUG	No	No	No

a) 非典型例：重症，尿量低下，腹部・膀胱腫瘤触知，敗血症合併，治療抵抗性，非大腸菌感染症
反復例：2回以上の上部感染，上部感染＋1回以上の下部感染，3回以上の下部感染
b) 異常所見があればVCUGを考慮
c) 大腸菌以外の細菌感染であっても治療反応良好であれば急性期ではなく6週以内の施行でよい
d) 超音波検査で拡張がある，尿量低下，非大腸菌感染症，VUR家族歴あり，などの場合は
VCUGを考慮
e) トイレトレーニングが済んでいる場合は排尿前後の膀胱超音波検査を施行し容量を推定する

（文献2より引用）

上部尿路感染症と下部尿路感染症の鑑別には用いられるべきではない（NICE GL）.

3 画像検査

a）急性期

NICE GL は上部尿路感染症を確定あるいは除外する必要がある場合にのみ，ドップラーエコーや DMSA シンチグラフィーを行うことを推奨し，ルーチンに行うことは勧めていない．AAP GL では解剖学的腎尿路異常や膿瘍を評価するために治療開始2日以内に全例に超音波検査を行うことを勧めている．EAU/ESPU GL では単純性尿路感染症と複雑性尿路感染症の鑑別の必要がある場合や，痛みや血尿を伴い外科的治療を要する可能性が考えられる場合，これまでに腎尿路異常がないことが明らかとなっていない場合は，超音波検査を行うことを推奨している．

b）急性期以降

VUR や腎瘢痕を評価するために排尿時膀胱尿道造影（voiding cystourethrography：VCUG）と DMSA シンチグラフィーが検討される．

EAU/ESPU GL は積極的にいずれかの検査を行うことを推奨している．しかし AAP GL と NICE GL は high-grade VUR を診断することや VUR を治療すること，予防的抗菌薬投与の有益性が明らかではないことから，ルーチンで VCUG を行うことを推奨していない．AAP GL は超音波検査で水腎症や腎瘢痕を認める場合や臨床経過が非典型的で難治例の場合，VCUG を勧めている．NICE GL は年齢と臨床経過によって場合分けを行い，それぞれの適応をまとめている（**表3**）．AAP GL と NICE GL のこれらの方針に対しては，いくつかの retrospective study による評価が行われ，VUR が見逃される例が存在することが指摘されている[5]．

治療の実際

1 無症候性細菌尿

何らかの問題が生じる場合や手術を計画している場合でなければ，基本的には抗菌薬治療を行わない．

2 膀胱炎（生後 3 ヵ月以上の児）

抗菌薬治療期間については様々なデータがあるが，3〜4 日間が勧められる．

3 上部尿路感染症

AAP は抗菌薬投与経路として経静脈投与と経口投与を並列に挙げている一方，EAU/ESPU GL は解熱するまでは経静脈投与を勧めている．抗菌薬は各地域の細菌薬剤感受性パターンを参考に選択し，その後分離された細菌の感受性を基に調節する．投与期間は 7〜14 日間が推奨されている．

4 予 防

まず，排尿・排便の習慣に問題（dysfunctional elimination syndrome）があれば介入する．また適切に水分摂取と排尿を行うことを指導する．

予防的抗菌薬投与については NICE GL は初回の尿路感染症後は推奨されないが，反復する場合は考慮されるとしている．一方，AAP GL では 6 種類の randomized controlled trial のメタアナリシスを行い，生後 2 ヵ月から 48 ヵ月までの児について予防投与は再発頻度を減少させないと結論し，予防的抗菌薬投与を勧めていない．

処 方 例

（処方・治療例『JAID/JSC 感染症ガイドライン 2015 —尿路感染症・男性性器感染症—』[4] より）

新生児

● Empiric therapy
ABPC 点滴静注＋GM 点滴静注

● Definitive therapy
初回尿培養・薬剤感受性試験の結果を参考に最も狭域の抗菌薬に変更する．

乳児期以降

● Empiric therapy
・第一選択：CEZ, CTM, CTX, CTRX 点滴静注
・*Enterococcus* 属が疑われる場合：ABPC または VCM 点滴静注
・複雑性尿路感染症で *P. aeruginosa* が疑われる場合：PIPC, CAZ, CFPM, MEPM, DRPM 点滴静注
・ESBL 産生菌による感染が想定される場合：MEPM 点滴静注

● Definitive therapy
初回尿培養・薬剤感受性試験の結果を参考に最も狭域の抗菌薬に変更する．解熱が得られた場合は経口抗菌薬への変更が可能である．
AMPC, CCL, CVA/AMPC, CDTR-PI, CFPN-PI, CPDX-PR, ST 合剤 経口

予防投与

処方 A　ST 合剤 経口 1 日 1 回（眠前）
処方 B　CCL 経口 1 日 1 回（眠前）

専門医に紹介するタイミング

重症例や生後3ヵ月未満の児は速やかに小児科専門医に紹介する．超音波検査，VCUG，DMSAシンチグラフィーなどの画像検査によって先天性腎尿路異常や腎瘢痕の存在が示唆された場合は，小児腎臓科医，小児泌尿器科医，小児外科医に紹介する．

専門医からのワンポイントアドバイス

これまでみてきたとおり，尿路感染症に対しては複数のGLが存在し，検査や治療適応がそれぞれ異なっている．検査に感度・特異度があるように，各GLには限界があることを念頭において個々の患者に対応することが望ましい．

文　献

1) Subcommittee on Urinary Tract Infection, Steering Committee on Quality Improvement and Management, Roberts KB：Urinary tract infection：clinical practice guideline for the diagnosis and management of the initial UTI in febrile infants and children 2 to 24 months. Pediatrics 128：595-610, 2011
2) Urinary tract infection in under 16s：diagnosis and management.
https://www.nice.org.uk/guidance/cg54
3) Stein R et al：Urinary tract infections in children：EAU/ESPU guidelines. Eur Urol 67：546-558, 2015
4) 山本新吾 他：JAID/JSC感染症ガイドライン2015 —尿路感染症・男性性器感染症—. 日化療会誌 64：1-30, 2015
5) Narchi H et al：Renal tract abnormalities missed in a historical cohort of young children with UTI if the NICE and AAP imaging guidelines were applied. J Pediatr Urol 11：252.e1-7, 2015

8. 腎・泌尿器・生殖器疾患

水腎症・水尿管症

大友義之[1]，浦尾正彦[2]

1) 順天堂大学医学部附属練馬病院 小児科，2) 同 小児外科

POINT

● 小児の先天性水腎症の原因としては，腎盂尿管移行部通過障害（ureteropelvic junction obstruction：UPJO）の頻度が高いが，UPJO 以外によるものも決して少なくない．

● UPJO では，症候性であれば外科的な治療介入が行われるが，無症候性の場合は水腎症の程度や腎機能，尿ドレナージなどが検討され，経過観察および手術介入の方針が立てられる．

● UPJO 以外の先天性水腎症は病態スペクトラムが広いことから，治療介入は各病態により異なり統一されたものはない．

ガイドラインの現況

　本邦では，日本小児泌尿器科学会が 2016 年に UPJO の診療の手引き[1] を発表し，2021 年にアップデートされた[2]．また，同学会は 2019 年に UPJO 以外の診療の手引き[3] を発表した．海外からは，カナダ泌尿器科学会（Canadian Association of Urology）およびカナダ小児泌尿器科学会（Pediatric Urologists of Canada）から 2018 年に，先天性水腎症の検査と診療のガイドライン[4] が発表され，欧州泌尿器科学会（European Association of Urology）から 2022 年に小児泌尿器全般に対するガイドライン（EAU Guidelines on Peadiatric Urology）[5] が発表され，先天性水腎症を 23 疾患の 1 つとして簡潔（4 ページほど）に記載している．

　本稿では，これらに準拠して最近の水腎症・水尿管症の診療を紹介する．

【本稿のバックグラウンド】2021 年 2 月に，日本小児泌尿器科学会より『小児泌尿器科学』（診断と治療社）が刊行され，先天性水腎症について詳細に記されており，参考とした．

どういう疾患・病態か

　小児の水腎症・水尿管症は，ほとんどが先天的なものであり，1980 年代からは，胎児超音波検査にて発見されることが多くなって

きた．

　胎児の腎盂の拡張所見は，胎生期 12～14 週頃から超音波検査（ultrasonography：US）で発見されることが多く，全妊娠の 0.5～1％でみられる．これらは，一過性のもの

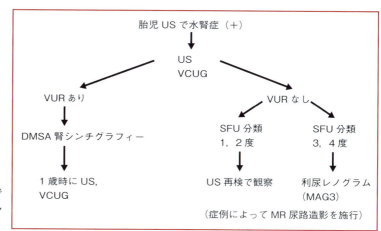

図1 胎児超音波スクリーニングで発見された水腎症の診療アルゴリズム

が48％，生理的なものが15％で，病的なものとしては，腎盂尿管移行部（ureteropelvic junction：UPJ）の狭窄が最多（11％）で，膀胱尿管逆流症（vesicoureteral reflux：VUR）が9％，膀胱尿管移行部（ureterovesical junction：UVJ）の狭窄を含む水腎・水尿管が4％，多囊胞異形成腎（multicystic dysplastic kidney：MCDK）が2％，尿管瘤が2％，後部尿道弁（posterior urethral valve：PUV）が1％と報告されている[1]．

UPJOは，1,000人に1人と高頻度であり，その大半が胎児USにて発見されるが，年長児で，急性の腰痛・腹痛，血尿，腹部腫瘤，尿路感染症，嘔気・嘔吐，軽度の外傷の際の腎破裂をきたして診断に至ったり，腹部USやCT検査で偶然発見されることがある．

UVJOでは，尿管径が7mmを超えるものを巨大尿管症（megaureter）としている．巨大尿管症には，沢山の原因疾患があるが，逆流性のものと非逆流性のものに大別され，さらに後者は，閉塞性と非閉塞性に分けられる．

PUVは，男児8,000人に1人の頻度の最も重篤な閉塞性腎症の原因疾患であるが，特に重篤な例では，胎児期から腎の低異形成のため，羊水過少に起因する肺低形成を合併する．

治療に必要な検査と診断（図1）

1 超音波検査（US）

胎児期と生後のいずれにおいても，USによる腎盂の拡張所見の評価が基本である．従来は，腎盂の最大前後径を測定して，腎盂の拡張評価を行ってきたが，手技が煩雑であることや，正常値の設定などコンセンサスが得られていないことより，現在は，Society for Fetal Urology（SFU）の分類（図2）[2] が広く用いられている．USの限界は，腎盂の拡張所見が必ずしも閉塞の存在を示唆するものでなく，VURなどによる可能性があることである．

胎児USで，UPJOを疑った場合，出生直後は一過性の乏尿のため，水腎症の程度を過小評価してしまう可能性があるので，日齢3日以降にUSを施行するのが望ましい．たとえ，その段階のUSがほぼ正常所見であっても，1ヵ月齢にて再度USを施行する．

2 排尿時膀胱尿道造影（voiding cystourethrogram：VCUG）

世界で最もスタンダードな小児科学の教科書に，「先天性水腎症のすべての症例と，尿管拡張を認めるすべての症例で，VCUGが

Grade0　No hydronephrosis.
Grade1　The renal pelvis only is visualized.
Grade2　The renal pelvis is further-dilated and a single or few calices may be visualized.
Grade3　The renal pelvis is dilated and there are fluid filled all calices.
Grade4　As Grade 3, but the renal parenchyma over the calices is thinned.

図2　水腎症の超音波所見の評価（SFU 分類）　　　　　　　　　　　　　（文献7より引用）

必要である」という記述があり[3]，生後4週以内に施行する．USで，両側の水腎症，あるいは巨大尿管の症例や，膀胱の拡張が認められた場合，PUV などの下部尿路の閉塞が疑われるので，本検査を速やかに施行する．

3 核医学検査

　腎泌尿器の形態の評価と機能評価に本検査が有用である．^{99m}Tc-MAG3* と ^{99m}Tc-DMSA* の2つの薬剤が使用される．前者は，分腎機能検査ができ，フロセミドを負荷したレノグラムにより閉塞の部位と程度が評価できる．フロセミドは，MAG3を静注後20〜30分で，静注（0.5〜1mg/kg）するが，閉塞がなければ，腎盂内に貯留したアイソトープが半減する時間（$T_{1/2}$）は10〜15分であるが，これが15〜20分の場合，中程度の閉塞の存在が示唆され，20分を超える場合は，高度の閉塞があると考える．後者は，閉塞の評価には適さないが，腎実質障害の評価には有用である．

*注）Tc：technetium
　　　MAG3：mercaptotriglycylglycine
　　　DMSA：dimercaptosuccinic acid

4 経静脈的腎盂造影（intravenous pyelogram：IVP）

　腸管ガスの存在と乳幼児での腎機能の未熟性から，IVP より MAG3 を用いたレノグラムのほうが，腎尿路系の形態評価に有用と考えられ，IVP を施行する機会は限定的であるが，間欠的な尿路閉塞を疑った場合には，痛みを訴える急性期に施行する IVP は，診断に有用である．

5 MR 尿路造影（MR urography）

　腎尿路の全体像を把握するために有用である．特に水腎症での UPJ より末梢の尿管の評価と，巨大尿管症，尿管異所開口，尿管瘤の鑑別などに有用である．本検査では，ガドリニウム製剤を用いた造影 T1 強調画像を用いる場合もあるが，造影剤を用いない T2 強調画像のほうが，より低侵襲で十分な情報が得られる．

治療の実際

1 UPJO

　年長児で，臨床症状を呈する場合は，外科治療の適応になるが，胎児 US での発見例では，25％しか臨床症状を呈したり，患側の腎

機能低下をきたさないので，必ずしも早期に手術は施行しない．また，SFU 分類で 1，2 度の場合は，自然に軽快してしまうことが多い一方，3，4 度で，特に腎盂が 2 cm 以上拡張している場合は，自然軽快の可能性は乏しいとされている．

①患側の分腎機能が 40％を下回る場合，②フォロー中に患側の分腎機能が 10％以上低下した場合，③フォロー中に腎盂拡張が増悪した場合，などが手術の適応と考えられる．外科手術により患側腎の機能回復は，1 歳未満までが期待される．

狭窄部を切除する腎盂形成術（Anderson-Hynes 法）が，一般的である．成功率は 91～98％である．近年は鏡視下にて施行する施設が増えてきた．

分腎機能が 10％以下の場合は，経皮的に腎瘻を挿入し，数週間後に再度腎機能評価を行い，回復がみられるならば腎盂形成術を行い，回復がなければ腎摘を行う．

10～15％の症例で，対側の腎臓に VUR を合併することがあるので，VCUG は必要である．

2 UVJO（巨大尿管症）

非閉塞性のものは，進行性腎障害のリスクは低いので，内科的に観察可能なことが多い．診断後 6 ヵ月目に US を行い，その後は 1 年ごとに水腎症の進行をきたさないかをフォローしていく．閉塞性のものは，狭窄部の切除・拡張尿管の縫縮・尿管の再移植といった外科手術の適応になるが，それまでは抗生剤の予防内服を行う．

3 PUV

胎児の尿路と羊水腔との間にカテーテルシャントを留置する胎児手術が行われているが，カテーテルが抜けたり，羊膜炎・胎児死亡等のリスクが少なくないことが問題となる[4]．

生後は 5Fr の栄養チューブで尿道から挿入して，血清クレアチニン値が安定するまで尿のドレナージを行う．その後，膀胱鏡下に尿道弁切開術を行う．尿道が狭く，器具が挿入できない場合は，一時的に膀胱瘻を造設して尿のドレナージを続け，成長を待って尿道弁切開術を施行する．

乳児期に手術を行い，血清クレアチニン値が 0.9～1.2 mg/dL 以下に維持できた症例は比較的予後が良好と考えられているが，10 歳までにほとんどの症例が慢性腎不全に陥ることが報告されている．

生下時に尿路感染から敗血症をきたしたり，急性腎不全に陥っている場合もしばしばあるので，適切な輸液管理と抗菌療法を行う．血液浄化療法を要することもある．

尿道弁切開術後も，VUR のための反復性尿路感染のリスクがあるので，抗生剤の予防投与を続け，VUR の手術も考慮する．膀胱機能障害と尿の濃縮力障害により多尿なため，尿失禁の管理が必要なことも多い．

処 方 例

胎児 US で発見された高度の腎盂拡張症例（SFU 3，4 度）では，VUR が否定されるか，水腎・水尿管症の診断が確定するまで抗生剤の予防内服を行う．
処方　サワシリン® またはパセトシン® を 12～25 mg/kg/日とする．
なお，SFU 1，2 度では　予防内服は行わない[9]．

専門医に紹介するタイミング

胎児 US で発見された症例では，その半数

水腎症・水尿管症　**491**

以上は，一般小児科医が経過観察可能である．生下時に腎機能障害を認めたり，経過中に尿路感染症をきたした場合，両側の水腎・水尿管やPUV症例は，小児泌尿器科/小児外科と併診ができる小児腎臓病医への紹介が必要である．

専門医からのワンポイントアドバイス

水腎症・水尿管症の重要な合併症は，尿路感染症（urinary tract infection：UTI）である．胎児USで発見されている症例が，観察中に発症したUTIの診断と治療の遅れにより，不可逆の腎障害をきたすことがあったり，また，UTIの治療時のUSにて，新規で水腎症・水尿管症が発見されることもある．

特に乳幼児では，臨床症状のみではUTIの診断にしばしば苦慮するので，尿検査を心掛けることが重要であり，さらに躊躇せずベッドサイドでUSを行ってみよう．

文献

1) 日本小児泌尿器科学会学術委員会：小児先天性水腎症（腎盂尿管移行部通過障害）診療の手引き2016. 日小児泌会誌 25：1-76, 2016

2) 日本小児泌尿器科学会学術委員会：小児先天性水腎症（腎盂尿管移行部通過障害）診療の手引き2021アップデートにあたって. https://jspu.jp/download/guideline/tebiki2021.pdf?1653904193

3) 日本小児泌尿器科学会学術委員会：小児先天性水腎症（腎盂尿管移行部通過障害以外）診療の手引き2019. 日小児泌会誌 28（臨時増刊号）：1-55, 2019

4) Capolicchio JP et al：Canadian Urological Association/Pediatric Urologists of Canada guideline on the investigation and management of antenatally detected hydronephrosis. Can Urol Assoc J 12：85-92, 2018

5) European Association of Urology：EAU Guidelines on Paediatric Urology, Limited Update 2022. https://d56bochluxqnz.cloudfront.net/documents/full-guideline/EAU-Guidelines-on-Paediatric-Urology-2022.pdf

6) Woodward M et al：Postnatal management of antenatal hydronephrosis. BJU Int 89：149-156, 2002

7) Fernbach SK et al：Ultrasound grading of hydronephrosis；introduction to the system used by the Society for Fetal Urology. Pediatr Radiol 23：478-480, 1993

8) Elder JS：Obstruction of the Urinary Tract. Nelson Textbook of Pediatrics, 21th eds. Elsevier, pp2800-2810, 2020

9) Storm DW et al：Continuous antibiotic prophylaxis in pediatric urology. Urol Clin North Am 45：525-538, 2018

8. 腎・泌尿器・生殖器疾患

神経因性膀胱

橘田岳也, 柿崎秀宏
旭川医科大学 腎泌尿器外科学講座

POINT

● 小児における神経因性膀胱の病態は多岐にわたり, 患児の成長に伴い変化することがある.

● 診療は完治（正常排尿・正常蓄尿）を目指すものというより, 病態の進行防止の目的での管理になる症例が多い.

● 神経因性膀胱治療の目標は, 腎機能の保持と尿失禁に伴って低下する QOL の改善である.

● 神経因性膀胱の病態に対応した治療が必要であり, 薬物療法, 間欠的（自己）導尿が中心となるが, 外科的治療が検討される場合もある.

ガイドラインの現況

本邦では, 小児で遭遇することの多い二分脊椎患者に対する『二分脊椎に伴う下部尿路機能障害の診療ガイドライン』[1] が 2017 年に改訂版が刊行されている. また, 『脊髄損傷における下部尿路機能障害の診療ガイドライン』[2] については, 2019 年版が刊行されている. これら以外にもパーキンソン病など疾患特異的な下部尿路機能障害についてのガイドラインは存在するが, 小児に特化したガイドラインは少ない. いずれのガイドラインにおいても, 診断の際には下部尿路機能障害の病態を明確にし, 排尿障害の治療, 尿路感染症と腎機能障害の予防に加えて, 患児が社会生活を送るうえで重要となる尿失禁によるQOL 低下の改善について記載されている.

【本稿のバックグラウンド】 わが国からは, 『二分脊椎に伴う下部尿路機能障害の診療ガイドライン』が 2005 年に報告され, 2017 年度版が刊行されている. 患児の各成長期別に二分脊椎患者の下部尿路機能障害に関する標準的な診断・治療法の指針が示されている. また, 『脊髄損傷における下部尿路機能障害の診療ガイドライン 2019 年版』が刊行されており, 脊髄損傷患者におけるエビデンスに基づいた排尿管理が示されている.

どういう疾患・病態か

神経因性膀胱は, 下部尿路（膀胱, 尿道）の支配神経（中枢および末梢神経）の先天

的, 後天的障害によってひき起こされる下部尿路の機能障害を意味する. 下部尿路の支配神経は, 副交感神経, 交感神経, 体性神経からなる. 副交感神経については仙髄（S2〜

神経因性膀胱 **493**

4) の中間外側核，交感神経については胸腰髄（Th12〜L2）の中間外側核，体性神経については仙髄（S2〜4）の前角のオヌフ核を中枢とし，それぞれ末梢神経（骨盤神経，下腹神経，陰部神経）として，下部尿路に分布している．神経因性膀胱とは，それらの神経の障害に起因する下部尿路機能障害を総称するものである．原疾患としては，二分脊椎，脊髄損傷，高位鎖肛，仙骨形成不全，脊髄腫瘍，骨盤内腫瘍など多岐にわたる．そのうち，小児で遭遇することの多い二分脊椎による神経因性膀胱を中心に概説する．

発見契機は，脊髄髄膜瘤と脊髄脂肪腫などの二分脊椎の多くは出生時に脳神経外科で初診となり，排尿機能の評価，管理を行うために泌尿器科に紹介になることが多い．しかし，潜在性二分脊椎では，小児科や泌尿器科に尿失禁や有熱性尿路感染を主訴に初診となり，精査の過程で神経因性膀胱と診断される症例も少なくない．下部尿路機能は，蓄尿相と排尿相に大きく分けられ，膀胱の排尿筋と尿道の括約筋の両相における協調的活動により，正常な蓄尿（排尿筋弛緩，括約筋収縮）および排尿機能（排尿筋収縮，括約筋弛緩）が成立している．二分脊椎による神経因性膀胱では，蓄尿および排尿の片方あるいは両方が障害され，排尿相における排尿筋と括約筋の協調運動がうまくいかないなど，病態としては複雑であり，さらに成長とともに病態が変化する可能性がある（図1）．

治療に必要な検査と診断

神経因性膀胱の泌尿器科的な初期評価としては，以下の項目がある．

① **問　診**：既往歴，排尿について（排尿回数，腹圧排尿の有無，学童症例では尿失禁の有無），排便について（便秘，便失禁の有無），尿路感染症（発熱，排尿痛，検診検尿異常）等
② **身体所見**：腰仙部の皮膚所見（dimpleなどの skin stigmata）の有無，肛門括約筋の随意収縮・緊張度，会陰部知覚，球海綿体筋反射，歩行異常，足部変形等
③ **画像検査**：膀胱造影（cystography：CG），超音波検査（ultrasonography：US）
④ **検　尿**：膿尿・細菌尿の有無
⑤ **ウロダイナミクス検査**(urodynamic study：UDS)：蓄尿相と排尿相の下部尿路機能を明確にすることが可能

リスク評価

神経因性膀胱の管理の目標は，①腎機能の

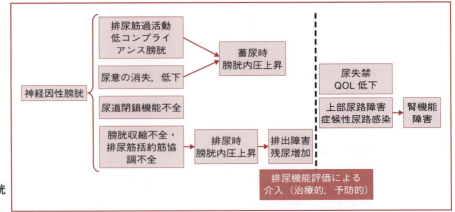

図1　神経因性膀胱における病態

保持, ②尿失禁によるQOL低下の改善である. 二分脊椎患児の中には, 出生後, 早期に尿路管理を開始しないと腎機能障害をきたす危険を有する症例が約30％存在する[1]. 腎機能障害は通常腎盂腎炎を契機に出現し, 腎盂腎炎は上部尿路拡張あるいは膀胱尿管逆流 (vesicoureteral reflux：VUR) の存在により惹起される. したがって, 上部尿路拡張とVURの出現につき超音波検査や膀胱造影による定期的な観察を継続するか, 上部尿路拡張やVURが生じる前にそれらを惹起する下部尿路の機能的異常の有無を早期にUDSで検出する必要がある.

上部尿路障害のリスクを判断するうえで評価すべき所見として以下が挙げられる：

- **CG**：膀胱の変形 (膀胱辺縁の不整を含む), VUR, 排尿時の括約筋の収縮
- **US**：尿管の拡張, 水腎症, 膀胱の変形, 膀胱壁の厚さ (膀胱壁の厚み増加は高圧環境を示唆する)
- **検尿**：慢性の膿尿
- **UDS**：膀胱コンプライアンス低下 (20〜10 mL/cmH$_2$O未満), 排尿筋漏出時圧 (detrusor leak point pressure：DLPP) 40 cmH$_2$O以上は, 水腎症やVURを惹起する高リスクの膀胱の高圧状態を意味する

膀胱の高圧環境は, 膀胱血流の低下などによる局所の細菌感染の増悪因子であり, 上部尿路拡張やVURが生じれば, 有熱性尿路感染を惹起させる危険はさらに増大する. 有熱性尿路感染を発症させないようにするためには, 膀胱の高圧環境を予防する対応が必要である.

神経因性膀胱患者への排尿管理法

下部尿路機能障害は, A) 蓄尿機能障害とB) 排尿機能障害に分けることが可能であるため, それぞれの治療法を概説する. 前者は, 膀胱を低圧に保ち, 膀胱尿管逆流や上部尿路拡張の軽減〜消失, 腎機能障害の発生の防止, 尿失禁の改善を目的とし, 後者は, 尿道抵抗の低下や排尿筋収縮力の改善により排尿効率を向上させることを目的としている (図2).

A-1) 排尿筋過活動に対する治療

生活指導, 膀胱訓練, 理学療法といった行動療法がはじめに試され, 次に薬物療法が行われる. 薬物療法としては, 蓄尿中の膀胱の不随意的収縮 (排尿筋過活動) を抑制する抗コリン薬がある. 膀胱体部に存在するβ$_3$受容体サブタイプを刺激することで排尿筋の弛緩を得るβ$_3$受容体作動薬があるが, 神経因性膀胱に対する有効性, 安全性については確立していない. また, 排尿筋過活動, 下部尿路閉塞, 低コンプライアンス膀胱にα$_1$受容体遮断薬が有効と報告されている. 現在, 神経因性膀胱に保険適用があるのはウラピジルのみである.

経尿道的ボツリヌス毒素膀胱壁内注入療法は, ボツリヌス毒素がコリン作動性神経終末からのアセチルコリン放出を阻害することにより平滑筋を弛緩させ, 排尿筋過活動を抑制する. 本邦においては15歳以上で施注可能となっている. 神経変調療法には複数の方法があり, 過活動膀胱や腹圧性尿失禁に効果がある. 低侵襲な方法としては, 骨盤底電気刺激療法, 干渉低周波療法がある. また, 仙骨神経刺激療法 (sacral neuromodulation：SNM) (保険適用：難治性過活動膀胱) は, 体性神経知覚線維の刺激を介して, 中枢神経系内の蓄尿あるいは尿排出に関与する反射経路を調節する治療法である. 神経因性膀胱症例は, 蓄尿障害と排出障害の両者を伴う場合が多く, また蓄尿障害の治療の合併症として

図2 神経因性膀胱の病態別治療法

残尿が増加することがある．このような場合には清潔間欠導尿（clean intermittent catheterization：CIC）を施行しながら蓄尿機能障害に対して抗コリン薬を併用する方法が有用である．特に，排尿筋括約筋協調不全の症例では高圧排尿を予防するうえで CIC は有用である．保存的治療に抵抗性の排尿筋過活動や高度の低コンプライアンス膀胱を伴う場合は，膀胱拡大術を検討する．

A-2）尿道機能障害（尿道閉鎖不全）に対する治療

尿道閉鎖不全によって，腹圧性尿失禁の症状を呈する．治療の目的は，尿道括約筋あるいは骨盤底筋を増強させることである．尿道閉鎖不全に対する行動療法としては，骨盤底筋体操とバイオフィードバック訓練を中心とした理学療法があるが，神経因性膀胱に対する有効性は確立されていない．クレンブテロールは尿道括約筋の収縮性を増強させる薬剤であるが，保険適用があるのは腹圧性尿失禁のみである．手術療法には，膀胱頸部形成術，尿道スリング手術，人工括約筋埋め込み術あるいは膀胱頸部閉鎖と腹壁導尿路造設な

どがある．

B）排尿機能障害に対する治療

排尿機能障害の治療は，膀胱収縮の増強，尿道抵抗の減弱の2つに集約される．行動療法，CIC，薬物療法，尿道カテーテル留置，尿路変更術等が挙げられるが，CIC に関しては，蓄尿機能障害の項目と同内容である．排尿機能障害に対する行動療法としては，排尿誘導法が挙げられる．また，便秘は排尿機能障害を悪化させる原因となりうるので，適切な水分摂取，運動なども必要である．排尿機能障害に対する薬物療法には，膀胱の収縮力増強を目的としたコリン作動薬と，尿道抵抗を低下させる目的で使用する $α_1$ 受容体遮断薬がある．蓄尿機能障害，排尿機能障害を含め，排尿管理の最終手段として選択される尿道カテーテル留置は，短期的には問題ないが，長期留置においては難治性の尿路感染，萎縮膀胱，尿道皮膚瘻（男子例），膀胱結石などの合併症をきたすので避けるべきである．手術療法として膀胱皮膚瘻造設術がある．一般的な適応は，CIC の導入が困難な高圧型神経因性膀胱幼児例である．ストーマは

オムツの中に隠れ、パウチは不要である。オムツ管理が基本であり、幼児期早期までの一時的ストーマであることが原則である。将来的にはCICに移行させる。

治療の実際

神経因性膀胱、特に先天的な下部尿路機能障害を持つ二分脊椎患児の下部尿路管理において、いつからどのような治療を開始するのかについて、患児の成長期別に検討する[1]。乳児期においてUDSで高圧膀胱、CGで膀胱変形やVUR、USで神経因性膀胱に起因する水腎症や尿管拡張のいずれかを認める症例ではCICが必要である。CICを導入しても膀胱内圧が常時40cmH$_2$Oを下回るように管理できない場合、あるいは、排尿筋過活動が認められる場合には抗コリン薬の投与を行う。尿道括約筋機能が低下し、尿の大部分が失禁として排出される場合には、有熱性尿路感染や腎・上部尿路障害のリスクは低く、乳幼児期のCICは必要ない。学童期以降、QOLの観点で、膀胱拡大術や膀胱頸部形成術などの尿失禁防止術が適応される可能性があり、CICが必須となる症例が多い。乳児症例のうちCICが必要な症例の中で、医学的、社会的理由から導入が困難な場合は、前述の膀胱皮膚瘻を造設し、乳児期の有熱性尿路感染の発症を回避する。

脊髄髄膜瘤など出生直後に手術となる場合は、術後にUDSを行う。脊髄脂肪腫など出生直後に手術にならない場合も、初回評価時にCG、UDSを行い、手術となる場合は術前後に評価を行う。乳児期から定期検尿で膿尿の有無を、3〜4ヵ月ごとにエコーを行い上部尿路拡張の有無を確認する。年に1回の頻度でCG、UDSを検討する。その後安定した排尿管理がなされていれば、学童期以後は2〜3年程度に間隔を延ばすことが可能である。

処方・治療例

処方　塩酸オキシブチニン　0.2〜0.4 mg/kg/日　分3または分4
　　　塩酸プロピベリン　20mg/日　分2

間欠的（自己）導尿

・通常は1日5〜6回程度から開始
・蓄尿時に膀胱内圧が40cmH$_2$Oを超えない、膀胱変形の進行やVURの出現などがないように回数を調節する

専門医に紹介するタイミング

UDSが、患児の適切な排尿管理に不可欠な場合があるため、可能であれば初回の評価時、排尿状態の変化時（失禁量の急な増減、排尿困難感の出現など）、有熱性尿路感染症を繰返す場合などの際には、専門医に相談すべきと考えられる。

専門医からのワンポイントアドバイス

神経因性膀胱患児（特に二分脊椎による）は成長に伴い、病態が変化する可能性があることを念頭におくべきである。また、CICが必要な場合には、自己管理の確立を目指して、年齢に応じた病態説明や精神的サポートが継続される総合的な診療が重要である。

――――――――― 文　献 ―――――――――

1) 日本排尿機能学会，日本泌尿器科学会 編：二分脊椎に伴う下部尿路機能障害の診療ガイドライン2017年版．リッチヒルメディカル，2017
2) 日本排尿機能学会 編：脊髄損傷における下部尿路機能障害の診療ガイドライン2019年版．中外医学社，2019

8. 腎・泌尿器・生殖器疾患

停留精巣

浅沼 宏
慶應義塾大学医学部 泌尿器科学教室

POINT

● 停留精巣の診療には触診が極めて重要で，鼠径部から陰嚢近傍に精巣が触知できる触知停留精巣と，触診ではその局在が不明な非触知停留精巣に大別される．

● 片側非触知停留精巣は消失精巣が多く，両側非触知停留精巣では腹腔内精巣が多いため，それぞれ病態に沿った診断・治療法を考慮する．

● 出生時の停留精巣は，生後 6 ヵ月までは自然下降が期待できる一方，幼児期以降未治療の場合は組織障害をきたし，妊孕性の低下や腫瘍発生のリスクを招くため，生後 18 ヵ月までに精巣固定術を施行する．

ガイドラインの現況

停留精巣は，小児泌尿器科領域のなかで最も頻度の高い疾患である．しかしながら，その診療方針は時代によって，さらに著述によって一定したものがなかったため，停留精巣患児を扱う医療従事者，ひいてはその養育者を長く惑わせてきた．このような背景から，日本小児泌尿器科学会では筆者もメンバーとなった学術委員会が中心となり，疫学・発生率，分類，診断法，手術時期，標準術式，腹腔鏡検査・手術，ホルモン検査・治療，術後などを記した『停留精巣診療ガイドライン』を作成し，2006 年に日本小児泌尿器科学会雑誌に発表した[1]．

一方，欧州では欧州泌尿器科学会（EAU）が 2001 年に『EAU guidelines on paediatric urology』を発表し，そのなかで停留精巣についても取りあげ，以降，近年は毎年アップデートされている[2]．米国でも米国泌尿器科学会（AUA）が 2014 年に『Evaluation and treatment of cryptorchidism：AUA guideline』を発表し，2018 年にアップデートされている[3]．

いずれのガイドラインも記載項目には大きな相違はないが，本邦のガイドラインでは，非触知停留精巣についてはその病態の相違から片側例と両側例を明確に区別して診療アルゴリズムを作成し，診断・治療について記していることを特徴とする．今後，さらには乳児期手術症例を含めた精液所見，父性獲得，腫瘍発生に関する長期成績，停留精巣発症の遺伝的因子や環境的因子，消失精巣症例の妊孕性や対側固定術の適否などの検討もふまえた改訂が待たれる．

【本稿のバックグラウンド】 本稿では，主に日本小児泌尿器科学会からの『停留精巣診療ガイドライン』[1]，EAU からの『EAU guidelines on paediatric urology 2022：Management of undescended testes』[2]，および AUA からの『Evaluation and treatment of cryptorchidism（2018）』[3] を参考にした．

どういう疾患・病態か

停留精巣とは，胎児期に腹腔内に発生した精巣が本来の下降経路の途中で停留し，出生時に陰嚢内に局在していない状態をいう．その発生頻度は正期産児で 1.0〜4.6％とされ，低出生体重児や早期産児では高頻度となる[1〜3]．近年，その頻度が増加傾向を指摘する報告もみられる．また，両側の停留精巣は約 30％に認められる[1〜3]．出生時の停留精巣は出生後にも自然下降が期待される一方，未治療の場合には不妊症，精巣腫瘍，精巣捻転症，鼠径ヘルニア，身体的・精神的トラウマなどの問題を被る可能性がある．

出生後の自然下降に関しては，出生時体重や妊娠期間にかかわらずその多くは生後 3〜4 ヵ月，遅くとも 6 ヵ月程度までに完了し，その後の下降は認められず，停留精巣の頻度は約 1.0％となる[1〜3]．

妊孕性については，停留精巣が未治療の場合には年齢とともに精巣の組織障害が進行し，生後 18 ヵ月以降は germ cell や Leydig cell の減少が認められる[2,3]．早期に精巣固定術を行うことで組織障害や精液所見は改善するが，生後 12 ヵ月までに精巣固定術を行っても 20〜25％の症例で内分泌学的検査や組織学的検査で妊孕性の低下が報告されている[2]．

精巣腫瘍のリスクについては，停留精巣の既往歴がある場合の腫瘍発生の相対的リスクは 3.8〜5.2 とされる[1〜3]．一方，10 歳未満に精巣固定術を受ければ腫瘍発生のリスクは一般集団におけるリスクを超えないと報告されている[1〜3]．また，手術により陰嚢内に精巣が存在することでセルフチェックも可能となるため，腫瘍が発生した場合にも診断・治療の遅延が回避できる．

治療に必要な検査と診断（図 1）

停留精巣の診断には，触診を丁寧かつ的確に行うことが極めて重要である．触診に際しては，精巣挙筋反射を起こさないよう検者の両手を温めてから行い，患児の精神的緊張を取り除くために優しく話しかけたり，母親やオモチャに注意を向けさせたりするなどの工夫が必要である．内鼠径輪から陰嚢へかけて順次触診しながら精巣を検索する．精巣が触れない場合は，検者の手にゼリーを塗って触診したり，患児を蹲踞姿勢にすると触れやすくなる．触診所見により，精巣が鼠径部から陰嚢近傍に触知可能な「触知停留精巣」と，触知不能な「非触知停留精巣」に分類される[1〜3]．非触知停留精巣では麻酔下における触診の再評価が重要で，触知可能となれば通常の触知停留精巣に準じた治療が可能となる．また，両側症例や尿道下裂合併例などでは，性分化疾患に関する内分泌学的検査が必要である[1〜3]．

非触知停留精巣は停留精巣全体の約 20％とされ，そのなかには精巣が腹腔内に存在する腹腔内精巣，胎児期に精巣捻転などの血流障害に伴い著明な萎縮をきたした消失精巣，内鼠径輪を出入りする peeping testis，肥満や多動で覚醒時の触診では技術的に触知困難だった鼠径部精巣などが含まれる（**表 1**）[1,4〜6]．両側非触知停留精巣（片側非触知停留精巣＋対側触知停留精巣を含む）は，腹

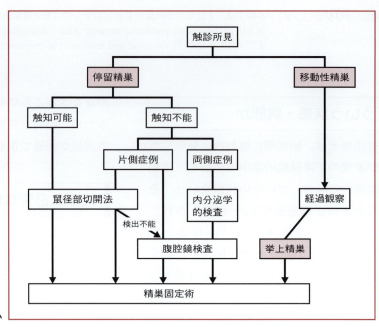

図1　診療アルゴリズム

表1　非触知停留精巣における両側・片側症例別の病態

	腹腔内精巣	鼠径部精巣	消失精巣
両側症例	約60%	約25%	約15%
片側症例	約15%	5〜15%	≧70〜80%

腔内精巣が約60%と多く，触知困難であった鼠径部精巣（約25%）を合わせると，大多数で機能的に温存された精巣組織が存在し[1,4]，その主な病因は内分泌学的要因と考えられる．まず，精巣組織の存否スクリーニングとしては血清MIS値測定やhCG刺激試験などの内分泌学的検査を行う[1〜3]．腹腔鏡検査は低侵襲かつ安全で腹腔内精巣の正診率が高く，腹腔内精巣の診断となればひき続き腹腔鏡下手術も施行できるため積極的に適用される（同時にmüllerian duct由来組織の検索も可能）[1〜3]．精巣の検索に超音波検査やMRI検査が行われることがあるが，腹腔内精巣では正診率が必ずしも高くなく，ま

た，これらの検査によって手術が不要となることはほとんどない．

一方，片側非触知停留精巣では消失精巣が70〜80%以上と多く[5,6]，胎児期の血流障害がその主な病因と考えられる．触知困難であった鼠径部精巣（5〜15%）と合わせると，大多数が鼠径管内以下に消失精巣に伴う遺残組織（nubbin）や精巣組織が存在することになる．このような片側非触知停留精巣に対して一律に腹腔鏡検査を先行して行うと，大多数の症例ではその後に鼠径部以下の検索が必要となり，結果的に無用な腹腔鏡検査となってしまう．手術時間の長期化，腹腔内臓器損傷のリスク，医療経済などを考慮すると決して効率的なアプローチとは言い難い．一方，内鼠径輪が確認できる位置での鼠径部切開でアプローチすると，最も見逃してはいけない鼠径部精巣を確実に診断でき，消失精巣に伴うnubbinの摘除を含めほとんどの症例で小さな単一創で診断と治療が完結できる．さらに，腹腔内精巣であっても腹膜鞘

状突起の開放部から肉眼または腹腔鏡で観察することにより診断可能で，Fowler-Stephens 手術の 1 期目手術も施行できる．したがって，片側例に関しては，腹腔鏡検査は鼠径部アプローチで診断不能な場合，既にMRI 検査などで腹腔内精巣が疑われる場合，nubbin を摘除しない場合，対側に鼠径ヘルニアを合併し交叉性精巣転位が疑われる場合などに選択的に行うと合理的である[1]．

移動性精巣は，精巣下降は完了しているが精巣挙筋の過剰反射と精巣導帯の陰嚢底部への固定が不良なために精巣が鼠径部に挙上する状態で，停留精巣との鑑別が重要である．移動性精巣では入浴時や麻酔下では陰嚢内に下降しており，用手的に陰嚢内に引き下ろすことが可能で，手を離してもしばらくは陰嚢内にとどまる．一般的には精巣固定術は不要とされているが，20～30％の症例で経過観察中に挙上精巣や精巣萎縮が出現し精巣固定術を要するため，少なくとも年 1 回程度は経過観察が必要である[2,3]．

治療の実際

精巣の自然下降の可能性，将来の妊孕性の低下や腫瘍発生のリスクなどに基づいて，生後 6 ヵ月程度までは経過観察とし，自然下降が認められなければ生後 18 ヵ月までに治療を行う[1-3]．特に両側症例に関しては，将来の妊孕性が停留している精巣機能に規定されてしまうため，組織障害が進行しないよう，より早期の治療を考慮する[1-3]．

治療方法に関しては，より低位の停留精巣に対してはホルモン療法も有効とされているが，総合的な奏効率は 20％ 未満であり，ホルモン療法による精巣の組織学的異常や将来の精子数低値などの報告もあることから，手術（精巣固定術）がゴールドスタンダードで

ある[1-3]．

手術術式の詳細については成書を参照されたいが，触知停留精巣では鼠径部切開による定型的な精巣固定術が行われる．腹膜鞘状突起を処理し，精巣が陰嚢内へ緊張なく届くように，精巣血管を外側精索筋膜を切開しながら後腹膜腔へと十分に剥離する．精巣は，陰嚢に作成した皮下ポケット内（dartos pouch）に縫合固定する．非触知停留精巣に関しては，腹腔内精巣で精巣血管に余裕がない場合には，精巣血管を離断する Fowler-Stephens 手術や自家精巣移植などが行われている．特に Fowler-Stephens 手術は，二期的に行うと術後精巣萎縮が少なく，さらに腹腔鏡下に施行することで，より良好な治療成績が期待できる[1-3]．消失精巣に伴う nubbin については，将来の悪性化の母地となりうる精巣組織が約 10％ に認められるため，摘出することが一般的となっている[1-3]．また，片側非触知停留精巣で対側の陰嚢内精巣に代償性肥大（最大径≧1.8 cm）が認められる場合には，その約 90％ が消失精巣であり，nubbinは陰嚢上部に存在することが多いため，陰嚢切開法も考慮される[1-3]．

専門医に紹介するタイミング

上述のように，生後 6 ヵ月時において精巣が陰嚢底部に下降していない場合は，その後の自然下降は期待できないため，手術適応について小児泌尿器科医または小児外科医にコンサルトすることが好ましい．

専門医からのワンポイントアドバイス

停留精巣において精巣の組織変化は乳児期から既に始まるとも報告され，近年，より早期の治療が推奨される傾向にある．しかしな

がら，日常の診療では「3歳頃まで様子をみましょう．そのうち自然に降りますから．」と説明され，安易に経過観察されている症例がいまだに経験される．日頃より小児泌尿器科医や小児外科医と連携をはかり，停留精巣が疑われたならば適切な時期にコンサルトすることが望まれる．

──────── 文　献 ────────

1) 林祐太郎 他（日本小児泌尿器科学会学術委員会編）：停留精巣診療ガイドライン．日小児泌会誌 14：117-152，2006
2) Radmayr C et al：EAU guidelines on paediatric urology.
   https://d56bochluxqnz.cloudfront.net/documents/full-guideline/EAU-Guidelines-on-Paediatric-Urology-2022.pdf
3) Kolon T et al：Evaluation and treatment of cryptorchidism（2018）.
   https://www.auanet.org/guidelines/guidelines/cryptorchidism-guideline
4) Sharifiaghdas F et al：Impalpable testis：laparoscopy or inguinal canal exploration? Scand J Urol Nephrol 42：154-157, 2008
5) Ueda N et al：The value of finding a closed internal ring on laparoscopy in unilateral nonpalpable testis. J Pediatr Surg 48：542-546, 2013
6) Snodgrass WT et al：Scrotal exploration for unilateral nonpalpable testis. J Urol 178：1718-1721, 2007

8. 腎・泌尿器・生殖器疾患

精巣捻転

藤本 保
医療法人藤本育成会 大分こども病院

POINT
- 10 歳代男子が夜間に急激な腹痛を訴えた場合は，必ず急性陰嚢症も疑い，陰嚢の視診・触診を行う．10 歳代男子は陰嚢が痛いと表現することは少ない．
- 精巣捻転は外科的緊急症で時間との勝負である．確定診断に拘らず，疑えば手術可能な専門医に送る．発症から 6 時間以内であれば精巣の温存率はほぼ 100% と言われている．

ガイドラインの現況

精巣捻転は，小児泌尿器科領域の最も代表的な救急疾患であるが，一般小児科医を対象とした外科系疾患や救急疾患のガイドラインは少なく，小児科学の教科書でさえ，精巣捻転を詳細に記述したものは少ない．小児救急のマニュアルで代表的なものに『トロント小児病院救急マニュアル』[1] があり，最近，日本泌尿器科学会から『急性陰嚢症診療ガイドライン 2014 年版』[2] が発刊され，また，『内科医・小児科研修医のための小児救急医療治療ガイドライン』が以前からあり，これらのなかに精巣捻転について詳述されている．いずれにも，小児の泌尿・生殖器系において救急医療の対象となる疾患で最も大切なのは，急性陰嚢症と外傷であり，急性陰嚢症では，精巣捻転症をいかに鑑別するかが最も重要で，疑わしい場合には安易に鑑別診断に時間を費やすことなく，早急に高次専門医療施設に転送する必要がある[1~3] と説いている．腹痛，嘔気・嘔吐といった ありふれた症状の中に，稀に含まれているこの疾患の存在を念頭において疑うか否かが重要なのである．

【本稿のバックグラウンド】 精巣捻転の病態・治療は『トロント小児病院救急マニュアル』および日本泌尿器科学会の『急性陰嚢症診療ガイドライン 2014 年版』を参考に，鑑別すべき疾患の表作成にはその他の参考文献を参照して作成した．

どういう疾患・病態か

陰嚢部に急激に疼痛が起こり，陰嚢に腫脹をきたす疾患を総称して急性陰嚢症というが，その中でも最も迅速な診断と治療が必要なものが精巣捻転である．小児救急において男児に夜間睡眠中に突然発症した腹痛の原因疾患として，常に念頭において鑑別すべき疾患である．好発年齢は，新生児と思春期であるが，小学校児童にもありうる．病態は，精巣動脈と精管の集束である精索が捻転することにより，精巣への血流が障害され，発症か

ら時間が経過することにより精巣に壊死が生じることである．梗塞は4時間以内に始まるといわれており，精巣組織の生存に関しては議論のあるところではあるが，発症から6時間以内であれば温存率は100％，6〜12時間では70％，12〜24時間では20％，24時間以上では0％といわれている[1,4]．精巣捻転は，精巣鞘膜と周囲組織との接着が脆弱であるために生じる鞘膜外捻転と，精巣鞘膜の精索への付着異常が原因とされる鞘膜内捻転とがある．模式図を図1に示す．鞘膜外捻転は，新生児に多く，外鼠径輪より外側の精索捻転のかたちをとることが多く，精巣捻転の10％以下である．すでに胎児期に子宮内で発症していることも多く，精巣は完全壊死に陥っている．鞘膜内捻転は，主として思春期に多く，診断が困難であり，一般救急外来で問題となる．正常の精巣は，精巣上体が精巣鞘膜の後側壁に広く付着することで固定し安定しているが，鞘膜の翻転部が高位に位置し，精巣上体の付着が不十分であると，精管と血管だけで吊り下げられた形となり，精巣の固定は不安定で鞘膜内で捻れやすくなる．精巣と支持組織との発育がアンバランスな思春期に起こりやすい．左側の発症例が多い

が，通常発症しやすい状況は，左右同等にあるはずである[1~5]．

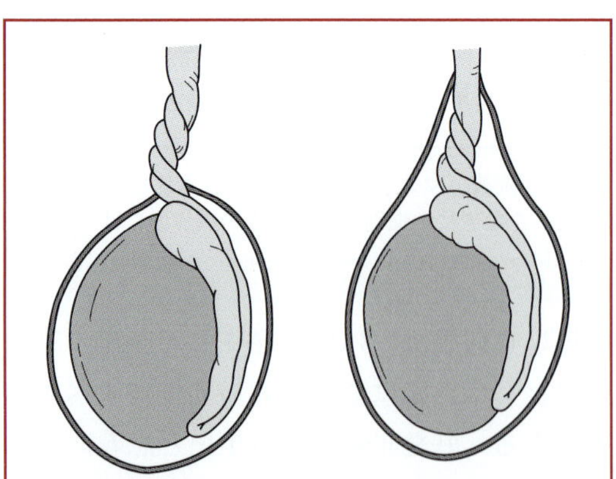

治療に必要な検査と診断

精巣捻転と鑑別が必要な疾患の臨床的特徴と鑑別診断法を表1に示す．典型的には，突然の陰嚢部痛で発症するが，下腹部痛として認識されることも多い．また，恥ずかしいためか，陰嚢痛であっても腹痛としか言わないことがあるので，男児に夜間突然生じた腹痛は，陰部鼠径部の診察を必ず行う．虫垂炎とともに常に念頭においておくべき疾患である．診察所見の特徴は，通常発熱はなく，下腹部に圧痛を認め，腫脹した陰嚢を触診すると非常に痛がる．大腿部内側を強く擦ると生じる挙睾筋反射が消失する．緊急検査で白血球の増加はなく，CRPなど炎症反応は陰性，診断に超音波検査法，特にカラードップラー法による精巣内への血流の有無の評価が有用（特異度77〜100％，感度86〜100％[1]）であるが，いたずらに時間をかけるより，迅速に小児外科あるいは泌尿器科へ紹介転送する．確定診断には試験切開が必要なこと，予後に関しては時間が重要な因子であり，場合によっては精巣（睾丸）の摘出もありうることを十分説明しておく．

治療の実際

用手的捻転解除は，外科手術に先立ち，一時的な処置として試みる価値はある．しかし，疼痛のため十分な効果を得ることは困難である．大多数の捻転は，内方向で正中線に向かって回転する．精巣の用手的捻転解除は，本を開くように，外回転で外側に向かって開く．患児を仰臥位あるいは立位にする．患側の精巣を母指と示指で握り，中心から外

図1 精巣捻転の模式図
（文献4より許可を得て転載）

504　8. 腎・泌尿器・生殖器疾患

表1 精巣捻転と鑑別すべき疾患，臨床的特徴（文献1，3，4，5を参照して作成）

		精巣捻転症	精巣炎	精巣上体炎	精巣垂（附属小体）捻転症	ヘルニア嵌頓	アナフラクトイド紫斑病（IgA血管炎）	陰嚢水腫 精索水瘤
好発年齢		思春期・新生児期	思春期以降	不定	7歳以降（精巣捻転より若年で発症）	乳児	幼児〜思春期	乳幼児期
発症時の特徴		睡眠中が多い	ムンプス罹患		運動中に多い	腹圧がかかったとき	紫斑（精巣上体炎として発症）	あるとき突然気付かれる
局所疼痛		突発的で激烈	緩徐	緩徐	突発的だが比較的軽度	突発的	緩徐	なし
放散痛		しばしばあり	稀にあり	稀にあり	なし	しばしばあり	稀にあり	なし
診察所見	皮膚発赤	あり	あり	あり	あり Blue dot sign（捻転した精巣垂が青色の点として見える）	なし	あり	なし
	陰嚢腫大	あり	あり	あり	あり	あり	あり	あり
	透光性	なし	なし	なし	なし	あり（不定）	なし	あり
	精巣挙睾筋反射	なし	あり	あり	あり	あり	あり	あり
	圧痛	高度	中等度	軽度〜中等度	高度	高度	中等度	なし〜軽度
	精巣の挙上で疼痛緩和	なし	なし	あり	なし	なし	あり	無関係
随伴症状	発熱	なし	あり	あり	なし	なし	たまにあり	なし
	腹痛	しばしばあり	なし	稀にあり	なし	しばしばあり	しばしばあり	なし
	排尿痛	なし	時にあり	しばしばあり	なし	なし	なし	なし
	嘔気・嘔吐	時にあり	なし	なし	なし	しばしばあり	しばしばあり	なし
検査	WBC	正常	増加	増加	正常	正常	増加	正常
	CRP	陰性	上昇	上昇	陰性	陰性	上昇	陰性
	検尿	正常	正常	膿尿	正常	正常	血尿，蛋白尿	正常
超音波診断（ドップラー）	精巣	腫大	腫大	正常	正常	正常	正常	正常
	精巣上体	腫大	正常	腫大	正常	正常	腫大	正常
	精索の血流	あり	あり	あり	あり	あり	あり	あり
	精巣の血流	なし	あり　増加	あり	あり	あり	あり	あり

側に向け180°回転させる．疼痛の改善があれば，捻転が解除するまで2〜3回繰返してもよいが，成功率は30％程度である[1]．

精巣捻転が疑わしい場合は，診断の確定もふまえ緊急手術を選ぶべきである．全身麻酔下に手術しなければならないこと，患側はも

ちろん両側の精巣固定術が行われることも説明しておく必要がある.

専門医に紹介するタイミング

下腹部痛を主訴に, 深夜あるいは早朝に受診した男児では, 陰嚢症を常に念頭におき鑑別診断し, 虫垂炎その他の急性腹症も含め, 陰嚢症を少しでも疑ったときは, 小児外科のコンサルトを受ける. これらはすべて外科的救急疾患である, 躊躇してはならない, 遠慮してはいけない, 無駄に時間を費やさず, すぐに紹介する.

専門医からのワンポイントアドバイス

発症は, 突然で夜間に多くは就寝後1～2時間に起こることが多い.

疼痛は, 陰嚢に限局するとは限らず, 下腹痛, 側腹痛のことも多い. また, 年齢的にも恥ずかしくて陰嚢痛を訴えないことがある.

大多数は, 小児期後期から思春期早期 (10代前半) に発症する.

陰嚢痛を訴える場合はもちろん, 腹痛を訴える男児では, 必ず陰部の視診・触診を行う習慣をつけておくこと.

精巣痛と発赤腫張を認めれば, 検査などせず直に専門医へ紹介する. 発症から6時間以内の治療が必要で, ためらいや時間の浪費をしないことが重要である.

文 献

1) Lalani A et al：The Hospital for Sick Children Handbook of Pediatric Emergency Medicine. 清水直樹 他 監訳：トロント小児病院救急マニュアル. メディカル・サイエンス・インターナショナル, 2010
2) 日本泌尿器科学会 編：急性陰嚢症診療ガイドライン2014年版. 金原出版, 2014
3) 山口孝則：泌尿器・生殖器疾患. "内科医・小児科研修医のための小児救急医療治療ガイドライン" 市川光太郎 編. 診断と治療社, pp355-361, 2004
4) 大野康治 他：ヘルニア (嵌頓)・精巣捻転. 救急医学 29：1743-1746, 2005
5) 山口孝則：泌尿器科領域—急性陰嚢症の治療方針. 小児外科 37：1442-1446, 2005

9. 内分泌・代謝疾患

9. 内分泌・代謝疾患

ケトン性低血糖症・アセトン血性嘔吐症

堀　友博，笹井英雄
岐阜大学大学院医学系研究科 小児科学

POINT

- 原則として除外診断により確定される疾患（群）であり，基礎疾患の存在を常に考えることが重要である．
- 発作時の検体における血糖値，血液ガス分析，アンモニア，遊離脂肪酸，血中ケトン体などの同時測定が病態の評価や鑑別に有用である．
- 空腹を避け，糖質の補給を行うことで治療が可能である．

ガイドラインの現況

ケトン性低血糖症・アセトン血性嘔吐症に関するガイドラインは作成されていない．典型的な臨床症状や検査所見に基づき，先天代謝異常症や内分泌疾患などの低血糖とケトーシスをひき起こす基礎疾患を除外することで診断する．なお，本疾患の類縁病態と考えられる周期性嘔吐症候群は，片頭痛の関連疾患に分類されており，嘔吐に関する治療の一部は片頭痛のガイドラインに準ずる場合もある．

【本稿のバックグラウンド】　鑑別疾患として挙げられる先天代謝異常症の一部は『新生児マススクリーニング対象疾患等診療ガイドライン2019（日本先天代謝異常学会編）』に記載されている．内分泌疾患の確定診断のための検査は各ホルモンに関するガイドラインや成書等を参照されたい．除外診断によりケトン性低血糖症と診断された場合の治療の基本は，空腹を避け糖質の補給を行うことである．

どういう疾患・病態か

1 疾患の概念・定義

　ケトン性低血糖症は，広義には「ケトン体の産生系が正常に反応している低血糖状態」を指し，このなかには，糖原病に代表される糖新生系異常などの先天代謝異常症や，成長ホルモン分泌不全・糖質コルチコイド分泌不全などの内分泌疾患に起因する病態も含まれる．基質欠乏症としての狭義のケトン性低血糖症と診断するためには，これらの代謝・内分泌疾患の除外・鑑別が重要である．一方，アセトン血性嘔吐症は，一般的には血中ケトン体の増加と嘔吐発作を伴う病状として認識され，複合的な病因・病態を含有する症候群と考えることができる．ケトン性低血糖症と

アセトン血性嘔吐症は類縁病態と考えられ，アセトン血性嘔吐症が低血糖にまで至った病態がケトン性低血糖症ととらえることもできる[1]．アセトン血性嘔吐症は，もともとドイツ語由来の疾患名であり，英語圏での類似した疾患概念としては周期性嘔吐症候群が用いられている．さらに日本においては，これらの類縁疾患として，内分泌学的側面をとらえた周期性 ACTH-ADH 分泌過剰症という病名が用いられることもあり，また古くは自家中毒と表現された病状もこれらの疾患を表現した概念であろう．周期性嘔吐症候群は現在では片頭痛の関連疾患とされており，国際頭痛分類第3版においては「片頭痛に関連する周期性症候群」の下位項目に分類されている[2]．いずれにしても，ここまで述べた疾患・症候群の指す概念はかなりの部分でオーバーラップしており，おそらく単一の病因ではなく，その病因・病態がはっきりしていないことが疾患の理解を難しくしている．本稿では，内分泌疾患や先天代謝異常症などの基礎疾患によらない狭義のケトン性低血糖症を中心に，類縁疾患も含め，その鑑別や治療について述べる．

2 ケトン体代謝

　小児期はもともとケトーシスをきたしやすい時期である．これは，特に幼児期までは血糖を維持するための代替エネルギー源としてケトン体が重要であることを意味する．ケトン体とは，一般に，アセト酢酸，3ヒドロキシ酪酸，アセトンの総称であるが，アセトンはそれ以上代謝を受けることはなく，代謝的に重要なのは前二者であり，この2つを足したものが血中総ケトン体である．

　血糖維持機構は，一般に，①食後3〜4時間まで：食事由来のグルコースにより血糖を維持，②食後3〜4時間以降：グリコーゲンの分解により血糖を維持，③食後12〜16時間以降：グリコーゲンが枯渇するとともに糖新生によるグルコース産生が主となり，さらに，脂肪酸β酸化系の亢進によりケトン体が産生され代替エネルギーが供給される，という3つの時期に分けられ，低血糖を考えるにあたっては，食後のどの時期に発症した低血糖であるかを考えることが疾患を鑑別するうえで重要になる[1]．肝臓におけるグリコーゲンの貯蔵が不十分な児の場合や，糖原病に代表される肝臓からのグリコーゲンの分解が障害されるような病態では，前述の②の時期が短くなり，早期に③の時期へ移行するため，ケトーシスが通常より早く生じることになる．さらに，小児の空腹時間と血中総ケトン体の推移を年齢別に測定した報告によると，1〜6歳の年少児の群と比較して，7歳以上の年長児の群のほうが，空腹によるケトン体の上昇がより遅い時間からはじまり，その上昇度合いも小さかったことが確認されている[3]．これは，年齢が上昇するにしたがい筋肉組織からのアラニンの動員が容易となり，グルコース不足時の血糖の維持におけるケトン体代謝の比重が小さくなるためと考えられ，このことは，ケトン性低血糖症が10歳を超えると低血糖発作を起こさなくなる最大の要因と推察される．

　図1に，ケトン体代謝の概略を示す．ケトン体の産生から利用までの経路は，①脂肪組織から切り出された遊離脂肪酸が肝臓のミトコンドリアに取り込まれ，②脂肪酸β酸化とその後の代謝反応によりケトン体が産生され，③脳や筋肉などの肝外組織でエネルギー源として利用される，という代謝をたどる．そして，発熱や飢餓などのストレスやグルコース不足は，グルカゴンやカテコラミンの分泌を惹起するが，これらのホルモンはケトン体産生を亢進する方向に作用する．一方，

ケトン性低血糖症・アセトン血性嘔吐症　509

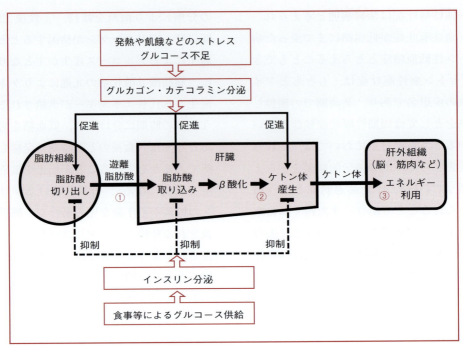

図1 ケトン体代謝経路とホルモンによる調整

食事などによりグルコースが供給されることでインスリンが上昇すると，そのインスリンはケトン体産生を抑制する方向に作用する[4]．

ケトン体代謝に関わる酵素の先天的な活性の低下に起因する先天性代謝異常症は，ケトン体の"産生障害"と"利用障害"に大別される．ケトン体の産生障害（図1の代謝経路②の障害）として，脂肪酸β酸化系に関連する酵素欠損症（極長鎖/中鎖アシルCoA脱水素酵素欠損症，三頭酵素欠損症，カルニチンパルミトイルトランスフェラーゼⅠ/Ⅱ欠損症など）は先天代謝異常症の中で比較的頻度が高い疾患群であり，その一部は新生児マススクリーニングの対象疾患となっている．また，同じくケトン体の産生障害として，稀ではあるがβ酸化より後の過程でケトン体（アセト酢酸）を産生するために必要な酵素の欠損症である3-ヒドロキシ-3-メチルグルタリルCoA（HMG-CoA）合成酵素欠損症やHMG-CoAリアーゼ欠損症も含まれる．これらのケトン体産生障害では，飢餓などのストレス時に低血糖発作を起こすが，その低血糖にはみあわないケトン体の低さ（非ケトン性低血糖ないし低ケトン性低血糖）が特徴的な検査所見となる．一方で，ケトン体の利用障害（図1の代謝経路③の障害）としては，肝外組織においてケトン体（アセト酢酸）を代謝しTCA回路からエネルギー産生に向かう過程で必要な酵素の欠損であるサクシニルCoA：3-ケト酸CoAトランスフェラーゼ欠損症やアセトアセチルCoAチオラーゼ（β-ケトチオラーゼ）欠損症が挙げられる．これらの疾患は，ケトン体の利用が障害され，ケトン体産生が促進される空腹や発熱などの際にケトン体の蓄積が生じるため，稀ではあるがケトン性低血糖症の重要な鑑別疾患となる[4,5]．

3 ケトン性低血糖症の臨床症状

低血糖発作は空腹が長時間となる朝方に起こりやすく，朝なかなか起きてこられず，ぐったりしていることが多い．夕食の量が少量もしくは欠食した翌日の朝に特に起こりやすい．低血糖に先立ってケトン尿が出現し，悪心・嘔吐が初発症状となることも多い．ただし，血中ケトン体が直接に嘔吐中枢を刺激して悪心・嘔吐をきたすというエビデンスは存在せず，種々のストレスによる反応として嘔吐とケトーシスが生じていると考えられる．発作間欠期は無症状であり，血糖値も正常である．これらの発作が反復することが特徴である．

典型例としては，食が細く痩せている児に多く，理由は明らかでないが男児に多い（男女比2：1程度）．また，1歳半から5歳の間に発症することが多く，10歳を超えると自然軽快する[1]．よって，1歳半より若年で重度のケトン性低血糖症をみた場合には，ケトン体利用障害などの基礎疾患を疑う必要がある．

治療に必要な検査と診断

ケトン性低血糖症は反復することが特徴であり，初回発作において本症と診断することは難しく，一度は内分泌・代謝系の評価を行うことが望ましい．

発作時における最初の検査として，一般的な生化学検査や尿検査に加えて，血糖値，血液ガス分析（静脈血で可），アンモニアは，先天代謝異常症を疑うきっかけとなるため必須の検査である．さらに，乳酸，ピルビン酸，遊離脂肪酸，血中ケトン体分画，内分泌学的検査（インスリン，成長ホルモン，IGF-I，ACTH，コルチゾール，ADH，甲状腺機能など）を発作時の検体で測定するこ

とが望ましい．発作時の血清，濾紙血，尿検体を保存しておくことは，後からの基礎疾患の診断に有用となる．各種先天代謝異常症・内分泌疾患の鑑別や診断の詳細は成書等を参照されたい．

反復する嘔吐という病状からの鑑別も必要であり，腸回転異常症や上腸間膜動脈症候群などの消化器疾患，メニエール病などの内耳疾患，Panayiotopoulos症候群などの自律神経発作をきたすてんかん，脳腫瘍など，患者の病状に応じて疑わしい場合は精査を進める（「嘔吐・下痢」の項も参照のこと）．

a）尿ケトン

尿定性検査は非侵襲的であり，どの医療機関でも短時間で簡便に体内のケトン体の存在を確認できる点において，非常に有益である．しかし，尿ケトン半定量ではアセト酢酸しか検出できず，主要なケトン体である3ヒドロキシ酪酸は検出できないため，尿定性検査のみでケトーシスの評価は困難であり，病態の正確な評価には発作時の血中総ケトン体測定が必要である．

b）血糖値，血液ガス分析，アンモニア

血糖値，血液ガス分析（静脈血で可），アンモニアを発作時のサンプルで測定することで，多くの先天代謝異常症を疑うきっかけとなる．尿ケトン体陽性もしくはケトーシスを確認したときには，アシドーシスの程度を評価することが重要である．一般的に，いわゆる狭義のケトン性低血糖症や胃腸炎などに伴う生理的・合目的的なケトーシスでは，pHが代償されていることが多く，強いアシドーシス（pH＜7.30，HCO_3^-＜15mmol/L）は稀である．強いアシドーシスを伴う場合は基礎疾患の存在が想定され，発作時の検体を用いた尿有機酸分析，血中アシルカルニチン分析などによる精査を要する．

表1　ケトーシスの原因

原　因	血糖値
生理的ケトーシス	
空腹（特に乳幼児期と妊娠中）	正常もしくは低値
空腹以外のストレス（感染など）	さまざま
長い運動	正常（ときに低値）
ケトン食	正常（ときに低値）
ケトン性低血糖症	低値
小児期反復ケトーシス	正常
内分泌疾患	
糖尿病性ケトアシドーシス	異常高値
糖質コルチコイド分泌不全（副腎不全）	低値
成長ホルモン分泌不全	低値
中毒	
アルコール中毒	さまざま
サリチル酸中毒	さまざま
先天代謝異常症	
先天性乳酸アシドーシス	さまざま
分枝鎖アミノ酸・有機酸代謝異常症	さまざま
糖新生系異常，糖原病	低値
グリコーゲン合成酵素欠損症	低値
ケトン体利用障害（SCOT 欠損症，T2 欠損症）	さまざま

SCOT：サクシニル CoA：3-ケト酸 CoA トランスフェラーゼ，
T2：アセトアセチル CoA チオラーゼ（β-ケトチオラーゼ）

（文献 5 を参照して作成）

c）血中総ケトン体，血糖値，遊離脂肪酸の同時測定

　一般的な血中総ケトン体の基準値は 0.13 mmol/L（130 μmol/L）以下とされ，0.2 mmol/L（200 μmol/L）以上をケトーシスと定義することが多いが，小児のケトン体値は年齢や空腹時間などで大きく変化するため，その評価には注意を要する．さらに，ケトン体の代謝を考えるうえで，血中総ケトン体の数値だけで生理的なケトンの上昇かどうかを判断することはできない．すなわち，低血糖を防ぐ反応として，ケトン体産生の材料ともいえる "遊離脂肪酸" と産生された "ケトン体" のバランスが適正かどうかを評価する必要がある．表1に，ケトーシスの原因

の一覧と血糖値の関連を示す[5]．

　先天性代謝異常症などの基礎疾患が存在しない場合，遊離脂肪酸/血中総ケトン体の比は 1 前後（0.5～2.5）となる（遊離脂肪酸と血中総ケトン体の双方の単位を mmol/L もしくは μmol/L に揃えて計算する）[1,4]．ケトン体利用障害では，空腹のかなり初期から遊離脂肪酸の動員以上に血中に総ケトン体が著しく増加し，遊離脂肪酸/総ケトン体の比は 0.3 以下になることが多い．逆に，ケトン体産生障害では，この比は 5 以上となることが多い．ただし，糖輸液によって遊離脂肪酸は速やかに低下するため，輸液前の検査値で評価することに留意する．

　また，血糖値に応じた生理的なケトン体の

512　9．内分泌・代謝疾患

動員を推定する式として，「血糖値（mmol/L）×血中総ケトン体（mmol/L）＝8〜13程度」となることが知られている（血糖値は18mg/dL＝1mmol/Lと換算する）[1]．すなわち，日本で頻用される血糖値の単位であるmg/dLで考えると，「総ケトン体（mmol/L）の推定範囲＝〔144/血糖値（mg/dL）〕〜〔234/血糖値（mg/dL）〕」と計算でき，低血糖患者を診た際に，血糖値と同時に測定した総ケトン体値がこの範囲内であればケトン体の動員は生理的な反応である可能性が高いと判断され，この範囲より明らかに低値であればケトン体産生障害を，逆に明らかに高値であればケトン体利用障害を疑うことができる．

治療の実際

1 低血糖・嘔吐発作時

低血糖発作があれば，ブドウ糖投与が必要であり，経口摂取不良があれば糖輸液を考慮する．脱水や電解質異常等がある場合は適宜補正を行う[1]．

いわゆるアセトン血性嘔吐症の嘔吐発作に対しても，ブドウ糖輸液が著効する例も存在するが，その一方ブドウ糖輸液が嘔吐発作の継続とは関係ないと思われる例も存在する．嘔吐発作に対してドンペリドンの坐薬などを用いることもある．嘔吐発作の持続が長い例において，片頭痛の一病態と考え，スマトリプタンなどの片頭痛発作時治療薬も選択肢となる場合がある[2]（「片頭痛」の項も参照）．

2 発作の予防

低血糖の発作予防としては長時間の飢餓を避けることが重要である．そのため，夕食を抜かない，ストレスや体に負荷がかかると想定されるとき（感染症罹患時，スポーツや外遊び等）には十分な糖質摂取を行う．発作の

予兆があれば早めにブドウ糖顆粒等の経口摂取を行う等の対応を行う．朝の低血糖発作が反復する場合には，糖原病の治療と同様に，睡眠前のコーンスターチ投与（2g/kg程度）が有効な例もある[1]．また，アセトン血性嘔吐症の嘔吐発作の予防として，日常生活に支障をきたすほどの例においては，片頭痛の一病態ととらえ，バルプロ酸ナトリウムなどの片頭痛発作時予防薬も選択肢となる場合がある[2]（「片頭痛」の項も参照）．

専門医に紹介するタイミング

短い空腹時間で低血糖をきたす例，pHが7.2を下回るような著明なアシドーシスをきたす例，血中総ケトン体が10mmol/L（10,000μmol/L）以上となるような例は専門医への紹介を考慮するとよい．

前述の各種検査の結果，先天代謝異常症の可能性が否定できないと判断される場合は，専門医と相談のうえ，尿有機酸分析，血中アシルカルニチン分析などを行う．さらに，脂肪酸β酸化異常症が否定的であることが確認できた例において，安全に十分に留意したうえで，絶食負荷試験を行うこともある．最近では次世代シーケンサー等で先天代謝異常症などの鑑別疾患の診断がつく例も増えており，経過によっては遺伝学的診断も検討される．一方，内分泌疾患の可能性が疑われる場合は，専門医と相談のうえ，画像検査や各種ホルモン分泌刺激試験を検討する．

専門医からのワンポイントアドバイス

ケトン性低血糖症・アセトン血性嘔吐症は基本的に除外診断により確定されるものであり，基礎疾患の存在を常に考えることが重要である．注意すべき点として，ほとんどの先

ケトン性低血糖症・アセトン血性嘔吐症　**513**

天代謝異常症でいえることであるが，異常の
ある酵素の活性は患者間で個人差があり（す
なわち，残存活性の程度が重症度につなが
る），例えば，ケトン体"産生"障害である
脂肪酸β酸化異常症の患者で，酵素活性が部
分的に残存している例では，"ケトン体があ
る程度上昇する低血糖発作"となることは十
分想定される．図1に示したケトン体代謝経
路を理解したうえで，発作時の検体における
各検査項目を組合わせて，病態を正しく評価
することが重要である．

―――――― 文　献 ――――――

1) 笹井英雄 他：ケトン性低血糖症．小児内科 51：
   1010-1015，2019
2) 疋田敏之：周期性嘔吐症候群の疾患概念や診断・治
   療とその問題点．小児科 61：1651-1657, 2020
3) Bonnefont JP et al：The fasting test in paediat-
   rics：application to the diagnosis of pathological
   hypo-and hyperketotic states. Eur J Pediatr 150：
   80-85, 1990
4) Hori T et al：Inborn errors of ketone body utiliza-
   tion. Pediatr Int 57：41-48, 2015
5) Mitchell GA et al：Inborn errors of ketone body
   metabolism. In "The Metabolic and Molecular Bases
   of Inherited Disease, 8th ed" eds. Scriver CR et al：
   McGraw-Hill, New York, pp2327-2356, 2001

9. 内分泌・代謝疾患

急性副腎皮質不全

花川純子
神奈川県立こども医療センター 内分泌代謝科

POINT

- ●急性副腎皮質不全は，急激な副腎皮質ホルモンの絶対的・相対的な欠乏により生じる．
- ●副腎皮質不全の症状は多様であり，必ずしも電解質異常や低血糖を認めるとは限らない．
- ●生理量に近いないし生理量を超えるステロイド薬投与下の患児は，感染・嘔吐等のストレスで容易に副腎皮質不全を発症する．
- ●副腎不全を疑った際は，ストレス量のステロイド投与をためらわずに行う．

ガイドラインの現況

日本内分泌学会，日本小児内分泌学会，日本ステロイドホルモン学会の副腎ホルモン産生異常に関する調査研究班が作成した『副腎クリーゼを含む副腎皮質機能低下症の診断と治療に関する指針』[1] が作成されている．米国内分泌学会からもガイドライン[2] が発表されている．

【本稿のバックグラウンド】　副腎皮質不全は適切な治療が行わなければ命に係わる病態である．臨床経験や観察に基づくエビデンスが主体であるが，現時点での治療に関するコンセンサスが提示されている『副腎クリーゼを含む副腎皮質機能低下症の診断と治療に関する指針』に基づいて概説した．

どういう疾患・病態か

急性副腎皮質不全とは，発熱などの肉体的ストレス時に副腎皮質から分泌される糖質コルチコイドの絶対的または相対的な欠乏が生じ，血圧低下や循環不全をきたしうる状態を指す．視床下部—下垂体—副腎系のいずれかの部位が障害されるか，慢性副腎不全症における糖質コルチコイド補充療法が不十分な場合や治療中断によって発症する[1]．副腎皮質自体に原因がある原発性と，視床下部からのCRH や下垂体からの ACTH 分泌不全による続発性とに分類される．

長期ステロイド投与に伴う視床下部—下垂体—副腎系の抑制については日常臨床で遭遇する機会が多い．

症状は非特異的で多岐にわたり，臨床症状のみでは診断が困難な場合がある．また，電解質異常（低 Na 血症や高 K 血症）や低血糖を必ずしも伴わないことがあるため注意を要する．

急性副腎皮質不全　**515**

表1 急性副腎不全を疑う症候と検査所見
脱水・低血圧・原因不明のショック
食欲低下・体重減少・嘔気・嘔吐・下痢
原因不明の腹痛・急性腹症
原因不明の発熱・関節痛
低血糖
低ナトリウム血症・高カリウム血症
貧血・好酸球増多
高カルシウム血症・BUN 上昇
色素沈着（原発性のみ）

（文献1を参照して作成）

治療に必要な検査と診断

・**理学的所見**：血圧，脈拍，体温，呼吸，脱水の所見，体重，色素沈着の有無，外性器の形態

・**臨床検査**：血清電解質，血糖値，血液ガス分析，腎機能，CRP，血漿 ACTH，コルチゾール，PRA，アルドステロン，副腎アンドロゲン，尿中遊離コルチゾールなど

表1に急性副腎不全を疑う症候と検査所見の一覧を示す．臨床経過や症状，検査結果から総合的に判断する．

図1にガイドラインに掲載されている診断のフローチャートを示す．新生児に関しては，正常でも血中コルチゾールが<4μg/dLとなる場合があるので注意を要する．

治療の実際

副腎皮質不全を疑った場合，検査結果を待たずに血管確保後，速やかに輸液およびヒドロコルチコイドの投与を開始する．

1 糖質コルチコイド[1~3]

ヒドロコルチゾンは，新生児期10〜20mg/kg，その時期以降は2〜10mg/kg（25〜100mg/m^2，目安として，乳児25〜50mg，幼児50〜100mg，学童100mg）をボーラス投与後，同量を24時間かけて持続投与する．静脈ルートが確保できない場合は，ヒドロコルチゾンコハク酸エステル（ソル・コーテフ®，サクシゾン®）の筋肉注射を行う．ただし，筋注は吸収が遅いため，循環不全症状がある場合は効果が限定的である．

2日目以降には副腎皮質不全症状が改善されていることが多く，投与量を症状にあわせて3〜5日で漸減していく．経口摂取が可能になれば，内服へ移行する．

現在，ヒドロコルチゾンコハク酸エステル（ソル・コーテフ®，サクシゾン®）の筋肉注射が在宅自己注射可能として保険適用となっている．自己注射後は，直ちに医療機関受診するように指導されているため，来院後はひき続き適切なヒドロコルチゾン投与を行う．

2 輸　液

循環血液量の確保，低血糖や電解質異常に対する治療を目的に行う．

ブドウ糖を含み，Kを含まない等張液を脱水の程度に応じて10〜20mL/kg/時で開始する．初期輸液後の水分量は，維持輸液量に水分欠乏量を加えたものとする．

来院時，高K血症を認めたとしても，初期輸液とヒドロコルチゾン投与で血清K値が低下してくる．不整脈の危険性がある場合は，陽イオン交換樹脂を注腸する．既に不整脈が認められる場合は，グルコン酸カルシウムを静注する．

低血糖を認める場合は，0.5g/kgのブドウ糖投与，10%ブドウ糖液5mL/kg，20%ブドウ糖液2.5mL/kgを静注し，血糖値をモニターする．

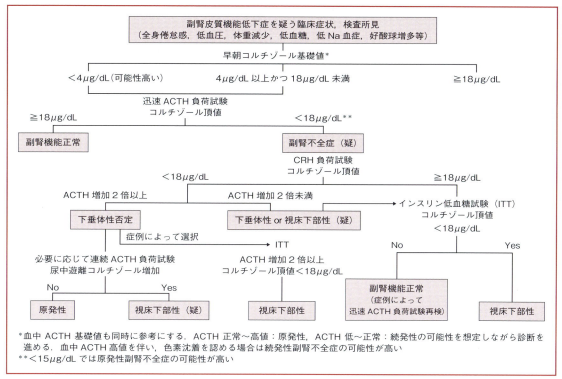

図1 副腎皮質機能低下症の診断フローチャート　　　　　　　　　　　　　（文献1を参照して作成）

処方例

急速補充

静注用ヒドロコルチゾンを1回静注.
処方　ヒドロコルチゾンコハク酸エステルナトリウム（ソル・コーテフ®, サクシゾン®）
または
　　　ヒドロコルチゾンリン酸エステルナトリウム（水溶性ハイドロコートン, ヒドロコルチゾンリン酸エステルNa静注液「AFP」）
・乳児は25～50mg, 幼児は50～100mg, 学童以上は100mg

●血管が確保できない場合は
処方　ヒドロコルチゾンコハク酸エステルナトリウム（ソル・コーテフ®, サクシゾン®）筋注

補充療法

その後同量を24時間かけて持続点滴静注

高K血症

処方　ケイキサレート®散　1回1～2g/kg 水に懸濁して注腸

専門医に紹介するタイミング

　維持療法中の急性副腎皮質不全では病歴から診断も容易である. 初期治療で改善傾向を認めない場合は専門医へ紹介する.
　初発時は基礎疾患の診断に難渋する場合もあり, できるだけ早期に専門医へ紹介する.

専門医からのワンポイントアドバイス

原因のわからない腹痛や頻回嘔吐, 循環不全, 意識障害, ショック, 低血糖, 低 Na 血症・高 K 血症では急性副腎不全を鑑別疾患に加えて考える. また, 性分化疾患を伴う先天性副腎機能不全症も少なくないため, 性分化疾患を認めた際は, 副腎機能不全の合併も念頭において精査を進める.

色素沈着を伴う哺乳不良や体重増加不良では副腎の発生異常やステロイド合成酵素異常を考える. 一方, 中枢性の副腎不全では

ACTH 上昇せず, 色素沈着を伴わないことに注意する.

文　献

1) 柳瀬敏彦 他：副腎クリーゼを含む副腎皮質機能低下症の診断と治療に関する指針. 日内分泌会誌 91 (Suppl), 2015
2) Bornstein SR et al：Diagnosis and treatment of primary adrenal insufficiency：an endocrine society clinical practice guideline. J Clin Endocrinol Metab 101：364-389, 2016
3) 横谷　進 他編：専門医による新小児内分泌疾患の治療 第2版. 診断と治療社, pp119-126, 2017

9. 内分泌・代謝疾患

糖 尿 病

うらかみたつひこ
浦上達彦
日本大学病院 小児科

POINT

● 1 型糖尿病の診断では，内因性インスリン分泌能低下の証明と膵島特異的自己抗体の検出が重要である．治療では，先進技術の導入とともに，その症例の生活様式や管理能力に適合したインスリン療法を選択する必要がある．

● 2 型糖尿病の診断では，肥満の判定と糖尿病家族歴の聴取を詳細に行い，インスリン抵抗性の存在を証明することが重要である．治療ではあくまでも食事・運動療法を基本とし，それでも血糖コントロールが改善しない場合には薬物療法を考える．

ガイドラインの現況

　日本糖尿病学会および日本小児内分泌学会の編・著による『小児・思春期糖尿病コンセンサスガイドライン』が 2015 年に刊行されているが，新しく改訂版として，『小児・思春期糖尿病コンセンサスガイドライン 2024』が刊行されることになった．この改訂版は，国際小児思春期糖尿病学会（ISPAD）の最新のコンセンサスガイドライン（2018 年度および 2022 年度版）を基にして，小児糖尿病の病態と診断の手順および本邦の小児糖尿病に適した治療・管理について解説する予定である．

　小児糖尿病領域では，最新医療技術の導入が積極的になされており，持続血糖モニター（continuous glucose monitoring：CGM）やセンサー付きインスリンポンプ（sensor augmented pump：SAP）も多くの症例で使用され，今後はより進化したハイブリッド closed loop system の導入も進むと期待される．また 2 型糖尿病における薬物治療においても新たな局面が見えてきている．

　本稿では，これらに準拠して最近の小児糖尿病の診断と治療・管理について紹介する．

【本稿のバックグラウンド】　現在，全世界的に国際小児思春期糖尿病学会（ISPAD）コンセンサスガイドライン 2018 が小児糖尿病の治療・管理の基本として用いられているが，本邦では日本糖尿病学会および日本小児内分泌学会の編・著による『小児・思春期糖尿病コンセンサスガイドライン』が2015 年に刊行されており，本邦の小児糖尿病の治療・管理の指針が示されている．本稿はこの 2 つのガイドラインを参考に執筆した．

1型糖尿病

どういう疾患・病態か

　小児の1型糖尿病は，ケトアシドーシスを伴い急激に発症することが多く，多くの例は診断時あるいは診断後早期に膵β細胞機能が廃絶し，生命維持のためにインスリン治療が不可欠になる．新しく提唱された成因に基づく糖尿病の分類[1]（**表1**）では，1型糖尿病の大半は，膵島特異的な自己免疫により膵β細胞が破壊され，最終的にはインスリンの絶対的欠乏に陥ると定義されている．

治療に必要な検査と診断

　1型糖尿病では，内因性インスリン分泌の低下と膵島特異的な自己抗体の検出，疾患感受性HLA遺伝子の保有が診断のポイントになる（**表2**）．国際小児思春期糖尿病学会（ISPAD）コンセンサスガイドライン[2]で推奨されるHbA1c値は，全年齢で7.0%未満である．そしてこの目標値は，強化インスリン，特に持続皮下インスリン注入療法（continuous subcutaneous insulin infusion：CSII）や持続血糖モニター（CGM）を利用する先進医療を前提としているものであり，各施設の治療・管理法や個々の症例の特性をふまえて個別化されるべきである．さらに最優先されることは，重症低血糖が起こらないようにすることである．

治療の実際

　小児1型糖尿病の治療の基本は，強化インスリン療法と適切な食事，運動である．これらの治療により，健常な小児と同様の成長と

表1　糖尿病と，それに関する耐糖能低下の成因分類

I　1型糖尿病（β細胞の破壊，通常は絶対的インスリン欠乏に至る） 　　A．自己免疫性 　　B．特発性
II　2型糖尿病（インスリン分泌低下を主体とするものと，インスリン抵抗性が主体で，それにインスリンの相対的不足を伴うものがある）
III　その他の特定の機序，疾患によるもの 　　A．遺伝的因子として遺伝子異常が同定されたもの 　　B．他の疾患，条件に伴うもの
IV　妊娠糖尿病

（文献1を参照して作成）

表2　1型糖尿病の診断基準

1）一般に痩せ型で肥満歴がない．
2）濃厚な2型糖尿病の家族歴がない．
3）黒色表皮腫などインスリン抵抗性を示す所見がない．
4）単一遺伝子異常を示す所見がない．
5）内因性インスリン分泌能の低下を認める． 　　a）早朝空腹時のC-ペプチド<0.6ng/mL 　　b）食後あるいはグルカゴン負荷試験のC-ペプチド頂値<1.0ng/mL 　　c）24時間尿中C-ペプチド排泄<20μg
6）膵島特異的自己抗体の検出 　　インスリン自己抗体，GAD抗体，IA-2抗体，ZmT8抗体のいずれか，あるいは複数が陽性
7）疾患感受性HLA遺伝子の同定 　　遺伝子タイピング：DRBI*0405，*0901 　　　　　　　　　　　DQBI*0303，*0401 　　HaplotypeとしてDRBI*0405-DQBI*0401 　　　　　　　　　　DRBI*0901-DQBI*0303

精神発育を遂げ，血管合併症の発生を防止することが治療の目標である．

　強化インスリン療法では，1日に1〜2回の基礎インスリン注射と各食前の追加インスリン注射を行い（頻回インスリン注射法），1日の血糖値の評価として，自己血糖測定あるいはCGMを遂行する．CGMは1日の血糖の流れ（グルコーストレンド）を観察するの

520　9．内分泌・代謝疾患

に有用で汎用されるようになった．基礎インスリン注射には，主に持効型溶解インスリンアナログを用い，追加インスリン注射には，主に超速効型インスリンアナログを使用する．近年，このような頻回注射法とともに，小児でも CSII が，特に年少児では多く使用されるようになった．CSII にはセンサー付きの器種（SAP）や低血糖一時停止機能を備えた器種もあり，特に低血糖発症の予防に有用である．どの症例にいかなる注射法を選択するかは，主治医の判断に委ねられるが，その症例の生活様式や管理能力に適合したインスリン治療法を選択することが重要である．

処 方 例

インスリン注射処方例

●頻回インスリン注射法

おおよそ 0.5〜1.0 単位/kg/日の総インスリン量で開始，基礎インスリン注射の比率を 30〜40％，残りを追加インスリン注射として 3 等分する．

・就寝前あるいは朝食直前

処方 A　トレシーバ®注　10 単位　皮下注より開始，血糖目標値を達成するよう増減する．

・各食直前

処方 B　ノボラピッド®注あるいはフィアスプ®注 6〜8 単位　皮下注（インスリン量の決定にはカーボカウントを用いるが，1 日のスケジュールや食事の摂取状況で投与量を調節する）

● CSII

処方　ノボラピッド®注あるいはフィアスプ®注を使用

基礎注入：0.5 単位/時間

追加注入：各食直前に 6〜8 単位（インスリン量の決定にはカーボカウントを用いるが，1 日のスケジュールや食事の摂取状況で投与量を調節する）

食事の基本は，同性，同年齢の小児と同等のカロリーを適切な三大栄養素の配分で摂取することにある．必要かつ十分なカロリーを補充し，それに見合った量のインスリンを投与せねば，発育途上にある小児の成長発育は阻害される．運動に関しては，進行した血管合併症を有していない限り，特に制限はない．低血糖の予防と対処法に留意していれば，すべての運動，クラブ活動に参加可能である．

処 方 例

低血糖処方例

処方　グルコース顆粒 10g 2 個（40kcal）

重症低血糖時には，バクスミー®点鼻（グルカゴン点鼻薬）（保護者が在宅にて点鼻）

2 型糖尿病

どういう疾患・病態か

全世界的に小児 2 型糖尿病の頻度は，増加している．本邦においても学校検尿・糖尿病検診の結果，1980 年以降，小児 2 型糖尿病の頻度が増加していることが明らかになった[3]．表 1 に示すように 2 型糖尿病の成因は，血糖の上昇に対するインスリン分泌の低下と，主に肥満によるインスリン抵抗性であ

糖尿病　521

る．小児2型糖尿病の8割は肥満児であり[3]，生活習慣の変化と運動量の減少が，肥満児および2型糖尿病の増加に関与していると考えられる．

治療に必要な検査と診断

肥満の指標としては，肥満度：(実測体重－標準体重)/標準体重×100（％）が用いられ，＋20％以上を肥満と評価する．そして小児の2型糖尿病では，高インスリン血症（空腹時で10mU/mL以上），インスリン抵抗性（HOMA-IRで3以上）を示すことが多いが，経口ブドウ糖負荷試験（OGTT）における初期インスリン分泌反応の低下が認められ，また経過の進行に伴い，1型糖尿病と類似した内因性インスリン分泌の低下を認める．

治療の実際

小児2型糖尿病の治療の基本は，あくまでも食事・運動療法であり，今までの誤った生活習慣を是正することにある．適切な食事・運動療法を行っても血糖値が改善せずHbA1c値が6.5％以上を示す場合には，まず経口血糖降下薬を使用し，それでも良好な血糖コントロールが得られない場合には，インスリン治療を開始する（**表3**）．

1 食事・運動療法

発育途上にある小児に過度のエネルギー制限を長期に行うことは好ましいことではない．実際には中等度以上の肥満では，エネルギー摂取を同性・同年齢健常児の90％程度とし，軽度肥満～非肥満では95％を目安とし，過度のエネルギー制限をしない．そして三大栄養素配分を，糖質50～60％，蛋白質20％，残りを脂質として適正配分する．食物

表3 小児2型糖尿病の治療指針

A. 食事療法
1) 中等度以上の肥満では，エネルギー摂取を同年齢健常児の90％程度に制限し，軽度肥満～非肥満では，95％を目安として治療開始する．その後，症例により漸次増減する．
2) 三大栄養素の配分比は，糖質50～60％，蛋白質20％未満，残りを脂質で摂ることを推奨する．

B. 運動療法
1日の摂取エネルギーの10％程度を消費する運動メニューを作成する．

C. 薬物療法
食事・運動療法に抵抗し，HbA1c 7.0％以上を示す場合には，経口血糖降下薬あるいはインスリン治療を開始する．

繊維の摂取量は1日7～8g程度とすることが望ましい[4]．運動に関しては，患児が長期間持続できる運動（主に有酸素運動）を選択し，摂取カロリーの10％程度を消費するようメニューを考える．

2 薬物療法

2型糖尿病の多くは，食事・運動療法により肥満が軽減すると耐糖能障害が改善されるが，一部の症例では経過に伴い，経口血糖降下薬あるいはインスリン治療を必要とする．経口血糖降下薬では，副作用の少ないビグアナイド系の血糖降下薬であるメトホルミンが広く使用されており，肥満を有してインスリン抵抗性を認める症例では，初期治療として良好な成績をあげている．また肥満を有さず，内因性インスリン分泌能が保たれている症例に対しては，スルホニル尿素薬であるグリメピリドが適応になる．それでも良好な血糖コントロールが得られない場合には，インスリンを使用する[5]．

処方例

経口血糖降下薬処方例

●肥満例

処方　メトグルコ®（250 mg）　3錠（2-0-1）　分2（朝・夕食後）より開始，目標血糖値を達成するよう増減する．

●非肥満例

処方　アマリール®（1.0 mg）　1錠　分1（朝または夕食後）より開始，目標血糖値を達成するよう増減する．

　経過に伴い内因性インスリン分泌能が低下した症例や，経口血糖降下薬を単独に使用しても適当な血糖コントロールが得られず，HbA1c 7.0%未満が達成されない場合には，インスリンを使用する．2型糖尿病では多くの例で強化インスリン療法を必要とせず，基礎インスリンの単独使用あるいは経口血糖降下薬と基礎インスリンの併用療法により良好な血糖コントロールが得られる．

インスリン注射処方例

処方A　ランタス®XR注10単位　就寝前あるいは朝食直前，皮下注より開始，目標血糖値を達成するよう増減する．

処方B　アマリール®（1.0 mg）　1錠　分1（朝または夕食後）およびランタス®XR注　10単位　就寝前あるいは朝食直前，皮下注を併用．

文献

1) 糖尿病診断基準検討委員会 他：糖尿病の分類と診断基準に関する委員会報告．糖尿病 42：385-401, 1999

2) DiMeglio LA et al：ISPAD Clinical Practice Consensus Guidelines 2018：Glycemic control targets and glucose monitoring for children, adolescents, and young adults with diabetes. Pediatr Diabetes 19（Suppl 27）：105-114, 2018

3) Urakami T et al：Urine glucose screening at schools in Japan to detect children with diabetes and its outocome―Incidence and clinical characteristics of childhood type 2 diabetes in Japan. Pediatr Res 61：141-145, 2007

4) 麦田　明 他監：日本人の食事摂取基準（2015年度）．第一出版，2014

5) Zeitler P et al：ISPAD Clinical Practice Consensus Guidelines 2018：Type 2 diabetes mellitus in youth. Pediatr Diabetes 19（Suppl 27）：28-46, 2018

9. 内分泌・代謝疾患

成長ホルモン分泌不全性低身長症

磯島　豪
虎の門病院 小児科

POINT
- 成長ホルモン分泌不全性低身長症に対するガイドラインとして，厚生労働省間脳下垂体機能障害調査研究班による『成長ホルモン分泌不全性低身長症の診断と治療の手引き（平成30年度改訂）』が推奨される．
- 重症，器質性，遺伝性の成長ホルモン分泌不全性低身長症では，成長ホルモン以外の下垂体前葉ホルモン欠乏を伴った複合型下垂体機能低下症を呈することがあるので，必要に応じたホルモン補充を行う．

ガイドラインの現況

　成長ホルモン分泌不全性低身長症の診断と治療の基準は，厚生労働省間脳下垂体機能障害調査研究班より，『成長ホルモン分泌不全性低身長症の診断と治療の手引き（平成30年度改訂）』が作成されている．成長科学協会では，これらの「診断の手引き」に従って適応判定事業を行っている．また，成長ホルモン分泌不全性低身長症であった患者の中には，成人以降も成長ホルモン投与が必要なものも存在するため，上記の研究班から『成長ホルモン分泌不全症の小児期から成人期への移行・トランジションの診断と治療の手引き（平成30年度作成）』も作成されている．

　一方で，the Growth Hormone Research Society からは，成長ホルモン分泌不全性低身長症を含む小児低身長の診断，遺伝治療についての，国際的な認識が作成されている．

　実際の治療においては，小児慢性特定疾病医療費助成制度による助成を受けられるが，この助成制度は，診断基準よりも厳しい基準が設定されていることに注意する必要がある．

【本稿のバックグラウンド】 成長ホルモン（GH）は，かつては下垂体抽出であったため，供給に限りがあり治療を行える患者数が限定されていた．しかし，遺伝子組換え製剤が販売され薬剤が潤沢になると，世界中でGH治療の適応が拡大され，対象患者を医学的に選別する基準が作成されてきた．日本におけるGH治療の適応は，成長ホルモン分泌不全性低身長症であり，その診断と治療の手引きが厚生労働省間脳下垂体機能障害調査研究班より作成されている．

どういう疾患・病態か

　成長ホルモン（GH）は，視床下部からの成長ホルモン放出ホルモン（GHRH）やソマトスタチンの調節により，下垂体から分泌される．GHの受容体は，肝臓をはじめ，軟

骨，骨，脂肪組織，筋肉，腎臓，性腺など全身の組織に発現している．GHは，各組織でのインスリン様成長因子（IGF-I）合成を促進するが，血中IGF-Iの約80％は肝臓由来である．

骨端線の軟骨組織には，GH受容体およびIGF-I受容体が豊富に存在し，GH刺激により血液を介して運ばれたIGF-Iだけでなく，軟骨細胞が自ら産生したIGF-Iのparacrineおよびautocrine作用により細胞増殖が起こる．GHが欠乏すると，この軟骨内骨形成が進まないために低身長となる．さらにGHは，軟骨内骨形成以外にも，蛋白代謝，糖質代謝，脂質代謝にも関与しているため，重症なGH分泌不全では，成人においては高脂血症，動脈硬化などをひき起こす．

成長ホルモン分泌不全性低身長症（GHD）は，GH分泌不全による低身長症の総称である．ただし，ICD-11では，本疾患は下垂体性低身長または成長ホルモン欠損症となっており，低身長を伴わないGH分泌不全症も含んでいる．その原因の大部分は，病因がはっきりしない特発性（約90％以上）であるが，その他には，頭蓋咽頭腫，胚細胞腫，下垂体腫瘍などの器質性（5〜10％）と，非常に稀な遺伝子異常によるものがある．

特発性GHDは，成長率の低下を伴った低身長が唯一の病態であるが，重症な人の中には，骨盤位分娩・仮死・黄疸遷延などの周産期異常が認められる場合や，乳児期の低血糖がみられることもある．器質性GHDは，GH以外の下垂体ホルモン欠乏を伴った複合型下垂体機能低下症を呈することが多く，それに伴う病態がみられることが多い．また小児がん経験者や頭部外傷後，くも膜下出血後の下垂体機能低下症にも注意が必要である．

遺伝子異常によるGHDの中で，下垂体発生に関与する転写因子，例えばPOU1F1

（Pit-1），PROP-1，HESX-1，LHX-3，LHX-4の異常によるGHDは，複合型下垂体機能低下症を示し，GH-1遺伝子やGHRH受容体遺伝子の異常では，単独GH欠損症（type IA，IB，II，III）をきたす．

治療に必要な検査と診断

診断手順は，厚生労働省間脳下垂体機能障害調査研究班による『成長ホルモン分泌不全性低身長症の診断の手引き（平成30年度改訂）』に従う．基本的には，身長SDスコアが-2SD以下の低身長，または2年以上成長率SDスコアが-1.5SD以下の成長障害が存在し，インスリン負荷試験，アルギニン負荷試験，グルカゴン負荷試験，クロニジン負荷試験，L-dopa負荷試験，GHRP-2負荷試験のうち，2つ以上のGH分泌刺激試験にて，GH頂値が6ng/mL以下（GHRP-2負荷試験では，16ng/mL以下）（リコンビナントhHGを標準品としたキットによる．現在一部補正の必要なキットが存在する）の場合，GHDと診断される．

また，乳幼児で，GH分泌不全が原因と考えられる症候性低血糖が存在し，身長や成長率の基準を満たす場合には，1種類のGH分泌刺激試験の結果でGHDと診断できる．さらに，頭蓋内器質的疾患や他の下垂体ホルモン分泌不全が存在し，身長SDスコアが-2.0SD以下，あるいは身長が正常範囲であっても，成長率SDスコアが-1.5SD以下で経過している場合にも（観察期間は2年未満でもよい），1種類のGH分泌刺激試験の結果で，GHDと診断できる．

GH分泌刺激試験の頂値が，すべて3ng/mL以下（GHRP-2負荷試験では，10ng/mL以下）は，重症GHDとされる．重症GHDは，成人になった後にも，GHが必要となる

高リスク群である．また，重症の場合は，他の下垂体ホルモン（TSH，ACTH，LH，FSH）の分泌低下の有無をTRH負荷試験，CRF負荷試験，GnRH負荷試験などで検査し，分泌低下があれば，必要に応じてホルモン補充を行わなければならない．

IGF-Iの測定は，GHDの診断，重症度，成長ホルモン治療の反応性の参考となる．また，治療に対するコンプライアンスの評価にも用いられる．また，骨成熟が遅れていること（骨年齢/暦年齢0.8以下）も，GHDを疑わせる所見としては重要である．

早期からの成長障害，家族歴や血族婚の存在，著明な低身長（−3SD以下），GH分泌刺激試験でGHの反応が極端に低い場合や，IGF-I，IGFBP-3が非常に低いときには，遺伝性GHDを考慮する必要がある．

GHDのうち約5〜10％は，頭蓋咽頭腫などの器質的な原因によるので，GHDの診断がついたら，治療前にMRIを撮ることが望ましい．特発性と考えられている中にも，骨盤位分娩，仮死，黄疸遷延などの周産期障害がある場合には，MRIで下垂体柄（茎）が見えない（invisible stalk），下垂体低形成，異所性後葉などの所見を認めることもある．

なお，小児慢性特定疾病医療費助成制度による助成を受けるためには，診断基準よりも厳しい適応基準を満たさなければならない．診断基準を満たしても助成を受けられないこともあるので，注意が必要である．診断基準との主な相違点は，①治療開始のための身長SDスコアは，−2.5SD以下であること（脳の器質的原因の場合には，診断基準どおりの身長または成長率低下でよい），②IGF-I値が200ng/mL（5歳未満では，150ng/mL未満）であること（脳の器質的原因の場合には，IGF-I値は問わない），③GH分泌刺激試験のGHの頂値は，すべての負荷試験で

6ng/mL以下（GHRP-2負荷試験では，16ng/mL以下）であること，の3点である．

治療の実際

就寝前のGHの在宅自己注射が原則である．ソマトロピン（遺伝子組換え）0.175mg/kg/週を標準治療量として用い，週6〜7回皮下注射により投与する．患者の体重に合わせて，0.175mg/kg/週を下回らないように，半年ごとに投与量を検討することが大切である．最近，長時間作用型（週1回投与）の遺伝子組換え製剤（ソムアトロゴン）が保険適用になった．本製剤を用いる場合の投与量は，0.66mg/kg/週を週1回皮下注射である．

副作用の早期発見や骨成熟の評価のために，3〜6ヵ月ごとに甲状腺機能，末梢血液検査，尿検査，一般生化学検査，HbA1c，骨年齢などの検査を行う．外来受診時には，身長，体重，思春期の有無についての診察は必ず行う．普通は，初年度の身長SDスコアの改善は，0.6〜1.0SD程度であり，2年目からの身長SDスコアの改善度は減弱する．もしも効果が不十分であれば，診断について再考したり，用量，コンプライアンスについて確認したりする必要がある．

また，甲状腺刺激ホルモンの不足などによる甲状腺機能低下症がGH治療中に顕在化してくることがあるので，注意が必要である．複合型下垂体機能低下症の場合には，GHだけでなく，他の欠乏しているホルモンの補充を行う．

長期の治療が必要となるので，皮下注射の手技を本人（年長児の場合），または保護者に教える．皮下注射をする部位は，臀部，大腿部，腹部，肩甲部に投与する．本人が行うときには，大腿部，腹部，または肩甲部の皮下に行うと良い．風邪などで熱のあるときに

は効果があまりないと考えられるので，注射を休ませてもよい．また2～3日の旅行（修学旅行など）などのときも，厳格に注射を指示するよりも休ませたほうがよいこともあり，精神的な面も含めて考えればよい．

治療の目標は，短期的には身長増加を促進して，なるべく早く身長を正常化することにより，低身長に伴う心理社会的問題の改善をはかることであり，長期的には成人身長を正常化し，社会的に良好に適応することである．

処 方 例

処方A　ソマトロピン 0.175 mg/kg/週
　　　　週　皮下注
現在，わが国でGHDに適応のある遺伝子組換えソマトロピンは，ノルディトロピン®，ジェノトロピン®，ヒューマトロープ®，グロウジェクト®，ソマトロピンBS皮下注「サンド」の全部で5種類販売されているが，どれも効果に差はない．

処方B　ソムアトロゴン　0.66 mg/kg/週　1回/週　皮下注
現在，わが国でGHDに適応のある遺伝子組換えソムアトロゴンは，エヌジェンラ®のみであるが，治験中の製剤もある．

専門医に紹介するタイミング

GHDにおけるGH治療による成人身長の報告では，男性160.3±6.1 cm（－1.80±1.08 SD），女性147.8±5.4 cm（－2.03±1.08 SD）で，平均治療期間は5年を超えているにもかかわらず，男性の38.1%，女性の46.2%が，－2SDを超えていない．また，成人身長は，

GH投与以外にも二次性徴にも影響され，経過観察中には専門的な知識も必要とされる．さらに，予測身長と成人身長との差が大きいと，治療を頑張った児の精神的なショックも大きい．可能であれば，GH治療は専門医が治療にあたるべきである．

専門医からのワンポイントアドバイス

GH治療により，成長率があまり改善しない例は，投与量が0.175 mg/kg/週を下回っていないか検討し，確実に注射をしているかを確認する必要がある．コンプライアンスが悪い例は，血中IGF-I濃度の上昇が悪い．また，注射をしていても成長率もあまり改善されず，IGF-I濃度の上昇も悪い例には，栄養指導を行う．

成長科学協会では，「診断の手引き」に従って，治療適応判定および治療継続適応判定を行っているので，治療判定申請書・治療成績報告書を送付すると良い．

（財）成長科学協会
〒113-0033　東京都文京区本郷5-1-16
TEL：03-5805-5370
FAX：03-5805-5371
ホームページ：https://www.fgs.or.jp

--- 文　献 ---

1) 間脳下垂体障害調査研究班平成30年度研究報告書「成長ホルモン分泌不全性低身長症診断と治療の手引き」
2) Collett-Solberg PF et al：Diagnosis, genetics, and therapy of short stature in children：A Growth Hormone Research Society international perspective. Horm Res Paediatr 92（1）：1-14, 2019
3) 田中敏章 他：成長ホルモン分泌不全性低身長症における遺伝子組換え成長ホルモン治療による最終身長の正常化の割合．日小児会誌 105：546-551，2001

成長ホルモン分泌不全性低身長症

9. 内分泌・代謝疾患

甲状腺機能亢進症・低下症

南谷幹史
帝京大学ちば総合医療センター 小児科

POINT
●先天性甲状腺機能低下症は新生児マススクリーニングで大部分が発見され，『先天性甲状腺機能低下症マススクリーニングガイドライン（2021年改訂版）』（日本小児内分泌学会，日本マススクリーニング学会）に基づいて診療する．

●小児バセドウ病は『バセドウ病の診断ガイドライン』（日本甲状腺学会），『小児期発症バセドウ病診療のガイドライン2016』（日本小児内分泌学会，日本甲状腺学会）に基づいて診療する．

ガイドラインの現況

　小児の代表的な甲状腺疾患は，機能低下症として先天性甲状腺機能低下症と慢性甲状腺炎（橋本病）が，機能亢進症として後天性びまん性甲状腺機能亢進症（バセドウ病）がある．

　先天性甲状腺機能低下症は1979年より新生児マススクリーニングの対象疾患となり，ほとんどの症例がこのスクリーニングで発見される．1998年に日本小児内分泌学会および日本マススクリーニング学会により，原発性先天性甲状腺機能低下症の診療ガイドラインが作成され，その後2回改訂され，現在，『先天性甲状腺機能低下症マススクリーニングガイドライン（2021年改訂版）』が日本小児内分泌学会のホームページ上に公開されている[1]．乾燥濾紙血液中の甲状腺刺激ホルモン（TSH）高値を指標とした，先天性甲状腺機能低下症の新生児スクリーニングは「原発性」先天性甲状腺機能低下症を対象としたシステムである．したがって，TSH高値とならない「中枢性」先天性甲状腺機能低下症および「末梢性」先天性甲状腺機能低下症の一部は対象外となっていることに注意が必要である．

　一方，橋本病とバセドウ病の診断に関しては，日本甲状腺学会のホームページ上に公開されている『慢性甲状腺炎（橋本病）の診断ガイドライン』および『バセドウ病の診断ガイドライン』を参考とする[2]．主に成人を対象として作成されているが，小児に関する記載もあり，小児でもこのガイドラインに沿って診断して支障ない．橋本病に関する診療ガイドラインは存在しない．小児期に発症したバセドウ病に関しては，日本小児内分泌学会および日本甲状腺学会による『小児期発症バセドウ病診療のガイドライン2016』が日本小児内分泌学会のホームページ上に公開されている[3]．

【本稿のバックグラウンド】 先天性甲状腺機能低下症の診療については，日本小児内分泌学会および日本マススクリーニング学会から公表された『先天性甲状腺機能低下症マススクリーニングガイドライン（2021年改訂版)』を参考にしている．小児バセドウ病の診断については『バセドウ病の診断ガイドライン』(日本甲状腺学会)，診療については『小児期発症バセドウ病診療のガイドライン2016』(日本小児内分泌学会，日本甲状腺学会) を参考にしている.

どういう疾患・病態か

甲状腺ホルモンは甲状腺から分泌され，甲状腺ホルモン受容体を介して全身の細胞に作用し，細胞の代謝率を上昇させ，身体の機能維持に必須のホルモンである．その過不足による症状は全身に及ぶが，特異的な症状に乏しく，診断が遅れる場合も散見される．甲状腺ホルモンは神経髄鞘形成に不可欠であるほかに，直接骨成熟や成長ホルモン分泌やinsulin-like growth factor 1 (IGF-1) 産生を促進するため，成長発達過程にある小児での過不足の影響は甚大であり，早期の診断・治療が望まれる．甲状腺は視床下部，下垂体よりフィードバック機構により調節されており，下垂体から分泌される TSH が甲状腺機能を判断する最も鋭敏な指標である.

先天性甲状腺機能低下症は，胎生期や周産期における甲状腺の形態または機能異常に起因する甲状腺ホルモンの作用不全により神経細胞の障害をひき起こし，不可逆的に精神運動発達が遅滞する病態の総称である．先天性甲状腺機能低下症は異質性の高い症候群であり，「原発性（甲状腺性）」，「中枢性」，「末梢性」に大別される（**表1**)[1]．「原発性」はさらに，甲状腺形成異常（異所性，低形成，無形成）と甲状腺ホルモン合成障害（甲状腺腫性），TSH シグナル受容機構の異常に分けら

表1 新生児マススクリーニング TSH 高値を呈する疾患・病態

1. 先天性甲状腺機能低下症
  1.1. 永続性甲状腺機能低下症
    ・原発性（甲状腺性）甲状腺機能低下症
      甲状腺形成異常（無形成，低形成，異所性，片葉欠損など）
      甲状腺ホルモン合成障害
    ・末梢性甲状腺機能低下症
      甲状腺ホルモン不応症，甲状腺ホルモントランスポーター異常症
      (MCT8 異常症)
  1.2. 一過性甲状腺機能低下症
    ・重度のヨウ素欠乏症
    ・ヨウ素過剰
    ・母体への抗甲状腺薬治療
    ・阻害型 TSH 受容体抗体の経胎盤移行
    ・*DUOX2* 遺伝子異常，*DUOXA2* 遺伝子異常
    ・乳児一過性高 TSH 血症
    ・低出生体重児
2. その他疾患など
    ・偽性副甲状腺機能低下症
    ・ホルモン抵抗性を伴う先端異骨症
    ・乳児肝血管腫
    ・TSH 測定系への干渉物質の存在（抗 TSH 抗体，抗マウス IgG 抗体など）

甲状腺機能亢進症・低下症　529

れる．先天性甲状腺機能低下症は早期発見・早期治療により精神運動発達遅滞を予防できるため，新生児マススクリーニングの対象疾患となっており，ほとんどの原発性先天性甲状腺機能低下症が新生児期に発見されている．約2,000〜3,000出生に1人の割合で発症し，原因としては異所性甲状腺によるものが多いとされているが，近年，全世界的に軽症の甲状腺ホルモン合成障害の頻度が増加し，先天性甲状腺機能低下症の発症頻度全体を押し上げている．新生児期には，**表2**に示すような症状（チェックリスト）が認められる[1]．先天性甲状腺機能低下症において遺伝子異常が同定される頻度は約20%と報告されている．甲状腺形成異常の多くは孤発性であるが，甲状腺ホルモン合成障害の約50%は常染色体潜性遺伝形式で発症するため，遺伝カウンセリングを考慮する．

一方，バセドウ病は代表的な臓器特異的自己免疫疾患で，抗TSH受容体抗体により甲状腺が刺激され，過剰な甲状腺ホルモン産生と分泌によりびまん性中毒性甲状腺腫を呈する疾患である．バセドウ病は複数の遺伝的要因に環境的要因が加わり，甲状腺に対する免疫寛容機構が破綻し発症するが，バセドウ病の発症機序の79%を遺伝因子で説明できる．成長，代謝が亢進し，高身長でやせの傾向となり，甲状腺腫，動悸，多汗，食欲亢進，易疲労感，落ち着きのなさ，手の震えなどが多くみられ，学校の成績が低下したり，運動能力が低下したりすることもある[4]．成人とは異なり，頻脈，眼球突出を認める頻度は高くなく，非特異的症状に注意が必要である．甲状腺腫に気づかれずに，注意欠如・多動症（ADHD）として加療されているケースもある．

表2 臨床症状のチェックリスト

1)	遷延性黄疸
2)	便秘（2日以上でない）
3)	臍ヘルニア
4)	体重増加不良
5)	皮膚乾燥
6)	不活発
7)	巨舌
8)	嗄声
9)	四肢冷感
10)	浮腫
11)	小泉門開大
12)	甲状腺腫

治療に必要な検査と診断

先天性甲状腺機能低下症の新生児マススクリーニングで濾紙血TSHが陽性基準値以上の場合（一部地域ではfree T$_4$併用），精密検査医療機関（精査機関）に紹介される．精査機関では，病歴聴取や臨床的評価（チェックリスト）のほか，検査として血清TSHおよびfree T$_4$値の測定，超音波甲状腺検査，大腿骨遠位端骨核の撮影を行う．①チェックリスト2点以上，②超音波検査で甲状腺が同定できない，③甲状腺腫を認める，④血清TSHが30mIU/L以上，⑤血清TSHが15〜30mIU/LかつfreeT$_4$ 1.2ng/dL未満の場合は，ただちに治療を開始する．成熟児で血清TSHが30mIU/L未満でも症状があるか大腿骨遠位端骨核未出現の場合は，治療開始を考慮する[1]．診断より治療を優先する．

バセドウ病の場合，血清TSH，free T$_4$，free T$_3$値の測定，抗TSH受容体抗体（TRAb，TBII）や甲状腺刺激抗体（TSAb）などの測定，一般血液検査，超音波甲状腺検査，放射性ヨウ素（またはテクネシウム）甲状腺摂取率やシンチグラフィなどを行う．バセドウ病を疑う臨床所見があり，血清TSH低値（0.1μU/mL以下），free T$_4$・free T$_3$の

高値，TRAb あるいは TSAb 陽性であれば，診断される[2,3]．free T_3/free T_4 比の高値，尿中総ヨウ素の低下も参考となる．超音波甲状腺検査 B モードでは甲状腺のびまん性腫大，カラードプラ法では甲状腺内の血流増加が観察される．一般血液検査のコレステロール低値で本疾患を疑われることもある．

治療の実際

先天性甲状腺機能低下症の場合，甲状腺ホルモン（レボチロキシンナトリウム，L-T_4，チラーヂン®S）10μg/kg/日を1日1回で開始する[1]．軽症〜中等症では3〜5μg/kg/日から開始することもある．治療開始1〜2週後，4週後，以後1歳までは1ヵ月毎，それ以降は3ヵ月毎に甲状腺機能をチェックする．血清 TSH が正常で free T_4 が正常範囲の中央値〜上限を目標に投与量を調節する．年齢が進むと体重が増加し，体重当たりの投与量は漸減するので投与量をしばらく増量せずに済むことも多い．病型の確定診断は L-T_4 治療を1ヵ月間中断して行うので，発達への影響が少なくなる3歳以降に行う．診断が確定された場合，一生涯の補充療法を必要とすることがほとんどである．

バセドウ病の治療には，抗甲状腺薬による内服治療，甲状腺準全摘による外科治療，放射線ヨウ素内用療法があるが，小児の場合，抗甲状腺薬を第一選択とする．抗甲状腺薬はチアマゾール（メルカゾール®）を使用する．もう一つの抗甲状腺薬であるプロピルチオウラシル（プロパジール®，チウラジール®）は，小児では重症肝障害や MPO-ANCA 関連血管炎症候群などの重篤な副作用の発現率が高いため，現在使用は制限されている[5]．チアマゾールの初期治療量は0.2〜0.5mg/kg/日（分1〜2）で，成人の投与量を超える場合は原則として成人量（15mg/日）とし，重症例ではこの倍量を最大量とする[3]．治療開始後2週ごとに甲状腺機能をチェックし，甲状腺機能が安定してきたら維持量にまで減量する．通常1〜2ヵ月で安定し，維持量はチアマゾール5〜10mg/日程度となる．最低でも1〜2年治療を継続し，維持量で甲状腺機能が正常かつ TRAb や TSAb が陰性化した状態で6ヵ月〜2年経過した場合に，治療中止を考慮する．実際には，チアマゾール2.5mgで6ヵ月以上継続し，機能正常であれば中止する．再発は治療中止3〜6ヵ月後に多いが，その後も再発する可能性があることから，寛解中も定期的なフォローが必要である．維持量投与期間が長いほうが寛解率は高くなるため，2年間の抗甲状腺薬治療で寛解しなくとも，必ずしも他の治療法を直ちに選択する必要はない．軽微な副作用出現時は治療を継続するが，無顆粒球症などの重篤な副作用出現時には直ちにチアマゾールを中止する．抗甲状腺薬治療でコントロールできない場合は，ヨウ化カリウム（50〜100mg/日）の使用や，外科治療，放射線ヨウ素内用療法を考慮する．

処 方 例

先天性甲状腺機能低下症の場合

処方　チラーヂン®S 散（0.1mg/g）10μg/kg（力価）分1で開始

バセドウ病の場合

処方　メルカゾール®錠（5mg）0.5mg/kg（力価）分1〜2で開始原則として15mg（成人量）を超えない

専門医に紹介するタイミング

先天性甲状腺機能低下症は新生児マススクリーニングで発見されるため，はじめから精査機関の専門医が診療するケースがほとんどである．3歳以降に放射性ヨウ素甲状腺摂取率やシンチグラフィなどによる確定診断を行うが，自施設で実施できない場合は専門医に紹介する．

小児で発症したバセドウ病は，アドヒアランスが悪く，成人に比し難治で長期管理が必要となる場合が多いので，当疾患を疑った時点で専門医に紹介してもよい．初期治療を開始した場合は，抗甲状腺薬の副反応が出現した場合，抗甲状腺薬による治療で甲状腺機能をコントロールできない場合，外科治療や放射線ヨウ素内用療法を検討する場合は，専門医に紹介する．

専門医からのワンポイントアドバイス

いずれの甲状腺疾患も長期継続管理が必要となるので，管理体制を整えておく必要がある．また，維持療法中は全く症状がなく，数回の怠薬で直ちに症状が現れたり，血液検査で異常を認めたりすることも少ないので，服薬アドヒアランスには十分注意を要する．

小児のバセドウ病では，安定していた甲状腺機能が怠薬により再び亢進状態となり，治療に難渋することもよく経験される．

先天性甲状腺機能低下症では，低出生体重児（出生体重2,000g未満）や双生児の場合，1回目の新生児スクリーニングで偽陰性となる場合があるので，2回目のスクリーニングを考慮する．また，新生児マススクリーニングで発見されずにすり抜けた例（TSH遅発上昇例）も報告されており，マススクリーニングが正常でも当疾患を否定することはできない．

文献

1) 日本小児内分泌学会マススクリーニング委員会，日本マススクリーニング学会：先天性甲状腺機能低下症マススクリーニングガイドライン（2021年改訂版）．
http://jspe.umin.jp/medical/files/guide20211027_2.pdf

2) 日本甲状腺学会：甲状腺疾患診断ガイドライン2021（2022年6月2日改定）．
https://www.japanthyroid.jp/doctor/guideline/japanese.html

3) 日本小児内分泌学会薬事委員会，日本甲状腺学会小児甲状腺疾患診療委員会：小児期発症バセドウ病診療のガイドライン2016．
http://jspe.umin.jp/medical/files/gravesdisease_guideline2016.pdf

4) Sato H et al：Clinical features at diagnosis and responses to antithyroid drugs in younger children with Graves' disease compared adolescent patients. J Pediatr Endocrinol Metab 27：677-683, 2014

5) Rivkees SA et al：Ending propylthiouracil-induced liver failure in children. N Engl J Med 360：1574-1575, 2009

9. 内分泌・代謝疾患

尿　崩　症

長谷川行洋, 池側研人
東京都立小児総合医療センター 内分泌・代謝科

POINT
- 尿崩症では尿の濃縮力低下による多尿, それに伴う多飲が主な症状となる.
- AVP 分泌低下が病態の根幹である中枢性尿崩症は, DDAVP 製剤により治療可能である.

ガイドラインの現況

中枢性尿崩症については, 厚生労働省研究班による診断と治療の手引きが日本内分泌学会ホームページで閲覧可能である. 診断に関しては, 既に確立されている疾患であり, 特に新しい記載はない. 治療に関して, 本邦ではデスモプレシン (DDAVP) 点鼻の治療のみが長年適応であったため, 経口薬の具体的投与法については言及されていない.

一方, 腎性尿崩症に特化したガイドラインは存在しない.

【本稿のバックグラウンド】 国内では尿崩症の最近のガイドラインは存在しないため, 教科書的知識, 過去の論文での知見をもとに解説した.

どういう疾患・病態か

尿崩症は, 腎集合管での水再吸収障害から低浸透圧尿, 多尿をきたす疾患である. 病型は, 以下の2つに分類され, 治療方法が異なる.

① 中枢性尿崩症 (CDI) : 下垂体後葉からのAVP (アルギニンバソプレシン) 分泌不全
② 腎性尿崩症 (NDI) : 腎での AVP 不応

(本稿では腎性尿崩症は主に先天性を扱う)

口渇感が欠如している場合, あるいは飲水が不可能な場合は, 尿に失われた水分を代償できず, 高張性脱水 (血液浸透圧高値, 高Na血症, 発熱, 体重減少, 重症では, 血圧低下, ショック状態) を症状として呈するが, 口渇感が正常で飲水が可能な場合は, 多飲, 多尿を呈する. 原因としては, **表1**に示す疾患が知られている.

治療に必要な検査と診断

まず, 多飲多尿を呈する患者の中で, 糖尿病, 腎不全の利尿期, 高Ca血症, 心因性多飲症などを除外する必要がある. 症状, 血液 (血糖, 血清Ca, 血清Cr), 尿検査から, 前述の3つの疾患は鑑別可能である. 例えば, 夜間に排尿, 飲水行動がなく, 早朝尿浸透圧が年齢相当 (幼児以降で800 mOsm/kg 以上) であった場合は, 心因性多飲症に伴う多尿と判断できる. 小児では乳幼児期に習慣的に多飲をきたす症例が存在する. 心因性, 習

表1　尿崩症原因疾患

中枢性尿崩症 （CDI）	①特発性（稀と思われる） ②脳腫瘍に伴うもの 　胚細胞腫，頭蓋咽頭腫など ③その他 　神経下垂体炎，ランゲルハンス 　組織球症 　遺伝子異常（常染色体顕性）など
腎性尿崩症 （NDI）	①先天性：AVPR2 受容体遺伝子 　異常症（X 連鎖性），稀に APQ2 遺 　伝子異常症（常染色体潜性遺伝） ②後天性：間質性腎炎，薬剤性

慣性の多飲であっても夜間に飲水があり，早朝尿浸透圧が低値を示す場合には，尿崩症との鑑別が困難なこともある．その場合は，水制限試験（主に体液量減少，血清浸透圧上昇刺激による AVP 分泌能および反応性の評価），高張食塩水負荷試験（血清浸透圧上昇刺激による AVP 分泌能評価）を行う．水制限によって尿浸透圧の上昇を認めれば心因性あるいは習慣性の多飲，認めなければ尿崩症と診断できる．尿崩症が中枢性，あるいは腎性のいずれかであるかについては，水制限後の AVP 負荷によって，尿浸透圧の上昇を認めれば CDI，認めなければ NDI と原則，診断ができる（AVP 負荷により尿浸透圧上昇のみられる軽症型の NDI 症例の存在が知られている）．さらに高張食塩水負荷において血清浸透圧が上昇した際に，血漿 AVP 値が低値の場合に CDI，高値の場合に NDI と病型診断が可能になる．口渇感が欠如する，または新生児，乳児で飲水行動が自由に行えない場合は，初診時に低尿浸透圧に加えて高浸透圧血症を認める．この場合，血漿 AVP 値と併せて評価すると，随時採血のみで CDI あるいは NDI と診断できる．

CDI と診断された場合，頭部 MRI T1 強調画像にて，下垂体後葉の高信号消失という特徴的な所見を認めること，CDI の原因が頭蓋内病変であることが多いことから，頭部 MRI は必要である．また CDI の診断の後には，下垂体前葉機能評価のため，血清 IGF-1，甲状腺機能の評価を行い，必要があれば，下垂体前葉ホルモンを評価する負荷試験を計画する．

多飲多尿に加えて，下垂体周囲の腫瘍性病変があらかじめ確認されている場合や，下垂体前葉機能障害が明らかな場合は，CDI を合併している可能性が高いため，CDI 確認のための負荷試験を行わずに，DDAVP 投与により診断的治療を行う．

なお，重症 NDI では腎尿路系（膀胱を含む）の超音波検査により多尿に伴う二次的変化（水尿管，膀胱肉柱形成など）が治療効果の判断となる．

治療の実際

CDI，NDI で，治療法は全く異なっているため別々に記載する．

1 中枢性尿崩症（CDI）

AVP のアナログである DDAVP の点鼻スプレーあるいは口腔内崩壊錠の投与により，多尿は改善し，尿量は正常域まで減量できる．

点鼻スプレー製剤は，1 噴霧が $2.5\,\mu g$ の製剤と $10\,\mu g$ の製剤と 2 種類ある．いずれの製剤も鼻に挿入する部分が 7mm 程度あり，未就学児では鼻に入らず使用できない．

点鼻の効果は，1 時間以内から尿量減少のかたちで現れ，効果消失とともに尿量が増加し，口渇感が出現する．投与量を増量すると，最大の尿濃縮効果は変わらずに，作用時間が延長する．初めは少なめの量で 1 日 1 回から開始し，その反応をみて，必要に応じて，1 日 2〜3 回にしていく．次の点鼻時間は，尿量の増加，口渇感の出現により判断する．点鼻量や投与時間が決定した後は，それらを固定してしまうと生活がしやすい．点鼻

534　9．内分泌・代謝疾患

必要量は症例によって異なるが，乳児は0.5～2.5μg/回，幼児以上1～5μg/回を1日2～3回であることが多い．また，口渇感が表現できない乳幼児では，点鼻導入時，薬液量の変更時には，飲水量，おむつ計測による尿量測定を行い，in out の評価をすべきである．

薬液注入に際して，①鼻汁が多い場合は点鼻液の吸収が悪くなるため，鼻汁を取り除いてから点鼻する．②1回に使用する薬液量が多い症例では，片鼻ずつ薬液を分けて入れると良い．

点鼻使用時に最も注意すべき点は，点鼻の過剰投与，点鼻中の過剰水分摂取による低ナトリウム血症をひき起こす水中毒である．点鼻の手技がうまくいかず有効に薬液が投与できなかったとき，点鼻が早めに切れてしまったとき以外に点鼻の追加は行わないこと，口渇感のないときの過剰な飲水も避けるような指導が必要である．安全に点鼻を利用するために，乳幼児あるいは口渇感がない症例では，少なくとも1日1回点鼻をほぼ完全に切ることが望ましい．

口腔内崩壊錠の利用が最近進んでいる．食前30分の投与が原則とされるが，アドヒアランスを考え，食後の一定の条件で投与する実務的方法が可能である．さらに，経験的には少量の水で溶解し，飲ませる，あるいは注入することも可能である．口腔内崩壊錠での投与量は，成人で1日60～120μg，1日1～3回とされる．

② 腎性尿崩症（NDI）

根本的な治療法がないため，CDI の治療よりも困難であり，治療によっても尿量は20～50％しか減らすことができない．治療の目標は，①尿量をできるだけ減少させること，②尿中に失われた自由水を補給すること，③二次的な腎尿路系の異常を起こさないこと，である．以下に先天性腎性尿崩性を想定して具体的な治療について記述する．

a）尿量をできるだけ減少させるために

水分必要量が多い新生児・乳児では，減塩（より正確には，溶質負荷を減らす）が有効な治療となる．経口薬としては，サイアザイド（2～4mg/kg/日 分2～3），非ステロイド性抗炎症薬（インドメサシン 2mg/kg/日 分1～3），K 保持性利尿薬を使用する．その使用により，低 K 血症が起こった場合，KCL 製剤の補充または K 保持性利尿薬（スピロノラクトン 1～3mg/kg/日 分2～3）を併用する．

なお，保険収載されている適応病名には該当しないが，DDAVP 製剤が軽症型の先天性腎性尿崩症（多くは *V2R* 遺伝子異常）に有効であるとの報告が存在する．

b）尿中に失われた自由水の補給

口渇を訴えられる年齢では，我慢させず自由に飲水させることで自由水を補給する．乳児では，保育者が一日必要量を定期的に飲水させ，必要なら経管投与を行う必要がある．必要水分量は，尿量，体重増加，Na 濃度を評価しながら判断する．乳児では，体重あたり必要なカロリーを低ナトリウムミルクで投与し，残りの自由水喪失分を白湯，麦茶などのナトリウムを含まない水分で補う．いかなる年齢でも，感冒などで水分摂取が十分にできないときには，輸液が必要となる．その場合，維持輸液に加えて，尿量を3～4時間ごとに計測し，尿に喪失した自由水を5％ブドウ糖で補充する．尿量の目安としては，重症例では3,000mL/m^2 と考える．高張性脱水時には，脱水の治療も並行して行うが，急速な Na 補正は，脳浮腫によるけいれんをひき起こす危険があるので，1時間で0.5mEq/L 以下（1日で10mEq/L）の速度で低下させるようにする．

c）二次的な腎尿路系の異常を起こさないために

重症の場合，昼夜を問わず2～3時間ごと

尿崩症　535

に排尿する必要がある．排尿間隔が空くことで，膀胱に多量の尿が貯留し，尿路の拡張をきたすことがあり，腎不全に至る症例も存在する．定期的な腎機能評価，超音波検査で，尿路の拡張，膀胱肉柱の有無を評価するとともに，尿路の拡張がある場合は，泌尿器科と相談し，膀胱内圧を含めた膀胱機能の評価をすべきである．夜間排尿に起きられない症例は，腎不全に至る可能性があるため要注意であり，尿量に応じて夜間定期的に起こすことが必要となる（通常3～4時間ごと）．

処 方 例

中枢性尿崩症（CDI）

●生後1ヵ月

処方　ミニリンメルト® 1～3μg 分1～2

　　口腔内崩壊錠を少量の水で溶き，投与量相当を注入にて口腔内あるいは胃内投与（適応外の使用方法となる）

●16歳

処方　デスモプレシン・スプレー2.5協和 12.5μg 分3 点鼻（朝2噴霧，夕1噴霧，就寝前2噴霧）

腎性尿崩症（NDI）

●6歳

処方　ニュートライド® 50mg 分2 ｝併用
　　　アルダクトン®A錠 25mg 分2

●成人

処方　ニュートライド®（25mg）
　　　　4錠 分2
　　　スローケー® 2錠 分2 ｝併用
　　　インドメタシンカプセル25
　　　（25mg）4錠 分2

専門医に紹介するタイミング

早朝尿浸透圧が300～500mOsm/kg以下であった場合は，尿崩症の可能性があるため，専門医に紹介する．特に成長障害，甲状腺機能低下などの下垂体前葉機能低下を疑う場合，嘔吐，頭痛を伴う場合は，頭蓋内病変が原因疾患であることが多く，速やかに専門医に紹介すべきである．

専門医からのワンポイントアドバイス

①CDIの原因として，脳腫瘍などの器質的疾患が多いことから，頭部MRIは必ず行うべきである．初回のMRIで腫瘍が確認できない場合でも，1ヵ月～数年後に腫瘍の存在が明らかになる場合もあるため，MRIを経時的に行う必要がある．CDIと診断された場合は，下垂体前葉機能低下の有無を併せて評価する．

②NDIでは，治療を行っていても多尿は消失しないことを説明すべきである．飲水を我慢させないこと，腎尿路に負担をかけないために頻回排尿を心がけること，飲水が困難になった場合は医療機関を速やかに受診することを指導すべきである．腎機能，超音波検査で，腎尿路の異常を認めた場合は，泌尿器科と連携をとりながら診療していく必要がある．

--------- 文 献 ---------

1) バゾプレシン分泌低下症（中枢性尿崩症）の診断と治療の手引き（平成22年度改訂）
https://square.umin.ac.jp/kasuitai/doctor/guidance/diabetes_insipidus.pdf

2) Ikegawa K et al：Oral disintegrating desmopressin tablet is effective for partial congenital nephrogenic diabetes insipidus with *AVPR2* mutation：a case report. Clin Pediatr Endocrinol 31：87-92, 2022

9. 内分泌・代謝疾患

卵巣機能不全

中野さつき，長谷川奉延

慶應義塾大学医学部 小児科，慶應義塾大学病院 性分化疾患センター

POINT

● 卵巣機能不全は，二次性徴の発来遅延，無月経または不妊を主要な徴候とし，思春期年齢以降にはホルモン補充療法の対象になる．卵巣機能不全の治療の目的は，年齢相当の二次性徴の発現や維持，骨粗鬆症・動脈硬化・糖脂質代謝異常予防である．

● 卵巣機能不全の原因は多様である．タイミングを逃さずに治療を開始することが重要である．

ガイドラインの現況

小児・思春期年齢の卵巣機能不全のガイドラインはなく，わが国におけるエビデンスレベルの高い治療成績は存在しない．思春期導入に関しては，Turner 症候群に対してのみ，治療ガイドラインが作成されている[1]．ホルモン補充療法（HRT）に関しては，日本産婦人科学会より 2017 年に出版された『HRT ガイドライン』や 2020 年に公開された『産婦人科診療ガイドライン─婦人科外来編 2020』も参考となる．本稿では，卵巣機能不全に必要な検査，評価を行ったうえでの治療導入，治療継続における注意点について述べる．

【本稿のバックグラウンド】 本稿では『ターナー症候群における卵胞ホルモン補充ガイドライン』『HRT ガイドライン』，『産婦人科診療ガイドライン─婦人科外来編 2020』，最近の論文を参考とした．

どういう疾患・病態か

卵巣機能不全は，卵胞ホルモン（主としてエストラジオール，以下 E_2）または黄体ホルモン（主としてプロゲステロン，以下 P_4）の分泌障害，またはそれらに伴う排卵機能障害を呈する疾患である．卵巣が女性ホルモン産生能と卵子形成能を獲得するのは思春期以降であるため，二次性徴の発来不全や無月経

により診断に至る．

卵巣を主病変とする原発性と，視床下部・下垂体を主病変とする続発性に分類される（**表 1**）．

原発性卵巣機能不全は，主として卵巣自身の原因により，二次性徴の発来不全，無月経，不妊を呈する．性腺の分化障害による性分化疾患[2]では，厳密には卵巣機能不全ではないが，本稿では広義の原発性卵巣機能不全

卵巣機能不全　**537**

表1 卵巣機能不全の原因

1. 原発性卵巣機能不全
   性染色体異常
       Turner 症候群，脆弱 X 症候群など
   遺伝子異常
       StAR 異常症，21 水酸化酵素欠損症，アロマターゼ欠損症，BMP15 異常症，SF1 異常症，FSH 異常症，
       高ガラクトース血症など
   卵巣毒性による影響
       化学療法，放射線治療，感染症（流行性耳下腺炎やサイトメガロウィルス感染症等）など
   自己免疫性疾患
       多腺性内分泌症候群など
   その他
       卵巣摘出後，性分化疾患*など
2. 続発性卵巣機能不全
   視床下部機能障害
       GnRH 単独欠損症（Kallmann 症候群や GnRH 受容体異常症等），神経性食思不振症，過度な運動，過
       度なストレス，慢性疾患，脳腫瘍，頭部への放射線治療後，外傷による損傷（骨盤位分娩等），全身性
       疾患に伴うもの（Prader-Willi 症候群や Bardet-Biedl 症候群等）など
   下垂体機能障害
       高プロラクチン血症，脳腫瘍，遺伝的要因によるもの（PROP1 異常症等）など
   その他
       甲状腺機能異常，コントロール不良の糖尿病，体質性思春期遅発*など

*狭義の卵巣機能不全には含めない

に含める．

　続発性卵巣機能不全は，視床下部 GnRH または下垂体 LH，FSH の分泌低下により，原発性と同様に二次性徴の発来不全，無月経を呈する．性器出血を認めても，月経不順に対する治療介入が必要な場合がある．体質性思春期遅発は，視床下部—下垂体の成熟が標準より遅い病態であり，広義の続発性卵巣機能に含める．

治療に必要な検査と診断

　日本人女性の二次性徴発現年齢の平均は，9.5〜10 歳であり，13 歳で二次性徴発来を認めない場合には思春期遅発と定義する．13 歳で乳房発育を認めない場合には，二次性徴発来の有無の評価を行い，卵巣機能不全かの評価を行う．初潮を認める場合であっても，月経不順では卵巣機能不全は否定できず，

3ヵ月以上月経が中断される状態を続発性無月経という．40 歳未満で 4ヵ月以上の無月経があり（続発性無月経で二次性徴発来あり），高ゴナドトロピン値，低エストロゲン値を満たす場合を早発卵巣不全という．

　卵巣機能不全が疑われる際，二次性徴発来の評価を下記 7 つの観点から行う．

①**問診**：出生歴，既往歴，家族歴（母や姉妹の初潮年齢），生活歴などを確認する．

②**身体所見**：二次性徴の発来があるか，Tanner Stage により乳房や陰毛の評価を行う．乳房腫大は女児において最も早期に認められる思春期徴候である．

③**成長曲線**：二次性徴発来を認めると E_2 の作用により身長の成長率促進（スパート）を認める．また，高度のやせを認める場合には，体重減少性無月経の可能性がある．

④**血液検査**：血清 LH，FSH，E_2 を測定する．LH，FSH 高値かつ E_2 低値であれば原発

性卵巣機能不全，LH，FSH 低値かつ E_2 低値であれば続発性卵巣機能不全と診断する．判定困難な場合は，GnRH 負荷試験を行う．LH，FSH が過剰反応を示せば原発性，低反応を示せば続発性と診断する．月経が不規則で排卵障害が疑われる場合には，黄体機能評価のため，月経周期の後半の 5〜10 日目頃に血中 P_4 を測定する．Turner 症候群を代表とする染色体の変化が卵巣機能不全の原因であることがあるため，必要時には染色体検査を考慮する．

副腎疾患に伴うアンドロゲン過剰の病態の鑑別には，ガスクロマトグラフィー質量分析計による尿ステロイドプロフィル（保険未収載）が有用である．

⑤骨年齢：思春期年齢に E_2 の作用がない場合には骨成熟の遅延を認める．

⑥骨密度：E_2 の作用により，思春期に骨密度は増加し，20 歳前に最大骨密度を獲得する．卵巣機能不全では骨密度の低下を認める．

⑦腹部超音波検査：E_2 の作用により，子宮は桿状から洋梨状へと成熟し，内膜の肥厚を認める．子宮や卵巣の形態および大きさを確認し，器質的病変の有無を確認する．子宮や卵巣を同定できない場合には MRI 検査を考慮する．

治療の実際

卵巣機能不全の治療の目的は，年齢相当の二次性徴の発現や維持，骨粗鬆症・動脈硬化・糖脂質代謝異常予防である．

1 治療開始基準

原発性，続発性ともに初期治療は同一である．

a）暦年齢基準

日本人女児における乳房発育（Tanner 2 度以上）の開始年齢は 10.0±1.4（平均±標準偏差）歳である[3] ことから，乳房未発育症例に対して，暦年齢 12 歳 0 ヵ月（＋1.5SD）以降に治療を開始し，13 歳 0 ヵ月（＋2.5SD）までの思春期発来を目指す．日本人の初潮は 12.3±1.3 歳に始まることから，無月経に対しては 15 歳 0 ヵ月（＋2.0〜＋2.5SD）を開始基準とする．

b）骨年齢基準

身体発育への影響を考慮し，女児の成長スパートのピークとされる骨年齢 11 歳[4] 以降に，卵胞ホルモン補充を開始する．

2 治療方法

思春期導入療法として卵胞ホルモンを連日投与する．開始から 6〜12 ヵ月ごとに 3〜4 回増量し，2 年以上かけて成人量にする（表 2 参照）．卵胞ホルモン補充療法は，乳房発育や成長スパート，最大骨密度獲得に有用だが，単独では周期的月経を誘導しない．卵胞ホルモン成人量投与下で，性器出血を認めるまたは超音波検査で子宮内膜の十分な成熟を認める場合には，黄体ホルモンを追加し Kauffmann 療法（表 2 参照）に移行する．

体質性思春期遅発が疑われる場合には，3〜6 ヵ月間以上低用量の卵胞ホルモン補充を行い，視床下部—下垂体の成熟を誘導する．繰返し GnRH 負荷試験を行い，LH，FSH の反応を確認する．

2-1．卵胞ホルモン製剤

以下 a）〜 c）の 3 剤から選択する．投与経路は経口と経皮があり，いずれも骨密度の増加，および続発性無月経の際に生じるほてりなどの血管運動神経症状の改善に有用である[3]．

a）結合型卵胞ホルモン

妊馬尿より抽出，精製して得られたもので，エストロン（E_1）など約 10 種類のエストロゲン様物質が含まれている天然型卵胞ホルモンの混合製剤である．E_1 は E_2 の前駆物質であり，体内で一部が E_2 に変換

卵巣機能不全　539

表2　卵巣機能不全の治療

[1] 卵胞ホルモン1日または1回量

薬剤名	商品名 [剤形]	開始量 (mg)	1回目 増量 (mg)	2回目 増量 (mg)	3回目 増量 (mg)	成人量 (mg)[1]
a) 結合型卵胞ホルモン	プレマリン® [1錠0.625mg]	0.063 [1/10錠]	0.15 [1/4錠]	0.31 [1/2錠]	0.625 [1錠]	0.625～1.25 [1～2錠]
b) エストラジオール経口	ジュリナ® [1錠0.5mg]	0.125 [1/4錠]	0.25 [1/2錠]	0.5 [1錠]	1.0 [2錠]	1.0～2.0 [2～4錠]
c) エストラジオール経皮	エストラーナ®[2] [1枚0.72mg]	0.09 [1/8枚]	0.18 [1/4枚]	0.36 [1/2枚]	0.72 [1枚]	0.72 [1枚]

1) 効果および副作用により増減する.
2) 0.72mg/枚のほかに0.09mg/枚製剤等, 用量の異なる製剤も存在する. 0.72mg/回製剤は, 分割して使用する. 2日に1回下腹部等の皮膚へ貼付する.

[2] 黄体ホルモン1日量

薬剤名	商品名 [剤形]	成人量 (mg)
1 酢酸メドロキシプロゲステロン	プロベラ® [1錠2.5mg]	5～10 [2～4錠]
2 ジドロゲステロン	デュファストン® [1錠5mg]	5～10 [1～2錠]

[3] 投与方法（本文参照）
●思春期導入方法：暦年齢12歳以降または骨年齢11歳以降, 卵胞ホルモンを連日投与する. 開始から6～12ヵ月ごとに3～4回増量し, 2～3年程度かけて成人量にする.
●Kauffmann療法：間欠法と持続法がある. 間欠法では, 卵胞ホルモンを21～25日, 後半の10～12日に黄体ホルモンを併用し, 双方を5～7日休薬する. 28日周期で繰返す方法である. 平均閉経年齢に近い50歳前後まで継続する.

される. 経口投与により門脈系に吸収され, 肝臓を通過する際に不活化などの薬物代謝を受けやすい. LDLコレステロール（LDL-C）減少やHDLコレステロール（HDL-C）増加がみられるが, 中性脂肪（TG）の増加や高感度CRPの増加, 凝固因子上昇, IGF-1低下などがみられる.

b) エストラジオール経口

経口可能なE2製剤である. a) で述べた結合型エストロゲンと同様に肝代謝されるが, TG, HDL-Cや高感度CRPに有意な変化は認めず, LDL-Cの低下作用はみられる. 一方, 乳房不快感や乳房痛などが報告されている.

c) エストラジオール経皮

卵巣由来のE2と同一成分を含む貼付剤である. 皮膚より吸収され, 肝臓での初回通過効果がないため, LDL-CやHDL-Cに影響せず, TGの増加はない. 静脈血栓塞栓症や脳卒中のリスクを有意に高めないとする報告がある. 安定した血中濃度を維持しやすいが, 貼付部位の皮膚炎を起こすことがある.

2-2. 黄体ホルモン製剤

子宮を有する女性に卵胞ホルモン単独投与を継続すると子宮内膜増殖症や子宮内膜癌のリスクが増加することから, 黄体ホルモン製剤を併用すべきである. 子宮を認めないもしくは摘出している女性では, 黄体ホルモン製

剤は不要である．メドロキシプロゲステロン（MPA）は5〜10mg/日の10日以上，天然型プロゲステロンの立体異性体であるジドロゲステロンでは経口 E_2（1mg）に対して10mgを14日間，それぞれ周期投与することで子宮内膜増殖症の抑制効果があるという報告がある．

3 治療効果評価

身体所見（Tanner Stage），身長成長率，骨年齢，骨密度，血液検査（脂質代謝など副作用評価），腹部超音波検査を行う．

4 有害事象について

HRT開始時には卵胞ホルモン作用により，乳房痛や乳房緊満感が起こる可能性がある．

HRTによる増加する可能性がある疾患として，冠動脈病変，脳卒中，静脈血栓塞栓症，乳がん，卵巣がんがある．HRTの有害事象は，患者の年齢や併存疾患，使用する薬剤の種類や量によっても異なるため，リスクを個別に判断する必要がある．閉経後女性では，致死率に影響しなかったものの冠動脈疾患や脳梗塞，静脈血栓塞栓症，乳がんの有病率が有意に上昇したという報告がある[5]ことから，閉経年齢にはHRTは終了すべきである．

処方例[5]

二次性徴が未発来の12歳女児（思春期導入時）

処方A　プレマリン®錠（0.625mg）0.1錠（0.063mg，粉砕）分1　連日内服

処方B　エストラーナ®テープ（0.72mg）1回1/8枚（0.09mg）を下腹部に貼付，2日に1回貼りかえ

思春期導入後および続発性無月経の15歳女児（Kaufmann療法）

処方　毎月1日から21日：プレマリン®錠（0.625mg）1錠　分1

毎月10日から21日：プロベラ®錠（2.5mg）2錠　分1

専門医に紹介するタイミング

13歳0ヵ月までに乳房発育を認めない場合や15歳0ヵ月までに月経を認めない場合，4ヵ月以上月経を認めていない場合には，卵巣機能不全の可能性を考慮して小児科内分泌専門医に相談する．15歳以上では，婦人科に紹介することもある．

専門医からのワンポイントアドバイス

卵巣機能不全の治療は，年齢相当の二次性徴の発現や維持，骨粗鬆症・動脈硬化・糖脂質代謝異常予防のために重要である．二次性徴の発来の有無に注目することで，機を逃さずに治療介入ができる．

文　献

1) 田中敏章 他：ターナー症候群における卵胞ホルモン補充ガイドライン．日小児会誌 112：1048-1050, 2008

2) Makiyan Z：Studies of gonadal sex differentiation. Organogenesis 12：42-51, 2016

3) Matsuo N：Skeletal and sexual maturation in Japanese children. Clin Pediatr Endocrinol 2（Suppl）：1-4, 1993

4) Satoh M et al：Bone age at onset of pubertal growth spurt and final height on normal children. Clin Pediatr Endocrinol 4：129-136, 1995

5) Rossouw JE et al：Risks and benefits of estrogen plus progestin in healthy postmenopausal woman：principal results From the Women's Health Initiative randomized controlled trail. JAMA 288：321-333, 2002

9. 内分泌・代謝疾患

思春期早発症

堀川玲子

国立成育医療研究センター 内分泌代謝科

POINT
- ●思春期（二次性徴）開始時期には個人差がある.
- ●思春期早発症は，二次性徴の開始が一般小児よりも極端に早い場合と定義される.
- ●「思春期早発症」と診断された症例全例が治療対象となるわけではない.
- ●末梢性思春期早発症は，治療が困難な例がある.

ガイドラインの現況

　思春期早発症のうち，中枢性思春期早発症（ゴナドトロピン依存性思春期早発症）については，厚生労働科学研究費補助金難治性疾患克服研究事業 間脳下垂体機能障害に関する調査研究班により診断ガイドライン[1]が作成され，2004年，2019年の改訂を経て現在まで使用されている. ゴナドトロピン非依存性思春期早発症は，ガイドラインがなかったが，2015年に小児慢性特定疾患の改正に伴い，日本小児内分泌学会で診断基準を作成した. 基本的に，思春期早発症の診断基準年齢は両者で変わらない. もちろん，すべての徴候が揃うまで待つ必要はなく，いずれかの症状が診断基準年齢よりも早く出現し，生化学データの裏打ちがあれば，診断は可能である.

　本邦のガイドラインは，国内の二次性徴発来年齢を全国調査で検討して定められたものではないため，今後調査を行って検証していく必要があるが，諸外国と同様，日本人では今以上に二次性徴が早期化することはないものと思われる.

　最近では，国際コンソーシアムによるLHRHアナログ治療に関するガイドライン[2]が作成された. このガイドライン作成には日本小児内分泌学会からも代表が参加し，担当チャプターの文章作成に寄与し，全体の内容については参加者全員で検討が行われて最終確認された. 海外と本邦の主な相違点は，思春期開始年齢（一般に，アジア人のほうが欧米人よりも早い），製剤（海外ではLHRHアナログ3ヵ月製剤が主流）である. 一方，使用目的や中止基準は相違なく，本邦でも有効に活用できるものとなっている.

【本稿のバックグラウンド】中枢性思春期早発症の治療目的は，成人身長改善と，身体と精神的・社会的成熟のアンバランスを是正することである. しかしながら，個人差はあるものの，特に女児においては，ボーダーラインの年齢の対象において成人身長改善が認められないことから，治療目的に沿った対象症例の選定を行う必要性が示されている. 一方で，成人身長を伸ばす目的が，医療よりも美容に傾く傾向が指摘され，一部では自由診療で成長ホルモン治療と組合わせて

542　9. 内分泌・代謝疾患

LHRHアナログが投与される例も認められている．適正な診断，適正な治療対象と治療方法（無治療も含め）の選択の啓発が重要となっている．

どういう疾患・病態か

二次性徴とは，男子における精巣の増大と外性器の成熟・陰毛の発生・腋毛やひげ，変声が起こること，また，女子における乳房発達，陰毛発生と外性器の成熟および腋毛の発生・月経が起こり，順次進行していくことである．一般に，二次性徴の開始時期には個人差があり，平均開始年齢からほぼ正規分布を示すと考えられている．二次性徴が平均から2SDまたは95パーセンタイルよりも早期に開始したものは，標準的な幅を超えて病的に早いと考えられ，これを思春期早発症と定義する．

思春期における二次性徴は，脳内視床下部よりも中枢の「成熟時計」と呼ばれる体内時計により，視床下部ゴナドトロピン放出ホルモンの分泌が亢進し，これが下垂体からのゴナドトロピン（LHおよびFSH）の分泌を促進し，さらにゴナドトロピンが性腺からの性ホルモン（精巣からのテストステロンまたは卵巣からのエストロジェン）分泌を促進することで発来し，進行する．また，思春期には，成長ホルモンの分泌量が増加して成長が加速するが，骨の成熟も同時に進行し，やがて身長は成人身長に達していく．

思春期早発症は，ゴナドトロピン依存性とゴナドトロピン非依存性に分類される．ゴナドトロピン依存性思春期早発症は，中枢のゴナドトロピン放出ホルモン分泌亢進から始まるゴナドトロピン分泌促進を認めるもので，脳内のゴナドトロピン分泌の変化に起因する．一方，ゴナドトロピン非依存性思春期早発症は，脳内のホルモン分泌亢進がない状態で，末梢における内因性分泌亢進あるいは外因性の性ホルモン曝露により二次性徴を認めるものであり，脳のゴナドトロピン分泌はむしろ抑制される．

中枢性思春期早発症（ゴナドトロピン依存性思春期早発症）は，女児の罹患が男児よりも多く，女児の罹患者の80〜90％は特発性である．一方，男児では約40％が器質性疾患による思春期早発症であるため，原因検索は必須である．

特発性と考えられるものの中に，単一遺伝子異常による中枢性思春期早発症があることが明らかになってきた．いずれもゴナドトロピン分泌を促進する遺伝子に変異があるもので，*MKRN3*，*GPR54*，*KISS1*，*DLK1*といった遺伝子に活性型変異があることにより，若年で思春期早発症をきたす．

このほか，脳腫瘍等による放射線頭蓋照射により起こることがある．

一方，ゴナドトロピン非依存性思春期早発症の病因として，ホルモン産生腫瘍，hCG産生腫瘍など腫瘍性病変，外因性の性ホルモンなどが挙げられる．

女児では，卵巣腫瘍，副腎腫瘍，McCune-Albright症候群，自律性機能性卵巣（嚢腫），外因性エストロジェン，その他があり，男児では，家族性テストトキシコーシス，胚細胞腫瘍，先天性副腎皮質過形成症，外因性アンドロジェン，その他がある．

治療に必要な検査と診断

身体所見から，思春期早発症の診断の手引きに合致するか考える．

診断の手引きを**表1**に示す．

二次性徴の早期発来は，女児では乳房腫

思春期早発症　543

表1　中枢性思春期早発症（ゴナドトロピン依存性思春期早発症）診断基準

(厚生労働省　間脳下垂体機能障害に関する調査研究班作成)

Ⅰ. 主症候
1. 男児の主症候
   1) 9歳未満で精巣，陰茎，陰嚢の明らかな発育が起こる．
   2) 10歳未満で陰毛発生をみる．
   3) 11歳未満で腋毛，ひげの発生や声変わりをみる．
2. 女児の主症候
   1) 7歳6ヶ月未満で乳房発育が起こる．
   2) 8歳未満で陰毛発生，または小陰唇色素沈着等の外陰部成熟，あるいは腋毛発生が起こる．
   3) 10歳6ヶ月未満で初経をみる．

Ⅱ. 副症候　発育途上で次の所見をみる[注1]．
1) 身長促進現象：身長が標準身長の 2.0 SD 以上．または年間成長速度が標準値の 1.5 SD 以上．
2) 骨成熟促進現象：骨年齢－暦年齢≧2歳6ヶ月を満たす場合．
   または暦年齢5歳未満は骨年齢/暦年齢≧1.6を満たす場合．
3) 骨年齢/身長年齢≧1.5を満たす場合．

Ⅲ. 検査所見
下垂体性ゴナドトロピン分泌亢進と性ステロイドホルモン分泌亢進の両者が明らかに認められる[注2]．

Ⅳ. 除外規定[注3]
副腎性アンドロゲン過剰分泌状態（未治療の先天性副腎皮質過形成[注4]，副腎腫瘍など），性ステロイドホルモン分泌性の性腺腫瘍，McCune-Albright症候群，テストトキシコーシス，hCG産生腫瘍，性ステロイドホルモン（蛋白同化ステロイドを含む）や性腺刺激ホルモン（LHRH，hCG，hMG，rhFSH を含む）の長期投与中（注射，内服，外用[注5]），性ステロイドホルモン含有量の多い食品の大量長期摂取中の全てを否定する．

Ⅴ. 参考所見
中枢性思春期早発症を来す，特定の責任遺伝子の変異（*GPR54*, *KISS-1*, *MKRN3*, *DLK1*）が報告されている．

[診断基準]
確実例　1. Ⅰの2項目以上とⅢ，Ⅳを満たすもの
　　　　2. Ⅰの1項目およびⅡの1項目以上とⅢ，Ⅳを満たすもの
疑い例：Ⅰの年齢基準を1歳高くした条件で，その確実例の基準に該当するもの．なお疑い例のうちで，主症状発現以前の身長が－1 SD 以下のものは，治療上は確実例と同等に扱うことができる．

[病型分類] 中枢性思春期早発症が診断されたら，脳の器質的疾患の有無を画像診断などで検査し，器質性，遺伝子異常に起因する，特発性の病型分類をする．

注1) 発病初期には，必ずしもこのような所見を認めるとは限らない．
注2) 各施設における思春期の正常値を基準として判定する．なお，基準値のない施設においては，下記の**別表1**に示す血清ゴナドトロピン基準値を参考にする．
注3) 除外規定に示すような状態の疾患が，現在は存在しないが過去に存在した場合には，中枢性思春期早発症をきたしやすいので注意する．
注4) 先天性副腎皮質過形成の未治療例でも，年齢によっては中枢性思春期早発症をすでに併発している場合もある．
注5) 湿疹用軟膏や養毛剤等の化粧品にも，性ステロイドホルモン含有のものがあるので注意する．

別表1

	男　児				女　児		
	前思春期		思春期		前思春期		思春期
	10歳未満	10歳以上	Tanner 2～3	Tanner 4～5	10歳未満	10歳以上	Tanner 2～3
LH基礎値（mIU/mL）	0.02～0.15	0.04～0.25	0.44～1.63	1.61～3.53	0.01～0.09	0.02～0.11	0.05～2.44
LH頂値（mIU/mL）	1.70～3.77	2.03～11.8	10.9～20.6	21.7～39.5	1.93～4.73	2.14～7.82	5.70～18.5
FSH基礎値（mIU/mL）	0.38～1.11	0.95～3.57	1.73～4.27	4.21～8.22	0.54～2.47	1.16～3.65	1.49～5.95
FSH頂値（mIU/mL）	4.38～9.48	5.69～16.6	4.68～10.8	11.2～17.3	10.7～38.1	13.2～21.1	6.98～14.3
基礎値LH/FSH	0.03～0.24	0.03～0.08	0.16～0.63	0.24～0.70	0.01～0.08	0.02～0.03	0.03～0.42
頂値LH/FSH	0.28～0.55	0.26～0.99	1.4～3.4	1.3～3.3	0.09～0.25	0.15～0.41	0.74～1.4

表2 LH，FSH 基準値

	Sensitivity, %	Specificity, %	Formulation	Subjects, n (sex)	Method	Study
Unstimulated LH（IU/L）						
>0.3	77	100	—	49（F）	ICMA	Neely et al.
<0.3（prepubertal）	93	100		25（F）	ICMA	Houk et al.
>0.83（clearly pubertal）						
>0.3 but <0.83（overlap of prepubertal and pubertal）						
<0.2（prepubertal）	91	100		59（F）	ICMA	Harrington et al.
>0.2（pubertal）						
Peak LH（IU/L）						
5（+2 SD in Tanner stage 1）	NA	NA	GnRH	8（F）	ICMA	Neely et al.
4.1（+2 SD in Tanner stage 1）	NA	NA		10（M）	ICMA	Resende et al.
3.3（+2 SD in Tanner stage 1）	NA	NA		10（F）	ICMA	
>4.9	78	79		80（F）	ICMA	Pasternak et al.
>6.7	94	100		46（F）	ECLIA	Freire et al.
Stimulated LH（IU/L）			GnRHa			
（sample time）						
>9.2（pubertal）（30 min）	NA	NA	Leuprolide	14（F）	ICMA	Houk et al.
<4.9（prepubertal）（30 min）	NA	NA	（20 μg/kg）	21（F）	ICMA	
>5（2 h）	78	100		39（F）	ICMA	Sathasivam et al.
Adding stimulated estradiol >50 pg/mL（24 h）	100	100				
>5.5（3 h）	93	100	Leuprolide （500 μg）	61（F）	ECLIA	Carretto et al.
>6（60 min）	89	91	Triptorelin （0.1 mg）	101（F）	ICMA	Poomthavorn et al.
>8（3 h）	76	100	Triptorelin （0.1 mg/m^2）	46（F）	ECLIA	Freireet al.
Adding estradiol>80 pg/mL （24 h）	94	100				Freire et al.

（文献 2 より引用）

大，早発陰毛，早発月経をきたす．男児では精巣の増大，陰茎の増大，早発陰毛，変声をきたす．成長の加速を認め，骨年齢が促進する．ゴナドトロピン依存性思春期早発症では，副腎の成熟も伴うため，面皰の増加なども認める．

視床下部過誤腫によるものでは，笑い発作を伴うことがある．

ゴナドトロピン非依存性の場合，女児における男性ホルモン産生腫瘍や副腎皮質過形成症では，男性化を伴う異性性の思春期早発を認める．McCune-Albright 症候群では，特徴的な色素沈着（カフェオレ斑），線維性骨異形成症を伴う．

検査は，血中ゴナドトロピン（LH，FSH），エストラジオール（E$_2$），テストステロン，IGF-I の測定を行う．いずれも思春期レベルに上昇している．LH，FSH の測定は，感度の良いアッセイで行う．LH 基礎値が 0.3 IU/mL 以上であれば，ゴナドトロピン依存性思春期早発症が疑われる．LHRH 負荷試験は，必ずしも必須ではないが，治療の選択と鑑別診断には有用である．

国際コンセンサスガイドライン[2]では，

表3　女児における進行性・非進行性思春期早発症

criterion		進行性中枢性思春期早発症	非進行性思春期早発症
臨床像	タンナーステージの進み方	次のステージに3〜6ヵ月以内に進行	進行がゆっくり，または元に戻る
	成長速度	増加（＞約6cm/年）	通常暦年齢相当
	骨年齢	通常1年以上進行	暦年齢の＋1歳以内
	予測成人身長	標的身長範囲に達しない，徐々に低下する	標的身長範囲内
子宮の発達	超音波検査	子宮容積＞2.0mLまたは長さ＞34mm，洋梨型，子宮内膜肥厚	子宮容積≦2.0mLまたは長さ≦34mm；思春期前の筒状型
ホルモン値	エストラジオール	上昇，測定可能	検出感度以下または境界
	GnRH負荷後のLH頂値	思春期レベル	前思春期レベルまたは境界

（文献3を参照して作成）

LH，FSHの基礎値測定だけで診断は十分であり，LHRHテストは不要とされている．各報告の基準値を**表2**に示す．

　二次性徴進行の傍証として，また治療による身長予後を考えるうえで，左手の単純X線写真を撮り，骨年齢を評価することが大事である．

　男児では，HCG（β）の測定が必要となる．特にゴナドトロピン分泌の抑制されたゴナドトロピン非依存性思春期早発症では，髄液中HCGβの上昇の有無を調べる．

　ゴナドトロピン非依存性が考えられるときは，画像診断が必要である．

治療の実際

　ゴナドトロピン依存性思春期早発症では，ゴナドトロピン放出ホルモンアナログ（LHRHアナログ）が有効である．

　治療の目的は，①原疾患があれば，その治療，②成人身長低下の防止，③精神的成熟と身体成熟の不均衡の是正，である．ゴナドトロピン依存性思春期早発症では，診断を受けた者が必ずしも全例治療が必要になるわけで

はなく，経過観察のみでよい場合もある．特に，進行が緩徐な場合は治療適応とならないことも多い（**表3**）．

　一方，ゴナドトロピン非依存性思春期早発症では，ゴナドトロピン放出ホルモンアナログ（LHRHアナログ）は無効である．ゴナドトロピン非依存性思春期早発症では，治療目的は①が主となり，腫瘍性病変は外科的治療や化学療法で治癒することが多い．原疾患の治療が困難な場合は，ステロイド合成阻害薬（トリロスタン，酢酸シプロテロンなど），性ステロイド阻害薬（アロマターゼ阻害薬，アンドロゲン受容体阻害薬等）を用いるが，効果は限定的である．また，一度治癒した後に中枢性思春期早発症に移行することがあるので，注意深い観察が必要である．

　外科的治療では，視床下部過誤腫は，重症笑い発作に対し外科的アプローチをすること以外は，脳外科的治療は必要ない．

　脳腫瘍の放射線照射による思春期早発症の場合，一過性に思春期早発症をきたすが，長期的にはゴナドトロピン分泌不全症をきたすことが少なくないので，治療開始時には家族に十分説明をしておくことが必要である．

546　9. 内分泌・代謝疾患

処方例

処方A　リュープリン® 30〜90μg/kg/1回，4週に1度皮下注射
抑制が不十分な場合は，120μg/kg/1回まで増量可．ただし，LH，FSHの完全な抑制を目指すと，成長率がかなり低下することもある．
　このような場合，男児ではプリモボラン®（蛋白同化ステロイド）を併用すると，成長率が回復することが多い．

処方B　プリモボラン® 1回1〜3mg，分1（就寝前など）

専門医に紹介するタイミング

中枢性（ゴナドトロピン依存性）思春期早発症では，治療適応とともに治療終了の判断が難しいことから，できるだけ初めから専門医に紹介したほうが良い．治療方針が立ったところで，病診連携で治療を継続できる．ゴナドトロピン非依存性の場合，まずは原因検索が必要であるが，家族性テストトキシコーシスのように，LHR遺伝子の活性型変異によるものなどは，治療が特殊となる．やはり早い段階で専門医に紹介すべきである．

LH，FSHの基礎値，LHRHテストに対する反応頂値の標準範囲は，思春期の段階で異なる．成人の基準に照らし合わせて「正常」と判断しないように留意する．

専門医からのワンポイントアドバイス

思春期早発症の年齢別診断基準と照らし合せて，身体所見と病歴を的確にとること，ゴナドトロピン依存性か非依存性かを鑑別診断することが必要．特にゴナドトロピン非依存性の場合，悪性腫瘍によるものもあるので注意を要する．ゴナドトロピン依存性思春期早発症は，診断基準にあてはまっても，治療対象とならないこともある．専門医に早い段階で相談したほうが良い．

文　献

1) 厚生労働科学研究費補助金難治性疾患等政策研究事業「間脳下垂体機能障害に関する調査研究」班編：間脳下垂体機能障害の診断と治療の手引き（平成30年度改訂）．日内分泌会誌95（suppl）：25-28, 2019

2) Bangalore Krishna K et al：Use of gonadotropin-releasing hormone analogs in children: Update by an international consortium. Horm Res Paediatr 91：357-372, 2019

3) Carel JC et al：Clinical practice. Precocious puberty. N Engl J Med 358：2366-2377, 2008

9. 内分泌・代謝疾患

副甲状腺機能低下症

おおぞのけいいち
大薗恵一
大阪大学大学院医学系研究科 情報統合医学小児科学講座

POINT
- 低カルシウム血症の原因として，副甲状腺機能低下症および偽性副甲状腺機能低下症はビタミン D 欠乏症と並んで重要である．
- 血中副甲状腺ホルモン（PTH），血清リン，25 水酸化ビタミン D の値が鑑別に役立つ．
- 小児では，遺伝子異常，染色体微小欠失による副甲状腺機能低下症が多い．
- 活性型ビタミン D およびカルシウムの投与による治療を行うが，高カルシウム血症，高カルシウム尿症をきたさないように慎重に投与量を決定する必要がある．

ガイドラインの現況

副甲状腺機能低下症（hypoparathy-roidism）の管理治療のためのガイドラインは最近報告されているが，これは，欧米において PTH 製剤の使用が可能となったことが契機である．日本においては，現時点で副甲状腺機能低下症に対して PTH 製剤の適応はないので，このようなガイドラインは慎重に取り扱う必要がある．また，頸部の手術と自己免疫疾患が副甲状腺機能低下症の主たる原因である成人と，先天性の原因が多い小児とは臨床像が大きく異なる点にも注意を要する．基本的には，副甲状腺機能低下症の診断を正確に行い，本症に伴う低カルシウム血症の治療を，ビタミン D およびカルシウムの投与により行うことである．低カルシウム血症の診断マニュアルは入手可能である．

【本稿のバックグラウンド】 本邦では，未だ，副甲状腺機能低下症に対してリコンビナント PTH 製剤は保険収載されていないので，根拠となる新しい診療ガイドラインはない状況である．したがって，前回からは新しい責任遺伝子の報告などを追記したのみの改訂である．偽性副甲状腺機能低下症 Ib 型の診断に GNAS 領域のメチル化異常の検討が行われつつあるが，これもまだ一般的にはなっていないのが現状である．

どういう疾患・病態か

副甲状腺機能低下症は，副甲状腺ホルモン（PTH）の分泌不全により発症する PTH 分泌不全性副甲状腺機能低下症と，標的臓器の PTH に対する不応性により発症する偽性副甲状腺機能低下症（PHP）に大別される[1]．PTH 分泌は血清カルシウム値により調節されているが，この感知システムの過度の感受性は PTH 分泌低下を伴い，家族性優性低カ

ルシウム血症と呼ばれる[2]．臨床検査上，低カルシウム血症，高リン血症がみられる．下記のように，病因による分類がなされる．

なお，保険適用ではないが，かずさDNA研究所では副甲状腺機能低下症に関係する次のような遺伝子の検査が可能である（*CASR, GNA11, GCM2, TBX1, TBX2, NEBL, CHD7, SEMA3E, GATA3, TBCE, FAM111A, PTH, SOX3, AIRE, NLRP5, HADHA, HADHB, ACADM, DHCR7, CLDN16, CLDN19, TRPM6*）．
※かずさDNA研究所「検査案内所」
https://www.kazusa.or.jp/genetest/documents/tests/non_insured/K110-58_v3.pdf

1 特発性副甲状腺機能低下症

副甲状腺で産生されるPTHが不十分であるため，低カルシウム血症をきたす病態である．従来は原因が不明であり，一括して特発性とされていたが，原因が明らかになった疾患が増えている．

2 22q11.2 欠失症候群

染色体22q11.2の部分欠失が原因となり，第3，4咽頭嚢由来の組織の発生に異常を生じる複合隣接遺伝子症候群である．心奇形，特異的顔貌，胸腺低形成，口蓋裂，副甲状腺機能低下症などの症状を示す．多彩な症状を示し，発症頻度も4,000出生に1人程度と比較的多いので，管理のガイドラインが発表されている[3,4]．

3 HDR症候群

HDR症候群は*GATA3*遺伝子の異常でひき起こされ，副甲状腺機能低下症（hypoparathyroidism），感音性難聴（sensorineural deafness），腎異形性（renal dysplasia）を

三主徴とする症候群である．

4 家族性単独性副甲状腺機能低下症

2001年に，常染色体劣性遺伝形式をとる家族性単独性副甲状腺機能低下症の責任遺伝子として，転写因子をコードする*GCMB*遺伝子が同定された．最近では，*TBX1*遺伝子異常も報告されている[5]．

5 Sanjad-Sakati症候群，Kenny-Caffey症候群

Sanjad-Sakati症候群〔別名：hypoparathyroidism-retardation-dysmorphism（HRD）syndrome〕は常染色体劣性遺伝形式をとり，先天性副甲状腺機能低下症，低身長，精神発達遅滞，けいれんを主徴とする．責任遺伝子は*TBCE*（tubulin-folding cofactor E）である[6]．Kenny-Caffey症候群は上記の症状に加え，内骨膜性の骨肥厚と骨髄腔の狭小化を示す．I型は常染色体劣性遺伝形式をとりSanjad-Sakati症候群と同じ責任遺伝子であるが，II型は常染色体優性遺伝形式（責任遺伝子は*FAM111A*，機能は不明）をとり，精神発達遅滞はない[7]．

6 Ca感受性の異常

カルシウム感知受容体（*CASR*）の感受性亢進に基づくPTH分泌低下をきたす疾患を，家族性低カルシウム血症あるいは常染色体優位性低カルシウム血症という．CaSRの機能に関わるG蛋白質をコードする，*GNA11*の異常も稀に原因となる[2,8]．

7 免疫異常や他の内分泌不全

転写因子をコードする*AIRE*遺伝子（21q22.3）異常により発症する自己免疫性多腺性内分泌不全症I型（APECED）の症状の一つとして，副甲状腺機能低下症が知られ

ている．CASR に対する自己抗体による副甲状腺機能低下症の報告もある．

8 *PTH* 遺伝子の異常

古くから想定されている副甲状腺機能低下症の原因であるが，症例数は極めて少ない．

9 低 Mg 血症に関連する疾患

原発性低マグネシウム血症（*PCLN1*，*FXYD2*，*TRPM6* 遺伝子異常）など，低マグネシウム血症によっても二次性に PTH の分泌低下をきたす[9]．

10 甲状腺あるいは副甲状腺の摘出術に伴うもの

甲状腺がん，あるいは副甲状腺機能亢進症の術後に副甲状腺機能低下症となるのが，成人例では多い．

11 偽性副甲状腺機能低下症（PHP）

PHP は，副甲状腺機能低下症状（低カルシウム血症，高リン血症など），PTH の高値，および標的器官の PTH 不応性に特徴づけられる一群の疾患である．PHP の主要な病型および偽性偽性副甲状腺機能低下症（PPHP）は，PTH/PTHrP 受容体（PTHR1）と cAMP を生成する adenylyl cyclase（AC）との間の情報伝達を担う Gsα蛋白の活性低下が存在し，Gsα蛋白をコードする *GNAS* 遺伝子自身あるいは調節領域の異常が，その原因である[1, 10]．

PHP に肥満，低身長，異所性皮下骨化，短指症，第 4 中手骨の短縮，円形顔貌，知能障害などを呈する Albright の遺伝性骨異形成症（AHO）が合併する病型を PHPIa と呼ぶ．Ia 型では，*GNAS* 遺伝子に変異を認める．PHPIa の家系のなかには AHO 徴候を示すにもかかわらず，ホルモン抵抗性を伴わない症例が存在し，PPHP と呼ばれる．

PHPIb においては，AHO 徴候は伴わず，PTH の抵抗性は腎臓に限局していると考えられる．Ib 型は，*GNAS* 遺伝子近傍の imprinting 調節領域の異常を原因とし，家族性 PTPIb の患者の多くに，*GNAS* 遺伝子の上流に位置する *STX16* 遺伝子の母親側アレルの一部に 3-kb の欠失が存在することが報告された．

PTH 感受性の低下を伴う先端異骨症（acrodysostosis）を含めて，PTH/PTHrP の感受性低下を示す疾患群としてまとめられてきている[11]．

治療に必要な検査と診断

PTH の作用不足により，低カルシウム血症，高リン血症がみられる[12]．症状としては，低カルシウム血症に伴うテタニーやけいれんがみられる．低カルシウム血症は心電図上 QTc の延長として気づかれる場合もある．Ia 型では低身長を主訴として来院し，スクリーニング検査から診断される場合がある．

PHP は，PTH を静脈内投与し，尿中 cAMP，リンの排泄増加がみられないことから診断する（Ellsworth-Howard test，両者が無反応 = Ⅰ型，リンのみ無反応 = Ⅱ型）．Ⅰ型のうち，Ⅰa 型においては，AHO 徴候が認められ，赤血球において Gsα活性が50％に減少している．甲状腺刺激ホルモン，性腺刺激ホルモンなどの受容体においても感受性が低下することが多く，軽度のホルモン機能低下症を呈することがある．家族性低カルシウム血症では，低カルシウム血症でありながら相対的に高カルシウム尿となる．

治療の実際

　副甲状腺機能低下症の治療における目標は，血清カルシウム値を上昇させることにより，急性低カルシウム血症の症状を緩和し，慢性の低カルシウム血症および高カルシウム尿症による合併症を予防することである[12~14]．また，長期的には腎石灰化をきたさないようにすることも重要である[15]．現在のところ，治療の中心になるのは活性型ビタミンD製剤である．低カルシウム血症によるけいれん，テタニー，喉頭けいれんなどの症状が認められる場合，あるいは血清カルシウム値が6~7mg/dL以下のときは8.5%グルコン酸カルシウムを緩徐に静注する．血清カルシウム値の急速な変動により，心悸亢進，徐脈などの不整脈が起きる可能性があるため，カルシウム静脈内投与時は，心電図モニターが必須である．

　活性型ビタミンD製剤としては，アルファカルシドール（1aOHD3）とカルシトリオール〔1,25 (OH)$_2$D3〕が市販されている．カルシトリオールは，アルファカルシドールの半量とする．

　リコンビナントPTH（1-34）およびPTH（1-84）製剤による副甲状腺低下症の治療に関する治験の良好な結果が報告されたが，日本では，骨粗鬆症のみが適応で，副甲状腺機能低下症は適応となっていない[16~18]．また，CaSRの異常では，その拮抗薬の効果に期待はあるが，有効性・安全性については今後の課題である[2]．

処方例

成人処方例

処方　アルファカルシドール　1~2μg/日　分1

小児期処方例

処方A　アルファカルシドール　0.025~0.05μg/kg　分1

処方B　アルファカルシドール内用液　0.025~0.05μg/kg　分1

　＊血清カルシウム値，尿中カルシウム・クレアチニン比を参考に投与量を調節する．

PHPでは副甲状腺ホルモン分泌低下症の治療量の半量で治療できることが多い．

専門医に紹介するタイミング

　短期的には，低カルシウム血症をきたさないように，ビタミンD投与を基本とする治療を行えば問題はない．しかし，欠乏したホルモンを補充しない内分泌の機能低下症であり，ビタミンDの投与により腎機能が低下した例も報告されている．また，診断に苦慮する場合も多く，専門医に相談することが望ましい．指定難病となっているので，その点についても専門医と相談することが望まれる．

専門医からのワンポイントアドバイス

　低カルシウム血症によるテタニー，全身けいれんを防ぐ．ビタミンD過剰投与による腎尿路結石，腎機能低下は避けなければならない．血清カルシウム値の管理は重要である．

副甲状腺機能低下症　551

─────── 文　献 ───────

1) Hendy GN et al：Hypoparatyroidism an pseudohy-
poparathyroidism. Endotext [Internet], South Dart-
mouth, MD Text.com. Last Update 2017

2) Hannan FM et al：Disorders of the calcium-sens-
ing receptor and partner proteins：insights into
the molecular basis of calcium homeostasis. J Mol
Endocrinol 57：R127-R142, 2016

3) Habel A et al：Towards a safety net for manage-
ment of 22q11.2 deletion syndrome：guidelines for
our times. Eur J Pediatr 173：757-765, 2014

4) Bassett AS et al；International 22q11.2 Deletion
Syndrome Consortium：Practical guidelines for
managing patients with 22q11.2 deletion syndrome.
J Pediatr 159：332-339, 2011

5) Li D et al：Heterozygous mutations in TBX1 as a
cause of isolated hypoparathyroidism. J Clin Endo-
crinol Metab 103：4023-4032, 2018

6) Padidela R et al：Mutation in the TBCE gene is as-
sociated with hypoparathyroid syndrome featuring
pituitary hormone deficiencies and hypoplasia of
the anterior pituitary and the corpus callosum. J
Clin Endocrinol Metab 94：2686-2691, 2009

7) Unger S et al：FAM111A mutations result in hy-
poparathyroidism and impaired skeletal develop-
ment. Am J Hum Genet 92：990-995, 2013

8) Nesbit MA et al：Mutations affecting G-protein
subunit α11 in hypercalcemia and hypocalcemia. N
Engl J Med 368：2476-2486, 2013

9) Astor MC et al：Hypomagnesemia and functional
hypoparathyroidism due to novel mutations in the
Mg-channel TRPM6. Endocr Connect 4：215-222,
2015

10) Mantovani G et al：Diagnosis and management of
pseudohypoparathyroidism and related disorders：
first international consensus statement. Nat Rev
Endocrinol 14：476-500, 2018

11) Mantovani G et al：Recommendations for diagnosis
and treatment of pseudohypoparathyroidism and
related disorders：An updated practical tool for
physicians and patients. Horm Res Paediatr 93：
1820196, 2020

12) Bilezikian JP et al：Management of hypoparathy-
roidism：Present and future. J Clin Endocrinol
Metab 101：2313-2324, 2016

13) Brandi ML et al：Management of hypoparathyroid-
ism：Summary statement and guidelines. J Clin
Endocrinol Metab 101：2273-2283, 2016

14) Bollerslev J et al：European Society of Endocrinol-
gy Guideline：Treatment of chronic hypoparathy-
roidism in adults. Eur J Endocrinol 173：G1-G20,
2015

15) Levy I et al：The impact of hypoparathyroidism
treatment on the kidney in children：long term
retrospective follow up study. J Clin Endocrinol
Metab 100：4106-4113, 2015

16) Cusano NE et al：PTH (1-84) is associated with
improved quality of life in hypoparathyroidism
through 5 years of therapy. J Clin Endocrinol
Metab 99：3694-3699, 2014

17) Santonati A et al；Hypoparathyroidısm AME
Group：PTH (1-34) for surgical hypoparathyroid-
ism：a prospective open label investigation of effi-
cacy and quality of life. J Clin Endocrinol Metab
100：3590-3597, 2015

18) Bilezikian JP：Hypoparathyroidism. J Clin Endocri-
nol Metab 105：1722-1736, 2020

9. 内分泌・代謝疾患

くる病

きたなかさちこ
北中幸子
きたなかこども成長クリニック

POINT
- ビタミンD欠乏症に対するガイドラインとして，日本小児内分泌学会の『ビタミンD欠乏性くる病・低カルシウム血症の診断の手引き』が推奨される．
- くる病の診断に関しては，ビタミンD欠乏症のほか，遺伝性くる病や，他の疾患を鑑別し，正しく治療することが重要である．

ガイドラインの現況

くる病の中でも，ビタミンD欠乏症については，日本小児内分泌学会の『ビタミンD欠乏性くる病・低カルシウム血症の診断の手引き』がある[1]．また，成人も含め，日本内分泌学会・日本骨代謝学会の『くる病・骨軟化症の診断マニュアル』がある[2]．さらに，低カルシウム血症については，日本内分泌学会の『低カルシウム血症の鑑別診断の手引き』がある[3]．いずれも診断の手引きであり，治療のガイドラインは現在ない．

【本稿のバックグラウンド】 診断については，『ビタミンD欠乏性くる病・低カルシウム血症の診断の手引き』を参考に，筆者の経験から解説した．

どういう疾患・病態か

くる病とは，カルシウムやリンの低下により，骨基質の石灰化不全が起こる病態の総称である．成長期にみられるもので，骨変形と成長障害を主徴とする，小児期の代表的骨疾患である．骨端線閉鎖後の成人においては，同様の病態は，骨軟化症となる．くる病は大きく分けて，ビタミンD作用の欠乏により低カルシウム血症を主体とする場合と，主にリン排泄増加により低リン血症を主体とする場合がある（**表1**）．ビタミンD作用の欠乏によるものには，ビタミンD欠乏性くる病

と，先天性にビタミンDの合成や作用機構に異常をもつビタミンD依存性くる病などがある．以後は主にビタミンD欠乏性くる病について述べる．

ビタミンD欠乏性くる病は，栄養状態が良くなかった昔に多くみられたが，近年再び世界的に問題となっている[4]．わが国でも近年，くる病の中で最も発症数が多い．ビタミンD欠乏による症状は，乳児期にはビタミンD欠乏性低カルシウム血症として，幼児期以降にはビタミンD欠乏性くる病として発症することが多い．

症状は，ビタミンD欠乏性低カルシウム

くる病　553

表1　くる病をきたす疾患

1. **ビタミンDの異常，カルシウムの欠乏**
   ① ビタミンD欠乏症（栄養性，日光不足）
   ② ビタミンD依存性くる病I型（ビタミンD 1α水酸化酵素欠損）
   ③ ビタミンD依存性くる病II型（ビタミンD受容体異常）
   ④ ビタミンD吸収障害（消化管疾患，胆汁分泌不全）
   ⑤ 慢性腎不全
   ⑥ 抗けいれん薬による　くる病
   ⑦ カルシウム欠乏・吸収障害

2. **リンの喪失・欠乏**
   ① X連鎖性低リン血症性くる病（HYP）
   ② 常染色体優性低リン血症性くる病（ADHR）
   ③ 常染色体劣性低リン血症性くる病（ARHR）
   ④ 高カルシウム尿症を伴う遺伝性低リン血症性くる病（HHRH）
   ⑤ 腫瘍性低リン血性くる病（TIO）
   ⑥ Fanconi症候群
   ⑦ Dent病
   ⑧ 尿細管性アシドーシス
   ⑨ McCune-Albright症候群
   ⑩ リン欠乏・吸収障害

3. **その他**
   ① 未熟児くる病
   ② 低ホスファターゼ症

表2　くる病で行う検査

1. **くる病の診断のために行う検査**
   ・骨X線撮影（下肢，手関節）
   ・血中：ALP，Ca，P
   さらに高ALP血症のとき
   ・肝胆道系酵素，ALPアイソザイム，骨型アルカリホスファターゼ

2. **くる病の病型診断のために行う検査**
   ・血中：Ca，P，intact PTH，1,25 (OH)$_2$D，25 (OH) D，腎機能，血液ガス，FGF 23
   ・尿中：Ca，P，Cr，pH，蛋白，糖，NAG，β2-microgloblin

血症では，低カルシウム血症による全身性のけいれんが初発症状となることが多い．低カルシウム血症は，発熱時などに悪化しやすいので，熱性けいれんと思われる例でも，ビタミンD欠乏による低カルシウム血症の可能性がある．他の臨床症状として，テタニー，易刺激性がある．また，身体徴候には，内反膝（O脚）や外反膝（X脚）などの下肢変形，脊柱の彎曲，頭蓋癆，大泉門の開離，肋骨念珠，関節腫脹，病的骨折，成長障害である．ビタミンD欠乏性くる病・低カルシウム血症の診断の手引きでは，これらのうち少なくとも一つあることが，診断確定には必要とされている[1]．

ビタミンD欠乏性くる病については，臨床症状や身体徴候として，内反膝（O脚）や外反膝（X脚）などの下肢変形，跛行，脊柱の彎曲，頭蓋癆，大泉門の開離，肋骨念珠，横隔膜付着部肋骨の陥凹，関節腫脹，病的骨折，成長障害のうち，少なくとも一つあることが診断確定に必要である[1]．このうち，O脚が最も多く，その他に歩行開始の遅れや歩行異常，低身長・成長障害などがみられることが多い．

治療に必要な検査と診断

くる病であることの診断に必要であるのは，骨X線撮影（膝関節，手関節），血中アルカリホスファターゼ（ALP），Ca，Pである（**表2**）．骨X線所見では，長幹骨骨端部に，杯状陥凹（cupping），不整や，けば立ち（fraying），骨端部の拡大（flaring）という，くる病に特徴的な所見がみられる（**図1**）．乳児では，骨所見が明らかでないこともある．血液検査では，ALP値の上昇が特徴である．血中CaとPは，いずれか，または両者が低下し，CaとPの積が低下する．

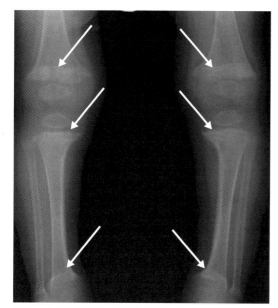

図1 くる病の骨X線所見(2歳児, 下肢骨)(自験例)
矢印の長幹骨骨端部に, 杯状変形(cupping), けば立ち(fraying), 骨端部の拡大(flaring)を認める.

つまり, 低リン血症または低カルシウム血症であること, ALP値が高値であることが, くる病の診断に必要である. ビタミンD欠乏では, 乳児などではCaが低値になることが多いのに対し, 1歳以降の幼児では副甲状腺ホルモン上昇により正常化し, 血中Pが低値となることがある. 各値の小児期の目安は, 手引きに記載されている[1]. くる病がなく低カルシウム血症のみの場合は, 血中PTH, Mgや臨床所見も参考にして, 低カルシウム血症の鑑別を行う[3]. 高ALP血症については, 肝胆道系酵素, ALPアイソザイム, 骨型ALPで鑑別を行う. 逆に, 亜鉛欠乏時は, くる病であってもALPが上昇しないことがある.

くる病が認められた場合は, さらに, 血中のPTH, 1,25(OH)$_2$D, 25(OH)D, FGF23, 腎機能, 血液ガス, 尿中のCa, P, Cr, pH, 蛋白, 糖, NAG, β_2-microgloblin, アミノ酸をみる. くる病や低カルシウム血症については, ビタミンD欠乏以外にも, 遺伝性, 腎疾患, 二次性など多くの病態を鑑別する[2]. 原因を確定せずに安易に治療することは, 病態がわからなくなるので避ける. ビタミンD欠乏の診断に必要なのは, 25(OH)D低値, PTH高値である. 25(OH)Dの判定は, 手引きでは20 ng/mL以下とされており, 15 ng/mL以下であれば, より確実である. 1,25(OH)$_2$D, いわゆる活性型ビタミンDは, ビタミンD欠乏症で高くなることがある. そのため, 鑑別診断が難しいことが往々にしてある.

他のくる病をきたす疾患の鑑別としては, 尿細管障害やFanconi症候群(リン排泄亢進), 腎尿細管性アシドーシス(アシドーシスによる骨塩の溶解), 慢性腎不全(ビタミンD$_1$α水酸化障害), 抗けいれん薬投与によるもの(ビタミンD不活化亢進), 未熟児, カルシウム・リン欠乏などがある. また, 症状や所見によっては, 一過性高ALP血症, 副甲状腺機能低下症, 偽性副甲状腺機能低下症, 低ホスファターゼ症, 骨幹端骨異形成症, Blount病, 生理的O脚・X脚の鑑別が必要である.

治療の実際

手引きには治療について記載されたものはない. 一般的に, ビタミンD欠乏性くる病・低カルシウム血症では, 治療はビタミンDの内服を行う. 基本的には, 活性型でない天然ビタミンD製剤でよいが, 現在日本で処方できる乳児用のビタミンD製剤は, 活性型ビタミンDしかない. そのため, 過量にならないよう注意して治療する必要がある. 低カルシウム血症が強い例では, 初期にはカルシウム製剤も併用する. この治療とともに, 生活環境の改善について指導する. 適

切に生活環境が改善されていれば，骨所見の改善後，ビタミンD製剤を中止できる．

ビタミンD欠乏症は，環境要因によることが多いため，予防が可能な疾患である．生活環境の指導としては，母乳栄養児や食事制限をしている小児では，食事や乳児用ミルクなどからビタミンDを積極的に摂ること，適度な日光浴（季節・緯度などにより異なるが，関東地方で概ね，夏期は朝夕で1日10〜15分程度，冬期は日中1時間以上）をすること，食事制限は危険性や必要性を認識したうえで行うことである．欧米では，近年のビタミンD欠乏症の増加のために，ビタミンDの予防的投与が推奨されている[5]．最近，日本でも乳児用のビタミンDサプリメントが使用可能となった．日本でどのような児に必要かは今後検討しなければならないが，食事で摂れない乳児や，紫外線が心配な児などには有用である．

処方例
処方A　アルファロール®液・散　0.05〜0.1μg/kg/日　（成分量として）分1 　　　　治療効果をみて適宜増減する． ・低カルシウム血症が強い時は，処方Bを併用する． 処方B　乳酸カルシウム　0.2〜0.4g/kg/日　（製剤量として）　分3

専門医に紹介するタイミング

くる病の診断はそれほど難しくないが，くる病には，ビタミンD欠乏によるもの以外にも，先天的にビタミンDの作用不足になるビタミンD依存性くる病や，低リン血性くる病，あるいは，二次性のくる病などの原因がある．診断時には，その原因を明らかにすることが必要であるが，検査値からそれらを見分けることは，困難な場合がある．検査で鑑別できない場合は，遺伝子解析が有用である．原因によって，治療内容，治療期間，遺伝性などが異なる．くる病を見つけたら，一度は，くる病診療に慣れた小児内分泌の専門医の意見を聞くことをすすめる．また，先天性のくる病は，専門医のもとで治療するのが望ましい．さらに，ビタミンD欠乏症と診断した場合でも，治療反応性が悪い例は，専門医に紹介したほうが良いだろう．

専門医からのワンポイントアドバイス

ビタミンD欠乏性くる病については，小児内分泌学会の診断の手引きを用いるのが良い．しかし，他の原因によるくる病の鑑別は難しく，特にビタミンD欠乏を伴った先天性のくる病の診断は，手引きのみでは困難である．くる病を診断した際には，一度は専門医に相談するのが良いだろう．

――――――― 文　献 ―――――――

1）小児内分泌学会ビタミンD診療ガイドライン策定委員会：ビタミンD欠乏性くる病・低カルシウム血症の診断の手引き．日本小児内分泌学会HP．http://jspe.umin.jp/medical/files/_vitaminD.pdf
2）日本内分泌学会・日本骨代謝学会：くる病・骨軟化症の診断マニュアル．http://jsbmr.umin.jp/guide/
3）日本内分泌学会：低カルシウム血症の鑑別診断の手引き．http://square.umin.ac.jp/endocrine/tebiki/003/003001.pdf
4）Holick MF：Vitamin D deficiency. N Engl J Med 357：266-281, 2007
5）Holick MF et al：Evaluation, treatment, and prevention of vitamin D deficiency：an Endocrine Society clinical practice guideline. J Clin Endocrinol Metab 96：1911-1930, 2011

9. 内分泌・代謝疾患

肥　満

花木啓一[1]，長石純一[2]，神崎　晋[3]

1）鳥取大学医学部 保健学科，2）鳥取市立病院 小児科，3）旭川荘療育・医療センター

POINT

● 肥満小児への対応は，小児肥満症または小児のメタボリックシンドロームの診断基準に合致するかどうかを判定したのちに行う．

● 肥満症・メタボリックシンドロームに該当する肥満小児には，早期から長期間の介入が必要である．

● 同診断基準に該当しない肥満小児には，成人肥満への移行予防の観点から生活指導を行う．

ガイドラインの現況

　食生活の欧米化やライフスタイルの急速な変化による運動不足等により，体脂肪の過剰蓄積，すなわち肥満（特に単純性肥満）が日本人の小児に増加している．文部科学省学校保健統計調査報告書によると，戦後の平均身長の伸びは近年鈍化したが，平均体重は増え続け，1977年から2000年までに，肥満頻度は約1.5～2倍に増加し，学童後期では約10%が肥満である．この時期の肥満の60～80%が成人肥満へ移行するとの報告もある．日本人は欧米人に比べて，軽度の肥満でも糖尿病を発症しやすいことが知られている．

　2002年，小児適正体格検討委員会にて，従来の「リスクとしての肥満」という概念を一歩進めて，直接病気につながる「疾病としての肥満」が定義され（小児肥満症の判定基準），肥満が治療対象として扱われることになった．さらに種々のアディポサイトカイン（脂肪細胞由来の内分泌因子）の発見やアディポサイエンスの進歩から，内臓脂肪型肥満は，耐糖能異常・糖尿病，高血圧，高脂血症，動脈硬化症といった代謝異常症候群と密接な関係があることが明らかとなり，厚生労働省研究班から『小児のメタボリックシンドロームの診断基準』（2007年）が提言された．さらに日本肥満学会より，小児肥満症診断基準2014年版細則として改訂され，2017年には『小児肥満症診療ガイドライン2017』が刊行された．これらの指針により，治療を要する小児の肥満を的確に診断し，治療ないし予防を行うことが重要である．

【本稿のバックグラウンド】　小児肥満症・小児のメタボリックシンドロームの診断基準は，小児肥満から成人肥満への移行を防ぎ，肥満症による健康障害へ対応することを目的に設定されている．

どういう疾患・病態か

肥満とは，身体の脂肪組織が過剰に増加した場合のことであり，単に体重が重いということではない．一般に肥満という場合は，白色脂肪細胞が肥大し，過剰に増加した状態のことをいう．

肥満はその成因から，単純性（原発性）肥満（過食と運動不足が誘因となる肥満）と，症候性（二次性）肥満（クッシング症候群，脳腫瘍，先天異常などの疾患や薬剤による肥満）に，その蓄積する体脂肪の分布から，内臓脂肪型肥満と皮下脂肪型肥満に分類される．脂肪細胞の面からは，肥大優勢型（軽度肥満レベル），肥大・増殖型（中等度肥満レベル），増殖優勢型（高度肥満レベル）に分類される．脂肪細胞の肥大が高度になると，その増殖を伴うようになる．増殖優勢型では，慢性炎症を起こし，易血栓状態，動脈硬化へと発展する．

単純性肥満の三要因は，遺伝（両親が肥満だと子どもの6割が肥満との報告もある）・外部環境（車，コンビニ，遊び場の減少，など）・生活習慣（過食，間食，脂質の摂取量の増加など食生活の乱れと，運動不足）である．肥満の約90％は単純性肥満である．

症候性肥満の原因となる疾患を表1に示した[1]．精神運動発達遅滞，性腺機能不全，新生児期の筋力低下，特異顔貌の有無などにも注意する．

肥満によってひき起こされる問題は，以下の3つの病態に大きく分けられる．

a）肥満による脂肪細胞機能異常に起因する問題

アディポサイトカインの産生異常が生じ，インスリン抵抗性の増大から，動脈硬化症に至る病態を基盤とする．内臓脂肪型肥満に多くみられ，糖尿病・耐糖能異常，脂質代謝異常，高血圧，高尿酸血症，脂肪肝，心血管疾患などを伴う．メタボリックシンドロームは，そのリスクが集積した状態である．

b）脂肪組織量の増加に起因する重たくなった体重による問題

皮下脂肪型肥満に多くみられ，脂肪蓄積により，変形性膝・股関節症，腰椎症などの様々な骨関節疾患が起こり，その結果，身体活動が低下し，肥満がさらに増悪するという悪循環に陥る．また，月経異常などを伴うことが多く，重症例では，睡眠時無呼吸症候群や心不全に至る．

c）肥満による心の問題

肥満は，学校での学習や生活に支障をきた

表1　症候性肥満の原因となる疾患

1. **内分泌性**
   クッシング症候群，甲状腺機能低下症，偽性副甲状腺機能低下症，多嚢胞性卵巣症候群，インスリノーマなど．
2. **視床下部性**
   脳炎・髄膜炎後，脳腫瘍，放射線照射，Fröhlich症候群など．
3. **遺伝性（染色体異常，先天代謝異常など）**
   Prader-Willi症候群，Down症候群，Turner症候群，Laurence-Moon-Biedle症候群など．
4. **薬剤性**
   グルココルチコイド，抗てんかん薬，プロゲステロン，テストステロン，経口避妊薬，三環系抗うつ薬など．

（文献1を参照して作成）

したり，精神的抑圧の原因となる．特に学童期から思春期になるにつれ，その精神的な問題が顕在化する．自己肯定感が低下し，ひきこもりや不登校につながることも少なくない．

治療に必要な検査と診断

肥満の判定法を**表2**に示した[2]．小児は，年齢によって身長が変化しBMIが一定でないため，体格の評価には実測身長から求めた標準体重を使用した肥満度を用いる．肥満度が＋20％以上，かつ有意に体脂肪率が増加した児が肥満児である．内臓脂肪量の指標であるウエスト周囲長（臍周囲径，腹囲）は，立位自然呼気終末時に測定する．

小児肥満症診断基準を**表3**に示した[3]．小児肥満症の定義とは，「肥満に起因ないし関連する健康障害（医学的異常）を合併するか，その合併が予測される場合で，医学的に肥満を軽減する必要がある状態をいい，疾患単位として取り扱う」である．小児期では，代謝障害は生じていても多くは無症状であり，むしろ肥満によって学校での学習や生活に支障をきたしたり，骨折や関節障害が問題となることも多い．

小児のメタボリックシンドロームの診断基準を**表4**に示した[4]．内臓脂肪の蓄積が発端となり，脂肪細胞の機能異常に起因した代謝異常が発生するとの概念から，ウエスト周囲長の測定を必須項目とするのが特徴である．2006年，内臓脂肪の評価方法として，ウエスト周囲長に加えてウエスト身長比も追加された．

一般的なスクリーニング検査と計測項目などを以下に示す．
- **問 診**：食事，運動，睡眠など，1日の生活記録．家族歴．
- **診 察**：皮膚線条とacanthosis nigricans

表2　肥満の判定法

```
┌─体格指数（身長・体重より算出する方法）
│  ┌─肥満度＝{(実測体重−標準体重)/標準体重}×100%
│  │        (6歳から17歳では＋20%以上を軽度肥満，＋30%以上を中等度肥満，
│  │         ＋50%以上を高度肥満とする)
│  │        (幼児の場合は＋15%以上を太り気味，＋20%以上をやや太り過ぎ，
│  │         ＋30%以上を太り過ぎと分類する)
│  └─BMI＝体重（kg）を，身長（m）の2乗で割る
│           (成人の基準はBMI 22，BMI 25以上が肥満)
├─体脂肪率（体脂肪率を測定する方法）
│  ┌─BI法（生体インピーダンス法）
│  └─DEXA法（二重X線吸収法）
│         小児の適正値：男児で約15〜20%，女児で約20〜25%
│         小児肥満の基準値：男児で25%，女児（11歳未満）で30%，
│                           女児（11歳以上）で35%以上が過脂肪
│
│  内臓脂肪型肥満の基準（脂肪分布からみた肥満の評価）
│     小児　ウエスト周囲長：　≧80cm（ウエスト周囲長/身長≧0.5，
│                                      小学生でウエスト周囲長≧75も該当）
│           腹部CT　　　　：　内臓脂肪面積≧60cm²
│     成人　ウエスト周囲長：　男≧85cm　女≧90cm
│           腹部CT　　　　：　内臓脂肪面積≧100cm²
```

肥　満　559

表3　小児肥満症の診断基準（小児肥満症診療ガイドライン 2017）

肥満の判定：肥満度が＋20％以上，かつ体脂肪率が有意に増加した状態
　有意な体脂肪率の増加とは，男児：年齢を問わず 25％以上，
　　　　　　　　　　　　　　　女児：11 歳未満は 30％以上，11 歳以上は 35％以上
肥満症の定義：肥満に起因ないし関連する健康障害（医学的異常）を合併するか，その合併が予測される場合
　で，医学的に肥満を軽減する必要がある状態をいい，疾患単位として取り扱う
適用年齢：6 歳〜18 歳未満
肥満症の診断：

肥満に伴う健康障害の区分	診断方法
A 項目：肥満治療を必要とする医学的異常 B 項目：肥満と関連が深い代謝異常 参考項目：身体的因子や生活面の問題	1）A 項目を 1 つ以上有する 2）肥満度が＋50％以上で B 項目の 1 つ以上を有する 3）肥満度が＋50％未満で B 項目の 2 つ以上を有する

A 項目
　1）高血圧
　2）睡眠時無呼吸症候群などの換気障害
　3）2 型糖尿病・耐糖能障害
　4）内臓脂肪型肥満
　5）早期動脈硬化症

B 項目
　1）非アルコール性脂肪性肝疾患（NAFLD）
　2）高インスリン血症かつ/または黒色表皮症
　3）高 TC 血症かつ/または高 non HDL-C 血症
　4）高 TG 血症かつ/または低 HDL-C 血症
　5）高尿酸血症

参考項目：2 項目以上の場合は B 項目 1 項目と同等とする
　1）皮膚線条などの皮膚所見
　2）肥満に起因する運動器機能障害
　3）月経異常
　4）肥満に起因する不登校・いじめなど
　5）低出生体重児または高出生体重児

（文献 3 を参照して作成）

表4　小児（6〜15 歳）のメタボリックシンドロームの診断基準

1）を必須項目として，2），3），4）のうち 2 項目以上を含む．
1）ウエスト周囲長：中学生 80 cm，小学生 75 cm 以上，もしくはウエスト周囲長（cm）÷身長（cm）が 0.5 以上
2）脂　質：中性脂肪 120 mg/dL 以上，かつ/または HDL-C 40 mg/dL 未満
3）血　圧：収縮期 125 mmHg 以上，かつ/または拡張期 70 mmHg 以上
4）血　糖：空腹時血糖　100 mg/dL 以上

（文献 4 より引用）

（高インスリン血症の指標）．

- **計 測**：身長，体重，ウエスト周囲長，血圧．成長曲線の作成（肥満の発生時期は？）．
- **空腹時採血**：電解質，BUN，Cr，UA，肝機能，HbA1c，空腹時血糖，インスリン，総コレステロール，HDL コレステロール，中性脂肪，高感度 CRP など．
- **採 尿**：検尿一般，尿生化（Alb，Cr など）．
- **画 像**：臍レベル CT，腹部エコー（脂肪肝，思春期女児の卵巣嚢胞のチェックなど）．

高度肥満例では，必要に応じて，副腎系・性腺系の内分泌的評価や OGTT（負荷量は，身長から算出した標準体重から算出），胸部 X 線写真（心不全），頸部エコー（頸動脈の内膜中膜複合体肥厚度），PWV（脈波伝播速度の検査）なども行う．

治療の実際

小児の肥満症の判定基準やメタボリックシンドロームの診断基準により判定された治療を要する肥満小児が対象となる．症候性肥満の治療は，原疾患への治療が優先となるので，ここでは単純性肥満の治療について述べる．

肥満症としての各病態への個別の治療も重要であるが，共通するのは肥満そのものに対する治療，すなわち減量が基本的治療法となる．そして目標とした減量の達成も大切であるが，減量した体重を長期にわたって維持することがさらに重要になる．具体的には，食事療法と運動療法の併用により減量し，必要に応じて補助的に薬物療法を用いる．長期減量維持，リバウンド防止のために行動療法を併用し，肥満小児の生活習慣を改善する必要がある．

1 食事療法

脂肪細胞の機能異常を伴った肥満症では，内臓脂肪量を減らすことで，肥満に起因する代謝異常の病態を改善することが当面の目的となる．体重の5％減少にて，検査値の効果的な改善が得られる．それに対して，脂肪細胞の量的増加による肥満症では，体重の5〜10％減少を目標にする．ただし，小児期には身長が増加するため，過度のエネルギー制限による大幅な減量を行わなくても，現在の体重を維持すれば，その間の身長増加により肥満度の低下が得られる．成長・発育を妨げないように，表5に示した年齢別の摂取エネルギーを目安に摂取量を設定する[5]．三大栄養素のバランスは，糖質55〜60％，蛋白質15〜20％，脂質25％を基本とする．三食のリズムを守り，ながら食い・早食い・孤食は止めて，基本の三食を空腹で迎えるように工夫する．家族もいっしょに取り組むことが有効である．

2 運動療法

運動療法の目的は体重減少ではなく，定期的に運動を行うことによりインスリン感受性を改善させ，糖・脂質代謝を改善したり，骨・筋肉系・心肺機能を維持・強化することにある．高度肥満（肥満度50％以上）では，心不全・高血圧などの禁忌に注意する．短期効果として，運動により肝や筋肉のAMPキナーゼ活性が上昇し，基礎代謝量を増加させ，糖と脂質の利用を促す．長期効果として運動は，筋量を増加し，自律神経活動

表5　年齢別推定エネルギー必要量（kcal/日）

性別	男　性			女　性		
身体活動レベル	Ⅰ	Ⅱ	Ⅲ	Ⅰ	Ⅱ	Ⅲ
6〜7（歳）	1,350	1,550	1,750	1,250	1,450	1,650
8〜9（歳）	1,600	1,850	2,100	1,500	1,700	1,900
10〜11（歳）	1,950	2,250	2,500	1,850	2,100	2,350
12〜14（歳）	2,300	2,600	2,900	2,150	2,400	2,700
15〜17（歳）	2,500	2,800	3,150	2,050	2,300	2,550
18〜29（歳）	2,300	2,650	3,050	1,700	2,000	2,300

身体活動レベルは，低い，ふつう，高いの3つのレベルとして，それぞれⅠ，Ⅱ，Ⅲで示した．

（文献5より引用）

を活性化し，メンタルヘルスも改善させる．運動の強さは「楽である」から「ややきつい」程度でよく，手軽に楽しく続けられることが肝心である．学校の部活動や万歩計の利用も良い．

③ 薬物療法

抗肥満薬は，漢方の防風通聖散を除くと，マジンドール（中枢性の食欲抑制作用）のみである．その使用には依存性への注意が必要である．

肥満のある思春期2型糖尿病の場合，インスリン抵抗性改善薬として，乳酸アシドーシスへの注意が必要であるが，ビグアナイド系のメトホルミンの高用量処方も可能となった．また，インクレチン関連薬として，DPP-4阻害薬やGLP-1受容体作動薬も病態的には期待される．いずれにせよ，食事療法の遵守が前提条件である．

処　方　例

肥満のある2型糖尿病の場合

10歳以上の小児

処方A　メトグルコ® 錠（250 mg）　2錠
　　　　分2　食直前または食後
　　　　処方Aで効果なければ追加
処方B　ベイスン®（0.2 mg）　3錠
　　　　分3　食直前

中学生以上で食事・運動療法に不応の高度肥満小児の場合

処方　サノレックス®（0.5 mg）　1〜2
　　　　錠　分1〜2　昼，分2では朝昼の
　　　　食事の1時間前
（注意：1ヵ月で無効のときは中止，最長3ヵ月まで）

専門医に紹介するタイミング

中等度以下の肥満の場合，患児と信頼関係が保たれ，自己管理・家族の協力・栄養指導が安定して継続できるならば，外来治療にて，患児の目的意識と治療意欲の維持に努める．しかし，厳格な食事制限や運動療法が必要な高度肥満（肥満度+50%以上）あるいはメタボリックシンドロームの患児は，専門医に紹介し，短期の教育入院を実施することが望ましい．その際，生活習慣を改善するための動機づけとなる行動療法が，家族教育とともに大切である．

専門医からのワンポイントアドバイス

肥満症の治療は標準体重にすることではない．減量は目的ではなく手段である．当面の目標は半年で5%の減量と低めに設定し，児や家族との関係確立をはかる．一方的な指導ではなく，児や家族の動機づけの継続が大切である．

文　献
---

1) 朝山光太郎 他：小児肥満症の判定基準—小児適正体格検討委員会よりの提言. 肥満研究 8：204-211, 2002

2) 小児肥満症ガイドライン2014〈概要〉. 肥満研究 20：i-xxvi, 2014

3) 岡田知雄 他：日本肥満学会 編：小児肥満症診療ガイドライン2017. ライフサイエンス社, 2017

4) 厚生労働省 小児期メタボリック症候群の概念・病態・診断基準の確立及び効果的介入に関するコホート研究班：小中学生期におけるメタボリックシンドロームの診断基準. 2007

5) 厚生労働省「日本人の食事摂取基準」策定検討会：日本人の食事摂取基準 2020年版.

9. 内分泌・代謝疾患

高アンモニア血症

福井香織[1,2]，渡邊順子[1,3]，芳野　信[4]

1) 久留米大学 小児科学講座，2) 北九州市立八幡病院 小児総合医療センター，3) 久留米大学医学部 質量分析医学応用研究施設，4) 久留米大学医学部 高次脳疾患研究所

POINT
- 高アンモニア血症は尿素サイクル異常症だけではなく，有機酸代謝異常症などでも生じる．
- 尿素サイクル異常症では，アミノ酸の代謝過程で生じるアンモニアの解毒機構が破綻しており，アンモニアが生体内に蓄積する．
- アンモニアは神経毒性が強く，神経学的後遺症を残しやすいため，速やかに低下させる必要があり，治療を優先すべきである．

ガイドラインの現況

　高アンモニア血症全体のガイドラインは存在しないが，その中心的な疾患である尿素サイクル異常症の診療ガイドラインは本邦[1]，欧州[2]，米国[3] で策定されている．

　尿素サイクル異常症は，わが国では現行の新生児マススクリーニングの対象疾患ではないが，新生児期以降に発症する重要な疾患であるため，2019 年に改訂された『新生児マススクリーニング対象疾患等診療ガイドライン 2019』に含まれている．また，欧州でも 2012 年のガイドラインの改訂版が 2019 年に JIMD に投稿されている．米国のものは過去のガイドラインやコンセンサスを統合する形で公開されている．いずれも診断や管理法についての基本的な考え方は同じであるが，日本では，欧米で使用されている治療薬の一部が医薬品としては市販されていない，肝移植は生体肝移植に依存せざるを得ないなど違いがあり，実情に合わせた治療の選択が必要である．

【本稿のバックグラウンド】　高アンモニア血症の病因は多岐にわたる．主たる原因となる尿素サイクル異常症の診断および診療については，2019 年に改訂された日本先天代謝異常学会編集の『尿素サイクル異常症ガイドライン』[1]，欧州より 2019 年に JIMD に投稿された改訂版ガイドライン[2]，米国のサイトである GeneReviews® UCDs overview[3] を参考にしている．

どういう疾患・病態か

　高アンモニア血症とは，血中のアンモニア値が基準値を超える状態をいう．高アンモニア血症では，高濃度のアンモニアが脳神経細胞（特にアストロサイト）内に流入し，グルタミン酸と結合することでアストロサイト内のグルタミン濃度を上昇させ，脳障害をひき起こすと考えられている．そのため，高アンモニア血症時には速やかな是正が必要不可欠

高アンモニア血症　**563**

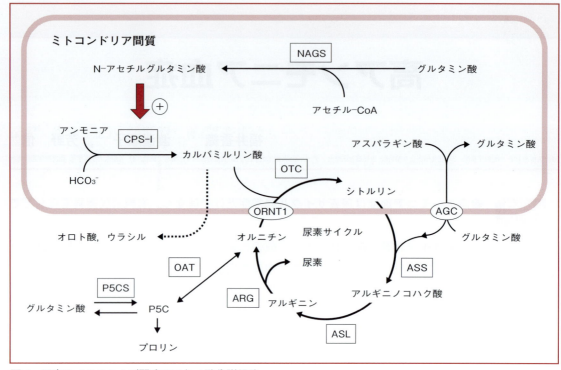

図1 尿素サイクルおよび関連のアミノ酸代謝経路

尿素サイクルは，カルバミルリン酸合成酵素-I（CPS），オルニチントランスカルバミラーゼ（OTC），アルギニノコハク酸合成酵素（ASS），アルギニノコハク酸分解酵素（ASL），アルギナーゼ（ARG），の5種類の酵素で触媒される反応からなる．N-アセチルグルタミン酸合成酵素（NAGS）はCPSの活性化に関わる（太い矢印↓と⊕で示す）．それぞれの先天性酵素欠損症が知られている．本文中では，それぞれの酵素の欠損症は略語の後に"D"（deficiency）を付して病名としている（例えばOTC欠損症はOTCDなどと）．また，以下の酵素や転送体の欠損症も高アンモニア血症の原因となる．オルニチンアミノトランスフェラーゼ（OAT），Δ¹-ピロリン-5-カルボキシル酸合成酵素（P5CS），アスパラギン酸・グルタミン酸転送体（AGCD，シトリン欠損症，あるいはNICCDと呼ばれている）．オロト酸，ウラシルはカルバミルリン酸に由来する（……▶）．OTCD，ASSDでは後者が蓄積するためオロト酸，ウラシルが増加するが，CPSD，NAGSDでは増加しない．

（五十嵐　隆　他編：「高アンモニア血症」小児科臨床ピクシス23見逃せない先天代謝異常．中山書店，pp8-10，2015より引用）

である．

生理的な血中アンモニア値の上限は，早期産児では150 μmol/L（255 μg/dL），正期産児では75 μmol/L（128 μg/dL），それ以降は50 μmol/L（85 μg/dL）程度である．一般的に血中のアンモニアは食事由来の蛋白質や体蛋白質の分解などのアミノ酸の代謝過程および腸内細菌叢で産生され，肝臓に局在する尿素サイクルによって尿素に変換・無毒化され，腎から排泄される（図1）．重篤な高アンモニア血症のうち頻度が高いのは尿素サイクル異常症で，尿素サイクルに関わる酵素の欠損により，アンモニアを尿素に変換できずに高アンモニア血症をきたす．その他，有機酸代謝異常症などの先天代謝異常症[4]や門脈体循環シャント，重度の肝障害などの後天的原因でもみられることがある．通常の高アンモニア血症の場合にはラクツロース投与など対症療法となるが，尿素サイクル異常症では治療法が異なる．そこで，本稿では尿素サイクル異常症による高アンモニア血症を中心に述べる．

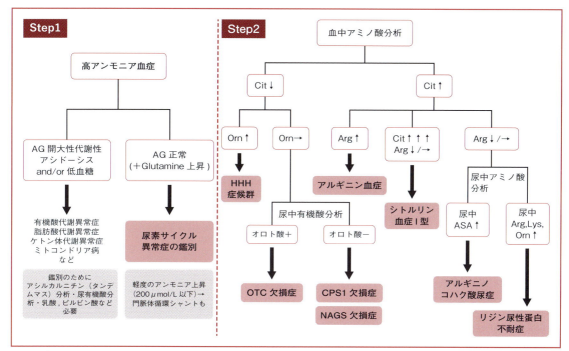

図2 高アンモニア血症の診断アルゴリズム
　図中のアミノ酸は基本的に血中アミノ酸を指し，尿中の場合のみ尿中と記載．
　AG：Anion Gap, Cit：シトルリン，Arg：アルギニン，Orn：オルニチン，Lys：リジン，ASA：アルギニノコハク酸を示す．↑は増加，↓は減少，→は正常を示す．
　HHH症候群：高アンモニア血症・高オルニチン血症・ホモシトルリン尿症候群
　シトリン欠損症は新生児期には各種アミノ酸の上昇がみられるが，以降はアミノ酸に異常が出ないことも多い．成人発症Ⅱ型シトルリン血症（CTLN2）発症時にはシトルリンは上昇する．CPS1欠損症，NAGS欠損症の鑑別は遺伝子解析による．

治療に必要な検査と診断

1 高アンモニア血症の症状

　急性期の症状として，新生児では多呼吸，活動性低下，筋緊張低下，嘔吐など，年長児，成人では精神症状（興奮，異常言動，せん妄など），意識レベルの低下，一過性視力障害，嘔吐，多呼吸，失調，脳血管障害などがみられる．

　尿素サイクル異常症の遅発型の場合，蛋白質を好まない食癖がある場合がある．また，シトリン欠損症の場合には糖質を好まず脂質や蛋白質を好む食癖がある場合があり，特異な食癖がないかの問診も重要である．

2 鑑別の考え方

　先天代謝異常症による高アンモニア血症の鑑別には，血液ガス値，血糖値が重要である[4]．血液ガス値が正常または呼吸性アルカローシスを示し，血糖値が低くない場合は，尿素サイクル異常症や，その他のアミノ酸代謝異常症を考える（図2）．ただし尿素サイクル異常症でも急性期に軽度の代謝性アシドーシスを呈することはある．一方，高アンモニア血症と代謝性アシドーシスや低血糖がみられる場合は，有機酸代謝異常症や脂肪酸酸化障害を考える[4]．

表1 尿素サイクル異常症の鑑別と特徴

疾患名 （原因遺伝子）	症状（高アンモニア血症を除く）	アミノ酸の変化		尿中オ ロト酸	遺伝形式 頻　度	治療の 注意点
		血中	尿中			
NAGS 欠損症 （NAGS）		Cit ↓		－	AR 不明	カルグルミン 酸の適応あり
CPS1 欠損症 （CPS1）	新生児期発症の重症例がほとんど	Cit ↓		－	AR 1/80 万	
OTC 欠損症 （OTC）	男児新生児型，女児遅発型，男児の遅 発型もある	Cit ↓		2+	XL 1/8 万	
シトルリン血症1型 （ASS1）	多くは新生児発症の重症例	Cit ↑↑↑	Cit ↑	2+	AR 1/53 万	
アルギニノコハク酸 尿症（ASL）	多くは新生児重症型 遅発型では知的能力障害，発育不全， 肝腫大，毛髪異常（結節性裂毛症）	ASA ↑， Cit ↑↑	ASA ↑	+	AR 1/7～80 万	
アルギニン血症 （ARG1）	高アンモニア血症は少ない 進行性の痙性対麻痺，けいれん	Arg, Cit ↑	Arg, Lys, Cys ↑	2+	AR 1/220 万	アルギニンの 投与は避ける
オルニチンアミノ基 転移酵素欠損症 （OAT）	夜盲症，幼児期からの進行性の近視 網膜の脳回状萎縮	Orn ↑		+/±	AR 不明	安定期は低ア ルギニン食の 試みも
HHH 症候群 （SLC25A15）	間欠的高アンモニア血症，てんかん， 知的能力障害，発作性失調・アテトーゼ	Orn ↑	ホモシト ルリン↑	+	AR 不明	シトルリンも 使用できる
リジン尿性蛋白不耐 症 （SLC7A7）	低身長，肝脾腫，けいれん，全般性発 達遅滞，間質性肺炎，血球貪食症候 群，自己免疫疾患など	Arg, Lys, Orn ↓ or →	Arg, Lys, Orn ↑	+/±	AR 不明	シトルリンも 使用できる

それぞれの酵素の略称は図1を参照
Cit：シトルリン，Orn：オルニチン，Arg：アルギニン，Lys：リジン，Cys：シスチン，ASA：アルギニノコハク酸，↓：
低下，↑：上昇，→：正常，↑↑：著明な上昇，↑↑↑：極めて著明な上昇
ＡＲ：常染色体潜性遺伝，ＸＬ：Ｘ連鎖性遺伝
OTC 欠損症のみＸ連鎖性遺伝であり，男児のほうが重篤である．
シトリン欠損症は表に含めていないが，新生児期は多種アミノ酸血症をきたす．小児期には特に異常はみられなくなる．
思春期以降に成人発症2型シトルリン血症をきたした際にはシトルリンの上昇がみられる．

③ 診断確定に必要な検査

　鑑別には，血漿および尿中アミノ酸分析，尿中有機酸分析（オロト酸測定）が有用であり，図2，表1のように鑑別を行う．診断の確定は遺伝子検査を行う．現在，尿素サイクル異常症の遺伝子検査は保険適用とされており，ほとんどの疾患はかずさ DNA 研究所で検査可能である（https://www.kazusa.or.jp/genetest）．

　酵素診断は肝生検が必要なことが多く侵襲的であるため，最近はあまり行われていない．また，オルニチントランスカルバミラーゼ（OTC）欠損症女性では，肝細胞それぞれが野生型遺伝子と変異型遺伝子のいずれか

が発現したモザイクであり，採取部位により酵素活性が異なるため，酵素活性による診断は困難である．

治療の実際

① 急性期

　血中アンモニア値が上昇し，何らかの症状があれば，直ちに処置を行う．

①蛋白質摂取の中止（絶食）

②輸　液：電解質を含む 10％ブドウ糖もしくは中心静脈カテーテルを用いた高濃度輸液を行い，熱量 60～100 kcal/kg/日で投与する．ただし，シトリン欠損症に伴う高ア

表2 尿素サイクル異常症の薬物治療

薬　物	適　応	急性期投与量	慢性期投与量	医薬品名
フェニル酪酸Na	尿素サイクル異常症全般	250mg/kgを経鼻胃管で投与し200～300mg/kg/日で維持	200～300mg/kg/日	医薬品（ブフェニール®）
安息香酸Na	尿素サイクル異常症全般	250～500mg/kg/日で投与	100～250mg/kg/日	医薬外品（試薬転用）
L-アルギニン	アルギニン血症を除く	250mg/kgを120分で投与し，250mg/kg/日で維持	100～250mg/kg/日	医薬品（アルギU®）内服，点滴注射薬あり
L-シトルリン	NAGS欠損症，CPS1欠損症，OTC欠損症	100～250mg/kg/日を経鼻胃管で投与	100～250mg/kg/日	医薬外品　先天代謝異常学会より供給*
カルグルミン酸	NAGS欠損症	100mg/kgを経鼻胃管で投与し100～250mg/kg/日分4で維持	100～250mg/kg/日	医薬品（カーバグル分散錠®）

わが国で現在使用可能なものだけを記載した．投与量はガイドラインによる．フェニル酪酸Naは欧米のガイドラインや添付文書上では高用量が推奨されているが，日本では効果と副作用のバランスを考慮し，欧米よりも少ない量で投与されている．急性期はL-アルギニンと安息香酸Na（準備できれば）は点滴で輸注し，それ以外は経鼻胃管で投与する．安定期はすべて内服に変更する．
＊シトルリンは先天代謝異常学会シトルリン供給事務局（熊本大学・日本小児先進治療協議会）から有償で供給（患者自費）やサプリメントを利用することができる．シトルリンが使用される場合は，アルギニンの併用は必ずしも必要ない．尿素サイクル異常症以外の高アンモニア血症に対するこれらの薬物の適応は確立していない．ただし，カルグルミン酸は有機酸代謝異常症（プロピオン酸血症，メチルマロン酸血症，イソ吉草酸血症）に伴う二次性高アンモニア血症にも適応がある．

ンモニア血症の場合にはブドウ糖大量投与やグリセロール投与は禁忌であり，低血糖を予防する程度のブドウ糖投与と中鎖脂肪酸投与が必要となる．

③**インスリン**：上記投与で高血糖がみられる場合は，インスリン（0.01～0.1単位/kg/時）を併用する．高血糖では高浸透圧性脳障害の恐れがある．

④**薬物療法**：表2を参考に，L-アルギニンの輸注やシトルリンの経口投与（経鼻胃管注入）を行い，尿素サイクルの基質を補う．また，フェニル酪酸Naや安息香酸Naは余剰窒素の排泄を目的に使用する．NAGS欠損症ではカルグルミン酸の使用も可能である．カルニチン，ビオチン，ビタミンB$_{12}$の投与も並行して行う．

⑤**血液浄化療法**：来院時の血中アンモニア値が250μmol/L（425μg/dL）以上の場合には血液浄化療法を準備しながら上記の治療を行う必要がある．保存的治療を数時間行っても血中アンモニア値が急速に低下し

ない場合には，血液浄化療法を開始する．血中アンモニア値が500μmol/L（850μg/dL）以上の場合には速やかに血液浄化療法を開始する．なお，360μmol/L（610μg/dL）以上の高アンモニア血症をきたすと神経学的予後が不良となるという報告[5]もあり，250μmol/L（425μg/dL）以下であっても保存的治療で上昇傾向がみられる場合には血液浄化療法を考慮する．

⑥以上の治療でアンモニアが下がり始め，経口摂取もしくは経管栄養が可能になれば，速やかに蛋白除去粉乳（雪印S-23）と自然蛋白（普通ミルクや食事）を開始する．蛋白質摂取中止後48時間以内にアミノ酸を再開することが望ましい．

2 安定期の管理

①**栄養療法**：低蛋白食と十分なカロリー摂取が必要である．蛋白除去粉乳（雪印S-23）と自然蛋白（ミルクや食事）を併用し，栄養を再開．血中アンモニア値を測定しなが

ら徐々に蛋白を増量する．耐容量は個人差が大きく，乳幼児期では最終的に総蛋白量1.0〜1.2g/kg/日程度を目標とすることが多い[1]．蛋白質耐容量が著明に低い場合には，摂取蛋白質の20〜30％を必須アミノ酸製剤に置き換える[2]．また，蛋白価の高い蛋白質のほうが必須アミノ酸率が高く，良いとされている．十分なカロリーを補えない場合は，経鼻胃管の併用も検討する．カルニチンや各種ビタミン，微量元素の欠乏を起こさないよう補充も必要である．

②**薬物療法**：L-アルギニン，L-シトルリンの経口投与でコントロール不十分であればフェニル酪酸Naまたは/および安息香酸Naの経口投与を併用する．N-アセチルグルタミン酸合成酵素欠損症ではカルグルミン酸を投与する．

③**肝移植**：急性期の血液浄化から離脱できない症例や慢性期の保存的治療を受けていても高アンモニア血症の発作を繰返す症例が適応となる．わが国では血縁者をドナーとする生体肝移植が中心に行われており，良好な結果が得られている．ただし，既に生じた脳障害の回復は期待できない．そのため，最近は早期に長期予後の改善やQOLの向上目的で肝移植を行われることもある．アルギニノコハク酸尿症では肝移植後も神経症状が進行する場合があり，慎重に検討する必要がある．カルバミルリン酸合成酵素（CPS1）欠損症，OTC欠損症では移植後もL-シトルリンの補充を勧める意見もある．

3 治療上の注意点

急性期の注意点として，①脳浮腫を合併しやすいので投与水分が過剰にならないようにする，②投与薬物は過剰投与により重篤な副作用が出うるので，投与量の計算や薬液調製には必ずクロスチェックが必要である．全般的注意として，③安息香酸Na，L-シトルリン末は医薬品ではないので，使用にあたっては適切な説明と同意が必要である，④高アンモニア血症患者には，副腎皮質ホルモン，アセチルサリチル酸Na，バルプロ酸Na，カルバマゼピン，フェニトイン，バルビツール酸塩,L-アスパラギナーゼなどは禁忌である．

処方例

血液中アンモニア値が安定しているOTCD患児（体重＜20kg）

処方　ブフェニール® 顆粒94%
　　　0.213g/kg　分3（フェニル酪酸Naとして200mg/kg）　｝併用
　　　L-シトルリン　100mg/kg
　　　分3

ブフェニールを単独投与することもあるがL-シトルリンを併用するのが一般的である．L-シトルリンが入手できない場合はアルギU®を使用してもよい．

専門医に紹介するタイミング

高アンモニア血症は急速に進行することがあり，高アンモニア血症をみたら，速やかに血液浄化可能な施設に一報入れることが重要である．

専門医からのワンポイントアドバイス

①けいれん重積，意識障害，偏食などあればアンモニア値を測定する．

②アンモニア高値の場合は，専門病院など血液浄化可能な施設へ連絡を入れる．同時に，少なくとも，血清，血漿，尿の保存を行う．アルギニン投与などを開始し，結果

的に転送が不要な軽症であったとしても容認される.

③転送先に患児の状態をできるだけ早く連絡することで,受け入れ先でも準備を開始でき,受け入れ後の治療開始までの時間を最短化できる.

④シトリン欠損症による高アンモニア血症の場合,ブドウ糖やグリセロールの大量投与は禁忌であり,年長児の場合は注意する.

文 献

1) 中村公俊 他：尿素サイクル異常症. "新生児マススクリーニング対象疾患等診療ガイドライン 2019" 日本先天代謝異常学会 編. 診断と治療社, pp67-92, 2019

2) Häberle J et al：Suggested guidelines for the diagnosis and management of urea cycle disorders：First revision. J Inherit Metab Dis 42：1192-1230, 2019

3) Mew NA et al：Urea cycle disorders overview. GeneReviews®, 2003
https://www.ncbi.nlm.nih.gov/books/NBK1217/

4) 芳野　信：アンモニア. "小児科臨床ピクシス 23：見逃せない先天代謝異常症" 五十嵐隆 他編. 中山書店, pp86-87, 2010

5) Kido J et al：Long-term outcome of urea cycle disorders：Report from a nationwide study in Japan. J Inherit Metab Dis 44：826-837, 2021

9. 内分泌・代謝疾患

低 血 糖

みながわまさのり
皆川真規
千葉県こども病院 内分泌科

POINT

● 重度の低血糖や症状を認める低血糖では，脳のダメージを最小限にするために速やかな治療（血漿グルコース濃度の正常化）が必要である．

● 低血糖の治療をするかどうかの判断には，ベッドサイドで利用可能な簡易検査機器（血糖，ケトン体，乳酸，血液ガス分析）を活用するが，原因探索のためには正式な検査が必要である．

● 鑑別診断には，低血糖時の血液検体（クリティカルサンプル）が極めて重要である．

ガイドラインの現況

　低血糖は小児で比較的よくみられる症候の一つであるが，生理的反応によるものを含め原因は多岐にわたる．小児の低血糖全般に適用される診療ガイドラインは本邦では作成されていない．疾患・病態に特異的なものには，『先天性高インスリン血症診療ガイドライン』[1] がある．国際的には，成人の低血糖に関する診療ガイドラインを米国内分泌学会が2009年[2] に，新生児・乳児・小児を対象とした遷延性低血糖の評価と管理に関する診療ガイドライン（推奨）を米国小児内分泌学会（Pediatric Endocrine Society：PES）が2015年[3] に発表している．正常新生児では，血糖値は生後1〜2時間に30mg/dL程度まで低下し，3時間に上昇，48時間ではほぼ成人と変わりないレベルになるが，ハイリスク新生児では低血糖が遷延し，症状を生じることがある．後期早期産児（在胎34〜37週未満）と満期産児の血糖スクリーニングと管理についての指針を米国小児科学会が2011年[4] に発表している．

【本稿のバックグラウンド】 PESが2015年に発表した新生児，乳児，小児を対象としたガイドライン[3] と日本小児内分泌学会と日本小児外科学会が作成した『先天性高インスリン血症診療ガイドライン（2017年改訂版）』[4] を中心に本稿を執筆した．成人領域に比べ，小児期，特に新生児期に関する良質のエビデンスは極めて少なく，この領域のガイドラインはエキスパートパネルによるコンセンサスによりエビデンスレベルと推奨を決定している．

どういう疾患・病態か

　低血糖症の臨床的な定義は，「低グルコー

ス血症が原因で症状あるいは脳機能障害を惹起するもの」であるが，低血糖症を定義する特定の血漿グルコース（plasma glucose：

表1　遷延性低血糖をきたすハイリスク新生児（文献3より引用）

低血糖のハイリスクで血糖スクリーニング検査が必要なもの
1. 低血糖症状を示すもの
2. LGA（Large for Gestational Age）児
3. 周生期ストレス
   a. 新生児仮死，胎児ジストレスによる帝王切開出生児
   b. 母体妊娠高血圧腎症，子癇，高血圧症
   c. SGA（Small for Gestational Age）児
   d. 胎便吸引症候群，胎児赤芽球症（新生児溶血性貧血），多血症，低体温症
4. 早産児ないし過期産児
5. 糖尿病母体児
6. 遺伝性低血糖症の家族歴があるもの
7. 先天症候群（Beckwith-Wiedemann症候群など），形態異常を有する児（顔面正中奇形，形態異常をともなう小陰茎など）

退院前に遷延性低血糖を除外すべきもの
1. 重症低血糖（症状を示したもの，治療にブドウ糖静注を必要としたもの）
2. 哺乳前PG濃度が50mg/dL（生後48時間以内）あるいは60mg/dL（48時間以降）を超えてコンスタントに維持できないもの
3. 遺伝性低血糖症の家族歴があるもの
4. 先天症候群（Beckwith-Wiedemann症候群など），形態異常を有する児（顔面正中奇形，形態異常をともなう小陰茎など）

PG）濃度を示すことはできない．また，てんかんや発達遅滞などの高度の中枢神経後遺症の発生には低血糖の持続時間も関与する．

　低血糖による臨床症状は非特異的である．自覚症状は交感神経症状として，動悸，振戦，不安感，発汗，空腹，知覚異常がみられ，脳のエネルギー欠乏によって起こる中枢神経症状は，錯乱，昏睡，けいれんなどである．成人のガイドラインではWhippleの3徴を満たす場合に精査を推奨しており[2]，小児のガイドラインでも適切に自覚症状を訴えることのできる年齢では同様としている[3]．一方，乳児や症状の訴えが的確ではない低年齢児では，60mg/dL未満のPGを示したものを精査対象としている[3]．新生児の症状は，呼吸の異常（無呼吸，多呼吸，不規則な呼吸）や易刺激性などもあるが，ハイリスクに限って血糖スクリーニングとフォローアップを勧めている[3, 4]（**表1**）．

　PG濃度が55〜65mg/dLに低下すると脳のグルコース利用が制限され，50mg/dL未満ではグルコース欠乏により認知機能が低下する．脳が利用可能なエネルギー源はグルコース以外にケトン体や乳酸であり，これらの血中濃度が十分上昇している場合低血糖の程度の割に脳のエネルギー欠乏は生じにくくなる．一方，高インスリン血症や脂肪酸酸化障害などではこれらの代替エネルギーの産生が抑制されているため脳機能障害が発生しやすい．

　低血糖に対する生理的な防御機構を概説する．PG濃度が85mg/dL程度まで低下するとインスリン分泌が抑制され，さらに65〜70mg/dL程度に低下するとグルカゴン分泌と交感神経―副腎髄質系の亢進（エピネフリン上昇）が惹起され，肝臓のグリコーゲン分解によるグルコース放出が増加する．PG濃度が65mg/dLを切るレベルでは，コルチゾールおよび成長ホルモン（GH）分泌が亢

表 2　低血糖が高インスリン血症によることの診断（鑑別を含む）をするために
　　　　必要な検査（可能な限り治療開始前に実施する）　　　　　（文献 1 より引用）

低血糖時の検体が得られない場合は，血清アシルカルニチンプロフィルなどにより脂肪酸 β 酸化・カルニチン代謝異常症を除外したうえで，管理下絶食試験を行って低血糖を誘発したうえで，検査を行うことができる．

検体	検査項目
血液	CBC，CRP，血液一般生化学検査，電解質
	血糖値[*, **]
	インスリン[*]・C ペプチド
	血液ガス分析[*]
	遊離脂肪酸
	アンモニア[*]
	血中ケトン体・ケトン体分画[*]
	乳酸・ピルビン酸
	ACTH・コルチゾル
	FT4・TSH
	GH・IGF-1
	血清アシルカルニチンプロフィル（タンデム質量分析計）
	血清保存（凍結）[*]
尿	検尿[*]
	尿有機酸分析
	尿保存（凍結）

[*] 必須
[**] 血糖値は簡易血糖測定器を用いず，血糖用採血管に採血して測定する．

進し，糖新生を促進する．脂肪細胞では糖新生の基質としてのグリセロールと遊離脂肪酸（骨格筋，心筋でグルコースの代替エネルギーとなる）が放出されるが，肝臓で遊離脂肪酸から作られた β ヒドロキシ酪酸（BOHB）やアセト酢酸などのケトン体が脳でグルコースの代替エネルギーとして利用される．

　新生児期から小児の遷延性低血糖の原因疾患は，インスリン分泌制御の異常（新生児一過性の病態，遷延性の病態），拮抗ホルモン分泌不全，糖代謝障害，糖原病，遊離脂肪酸代謝障害などの先天異常や遺伝子異常によるものが比較的多い．

　幼児では，ケトン血性低血糖症が最も多い．胎児発育不全や低出生体重で出生した児，小柄でやせている筋肉量の少ない児で起こりやすく，肝臓グリコーゲン貯蔵量が少ないことや筋肉のアミノ酸異化による糖新生でのグルコース動員能力が低いことが原因と考えられている．

治療に必要な検査と診断

　低血糖による症状がみられる場合（疑われる場合も含む）は，正確に診断することより，脳のダメージを最小限にするためにグルコース静注等による対症療法を優先する必要がある．ベッドサイドで利用できる血糖簡易測定器の測定値をみてブドウ糖を含む輸液を開始するが，正確性に劣るため原因精査の必要性は検査室での血漿グルコース濃度測定に基づいて最終的に判断する．余裕があれば低血糖時の血液検体（クリティカルサンプル）

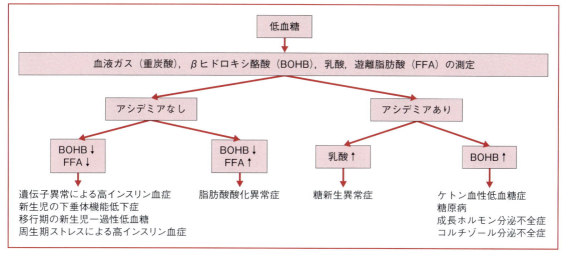

図1 低血糖の原因診断アルゴリズム
低血糖時(クリティカルサンプル)の血液検査結果による低血糖の原因疾患のおおまかな鑑別の方向性を示す．
BOHB：βヒドロキシ酪酸，FFA：遊離脂肪酸
(文献3より引用)

を採取し，鑑別診断に必要な検査(**表2**)を実施する．血液ガス分析(静脈血でよい)，BOHBや乳酸の簡易測定器が利用できれば原因検索の大まかな方向性を決めることができる．PESガイドライン[3]に示された原因診断のアルゴリズム(**図1**)を参考に精査の方向性を考えて検査の優先順位を決めると，貴重なサンプルを有効に活用することができる．

脂肪酸酸化異常症には，脂肪酸β酸化異常症，カルニチン代謝異常症，ミトコンドリア病が含まれる[3]．カルニチン欠乏症は低ケトン性低血糖の原因となる[5]．近年，ピボキシル基含有抗菌薬によるものが注意喚起されており，特に乳幼児においては短期間の投与でもカルニチン欠乏が生じる危険性があることに留意すべきである[5]．カルニチン代謝異常症の診断にはタンデム質量分析計によるアシルカルニチンプロフィル分析が必要であるが，先天代謝異常症以外の原因で発症するカルニチン欠乏症の診断の場合は，血中カルニチン2分画検査で十分である[5]．

原因疾患を確定することで，低血糖を予防するための特異的な治療を選択することができる．問診で聴取すべき情報は，薬剤投与歴，低血糖発作のタイミングと食事との関係，出生体重と在胎期間，家族歴である．身体診察では，下垂体機能異常を疑う徴候(小陰茎，口唇口蓋裂，低身長)，副腎不全を疑う症候(反復性の腹痛，色素沈着，食欲不振，体重減少)，糖原病を疑う肝腫大，Beckwith-Wiedemann症候群でみられる症候(臍帯ヘルニア，片側肥大，巨舌)に注意する．

ケトン血性低血糖症が疑われる状況では除外診断のためにクリティカルサンプルで遊離脂肪酸，インスリン，コルチゾール，成長ホルモンを調べる．高アンモニア血症を合併する場合は有機酸血症も疑い尿中有機酸分析を行う．

治療の実際

低血糖の程度が軽く全身状態が良好な場合は，経口摂取(新生児であれば早期授乳や頻回授乳)による血糖上昇を促し，血糖値を再検する．

重度の低血糖や低血糖症状を認める場合は，10％グルコース液を1〜2mL/kg緩徐に静注したのちに，ブドウ糖持続静注を行う．血糖値を維持できるグルコース静注量（glucose infusion rate：GIR）は年齢ごとの本来の糖新生量に一致し，新生児では4〜6mg/kg/分，成人では1〜2mg/kg/分であり，小児期はその中間である．開始量はこれを目安に決める．7mg/kg/分以上のグルコースが必要な場合は中心静脈ルートから，グルコース濃度20％程度まででGIR 6〜12mg/kg/分程度のグルコース持続静注を実施する．高インスリン性低血糖症では，PG濃度は70mg/dLを超えるレベルを維持することが推奨されている[1]．

原因疾患が特定された場合は，それぞれの特異的治療を行うが，高インスリン性低血糖症ではジアゾキシド内服がファーストラインの治療となり，有効な場合は栄養療法（頻回哺乳，持続注入，コーンスターチ・糖原病用フォーミュラなど）への移行を併用し，グルコース持続静注からの離脱を試みる．

処 方 例

処方　ジアゾキシドカプセル（25mg/カプセル）5〜15mg/kg/日　分2〜3　経口投与

●セカンドラインの治療の例

処方　サンドスタチン®皮下注用（50，100μg）5〜25μg/kg/日　皮下注分3〜4，ないし持続皮下注（または静注）

専門医に紹介するタイミング

新生児の遷延性低血糖でGIRが7mg/kg/分以上のグルコースが必要な場合やGIRの減量ができない場合，小児内分泌・代謝の専門医にコンサルトする．低血糖時のクリティカルサンプルの検査結果の解釈に迷う場合も同様である．低血糖発作を繰返し，ケトン性低血糖症以外の先天代謝異常症や内分泌疾患が疑われる場合，絶食試験や内分泌負荷試験が必要なことがあるため，専門医療機関へ紹介する．

専門医からのワンポイントアドバイス

新生児期の高インスリン血性低血糖症は，一過性か永続性かの判断は大変難しい．永続性のものはしばしば難治で，神経学的後遺症を残すことも多い．幼児期の低血糖の大部分はケトン性低血糖症で，低血糖時に輸液療法を行うことと予防のための生活指導が重要である．この中から特異的治療を必要とする疾患を見逃さないように，低血糖の鑑別疾患の方法については一般小児科医にも十分認識していただきたい．

--- 文 献 ---

1) 日本小児内分泌学会 他：先天性高インスリン血症診療ガイドライン．"小児内分泌学会ガイドライン集" 日本小児内分泌学会 編．中山書店，pp248-275, 2018

2) Cryer PE et al：Evaluation and management of adult hypoglycemic disorders：an Endocrine Society clinical practice guideline. J Clin Endocrinol Metab 94：709-728, 2009

3) Thornton PS et al：Recommendations from the Pediatric Endocrine Society for evaluation and management of persistent hypoglycemia in neonates, infants, and children. J Pediatr 167：238-245, 2015

4) Committee on fetus and newborn：Postnatal glucose homeostasis in late-preterm and term infants. Pediatrics 127：275-579, 2011

5) 『カルニチン欠乏症の診断・治療指針 2018』改正WG：カルニチン欠乏症の診断・治療指針 2018. https://www.jpeds.or.jp/uploads/files/20181207_shishin.pdf

9. 内分泌・代謝疾患

家族性高コレステロール血症

土橋一重
塩山市民病院 小児科

POINT
- ●常に脂質異常症の家族歴に関心を向ける.
- ●採血の際には総コレステロールだけでも診る.
- ●思春期の血清コレステロール値の変動に注意する.
- ●原発性,続発性の脂質異常症を正しく鑑別する.
- ●食事を含めた生活習慣の指導を十分に行う.
- ●男女を問わず,10歳以上では薬物療法を考慮して診療にあたる.

ガイドラインの現況

　小児期から血管の動脈硬化性変化が生じることが知られている.特に,家族性高コレステロール血症(FH)は低比重リポ蛋白コレステロールが遺伝的に著明に高値となるため,小児期から適切な対応が求められる.疾患頻度も高く,早発性冠動脈疾患の予防が鍵となる.海外ではFHの研究も進んでおり,積極的な診療が既に展開されている.2017年,わが国でも『小児家族性高コレステロール血症診療ガイド2017』が発表された.FH小児の診断および治療法が明文化され,格段に診療しやすくなり,診断率の向上にも寄与している.このガイド発表後5年が経過したことから改訂が行われ,現在,その作業もほぼ終了し,改訂版の発表が本年(2022年)中に予定されている.根幹部分に大きな変更はないが,新たな追加事項もある.診断基準もできるだけその感度を高めるように工夫されている.本稿では診療ガイド2017を基に,新ガイドラインに盛り込まれる内容をできるだけ加えて解説した.

【本稿のバックグラウンド】 日本動脈硬化学会の『動脈硬化性疾患予防ガイドライン2017』および日本小児科学会と日本動脈硬化学会との合同で発表された『小児家族性高コレステロール血症診療ガイド2017』を基にしているが,それぞれの改訂版が本年(2022年)発表予定である.そのため,新ガイドラインの内容も盛り込んだ.詳細は各々の新ガイドラインも参考にしてもらいたい.

どういう疾患・病態か

　小児期から動脈硬化につながる血管の病理学的変化が生じることが知られている.高コレステロール血症,特に高低比重リポ蛋白コレステロール(LDL-C)血症は動脈硬化形成に関わる最大の危険因子であり,血中LDL-Cが高いほど冠動脈疾患の発症や死亡

表1　小児 FH の診断基準

1. 高 LDL-C 血症：未治療時の LDL-C≧140mg/dL
（総コレステロール値≧220mg/dL の場合は LDL-C を測定する）
2. FH あるいは早発性冠動脈疾患の家族歴（2 親等以内の血族）

・続発性（二次性）高脂血症を除外し，2 項目があてはまる場合，FH と診断する．
・成長期には LDL-C の変動があるため，注意深い経過観察が必要である．
・小児の場合，腱黄色腫などの臨床症状に乏しいため，診断には家族 FH について診断することが重要である．必要に応じて 2 親等を超えた家族調査の結果も参考にする．
・早発性冠動脈疾患は男性 55 歳未満，女性 65 歳未満で発症した冠動脈疾患と定義する．
・黄色腫がある場合，LDL-C は非常に高値であること（ホモ接合体）が疑われる．

（文献 1 より引用）

頻度は高くなる．

　家族性高コレステロール血症（familial hypercholesterolemia：FH）は，出生時から血清 LDL-C が著しく高値であるので，小児の脂質異常症の中でも最も留意すべき疾患といえる．2017 年に日本小児科学会と日本動脈硬化学会が合同で作成した『小児家族性高コレステロール血症診療ガイド 2017』[1] が発表された．これまで小児科医は小児の脂質異常症にあまり関心を示してこなかった感があるが，これによってその重要性が再認識され，また，格段に診療しやすくなったと思われる．

　小児期の LDL-C レベルは若年成人の頸動脈中膜内膜肥厚（IMT）に最も関連する因子であり，FH の動脈硬化の進展は遺伝性でない高脂血症に比べて早く，FH ヘテロ接合体でも IMT 増加は 10 歳前から始まり 12 歳では有意となり，これは少なくとも正常児の 5 倍以上早いと報告されている[2]．未治療では，男性で 30〜50 歳，女性で 50〜70 歳に狭心症や心筋梗塞を発症することが多いとされるが[1]，さらに若年から生じうる危険性もいわれている．

　FH は，LDL 受容体（*LDLR*）遺伝子異常により生じる常染色体顕性遺伝の疾患が基本型であるが，常染色体潜性遺伝を呈するもの（autosomal recessive hypercholesterol-

emia：ARH）や LDL 受容体の分解に関わる proprotein convertase subtilisin/kexin-type 9（*PCSK9*）遺伝子の異常によるもの，アポリポ蛋白 B-100 をコードする *APOB* 遺伝子の異常（わが国では稀）なども含めて考えている．病原性変異が 1 つある場合に FH ヘテロ接合体，両親由来の 2 つある場合に FH ホモ接合体となる．これらの病態は小児も成人も変わらない．まずは，詳細な家族歴の聴取が重要となる．頻度も最近では従来いわれていたよりも多いと考えられており，FH ヘテロ接合体で 300 人に 1 人程度とされている[3]．

治療に必要な検査と診断

　現行の小児 FH（15 歳未満）の診断基準を表1 に示す[1]．成人（15 歳以上）FH の LDL-C 値のカットオフは 180mg/dL と定められているが，小児では健常児のおよそ 95 パーセンタイル値である LDL-C 140mg/dL 以上と家族歴で診断するものになっている．本年（2022 年）発表予定の新ガイドラインでも診断の根幹は変わらないが，家族歴が十分に聴取できないときに FH の診断に至らない例が少なからずあることが問題となる．そこで新ガイドラインでは新たに「FH 疑い」が設定され，診断感度を高める工夫がされて

表2　FH 診断のチャート

患　児 家族歴	LDL コレステロール値（mg/dL）		
	140〜179	180〜249	250〜
FH の家族歴	FH	FH	FH
早発性冠動脈疾患または親の LDL-C≧180mg/dL	疑い	FH	FH
家族歴なし（不明）	経過観察	疑い	FH

いる．新しい診断基準については**表2**を作成したので参照してもらいたい．

　患児本人の高 LDL-C 血症（140mg/dL 以上）と FH と診断されている家族がいれば，問題なく，FH の診断となる．しかし，早発性冠動脈疾患については FH 以外の原因もあるため，さらなる家族内調査が必要といえる．また，親の血清 LDL-C が 180mg/dL 以上あれば FH の疑いが強いので，この2つの家族歴を FH の家族歴に準じるものとし扱うこととした．すなわち，FH か否か不明だが，早発性冠動脈疾患の家族歴または親の高 LDL-C 血症がある場合は「FH 疑い」となる．ただし，患児の LDL-C 値が 180mg/dL 以上と高い場合は，これらの項目があれば FH の診断としている（表2）．

　LDL-C 値については，その高さで診断を区別している．家族歴がなくても（不明でも）180mg/dL 以上あればそれのみで「FH 疑い」とし，250mg/dL 以上あれば FH と診断することとした（表2）．

　FH の診断は臨床診断が基本であり遺伝子解析は必須ではないが，*LDLR*，*APOB*，*PCSK9* 遺伝子に病原性変異が認められた場合は FH の診断となる．

　思春期は LDL-C の測定値も多少変動（低下）するため[4]，複数回調べ，確実に基準値を上回っているのか確認する．皮疹にも注意する必要があるが，皮膚や腱の黄色腫は成人以降に出現が多くなるので，小児期に生じるのは非常に重症な例である．また，FH の患者がみつかった場合，兄弟姉妹，子ども，両親，両親の兄弟姉妹など詳しくチェックし，新たな患者の発見に努めることが大切である（カスケードスクリーニング）[1]．

　鑑別としては，リソソーム酸性リパーゼ欠損症，母乳性高コレステロール血症がある．後者では母乳終了後に再検査する．黄色腫がある場合，シトステロール血症，脳腱黄色腫が鑑別に挙がる．もちろん甲状腺機能の確認や続発性脂質異常症は十分に鑑別する[1]．肥満で LDL-C も高値となりやすいが，高コレステロール血症合併の頻度は決して高くない．必ず原発性脂質異常症や他の原因を念頭におく．

治療の実際

1 FH ホモ接合体

　LDL-C が極めて高値であるので，専門医とも相談しながら早急に対処しなければならない．ストロングスタチンを試しながら，アフェレシスの準備を行う．スタチンに対してある程度の効果が認められれば，他剤も併用してできるだけ LDL-C を低下させる．十分な効果が得られなければアフェレシスを行うことになる．動脈硬化進展阻止のためには小学校入学前からの導入が必要とされる．ま

家族性高コレステロール血症　577

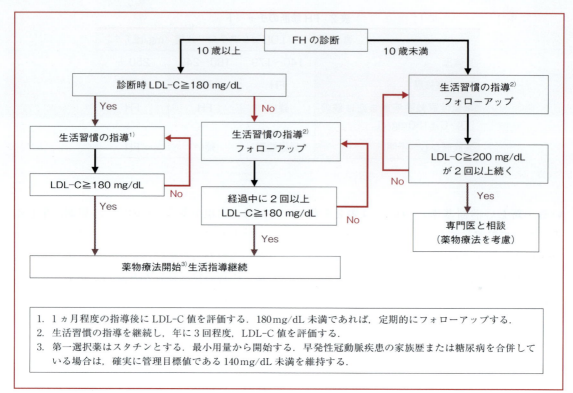

図1 小児FHヘテロ接合体に対する治療のフローチャート　　　　　　（文献1より引用）

2 FHヘテロ接合体

ホモ接合体でも同様であるが，診断確定後は食事を含めた生活習慣の指導を十分に行う．しかし，小児では厳格な脂質制限は難しいのも現実であり，栄養障害が生じてもいけない．伝統的な和食を中心として種々バランス良く食することが望まれる．また，肥満しないように体重管理を行う（肥満度や腹囲をチェックする）．喫煙および受動喫煙についても必ず注意する．

最近の考えでは，生涯にわたるLDL-C曝露の総量が重要視されており，FHではLDL-C累積速度が早いわけである[5]．しかし，LDL-C低下療法によりその速度を抑え

ることが可能で，特に小児期からスタチン治療を行えば健常者とほぼ変わらないリスクレベルに抑えることができると考えられている[5]．

米国では，LDL-C 190 mg/dL以上，リスク因子がある場合には160 mg/dL以上，糖尿病があれば130 mg/dL以上，が薬物療法のラインとなっている．既にスタチンが基本薬剤となっており，FH小児への適応が認められている．欧州では6歳からロスバスタチン，オーストラリアでは6歳からアトルバスタチンの使用が可能となっている．管理目標は130〜135 mg/dL未満としているところが多い．米国では，冠動脈疾患の家族歴や糖尿病などのリスク因子がある場合は100 mg/dLを目標としている．

小児FH診療ガイド2017と同様，新ガイドラインでも，10歳以上で十分な生活習慣

の指導をしても効果に乏しく，LDL-C 180mg/dL 以上が持続する場合，薬物療法を考慮するとしている．図1に治療のフローチャート[1]を示す．第一選択薬はスタチンとしている．現在，わが国ではピタバスタチンが小児の適応を得ているが，他のスタチンが禁忌というわけではない．重症例に対しては，専門医と相談し，さらに早期からの開始も考慮される．疑い例についても，生活習慣の指導は行い，180mg/dL 以上の高LDL-C 血症が持続する場合には薬物療法を考慮することになる．また，10歳未満児であっても 200mg/dL 以上が持続するような例では，専門医と相談して対処する．

管理目標値は LDL-C 140mg/dL 未満（小児の正常範囲内）としている．特に，冠動脈疾患の家族歴や本人に糖尿病がある場合には，140mg/dL 未満に確実に低下させる必要があろう．

薬剤使用にあたっては十分なインフォームドコンセントが必要である．薬剤の投与量は患児の年齢や検査値による．体格に合わせて少量から開始するのがよい．スタチンは，陰イオン交換樹脂（レジン）や小腸コレステロールトランスポーター阻害薬（エゼチミブ）と比較してやはり LDL-C 低下作用が大きい．成人において大規模臨床試験が行われており，重篤な副作用はないようであるが，念のため横紋筋融解症には注意しておく．スタチン使用中は，脂質以外の生化学指標に加えて，成長発達や二次性徴についても診ていく．

スタチン単剤で効果不十分の場合は，より強力なスタチンに変更するか，他剤を併用する方法がある．抗 PCSK9 抗体薬やミクロソームトリグリセライド輸送蛋白阻害薬は有力な薬剤であるが，副作用もある．今のところ小児での適応はない．

専門医に紹介するタイミング

不安なことがあれば，経験のある専門医師に相談，紹介すべきである．重症例は特に相談が必要であろう．診断時，治療開始時期や薬剤選択で迷うとき，薬剤の効果が不十分で変更や追加が必要な場合，副作用がみられる場合などどんなタイミングでも良い．

専門医からのワンポイントアドバイス

・FH の頻度は高いので，採血時には脂質検査も行うこと．採血の機会が複数回あるのに見逃されていると問題となる可能性もある．
・続発性と思われても必ず原発性脂質異常症の存在を念頭におく．
・症例ごとに，体格，脂質プロファイル，家族歴などの背景，危険因子の有無などに違いがある．それぞれに合った生活指導，薬物療法，脂質管理を行う．
・迷った場合は，専門医に相談，紹介する．

文　献

1) 日本小児科学会，日本動脈硬化学会 編：小児家族性高コレステロール血症診療ガイド 2017．日本動脈硬化学会，2017
2) Wiegman A et al：Arterial intima-media thickness in children heterozygous for familial hypercholesterolaemia. Lancet 363：369-370, 2004
3) Beheshti SO et al：Worldwide prevalence of familial hypercholesterolemia：meta-analyses of 11 million subjects. J Am Coll Cardiol 75：2553-2566, 2020
4) Dobashi K：Changes in serum cholesterol in childhood and its tracking to adulthood. J Atheroscler Thromb 29：5-7, 2022
5) Wiegman A et al：Familial hypercholesterolaemia in children and adolescents：gaining decades of life by optimizing detection and treatment. Eur Heart J 36：2425-2437, 2015

9. 内分泌・代謝疾患

Wilson 病

加藤　健, 安田亮輔, 水落建輝
久留米大学医学部 小児科学講座

POINT

- ●Wilson 病は, 早期診断すれば内科的治療可能な先天代謝異常症である.
- ●早期診断するコツは, 原因不明の肝機能異常や神経症状を有する患者を診た際に, Wilson 病を鑑別に挙げ疑うことである.
- ●確定診断には, 症状や検査所見をスコアリングして行う国際診断基準がある.
- ●Wilson 病患者を新規に診断した場合は, 患者家族の疾患検索を行う.
- ●治療は, 病型と重症度を考慮し, 亜鉛製剤やキレート薬の単剤から併用まで様々な組合わせで調節する.

ガイドラインの現況

　Wilson 病は, 早期診断が重要で, 早期診断すれば内科的治療可能な疾患のため, 欧米や本邦から最新のガイドラインが報告されている. 米国肝臓学会からは 2008 年[1] に, 欧州肝臓学会からは 2012 年[2] に, 最新のガイドラインが報告されている. 本邦でも 2015 年に『Wilson 病診療ガイドライン 2015』[3] が発表され, 専門家以外の医師が Wilson 病の診断と治療を行う際にも役立つ内容となっている.

【本稿のバックグラウンド】 米国肝臓学会が 2008 年に報告したガイドライン[1], 欧州肝臓学会が 2012 年に報告したガイドライン[2], 本邦の『Wilson 病診療ガイドライン 2015』[3], 以上 3 つのガイドラインを本稿の参考とした.

どういう疾患・病態か

　Wilson 病は, 常染色体潜性遺伝形式をとる先天性銅代謝異常症の代表的疾患である. 肝臓から胆汁中への銅の排泄障害が病態の中心であり, その結果, 肝臓をはじめ中枢神経, 角膜などに銅の蓄積を生じ, それぞれの臓器障害がひき起こされる. 本症は進行性の疾患であり, 無治療では予後不良な疾患であるが, 早期診断すれば内科的治療可能な先天

代謝異常症である. 本邦における発症頻度は出生 30,000～40,000 人に 1 人と推定されている[3]. 発症年齢は 3～50 歳代と幅広く分布しているが, 肝型の発症例が最も多いのは 8～9 歳で, 神経型は多くは 11 歳以降である[3]. 本症の責任遺伝子は 13 番染色体長腕 13q14.3 に位置する *ATP7B* 遺伝子である. この遺伝子から産生される ATP7B 蛋白は, 肝細胞から胆汁中への銅の排泄とセルロプラスミン合成過程におけるアポセルロプラスミ

ンへの銅の供給を司ると考えられている.
ATP7B遺伝子の異常によりATP7B蛋白の
機能が障害され,肝臓から胆汁中へ銅が排泄
されず,肝細胞内に蓄積していく.肝細胞内
に蓄積した銅は,メタロチオネインと結合し
て無毒化され貯蔵されるが,貯蔵閾値を超え
たとき,銅イオンとヒドロキシラジカルなど
のフリーラジカルが出現し,肝細胞障害が生
じる.さらに肝臓中より血中に放出された非
セルロプラスミン結合銅は,大脳基底核,角
膜および腎臓などに蓄積し,それらの臓器障
害をひき起こす.そして尿中への銅の排泄量
が増加する.また,アポセルロプラスミンに
銅が供給されずそのまま肝細胞から血液中に
分泌され,血液中では極めて不安定であるこ
とから,血清セルロプラスミン値低下が生じ
る[4].

Wilson病は,臨床像と経過から,肝型,
神経型,肝神経型,発症前型に分類される.
肝障害の症状としては,黄疸,易疲労感,肝
脾腫など非特異的な症状の出現頻度が高い.
自覚症状がなく,血液検査で肝逸脱酵素
(AST/ALT)上昇のみを示す場合も少なく
ない.溶血を伴う肝障害は,頻度は少ないも
のの本症に特徴的である.神経型の症状は,
主に錐体外路症状で,構音障害,不随意運動
で発症する.その他に精神症状として意欲低
下,集中力低下,突然の気分変調,性格変化
などがみられ,うつや統合失調症と誤診され
る場合もある.一般肝機能検査で正常の患者
を神経型と分類し,肝機能異常も呈する場合
は肝神経型と分類される.発症前型とは,家
族内検索,偶然の血液検査値異常(AST/
ALT上昇)を契機として診断に至った,
Wilson病に伴う症状がまだ出現していない
患者のことである.Kayser-Fleischer輪は
Wilson病に特徴的な所見であり,角膜に沈
着した銅が角膜周囲に暗緑色~暗褐色の輪を

形成したものである.しかし,若年例や軽症
例においては認められないため,本所見がな
くてもWilson病を否定できない.それ以外
の症状としては,顕微鏡的血尿が比較的高頻
度に認められ,学校検尿で発見されることも
ある.Wilson病と診断された患者の同胞は
25%の確率で罹患者,50%の確率で無症候性
ヘテロ接合保因者(非罹患者),25%の確率
で変異を持たない非罹患者である.従って,
新規にWilson病患者を診断した場合は,患
者同胞を中心とした家族内スクリーニングを
必ず行う[1~3].

治療に必要な検査と診断

Wilson病の国際診断スコアリングシステ
ムを表1,診断のためのフローチャートを図
1に示す.疑わしい患者には,まずKayser-
Fleischer輪の眼科的検索,血清セルロプラ
スミン値,血清銅値および尿中銅排泄量を測
定する.尿中銅排泄量は可能な限り1日尿中
銅排泄量を測定する.その理由として,1回
の随時尿による銅排泄量の評価では,採取タ
イミングによる日内変動が大きく,1日銅排
泄量を正確に反映できないためである[1,3].

Wilson病の国際診断スコアリングシステ
ムで4点以上であれば,Wilson病の可能性
が高い.しかし,本症患者の約5~15%に血
清セルロプラスミン値の正常例が存在するこ
と[3],ならびに4歳以下の年少例における尿
中銅排泄量は正常対照群と比し有意差がない
ことは認識しておく必要がある[4].診断が困
難な場合は,小児ではペニシラミン負荷試験
を行う.それでも診断が困難な場合は,
ATP7B遺伝子解析あるいは肝生検での肝銅
濃度測定を行う.注意が必要なのは,
ATP7B遺伝子解析は,2つのアリル両方に
変異が同定されれば本症と診断を確定できる

Wilson病　581

表1 Wilson病の診断国際スコアリングシステム

典型的臨床症状・所見	スコア	補足
Kayser-Fleischer 輪 　あり 　なし	 2 0	神経型では約90%で陽性 肝型では約50%で陽性
神経症状 　高度 　中等度 　なし	 2 1 0	錐体外路障害：歩行障害，構音障害，Parkinson 病様の不随意運動（振戦など），書字拙劣
血清セルロプラスミン 　20 mg/dL 以上 　10<～<20mg/dL 　10mg/dL 以下	 0 1 2	WD でも低下していない例がまれにある．保因者はやや低下傾向が多い．
Coombs 陰性溶血性貧血 　あり 　なし	 1 0	
尿中銅量 　100μg/日以上 　40<～<100μg/日 　40μg/日以下（基準）	 2 1 0	酸処理し金属汚染を除去した蓄尿容器などを使用する．
ペニシラミン負荷尿中銅排泄 　1,600μg/日以上 　1,600μg/日未満	 1 0	小児のみに適用できる．
肝銅濃度 　250μg/g 乾重量以上 　50<～<250μg/g 乾重量 　50μg/g 乾重量（基準値）以下	 2 1 -1	本症患者でも急性肝不全型では，肝細胞壊死のため，針生検では正確に分析できないことがある
ATP7B 遺伝子解析 　両方の染色体で変異同定 　1つの染色体で変異同定 　変異同定できず	 4 1 0	

4点以上：Wilson 病の可能性が高い．ただし，無症状で4点では保因者を完全には否定できない（例：保因者でも血清セルロプラスミン値1点，尿中銅排泄量1点，肝銅濃度1点，遺伝子解析1点の場合がある）
2〜3点：Wilson 病の可能性がある（診断にはさらなる検査が必要）
0〜1点：Wilson 病ではない可能性が高い

(Ferenci P et al. Liver Int 23：139-142, 2003／文献3より引用)

が，Wilson 病であっても変異が同定できない症例が10数％程度存在する[3]．また，急性肝不全や重度の肝硬変の患者では，肝銅濃度が高くない場合がある[3]．

治療の実際

薬物療法による除銅と銅吸収の阻害，そして銅の多い食品（レバー，貝類，チョコレート等）を控えることが治療の基本である．肝

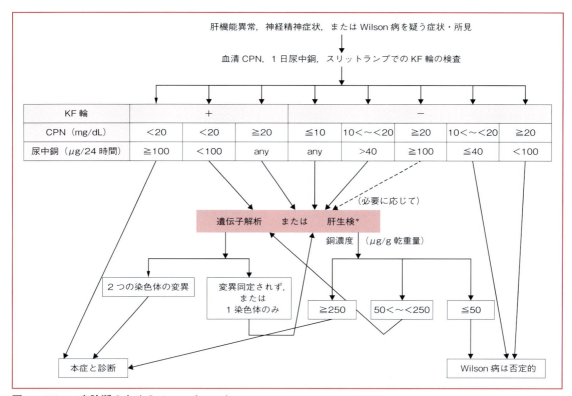

図1 Wilson病診断のためのフローチャート
CPN：セルロプラスミン，KF輪：Kayser-Fleischer輪，★患者の状況に応じて遺伝子解析または肝生検で確定診断を行う．
遺伝子検査：侵襲は少ないが，結果判定まで時間がかかる．また，十数％の患者では，変異が同定されない．
肝生検：結果は比較的早く得られ，肝組織像が把握できる．しかし，侵襲は大きい．幼児や出血傾向のある患者では不適である．急性肝不全型，重度の肝硬変の本症患者では，肝銅濃度が高くない場合がある．
遺伝子検査，肝銅濃度測定の両方の検査を施行しても診断が確定できない場合は，経過観察し再度検討する．
(文献3より引用)

移植をしない限り生涯にわたる服薬が必要なため，長期的には怠薬が問題となることが多い．

1 酢酸亜鉛[3]

作用機序は，亜鉛経口投与による腸管での銅の吸収阻害，肝臓でのメタロチオネイン増加によるフリー銅の減少効果による肝機能の改善である．食事成分と薬剤が消化管内で結合して薬効が低下するのを防ぐため，食前1時間もしくは食後2時間に内服する．銅キレート薬との併用も可能であり，銅キレート薬と亜鉛製剤が消化管内で結合してしまうのを防ぐため，服薬時間を最低でも1時間以上ずらす必要がある．亜鉛製剤の投与中は，肝機能，血清遊離銅，血算，血清鉄，血清膵酵素，尿中銅を定期的にモニタリングする．最も重要かつ有効な効果指標は，1日尿中銅排泄量であり，40～100μg/24時間を目標とする．10歳未満または体重が30kg未満では1～3μg/kg/24時間を目安とする．

2 銅キレート薬[3]

a) D-ペニシラミン

作用機序は体内に蓄積した銅を尿中に排泄させる．約30％に有害事象が出現する．早

期には発熱，発疹，血小板減少，蛋白尿があり，後期には全身性エリテマトーデス，腎障害，筋障害など重篤な場合もある．神経症状を有する症例に対しては，治療開始初期に一過性にその神経症状を増悪させる可能性があるため，注意が必要である．

b）塩酸トリエンチン

作用機序はD-ペニシラミンと同様であるが，日本ではD-ペニシラミンが副作用によって使用できない症例や効果のない症例に適応がある．本薬剤は，副作用が少ないことが利点である．

3 肝移植[3]

急性肝不全を呈するWilson病は，早急に肝移植が可能な施設と連携を取って肝移植の準備を行う．非代償性肝硬変を呈する患者は，肝移植適応を検討して準備する．生体肝移植のドナーは，両親（heterozygote）でも問題とならないことが多い．

4 病型による治療の選択[3]

a）発症前型

発症前型に対する治療の第1選択は，亜鉛製剤または銅キレート薬の単剤治療である．

10歳未満の年少児に対しては，まずは亜鉛製剤単剤で治療を開始する．

b）肝　型

慢性肝炎，肝硬変では，初期は銅キレート薬単剤または銅キレート薬と亜鉛製剤の併用療法を行う．この場合の銅キレート薬は，副作用の少ない塩酸トリエンチンが推奨されている．急性肝不全型，進行した肝硬変は肝移植が適応となる．

c）神経型

初期治療では，銅キレート薬による神経症状の初期増悪があるため，欧米では亜鉛製剤治療から開始することが推奨されている．た

だし，治療効果がすぐには発揮されないので，トリエンチンとの併用も勧められている．維持療法には銅キレート薬あるいは亜鉛製剤を用いる．

d）急性肝不全型，溶血発作型

急性肝不全患者に対しては直ちに肝移植に向けて準備を開始するべきである．一般に肝補助療法は肝移植までの橋渡しとして考えられている．血漿交換で急性肝不全が改善し，肝移植を回避し内科的治療に移行できる場合もある．

処方例[5]

発症前型・肝型軽症

処方　ノベルジン®

6歳以上の小児：75mg/日　分2〜3，6歳未満の小児：50mg/日　分2〔空腹時（食前1時間以前，食後2時間以降）〕

年齢・症状に応じて適宜増減するが，最大投与量は250mg/日とする

肝型中等症

以下のいずれかのキレート薬を単剤で投与し，改善が乏しければ亜鉛製剤を併用する．

処方A　メタルカプターゼ®初期量20〜30mg/kg/日　分2〜3，維持量15〜20mg/kg/日　分2〜3〔空腹時（食前1時間以前，食後2時間以降）〕，最大投与量1,400mg/日

処方B　メタライト®初期量：30〜50mg/kg/日　分2〜3，維持量：15mg〜30mg/kg/日　分2〜3〔空腹時（食前1時間以前，食後2時間以降）〕，最大投与量2,500mg/日

神経型・肝神経型

処方　ノベルジン®（用法・用量は「発症前型・肝型軽症」と同じ）

　　　銅キレート薬による神経症状の初期増悪があるため，まずはノベルジン®単剤で投与する．

肝型重症（肝硬変）・急性肝不全型

　肝移植を検討しながら，メタルカプターゼ®またはメタライト®（用法・用量は「肝型中等度」と同じ）とノベルジン®を併用する（用法・用量は「発症前型・肝型軽症」と同じ）

　血液透析や人工肝補助療法を行い，改善なければ肝移植．

専門医に紹介するタイミング

・非侵襲的な検査で診断基準を満たさず，診断に肝生検が必要な場合．
・亜鉛製剤やキレート薬による単剤治療では，症状や検査値の改善が乏しい場合．
・急性肝不全や肝硬変に進行している場合．

専門医からのワンポイントアドバイス

　本疾患を見逃さないためには「Wilson病を疑う」ことが重要である．3歳以降の原因不明の肝機能異常や神経症状を有する患者を診た際は，Wilson病の可能性を疑って血清セルロプラスミン値や尿中銅排泄量を測定する．Wilson病と診断した場合は，病型や重症度に応じた治療を速やかに行い，同時に患者家族の検索も行う．

―――――― 文　献 ――――――

1) Roberts EA et al：Diagnosis and treatment of Wilson disease：an update. Hepatology 47：2089-2111, 2008
2) European Association of Study of Liver：EASL Clinical Practice Guidelines：Wilson's disease. J Hepatol 56：671-685, 2012
3) 日本小児栄養消化器肝臓学会 編：Wilson病診療ガイドライン2015．"小児の栄養消化器肝臓病診療ガイドライン・指針" 日本小児栄養肝臓学会 他編. pp124-180, 2015
4) 清水教一：ウィルソン病の診断と治療のポイント．臨神経59：565-569, 2019
5) 水落建輝：ウィルソン病．私の治療．医事新報 5059：44-45, 2021

9. 内分泌・代謝疾患

ムコ多糖症

小須賀基通
国立成育医療研究センター 遺伝診療科

POINT

●ムコ多糖症はライソゾームにおける酵素活性低下が病因であり，7病型に分けられる．

●それぞれの病型により症状は異なり，同じ病型でも患者により発症時期や進行度などの重症度が異なる．

●Ⅰ，Ⅱ，ⅣA，Ⅵ，Ⅶ型に対する酵素補充療法（ERT）が可能であり，概ね身体症状への効果は認められるが中枢神経症状への効果は乏しい．

●造血幹細胞移植（HSCT）は，IQ 70以上かつ年齢2歳未満のⅠ型患者の身体症状と中枢神経症状への有効性が示されている．

ガイドラインの現況

　ムコ多糖症7病型のうち，日本先天代謝異常学会編集のムコ多糖症Ⅰ型[1]とⅡ型[2]の診療ガイドラインがMindsの手法に準拠して作成され，それぞれ2019年と2020年に刊行されている．また『ムコ多糖症ⅣA型診療ガイドライン2021』[3]が，厚生労働科学研究難治性疾患政策研究事業「ライソゾーム病，ペルオキシソーム病（副腎白質ジストロフィーを含む）における良質かつ適切な医療の実現に向けた体制の構築とその実装に関する研究」研究班ガイドライン作成委員会により2021年に作成された．ムコ多糖症Ⅰ型とⅡ型の診療ガイドラインでは治療に関するERTとHSCTについてのクリニカルクエスチョン（CQ），ⅣA型ではERTと整形外科的治療についての治療に関するCQから成り立っている．希少疾患のため，海外のガイドラインも参考となる[4]．

【本稿のバックグラウンド】 ムコ多糖症Ⅰ，Ⅱ，ⅣA型の治療についての記載は，日本先天代謝異常学会および難治性疾患政策研究事業にて作成されたムコ多糖症の診療ガイドラインなどを参考にしている．

どういう疾患・病態か

　ムコ多糖症は，ライソゾーム酵素の活性低下が原因のライソゾーム病である．ライソゾームには約60種類の酸性加水分解酵素が存在しており，細胞内において様々な基質の分解を行っている．ムコ多糖症はムコ多糖の分解に関わるライソゾーム酵素が先天的に活性低下しているため，ムコ多糖が細胞内に過剰蓄積し，細胞・組織障害をひき起こす．ム

コ多糖はデルマタン硫酸（DS），ヘパラン硫酸（HS），ケラタン硫酸（KS），コンドロイチン硫酸（CS）などに分類される．これらのムコ多糖は生体内では全臓器に広く分布しており，特に結合組織，軟骨，神経組織などに多く存在する．ムコ多糖症は11種類の欠損酵素により，I型からIX型（V型とVIII型は欠番）まで7病型に分類されている（表

1）．それぞれの病型は蓄積するムコ多糖の種類や障害される組織・臓器が違うため，臨床像や予後は異なっている（表2）．また同一の病型の患者間でも，残存する酵素活性値の違いにより，症状の出現時期や進行速度などの重症度には個人差が生じる．本症は遺伝性疾患であり，II型はX連鎖性潜性遺伝（劣性遺伝）形式，他の型は染色体潜性遺伝

表1 ムコ多糖症の分類

7つの臨床型を呈する11種の酵素が明らかになっている．

分類名	疾患名	OMIN	遺伝子名	遺伝子座	欠損酵素
ムコ多糖症I型	Hurler syndrome	607014〜6	IDUA	4p16.3	α-L-イズロニダーゼ
ムコ多糖症II型	Hunter syndrome	309900	IDS	Xq28	イズロン酸2スルファターゼ
ムコ多糖症IIIA型	Sanfilippo A syndrome	252900	SGSH	17q25.3	スルファミダーゼ
ムコ多糖症IIIB型	Sanfilippo B syndrome	252920	NAGLU	17q21.2	α-N-アセチルグルコサミニダーゼ
ムコ多糖症IIIC型	Sanfilippo C syndrome	252930	HGSNAT	8p11.21	アセチル-CoA：α-グルコサミニドN-アセチルトランスフエラーゼ
ムコ多糖症IIID型	Sanfilippo D syndrome	252940	GNS	12q14.3	グルコサミン-6-スルファターゼ
ムコ多糖症IVA型	Morquio A syndrome	253000	GALNS	16q24.3	ガラクトース-6-スルファターゼ
ムコ多糖症IVB型	Morquio B syndrome	253010	GLB1	3p22.3	β-ガラクトシダーゼ
ムコ多糖症VI型	Maroteaux–Lamy syndrome	253200	ARSB	5q14.1	N-アセチルガラクトサミン-4-スルファターゼ
ムコ多糖症VII型	Sly syndrome	253220	GUSB	7q11.21	β-グルクロニダーゼ
ムコ多糖症IX型	Natowicz syndrome	601492	HYAL1	3p21.31	ヒアルロニダーゼ

表2 ムコ多糖症各型の臨床症状

	精神運動発達遅滞	角膜混濁	骨変形	関節症状	特異顔貌	肝脾腫	臍・鼠径ヘルニア	その他の合併症
ムコ多糖症I型（Hurler 症候群）	(−)〜(#)	(#)	(+)〜(#)	(#)	(+)〜(#)	(#)	(#)	中耳炎，睡眠時無呼吸，心弁膜症，脳室拡大
ムコ多糖症II型（Hunter 症候群）	(−)〜(#)	(−)	(+)〜(#)	(#)	(+)〜(#)	(#)	(#)	中耳炎，睡眠時無呼吸，心弁膜症，脳室拡大
ムコ多糖症III型（Sanfilippo 症候群）	(#)	(−)	(−)〜(+)	(−)〜(+)	(−)〜(+)	(+)	(+)	けいれん発作，睡眠障害
ムコ多糖症IV型（Morquio 症候群）	(−)	(#)	(#)	(#)	(−)〜(+)	(+)	(+)	難聴，睡眠時無呼吸
ムコ多糖症VI型（Maroteaux-Lamy 症候群）	(−)	(#)	(#)	(#)	(+)〜(#)	(#)	(#)	中耳炎，睡眠時無呼吸，心弁膜症

ムコ多糖症VII型，IX型は略
（−）：呈さない（+）〜（#）：軽度〜重度

（劣性遺伝）形式である．

- **Ⅰ型（Hurler 症候群），Ⅱ型（Hunter 症候群），Ⅵ型（Maroteaux-Lamy 症候群）**：それぞれの病型の臨床所見は類似しており，低身長，特異な顔貌（鞍鼻，分厚い口唇，巨舌および舌挺出，幅広く分厚い鼻翼，濃い眉毛など），関節拘縮，肝脾腫，心弁膜症，蒙古斑，臍・鼠径ヘルニア，dysostosis multiplex と呼ばれる骨変形，反復性中耳炎，難聴，扁桃肥大などが共通してみられる．Ⅰ型とⅥ型では角膜混濁を認めるが，Ⅱ型では認めない．Ⅰ型・Ⅱ型の重症型は1〜2歳頃に言葉の遅れなどの精神運動発達遅滞が明らかになり，2〜4歳頃に発達のピークに達した後に退行が始まり，同時に呼吸不全や心機能障害などの臓器障害が進行し10歳前後に死亡する．一方，Ⅰ型・Ⅱ型の軽症型とⅥ型では知的障害を伴わず，関節拘縮，骨変形，心弁膜症，弁膜症などが主症状である．
- **Ⅲ型（Sanfilippo 症候群）**：身体上の所見は軽微で，重度の精神発達遅滞が特徴である．3歳以降より精神発達遅滞，神経退行が明らかとなる．その後，多動，睡眠障害，けいれん発作などの神経症状を呈し，10〜20歳代で寝たきり・呼吸不全で死亡する．
- **Ⅳ型（Morquio 症候群）**：低身長，角膜混濁，心弁膜症，重度の骨変形（鳩胸，外反膝，側彎，後彎など）を呈する．精神発達遅滞は認めない．椎骨変形による脊髄圧迫や頸椎脱臼が生命予後を左右する．
- **Ⅶ型（Sly 病）**：Ⅰ型・Ⅱ型の重症型に類似した臨床所見をとる．
- **Ⅸ型**：極めて稀であり，確立した臨床所見は不明である．

ムコ多糖症の診断

ムコ多糖症の診断は，尿中ムコ多糖分析，ライソゾーム酵素活性測定，遺伝子検査などを組合せることで可能である[5]．

1 尿中ムコ多糖分析

ムコ多糖症が疑われた場合，尿中ムコ多糖分析を行うことでムコ多糖症のスクリーニングが可能である．現在わが国では検査会社エスアールエルが，尿中ムコ多糖（ウロン酸）定量とムコ多糖分画測定を組合わせて尿中ムコ多糖分析として検査を受託している．ムコ多糖症患者では尿中ムコ多糖（ウロン酸）定量値が高値を示す．また正常では尿中ムコ多糖分画比ではCSの割合が約80〜90％を占めるが，ムコ多糖症患者では病型によりDS，HSやKSの割合が増加するなど特徴的なパターンを示す．尿中ムコ多糖分析によりムコ多糖症の病型を類推することが可能である．ただし，Ⅳ型の軽症型や成人例では尿中ウロン酸値は増加しないことが多い．

2 ライソゾーム酵素活性測定

確定診断は，疑わしい病型の白血球中ライソゾーム酵素活性を測定することで可能である．ムコ多糖症患者では酵素活性値が低値となる．

3 遺伝子検査

酵素蛋白をコードする遺伝子の病原性バリアントを同定する遺伝子診断でも診断可能である．酵素活性の低下が明らかでない軽症型や，酵素活性が正常対照と比較すると著しく低いが症状を呈さない偽欠損の鑑別にも遺伝子検査が有用である．さらに発端者の病原性バリアントが同定できれば，同一家系内の保因者診断や出生前診断においても有用である．

治　療

1 対症療法

　本症は症状が多岐にわたるので，小児科，耳鼻咽喉科，眼科，脳神経外科，整形外科，リハビリテーション科などの関連各科が連携して合併症に対する精査および対症療法を行う．慢性中耳炎や難聴には鼓膜チューブ挿入や補聴器の使用，気道閉塞による睡眠時無呼吸発作に対しては扁桃・アデノイド切除やCPAP（continuous positive airway pressure；経鼻的持続陽圧呼吸療法）が適応となる．重度の心弁膜症に対しては弁置換術，水頭症に対する脳室腹腔シャントなどの手術的治療が必要に応じて行われる．特にⅣA型ガイドラインでは，ⅣA型患者への頸椎固定術/除圧術は身体機能の改善や生活の質の維持に中等度のエビデンスと強い推奨度となっている．

2 酵素補充療法（enzyme replacement therapy：ERT）

　ERT は，遺伝子工学的に合成されたライソゾーム酵素を定期的に点滴静注により投与する治療法である．現在，ムコ多糖症に対するERT はⅠ，Ⅱ，ⅣA，Ⅵ，Ⅶ型の5つの病型で実用化されている．ERT に関するガイドラインのエビデンスと推奨は以下のとおりである．Ⅰ型では ERT の身体症状への治療効果が認められ，強いエビデンスと強い推奨度となっている．生命予後の改善についてのエビデンスは弱く，推奨度は中等度であり，中枢神経症状の改善は期待できないとされている．Ⅱ型では身体症状への治療効果についてエビデンスは中等度から弱い，推奨度は弱いから強いとなっている．生命予後の改善のエビデンスはとても弱く，推奨度も弱いとなっており，中枢神経症状の改善のエビデ

ンスはとても弱く，推奨度なしとされている．ⅣA型では身体症状への治療効果についてエビデンスはとても弱く，推奨度なしとなっているが，6分間歩行の改善についてのエビデンスは強く，推奨度も強いとなっている．2021 年にムコ多糖症Ⅱ型の中枢神経症状に対する新たな治療薬として，血液脳関門（BBB）通過可能な酵素製剤と脳室内直接投与の酵素製剤の2つの薬剤がわが国で承認された．いずれの治療法も，髄液中の HS 濃度低下，発達検査値の改善もしくは悪化抑制が治験データとして報告されている．

3 造血幹細胞移植（hematopoietic stem cell transplantation：HSCT）

　ムコ多糖症への HSCT は，ドナー細胞からの酵素供給により，ERT のような定期的な酵素投与を必要せずに同様の治療効果が得られる．診療ガイドラインではⅠ型に対するHSCT は全身症状，生命予後や中枢神経症状の改善を認め，強いエビデンスと強い推奨度となっている．特に IQ 70 以上かつ年齢2歳未満の場合に行うと最も治療効果が認められる．一方，Ⅱ型においては身体症状への治療効果について，身長の伸び・関節症状や心機能の改善は弱いエビデンス，強い推奨度となっている．中枢神経症状の改善については弱いエビデンスと弱い推奨であり，生命予後の改善においては中等度のエビデンスと弱い推奨度となっている．他病型ではエビデンスはないが，Ⅲ型・Ⅳ型では HSCT の効果はほとんど認められないか不明，Ⅵ型には肝脾腫大，角膜混濁，関節拘縮には有効であるが，骨変形に対しては有効ではないとされている．造血細幹胞移植の適応は，病型，年齢，重症度，ドナーの有無などを考慮して専門医と相談して適応を決定することが望ましい．

ムコ多糖症　**589**

専門医に紹介するタイミング

本症は疑いさえすれば診断方法は容易であるが，診断確定後は治療選択（ERT，HSCT，脳室内投与）や多岐にわたる合併症に対するチーム医療が必要となる．したがって，可能であれば診断早期に治療，療育，生活支援や精神的支援などにおける中心的な役割を専門医に託すことが望ましい．

専門医からのワンポイントアドバイス

ムコ多糖症は希少疾患で症例数やエビデンスレベルの強い論文が少ないため，CQにおけるエビデンスと推奨度は強くならない傾向がある．そのため専門家の経験に基づく意見（エキスパートオピニオン）も必要に応じて参考にすべきである．特にⅡ型の中枢神経症状への新規治療法については未だエビデンスは強くないが，生命予後や中枢神経症状の改善が期待できると考える．

文　献

1) 日本先天代謝異常学会 編：ムコ多糖症（MPS）Ⅱ型診療ガイドライン 2019. 診断と治療社，2019
2) に本先天代謝異常学会 編：ムコ多糖症（MPS）Ⅰ型診療ガイドライン 2020. 診断と治療社，2020
3) 「ライソゾーム病，ペルオキシソーム病（副腎白質ジストロフィーを含む）における良質かつ適切な医療の実現に向けた体制の構築とその実装に関する研究」研究班 監，ムコ多糖症ⅣA型診療ガイドライン作成委員会 編：ムコ多糖症（MPS）ⅣA型診療ガイドライン 2021. 診断と治療社，2021
4) Giugliani R et al：Guidelines for diagnosis and treatment of Hunter Syndrome for clinicians in Latin America. Genet Mol Biol 37：315-329, 2014
5) 折居忠夫 総監修：ムコ多糖症の診断チャート．"ムコ多糖症UPDATE". イーエヌメディックス，X-Xi，2011

10. アレルギー疾患

10. アレルギー疾患

アトピー性皮膚炎

山本貴和子, 大矢幸弘
国立成育医療研究センター アレルギーセンター

POINT
- 『アトピー性皮膚炎診療ガイドライン 2021』を活用する.
- 基本の治療は外用療法で, ステロイド外用剤に変更はない. 寛解増悪を繰返す症例や中等症以上では寛解維持期にはプロアクティブ療法を行う.
- ヒト型抗ヒト IL-4/13 受容体モノクローナル抗体, 外用ヤヌスキナーゼ (JAK) 阻害剤デルゴシチニブ軟膏, 経口 JAK 阻害剤が発売されている.

ガイドラインの現況

『アトピー性皮膚炎診療ガイドライン 2021』[1] が最新版のガイドラインであり, 2018 年より 3 年ぶりに改訂された. 日本皮膚科学会と日本アレルギー学会が合同で作成したものである. 皮膚科医と小児アレルギー科医が共同で執筆しているガイドラインである. 小児から成人まですべての年齢層のアトピー性皮膚炎を対象としたものである. ガイドラインはホームページから無料で閲覧できるため, 学会会員以外も閲覧することが可能である. 2018 年より大幅な改訂はないが, 国内外で発表された新しい知見を加え, 新たに発売された新薬 (ヒト型抗ヒト IL-4/13 受容体モノクローナル抗体:デュピルマブ, 外用ヤヌスキナーゼ (JAK) 阻害剤デルゴシチニブ軟膏, 経口 JAK 阻害剤:バリシチニブ) が追加となっている.

アトピー性皮膚炎の治療薬は近年新薬が複数販売されており, ガイドラインに記載されていない新薬が発売されている. 今後も複数の新薬が発売予定であることから新薬の情報を適宜アップデートしながら診療に生かす必要がある. (本稿は 2022 年 10 月時点の情報となっていることに留意)

【本稿のバックグラウンド】『アトピー性皮膚炎診療ガイドライン 2021』を主として参考にしているが, 海外のアトピー性皮膚炎診療ガイドライン[2] や, ガイドラインに記載していないが既に販売されており 12 歳以降にも処方可能な経口ヤヌスキナーゼ (JAK) 阻害剤 (ウパダシチニブ, アブロシチニブ) やジファミラスト軟膏 (PDE4 阻害薬) やヒト化抗ヒト IL-31 受容体 A モノクローナル抗体について追記している.

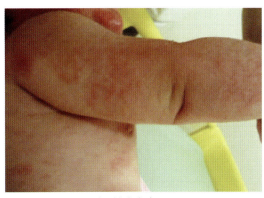

図1　乳児のアトピー性皮膚炎

どういう疾患・病態か

『アトピー性皮膚炎診療ガイドライン2021』[1]によると，"アトピー性皮膚炎は，増悪・軽快を繰返す掻痒のある湿疹を主病変とする疾患であり，患者の多くはアトピー素因を持つ"と定義されている．このアトピー素因とは，①家族歴・既往歴（アトピー性皮膚炎，気管支喘息，アレルギー性鼻炎・結膜炎のいずれか，あるいは複数の疾患）または，②IgE抗体を産生しやすいことである．皮膚バリア機能障害，免疫応答の誘導，皮膚常在微生物叢など，様々な要因がアトピー性皮膚炎の病態に関与している．小児期に寛解する症例もあれば，成人期へ持越す症例もある．痒み，掻破，睡眠障害などにより日常生活が障害され，QOLが低下することが多い．小児期にアトピー性皮膚炎を発症した症例の多くは，食物アレルギー，気管支喘息，アレルギー性鼻結膜炎などのアレルギー疾患を次々と発症するアレルギーマーチとなる傾向がある．

治療に必要な検査と診断

日本皮膚科学会の診断基準を表1に示す．鑑別すべき疾患は，脂漏性皮膚炎，接触皮膚炎，汗疹，魚鱗癬などが挙げられる．乳児期早期の重症アトピー性皮膚炎の場合は，遺伝的疾患や免疫不全を基礎疾患としてもつ場合があるため，併存疾患鑑別も必要となる．また，気をつけなければならない合併症は，カポジ水痘様発疹症，伝染性膿痂疹といった皮膚感染症である．海外で頻用されている診断基準である The U.K. Working Party's Diagnostic Criteria[3] を用いると（表2），生後2ヵ月以内でもアトピー性皮膚炎と診断することは可能である．

診断に必須の検査はないが，診断の参考になる検査として，血清総IgE値，血清抗原特異的IgE抗体値，血中好酸球がある．アトピー性皮膚炎患者では，これらの検査値の上昇がみられることが多い．また，保険診療で検査ができるケモカインである血清TARC（thymus and activation-regulated chemokine）値が重症度とよく相関して，病勢の判定に有用であるが，小児は年齢が低いほど高値を示すので年齢別の基準値を参照する必要がある．Squamous cell carcinoma antigen（SCCA）はセルピン（serpin）スーパーファミリーに属するセリンプロテアーゼインヒビターで，アトピー性皮膚炎の重症度と相関する有用なバイオマーカーである．SCCA2の基準値は単一であり，乳幼児や軽症でも鋭敏に判別できる．TARCとSCCA2は同時に測定できない．また，SCCA2は15歳以下での保険適応となっている．乳児期の重症例では低ナトリウム血症や低蛋白血症を起こしていることがあるため[4]，生化学検査も必要である．

治療の実際

原因や悪化因子の検索と対策，スキンケア，薬物療法，が治療の3本柱である．

表1　アトピー性皮膚炎の定義・診断基準（日本皮膚科学会）

アトピー性皮膚炎の定義（概念）

　アトピー性皮膚炎は増悪・寛解を繰り返す，瘙痒のある湿疹を主病変とする疾患であり，患者の多くはアトピー素因をもつ.

　アトピー素因：①家族歴・既往歴（気管支喘息，アレルギー性鼻炎・結膜炎，アトピー性皮膚炎のうちいずれか，あるいは複数の疾患），または②IgE抗体を生産しやすい素因.

アトピー性皮膚炎の診断基準

　1.　瘙痒

　2.　特徴的皮疹と分布

　　①皮疹は湿疹病変

　　・急性病変：紅斑，湿潤性紅斑，丘疹，漿液性丘疹，鱗屑，痂皮

　　・慢性病変：浸潤性紅斑・苔癬化病変，痒疹，鱗屑，痂皮

　　②分布

　　・左右対側性

　　　好発部位：前額，眼囲，口囲・口唇，耳介周囲，頸部，四肢関節部，体幹

　　・参考となる年齢による特徴

　　　乳児期：頭，顔に始まり，しばしば体幹，四肢に下降

　　　幼小児期：頸部，四肢関節部の病変

　　　思春期・成人期：上半身（頭，頸，胸，背）に皮疹が強い傾向

　3.　慢性・反復性経過（しばしば新旧の皮疹が混在する）

　　　：乳児では2ヵ月以上，その他では6ヵ月以上を慢性とする.

　上記1，2，および3の項目を満たすものを，症状の軽重を問わずアトピー性皮膚炎と診断する．そのほかは急性あるいは慢性の湿疹とし，年齢や経過を参考にして診断する.

除外すべき診断（合併することはある）

・接触皮膚炎	・魚鱗癬	・皮膚リンパ腫
・脂漏性皮膚炎	・皮脂欠乏性湿疹	・乾癬
・単純性痒疹	・手湿疹（アトピー性	・免疫不全による疾患
・疥癬	皮膚炎以外の手湿疹	・膠原病（SLE，皮膚筋炎）
・汗疹	を除外するため）	・ネザートン症候群

診断の参考項目

　・家族歴（気管支喘息，アレルギー性鼻炎・結膜炎，アトピー性皮膚炎）

　・合併症（気管支喘息，アレルギー性鼻炎・結膜炎）

　・毛孔一致性の丘疹による鳥肌様皮膚

　・血清IgE値の上昇

臨床型（幼小児期以降）

・四肢屈側型	・小児乾燥型	・痒疹型	
・四肢伸側型	・頭・頸・上胸・背型	・全身型	・これらが混在する症例も多い

重要な合併症

　・眼症状（白内障，網膜剥離など）：とくに顔面の重症例

　・伝染性軟属腫　　　・伝染性膿痂疹

　・カポジ水痘様発疹症

（文献1より引用）

1 原因や悪化因子の検索と対策

　アトピー性皮膚炎症を悪化させる要因は，年齢や生活環境により患者ごとに異なるが，様々な要因が重なり悪化要因となっているこ

表2 The U.K. Working Party's Diagnostic Criteria の診断基準（日本語訳）

大基準と3項目以上の小基準を満たすものをアトピー性皮膚炎と診断する.

●大基準
　患児は皮膚にかゆみがある. または, 両親から子どもが皮膚を引っかいたり, こすったりしているという報告がある.
●小基準
　①患児はこれまでに肘の内側, 膝の裏, 足首の前, 首のまわり（9歳以下は頬を含む）のどこかに皮膚のかゆみがでたことがある.
　②患児は喘息や花粉症の既往がある. または, 一等親以内に喘息, アレルギー性鼻炎, アレルギー性結膜炎, 食物アレルギー, アトピー性皮膚炎などのアレルギー疾患の既往がある.
　③過去12ヵ月の間に全身の皮膚乾燥の既往がある.
　④関節の内側の湿疹（3歳以下は頬・額・四肢外側を含む）が確認できる.
　⑤1歳以下で発症している（3歳以下の患児にはこの基準を使わない）.

（文献3より引用）

とが多い. ダニ, ハウスダスト, カビ, ペットなどは悪化要因となるため, ダニ対策としては, 布団に高密度繊維カバーをかける, 部屋の掃除, じゅうたんの使用をしない, 布ソファーの使用をしないなどの対策を行い, ダニやハウスダストを減らすことが重要である. また, カビを発生させないように, 家の中の換気を十分に行い, 湿気がこもらないようにすることも必要である. さらに, イヌ, ネコなどの毛のあるペットはアレルゲンとなるので, なるべく新たにペットを飼わないほうがよい. スギ花粉の時期に湿疹が増悪する場合もあるため, 時期に合わせた対応も必要である.

2 スキンケア

　悪化要因の一つである黄色ブドウ球菌や皮膚に付いている汗やアレルゲンを, 石鹸を使用して落とし清潔にする必要がある. 幼少児に対して顔に石鹸を使って洗っていないケースが多いため, 顔もしっかり石鹸を使うよう指導する. ただし, 皮疹が消失したあとの寛解維持期には必ずしも石鹸の使用は必須ではない. いずれも使用後はしっかり洗い流す必

要がある. また, 乳幼児には口周りの皮疹が出てくる場合が多く, よだれや食物の接触による刺激が原因として考えられるため, 授乳や食事の前後はしっかりワセリンなどを塗布して保護することにより, 直接よだれや食べ物が刺激にならないような工夫もすると良い. 小児の場合, 夏場は特に汗をかき皮疹が悪化しやすいため, 頻回のシャワーだけでも症状のコントロールに効果がある. そして, 保湿因子の低下を回復し, 皮膚バリア機能を保つために保湿剤の塗布をすることも重要である. 季節ごとに皮膚のバリア機能は個人ごとに異なるため, 個々の状況に合わせて季節ごとのスキンケアを工夫する必要がある.

3 薬物療法

　皮膚の炎症を抑えるため, ステロイド外用剤の塗布が薬物療法の中心となる. ステロイド外用剤は, ステロイド内服薬と違い全身に影響するものではなく, 皮膚の塗布した部位に効く安全性の高い薬であることから, 保護者にはしっかり外用剤と内服薬の違いについて説明する. ステロイド外用剤使用による治療がうまくいかない原因としては, ステロイ

アトピー性皮膚炎　595

ド外用剤の強さのランクが合っていないことがある. 顔はⅣ群, 体はⅢ群のステロイド外用剤を使用する. また, 軟膏塗布量が少ないため治療がうまくいかないことも多い, 軟膏塗布量は, 軟膏0.5gあたり大人の両手掌分の1finger-tip unit（1FTU）量が目安である. さらには, 中等症以上の重症度の高い症例などはステロイド外用剤塗布をやめると悪化するというケースも多い. こういったケースには, ステロイド外用剤を皮疹が消失したら使用を中止するのではなく, 寛解維持中にも皮疹がなくてもステロイド外用剤の使用回数を少しずつ減らし, 寛解維持としてステロイド外用剤など抗炎症外用薬を週に1〜2回程度外用を続けることで症状の増悪を予防し, 再燃するまえにステロイド外用剤を使用する方法（プロアクティブ療法）にして皮疹のない状態を維持する必要がある.

抗炎症外用薬としてタクロリムス軟膏0.03%が2歳から適用となっているが, 塗布量に制限があり, びらん・潰瘍面には使用できないため, 使用部位については顔など部分的に, 寛解維持目的で使用するとよい. 新たにデルゴシチニブ軟膏が発売され, 執筆時点では2歳以上で処方できるが, 1日2回, 1回塗布量5gまでとなっている. 寛解導入治療はステロイド外用剤で行い, 寛解維持にタクロリムス軟膏やデルゴシチニブ軟膏やジファミラスト軟膏を活用すると良い. 抗ヒスタミン薬や抗アレルギー薬は外用療法の補助的なものとして位置づけられるが, 通常長期的にこれらの薬剤を使用せずとも, 皮疹が改善すれば使用中止できることが多い.

外用療法でコントロールが不良な中等症以上は, アドヒアランスが不良であることや適切に外用療法ができていないケースがほとんどである. しかし, 経口JAK阻害剤やヒト型抗ヒトIL-4/13受容体モノクローナル抗体を考慮する必要があれば, 導入可能な専門施設へ紹介する. ヒト化抗ヒトIL-31受容体Aモノクローナル抗体も発売されている.

なお, アトピー性皮膚炎は治療が長期間になるため, 他の慢性疾患と同様に治療への良好なアドヒアランスを維持するためにも, 児本人含め思春期に入る前からの患者教育も重要である.

処方例 （最新の添付文書を参照すること）

●保湿剤

処方　ヒルドイド®ソフト軟膏0.3%, ヒルドイド®ローション0.3%

●顔の湿疹（眼周囲も含む）にステロイド軟膏を処方する場合

処方　ロコイド®軟膏またはアルメタ®軟膏（Ⅳ群）

●体の寛解導入・寛解維持いずれにも

処方　リンデロン®-V軟膏またはメサデルム®軟膏（Ⅲ群）

●皮疹の重症度が高い

処方　マイザー®軟膏またはアンテベート®軟膏（Ⅱ群）

●寛解維持期の抗炎症外用剤

処方　プロトピック®軟膏0.03%小児用, コレクチム®軟膏0.5%, モイゼルト®軟膏1%

●12歳以上かつ外用剤でコントロール不良の中等症以上

処方　リンヴォック®錠15mg　1日1回, サイバインコ®錠100mgまたは200mg　1日1回

●13歳以上かつ外用剤などで掻痒を十分コントロールできない

処方　ミチーガ®皮下注　4週間に1回

● 15歳以上かつコントロール不良の中等症以上

処方　デュピクセント®皮下注射　2週間に1回（初回のみ600mg, 2回目以降は300mg），リンヴォック®錠 15mgまたは30mg　1日1回，サイバインコ®錠100mgまたは200mg

専門医に紹介するタイミング

全身の著明な紅斑，滲出液を伴うようなびらん，体重減少，低蛋白血症を認めるような重症アトピー性皮膚炎の症例（図2）や，寛解維持ができないような難治性アトピー性皮膚炎については，速やかに専門医へと紹介したほうが良い．外用剤でコントロールが不良でも，経口ステロイドやシクロスポリンには副作用の懸念があり，小児においては特に使用を避けるべきである．12歳以上であれば経口JAK阻害薬の使用を考慮すべきである．これらを使用する必要があると判断した場合は，アトピー性皮膚炎診療に熟達し経口JAK阻害薬を導入できる施設に紹介するのが良い．

専門医からのワンポイントアドバイス

一部の症例では低蛋白血症や体重減少を伴い生命の危機に瀕することもある．このような重症アトピー性皮膚炎患者には迅速な治療介入が必要である．また，インターネットの情報などを鵜呑みにして，ステロイド忌避となる患者も多く，間違った民間療法に走ってしまうケースも少なくない．ガイドラインに順じた標準的治療を実践し，根気よく科学的根拠のある情報をわかりやすく，患者およびその家族に説明していくことが必要である．

乳児期早期発症のアトピー性皮膚炎は，その後の食物アレルギー発症のリスクが非常に高い．早期介入と寛解維持が可能であれば食物アレルギーの発症を抑制できる[5]．

―――――― 文　献 ――――――

1) 日本皮膚科学会 他：アトピー性皮膚炎診療ガイドライン 2021. アレルギー 70：1257-1342, 2021
2) Wollenberg A et al：Consensus-based European guidelines for treatment of atopic eczema（atopic dermatitis）in adults and children：part I. J Eur Acad Dermatol Venereol 32：657-682, 2018
3) Williams HC et al：The UK Working Party's diagnostic criteria for atopic dermatitis. III. Independent hospital validation. Br J Dermatology 131：406-416, 1994
4) 豊國賢治 他：低蛋白血症を伴う重症アトピー性皮膚炎（SPLAD）の急性期治療とその後の予後．アレルギー 70：1383-1390, 2021
5) Miyaji Y et al：Earlier aggressive treatment to shorten the duration of eczema in infants resulted in fewer food allergies at 2 years of age. J Allergy Clin Immunol Pract 8：1721-1724, 2019

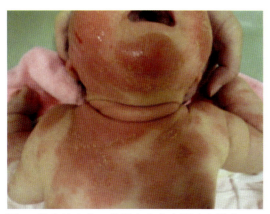

図2　滲出液を伴い低蛋白血症を認めた重症アトピー性皮膚炎

10. アレルギー疾患

食物アレルギー

今井孝成
昭和大学医学部 小児科学講座

POINT

- 食物アレルギー診療の変化は著しく，定期的にガイドライン等が改訂されている．
- 食物アレルギーの診断の gold standard は食物経口負荷試験であり，必ずしも血液検査や皮膚テストが陽性であることは診断の根拠とならない．
- 経口免疫療法は，重症食物アレルギー患者の症状誘発閾値を上げる可能性があるが，アナフィラキシーリスクがあり，また必ずしも耐性を誘導するわけではない．このためガイドラインでは一般診療として行うことを推奨していない．

ガイドラインの現況

食物アレルギー関連ガイドラインには，日本小児アレルギー学会による『食物アレルギー診療ガイドライン 2021』がある．『食物経口負荷試験の手引き 2020』は，食物経口負荷試験に特化したガイドラインで，未経験の施設や医師でも実施できることを目標に作成されている．また AMED 研究班による『食物アレルギー診療の手引き 2020』および『食物アレルギーの栄養食事指導の手引き 2017』がある．これらは，食物アレルギーの診療および栄養指導に関するエッセンスが数ページに凝縮されており使いやすく，特定のホームページ上にて無償でダウンロードできる（本稿文末参照）．ほかに，『新生児・乳児食物蛋白誘発胃腸症 Minds 準拠診療ガイドライン』も新生児・乳児食物蛋白誘発胃腸症（消化管アレルギー）の理解を助ける。また，学校・幼稚園における『学校のアレルギー疾患に対する取り組みガイドライン』が日本学校保健会（文部科学省 監修）から，『学校給食における食物アレルギー対応指針』が文部科学省から，『保育所におけるアレルギー対応ガイドライン』が厚生労働省から発刊されている．

【**本稿のバックグラウンド**】　『食物アレルギー診療ガイドライン 2021』（日本小児アレルギー学会）を中心に，『食物アレルギーの診療の手引き 2020』，『食物経口負荷試験の手引き 2020』を参考にしている．

どういう疾患・病態か

食物アレルギーは "食物によってひき起される抗体特異的な免疫学的機序を介して生体にとって不利益な症状が惹起される現象" といえ，仮性アレルゲンなどによる食物不耐症とは区別して捉える必要がある．

抗原性を保持した食物蛋白由来のペプチド

が，様々な経路で体内に吸収され，もしくは侵入すると，マスト細胞上の抗原特異的IgEに結合し，それを架橋する．その結果，マスト細胞から化学伝達物質の遊離および産生が誘導され，様々な全身性の症状を誘発する．

わが国における食物アレルギーは，乳幼児の5〜8％，学童期以上の3〜5％の有病率と考えられている．発症は即時型が最も多く，これ以外にも新生児・乳児期に発症する食物蛋白誘発胃腸症（消化器症状型）や，乳児期に発症するアトピー性皮膚炎型，学童期から成人期以降に多い口腔アレルギー症候群，食物依存性運動誘発アナフィラキシーが病型分類されている（表1）．本稿では誌面の都合もあるので，最も臨床的に問題である即時型の記述を行う．

わが国における即時型食物アレルギーは，乳幼児期の発症が圧倒的に多く，乳児と1歳児だけで約2/3を占める．鶏卵，牛乳，小麦，が三大原因食物である．ただし，これは乳幼児期に多い原因食物であり，学童期以降になると，甲殻類，果物類，木の実類が主要原因食物となる（表2）．誘発症状は皮膚，粘膜症状の頻度が高いが，アナフィラキシー症状も少なくなく，アナフィラキシーショック症例も，報告によるバラつきはあるが，7〜10％も見受けられる（図1）．小児期において，食物アレルギーは最もショックに陥りやすい病態といえる[1]．

治療に必要な検査と診断

即時型食物アレルギーの診断は，まず現病歴を詳細にとることに始まる．患者が，①いつ，②何を，③どれくらい食べ，④何分後に，⑤どんな症状が現れたのか，時間経過と併せて聴取する．さらに，⑥再現性があるのか，食べて症状がないこともあるのか，⑦加

表1　IgE依存性食物アレルギーの臨床型分類

臨床型	発症年齢	頻度の高い食物	耐性獲得（寛解）	アナフィラキシーショックの可能性	食物アレルギーの機序
食物アレルギーの関与する乳児アトピー性皮膚炎	乳児期	鶏卵，牛乳，小麦など	多くは寛解	（+）	主にIgE依存性
即時型症状（蕁麻疹，アナフィラキシーなど）	乳児期〜成人期	乳児〜幼児：鶏卵，牛乳，小麦，ピーナッツ，木の実類，魚卵など 学童〜成人：甲殻類，魚類，小麦，果物類，木の実類など	鶏卵，牛乳，小麦などは寛解しやすいその他は寛解しにくい	（++）	IgE依存性
食物依存性運動誘発アナフィラキシー（FDEIA）	学童期〜成人期	小麦，エビ，果物など	寛解しにくい	（+++）	IgE依存性
口腔アレルギー症候群（OAS）	幼児期〜成人期	果物・野菜・大豆など	寛解しにくい	（±）	IgE依存性

FDEIA：food-dependent exercise-induced anaphylaxis
OAS：oral allergy syndrome

（「食物アレルギーの診療の手引き2020」より引用）

食物アレルギー　599

表2 新規発症の原因食物　　　　　　　　　　　　　　　　　　n＝2,764

	0歳 (1,356)	1, 2歳 (676)	3〜6歳 (369)	7〜17歳 (246)	≧18歳 (117)
1	鶏卵 55.6%	鶏卵 34.5%	木の実類 32.5%	果物類 21.5%	甲殻類 17.1%
2	牛乳 27.3%	魚卵類 14.5%	魚卵類 14.9%	甲殻類 15.9%	小麦 16.2%
3	小麦 12.2%	木の実類 13.8%	落花生 12.7%	木の実類 14.6%	魚類 14.5%
4		牛乳 8.7%	果物類 9.8%	小麦 8.9%	果物類 12.8%
5		果物類 6.7%	鶏卵 6.0%	鶏卵 5.3%	大豆 9.4%

各年齢群毎に5%以上を占めるものを上位5位表記　　　（「今井孝成 他：アレルギー 69：701-705, 2020」より引用）

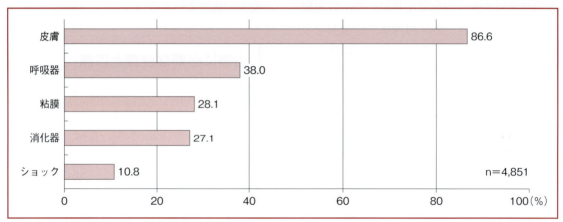

図1　臓器別の症状出現頻度　　　　　　　　　（「今井孝成 他：アレルギー 69：701-705, 2020」より引用）

熱の状況，⑧関係因子（運動，体調，服薬，アルコールなど），⑨受診および治療状況，⑩アレルギー病歴，⑪アレルギー家族歴，などを聴取する．問診の段階で食物アレルギーとしての確からしさを検討し，そのうえで客観的検査を実施，参考にする．問診を十分にとらずに検査に進んでも，その結果を有効に利用できないどころか，正しくない診断をくだしかねない．

客観的検査は，血清抗原特異的IgEや皮膚テスト（プリックテスト）が汎用される．両検査とも食物アレルギーの診断感度と特異度は高いが，陽性的中率は低い．このため，これら検査は食物アレルギーの診断を確定しない．ゆえに検査結果に依存する食物アレルギーの診断は，患者に不必要な除去を増加させ，QOLを著しく低下させる．

プリックテストは皮膚マスト細胞表面の抗原特異的IgEの有無を観察しているだけであり，陽性が診断の根拠にはならない．パッチテストや皮内テストは一般的に診断に用いられず，皮内テストはアナフィラキシーリスクすら伴うので推奨されない．抗原特異的IgE値は，国際的にイムノキャップ法で評価され，cut off値の概念を持ち込むことで，陽性確率を算出することができる（probability curve：図2）．ただしprobability curveは，ある抗原特異的IgE値から統計学的な陽性確率を示すものであって，それをもって診断を確定するものではない．また検査結果は，抗原種別に異なり，また同じ抗原種であっても年齢別に異なる捉え方が求められる．

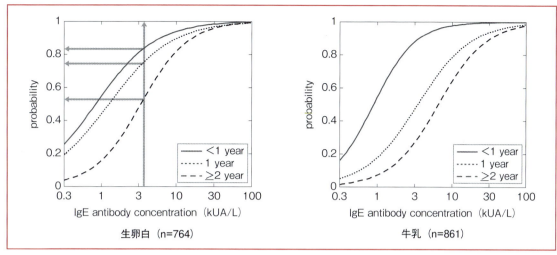

図2 probability curve

このため食物アレルギーの診断の gold standard は，食物経口負荷試験である．食物経口負荷試験は『食物経口負荷試験の手引き 2020』に詳しいので参照されたい．

治療の実際

食物アレルギーには，これまで治療手段がなかった．医師は診断後，必要最小限の除去とそれを補う栄養指導を管理栄養士に指示するだけであり，治っていく（耐性の獲得）のは自然経過に任された．特定の薬物が，原因食物を食べられるようにすることはない．

自然耐性は，主要抗原（鶏卵，牛乳，小麦など）で学童前までに 70〜80％ であり，それ以降の自然耐性率は高くない．また，主要抗原以外の自然耐性率は不明な点が多いが，少なくとも主要抗原ほど高くない．

学童期以降も耐性を獲得できなかった者に対して，国際的に取り組まれているのが，経口免疫療法である．それらの情報が蓄積されるなかで，経口免疫療法は当初期待された夢のような効果が必ずしも得られるわけではなく，またアナフィラキシー症状の誘発リスクがある点などの否定的な側面が目立ってきた．その実施は少なくとも食物経口負荷試験の経験が十分な専門の医師の下で，保護者と患者から十分なインフォームド・コンセントを得たうえで，慎重に取り組まれるべきであり，ガイドラインにおいても一般診療で行うことは推奨していない．

処方例

食物アレルギーの治療薬はない．

専門医に紹介するタイミング

専門医に紹介するタイミングとして，①診断のための紹介と，②耐性獲得の確認のための紹介：つまり経口負荷試験の依頼，の二つに大きく分けられる．

診断のための紹介パターンの一つとして，抗原特異的 IgE が軒並み陽性反応を示すものがある．こうした患者は，陽性抗原でも食べられることが多くあり，本来の原因食物は一部だけである．その判断には専門的経験と経口負荷試験の実施が求められる．特異的

IgE の陽性結果だけを頼りに診断すると必ず過剰な除去診断となるため，専門医に紹介すると良い．またアナフィラキシー症状を繰返していたり，ショックの既往がある場合も紹介すると良いだろう．これ以外にも，今回は詳説できなかった，食物アレルギーの関与する乳児アトピー性皮膚炎型で，アトピー性皮膚炎の管理が困難な症例や，食物依存性運動誘発アナフィラキシーや，消化管アレルギーなどの特殊なタイプの食物アレルギーも，専門医に紹介すると良い．

また，耐性獲得の確認のためには食物経口負荷試験が必要であることは前述したが，経口食物負荷試験は専門の医師の下で行われるものであり，また実施医療施設も限られている．経口負荷試験の実施には，専門の医師への紹介が必要となることが多い．

専門医からのワンポイントアドバイス

食物アレルギーの臨床は，この 20 年で劇的な変化を遂げてきた．新旧の情報や知識が医療側，患者側，社会においても入り乱れ混沌として，未だ解決をみない．こうしたなかで，少なくとも医師は正しい食物アレルギーの情報を得る努力が必要であるとともに，今後 5 年 10 年の間でさらに大きく変化しうる疾病であることも留意する必要がある．

文　献

1) 今井孝成 他：消費者庁「食物アレルギーに関連する食品表示に関する調査研究事業」平成 29（2017）年即時型食物アレルギー全国モニタリング調査結果報告．アレルギー 69：701-705, 2020

参考 Web サイト

1) アレルギーポータル（厚生労働省）
   https://allergyportal.jp/
2) 日本アレルギー学会
   https://www.jsaweb.jp/
3) 食物アレルギー研究会
   https://www.foodallergy.jp/
4) 公益財団法人日本アレルギー協会
   https://www.jaanet.org/
5) 東京都アレルギー情報 navi.
   https://www.fukushihoken.metro.tokyo.lg.jp/allergy/

10. アレルギー疾患

気管支喘息（長期管理の治療法について）

福家辰樹
ふくいえたつき

国立成育医療研究センター アレルギーセンター 総合アレルギー科

POINT

- 気管支喘息における長期管理の目標は，基本病態である気道炎症を抑制し，無症状の維持，呼吸機能や気道過敏性の正常化，QOLの改善をはかり，最終的には寛解・治癒を目指すことである．
- 長期管理では薬物療法のみならず，増悪因子への対応，喘息教育やパートナーシップ，アドヒアランスの向上が重要であり，評価・調整・治療のサイクルを基本とする．

ガイドラインの現況

わが国で『小児気管支喘息治療・管理ガイドライン』（JPGL）が初めて出版されたのは2000年である．当時，気管支喘息（以下，喘息）は小児科診療業務の中心的疾患の一つであったが，この20年間で喘息による入院数や死亡例は激減した．その理由としては，ロイコトリエン受容体拮抗薬や吸入ステロイド薬の登場に加えて，抗炎症治療を基本とする標準的治療や管理方法を提唱したJPGLの普及が大きく貢献したと推測される．しかし喘息有症率は現在も高く，喘息児やその保護者のQOLは十分に満足すべきものではない．これまで2002年，2005年，2008年，2012年，2017年と改訂が続けられ，特にJPGL2017以降はMindsに準拠しCQが設定され，エビデンスに基づいた治療管理を提示している．JPGL2020では，生物学的製剤の使用ガイダンスや，成人期医療への連続性のある管理，アレルギー性鼻炎の管理含めたトータルケアを目指すことなどの様々な改訂がなされた．

【本稿のバックグラウンド】 本稿は日本小児アレルギー学会作成の『小児気管支喘息治療・管理ガイドライン2020』を参考に解説した．

どういう疾患・病態か

1 病態の概要

喘息の発症成立機序として絶対的な要因は未だ明らかではないものの，発症に関わる重要な素因は近年明らかにされつつあり，遺伝的素因と環境因子の相互作用が関わると考えられている．喘息の基本病態は慢性の気道炎症と気道過敏性であり，好酸球，マスト細胞，リンパ球などの活性化や気道粘膜障害を

気管支喘息（長期管理の治療法について） **603**

伴い，浸潤炎症細胞と気道組織の構成細胞が分泌する種々の炎症性メディエーターおよびサイトカインにより慢性気道炎症が惹起される．成人のみならず小児においても気道の線維化，平滑筋肥厚など不可逆的な構造変化（リモデリング）が関与するとされ，アトピー型喘息ではヒョウヒダニなど吸入アレルゲンに対する特異的IgE抗体が気道炎症に関与し，またウイルス感染も気道炎症の成立や進展に重要な役割を果たすとされる．

② 主要症状

喘息の特徴的な症状は，反復する喘鳴や咳嗽，呼気の延長を伴う呼吸困難である．これらは気管支平滑筋の収縮，気道粘膜の浮腫，気道分泌亢進など可逆的な気流制限により生じる．気道炎症によりひき起こされる気道過敏性を有する患者が，アレルゲンや感染などの誘発・悪化因子に刺激され気流制限が誘発される．なお，わが国で以前より用いられていた「喘息発作（asthma attack）」という用語は，JPGL 2017 より，海外で一般的に用いられる「急性増悪（acute exacerbation）」におおよそ改められた[1]．

治療に必要な検査と診断

JPGL 2020 では，喘息を「発作性に起こる気道狭窄によって，喘鳴や咳嗽，呼気延長，呼吸困難を繰り返す疾患である」と定義している[1]．しかし喘息の明確な診断法について，小児（特に乳幼児）では確定されているとはいえず，反復する喘鳴や呼吸困難，可逆性の気流制限，気道過敏性亢進を確認し，かつ喘息以外の疾患を除外することが重要である．現時点では遺伝素因，アトピー素因，臨床症状，肺機能検査などを参考に，総合的に判断することが最良の方法である（図1）．

【重症度の判断】

喘息の重症度は，ある期間にどの程度の喘息症状が，どのくらいの頻度で起こったかを指標にして判定される．喘息の長期管理の開始時点でも治療中であっても，最近の6ヵ月〜1年間の急性増悪（発作）の状況によって重症度を判定し，その重症度に適した治療薬を選択して改善をはかる考え方は合理的である．治療開始前の重症度は，間欠型，軽症持続型，中等症持続型，重症持続型と分類し，これをもって重症度を表現する（表1）．なお，小児期から継続して治療する患者が思春期後期になる時点でも薬物治療が必要な場合，ガイドラインとしては，JPGL から『成人の喘息予防・管理ガイドライン』（JGL）へ移行することも想定される．JPGL と JGL では，重症度に対応した治療ステップは異なるように見えるが，治療前の重症度に対応する治療内容は基本的には同等であり，移行期医療においても一貫性のある治療管理が可能である．長期的には内科への移行を視野に入れ，医療を受けるという小児科的な観点から成長と自立，すなわち「受動的受療行動」から「能動的受療行動」への変容を促すことが必要で，この取り組みは思春期前から始めることが望ましい．

長期管理の目標

喘息における長期管理の目標は，基本病態である気道炎症を抑制し，無症状の状態を維持し呼吸機能や気道過敏性を正常化し，QOL 改善をはかり，最終的には寛解・治癒を目指すことである．そのためには薬物療法だけではなく，危険因子への対応，および患者教育やパートナーシップの向上が必要であり，評価・調整・治療のサイクルを基本とする（図2）．つまり長期管理は漫然と実施す

604　10．アレルギー疾患

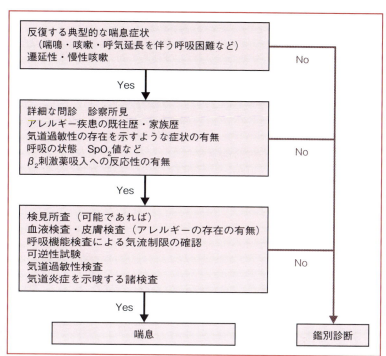

図1 喘息診断のフローチャート
(文献1 p.33 より引用)

表1 小児喘息の重症度分類

症状のみによる重症度(見かけ上の重症度)	治療ステップ1	治療ステップ2	治療ステップ3	治療ステップ4
間欠型 ・年に数回、季節性に咳嗽、軽度呼気性喘鳴が出現する ・時に呼吸困難を伴うが、短時間作用性β_2刺激薬頓用で短期間で症状が改善し、持続しない	間欠型	軽症持続型	中等症持続型	重症持続型
軽症持続型 ・咳嗽、軽度呼気性喘鳴が1回/月以上、1回/週未満 ・時に呼吸困難を伴うが、持続は短く、日常生活が障害されることは少ない	軽症持続型	中等症持続型	重症持続型	重症持続型
中等症持続型 ・咳嗽、軽度呼気性喘鳴が1回/週以上、毎日は持続しない ・時に中・大発作となり日常生活や睡眠が障害されることがある	中等症持続型	重症持続型	重症持続型	最重症持続型
重症持続型 ・咳嗽、呼気性喘鳴が毎日持続する ・週に1〜2回、中・大発作となり日常生活や睡眠が障害される	重症持続型	重症持続型	重症持続型	最重症持続型

(文献1 p.38 より引用)

薬物療法

- 気道炎症の抑制を目的とした長期管理薬を中心とした治療
- 重症度・コントロール状態に応じた治療ステップの選択

増悪因子への対応

- 環境整備（ダニ，ペット，受動喫煙など）
- 運動誘発喘息（EIA）予防，合併症治療など

患者教育・パートナーシップ

- 病態の理解
- アドヒアランスの向上
- 吸入手技の向上

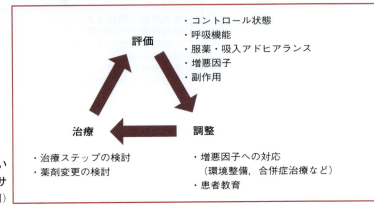

図 2a　小児喘息の長期管理の要点
（文献 1 p.117 より引用）

図 2b　コントロール状態に基づいた小児喘息の長期管理のサイクル（文献 1 p.118 より引用）

るのではなく，コントロール状態や呼吸機能に加えて，服薬や吸入のアドヒアランス，吸入手技，危険因子の有無，薬剤の副作用を評価し，それらを調整したうえで薬物治療を必要に応じて変更するサイクルを繰返すことで，治療目標の達成を目指す．

1 小児喘息の薬物療法プランと流れ

長期管理における薬物療法では，主に症状を予防するための長期管理薬（コントローラー）を用い，急性増悪（発作）時には症状を抑制するための発作治療薬（リリーバー）を適宜併用する．長期管理薬には，気道炎症を抑制するための抗炎症薬と長時間にわたって気道収縮を予防する気管支拡張薬があるが，抗炎症薬を中心にして，必要に応じて気管支拡張薬を使用する．薬物による治療を開始する前に，臨床症状とこれまでの治療内容を考慮して真の重症度を判定のうえ（表 1），重症度に応じた治療ステップの治療を開始する．JPGL 2020 では年齢区分が 2 つ設定されており（5 歳以下，6～15 歳），それぞれの薬物療法プランが示されている（**表 2**）．吸入ステロイド薬の投与量が，軽症持続型では低用量，中等症持続型では中用量，重症持続型では高用量であることから，気管支喘息の重症度を吸入ステロイド使用量から推定することも可能である．治療目標を達成した後は，良好な状態を維持できる最少量へと徐々に減量するのが望ましい．

なお，経口薬や貼付薬の長時間作用性 β_2 刺激薬は，長期管理薬としては使用せず，一過性のコントロール状態の悪化が認められた場合に短期間使用して，症状が改善したら速やかに中止する（短期追加治療と呼ばれる）（**図 3**）．

表2 小児喘息の長期管理プラン

5歳以下

	治療ステップ1	治療ステップ2	治療ステップ3[*2]	治療ステップ4[*2]
基本治療	長期管理薬なし	下記のいずれかを使用 ▶LTRA[*1] ▶低用量ICS	▶中用量ICS	▶高用量ICS （LTRAの併用も可）
追加治療	▶LTRA[*1]	上記治療薬を併用	上記にLTRAを併用	以下を考慮 ▶β_2刺激薬（貼付）併用 ▶ICSのさらなる増量 ▶経口ステロイド薬
短期追加治療	貼付もしくは経口の長時間作用性β_2刺激薬　数日から2週間以内			
	増悪因子への対応，患者教育・パートナーシップ			

＊1：DSCG吸入や小児喘息に適応のあるその他の経口抗アレルギー薬（Th2サイトカイン阻害薬など）を含む.
＊2：治療ステップ3以降の治療でコントロール困難な場合は小児の喘息治療に精通した医師の下での治療が望ましい.
なお，5歳以上ではICS/LABAも保険適用がある（治療ステップ，投与量は表7-9を参照）.
LTRA：ロイコトリエン受容体拮抗薬　ICS：吸入ステロイド薬　DSCG：クロモグリク酸ナトリウム（吸入）
ICS/LABA：吸入ステロイド薬/長時間作用性吸入β_2刺激薬配合剤

吸入ステロイド薬の用量の目安（μg/日）

	低用量	中用量	高用量
FP，BDP，CIC	100	200	400※
BUD	200	400	800
BIS	250	500	1000

※小児への保険適用範囲を超える.
FP：フルチカゾン　BDP：ベクロメタゾン　CIC：シクレソニド　BUD：ブデソニド　BIS：ブデソニド吸入懸濁液

6～15歳

	治療ステップ1	治療ステップ2	治療ステップ3[*3]	治療ステップ4[*3]
基本治療	長期管理薬なし	下記のいずれかを使用 ▶低用量ICS ▶LTRA[*1]	下記のいずれかを使用 ▶中用量ICS ▶低用量ICS/LABA[*2]	下記のいずれかを使用 ▶高用量ICS ▶中用量ICS/LABA[*2] 以下の併用も可 ・LTRA ・テオフィリン徐放製剤
追加治療	▶LTRA[*1]	上記治療薬を併用	以下のいずれかを使用 ▶LTRA ▶テオフィリン徐放製剤	以下を考慮 ▶生物学的製剤[*4] ▶高用量ICS/LABA[*2] ▶ICSのさらなる増量 ▶経口ステロイド薬
短期追加治療	貼付もしくは経口の長時間作用性β_2刺激薬　数日から2週間以内			
	増悪因子への対応，患者教育・パートナーシップ			

＊1：DSCG吸入や小児喘息に適応のあるその他の経口抗アレルギー薬（Th2サイトカイン阻害薬など）を含む.
＊2：ICS/LABAは5歳以上から保険適用がある．ICS/LABAの使用に際しては原則として他の長時間作用性β_2刺激薬は中止する.
＊3：治療ステップ3以降の治療でコントロール困難な場合は小児の喘息治療に精通した医師の下での治療が望ましい.
＊4：生物学的製剤（抗IgE抗体，抗IL-5抗体，抗IL-4/IL-13受容体抗体）は各薬剤の適用の条件があるので注意する.
LTRA：ロイコトリエン受容体拮抗薬　ICS：吸入ステロイド薬　DSCG：クロモグリク酸ナトリウム（吸入）
ICS/LABA：吸入ステロイド薬/長時間作用性吸入β_2刺激薬配合剤

吸入ステロイド薬の用量の目安（μg/日）

	低用量	中用量	高用量
FP，BDP，CIC	100	200	400※
BUD	200	400	800
BIS	250	500	1000

※小児への保険適用範囲を超える.
FP：フルチカゾン　BDP：ベクロメタゾン　CIC：シクレソニド　BUD：ブデソニド　BIS：ブデソニド吸入懸濁液

吸入ステロイド薬/長時間作用性吸入β_2刺激薬配合剤の用量の目安（μg/日）

用量	低用量	中用量	高用量
FP/SLM	100/50	200/100	400～500/100
使用例	SFC 50エアゾール 1回1吸入， 1日2回	SFC 100 DPI 1回1吸入， 1日2回	中用量SFC＋中用量ICS あるいは SFC 250 DPI[*2] 1回1吸入，1日2回
FP/FM	100/10[*1]	200/20	400～500/20
使用例	FFC 50エアゾール 1回1吸入， 1日2回	FFC 50エアゾール 1回2吸入， 1日2回	中用量FFC＋中用量ICS あるいは FFC 125エアゾール[*2] 1回2吸入，1日2回

※1エビデンスなし　※2小児適用なし
FP：フルチカゾン　SLM：サルメテロール　SFC：サルメテロール/フルチカゾン配合剤
FM：ホルモテロール　FFC：ホルモテロール/フルチカゾン配合剤
SFC 50μgエアゾール製剤：1噴霧中　FP 50μg/SLM 25μg，100μg DPI製剤：1吸入中　FP 100μg/SLM 50μg，
250μg DPI製剤：1吸入中　FP 250μg/SLM 50μg
FFC 50μgエアゾール製剤：1噴霧中　FP 50μg/FM 5μg，125μgエアゾール製剤：1噴霧中　FP125μg/FM 5μg

（文献1 p.132より引用）

気管支喘息（長期管理の治療法について）

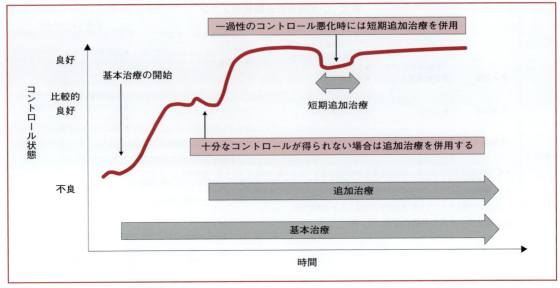

図3 長期管理における薬物療法の流れ

※追加治療：基本治療によってコントロール状態が改善したものの十分なコントロールが得られない場合に1ヵ月以上の継続治療として考慮する治療．追加治療でも十分なコントロールが得られない場合はステップアップを行う．

※短期追加治療：明らかな急性増悪（発作）の所見はないが，運動，啼泣の後や起床時などに認められる一過性の咳嗽，覚醒するほどではない夜間の咳き込み，ピークフローモニタリングにおける日内変動の増加や自己最良値からの低下などが認められるときに併用し，コントロール状態が改善したら速やかに中止する．2週間以上必要である場合には追加治療やステップアップを行う．

（文献1 p.130 より引用）

2 長期管理薬の種類と特徴

長期管理薬は気道炎症に対する抗炎症治療薬が中心となる．ICSは長期管理の基本治療であり，そのほかLTRAなどを使用する．治療開始時の重症度が高い場合は，早期から十分な種類と使用量の抗炎症治療を行い，コントロールが得られた後に良好なコントロール状態を維持できる必要最低限の治療を継続する．なお長期管理では環境整備も重要であり，長期管理開始時に，喘息の病態，治療目標，使用薬剤の作用や具体的な使用方法，注意点などを十分に説明して理解を得る．

a）吸入ステロイド薬（ICS）

ICSは直接気道に作用して気道炎症を強力に抑制することから長期管理の中心的な薬剤である．使用により喘息症状の軽減，呼吸機能や気道過敏性の改善，急性増悪（発作）の頻度や程度の軽減，発作入院や喘息死の減少が明らかになっている．ICSは経口薬や静注薬と比べて全身性副作用は少ないが，成長抑制をきたしうるため，必要最小量による維持を心がける．全身的な副作用として，フルチカゾンプロピオン酸エステル（FP）200 μg/日以下であれば概ね問題がないとされ，身長に関しては使用開始1年間で0.48 cm程度の抑制が生じ，成人期までフォローした報告では1.2 cm程度の抑制が認められるとの報告がある．

b）ロイコトリエン受容体拮抗薬（LTRA）

気管支喘息に関与する重要な化学伝達物質であるシスティニルロイコトリエン（LTC 4，LTD 4，LTE 4）を介した気道狭窄，気道炎症を抑制することができるため，ICSとならんで重要な長期管理薬である．また，呼

吸器ウイルス感染症に伴う喘息症状の悪化，アレルギー性鼻炎の鼻閉などにも効果をもつ．

c）吸入ステロイド薬/長時間作用性吸入β₂刺激薬配合剤

長時間作用性吸入β₂刺激薬（LABA）は12時間以上作用が持続する気管支拡張薬であり，臨床的に気道炎症抑制は認められないものの，抗炎症治療のみで良好なコントロールが得られない場合にICSと併用することで長期管理薬として用いられる．現在，わが国で小児に保険適用のある薬剤は，フルチカゾン（FP）/サルメテロール（SLM）配合剤（SFC）と，2020年に小児適用が追加されたフルチカゾン（FP）/ホルモテロール（FM）配合剤（FFC）の2種類であり，5歳以上に限定されている．

d）生物学的製剤

小児喘息に保険適用のある生物学的製剤は，抗IgE抗体（オマリズマブ），抗IL-5抗体（メポリズマブ），抗IL-4/IL-13受容体抗体（デュピルマブ）の3製剤がある．いずれの生物学的製剤の使用は「小児慢性特定疾患医療費助成」の対象となっている．

生物学的製剤の使用に際しては，治療開始時および治療中はできる限り客観的な評価に基づき適応と効果の判定を行う必要がある．JPGL2020では具体的な評価項目についてチェックリストを作成しており，評価に役立つ．

🔳 コントロール状態の評価と対応

長期管理開始後は，定期的にコントロール状態を評価して治療内容を調整する．一般的には最近1ヵ月程度の症状などを参考にコントロール状態を評価する．コントロール状態は表3を参考に，軽微な症状・明らかな急性増悪・日常生活の制限・短時間作用性β₂刺激薬の使用の有無で評価する．限られた診療時間のなかで必要な情報を得ることは簡単ではないが，喘息日誌やJapanese Pediatric Asthma Control Program（JPAC）[3] などを活用し，現在のコントロール状態と重症度を正しく把握すると良い．また，患者や保護者の主観的な判断のみではなく，客観的な指標（ピークフロー測定，呼吸機能検査，呼気一酸化窒素濃度等）を評価することで，より詳細な評価が可能となる．

専門医に紹介するタイミング

気管支喘息の長期管理成績が良くなり，重症の喘息児は減ってきている．ガイドラインに準じた長期管理でコントロールに難渋する場合，特に高用量ICSを用いる症例では，専門医ないしは小児喘息治療に精通した医師の管理下で治療することが望ましい．また，基礎疾患がある場合，身体的に重症な場合，心理社会的問題を抱えているために管理困難となる場合などであれば，入院加療を考慮する必要がある．

専門医からのワンポイントアドバイス

小児における喘息死亡率は，近年はゼロではないものの1〜3人/年という低レベルで推移しており，JPGLの普及が大きく関与していると考えられる．しかし，喘息死委員会レポート2017[4] に報告される，死亡前1年間の入院回数0回の者が4割近くを占めること，気管支拡張薬への依存例や食物アレルギーによるアナフィラキシー例がみられたことなどは，やや気にかかる点であろう．特に，致死的なアナフィラキシーのリスクとされる牛乳・ピーナッツ・ナッツ類などの食物アレルギー児では，喘息の併存があれば，そのコントロールが児の命を守るか否かのカギ

気管支喘息（長期管理の治療法について）　**609**

表3　喘息の長期管理の評価ステップ（文献 1 p.127 より引用）

1. コントロール状態の評価（最近 1 ヵ月の状態で評価）

最近 1 ヵ月の状態で評価

軽微な症状*1	□ なし	□ 月 1 回以上	□ 週 1 回以上
明らかな急性増悪（発作）	□ なし		□ 月 1 回以上
日常生活の制限*2	□ なし	□ 軽微にあり	□ 月 1 回以上
β_2 刺激薬の使用	□ なし	□ 月 1 回以上	□ 週 1 回以上

*1：運動や大笑い，啼泣後に一過性に認められる咳や喘鳴，夜間の咳込みなど
*2：夜間の覚醒，運動ができないなど

	すべて該当する	上記に一つ以上該当ありかつ，不良に該当がない	一つ以上該当あり
コントロール状態	良好	比較的良好	不良

2. 増悪因子の評価，診断の再評価

表 7-6 を参考に増悪因子の有無について評価を行う
コントロール状態「不良」の場合は診断の再評価を考慮

3. 治療の再評価

コントロール状態

良好

増悪因子　あり → 増悪因子への対応・患者教育を実施して　現在の治療継続
　　　　　なし → 3 ヵ月以上，安定が維持できていれば　ステップダウンを検討

コントロール状態

比較的良好　　不良

増悪因子　あり → 増悪因子への対応・患者教育を実施して
　　　　　　　　・改善の見込みがある場合は　治療継続
　　　　　　　　・改善の見込みがない場合は　追加治療 or ステップアップを検討

　　　　　なし → 追加治療 or ステップアップを検討

となる．丁寧な問診と必要に応じ呼吸機能検査を行い，適切な評価を心掛けたい．

――――――　文　献　――――――

1) 日本小児アレルギー学会：小児気管支喘息治療・管理ガイドライン 2020. 足立雄一 他監. 協和企画, 2020
2) 小島原典子 他：Minds 診療ガイドライン作成マ ニュアル Ver. 2.
http://minds4.jcghc.or.jp/minds/guidline/manual.html
3) 西牟田敏之 他：Japanese Pediatric Asthma Control Program（JPAC）と Childhood Asthma Control Test（C-ACT）との相関性と互換性に関する検討. 日小児アレルギー会誌 23：129-138, 2009
4) 楠　　隆 他：喘息死委員会レポート 2017. 日小児アレルギー会誌 32：739-745, 2018

10. アレルギー疾患

アレルギー性鼻炎

成田雅美
杏林大学医学部 小児科学教室

POINT
- ●小児アレルギー性鼻炎患者は花粉症を中心に増加傾向にあり，低年齢化が進んでいる．
- ●自覚症状の訴えに乏しく診断や評価が難しいが，QOL が障害されていることもあるので注意する．
- ●病型と重症度に応じた治療法を選択する．
- ●原因アレルゲンに応じた抗原除去・回避対策が基本である．

ガイドラインの現況

本邦の『鼻アレルギー診療ガイドライン』は，1993 年に日本アレルギー学会を基盤として初版が作成されて以来改訂を重ね，最新の 2020 年版（改訂第 9 版）は日本耳鼻咽喉科免疫アレルギー学会に設置されたガイドライン委員会が編集し，学会主導のガイドラインとなった[1]．このガイドラインは，エビデンスに基づきながらも，アレルギー性鼻炎の診療にあたる医師の診療レベルの向上，ひいては患者 QOL の改善を目指し，日本の臨床現場での活用を念頭においている．そのため，国際的ガイドラインである Allergic Rhinitis andits Impact of Asthma（ARIA）[2] を重視しながらも，内容的には作成委員会の中心である耳鼻科専門医の意見を採り入れた実用的なものとなっている．ただし，このガイドラインは，主に成人患者を対象に作成されているため，治療薬には小児適応のないものも多く，小児患者への活用には注意を要する．

アレルゲン免疫療法について，従来はダニアレルギーとスギ花粉症のそれぞれの手引きがあったが，2022 年に両者を統一した『アレルゲン免疫療法の手引き』（監修：日本アレルギー学会，編集：「アレルゲン免疫療法の手引き」作成委員会）[3] が発行された．

【本稿のバックグラウンド】 日本耳鼻咽喉科免疫アレルギー学会が主導して新しい知見を基に改訂された『鼻アレルギー診療ガイドライン ―通年性鼻炎と花粉症― 2020 年版（改訂第 9 版）』，日本アレルギー学会が従来のダニ，スギごとの手引きを統合して 2022 年に発行した『アレルゲン免疫療法の手引き』を参考にした．

アレルギー性鼻炎　611

どういう疾患・病態か

　アレルギー性鼻炎は，鼻粘膜のⅠ型アレルギー性疾患で，発作性反復性のくしゃみ，（水様性）鼻漏，鼻閉，を3主徴とする．抗原によりIgE抗体が産生されると，反復する抗原曝露により，即時相反応のみならず，局所への炎症細胞浸潤などの遅発相反応が惹起され，非特異的過敏性獲得や不可逆的粘膜肥厚を生じる．わが国では原因抗原により，通年性（ダニ，ペット，ゴキブリなど）と季節性（スギを代表とする花粉症）に分類される．

　小児のアレルギー性鼻炎は通年性が多く，気管支喘息やアトピー性皮膚炎の合併率が高い．またアデノイド・扁桃肥大や副鼻腔炎の合併，急性上気道炎による悪化が起こりやすい．さらに小児では，症状を正確に表現できないことを理解して対応する必要がある．なお，花粉症に関しては，次項の「小児花粉症」も参照されたい．

治療に必要な検査と診断

　特徴的な症状の出現，診察所見があれば臨床的にアレルギー性鼻炎と診断し，病型や重症度に応じて治療を開始する．治療効果不良例では，アレルギー検査を行う．

a）症　状

　くしゃみ（鼻のかゆみ），水様性鼻漏，鼻閉が，発作性反復性に1〜2週間以上継続する．

b）診察所見

　鼻内所見として，通年性アレルギー性鼻炎では，下鼻甲介蒼白，粘膜腫脹，水様性鼻汁が多く，花粉症では下鼻甲介発赤が多い．

c）アレルギー検査

①アレルゲン特異的IgE抗体または皮膚テスト

・通年性抗原：ヤケヒョウヒダニ，コナヒョウヒダニ，ハウスダスト，ネコ，イヌ，ゴキブリなど

・季節性抗原：スギ，ヒノキ，カモガヤ，ブタクサ，シラカンバなど

②鼻誘発試験：市販の抗原ディスクは，ハウスダスト，ブタクサのみで，耳鼻咽喉科で行われることが多い．

③鼻汁好酸球検査：単独で陽性の場合は，好酸球増多性鼻炎との鑑別が必要．

d）病型および重症度分類

①病　型：主な臨床症状により，くしゃみ・鼻漏型，鼻閉型，両者がほぼ同じ充全型に分けられる．

②重症度：くしゃみ発作または鼻かみの1日あたりの回数や，鼻閉の強さの組合せにより，重症度を決める（表1）．

治療の実際

　治療目標は，症状抑制を介した患者QOLの改善である．患者および家族と十分なコミュニケーションをとったうえで，患者のライフスタイルに即して治療法を決定する．『鼻アレルギー診療ガイドライン2020年版』には，病型，重症度に応じた治療法の選択が示されている（表2）．

a）抗原除去と回避

　Ⅰ型アレルギー反応を主体とするアレルギー性鼻炎では，すべての病型・重症度において，抗原除去・回避は，最も基本的な治療となる．原因抗原に応じて，ダニ，ペット，スギ対策などがあり，具体的な方法について患者指導を行う．

b）薬物療法（表2）

　小児アレルギー性鼻炎の治療で頻用される

表1　アレルギー性鼻炎症状の重症度分類

程度および重症度			くしゃみ発作*または鼻漏**				
			＋＋＋＋ 21回以上	＋＋＋ 11〜20回	＋＋ 6〜10回	＋ 1〜5回	－ ＋未満
鼻閉	＋＋＋＋	1日中完全につまっている	最重症				
	＋＋＋	鼻閉が非常に強く口呼吸が1日のうちかなりの時間ある		重症			
	＋＋	鼻閉が強く口呼吸が1日のうちときどきある			中等症		
	＋	口呼吸は全くないが鼻閉あり				軽症	
	－	鼻閉なし					無症状

*1日の平均発作回数，**1日の平均鼻かみ回数　　　　　　　　　　　　　　　（文献1より転載）

表2　通年性アレルギー性鼻炎の治療

重症度	軽症	中等症		重症・最重症	
病型		くしゃみ・鼻漏型	鼻閉型または鼻閉を主とする充全型	くしゃみ・鼻漏型	鼻閉型または鼻閉を主とする充全型
治療	①第2世代抗ヒスタミン薬 ②遊離抑制薬 ③Th2サイトカイン阻害薬※ ④鼻噴霧用ステロイド薬	①第2世代抗ヒスタミン薬 ②遊離抑制薬 ③鼻噴霧用ステロイド薬	①抗LTs薬 ②抗PGD2・TXA2薬※ ③Th2サイトカイン阻害薬※ ④第2世代抗ヒスタミン薬・血管収縮薬配合剤※ ⑤鼻噴霧用ステロイド薬	鼻噴霧用ステロイド薬 ＋ 第2世代抗ヒスタミン薬	鼻噴霧用ステロイド薬 ＋ 抗LTs薬または抗PGD2・TXA2薬※ もしくは 第2世代抗ヒスタミン薬・血管収縮薬配合剤※ オプションとして点鼻用血管収縮薬を1〜2週間に限って用いる．
		必要に応じて①または②に③を併用する．	必要に応じて①，②，③に⑤を併用する．		
				鼻閉型で鼻腔形態異常を伴う症例，保存療法に抵抗する症例では手術	
		アレルゲン免疫療法			
		抗原除去・回避			

症状が改善してもすぐには投薬を中止せず，数ヵ月の安定を確かめて，ステップダウンしていく．
遊離抑制薬：ケミカルメディエーター遊離抑制薬．
抗LTs薬：抗ロイコトリエン薬．
抗PGD2・TXA2薬：抗プロスタグランジンD2・トロンボキサンA2薬．
※筆者注：小児のアレルギー性鼻炎への適応がない薬剤　　　　　　　　（文献1より転載，一部改変）

薬剤には，鼻噴霧用ステロイド薬，第2世代抗ヒスタミン薬，ロイコトリエン受容体拮抗薬がある．わが国のガイドラインでは，軽症または中等症のくしゃみ・鼻漏型には第2世代抗ヒスタミン薬，鼻閉型または充全型にはロイコトリエン受容体拮抗薬が勧められ，必要に応じて鼻噴霧用ステロイド薬を追加する，となっている．表2に掲載されている薬でも，小児のアレルギー性鼻炎への適応がないものがあるので注意する．

c）アレルゲン免疫療法[3]

長期寛解または治癒を期待できる唯一の治療法である．従来は皮下免疫療法が中心で，スギ花粉やダニの標準化抗原を使用して，5歳以上の患者に実施されてきた．2018年よりわが国でも，スギ花粉，ダニに対する舌下免疫療法が5歳以上の患者に適応可能となった．舌下免疫療法は，重篤な副作用や注射による痛みも少なく，頻回通院の必要もないことから小児でも受け入れやすい．両者の併用の安全性についても報告されている[4]．長期間にわたるアドヒアランスが課題である．

d）手術

鼻閉が強く，保存的治療でも改善がみられず，点鼻用血管収縮薬に対する反応性が悪い場合には，手術が適応となる場合がある．①鼻粘膜変性手術，②鼻腔形態改善手術，③鼻漏改善手術に大別される．小児では，小学生以上の限定例にのみ適応となる．

処 方 例

小児のアレルギー性鼻炎に適応がある薬剤は限られている．以下，9歳，体重30kgを例として示す．

くしゃみ・鼻漏型

処方A　アレジオン® ドライシロップ 1.0g（10mg）　分1

処方B　クラリチン® 錠（10mg）　10mg 分1

処方C　アレグラ® 錠（30mg）　60mg 分2

処方D　ザイザル® 錠（5mg）　5mg 分2

●難治例では上記いずれかに下記を併用

処方　小児用フルナーゼ点鼻薬（25µg）各鼻腔1噴霧/回　1日2回

鼻閉型・充全型

処方A　オノン® ドライシロップ　200mg 分2

処方B　シンクレア® チュアブル錠（5mg）　5mg　分1　小児アレルギー性鼻炎には保険適用なし

●難治例では，処方A，Bのいずれかに，処方C，Dのいずれかと処方E，Fのいずれかを併用

処方C　ナゾネックス® 点鼻液（50µg）各鼻腔1噴霧ずつ1日1回

処方D　アラミスト® 点鼻液（27.5µg）各鼻腔1噴霧ずつ1日1回

処方E　タリオン® OD錠（10mg）20mg　分2

処方F　アレロック® OD錠（5mg）　分2　朝，就寝前

アレルゲン免疫療法（舌下免疫療法）

●5歳以上で適切に舌下投与できる場合

※処方医は登録が必要（処方AまたはB）

処方A　ミティキュア® ダニ舌下錠
1週目　3,300 JAU
2週目から 10,000 JAU
1日1回1錠舌下投与

> 処方B　アシテア®ダニ舌下錠
> ・増量期　初回100単位（IR）（19,000
> 　　JAUに相当1日1回舌下投与
> 　　100単位（IR）ずつ300単位まで
> 　　増量（原則3日間とするが，適宜
> 　　延長）
> ・維持期　300単位（IR）1日1回1錠
> 　　舌下投与

専門医に紹介するタイミング

- 薬物治療でも鼻閉を中心とする症状の改善が認められない．
- 特に小児では，先天異常・鼻中隔彎曲症，副鼻腔炎，アデノイド・扁桃肥大，睡眠時無呼吸症候群，滲出性中耳炎などの有無や聴力への影響についての評価が必要．
- アレルギー免疫療法が必要．

専門医からのワンポイントアドバイス

　アレルギー性鼻炎は，気管支喘息と合併することが多く，互いの悪化因子にもなっている．近年"one airway, one disease"という概念が提唱され，上気道と下気道は，一つの器官として密接に関連していることが指摘されている．アレルギー性鼻炎と気管支喘息を一緒に治療し，全体としてコントロールされた状態を目標とする．舌下免疫療法は，小児でも負担なく継続でき，長期寛解を望める治療法であり，今後の発展に期待したい．

――――――― 文　献 ―――――――

1) 日本耳鼻咽喉科免疫アレルギー学会 鼻アレルギー診療ガイドライン作成委員会：鼻アレルギー診療ガイドライン ―通年性鼻炎と花粉症― 2020年版（改訂第9版）．ライフ・サイエンス，2020

2) Bousquet J et al：Allergic Rhinitis and its Impact on Asthma（ARIA）2008 update（in collaboration with the World Health Organization, GA（2）LEN and AllerGen）. Allergy 63(suppl 86)：8-160, 2008

3) 日本アレルギー学会：アレルゲン免疫療法の手引き．2022
https://www.jsaweb.jp/uploads/files/allergen_202101.pdf

4) Gotoh M et al：Safety profile and immunological response of dual sublingual immunotherapy with house dust mite tablet and Japanese cedar pollen tablet. Allergol Int 69：104-110, 2020

10. アレルギー疾患

小児花粉症

岡本美孝
千葉労災病院

POINT

● 感作・発症の低年齢化が進み，小児の花粉症が増加している．

● 国内ではスギやヒノキといった樹木花粉を原因とするものが多いが，イネ科など草本花粉による花粉症も問題となる．

● 喘息，アトピー性皮膚炎の悪化因子であり，さらに花粉と果実や野菜とのアレルゲンの交差反応性から花粉‒食物アレルギー症候群の増加もみられる．

● 地域での主な花粉症の原因となる花粉飛散期を知っておくことは，診断・治療に重要である．

ガイドラインの現況

アレルギー性鼻炎は，好発時期から通年性と季節性に大別されるが，季節性の多くは花粉によりひき起こされる花粉症である．国内では 1993 年に『鼻アレルギー診療ガイドライン』として第 1 版が発行され原則として 3 年ごとに改訂となり，現在は第 9 版が 2020 年に発刊されている[1]．国際的には，アレルギー性鼻炎とその喘息への影響 (allergic rhinitis and its impact on asthma：ARIA) というコンセンサスレポートがまとめられ，これを WHO が推奨する形で発表し，アレルギー性鼻炎の国際的ガイドラインの基準となっている．その後，エビデンスの集積，解析（GRADE）による追加改訂が行われているが，さらにガイドラインの普及をはかる必要性から実臨床での調査の結果などを織り込んだ改訂版が 2020 年に発行されている[2]．

【本稿のバックグラウンド】日本におけるアレルギー性鼻炎の特徴は，スギやヒノキ花粉による花粉症の割合が高いことであるが，花粉症に特化したガイドラインはない．『鼻アレルギー診療ガイドライン』に通年性アレルギー性鼻炎とともにまとめられているが，本稿では小児花粉症を中心に主に国内のガイドラインに基づいて解説した．

どういう疾患・病態か

花粉症で認められるくしゃみ発作，水様性鼻漏，鼻閉などの鼻の過敏症状は，知覚神経ならびに自律神経といった神経系と，鼻腺や鼻粘膜血管といった鼻粘膜の効果器の過剰反応を反映している[3]．これらの症状の発現機序をみてみると，花粉の侵入により鼻粘膜表層で生じた抗原抗体反応の結果，遊離された化学伝達物質のうち特にヒスタミンは鼻の知

覚神経である三叉神経を刺激する．刺激は中枢に伝えられ，くしゃみ発作を誘導するが，同時に副交感神経を中心とした反射路を介して，鼻腺や鼻粘膜血管といった効果器に伝えられ，鼻汁分泌や鼻閉の発現に関与する．一方，遊離された化学伝達物質は，鼻腺や鼻粘膜血管に直接に作用もする．これらのうち，鼻汁分泌に関しては神経反射を介しての経路が，鼻粘膜血管腫脹への影響はロイコトリエンを代表とする化学伝達物質の直接作用がそれぞれ大きなウェートを占めている．

さらに，好酸球を中心とした炎症細胞の関与が注目され，炎症反応がくしゃみ，鼻漏，鼻閉を含む遅発相の形成，さらには花粉症の遷延化，重症化に関与すると考えられる．すなわち，花粉症患者の鼻粘膜では，好酸球をはじめ種々の炎症細胞浸潤が反応局所にみられ，即時相のみでなく遅発相の形成，さらには花粉症の重症化，遷延化に関与すると考えられ，アレルギー性炎症としての特徴がクローズアップされている．結膜においても同様な機序が考えられている．

治療に必要な検査と診断

花粉症でみられる鼻の3主徴は，前述のようにくしゃみ発作，水様性鼻漏，鼻閉であるが，特に大量の花粉に曝露される花粉症では，眼症状，口腔症状，咽頭症状，皮膚症状・発熱・頭痛など，全身症状の出現も多くみられる[1]．

問診では症状とその程度以外に，好発時期，合併症，既往歴，家族歴も重要である．典型的な通年性アレルギー性鼻炎患者では，蒼白に浮腫状に腫脹した鼻粘膜と水様性分泌液が鼻鏡で観察されるが，花粉症では水様性分泌液と粘膜の発赤を示す症例が多い．Hansel染色にて好酸球の浸潤の有無が認め

られる．アレルギーが強く疑われれば，皮膚テスト（安価，感度良，痛み有，結果は即時に），血清特異IgE抗体定量（高価，敏感，痛み少ない，結果得るまで数日要）を行う．誘発テストは，花粉症では使用するアレルゲンディスクの入手が限られている（ブタクサのみ）こと，小児，特に6歳未満では実施が容易ではないことから一般的には行われない．

鼻症状を有し，典型的な鼻粘膜所見を呈する場合にはアレルギー性鼻炎と判断できるとされているが，特に小児では鼻粘膜の評価は容易でないことも多く，また花粉症では花粉非飛散期には粘膜は正常のことが多い．鼻汁好酸球検査（花粉非飛散期には陰性），皮膚テスト（あるいは血清特異的IgE）を参考にして判断する．地域での主な花粉症の原因となる花粉飛散期を知っておくことは重要である．スギ花粉の飛散期はかぜの罹患も多い時期であるため，小児では感染性鼻炎との鑑別が重要である．かぜでは，鼻汁中に好中球や剥落上皮細胞が多くみられること，咽頭熱や発熱，関節痛などの全身症状をもつ頻度が高いこと，多くはウイルス感染だが，二次感染を生ずると粘性，膿性に鼻汁が変化することが特徴であるが，花粉症との鑑別は必ずしも容易ではないときもある．

治療の実際

治療の目標は，患者が症状はないか，あっても軽度で日常生活に支障のない，薬もあまり必要ではない状態，症状は持続的に安定していて急性増悪があっても頻度は低く（年に数回，2週程度），遷延しない状態，抗原誘発反応がないか，または軽症の状態になることである．

a）アレルゲン除去と回避

スギ花粉症では，詳細な花粉飛散情報や予

小児花粉症　617

報についても入手が可能である.

b）薬物治療

　患者の病型（鼻閉を中心とする鼻閉型と，くしゃみあるいは鼻漏が中心のくしゃみ・鼻漏型に大別）と重症度に合わせた治療法が推奨されている．薬剤の特徴を考慮し，症状の改善をみながらステップダウンをはかることが重要である．ただ，ARIA や海外のガイドラインでは薬剤の併用効果は乏しいとして推奨していない．花粉症では，花粉飛散時期がある程度予測できることから，例年症状が強い患児には，次年度の花粉飛散期に初期療法を受けるように勧めておく．花粉曝露を反復して受けていると症状が強くなり，鼻粘膜の過敏性も亢進して，薬物治療を開始しても改善に時間がかかる．症状が軽いときから治療を開始することで，花粉飛散ピーク時も含めて症状をコントロールしやすい．

c）アレルゲン免疫療法（減感作療法）

　現在唯一，自然経過を改善できる治療法で効果も長期に持続する．ただ，皮下注射法は頻回な通院が必要で，稀ながら重篤な副作用発現の危惧があるなど，患者負担が大きい．重篤な副作用の発現が少なく，自宅で投与が可能な舌下免疫療法が注目され，スギ花粉症に対して，スギ花粉舌下液や舌下錠が市販され，舌下免疫療法が可能となっている[3]．またダニアレルギー性鼻炎に対しても，ダニ抗原舌下錠が市販されている．舌下錠は，12歳未満の小児への適応も拡大された．

d）手術治療

　第一選択にはならないが，鼻内にポリープなど構造異常がある場合には，考慮する必要がある．

処 方 例

スギ花粉症で，くしゃみ，鼻漏，鼻閉を強く訴える重症患児 10 歳に対して

処方　シダキュア® 2,000 JAU　1日　1回　1錠　舌下投与し，1分間保持した後に飲み込む

　　　2週目以降は，5,000 JAU を1日　1回　1錠同様に投与する．

　　　舌下後5分間は，うがいや飲食は控える．

スギ花粉症で，くしゃみ，鼻漏，鼻閉を強く訴える重症患児 10 歳に対して

処方　クラリチン®（1％ドライシロップ）10mg　1日1回　内服 ｝併用

　　　リザベン®　点眼　1回左右1滴ずつ，1日4回

スギ花粉症で鼻閉が強い中等症患児 6 歳に対して

処方　モメタゾン®（1噴霧 50μg）各鼻腔に1噴霧　1日1回噴霧 ｝併用

　　　ザイザル®（シロップ）2.5mL　1日2回　内服

専門医に紹介するタイミング

　効果が認められないのに，漫然と薬物投与を続けることは避けなければならない．鼻中隔彎曲症や鼻ポリープ合併など，鼻内構造異常を有していることもある．膿粘性鼻漏が続くときには，慢性副鼻腔炎の合併を疑う必要があり，専門医に紹介することが望ましい．また，花粉症の症状が自然に改善することは

少なく，特に小児花粉症患者は多くが改善がないまま成人に移行しており[2]，希望する患児は，アレルゲン免疫療法の検討も考慮すべきである．特に舌下免疫療法は，重篤な副作用が少なく，自宅での投与が可能である．現在，国内では，花粉症ではスギ花粉症のみが対象であるが，その高い有効性を示すデータがいくつも報告されている[4,5]．

専門医からのワンポイントアドバイス

喘息やアトピー性皮膚炎との合併が多いが，鼻閉やくしゃみなどの鼻症状があっても訴えない患児も多く，また気にとめない保護者も少なくない．しかし，喘息を合併しているときには，花粉症の治療は喘息症状の改善にはたらくことが示されている．鼻の症状に関心をもってもらうことが大切である．

文 献

1) 鼻アレルギー診療ガイドライン作成委員会 編：鼻アレルギー診療ガイドライン—通年性鼻炎と花粉症—2020 版（改訂第 9 版）．ライフ・サイエンス，2019

2) Bousquet J et al：Next-generation allergic rhinitis and its impact on asthma（ARIA）guidelines for allergic rhinitis based on grading of recommendations assessment, development and evaluation（GRADE）and real-world evidence. J Allergy Clin Immunol 145：70-80. e3, 2020

3) 日本アレルギー学会 スギ花粉症におけるアレルギー免疫療法の手引き作成委員会 編：スギ花粉症におけるアレルゲン免疫療法の手引き 2018 年版．メディカルレビュー社，2018

4) Gotoh M et al：Long-term efficacy and dose-finding trial of Japanese cedar pollen sublingual immunotherapy tablet. J Allergy Clin Immunol Pract 7：1287-1297. e8, 2019

5) Yonekura S et al：Disease-modifying effect of Japanese cedar pollen sublingual immunotherapy tablets. J Allergy Clin Immunol Pract 9：4103-4116. e14, 2021

10. アレルギー疾患

アナフィラキシー

海老澤元宏
（えびさわもとひろ）
国立病院機構相模原病院 臨床研究センター

POINT

●アナフィラキシーに対するガイドラインとして日本アレルギー学会より，日本のアナフィラキシーの実態を取り込んで『アナフィラキシーガイドライン2022』が改訂された．

●アナフィラキシーの診断基準が以前は3項目であったが，2項目に集約され改訂された．

●アナフィラキシー治療における第一選択薬はアドレナリンの筋肉注射である．

●アナフィラキシーの急性期（初期）対応だけではなく，重症化予防・再発防止をアナフィラキシーガイドラインから学んでもらいたい．

ガイドラインの現況

　"アナフィラキシーガイドライン"は日本アレルギー学会より2014年11月に初版が作成され，8年振りに2022年8月30日に『アナフィラキシーガイドライン2022』として改訂された．2020年に作成された世界アレルギー機構の"アナフィラキシーガイダンス"をベースに日本での疫学データなどを加えて日本の実情にあわせて作成された．日本アレルギー学会のwebサイト（https://www.jsaweb.jp/modules/journal/index.php?content_id=4）からPDFファイルを誰でもダウンロードできるようになっている．

　誰でもガイドラインを入手可能にしている背景には，以下の3つの点を広く啓発していくためである．①アナフィラキシーの初期対応においてアドレナリンの筋肉注射が第一選択薬であるということ，②アナフィラキシーの発生状況や重症化要因を理解し重症化を防ぐこと，③急性期対応だけで終わらずにアレルギー専門医などによりアドレナリン自己注射薬の使用法や適応などを指導し，原因を突き止めていくことが再発防止につながること．

【本稿のバックグラウンド】　日本アレルギー学会アナフィラキシー対策委員会から発刊された『アナフィラキシーガイドライン2022』を参考にしている．アナフィラキシーに関する疫学データは欧米や国内の最新のデータが『アナフィラキシーガイドライン2022』にまとめられている．診断基準は世界アレルギー機構から出されたアナフィラキシーガイダンスに基づいている．

どういう疾患・病態か

1 定義と診断基準

アナフィラキシーは重篤な全身性の過敏反応であり，通常は急速に発現し，原因によっては死に至ることもある．重症のアナフィラキシーは，致死的になりうる気道・呼吸・循環器症状により特徴づけられるが，典型的な皮膚症状や循環性ショックを伴わない場合もある．

世界アレルギー機構のアナフィラキシーガイダンス2020による診断基準を図1に示す．①皮膚，粘膜，またはその両方の症状（全身性の蕁麻疹，瘙痒または紅潮，口唇・舌・口蓋垂の腫脹など）が急速に（数分〜数時間で）発症した場合に，A）気道/呼吸症状，B）循環器症状，C）その他（重度の消化器症状など）のいずれか一つを伴う場合．②典型的な皮膚症状を伴わなくても，当該患者にとって既知のアレルゲンまたはアレルゲンの可能性が極めて高いものに曝露された後，血圧低下または気管支攣縮または喉頭症状が急速に（数分〜数時間で）発症した場合．これらの2つの基準のいずれかを満たす場合，アナフィラキシーである可能性が非常に高い．

2 疫学

世界全体におけるアナフィラキシーの生涯有病率は0.3〜5.1％と推定されている．

日本では，アナフィラキシーの既往を有する児童生徒の割合は，2013年の文部科学省の全国調査で小学生0.6％，中学生0.4％，高校生0.3％である．米国では1.6％（95％ CI：0.8〜2.4％），欧州の10ヵ国では0.3％（95％ CI：0.1〜0.5％）と報告されている．アナフィラキシーにより死に至る確率は100万人あたり，薬剤では0.05〜0.51，食物では

以下の2つの基準のいずれかを満たす場合，アナフィラキシーである可能性が非常に高い．

1. 皮膚，粘膜，またはその両方の症状（全身性の蕁麻疹，瘙痒または紅潮，口唇・舌・口蓋垂の腫脹など）が急速に（数分〜数時間で）発症した場合．

さらに，少なくとも次の1つを伴う

A. 気道/呼吸：呼吸不全（呼吸困難，呼気性喘鳴・気管支攣縮，吸気性喘鳴，PEF低下，低酸素血症など）
B. 循環器：血圧低下または臓器不全に伴う症状（筋緊張低下［虚脱］，失神，失禁など）
C. その他：重度の消化器症状（重度の痙攣性腹痛，反復性嘔吐など［特に食物以外のアレルゲンへの曝露後］）

2. 典型的な皮膚症状を伴わなくても，当該患者にとって既知のアレルゲンまたはアレルゲンの可能性がきわめて高いものに曝露された後，血圧低下*または気管支攣縮または喉頭症状#が急速に（数分〜数時間で）発症した場合．

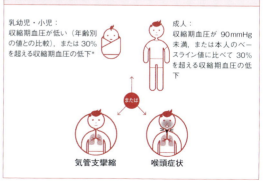

乳幼児・小児：
収縮期血圧が低い（年齢別の値との比較），または30％を超える収縮期血圧の低下*

成人：
収縮期血圧が90 mmHg未満，または本人のベースライン値に比べて30％を超える収縮期血圧の低下

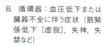

気管支攣縮　喉頭症状

*血圧低下は，本人のベースライン値に比べて30％を超える収縮期血圧の低下がみられる場合，または以下の場合と定義する．
　i 乳児および10歳以下の小児：収縮期血圧が（70＋［2×年齢（歳）］）mmHg 未満
　ii 成人：収縮期血圧が90 mmHg 未満
喉頭症状：吸気性喘鳴，変声，嚥下痛など．

図1　診断基準　　　　　　　　　　　　　　　　　　　　　　　　　　　　　　　　（文献1より引用）

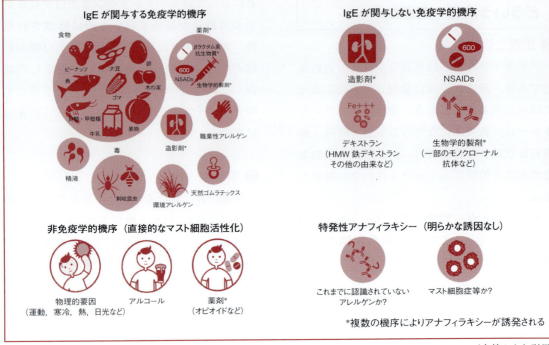

図2 アナフィラキシーの機序　　　　　　　　　　　　　　　　　　　　　　　　　　　　（文献1より引用）

0.03～0.32, 昆虫毒では0.09～0.13と推定される．アナフィラキシーの発生率は増加傾向にあるが，アナフィラキシーによる死亡率は大きく変化していない．日本の人口動態統計では年間のアナフィラキシーによる死亡者数は40～80人程度で推移している．

3 機序（図2）

アナフィラキシーの機序は多岐にわたるが，最も頻度の高い機序はIgEが関与する免疫学的機序である．IgEが関与する機序に多くみられる誘因は，食物，刺咬昆虫（ハチ，アリ）の毒，薬剤である．IgEが関与しないアナフィラキシーには免疫学的機序と非免疫学的機序がある．マスト細胞が直接活性化されることでもアナフィラキシーとなりうる．薬剤は，IgEが関与しない免疫学的機序，およびマスト細胞を直接活性化することによっても，アナフィラキシーの誘因となり

うる．造影剤は，IgEが関与する機序と関与しない機序の両者により，アナフィラキシーの誘因となりうる．

4 誘　因

アナフィラキシーの誘因の特定は，発症時から遡る数時間以内における飲食物，薬剤，運動，急性感染症への罹患，精神的ストレスなど，アレルゲン物質への曝露，経過に関する詳細な情報に基づいて行う．アナフィラキシーの特異的誘因の多くは世界共通であるが，年齢により異なり，食習慣，刺咬昆虫に曝露する頻度，薬剤の使用率により地域によっても異なる．小児で特に頻度が高いのは食物である．日本アレルギー学会の教育研修施設での調査結果を図3に示す．小児では薬剤によるアナフィラキシーは少ないが，医薬品副作用データベース（JADER）を利用したわが国での医薬品によるアナフィラキ

日本アレルギー学会認定教育研修施設におけるアナフィラキシー症例の集積調査
調査期間：2015年2月〜2017年10月
調査対象：調査対象施設内で発症または救急受診したアナフィラキシー患者
結　　果：集積症例数　767名（男性463名，年齢中央値6歳［四分位：3〜21歳］）

（佐藤さくら 他．アレルギー．2022；71：120-9）

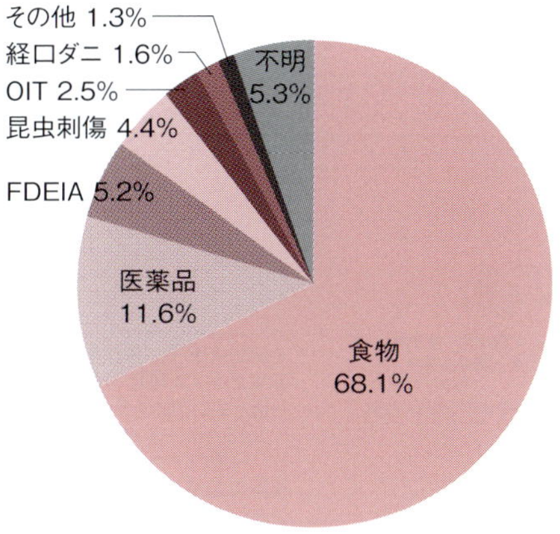

主な誘因の詳細

食物		n=522
牛乳	112	(22%)
鶏卵	103	(20%)
小麦	65	(12%)
落花生	42	(8%)
クルミ	21	(4%)
魚	18	(3%)
魚卵	17	(3%)
果物	16	(3%)
ソバ	11	(2%)
大豆	11	(2%)
エビ	11	(2%)
カシューナッツ	8	(2%)
イカ	6	(1%)
マカダミアナッツ	5	(1%)
アーモンド	2	(0.4%)
大麦	2	(0.4%)
ふきのとう	2	(0.4%)
その他	5	(1%)
不明	65	(13%)

経口免疫療法		n=19
牛乳	10	(53%)
鶏卵	6	(32%)
小麦	3	(16%)

医薬品		n=89
診断用薬	29	(33%)
抗生物質製剤	14	(16%)
NSAIDs	14	(16%)
腫瘍用薬	12	(14%)
血液製剤	3	(3%)
免疫療法	2	(2%)
ワクチン	2	(2%)
その他	9	(10%)
不明	4	(5%)

FDEIA		n=40
果物	11	(28%)
小麦	7	(18%)
牛乳	6	(15%)
鶏卵	2	(5%)
その他	3	(8%)
不明	11	(28%)

昆虫刺傷		n=34
アシナガバチ	14	(41%)
スズメバチ	5	(15%)
ミツバチ	2	(6%)
その他	3	(9%)
不明	10	(29%)

アナフィラキシーの誘因

その他 1.3%
経口ダニ 1.6%
OIT 2.5%
昆虫刺傷 4.4%
FDEIA 5.2%
医薬品 11.6%
食物 68.1%
不明 5.3%

図3　日本におけるアナフィラキシーの誘因　　　　　　　（文献1より引用）

シー症例の解析もガイドラインでは紹介しているので参考にしてもらいたい.

5 危険因子と増悪因子

　アナフィラキシーに影響を及ぼす因子および促進因子を**図4**に示す. 喘息（特にコントロール不良例）の存在はアナフィラキシーの重篤化の危険因子なので, そのコントロールを十分に行う. 年齢関連因子・薬剤の使用などにも注意が必要である. アナフィラキシーに対するアドレナリンの不使用は死亡のリスクを高める.

6 症　状

　アナフィラキシーが発症する臓器は多種である. 通常, 症状は, 皮膚・粘膜, 上気道・下気道, 消化器, 心血管系, 中枢神経系の中の複数の器官系に生じる.

　皮膚および粘膜症状はアナフィラキシー患者の80〜90％, 気道症状は最大70％, 消化器症状は最大45％, 心血管系症状は最大45％, 中枢神経系症状は最大15％に発現する.

治療に必要な検査と診断

　アナフィラキシーの診断はあくまで臨床症状によるので, **図1**の診断基準を参考にしてもらいたい. 急性期治療後の原因検索においては抗原特異的IgE抗体, 皮膚テストなどを参考にする.

治療の実際（初期対応）

　患者または医療従事者がアナフィラキシーを疑う場合には, **図5**の手順に従い, 迅速に対応すべきである. アナフィラキシー発症時には体位変換をきっかけに急変する可能性があるため（empty vena cava / empty ven-

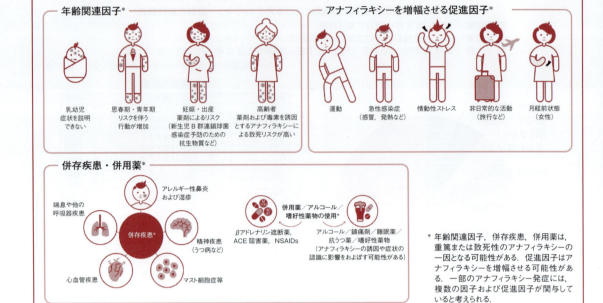

図4 アナフィラキシーに影響を及ぼす因子および促進因子　　　　　　　　　　　　　　　　（文献1より引用）

tricle syndrome），急に坐ったり立ち上がったりする動作を行わない．原則として，立位でなく仰臥位にする．呼吸困難がある場合には坐位，意識消失状態の場合は回復体位にする．初期対応で改善しないような場合には院内救急体制を利用して支援要請を行う．

※1　アドレナリン血中濃度は筋注後10分程度で最高になり，40分程度で半減するので，症状が治療抵抗性を示す場合は，5～15分毎に繰り返し投与する．
※2　経静脈投与は心停止もしくは心停止に近い状態では必要であるが，それ以外では不整脈，高血圧などの有害作用を起こす可能性があるので，推奨されない．

処方例

処方　アナフィラキシーと診断した場合または強く疑われる場合は，大腿部中央の前外側に0.1％アドレナリン（1：1,000；1mg/mL）0.01mg/kgを直ちに筋肉注射する
・アドレナリンの最大投与量は，成人0.5mg，小児0.3mgである．
・プレホスピタルケアとしてエピペン®を処方する場合，0.15mg（体重15kg以上30kg未満），0.3mg（体重30kg以上）

専門医に紹介するタイミング

以下の3つのタイミングが想定される．
・アナフィラキシー発症後の退院時の対応
・アナフィラキシーの誘因の確定
・誘因の回避および免疫療法

専門医からのワンポイントアドバイス

小児期のアナフィラキシーの原因として，低年齢では食物アレルギーが原因であることが多く，クルミやカシューナッツのアレルギ

① アナフィラキシーを認識し，治療するための文書化された緊急時用プロトコールを作成し，定期的に実地訓練を行う．

② 可能ならば，曝露要因を取り除く．
例：症状を誘発していると思われる検査薬や治療薬を静脈内投与している場合は中止する．

③ 患者を評価する：気道/呼吸/循環，精神状態，皮膚，体重を評価する．

④ 助けを呼ぶ：可能ならば蘇生チーム（院内）または救急隊（地域）．

⑤ 大腿部中央の前外側にアドレナリン（1：1,000［1 mg/mL］溶液）0.01 mg/kgを筋注する（最大量：成人 0.5 mg，小児 0.3 mg）．
投与時刻を記録し，必要に応じて 5～15 分毎に再投与する．ほとんどの患者は 1～2 回の投与で効果が得られる

⑥ 患者を仰臥位にする，または呼吸困難や嘔吐がある場合は楽な体位にする．下肢を挙上させる．突然立ち上がったり座ったりした場合，数秒で急変することがある。

⑦ 必要な場合，フェイスマスクか経口エアウェイで高流量（6～8 L/分）の酸素投与を行う．

⑧ 留置針またはカテーテル（14～16 G の太いものを使用）を用いて静脈路を確保する．0.9%（等張）食塩水 1～2 L の急速投与を考慮する（例：成人ならば最初の 5～10 分に 5～10 mL/kg，小児ならば 10 mL/kg）．

⑨ 必要に応じて胸部圧迫法で心肺蘇生を行う．

⑩ 頻回かつ定期的に患者の血圧，心拍数・心機能，呼吸状態，酸素濃度を評価する（可能ならば持続的にモニタリング）．

ステップ 4，5，6 を速やかに並行して行う

さらに

図5 アナフィラキシーの管理
（文献1より引用）

ーが幼児期・学童期を中心に増加中なので注意が必要である．研究的な段階の経口免疫療法を受けている患者や食物依存性運動誘発アナフィラキシーで予期せぬ重篤な反応が起きることがあるので注意を要する．アナフィラキシーのリスクのある患者にエピペン®を常に携帯するように指導することが肝心である．

---- 文　献 ----

1) 日本アレルギー学会 アナフィラキシー対策委員会（委員長　海老澤元宏）：アナフィラキシーガイドライン 2022．2022

2) Cardona V et al：World allergy organization anaphylaxis guidance 2020. World Allergy Organ J 13：100472, 2020

3) 佐藤さくら 他：日本のアナフィラキシーの実態：日本アレルギー学会認定教育施設におけるアナフィラキシー集積調査．アレルギー 71：120-129, 2022

4) 杉崎千鶴子 他：医薬品データベース（Japanese Adverse Drug Event Report Database：JADER）を利用した医薬品によるアナフィラキシー症例の解析．アレルギー 71：231-241, 2022

11. 免疫・膠原病

11. 免疫・膠原病

先天性免疫不全症候群

園田素史, 石村匡崇, 大賀正一
九州大学大学院医学研究院 成長発達医学分野

POINT

● 先天性免疫不全症候群患者は, 重症感染症や免疫異常によって致死的な経過をたどるものもあるため注意を要する.

● 易感染性のほかに骨髄不全, 自己炎症性疾患や炎症性腸疾患などを合併するものもあり, 病歴聴取と理学的所見が重要である.

● 「原発性免疫不全症を疑う 10 の徴候」を参照し, 疑われる場合には早期に専門施設と連携して診療する.

ガイドラインの現況

先天性免疫不全症候群（原発性免疫不全症候群）は近年, 原発性免疫異常症（inborn error of immunity：IEI）として, 免疫調節に関わる遺伝子の生殖細胞あるいは体細胞の異常により発症する疾患群と定義される. 易感染性を特徴とするが, 骨髄不全・造血障害, 自己炎症性疾患や炎症性腸疾患などを呈する疾患も含まれる. 自己免疫疾患や悪性腫瘍を合併しやすいものがある. 免疫不全症の場合, 感染病原体から病態を考え, 免疫学的検査を進めて診断する. 確定診断には遺伝子検査が有用で, 2022 年の時点で約 450 を超える原因遺伝子が同定されている. 本邦からは原発性免疫不全症候群に関する調査研究班より疾患ごとのガイドラインが出ており, 海外では Diagnostic & Clinical Care Guidelines for Primary Immunodeficiency Diseases が出版されている.

【本稿のバックグラウンド】 先天性免疫不全症候群の診断は国際免疫学会の原発性免疫不全症分類専門委員による分類に準じ, 原発性免疫不全症候群の診断基準・重症度分類および診療ガイドラインの確立に関する研究班の作成した診断基準を用いる. 本稿は国際分類と国内の診療ガイドラインに基づいた診療の流れについて概説した.

どういう疾患・病態か

先天性免疫不全症候群/原発性免疫異常症（IEI）は, 国際的な International Union of Immunological Societies（IUIS）Expert Committee より病態ごとに分類される[1]. 免疫のどの機能が障害されているかで, 疾患の表現型が異なる.

1 複合免疫不全症

細胞性免疫と液性免疫の両方が障害される免疫不全症で, T 細胞と B 細胞の両方に異

常がある場合と，Ｔ細胞の欠陥からＢ細胞への補助が障害され二次的に液性免疫不全を伴う場合がある．通常Ｔ細胞が欠損または著減し（＜300/μL），PHA幼若化反応が正常の10％未満のものを重症複合免疫不全症（severe combined immunodeficiency：SCID）と呼ぶ．乳児期早期より重篤な感染症を発症し，早期に造血細胞移植などの治療を行わなければ死亡する．

2 免疫不全を伴う特徴的な症候群

免疫不全以外に症状を伴う症候群が，この群に分類される．血小板減少とアトピー性皮膚炎を特徴とするWiskott-Aldrich症候群，高IgE血症や特徴的な顔貌を伴う高IgE症候群，および鰓弓の形成異常から心疾患，内分泌異常，胸腺低形成によるＴ細胞の機能不全を発症するDiGeorge症候群などがある．それぞれ異なる遺伝子異常から発症し病態のメカニズムも異なる．複合型免疫不全症をきたす疾患が多い．

3 主として抗体不全を示すもの

先天性免疫不全症候群のなかで最も頻度が高い．細菌感染による上下気道感染症や中耳炎が多い．Bruton型無ガンマグロブリン血症は骨髄におけるＢ細胞の分化過程が障害されている．分類不能型免疫不全症（common variable immunodeficiency：CVID）は一般的に原因が特定できていない低ガンマグロブリン血症の総称である．幼児期から学童期に診断されることが多いが，成人になって診断されることもある．CVIDと診断されていた患者に新規遺伝子異常が見つかるようになった．

4 免疫調節障害

免疫系の制御の異常により，血球貪食症候群や自己免疫疾患を発症する．Chédiak-Higashi症候群はLYST遺伝子の異常により部分白子症と神経障害を発症する．家族性血球貪食症候群は新生児期から乳児期にかけて発熱，血球減少，凝固障害などを呈し重篤な経過をたどる．重症EBウイルス感染症を発症するX-linked lymphoproliferative disease（XLP）や，Ｔ細胞系の調節異常より自己免疫疾患を発症する疾患などが含まれる．機能獲得型変異やCTLA4遺伝子などハプロ不全症をきたす常染色体顕性（優性）遺伝疾患の報告が増えている．

5 貪食細胞の数・機能の異常

好中球の数・機能障害では，肛門周囲膿瘍，敗血症，真菌感染症，BCG骨髄炎などの重症感染症を発症する．好中球の活性酸素産生が障害され殺菌能が低下する慢性肉芽腫症や，先天的な好中球欠損症であるKostmann症候群，白血球接着不全症などがある．糖原病type 1bでは好中球減少がみられる．

6 自然免疫障害

免疫には，抗原非特異的に病原体を排除する自然免疫と，一度侵入した病原体を記憶し特異的に排除する獲得免疫がある．Toll like receptorのシグナル異常であるIRAK4欠損症，MyD88欠損症では臍帯脱落遅延や乳児期に侵襲性細菌感染症，Toll like receptor 3欠損症ではヘルペス脳炎を発症する．また，IFNγ受容体欠損症，IL-12/IL-12受容体欠損症などでは抗酸菌に対する易感染性を呈するメンデル遺伝型マイコバクテリア易感染症（Mendelian susceptibility to mycobacterial disease：MSMD）の表現型をとる．IKBKG遺伝子異常による免疫不全を伴う無汗性外胚葉形成異常症（EDA-ID）は，特徴的皮疹，

表 1　原発性免疫不全症を疑う 10 の徴候

1. 乳児で呼吸器・消化器感染症を繰返し，体重増加不良や発育不良がみられる
2. 1 年に 2 回以上肺炎にかかる
3. 気管支拡張症を発症する
4. 2 回以上，髄膜炎，骨髄炎，蜂窩織炎，敗血症や，皮下膿瘍，臓器内膿瘍などの深部感染症にかかる
5. 抗菌薬を服用しても 2 ヵ月以上感染症が治療しない
6. 重症副鼻腔炎を繰返す
7. 1 年に 4 回以上，中耳炎にかかる
8. 1 歳以降に，持続性の鵞口瘡，皮膚真菌症，重度・広範な疣贅（いぼ）がみられる
9. BCG による重症副反応（骨髄炎など），単純ヘルペスウイルスによる脳炎，髄膜炎菌による髄膜炎，EB ウイルスによる重症血球貪食症候群に罹患したことがある
10. 家族が乳幼児期に感染症で死亡するなど，原発性免疫不全症を疑う家族歴がある

(文献 3 より引用)

女性の色素失調症（IP）の家族歴，炎症性腸疾患など多彩な臨床像を呈する．

7 自己炎症性疾患

IUIS 分類では自己炎症性疾患は IEI の分類に含まれる（詳細は「自己炎症性疾患」の項を参照）．

8 補体欠損症

先天的な補体の欠損による疾患である．本邦では C9 欠損症が多く髄膜炎菌髄膜炎に罹患しやすい．C1q 欠損症で SLE，C1 inhibitor 欠損症では遺伝性血管性浮腫を起こす．

9 骨髄不全症

2019 年 IUIS 分類から追加された．先天的 DNA 損傷修復障害を背景に，進行性汎血球減少から易感染性をきたす Fanconi 貧血やテロメアの異常により造血不全や外表形態異常を伴う先天性角化不全症（dyskeratosis congenita：DC）などが含まれる．

10 原発性免疫不全症の表現型をとる疾患

後天的に原発性免疫不全症の表現型（phenocopies）をとる疾患である．TNFRSF6 遺伝子の変異による ALPS-FAS，

NRAS/KRAS の 機 能 獲 得 型 変 異 に よ る RAS-associated autoimmune leukoproliferative disease（RALD）などがある．また IFNγ，IL-17/IL-22，IL-6，GM-CSF などの各サイトカインや C1 inhibitor に対する自己抗体により，それぞれが原因となる原発性免疫不全症の症状を発症する．2019 年以降パンデミックとなった SARS-CoV-2 による新型コロナウイルス感染症（COVID-19）に関しても，1 型 IFN に対する中和抗体の産生が重症化に関わるとして本疾患分類に追加される予定である[2]．

治療に必要な検査と診断[3, 4]

まずは免疫不全を疑うことである．国内での専門施設は多くはないので，患者の多くはまずかかりつけ医を受診する．難病情報センターの原発性免疫不全症候群の情報サイト（指定難病 65，https://www.nanbyou.or.jp/entry/254）に原発性免疫不全症を疑う 10 の徴候が記載されている（表 1）．

これらの所見のうち 1 つ以上があてはまる場合は，専門施設へ紹介する．自験例では肺出血を初発症状とした敗血症の乳児例，超早期発症型炎症性腸疾患，間質性肺炎の乳児

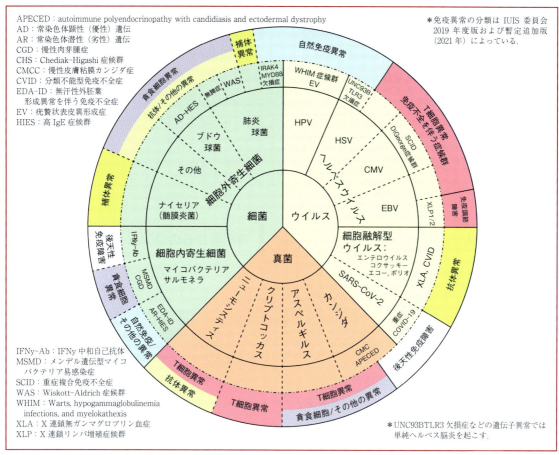

図1 病原体からみた免疫異常
(原 寿郎 編:厚生労働科学研究難治性疾患克服研究事業,原発性免疫不全症候群調査研究班 作成.患者・家族のための原発性免疫不全症候群疾患概説書より,許可を得て改変,転載)

例,生後3週間経っても臍帯が脱落しない(臍帯脱落遅延),播種性BCG感染症,重症RSウイルス感染などから先天性免疫不全症候群が見つかった例もある.また,家族歴より免疫不全症を疑い,感染症を発症する前に診断できた例もある.

免疫不全症が疑われた場合,問診,身体所見から疾患を疑う.問診では家族歴,発症時期,成長発達,予防接種歴など詳細に行う.身体所見として全身を詳細に診察する.毛髪,顔貌,眼球,皮膚(湿疹,アトピー性皮膚炎の有無),肝脾腫など身体所見から診断につながることも多い.免疫学的な面だけでなく,詳細な病歴と臨床経過,きめ細やかな身体所見をとらないと診断にたどりつけない.

感染症の病原体から疾患を絞り込むことができる(図1).免疫学的スクリーニングとして,血算,生化学(補体,免疫グロブリン),および感染症関連検査(サイトメガロウイルス,EBウイルス,抗酸菌他)などを行う.外部委託検査により好中球機能検査,NK活性,IgGサブクラス,特異抗体産生能,リンパ球幼若化検査,リンパ球サブセット解析などを行う(一部保険適用外).専門研究施設で蛋白発現/機能解析,遺伝子検査

などを行って診断する．IUIS 分類では IEI の責任遺伝子は 450 以上（2022 年）が報告されている．既知の遺伝子群はかずさ DNA 研究所で臨床病型に応じた遺伝子パネル解析が保険診療で可能である．

世界的に T-cell Receptor Excision circles（TREC）をマーカーとした重症複合免疫不全症の新生児スクリーニングが拡大しており，本邦でも可能な地域が広がっている．

治療の実際

CVID や Bruton 型無ガンマグロブリン血症では，免疫グロブリンの補充療法（静注/皮下注製剤）により感染症の頻度は減少する．また，慢性肉芽腫症では抗菌薬・抗真菌薬の予防内服や IFN-γ の投与で感染症の頻度は減少する．重症複合型免疫不全症や重症感染症を繰返す疾患，家族性血球貪食症候群などは造血細胞移植の適応となる．このように状況に応じた対応が個別に必要である．造血細胞移植に関しては『原発性免疫不全症に対する造血幹細胞移植ガイドライン』がある．海外では一部遺伝子治療も行われており，今後の展開が待たれる．

処方例

CVID（体重 40kg）

処方　献血ヴェノグロブリン®-IH　10g
　　　を 3 時間で点滴注（4 週毎）
　　　もしくは
　　　ハイゼントラ®20% 皮下注　4g
　　　を 30 分間で皮下注射（毎週，在宅自己注射）

専門医に紹介するタイミング

重症複合型免疫不全症や家族性血球貪食症候群は，専門施設での早急な治療が必要であり，紹介の時期を逸してはならない．「稀な重症感染症や日和見感染症あるいは原因不明の炎症」をみたら先天性免疫不全症候群を疑い，専門医へ早めに相談・紹介したほうが良い．

専門医からのワンポイントアドバイス

先天性免疫不全症候群の原因遺伝子は近年次々に発見されている．患者は易感染性のみならず，自己免疫疾患や自己炎症など様々な臨床経過を呈する．一般的な検査による確定診断は困難なことが多く，専門施設での検査と治療が必要である．一般社団法人日本免疫不全・自己炎症学会が Web ページ（https://www.jsiad.org/）を通じて医療者からの症例相談を行っているため参考にされたい[4]．

文　献

1) Bousfiha A et al：Human inborn errors of immunity：2019 update of the IUIS Phenotypical Classification. J Clin Immunol 40：66-81, 2020
2) Tangye SG et al：The ever-increasing array of novel inborn errors of immunity：an interim update by the IUIS Committee. J Clin Immunol 41：666-679, 2021
3) 難病情報センター：原発性免疫不全症候群（指定難病 65）．
https://www.nanbyou.or.jp/entry/254
4) 一般社団法人日本免疫不全・自己炎症学会 Web ページ
https://www.jsiad.org/

11. 免疫・膠原病

後天性免疫不全症（HIV 感染症）

田中瑞恵
<small>た なかみず え</small>
国立国際医療研究センター 小児科

POINT
- 年齢や診断時の CD4 数にかかわらず，HIV 感染症と診断された小児はただちに治療を開始する．
- 小児 HIV 感染症においても，複数の薬理作用のある抗 HIV 薬を組合せてウイルス量をしっかり抑え込む治療が基本である．

ガイドラインの現況

　小児の HIV（human immunodeficiency virus；ヒト免疫不全ウイルス）感染症は，わが国では稀な疾患であり，HIV 感染症を発症した状態と，母子感染予防という二つの面がある．そのため本邦でも HIV 感染児に関しては『抗 HIV 治療ガイドライン』[1]，母子感染予防に関しては『HIV 感染妊娠に関する診療ガイドライン』[2] がそれぞれ作成されており，これらは DHHS[3] や PENTA[4]，英国が作成するガイドライン[5] を参考に作成されている．海外のガイドラインの改訂は早く，最新情報が web で配信されている．

【本稿のバックグラウンド】 小児 HIV 感染症については主に『抗 HIV 治療ガイドライン』を，母子感染予防については主に『HIV 感染妊娠に関する診療ガイドライン』を参考にし，必要に応じて欧米の最新のガイドラインを参照した．

どういう疾患・病態か
―小児 HIV の臨床，母子感染―

1 病　態

　HIV は，主に CD4 陽性 T リンパ球（CD4）とマクロファージ系の細胞に感染するレトロウイルスである．そのために CD4 数の減少と機能低下が起こり，進行性に免疫不全に至る．したがって，HIV 感染症では，免疫機能の低下はあるが後天性免疫不全症候群（acquired immunodeficiency syndrome：AIDS）の発症はしていない HIV 感染にとどまっている状態と，AIDS を発症している状態とに分けられる．

　また，小児症例の多くは，母子感染によって感染が起こる．HIV の母子感染の経路には，①胎内感染，②経産道感染，③経母乳感染がある．母子感染予防を全く施行しなかった場合の母子感染率は 25％ と報告されているが，わが国では，母子感染予防策を行うことでほぼ予防が可能である．

2 臨床的特徴

　たいていの新生児は，理学的には正常である．初発症状は，特定のものはなく，リンパ節腫脹，肝脾腫，成長障害，慢性再発性の下

後天性免疫不全症（HIV 感染症）　**633**

痂症，口腔内カンジダ，など症状が続くことが特徴である．乳幼児のHIV感染は，成人と異なる点がいくつかあり，以下のような臨床的特徴を有する．①成人と比べて臨床的潜伏期が短く，（特に乳児発症例では）進行も著しく速い例がある．②日和見感染は，成人では潜伏感染している微生物の再活性化が主体をなすのに対して，小児では初感染によるものが多い．③いわゆる日和見感染症以外にも，健康な小児でも発症する感染症の重症化や反復というかたちでAIDSが発症することがある．④発育への影響や神経系の異常をきたしうる[6]．

治療に必要な検査と診断

1 診断に必要な検査

HIV感染母体から出生した児の場合には，①生後48時間以内（子宮内感染の判定），②14～21日（産道感染の93％が陽性），③1～2ヵ月（産道感染の96％が陽性），④4～6ヵ月（感染の有無の確定）の4ポイントでRT-PCRによるHIV-RNA（もしくはHIV-DNA）量検査を行い，感染の有無を診断する．PCR検査で，②～④のうち2回以上陰性であれば，非感染と診断する．HIV感染の母から生まれた子どもでは，生後は受動的な輸送で経胎盤的に母からの抗体のために陽性となる．たいていの乳児は，6～12ヵ月で母由来の抗体は消失するが，少数ながらHIVに感染していない小児であっても，18ヵ月までHIV抗体が陽性なことがあるとされ，IgG抗体が陽性であっても，18ヵ月までは確定診断には使えない．ウイルス学的検査が陽性となった場合には，速やかに2度目の検査を行い，2回連続の陽性が確認されれば，HIV感染症と診断する．

母体のHIV感染が確認されていない場合，日和見病原体が検出される原因不明の骨髄抑制，発育不全を呈する児を診察した際に鑑別にHIV感染症を挙げることがまず重要である．HIVの感染が証明されたとしても，AIDSの発症ではないので注意が必要である．

2 HIV感染症のモニタリング

診断が確定した場合，HIV-RNA量，CD4数を測定し，臨床症状から，臨床分類および免疫学的分類を行う．臨床分類は，世界保健機関（World Health Organization：WHO）および米国疾病管理予防センター（Centers for Disease Control and Prevention：CDC）（表1）の病期分類が広く用いられている．免疫学的分類（表2）は，初回のCD4数を基本とし，CD4％は，CD4数が不明のときに使用を考慮する．もし，AIDS指標疾患（表1のC群参照）がみられた場合は，CD4数にかかわらず，ステージ3と診断する．治療開始後も，少なくとも3～4ヵ月ごとにCD4数とHIV-RNA量を測定し，抗HIV療法の効果の指標とする．

治療の実際

現在の治療法は，ウイルスを根絶して治癒を目指すものではなく，ウイルスを長期に抑制して病気を慢性なものへと変化させることにある．治療開始時期は，近年多くの臨床研究で，早期治療が免疫学的，成長，神経学的発達に有用であることが示されたため，年齢，診断時の状況にかかわらず診断後速やかな治療開始が推奨される．しかし，小児では，成長の過程で内服の継続が困難になることもあり，ひとたび抗レトロウイルス療法（anti-retroviral therapy：ART）を開始したら，生涯，治療を継続することが原則であることなど，事前に家族，本人への十分な説明と同意，サポート体制をつくることが必要

表1　1994年CDCによる小児HIV感染症の臨床的分類

N：無症状

A：軽度の症候性感染症（以下の少なくとも2つ以上の症状あり）
　①リンパ節腫脹（3ヵ所以上で0.5cm以上，左右対称は1ヵ所とする）
　②肝腫大，脾腫大，皮膚炎，耳下腺炎
　③反復性/持続性の上気道感染，副鼻腔炎，または中耳炎

B：中等度の症候性感染症
　①30日以上続く貧血（8g/dL未満），30日以上続く白血球減少（1,000/mm³未満），30日以上続く血小板減少（10万/mm³未満）
　②細菌性髄膜炎，肺炎，または敗血症（1回），口腔カンジダ症（鵞口瘡，生後6ヵ月を越える小児に2ヵ月以上持続）
　③心筋症，サイトメガロウイルス感染症（生後1ヵ月未満で発症），再発性または慢性の下痢
　④肝炎，ヘルペス口内炎（再発性で1年以内に2回以上）
　⑤単純ヘルペスウイルス気管支炎，肺炎，または食道炎（生後1ヵ月未満で発症）
　⑥帯状疱疹（少なくとも2回以上もしくは皮膚節2ヵ所以上），平滑筋肉腫
　⑦リンパ球性間質性肺炎または肺のリンパ節過形成，腎症，ノカルジア症
　⑧持続性の発熱（1ヵ月以上），トキソプラズマ症（生後1ヵ月未満で発症），播種性水痘（合併を伴う水痘）

C：重度の症候性感染症（AIDS発症を示す病態）
　①多発性または再発性重度細菌性感染症
　②カンジダ症（食道または肺）
　③全身性コクシジオイデス症（肺または頸部・肺門リンパ節以外の部位）
　④クリプトコッカス症（肺外）
　⑤クリプトスポリジウム症またはイソスポラ症（1ヵ月以上続く下痢）
　⑥サイトメガロウイルス感染症（生後1ヵ月以降に発症）（肝臓，脾臓，リンパ節以外の部位）
　⑦脳症（2ヵ月以上持続）
　⑧単純ヘルペスウイルス（1ヵ月以上持続する皮膚粘膜潰瘍，気管支炎，肺炎，生後1ヵ月以降に発症する食道炎の原因となる）
　⑨ヒストプラズマ症（播種性，肺または頸部・肺門リンパ節以外の部位）
　⑩カポジ肉腫
　⑪原発性脳リンパ腫
　⑫非ホジキンリンパ腫〔B細胞型あるいは免疫フェノタイプ不明の，組織学的に切れ込みのない小細胞型リンパ腫（Burkitt），免疫芽細胞リンパ腫および大細胞型リンパ腫〕
　⑬全身性または肺外性結核群
　⑭結核以外の，あるいは菌種不明の全身性抗酸菌症
　⑮全身性 *Mycobacteriumavium*（トリ型結核菌）あるいは *M. kansasii* 感染症
　⑯ニューモシスチス・カリニ肺炎
　⑰進行性多発性白質脳症
　⑱再発性サルモネラ敗血症（非チフス型）
　⑲トキソプラズマ脳症（生後1ヵ月以降に発症）
　⑳消耗性症候群（通常の体重が10%以上減少したとき，少なくとも年齢標準体重の2つのパーセンタイルの線を超えて減少したとき，あるいは体重減少が5%未満でも30日以上慢性下痢または発熱が持続するとき）

（文献3より引用）

である．また，治療開始前には必ずgenotypeによる薬剤耐性検査を提出し，その結果を参考にする．

　現在の初回治療の原則は，成人と同様，

表2　免疫学的カテゴリー（CDC）＝CD4数またはCD4%（CDC 2014）

免疫重症度	12ヵ月未満		1〜6歳未満		6歳以上	
CD4	/μL	%	/μL	%	/μL	%
ステージ1（正　常）	≧1,500	≧34	≧1,000	≧30	≧500	≧26
ステージ2（中等度低下）	750〜1,499	26〜33	500〜999	22〜29	200〜499	14〜25
ステージ3（重度低下）	<750	<26	<500	<22	<200	<14

ステージは初回のCD4数を基本とし，CD4%はCD4数が不明のときに使用を考慮する．もし，ステージ3の日和見感染症がみられた場合は，CD4数の結果にかかわらず，ステージ3と診断する．　　　（文献3より引用）

バックボーンの核酸系（ヌクレオシド/ヌクレオチド）逆転写酵素阻害剤（nucleoside/nucleotide reverse transcriptase inhibitor：NRTI）2剤に，非核酸系逆転写酵素阻害剤（non-nucleoside reverse transcriptase inhibitor：NNRTI），もしくはritonavirでブーストしたプロテアーゼ阻害剤（protease inhibitor：PI）やインテグラーゼ阻害剤（integrasestrand transfer inhibitor：INSTI）をキードラックとして組合わせるARTである．低年齢では，薬剤の味と剤形（パウダー，シロップ，錠剤など）が忍容性に大きく影響するため，配慮が必要である．また，最近では，年齢や体重により小児においても1日1回1錠の製剤（single treatment regimen：STR）が使用可能になってきている．

母子感染予防

わが国におけるHIV母子感染予防は，①妊娠初期のHIVスクリーニング検査，②母へのART，③選択的帝王切開，④分娩時のZidovudine（略名AZT：azidothymidine）静注（母体ウイルスコントロール不良例），⑤児のART，⑥止乳が施行されている．母子感染予防で最も重要なことは，早期に母体のHIVを発見し，ARTの施行によってHIV抑制を行うことである．最近のDHHSや英国のガイドラインでは，母体のHIV抑制が良好であれば，帝王切開や分娩時のAZT投与も不要としており，児のARTも母子感染のリスクにあわせて2〜4週間に短縮可能としている．DHHSでは，予防策に使用する薬剤には，ミトコンドリア機能障害による副作用の報告もあり，HIV非感染であっても20年のフォローが必要と述べられている．しかし，わが国も含めフォローアップのスケジュールなどは決まったものはなく，今後の課題である．

処　方　例

抗HIV薬の進歩は著しく，最新の情報は，DHHSのガイドライン等を参照する必要がある．

日本で治療を開始するときには，小児で使用できる保険認可薬が少ないため，厚生労働省・エイズ治療薬研究班からの供給薬剤の使用も検討する．研究班からの薬の入手方法については，厚生労働省・エイズ治療薬研究班ホームページ[7]を参照されたい．

以下に例を示すが，副作用がなく，アドヒアランスが維持できている場合は，年齢が上がっても薬剤の変更は必ずしも必要ではない．

生直後（正期産）～生後4週未満（体重2kg以上）

処方　アイセントレス®（RAL）　6mg/kg　1日2回

　　　レトロビル®（AZT）　4mg/kg　1日2回

　　　エピビル®（3TC）　4mg/kg　1日2回

生後4週以降

処方　テビケイ®（DTG）体重に合わせて（体重20kg以上で30mg）

　　　ザイアジェン®（ABC）　8mg/kg　1日2回

　　　エピビル®（3TC）　4mg/kg　1日2回

＊ただし，開始前にHLA-B*5701の検査をし，陽性であれば他剤を使用する．

6歳以上

処方　ゲンボイヤ®（GEN）（EVG 150mg/cobi 150mg/TAF 10mg/FTC 200mg）として1日1錠

母子感染予防時

処方　レトロビル®　シロップ　4mg/kg/回　1日2回

＊母体のウイルス抑制良好な場合，4週間投与．

＊生後8～12時間に投与を開始する．

＊早産児では投与量が異なる．

専門医に紹介するタイミング

　小児のHIV感染症の専門家は，わが国には未だいない．しかし，HIV感染症の拠点病院は各地に整備されてきており，小児科医でこの分野に詳しい医師も増えてきた．本症が疑われ，診断，治療に疑問がある場合には，そのような医師に相談すべきである．

専門医からのワンポイントアドバイス

　HIVは未だに治癒しないが，本症の診断がされた小児も，その後の治療で元気に発育することが可能である．しかし，服薬遵守は患者のみならず家族にとっても非常に大変である．服薬遵守するために，患者自身がまずその疾患を理解して，疾患に立ち向かうという姿勢をもつようにすることが大切であり，医療者は患者のみならず患者を支える家族を支援する必要がある．

--- 文　献 ---

1) HIV感染症および血友病におけるチーム医療の構築と医療水準の向上を目指した研究班：抗HIV治療ガイドライン（2022年3月）．

2) HIV感染者の妊娠・出産・予後に関する疫学的・コホート的調査研究と情報の普及啓発法の開発ならびに診療体制の整備と均てん化に関する研究班：HIV感染妊娠に関する診療ガイドライン（第2版）．2021年3月

3) Guidelines for the use of antiretroviral agents in pediatric HIV infection. Dec 30 2021.
https://clinicalinfo.hiv.gov/en/guidelines/pediatric-arv/whats-new-guidelines

4) PENTA HIV First And Second Line Antiretroviral Treatment Guidelines 2019.
https://penta-id.org/hiv/treatment-guidelines/

5) British HIV Association guidelines for the management of HIV in pregnancy and postpartum 2018（2020 third interim update）
https://www.bhiva.org/file/5f1aab1ab9aba/BHIVA-Pregnancy-guidelines-2020-3rd-interim-update.pdf

6) 田中瑞恵：後天性免疫不全症候群（HIV感染症）．小児科 55：1625-1632，2014

7) 厚生労働省・エイズ治療薬研究班
https://labo-med.tokyo-med.ac.jp/aidsdrugmhlw/portal

後天性免疫不全症（HIV感染症）　**637**

11. 免疫・膠原病

全身性エリテマトーデス（SLE）

今中啓之
（いまなかひろゆき）
社会医療法人童仁会 池田病院

POINT

●小児全身性エリテマトーデスの診断には，米国リウマチ学会の1997診断基準改訂版に血清補体価の低下を加えた「小児SLE診断の手引き」を利用することが多い．SLICC分類基準，ACR/EULAR新分類基準が発表されており，小児SLEでの有効性が検討されている．

●治療・管理には『小児全身性エリテマトーデス（SLE）診療の手引き2018年版』が有用である．さらに，小児リウマチ専門医と連携し診療することが望ましい．

ガイドラインの現況

　全身性エリテマトーデス（SLE）の診断のガイドラインは，米国リウマチ学会（ACR）が1982年に作成し，1997年に改訂した診断基準（表1）を一般的に用いる．しかし，小児SLEでは成人SLEと異なり，病初期には特異性が高い症状が少ないため，感度を高めるため陽性頻度の高い「血清補体価の低下」を加えた『小児SLE診断の手引き』を用いることが多い．2012年ACRよりSLICC分類基準，2019年にACR/EULAR新分類基準が提唱されており，小児SLEでの感度・特異度の検討が進められている．

　治療・管理に関しては，ACRが成人のループス腎炎に対してガイドラインを出しているが，小児では作成されていない．そのため，重症度，活動性を考慮した治療，生活指導を各施設の判断で行っている状況である．小児SLEの予後改善には早期診断，適切な治療，長期にわたる経過観察が必要であり，そのためには各施設の症例の情報を集約し，小児SLEに対する治療ガイドラインを作成することが必要である．

　厚労省研究班で小児リウマチ疾患のガイドライン作成作業が進められており，その一環として『小児SLE診療の手引き2018年版』が発表された．今後さらにエビデンスレベルのあるガイドラインの策定が期待される．

【本稿のバックグラウンド】　ACR，EULAR（欧州リウマチ学会）から発表されているSLEの分類基準，治療ガイドラインは成人を対象にしており，小児の病態とは適応しない点がある．そのため厚労省研究班および日本小児リウマチ学会が中心となって作成した『小児SLE診療の手引き2018年版』を参考に，診断，治療を解説した．

表1　SLE の診断基準（米国リウマチ学会）

1. 頬部紅斑
2. 円板状皮疹（ディスコイド疹）
3. 光線過敏症
4. 口腔潰瘍
5. 非びらん性関節炎（2 関節以上）
6. 漿膜炎
   a）胸膜炎，または，b）心膜炎
7. 腎障害
   a）0.5 g/日以上または 3+以上の持続性蛋白尿，または，b）細胞性円柱
8. 神経障害
   a）けいれん，または，b）精神障害
9. 血液学的異常
   a）溶血性貧血
   b）白血球減少症（<4,000/μL）
   c）リンパ球減少症（<1,500/μL），または，d）血小板減少症（<100,000/μL）
10. 免疫学的異常
    a）抗二本鎖 DNA 抗体陽性
    b）抗 Sm 抗体陽性
    c）抗リン脂質抗体陽性
       1）IgG または IgM 抗カルジオリピン抗体の異常値
       2）ループス抗凝固因子陽性
       3）梅毒血清反応生物学的偽陽性　　＊1）2）3）のいずれかによる
11. 抗核抗体（蛍光抗体法）

11 項目のうち，いずれかの 4 項目以上陽性なら SLE と分類する（1982 年改訂，1997 年小改訂）

＊小児 SLE 診断の手引き（厚生省小児 SLE 研究班，1986 年）は，上記診断基準 11 項目に低補体血症を加え 12 項目とし，このうち 4 項目を満たせば小児 SLE である可能性が高いと判断する.

どういう疾患・病態か

　SLE は人口 100,000 人に対し約 5 人の頻度で発症し，小児リウマチ性疾患のなかでは若年性特発性関節炎に次ぐ発症率である.

　病態は，自己免疫学的機序による全身性の慢性炎症性疾患である. 自己抗体が産生され，流血中あるいは標的臓器組織で免疫複合体が形成され，血管壁，組織に沈着し炎症を起こす. 標的臓器は腎臓が代表的であり，60～80％にループス腎炎がみられ，多くは発症 2 年以内に起きる. その他，中枢神経，心・肺，皮膚，粘膜など血管が密に分布する臓器に炎症を起こす. また末梢神経障害，ループ

ス膀胱炎，ループス膵炎などの稀な臓器障害を起こすこともある.

　寛解と増悪を繰返し，長期の経過で徐々に標的臓器の組織破壊と修復による線維化が蓄積され，治療が無効であれば不可逆的な組織変化に陥る.

　また，他のリウマチ性疾患を合併する症例があり，シェーグレン症候群は小児期発症 SLE の約半数に，抗リン脂質抗体症候群は約 10％に併発している.

治療に必要な検査と診断

　初発時の症状では，発熱，蝶形紅斑，関節

全身性エリテマトーデス（SLE）　639

痛，蛋白尿など，尿異常の頻度が高い．しかしSLEに典型的な蝶形紅斑以外は非特異的な症状であるため，診断は検査成績と併せて診断基準を参考に，総合的に判断することが重要である．またSLEの初発時症状は，再発時にも繰返す傾向があるため，経過をみる際に留意する．

検査所見では，白血球減少（4,000/mL以下），血小板減少，赤沈値亢進を示すことが多い．CRPは陰性であり，もしCRP陽性であれば感染症の併発を考える．尿所見では腎症の合併があると蛋白尿をみることが多い．しかし，尿異常がなくても腎生検でループス腎炎像を呈することがあるため，SLE患児には積極的に腎生検を行うべきであろう．腎組織所見はInternational Society of Nephrology/Renal Pathology Society（ISN/RPS）の組織分類で行われ，Ⅲ型（巣状ループス腎炎），Ⅳ型（びまん性ループス腎炎）の予後が悪く治療方針の目安となる．

自己抗体検査では，抗核抗体，抗ds-DNA抗体，抗リン脂質抗体の検索を行う．IgG高値，高蛋白血症がみられればシェーグレン症候群の合併を考え，抗SS-A，抗SS-B抗体を調べる．レイノー症状が強ければ混合性結合組織病の可能性もあるため，抗RNP抗体を検討する．

治療の実際

◀ 治療の方針

急性期の病勢を速やかに鎮静化し，臓器障害の進行阻止を目標とする．ステロイドが中心となるが，特に腎炎を合併した場合，組織型に応じ免疫抑制薬の併用が必要となる．いずれも重篤な副作用がみられることがあり，十分な注意が必要である．治療効果は身体症状の改善，検査値では蛋白尿の減少，腎機能

改善，補体価の上昇，抗dsDNA抗体価の低下などを目安とする．

『小児SLE診療の手引き』では腎組織所見，身体症状，抗dsDNA抗体価，血清補体値などの検査値から低リスク，中リスク，高リスクの三群に分けた治療法を推奨している．

◀ 小児SLEの治療（図1）

a）寛解導入療法

低リスク群：ステロイド内服で十分なことが多い．

中リスク群：メチルプレドニン（mPSL）パルス療法を行い，後療法にPSL内服を開始する．

高リスク群：mPSLパルス療法を行う．病態に応じて経静脈シクロフォスファミド（IVCY），ミコフェノール酸モフェチル（MMF），シクロスポリンA（CyA），タクロリムス（TAC）などの免疫抑制薬を併用する．

Ⅲ/Ⅳ型のループス腎炎に対しACRはステロイドパルス療法にMMFあるいはIVCYのいずれかを加えた強力な寛解導入療法を推奨している．6ヵ月で寛解に至らない場合は初めに選択した免疫抑制薬がMMFならCYCへ，CYCならMMFに交代し，ステロイドパルス療法その後経口ステロイドを併用する．従来，小児ではCYCパルス療法は6ヵ月間月1回，その後は3ヵ月ごとに6回行い2年で終了とするスケジュールで行われることが多かったが，小児SLEで高用量のCYを用いると，男女ともに不妊を起こす可能性があるため，ACRはMMFの使用が望ましいとしている．ACRガイドラインではCYの低用量3ヵ月，高用量6ヵ月を人種により使い分けするよう提案しているが，小児，日本人では症例により検討する．

変更後寛解に至らなければステロイドに加

640　11．免疫・膠原病

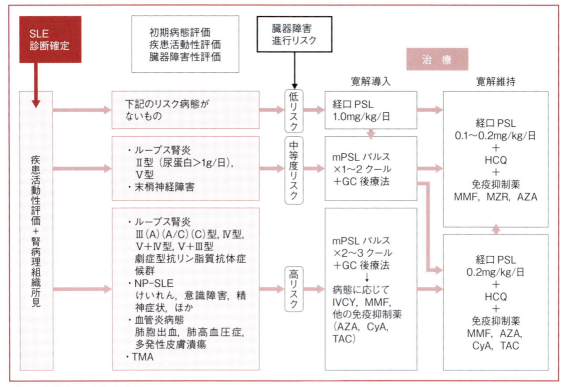

図1 小児 SLE の治療方針

NP-SLE (neuropsychiatric SLE, 精神神経 SLE), TMA (thrombotic microangiopathy, 血栓性微小血管障害症), PSL (プレドニゾロン), MZR (ミゾリビン), AZA (アザチオプリン), CyA (シクロスポリン A), TAC (タクロリムス), MMF (ミコフェノール酸モフェチル), IVCY (経静脈シクロホスファミド) 療法, HCQ (ヒドロキシクロロキン), GC (グルココルチコイド), mPSL (メチルプレドニゾロン) (文献1より引用)

えてアザチオプリン（AZA），CyA，TAC などの免疫抑制薬を単剤あるいは併用する．場合によっては CD20 陽性 B 細胞を標的としたリツキシマブ，可溶型 B リンパ球刺激因子の活性を阻害するベリムマブなどを考慮する．

b）寛解導入後の維持療法

海外のガイドラインでは SLE に対する標準的治療薬であるヒドロキシクロロキン（HCQ）が 2015 年 7 月に日本でも適応症となり寛解維持に有用である．ACR は腎炎の再燃，臓器障害，凝固異常のリスクを低下させるとして腎炎合併例に HCQ 内服を推奨している．眼障害に留意して使用する（**表2**参照）．

また経過中の病態，臓器障害に応じ MMF，AZA，CyA，TAC，MZB などの経口免疫抑制薬を併用する．ACR は低用量のステロイドに MMF かアザチオプリンを推奨している．

c）補助療法

免疫グロブリン大量療法，血液浄化療法，プロスタグランディン E_1 の投与などが行われることがある．また蛋白尿が遷延する症例，高血圧がみられる症例に降圧薬のアンジオテンシン変換酵素阻害薬（ACEI）／アンジオテンシンⅡ受容体拮抗薬（ARB）併用，感染症を早期に診断し抗菌薬投与を行うことも重要である．

治療薬の用法・用量を表2にまとめた．

表 2　小児 SLE に用いられる主な治療

薬　剤	用法・用量その他
非ステロイド性抗炎症薬	関節炎，関節痛，筋痛などに用いる
ステロイド	
経口（寛解導入）	1〜2mg/kg/日（最大 80mg）
経口（寛解維持）	0.1mg/kg/日前後（分 1）
mPSL パルス療法	20〜30mg/kg/日（最大 1g）3 日間連続
	メチルプレドニゾロン 20〜30mg/kg（最大 1g）投与 3 日連続を 1 クールとして 2〜3 クール行う，抗凝固療法としてヘパリン 10〜15U/kg/時を持続静注し，APTT が前値の 1.5 倍に延長するようにコントロールする．
免疫抑制薬	
シクロホスファミド	① Low-Dose CYC
	500mg を 2 週間に 1 回点滴静注，6 回行う
	② High-Dose CYC
	500〜1,000mg/m^2 を月に 1 回，6 回行う
ミコフェノール酸モフェチル	2〜3g/日　寛解導入
	1〜2g/日　維持療法
アザチオプリン	1mg/kg/日から開始，1.5〜2.5mg/kg/日へ
シクロスポリン A	2.5〜5mg/kg/日　腎機能に注意
タクロリムス	1.5〜3mg/日　腎機能に注意
ヒドロキシクロロキン	標準体重に応じ 200mg または 400mg を 1 日 1 回食後に経口投与
ミゾリビン	3〜5mg/kg/日　分 1　あるいは最大 500mg/日を週 2 回投与
メソトレキサート	5〜10mg/週　皮疹，関節炎に有効との報告
ベリルマブ	1 回 10mg/kg を初回，2，4 週，以後 4 週間おきに点滴静注
その他の治療	
γ-グロブリン療法	400mg/kg/日を最大 5 日間連続点滴静注
血液浄化療法	二重膜濾過法，免疫吸着療法．重篤な症例に行う
降圧薬	アンジオテンシン変換酵素阻害薬（ACEI）/アンジオテンシンⅡ受容体拮抗薬（ARB）

処 方 例

低リスク群（体重 40kg として）

処方　プレドニゾロン（5mg）4 錠　分 2（朝 3 錠，昼 1 錠）

中・高リスク群（特にループス腎炎）（体重 40kg として）

処方 A　プレドニゾロン（5mg）10 錠　分 3（朝 5 錠，昼 3 錠，夜 2 錠）

処方 B　セルセプト®（250mg）8 カプセル　分 2

処方 C　ソル・メドロール®（1g）1 バイアル　1 日 1 回　点滴静注 3 日間連続を 1 クールとして 2〜3 クール

＊中等症・重症ではステロイドパルス療法を行うことが多い．

専門医に紹介するタイミング

SLE を疑わせる症状，検査所見があれば，病初期の病態判断，速やかな寛解導入が予後に重要な影響を与えるため，小児リウマチ専門医のいる施設での加療，ないしは専門医と綿密な協議を行いながら治療する必要がある．日本小児リウマチ学会ホームページ（http://www.praj.jp）に小児リウマチ専門医がいる施設が掲載されている．入院の適応は，高熱が1週間以上続く場合，蛋白尿・浮腫を伴う腎不全の徴候がある場合，心膜炎，胸膜炎，中枢神経症状がある場合，血小板減少に出血傾向が伴う場合，などである．

専門医からのワンポイントアドバイス

患者・家族への説明にあたっては，病態，治療方針，予後について詳細に説明する．疾患の性格上，長期にわたる治療が必要であること，副作用発現の可能性など，説明を十分に行う．

SLE の生命予後の改善に伴い，心身の発育途上にある小児では，家庭，学校生活など長期にわたる日常生活管理が重要になる．SLE の誘発因子に対し管理・指導し，寛解の維持に努める．長期にわたって診療することになるため，疾患の現状，見通しについて患者・家族が医療サイドと意見を交換しやすい関係を築くことが重要である．

――――――――― 文　献 ―――――――――

1) 厚生労働科学研究費補助金 難治性疾患等政策研究事業 若年性特発性関節炎を主とした小児リウマチ性疾患の診断基準・重症度分類の標準化とエビデンスに基づいたガイドラインの策定に関する研究班 小児SLE 分担班：小児全身性エリテマトーデス（SLE）診療の手引き．2018 年版．羊土社，2018
2) Hahn BH et al：American College of Rheumatology guidelines for screening, treatment, and management of lupus nephritis. Arthritis Care Res 64：797-808, 2012
3) Bertsias GK et al：Joint European League Against Rheumatism and European Renal Association-European Dialysis and Transplant Association（EULAR/ERA-EDTA）recommendations for the management of adult and paediatric lupus nephritis. Ann Rheum Dis 71：1771-1782, 2012
4) 今中啓之：全身性エリテマトーデスに対する総合的治療戦略について．小児内科 36：1437-1441, 2004

11. 免疫・膠原病

若年性特発性関節炎

森　雅亮
東京医科歯科大学大学院医歯学総合研究科　生涯免疫難病学講座

POINT
- 若年性特発性関節炎（JIA）は，滑膜炎による関節の炎症が長期間繰返す結果，関節軟骨や骨破壊が進行し関節拘縮や障害を惹起する原因不明の慢性炎症性疾患である．
- 「16歳未満で発症し，6週間以上持続する原因不明の関節炎で，他の病因によるものを除外したもの」と定義されている．
- 病態や臨床症状の違いから，治療や治療反応性に関して全身型と全身型以外の病型（関節型）の大きく2つに分けて管理されている．

ガイドラインの現況

　若年性特発性関節炎（juvenile idiopathic arthritis：以下JIA）では，clinical question を有した典型的なガイドラインは存在しないが，本邦では2015年9月に8年ぶりに『若年性特発性関節炎初期診療の手引き』の改訂版が公表された．この手引きは，本邦においては，JIAの診療に一般小児科医，リウマチ専門の内科医・整形外科医が多く携わっているという状況を鑑み，JIAの診断と管理をより標準的にする目的で作成されたので，参考にされたい[1]．

【本稿のバックグラウンド】　『若年性特発性関節炎（JIA）初期診療の手引き 2015』は，JIAの診断・治療・鑑別疾患についてわかりやすくまとめられており，臨床の場で広く読まれている．そこには，小児リウマチ専門医への紹介ポイントなどについても記載されている．
本稿では，その手引きに即して，本疾患を診療するうえでのポイントを解説した．

どういう疾患・病態か

1 定義，分類基準

　若年性特発性関節炎（JIA）は，16歳未満に発症し，少なくとも6週間以上持続する，原因不明の慢性関節炎である．ILAR（International League against Rheumatism）のJIA分類では，小児期において慢性に経過するすべての関節炎を以下の7つに分類する（**表1**）[2]が，ここでは，治療面から鑑みて，便宜上「全身型」と「関節型」に大別して述べる．

2 疫　学

　JIAの有病率は，本邦では小児人口10万人対10～15人であり，欧米の有病率とあまり差はない．しかし，発症病型ごとの頻度に

表 1　若年性特発性関節炎の分類基準

分類	定義
全身型	1 関節以上の関節炎と 2 週間以上続く発熱（うち 3 日間は連続する）を伴い，以下の徴候を 1 つ以上伴う関節炎 ①暫時の紅斑，②全身のリンパ節腫脹，③肝腫大または脾腫大，④漿膜炎
少関節炎	発症 6 ヵ月以内の炎症関節が 1～4 か所に限局する関節炎．以下の 2 つの型を区別する (a) 持続型：全経過を通して 4 関節以下の関節炎 (b) 進展型：発症 6 ヵ月以降に 5 関節以上に関節炎がみられる
リウマトイド因子陰性多関節炎	発症 6 ヵ月以内に 5 ヵ所以上に関節炎が及ぶ型で，RF が陰性
リウマトイド因子陽性多関節炎	発症 6 ヵ月以内に 5 ヵ所以上に関節炎が及ぶ型で，RF が 3 ヵ月以上の間隔で測定して 2 回以上陽性
乾癬性関節炎	以下のいずれか ①乾癬を伴った関節炎，②少なくとも次の 2 項目以上を伴う例： (a) 指趾炎，(b) 爪の変形（点状凹窩，爪甲剥離など），(c) 親や同胞に乾癬患者
付着部炎関連関節炎	以下のいずれか ①関節炎と付着部炎，②関節炎あるいは付着部炎を認め，少なくとも以下の 2 項目以上を伴う例： (a) 現在または過去の仙腸関節の圧痛±炎症性の腰仙関節痛，(b) HLA-B27 陽性，(c) 親や同胞に強直性脊椎炎，付着部炎関連関節炎，炎症性腸疾患に伴う仙腸関節炎，Reiter 症候群または急性前部ぶどう膜炎のいずれかの罹患歴がある，(d) しばしば眼痛，発赤，羞明を伴う前部ぶどう膜炎，(e) 6 歳以上で関節炎を発症した男児
未分類関節炎	6 週間以上持続する小児期の原因不明の関節炎で，上記の分類基準を満たさないか，または複数の基準に重複するもの

（文献 1，2 を参照して作成）

は差を認める．全身型の割合は，欧米に比して本邦に多い．また本邦では，多関節炎が多く，欧米では少関節炎が多い．主要な発症病型別の性差と発症年齢のピークは，全身型（性差なし，1～5 歳），少関節炎（男女比＝1：3，1～2 歳），多関節炎（男女比＝1：4，1～3 歳と小児期後期）と，少関節炎と多関節炎は女児に多い．

3 病態生理

a) 全身型

全身型 JIA（sJIA）は，自然免疫の異常を背景とし，全身性の炎症を繰返す自己炎症性疾患と考えられ，IL-6，IL-1，IL-18 などの炎症性サイトカインの過剰産生が，深く病態に関与している[3]．病勢が進行し，サイトカインストームとも呼ばれる高サイトカイン血症を呈するようになると，マクロファージ活性化症候群（macrophage activation syndrome：MAS）病態へ移行する．治療により臨床症状が消失し，炎症反応が陰性化した非活動期においても，マクロファージの活性化が潜在的に持続していることが明らかになり，炎症の制御不全も病態に深く関与していると考えられている．

近年抗 IL-1 治療，抗 IL-6 治療に対する反応性の異なる症例が存在することが明らかになり，sJIA には，臨床像の異なる亜群が存在する可能性が示唆されている．また，亜群間あるいは病期によって，病態の中心となる

若年性特発性関節炎　645

炎症性サイトカインが異なる可能性も示唆されている.

b）関節型

少関節炎および多関節炎は，獲得免疫の異常を背景とし，軟骨由来の自己抗原に対する自己免疫疾患と考えられている．抗核抗体やリウマトイド因子（RF）が陽性となり，自己抗体（抗核抗体，RF，抗環状シトルリン化ペプチド抗体等）陽性のパターンによって，特徴的な臨床像を呈する亜群が存在することが知られている.

関節局所では，炎症細胞の浸潤と滑膜組織の増殖による関節軟骨ならびに骨組織の破壊を認め，これらの炎症反応に，TNF-α やIL-6 などの炎症性サイトカインが関与していることが知られている.

4 主要症状

a）全身型

弛張熱または間欠熱，リウマトイド疹，関節炎を主徴とする．しばしば，肝脾腫，リンパ節腫脹，胸膜炎，心膜炎を伴う．発症初期には，関節症状を欠く症例も存在する．発熱時に生じるリウマトイド疹，関節炎の存在を明らかにすることが必須となる．関節炎症の詳細な把握（四肢および顎関節計 70 関節，頸椎関節の診察）が不可欠である.

b）関節型

関節炎の所見としては，関節の腫脹，疼痛（圧痛），熱感，発赤，可動域制限，こわばりが挙げられる．関節炎が長期に及ぶと，関節の変形や成長障害が出現し，患児の QOL は著しく障害される．少関節炎では，下肢の関節が罹患しやすく，多関節炎では，左右対称に大関節・小関節全体にみられる．成人と異なり，小児では，顎関節の炎症を放置すれば，成長障害から小顎症や咬合不全をきたすため，注意を要する.

治療に必要な検査と診断

1 診断方法

JIA を正確に診断する単一の検査方法は，存在しない．患児の訴える症状が JIA の特徴的な所見であること，それが他の疾患と鑑別されることから，総合的に診断される．また，JIA と診断した場合，各臓器所見の炎症・障害の程度や進行度を判断するために，各種検査所見が有用となる.

a）全身型

必要な検査を表 2a にまとめた．その意義については，『初期診療の手引き 2015』[1] を参照していただきたい．また，JIA の鑑別診断として，深部膿瘍や腫瘍性病変が挙げられる．これらの鑑別のため，画像検査としては，^{18}F-FDG-PET（保険適用外）やガリウムシンチグラフィーが有用である．全身炎症の強く生じている sJIA の急性期には，骨髄（脊椎，骨盤，長管骨など）や脾臓への集積が目立つことが多い[4].

b）関節型

必要な検査を表 2b にまとめた．その意義については，『初期診療の手引き 2015』[1] を参照のこと．関節穿刺は小児科で行われることは少ないが，他の炎症性疾患の鑑別や関節内減圧を目的に，整形外科で施行されることがある．JIA の関節液は，黄色混濁，粘稠度低下，白血球数は低下〜増加（多核球優位）で，ときに米粒体（増殖滑膜の破片）を含む場合がある．早期診断のためには，X 線検査で関節破壊の所見がないからといって，JIA を否定したり，さらなる画像検査を保留したりするようなことはあってはならない．関節の炎症を検出しうる検査法として，MRI，超音波検査が挙げられる．発達段階の小児の画像評価を行う際は，成人と異なり，関節軟骨の厚さや不完全骨化に多様性があるため，注

表 2　主な検査項目

a：sJIA

目　的	検査項目
炎症の把握	CBC，CRP，ESR，血清アミロイド A，凝固線溶系（FDP-E，D-ダイマー），免疫グロブリン
関節炎の把握	MMP-3
鑑別診断	CBC，血清補体価，自己抗体，IL-6・IL-18 などのサイトカインプロファイル（保険適用外），各種ウイルス抗体価，培養検査，便潜血

b：関節型 JIA

目　的	検査項目
炎症の把握	CBC，CRP，ESR，血清アミロイド A，C3，免疫グロブリン
関節炎の把握	MMP-3, 凝固線溶系（FDP-E, D-ダイマー），関節穿刺液（可能な場合），画像検査（X 線，MRI，関節超音波検査）
自己免疫と病型	ANA，RF，ACPA：抗 CCP 抗体
鑑別診断	CBC（白血病が疑われれば骨髄検査も），便潜血，クレアチニンキナーゼ（CK），アルドラーゼ，抗 RNP 抗体，抗 SS-A/Ro 抗体，抗 SS-B/La 抗体，抗 dsDNA 抗体，抗 Jo-1 抗体，ASO，抗パルボウイルス IgM 抗体（保険適用外），関節穿刺液，腹部超音波検査

（文献 1 より引用）

意して評価する．

2 鑑別診断

a）全身型

sJIA の診断には，発熱と関節症状をきたす他の疾患の除外が重要である．病初期には発熱以外の症状が乏しいことも多いため，不明熱の鑑別診断が重要である．

①血管炎症候群：川崎病，高安動脈炎，結節性多発動脈炎など

②他のリウマチ性疾患：全身性エリテマトーデス，若年性皮膚筋炎，混合性結合組織病，Sjögren 症候群，Behçet 病，リウマチ熱など

③自己炎症性疾患：家族性地中海熱，メバロン酸キナーゼ欠乏症，TNF 受容体関連周期熱症候群（TRAPS），クリオピリン関連周期熱症候群（CAPS），Blau 症候群/若年発症サルコイドーシスなど

④感染症：細菌感染症，ウイルス感染症

（EB ウイルス，サイトメガロウイルスなど），特殊な感染症（結核，Q 熱，ツツガムシ病，猫ひっかき病，デング熱など）

⑤血球貪食性リンパ組織球症（HLH）：家族性 HLH，二次性 HLH

⑥炎症性腸疾患：Crohn 病，潰瘍性大腸炎

⑦血液・腫瘍性疾患：白血病，悪性リンパ腫，神経芽細胞腫，Castleman 病など

⑧薬剤熱

b）関節型

関節型では，関節痛・関節炎を生じうる疾患を鑑別する．

①感染症：化膿性，ウイルス性，反応性関節炎

②他のリウマチ性疾患・自己炎症性疾患：全身性エリテマトーデス，若年性皮膚筋炎，混合性結合組織病，Sjögren 症候群，血管炎症候群，Behçet 病，慢性再

若年性特発性関節炎　647

発性多発性骨髄炎（CRMO）など

③悪性疾患：白血病，悪性リンパ腫，骨肉腫など

④血液疾患：血友病など

⑤炎症性腸疾患：Crohn病，潰瘍性大腸炎

⑥整形外科的疾患・骨系統疾患：ムコ多糖症，単純性股関節炎，骨端症

⑦精神・神経疾患，その他：神経障害性疼痛，心因性疼痛，若年性線維筋痛症など

治療の実際

治療目標は，炎症病態を早期に沈静化し，機能障害を最小限にすることである．JIAは関節リウマチ（RA）と異なり，寛解する例がある．しかしJIAの病型によって大きく予後が異なり，発症病型別累積drug-free寛解（治癒）率では，RF陽性多関節炎と全身発症型関節炎が，難治性で治療抵抗性を示している[5]．関節機能の予後不良が予測されるこれらの病型では，早期に積極的な治療介入が必要である．

1 治療前の感染症スクリーニング

経過中に種々の感染症に曝露する可能性があり，かつ高用量のグルココルチコイド（glucocorticoid：GC）や免疫抑制薬投与中は，生ワクチンの接種が行えないため，感染症の重症化には注意を要する．免疫抑制下で重篤な経過をとりうる感染症に関しては，可能な限り，治療開始時までに抗体価の測定を行っておくことが望ましい[1]．

2 治療概要

a）全身型（図1）

治療経過中に予期せぬ状況（再燃を繰返す，感染症の合併が疑われる場合など）が生じた場合，特にMASの前駆症状（急激な血小板低下・凝固異常，フェリチン上昇など）が疑われる場合には，当日中に小児リウマチ専門医に相談することが望ましい．

また，sJIAのなかには，標準的な治療を行っても再燃する症例（GC減量困難例），または関節炎症状の持続する症例（全身発症多関節炎）が存在する．そのような難治JIA症例に対して，トシリズマブ（TCZ）の有効性が高く評価されており，最近ではカナキヌマブ（CAN）が本邦でも承認され，使用実績が上がっている．また全身発症多関節炎に対しては，多関節型JIAに準じて治療を行うが，内服での関節炎コントロールが難しいとされているため，エタネルセプト（ETN）やアダリムマブ（ADA），TCZ，アバタセプト（ABT）などの生物学的製剤を早期に検討する必要がある．

b）関節型（図2）

発症早期には，ILAR分類が困難であること，一般医には罹患関節数を正確に把握することが困難なことから，関節数による振り分けを行わず，「ハイリスク群」を定義することにより，治療フローを振り分ける．

関節型JIAは，第一段階でNSAIDsを，第二段階でメトトレキサート（MTX）経口療法を中核とする併用療法により，70〜75％の患児に炎症抑制を導入できる．しかし，依然として25〜30％の患児は，第三段階の生物学的製剤の投与を考慮する．治療に対する反応性の判断は，2〜3ヵ月程度を目安に行う．

専門医に紹介するタイミング

a）全身型

以下のような症例に対しては，生物学的製剤の早期導入を視野に，早い段階で小児リウマチ専門医へ相談する．

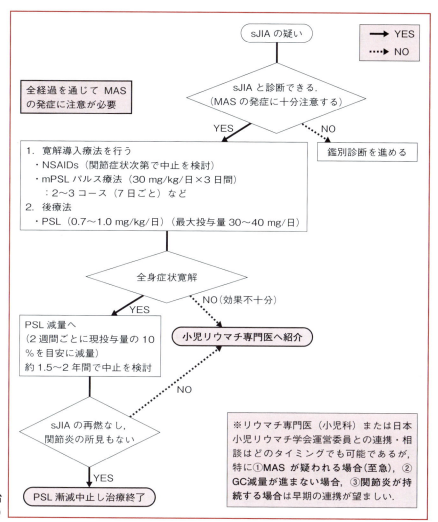

図1 全身型に対する治療 (文献1より引用)

- MASを発症した，もしくは発症した疑いのある場合
- 『初期診療の手引き』に沿って治療を行っても，発熱をはじめとする臨床症状，および血液炎症所見に改善がなく，治療が奏効しない場合．
- 経口GCの減量が困難，もしくは減量により再燃する場合．

b) 関節型

以下の場合，生物学的製剤の適応となるので，専門医に相談する段階であると考えてよい．

- 『初期診療の手引き』に沿って3ヵ月前後治療を行っても，関節炎をはじめとする臨床症状および血液炎症所見に改善がない，あるいは改善が不十分で活動性が残存する場合．
- MTX療法によっても，経口GCの減量が困難，もしくは減量により再燃する場合．
- MTX基準量にても忍容性が不良（嘔気，肝機能障害など）である場合．

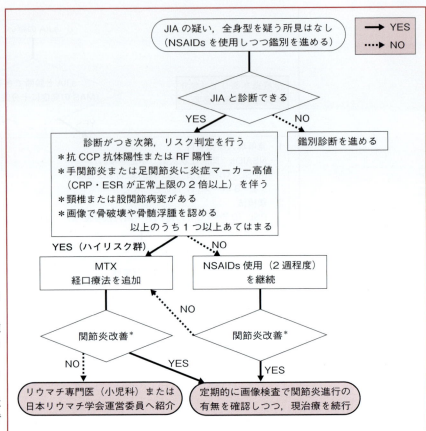

図2 関節型への治療
（文献1より引用）

＊関節炎改善の目安：腫脹・疼痛・可動域のある関節がない．
画像検査で活動性のある関節炎や骨炎がない．
MTX開始後については3ヵ月（ハイリスク群では2ヵ月）時に判定

専門医からのワンポイントアドバイス

　JIAは，早期診断・早期治療介入が重要であり，経過観察のみで漫然と時間を費やすべきでない．命をも脅かす可能性のある難病であることを忘れずに対応にあたることが必要である．また，JIAを疑うときは，まず「全身型」か「関節型」かを明確に区別してから治療方針・対処法を検討し，従来の治療法にても改善がみられない「JIA難治例」では，リウマチ専門医（小児科）または日本リウマチ学会運営委員へ相談することを躊躇してはならない．より適切に初期診療を行うことで，健常児と変わらない集団・学校生活を目指すことができることを認識しよう．

文献

1) 日本リウマチ学会小児リウマチ調査検討小委員会：若年性特発性関節炎 初期診療の手引き 2015．メディカルレビュー社，2015
2) Petty RE et al：International League of Associations for Rheumatology Classification of Juvenile Idiopathic Arthritis：Second Revision, Edmonton, 2001. J Rheumatol 31：390-392, 2004
3) Mellins ED et al：Pathogenesis of systemic juvenile idiopathic arthritis：some answers, more questions. Nat Rev Rheumatol 7：416-426, 2011
4) Kanetaka T et al：Characteristics of FDG-PET findings in the diagnosis of systemic juvenile idiopathic arthritis. Mod Rheumatol 26：362-367, 2016
5) 武井修治：最新関節リウマチ学（若年性特発性関節炎）．日本臨牀 72：399-403, 2014

11. 免疫・膠原病

混合性結合組織病

宮前多佳子
東京女子医科大学病院膠原病リウマチ痛風センター 小児リウマチ科

POINT
- 混合性結合組織病（mixed connective tissue disease：MCTD）のガイドラインとして『MCTD（混合結合組織病）診療ガイドライン2021』が総論的には推奨される.
- 『MCTD（混合結合組織病）診療ガイドライン2021』では小児例についての詳細については記載がなく，現時点では「Ⅳ．混合所見」における各疾患に準じた治療が実際的には行われている．MCTD に特化して治療方法を検討した論文は乏しい.
- 小児では SLE（systemic lupus erythematosus）様症状を主病態とすることが多いことから，『小児全身性エリテマトーデス（SLE）診療の手引き（2018年度版）』が参考できる.

ガイドラインの現況

　混合性結合組織病（MCTD）は1982年に厚生省の特定疾患に指定され，調査研究班が結成された．診療ガイドラインは，1987年に厚生省特定疾患混合性結合組織病研究班より最初のガイドラインが公表された．次いで1996年の『混合性結合組織病の治療指針』では，病態別の詳細な治療指針が初めて示された．2005年に改訂第2版，2011年に改訂第3版が公表され，個々の治療法に「推奨度」が明記されるようになった．最新の『MCTD（混合結合組織病）診療ガイドライン2021』は厚生労働省の研究班で作成した1996，2004年のMCTD診断の手引きを検証し，MCTDの定義を再考した結果をもとに新たな診断基準を作成したうえで，GRADEシステムに準拠し，診断と治療に関する診療ガイドラインの改訂を行ったものである[1].

【本稿のバックグラウンド】 MCTD の疾患概念は，欧米では十分に認識されておらず，本邦で主に知られている．また，長期間経過において病態が変化した場合，どの程度までMCTDの概念に含まれるか，SLEとMCTDの重複症状が許容できるかコンセンサスは得られていない.

どういう疾患・病態か

　混合性結合組織病（mixed connective tis-sue disease：MCTD）は1972年に米国のSharpらによって提唱された疾患単位である[1]．その主要概念は，①全身性エリテマ

混合性結合組織病　**651**

トーデス（SLE），全身性強皮症（SSc），多発性筋炎/皮膚筋炎（PM/DM）を思わせる症状の混在した臨床像を呈すること，②血清学的に抗 U1-RNP 抗体単独高値陽性を示すこと，が中核となっている．

Overlap 症候群との異同が問われるが，これは元来，複数の古典的自己免疫疾患が完全に重複している特異症例において，個々の診断基準を満たす疾患と定義されるのに対し，MCTD は個々の診断基準を不完全に満たし，抗 U1-RNP 抗体高値陽性という血清学的特徴により独立した疾患単位である点において異なる．

MCTD の有病率は人口 10 万人あたり 6〜8 人程度で，男女比は 1：13〜15 と女性に多い．小児発症例は平成 12 年度の全国調査では小児人口 10 万人あたり 0.33 人と成人に比べ少ない傾向が認められている．

成人の MCTD において，若年者ほど SLE 様所見が強く，高齢になるに従い SSc 様所見が強い傾向から推察されるように，小児例の臨床像は SLE・PM/DM・SSc の 3 つの所見をすべて認めることは少なく，SLE 様所見が先行して出現し，PM・SSc 様所見を認めることは比較的少ないのが特徴である．このことから SLE との鑑別が重要になる．さらに MCTD 疾患標識抗体である抗 U1-RNP 抗体とともに SLE 疾患標識抗体である抗 DNA/抗 dsDNA 抗体の両者を有する中間型の病態も存在する[2]．このような例では，ループス腎炎に中枢神経ループスに加え，MCTD に特徴的な肺高血圧症など，それぞれの臓器予後を念頭においた対応が必要である．

横田らが実施した小児例の全国調査により，多くの例でレイノー現象が先行し，発熱，関節炎，皮疹，筋力低下などを伴って顕在化することが明らかになった[3]．血清学的

には，斑紋型抗核抗体陽性，抗 U1-RNP 抗体陽性が全例で，また約 90％に高 γ グロブリン血症が，約 80％にリウマトイド因子陽性が認められた（**図 1**）．蛋白尿や低補体血症は低頻度で，腎炎の合併は 10％以下と，小児 SLE が 70〜90％に腎炎を合併することと対比的であった．また，約 1/3 の症例でシェーグレン症候群の合併が確認された．

治療に必要な検査と診断

診断に際しては，これまで Sharp 自身の基準も含めて数種類が提唱されている．厚生省研究班による『疫学調査のための診断の手引き』は国際的にも高評価を得た．その後，1996 年改訂版を経て，2004 年には肺高血圧症の臨床的重要性を強調する意味で，共通所見であるレイノー現象，指ないし手背の腫脹の 2 所見に肺高血圧症（PH）を加え，この 3 所見のうち 1 所見以上が陽性であることが診断の必須条件として確立された．

15 年ぶりに改訂された『混合性結合組織病（MCTD）改訂診断基準 2019』は，以下の主要な変更を反映したものである（**図 2**）[4]．

1) 肺動脈性高血圧症は一般的症状とみなされていたが，有病率が 10〜20％であるため，除外された．

2) これまでになかった「Ⅲ．特異的な臓器所見」が新たに設けられ，「Ⅳ．混合所見」における SLE，SSc，PM/DM の重複症状がなくても，「Ⅰ．共通所見」，「Ⅱ．免疫学的所見」，「Ⅲ．特徴的な臓器所見」の 3 つを満たせば MCTD と診断できるようになった．

3) 小児ではなかなか複数所見が揃わないため，成人では，「Ⅳ．混合所見」における A）SLE 様所見，B）SSc 様所見，C）PM/DM 様所見の 2 項目以上からそれぞ

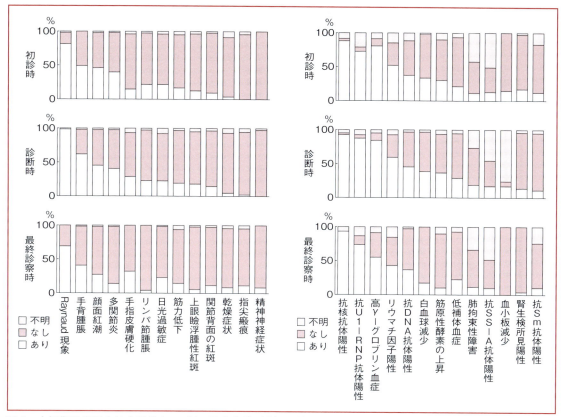

図1 小児期発症混合結合組織病66例の臨床症状(左)と検査所見(右)　　　　　(文献3より引用)

れ1所見以上の陽性所見を要するところ，1項目以上，それぞれ1所見以上でも診断できるようになった．

2004年改訂基準では小児の診断感度は30％と低かったが，この2019年改訂基準の小児に関する変更による診断感度の改善が期待される．

また，横田による『小児MCTD診断のための手引き』は小児例の臨床的特徴を反映したもので，感度は診断時89.4％，全経過95.5％，SLEに対する特異性は0.9である(表1)[4]．この手引きを用いることにより，多くの小児MCTD症例の診断が可能である．

表1　小児MCTD診断のための手引き

Ⅰ．中核的所見
　1．レイノー現象
　2．抗U1-RNP抗体陽性
Ⅱ．臨床症状および検査所見
　1．手指の腫脹・浮腫
　2．顔面紅斑
　3．関節痛・関節炎
　4．筋炎（筋原性酵素上昇，筋電図所見，生検所見）
　5．高γ-グロブリン血症（蛋白分画の20％以上）
　6．リウマトイド因子陽性
　7．血球数減少（白血球数＜4,000/uL，血小板数＜10万/uL）

以上の（Ⅰ）中核的所見2項目を満たし，かつ（Ⅱ）臨床症状および検査所見7項目中3項目を満たす場合，小児混合性結合組織病と診断する．

(文献4より引用)

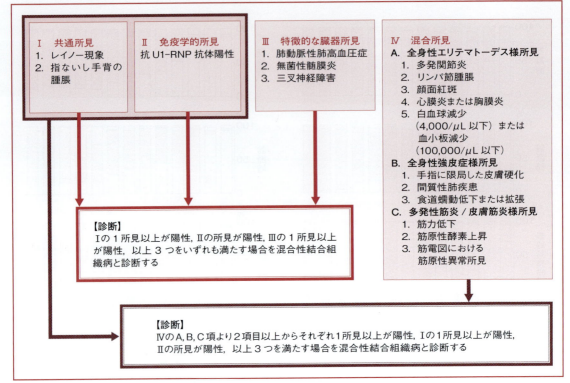

図2 混合性結合組織病の改訂診断基準 2019

1. 抗 U1-RNP 抗体の検出は二重免疫拡散法あるいは酵素免疫測定法（ELISA）のいずれでもよい．ただし，二重免疫拡散法が陽性で ELISA の結果と一致しない場合には，二重免疫拡散法を優先する．
2. 以下の予後および臓器障害と関与する疾患標識抗体が陽性の場合は混合性結合組織病の診断は慎重に行う．
    ①抗二本鎖 DNA 抗体，抗 Sm 抗体
    ②抗トポイソメラーゼⅠ抗体（抗 Scl-70 抗体），抗 RNA ポリメラーゼⅢ抗体
    ③抗 ARS 抗体，抗 MDA5 抗体
3. 小児の場合はⅣの A，B，C 項より 1 項目以上からそれぞれ 1 所見以上が陽性，Ⅰの 1 所見以上陽性，Ⅱの所見が陽性，以上 3 つを満たす場合を混合性結合組織病と診断する．
4. ことに，特徴的な臓器病変については十分な鑑別診断を要する．たとえば，無菌性髄膜炎をきたす疾患として高頻度の感染性髄膜炎（主にウイルス性），薬剤性髄膜炎，腫瘍関連髄膜炎などを十分に鑑別する．鑑別診断は患者により異なり，鑑別不十分と考えられる際には専門医に速やかに相談する． （文献5より引用）

治療の実際

MCTD に特化して治療方法を検討した論文が少なく，現時点では「Ⅳ．混合所見」における A）SLE 様所見，B）SSc 様所見，C）PM/DM 様所見の各疾患に準じた治療が実際的には行われている．治療選択においては障害されている臓器が何か，という視点が最も重要である．

原則として，急性増悪期には，即効性の期待できるグルココルチコイド（GC）を必要十分な用量で使用することが重要である．成長期の小児において長期に及ぶ GC の高用量投与は成長障害を含めた副作用の問題があり，また重篤な臓器症状に対しては GC 単独治療での十分な抑制効果が得られにくいため，免疫抑制薬との併用療法が選択される．GC はプレドニゾロンが基本であるが，急性増悪期には循環や凝固動態への安全性を確認したうえでメチルプレドニゾロンパルス療法

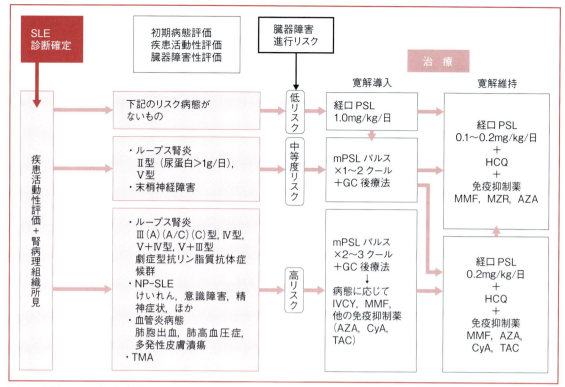

図3 小児SLEの治療手順
NP-SLE (neuropsychiatric SLE, 精神神経SLE), TMA (thrombotic microangiopathy, 血栓性微小血管障害症), PSL（プレドニゾロン），MZR（ミゾリビン），AZA（アザチオプリン），CyA（シクロスポリンA），TAC（タクロリムス），MMF（ミコフェノール酸モフェチル），IVCY（経静脈シクロホスファミド）療法，HCQ（ヒドロキシクロロキン），GC（グルココルチコイド），mPSL（メチルプレドニゾロン）　　　　　（文献6より引用）

などの導入も考慮される．シクロフォスファミド（エンドキサン®）は臓器症状が重症である場合に選択されるが，その性腺機能に及ぼす副作用の可能性から，近年ではミコフェノール酸モフェチル（セルセプト®）が先行して選択される傾向にある．先述したように小児ではSLE様症状を主病態とすることが多いことから，『小児全身性エリテマトーデス（SLE）診療の手引き（2018年度版）』が参考できる（図3）[6]．現在この手引きは改訂が行われているが，2018年度版の発刊後，2019年にベリムマブ（ベンリスタ®）の小児用量が追加されている．

肺動脈性高血圧症（pulmonary hypertension：PAH）はMCTDの予後に影響を及ぼす重要な病態である．早期診断，早期治療による生命予後改善の観点から，非侵襲的な心臓超音波検査を，臨床所見や他の関連検査による異常所見がなくとも，行うことが望ましい．推定肺動脈収縮期圧を参考にPAHの診断を行う．その治療は選択的肺血管拡張薬と免疫抑制薬がいずれも推奨度Aとして治療の主体となる．MCTDに伴うPAHに対するこれらの治療のRCT（randomized controlled trial）およびそのサブ解析は乏しく，直接的な有効性・安全性の言及は困難である．

処方例

臓器病変を認めず，レイノー現象や関節痛などの軽微な自・他覚所見のみで経過する場合，免疫抑制治療を行わず非ステロイド抗炎症薬（NSAIDs）を用いた対症治療を行う．

NSAIDs

処方A　ナイキサン®　10〜20 mg/kg/日（成人最大量 1,000 mg/日）分2〜3　内服

処方B　ブルフェン®　30〜40 mg/kg/日（成人最大量 2,400 mg/日）分3〜4　内服

免疫抑制薬

処方A　イムラン®　1〜2 mg/kg/日（成人には通常 50〜100 mg/日）分1〜2　内服

処方B　セルセプト®　300〜1,200 mg/m^2/日（成人最大量 2,000 mg/日）分2　内服

処方C　メソトレキセート®　10 mg/m^2/週（成人最大量 16 mg/週）分1〜2　内服

専門医に紹介するタイミング

臓器症状により免疫抑制治療の選択，調整が必要となる場合，またその判断がつかなくとも急速進行性に全身状態の悪化を認める場合には，小児リウマチ性疾患を専門的に診療している施設への紹介が望ましい．

専門医からのワンポイントアドバイス

小児発症 MCTD の初期は SLE 様所見が主病態であることが多い．SLE が疑われた症例，また SLE と診断された症例が，後に U1-RNP 抗体陽性所見や PAH，他の自己免疫疾患様症状の出現により，MCTD と改めて診断される場合がある．長期経過において留意すべき臓器症状が SLE とは異なるため，Raynaud 現象，斑紋型抗核抗体陽性，高ガンマグロブリン血症など，MCTD に特徴的な症状・所見を認めた際には U1-RNP 抗体の存在を確認すべきである．

文　献

1) Sharp GC et al：Mixed connective tissue disease-an apparently distinct rheumatic disease syndrome associated with a specific antibody to an extractable nuclear antigens（ENA）. Am J Med 52：148-159, 1972
2) 宮前多佳子 他：小児期発症全身性エリテマトーデスと混合性結合組織病の臨床的特徴の差異と抗 U1-RNP 抗体の意義．日臨免疫会誌 31：405-414, 2008
3) 横田俊平 他：小児期発症混合性結合組織病—全国調査の結果から．日内会誌 85：1217-1222, 1996
4) Yokota S et al：A criteria for mixed connective tissue disease：A new proposal. J Rheumatol 27（Suppl 58）：100, 2000
5) 厚生労働省研究班：MCTD（混合性結合組織病）診療ガイドライン 2021．2021
6) 厚生労働省研究班：小児全身性エリテマトーデス（SLE）診療の手引き（2018 年度版）．2018

11. 免疫・膠原病

小児皮膚筋炎・小児多発性筋炎

佐藤孝俊，石垣景子
東京女子医科大学 小児科

POINT
- 若年性皮膚筋炎は，皮膚・筋症状を主体とする自己免疫疾患である．
- 間質性肺炎や消化管穿孔などの致死的な合併症がありうる．
- 関節拘縮や皮下石灰化による機能障害を後遺することがある．
- 病初期に手をゆるめずにしっかりと治療を行えるかどうかが予後を左右するため，早期に専門医へ紹介すべき疾患といえる．

ガイドラインの現況

本邦では，厚生労働科研費研究班による『若年性皮膚筋炎（JDM）診療の手引き2018年版』が存在する．海外では，2010年にChildren's Arthritis and Rheumatology Research Alliance Consensus Conference（CARRA）によるものと欧州を中心としたSingle Hub and Access point for pediatric Rheumatology（SHARE）によるものがある．若年性皮膚筋炎は希少疾病のため，他疾患のようにエビデンスに基づいた診療ガイドラインと銘打っておらず，いずれもコンセンサスに基づいた推奨として発表されている．

【本稿のバックグラウンド】 『若年性皮膚筋炎（JDM）の手引き2018年版』，『Children's Arthritis and Rheumatology Research Alliance Consensus Conference（CARRA）』 および 『Single Hub and Access point for pediatric Rheumatology（SHARE）』による推奨を元に参考にした．

どういう疾患・病態か[1,2]

小児において，多発性筋炎は非常に稀な疾患であるとされるため，本稿では，主に若年性皮膚筋炎（juvenile dermatomyositis：JDM）について述べる．JDMは自己免疫を病態の基礎として，主に筋・皮膚症状をきたすが，間質性肺炎や消化器病変を合併することがあり，それらが死因となりうる．小児の皮膚筋炎（dermatomyositis：DM）は，悪性腫瘍の合併がほとんどなく，適切に治療されれば，多くの症例で治癒が期待できるなどの点で，成人のDMと特徴が大きく異なるため，JDMとして，別個に扱われている．病態としては，大きく二つが考えられている．一つは，血管壁への免疫グロブリン・補体の沈着による血管内皮障害と血栓形成の結果による，その支配領域の阻血性変化である．もう一つは，形質細胞様樹状細胞の活性化によって産生されるType I -IFNによる

小児皮膚筋炎・小児多発性筋炎　657

反応である．この結果，筋組織での炎症が持続・増幅されるとともに，MHC class I の過剰発現が小胞体ストレスの増強を伴って誘導され，筋線維のアポトーシスをひき起こす．

治療に必要な検査と診断[1〜3]

1 問診と身体所見

初期の筋症状として，階段昇降に手すりが必要になった，鉄棒で逆上がりができなくなったといったものが挙げられる．体幹の筋力低下が目立ち，頸を挙げる力が弱くなったりする．初期の皮膚症状は，難治性の湿疹やアトピー性皮膚炎として，加療されていることも少なくない．アトピー性皮膚炎は鼻周囲の所見に欠けるが，JDM では鼻周囲にも発赤がみられることが鑑別に役立つ．紫外線が本疾患の増悪因子として知られており，運動会などで長時間，日を浴びたことで症状が顕在化し，診断の契機となることも経験される．

身体所見について，筋所見としては，左右対称性の近位筋優位な筋力低下と筋痛・筋把握痛である．四肢筋力のみでなく，頸部や体幹の筋力を評価することが重要であり，臥位で頸部の屈曲・挙上を確認し，起立，両足跳躍や階段昇降についても，必ず評価する．重症例では，咽頭喉頭筋群の筋力低下により，嚥下障害や呼吸不全に至ることがある．関節拘縮も重要であり，早期から認めていることもある．特に，股関節が拘縮して伸展制限をきたすと，児をうつ伏せにしたときに臀部が浮くという所見を認めるが，この所見のために筋ジストロフィーと誤解される例も少なくない．皮膚所見は，上眼瞼に生じる紫紅色紅斑（Heliotorope 疹），手指関節伸側の紅斑（Gottron 徴候）が有名であるが，頬部，肘・膝伸側や上胸部も紅斑の好発部位である．また，爪周囲の発赤も見逃せない所見で

ある．皮膚は潰瘍化することがあり，重症の所見とされる．皮下の石灰化も認めることがあり，診断の遅れや不十分な治療と関連するといわれている．

2 血液検査

クレアチンキナーゼ（CK）およびアルドラーゼの上昇を認めるが，小児では正常なこともある．CK 上昇を認めない例でも，アルドラーゼは上昇していることがあるので，両者を測定しておく．後述する血管内皮障害を反映して，von Willebrand 因子や FDP も上昇する．間質性肺炎の評価のために，KL-6 も測定しておくべきである．近年，多くの筋炎特異的自己抗体が報告されつつあり，診断的価値が高い．表 1 に示すように，臨床症状との関連が明らかにされつつあるが，特に，抗 MDA5 抗体陽性例は，間質性肺炎を高率に合併し，高値の場合，急速進行性となりうるため，注意を要する．

3 画像検査

画像診断には，骨格筋 MRI が有用であり，筋炎は脂肪抑制 T2 強調画像（STIR 法を用いることが多い）で高信号として検出される．間質性肺炎のスクリーニングとして，肺機能検査と胸部 HRCT が有用とされる．

4 筋生検

非侵襲的な診断技術が向上したため，筋生検は必須ではなくなってきているが，上記検査を用いてもなお診断に疑問が残る場合は，必ず治療前に筋生検を行う．治療開始後に生検すると所見が変化してしまうためである．筋病理所見では，筋束辺縁の筋線維萎縮（perifascicular atrophy）や免疫組織化学染色でのミクソウイルス抵抗蛋白質 A（MxA）発現などが，診断的価値の高い所見である．

表1　自己抗体と臨床像との関連

自己抗体		標的抗原	関連する臨床像	保険収載
抗アミノアシル tRNA 合成酵素（ARS）抗体			抗 ARS 抗体症候群（筋炎，間質性肺炎，Raynaud 症状，発熱，機械工の手）	あり
	抗 Jo-1 抗体	Histidyl tRNA 合成酵素	PM＞DM，成人＞小児	
	抗 PL-7 抗体	Threonyl tRNA 合成酵素	手指硬化（SSc との重複），軽症筋炎	
	抗 PL-12 抗体	Alanyl tRNA 合成酵素	間質性肺炎＞筋炎	
	抗 OJ 抗体	Isoleucyl tRNA 合成酵素		
	抗 EJ 抗体	Glycyl tRNA 合成酵素	DM＞PM，間質性肺炎	
	抗 KS 抗体	Asparaginyl tRNA 合成酵素	間質性肺炎＞筋炎	
抗 SRP 抗体		Signal recognition particle（SRP）	免疫介在性壊死性筋症，重症・治療抵抗性・再燃性筋炎	※
抗 CADM140 抗体		Melanoma-differentiation associated gene 5（MDA5）	急速進行性間質性肺炎，CADM（小児では CADM とは限らない）	あり
抗 Mi-2 抗体		240/218 kDa helicase family protein	DM，ショール徴候	あり
抗 MJ 抗体		NXP2	石灰化	一部研究施設で測定可
抗 p155/p140 抗体		Transcriptional intermediary factor 1（TIF1）	DM，悪性腫瘍合併 DM	あり
抗 HMGCR 抗体		3-hydroxy-3-methylglutaryl-coenzyme A reductase	免疫介在性壊死性筋症，成人でスタチン製剤と関連	※

PM：多発性筋炎，DM：皮膚筋炎，SSc：全身性強皮症，CADM：clinically amyopathic dermatomyositis
※保険未収載であるが，商業ベースでの依頼可（https://www.cosmic-jpn.co.jp/contractservice/）
（小児慢性特定疾病情報センターホームページ https://www.shouman.jp/disease/instructions/06_01_003/ を参照して作成）

5 重症度の評価

　筋力低下の定量的評価スケールとしては，Childhood Myoseitis Assessment Scale（CMAS）や MMT 8（全身8ヵ所の評価に絞った簡易版 MMT）が推奨されているが，乳幼児では，評価が困難なことがある．疾患全体の重症度判定としては，International Myositis Assessment and Clinical Studies Group（IMACS）による Myositis Disease Activity Assessment Tool（MDAAT）があり，全身・皮膚・骨・関節・消化器・肺・心・筋など計26項目を評価していく．詳細については，http://www.niehs.nih.gov/research/resources/collab/imacs/diseaseactivity.cfm を参照されたい．評価シートも同サイトより入手可能である．SHARE では，重症所見として，以下の10項目を推奨している．①ベッドから起き上がれない程度の重度な機能障害，②CMAS＜15点，MMT 8＜30点，③誤嚥や嚥下障害の存在，④画像上の異常や便潜血陽性を伴う消化管の血管炎，⑤心筋炎，⑥間質性肺炎，⑦意識障害やけいれんを伴う中枢神経障害，⑧皮膚の潰瘍，⑨集中治療管理の必要性，⑩1歳未満．

治療の実際と処方例

（PSL：プレドニゾロン，CyA：シクロスポリン，MTX：メトトレキサート）

海外で行われた初発のJDMを対象とした長期管理に関する大規模ランダム化比較試験において，PSL単独群，PSL＋CyA群およびPSL＋MTX群の3者が比較検討された．どの群に対しても，はじめにメチルプレドニゾロン（mPSL）パルス療法を行っている．結果は，治療効果の点で，PSL単独群よりも，PSL＋CyA群あるいはPSL＋MTX併用群のほうが優れていた．PSL＋CyA群とPSL＋MTX群とでは，治療効果は同程度であったが，副作用の点で，PSL＋MTX群のほうが優れているという結果であった．以上も含めたエビデンスを盛り込んだSHAREの推奨治療があるが，海外と本邦とでは，薬剤投与量や経路が異なる部分があることと，間質性肺炎の合併例が多いということが注意されている．図1に『若年性皮膚筋炎診療の手引き2018年版』を元に作成した治療アルゴリズムを示す．保険適用外の薬剤も含むので，注意されたい．以下に各薬剤の保険適用と位置付けについて，簡単に整理する．

- プレドニゾロン/メチルプレドニゾロン：JDMのキードラッグであり，保険適用あり．
- メトトレキサート：JDMに保険適用ないが，本邦・海外いずれの推奨においても，プレドニゾロン併用薬の第一選択薬として位置付けられる．
- シクロスポリン：JDMに保険適用なし．PSL＋MTXに抵抗する例や再発例などに

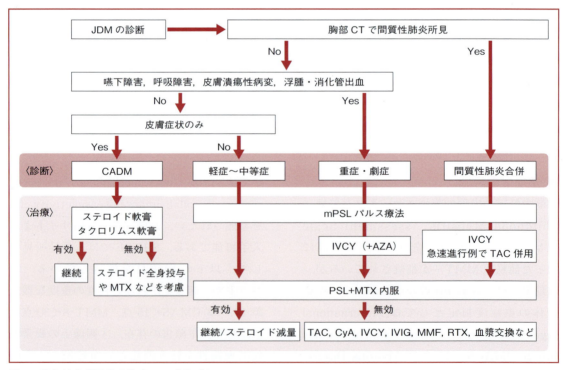

図1　若年性皮膚筋炎の治療アルゴリズム
PSL：プレドニゾロン，mPSL：メチルプレドニゾロン，MTX：メトトレキサート，AZA：アザチオプリン，TAC：タクロリムス，CyA：シクロスポリン，MMF：ミコフェノール酸モフェチル，RTX：リツキシマブ，IVCY：シクロホスファミド静注療法，IVIG：免疫グロブリン大量療法　　　（文献3を参照して作成）

使用.

- アザチオプリン：治療抵抗性の JDM に対して，保険適用あり．PSL ＋ MTX に抵抗する例に考慮.
- タクロリムス：JDM 合併の間質性肺炎にのみ，保険適用あり.
- ミコフェノール酸モフェチル：JDM に保険適用なし．PSL ＋ MTX に抵抗する例に対し，海外で推奨がある.
- シクロホスファミド静注パルス療法：治療抵抗性の JDM に対して，保険適用あり．妊孕性や卵巣毒性のために，使用回数が限られる.

当院での実例として，軽症～中等症例と重症例の治療を記載する.

①軽症～中等症に対する薬物治療

はじめに mPSL パルス療法を行う．当院の場合，30 mg/kg/日（最大量 1 g/日）を生食 100 mL で溶解し，1 時間以上かけて点滴静注する．3 日間連続を 1 クールとし，1 クール/週を 2～3 クール行うことが多い．凝固系亢進を予防するため，ヘパリン（200 単位/kg/日程度）持続静注を各クール終了翌日の午前中まで併用している．PSL（1 mg/kg/連日）も同時期より開始し，パルス療法終了後あたりから，MTX 内服も開始する．投与量は，8～15 mg/m^2/週または 0.35～0.65 mg/kg/週とされ，当院においては，幼児例 4 mg/週，年長児 6 mg/週くらいから開始する.

②重症に対する薬物治療

①と同様に mPSL パルス療法を行った後，シクロホスファミド（エンドキサン®）パルス療法を行う．当院では，3 泊 4 日の入院レジメンを作成している．入院初日にライン確保と尿・血液検査を行い，2 日目の早朝より，利尿を促すために細胞外液の輸液を 2,000 mL/m^2/日を目安として開始し，飲水も励行する．同日午前中にエンドキサン® 500 mg/m^2 を生食 100 mL に溶解し，2 時間かけて点滴静注する．副作用として，出血性膀胱炎が有名であるが，これまでのところ経験はない．嘔気・嘔吐はよく経験され，制吐薬として，グラニセトロンをまず投与し，無効な場合は，アタラックス®-P や mPSL（1 mg/kg/回）点滴静注を行っている．PSL・MTX 内服も，①と同様に開始する.

③リハビリテーション・生活指導

重症度にかかわらず，拘縮予防や運動機能評価のため，継続したリハビリテーションは重要である．生活指導としては，紫外線曝露が増悪因子となるため，日焼け止めクリームの使用や服装の指導を行う．また，免疫抑制薬を長期に内服することになるため，感染予防についても教育を行う.

専門医に紹介するタイミング

病初期に十分な加療が行われたか否かが予後に影響し，時に合併する急速進行性の間質性肺炎が致死的になりうるという厳しい現実がある．このため，少しでも疑わしい所見がある場合には，漫然と経過観察せず，できるだけ早期に専門家へ相談し，専門施設での治療を開始することが重要である.

専門医からのワンポイントアドバイス

①間質性肺炎などの致死的な合併症が存在することを意識すべきである.

②診断遅延や病初期の不十分な治療は，予後を悪化させる.

③したがって，難治の皮疹，原因のよくわからない筋症状や高 CK 血症を漫然と経過観察すべきでなく，JDM の可能性を考慮に入れ，早期に専門施設へ紹介すべきである.

文 献

1) Enders FB et al：Consensus-based recommendations for the management of juvenile dermatomyositis. Ann Rheum Dis 76：329-340, 2017
2) Rider LG et al：The juvenile idiopathic inflammatory myopathies：pathogenesis, clinical and autoantibody phenotypes, and outcomes. J Intern Med 280：24-38, 2016
3) 厚生労働科学研究費補助金 難治性疾患等政策研究事業 若年性特発性関節炎を主とした小児リウマチ性疾患の診断基準・重症度分類の標準化とエビデンスに基づいたガイドラインの策定に関する研究班 若年性皮膚筋炎分担班 編：若年性皮膚筋炎（JDM）診療の手引き 2018 年版. 羊土社, 2018
4) Huber AM et al：Protocols for the initial treatment of moderately severe juvenile dermatomyositis：results of a Children's Arthritis and Rheumatology Research Alliance Consensus Conference. Arthritis Care Res (Hoboken). 62：219-225, 2010
5) Ruperto N et al：Prednisone versus prednisone plus ciclosporin versus prednisone plus methotrexate in new-onset juvenile dermatomyositis：a randomised trial. Lancet 387：671-678, 2016

11. 免疫・膠原病

小児期シェーグレン症候群

とみいたみなこ
冨板美奈子
千葉県こども病院 アレルギー・膠原病科

POINT
- 小児期の SS 患者は，乾燥自覚症状を訴えることが少ない．
- 不明熱や膠原病が疑われる患者では，SS を鑑別疾患として考える．
- 症状や検査データは後から陽性になる場合もあるので，安易に SS を否定しない．
- 治療は病名ではなく，病態に合わせて選択する．

ガイドラインの現況

わが国では，厚生労働省科学研究補助金難治性疾患等政策研究事業自己免疫疾患に関する調査研究班シェーグレン症候群分科会を中心とした診療ガイドライン（GL）作成委員会により，Minds 2014 に則った『シェーグレン症候群診療ガイドライン 2017』が作成された[1]．38 のクリニカルクエスチョン（CQ）のうち，小児シェーグレン症候群（Sjögren's syndrome：SS）に関して 8 つの CQ が採用されている．この GL は Minds のホームページ（https://minds.jcqhc.or.jp/）で閲覧が可能である．また，2018 年に厚生労働科学研究費補助金難治性疾患等政策研究事業「若年性特発性関節炎を主とした小児リウマチ性疾患の診断基準・重症度分類の標準化とエビデンスに基づいたガイドラインの策定に関する研究」のシェーグレン班が，『小児期シェーグレン症候群診療の手引き 2018』[2] を出版した．現時点での expert opinion であるが，診断から生活管理まで日常診療に必要な情報を網羅した．海外では，2019 年に European League Against Rheumatism（EULAR）による成人の一次性 SS に対する治療管理の recommendation が作成されている[3]．

【本稿のバックグラウンド】 海外では小児期 SS の診療に関するガイドラインは作成されていない．わが国の成人患者も含めた『シェーグレン症候群診療ガイドライン 2017 年版』と，小児に特化した『小児期シェーグレン症候群診療の手引き 2018』を参考にした．

どういう疾患・病態か

SS は，全身の外分泌腺の障害を特徴とする，全身性の自己免疫性炎症性疾患である．autoimmune-exocrinopathy：自己免疫性外分泌腺症とも呼ばれる．外分泌腺障害の結果として分泌能が低下し，障害臓器に特異的な症状が出現する．頻度が高い部位は涙腺，唾液腺である．涙液分泌の低下の結果，乾燥性角結膜炎を呈する．唾液分泌が低下すること

小児期シェーグレン症候群　663

により，口腔乾燥自覚症状のほか，齲歯の増加，口臭等が生じる．鼻の乾燥や汗腺の障害による皮膚乾燥，腺の障害による萎縮性胃炎等も外分泌腺の傷害の結果として生じうる．

一方，SS は全身性疾患であり，様々な腺外症状，腺外臓器障害を呈する．発熱，倦怠感，関節症状，皮膚症状，間質性腎炎，無菌性髄膜炎，末梢神経障害などである．皮疹は様々なかたちをとるが，環状紅斑が特異性が高く，抗 SS-B/La 抗体と関係するといわれている．

発症機序は明らかではないが，推測される機序として，遺伝的背景をもつ個体において，感染などの外部因子の刺激により外分泌腺が傷害され，リンパ球浸潤が起こる．炎症の始まりは epithelitis であり，浸潤リンパ球は，腺・導管上皮のアポトーシスを誘導する．また，浸潤細胞は種々のサイトカインを放出し，他の炎症性細胞を呼び込み，局所で自己免疫反応が成立する．B 細胞からは自己抗体が産生される．自己抗体-自己抗原免疫複合体は形質細胞様樹状細胞を刺激して，Ⅰ型インターフェロンを誘導する．Ⅰ型インターフェロンはさらにリンパ球を活性化し，炎症は慢性化する．徐々に腺の障害が進行し，機能低下が進んだ結果として，乾燥症状が出現する．この過程の進行には個人差があり，自覚症状の出現時期は様々である．

治療に必要な検査と診断

診断の基本は，自己免疫と外分泌腺の障害の有無である．

1 血液検査（血球，生化学，血清検査，自己抗体）

白血球減少，特にリンパ球減少がみられることがある．また，血小板減少性紫斑病や溶血性貧血が腺外臓器障害として治療対象となりうる．

血清中のアミラーゼの上昇は，唾液腺障害，あるいは合併症としての膵炎の存在を示唆する．アミラーゼ上昇をみた場合，分画を確認して唾液腺由来か膵臓由来かを確認する．

陽性頻度の高い自己抗体は，抗核抗体，リウマトイド因子（rheumatoid factor：RF），抗 SS-A/Ro 抗体および抗 SS-B/La 抗体である．SS では，RF が非常に高値をとる例があるが，必ずしも関節症状とは相関しない．RF 陽性の若年性特発性関節炎との鑑別には，抗 CCP 抗体が有用である．抗 SS-A/Ro 抗体は疾患標識抗体であるが，100％陽性ではない[4]．抗 SS-B/La 抗体は特異性が高いが，頻度はそれほど高くない．また，ポリクローナルな B 細胞の活性化の結果としての，高ガンマグロブリン血症が SS を示唆する所見となる．

2 眼科検査

涙腺の障害は涙液の減少と，結果としての角結膜炎の程度を評価する．

a）シルマーテスト

涙液分泌量を測定する検査である．色素を染みこませた専用の濾紙を下眼瞼外側に掛けると涙液が毛細管現象で濾紙に吸収される．涙液の染みこんだ部分は色素が発色するので，その長さを測定する．5 分間で 5mm 以下を陽性とする．

b）染色試験

角結膜表面を染色することで，角結膜炎の程度を評価する．ローズベンガル試験は，染色液に刺激性があるため，現在ではあまり行われない．広く行われているのは蛍光色素試験である．角結膜の表面に傷があれば，その部分が染色される．染色の程度で＋〜3＋まで評価され，＋以上を陽性とする．2012 年

の米国リウマチ学会（American College of Rheumatology：ACR）分類基準では，リサミングリーン液を用いた詳細な点数付けが行われたが，リサミングリーンはわが国では保険適用がなく，ほとんど用いられていない．小児は涙腺障害が軽度な例が多く，いずれの検査も陽性率が低いが，どちらか一方のみ陽性の例もあるので，必ず眼科に両方の試験を依頼する．

3 唾液腺検査

唾液腺障害について，最も簡便で侵襲の少ない検査は唾液分泌量の測定である．10分間ガムを噛んでその間分泌された唾液を測定するガムテスト（10 mL 以下が陽性），ガーゼを2分間噛んで，その間に分泌された唾液をガーゼの重量変化で測定するサクソンテスト（2.0 g 以下が陽性），無刺激での分泌量を測定する方法（15分で1.5 mL 以下が陽性）があるが，小児では陽性率が低い．最も感度の高い検査は口唇の小唾液腺生検であり，導管周囲に単核球が50個以上浸潤した領域（フォーカス）を $4 mm^2$ に1個以上認める場合を陽性とする．次に感度が高いのは耳下腺シアログラフィと唾液腺シンチグラフィである．耳下腺シアログラフィの通常法はステノン管の開口部から逆行性に造影剤を注入してX線撮影し，造影剤が貯留した程度で腺の構造的な障害を評価する．造影剤の注入に痛みを伴い，検査後に耳下腺が腫脹するなどの侵襲があったが，MRIでは造影剤を必要とせず同様の所見が得られ，結果は従来法と相関することから，最近はMRIシアログラフィで評価する施設も増えている．唾液腺シンチグラフィは唾液腺に集積するテクネシウムを静注し，唾液腺への集積の程度と，酸刺激後に唾液とともに口腔内へ分泌される程度を評価する．4つの大唾液腺（両耳下腺・両顎下腺）に関心領域を設定し，time activity curve を描くことで左右差や軽度の排泄遅延などが確認できる．

4 診断基準

診断は，わが国では1999年の厚生省シェーグレン症候群改訂診断基準が広く使われているが，腺障害の軽度な小児患者の診断には適さないため，日本シェーグレン症候群学会と日本小児リウマチ学会合同で小児に特化した「小児期シェーグレン症候群診断の手引き」を策定した[5]．

この「診断の手引き」では，表1に示すようなSSを疑わせる所見を有する患者に対して，表2のような疾患を鑑別・除外しつつ，上記の血液検査，外分泌腺の検査を行い，結果をスコアリングして，「SSらしさ」を診断する．スコアリング，判定については，小児慢性特定疾病情報センターホームページのシェーグレン症候群のページ（https://www.shouman.jp/disease/instructions/06_01_004/）で確認していただきたい．

治療の実際

SSは臨床症状や臓器障害の個人差が大きいため，診断即治療とはならない．また，現時点で，腺障害の進行や腺外臓器障害の出現の予防のための治療法は確立していない．現在の治療は出現した症状への対症療法である[1,2]．なお，2019年のEuropean League Against Rheumatism（EULAR）のrecommendation は成人を対象としているが，臓器毎に病態と重症度に応じたアルゴリズムを作成して治療法の提案をしている．

表 1　シェーグレン症候群の存在を示唆する所見

1.　臨床症状・臓器障害
・全身症状：発熱，倦怠感，リンパ節腫脹，朝のこわばり，原因不明の全身の疼痛
・腺外臓器症状：関節痛・関節炎，環状紅斑など皮疹，紫斑，甲状腺腫，レイノー症状
・腺症状：反復性耳下腺腫脹，齲歯の増加，口腔の痛み，口内炎の反復，ラヌラ（がま腫），繰返す眼の発赤，眼の異物感・かゆみ
・（問診で確認）　摂食時よく水を飲む，口臭，涙が出ない
など

2.　日常診療でみられる検査所見の異常　（期間を 3 ヵ月以上あけて，2 回以上陽性）
・唾液腺腫脹のはっきりしない時期の唾液腺型アミラーゼ高値
・年齢における 97.5 パーセンタイル以上の IgG 高値，あるいは高 γ グロブリン血症
・白血球減少，あるいはリンパ球減少
・赤血球沈降速度の亢進
など

3.　合併しやすい疾患
・橋本病，無菌性髄膜炎，間質性腎炎，血小板減少性紫斑病，ブドウ膜炎
・他の膠原病，特に全身性エリテマトーデス，混合性結合組織病，多関節型若年性特発性関節炎など
・線維筋痛症，慢性疲労症候群
など

（文献 5 より引用）

表 2　除外診断と鑑別診断

除外診断
ウイルス性疾患（流行性耳下腺炎，HCV，HIV，EB ウイルス感染症など），悪性腫瘍，サルコイドーシス，GVHD，頭頸部への放射線照射の既往，Stevens-Johnson 症候群による後遺症としての唾液腺・涙腺障害

鑑別診断（一部の疾患は合併もありうる）
他の膠原病，自己炎症性疾患，IgG4 関連疾患，HTLV-1 感染症，反復性耳下腺炎，線維筋痛症，慢性疲労症候群

（文献 5 より引用）

1　涙腺障害への治療

不足する涙液の補充（人工涙液），保湿剤（ヒアルロン酸）点眼，ムチン産生促進薬の点眼，涙点プラグや涙点焼灼による鼻涙管への涙液流出阻止，保護メガネによる蒸散の抑止などがある．点眼液に含まれる防腐剤は，角結膜炎を悪化させるので，防腐剤を含まないものが望ましい．

2　唾液腺障害への治療

人工唾液の噴霧，市販の保湿ゼリーの口腔内塗布，内服薬としては，アセチルコリンムスカリンレセプター刺激薬がある．また，気道粘液潤滑薬の塩酸ブロムヘキシン，麦門冬湯も唾液分泌を促進する作用があることが知られている．

3　腺外臓器障害の治療

発熱や関節症状は非ステロイド性抗炎症薬（non-steroidal anti-inflammatory drugs：NSAIDs）で対応可能な場合もある．重要臓器障害や NSAIDs でコントロールできない

症状については，ステロイド薬を中心とした免疫抑制療法の適応となる．ステロイド薬の量や免疫抑制薬の選択は，臓器障害の程度によって異なる．全身性エリテマトーデスの治療法を参考とする．

処方例

涙腺障害

処方A　人工涙液マイティア® 1回1〜2滴　1日5〜6回

処方B　ソフトサンティア® 1回2〜3滴　1日5〜6回（注：市販薬）

処方C　ヒアレイン®ミニ点眼液0.1%（0.4mL）1日5〜6回

処方D　ジクアス®点眼液3%（5mL）1日6回
　　　または
　　　ムコスタ®点眼液UD 2%（0.35mL）1日5〜6回

⇒処方C単独，あるいは処方Cと処方Dの併用．

唾液腺障害

処方A　サリベート®エアゾール　1日3〜4回　口腔内に噴霧

処方B　バイオティーン®オーラルバランスジェル　適宜塗布（市販薬）

⇒処方A単独，処方Aと処方Bの併用．

処方C　ビソルボン®細粒あるいは錠　成人1日12mgを分3（保険適用外）

処方D　ツムラ麦門冬湯エキス顆粒　成人1日9.0gを分2〜分3食前あるいは食間に投与（保険適用外）

処方E　エボザック®カプセル　1回0.5〜1カプセル，1日1〜3回（小児は保険適用外）

処方F　サラジェン®錠　1回0.5〜1錠，1日1〜3回（小児は保険適用外）

腺外臓器障害

処方A　ブルフェン®顆粒・錠　100〜200mg頓用（保険適用外）

処方B　ブルフェン®顆粒・錠　30〜40mg/kg/日　分3（保険適用外）

処方C　プレドニゾロン顆粒・錠　1〜2mg/kg/日　分3（保険適用外）

⇒処方A，B，Cとも胃粘膜保護薬を併用する．

専門医に紹介するタイミング

診断に必要な腺障害の検査は，クリニックでは設備の問題から難しい．データの解釈も含めて，診断について専門医と連携することが良いと思われる．また，腺外臓器障害のある例は専門医紹介が望ましい．

専門医からのワンポイントアドバイス

小児期SSが診断されてこなかった最大の理由は，小児はSSの特徴である乾燥自覚症状を訴えないことである．診断の手引きの「SSを疑わせる所見」を示す小児患者がいた場合，鑑別疾患の一つとしてSSを考えることが早期診断につながる．また，SSは慢性疾患であり，年余の経過で徐々に進行する例や，何年も症状がなく，突然重要臓器障害を発症する例もあることから，何らかのかたちでのフォローを続け，内科へ移行できるようにすることが必要である．さらに，抗SS-A/Ro抗体陽性の女性は，妊娠時に胎児の心

小児期シェーグレン症候群　667

ブロックの発症および出産後の児の新生児ループス発症のリスクがある．このため，妊娠した際には産科との連携も必要となり，本人にもリスクと産科管理の重要性を説明しておく必要がある．

────────── 文　献 ──────────

1) 厚生労働科学研究費補助金 難治性疾患等政策研究事業自己免疫疾患に関する調査研究班 編：シェーグレン症候群診療ガイドライン 2017 年版．診断と治療社，2017

2) 厚生労働科学研究費補助金 難治性疾患等政策研究事業（難治性疾患政策研究事業）若年性特発性関節炎を主とした小児リウマチ性疾患の診断基準・重症度分類の標準化とエビデンスに基づいたガイドライ

ンの策定に関する研究班シェーグレン症候群分担班 編：小児期シェーグレン症候群診療の手引き2018．羊土社，2018

3) Ramos-Calas M et al：EULAR recommendations for the management of Sjögren's syndrome with topical and systemic therapies. Ann Rheum Dis 79：3-18, 2019

4) 冨板美奈子：小児のシェーグレン症候群．"シェーグレン症候群の診断と治療マニュアル，改訂第3版" 日本シェーグレン症候群学会 編．診断と治療社，pp168-177，2018

5) 冨板美奈子：シェーグレン症候群．"小児慢性特定疾病—診断の手引き" 日本小児科学会 監，国立成育医療研究センター小児慢性特定疾病情報室 編．pp463-465，2015

11. 免疫・膠原病

IgA 血管炎
（ヘノッホ・シェーンライン紫斑病）

こ　ばやしのりもと
小林法元

長野赤十字病院 小児科・アレルギー科

POINT
- 小児の IgA 血管炎は，臨床症状により分類基準で診断が可能である．
- 急性期に認められる皮膚・関節・消化器病変は自然寛解することが多く，治癒までの症状の緩和が治療の主目的となる．
- 遅れて出現する腎病変は長期予後を左右するため注意深いフォローアップが必要であるが，エビデンスレベルの高い予防法の報告はない．

ガイドラインの現況

　本症は，ヘノッホ・シェーンライン紫斑病やアレルギー性紫斑病とも呼ばれていた．本症の病態に IgA が重要な役割を果たしていることが明らかになったため，血管炎の国際分類「Chapel Hill 分類（CHCC）」の 2012 年版において IgA 血管炎に病名が統一された．本邦の IgA 血管炎に関するガイドラインは，2008 年に，日本皮膚科学会による『血管炎・血管障害診療ガイドライン』[1]と日本循環器病学会，日本小児科学会など 11 の学会による『血管炎症候群の診療ガイドライン』[2]が作成され，それぞれ 2016 年版と 2017 年版が公表されている．海外では英国の小児血管炎ガイドライン（2012 年）のみ存在したが，2019 年に SHARE から『コンセンサスによる IgA 血管炎の診断治療リコメンデーション』が発表された[3]．

【本稿のバックグラウンド】　本稿では，IgA 血管炎の診断と治療について，本邦の 2 つのガイドラインを基に記載する．2 つのガイドラインの推奨度の表記は，皮膚科（皮）A と循環器科（循）I が「強い推奨」で，皮 B と循 II a は「推奨，妥当」，皮 C1 と循 II b は「考慮してもよい」，皮 C2 が「勧められない」，皮 D と循 III が「行わないよう勧められる，実施すべきではない」となっている．

どういう疾患・病態か

　CHCC 2012 では，IgA 血管炎（IgAV）を，免疫複合体性小型血管炎に分類し，「小血管（主として毛細血管や細動脈，細動脈）を侵す IgA 1 優位の免疫沈着を有する血管炎であり，しばしば，皮膚と消化管の障害や関節炎を認める．また，IgA 腎症と判別困難な糸球体腎炎を起こすことがある．」と定義した．小児期発症の血管炎のなかで比較的頻度

IgA 血管炎（ヘノッホ・シェーンライン紫斑病）　**669**

が高い疾患であり，本邦では川崎病に次いで多い．小児での年間発症数は，年間10万人あたり3〜26.7人，発症のピークは4〜6歳，男女比は2：1と男児に多い傾向がある．

発症のトリガーの一つとして感染症が考えられている．特に小児期では，A群β溶連菌感染との関連が報告されている．発症に季節性があり，秋から冬にかけて多い．ほかに，薬剤，悪性腫瘍，環境因子などの関与も指摘されている．

皮膚の病理所見は，小血管周囲の多核白血球を中心とした炎症細胞浸潤を認める白血球破砕性血管炎であり，血管壁にはIgAやC3，IgGが沈着している．微生物はヒト血管壁と同様の抗原構造を有し，それらの構造に対するIgA型抗体が血管壁と交差反応性に血管内皮細胞に結合することにより，内皮細胞からの炎症性サイトカインの産生が促され，また，補体系も活性化され，好中球性炎症をきたすと考えられている．

一方，腎病変の病理所見はIgA腎症とほぼ同様であり，病態も類似していると考えられている．腎炎を伴うIgAVやIgA腎症の患者血清中では，ヒンジ部のO型糖鎖修飾中のガラクトースが減少したIgA1（Gd-IgA1）が増加している．Gd-IgA1とそれに対するIgG型自己抗体が免疫複合体を形成し，メサンギウム領域に沈着し糸球体腎炎を発症すると考えられている．ただし，IgAVの腎外病変におけるGd-IgA1の関与は証明されていない．

治療に必要な検査と診断

成人例については，CHCC 2012で定義された真皮小血管壁あるいは腎糸球体のIgA沈着を組織生検により証明することが推奨されるが，小児では他の小型血管炎の可能性が低いため，皮膚生検を行わなくても臨床症状より診断が可能である（皮B）．欧州リウマチ学会/欧州小児リウマチ学会コンセンサス会議による小児IgA血管炎分類基準を**表1**に示す．

1 症　状

a）皮膚症状

ほぼ全例に認められ，診断に最も重要な所見である．血管およびその周囲組織の炎症による隆起が触れる紫斑（palpable purpura）が特徴である．赤い皮疹から始まり，血管の破綻により出血し紫斑へと変化することが多いが，淡い点状出血斑のみで消退する場合もある．重力や外的圧力の影響を受けやすい下肢や背部に左右対称性にみられる．歩行前の乳幼児では臀部や体幹にも出現する．Quinckeの浮腫と呼ばれる血管神経性浮腫を，顔面，足背，手背，陰嚢に認めることもある．

b）消化器症状

50〜70％に腹痛，嘔吐，血便，下血といった腹部症状を認める．腹痛が多く，臍周囲の疝痛の訴えが約半数の症例である．血便や下血は20〜30％，便潜血反応は半数で陽性となる．稀ではあるが，腸重積や腸閉塞，腸穿孔，壊死性腸炎，蛋白漏出性胃腸症，膵炎の合併が報告されている．消化器症状は，15〜

表1　欧州リウマチ学会/欧州小児リウマチ学会（EULAR/PreS）の分類基準

必須項目：隆起性の紫斑
および，下記の特徴のうち1つ以上を認めること ①びまん性腹痛 ②関節炎ないし関節痛（急性で部位は問わない） ③腎障害（血尿，蛋白尿） ④生検組織にIgA沈着

（文献3より引用）

35％の症例で紫斑に先行する．消化器症状出現後，2〜3日以内に皮膚症状が認められることが多く，診断が可能となる．

c）関節症状

70〜80％に関節痛や関節腫脹を認める．一過性かつ移動性であり，関節破壊はきたさない．足関節や膝関節に多いが，約1/3には手関節や肘関節にも発症する．皮膚症状に先行して出現することもある．

d）腎症状

小児での出現率は20〜80％と報告により幅がある．尿所見の異常は，血管炎発症後，数日から1ヵ月以内に出現することが多い．成人発症例と比較して軽症とされ，永続的な腎機能障害をきたす症例は2％程度，急性腎炎症候群やネフローゼ症候群をきたすものは7％という報告がある．小児での腎炎合併のリスク因子として重症な消化器症状や関節症状，低補体血症，ASO高値，高年齢発症が報告されている．

e）その他の症状

神経症状（けいれん，頭痛），睾丸・陰嚢症状（腫脹，疼痛），心症状（心筋障害，心電図異常），尿路異常（尿管狭窄・閉塞），眼症状（虹彩炎，ブドウ膜炎），肺出血などの報告がある．

2 検査所見

a）血液検査

血小板数やプロトロンビン時間，部分トロンボプラスチン時間は正常である．約3/4の症例で血漿第Ⅷ因子活性の低下を認める．病初期には，約4〜60％において血清IgAが増加している．白血球数，CRP，赤沈などの炎症マーカーは先行感染を反映して上昇している症例がある．また，小児では低補体血症を認めることがある．ANCAは陰性であり，特に成人発症例においてANCA関連血管炎

との鑑別に有用な所見である．蛋白，アルブミン，クレアチニン，BUNは急速進行性糸球体腎炎やネフローゼ症候群合併例で異常値を示す．

b）尿検査

様々な程度の血尿と蛋白尿を認める．尿沈渣では赤血球の変形，顆粒円柱，赤血球円柱など糸球体性の血尿の所見を示す．

c）画像検査

腹部症状の鑑別に用いられる．超音波検査が有用であり，腸管壁肥厚，血腫，腹水，腸重積などの所見を認める．病変は食道から大腸まで起こりうるが，十二指腸を含む小腸病変が最も多く，腸重積は回腸—回腸重積が多い．

d）Rumpel Leede試験（毛細血管抵抗試験）：約30％で陽性となる．

e）腎生検：後述．

治療の実際

IgAVの腎外病変については自然治癒することが多いため，安静を保ち，必要に応じて補液や鎮痛などの支持・対症療法を行う．また，食物や薬剤などの原因が明らかな場合は，その原因物質を避ける．

1 腹部症状

腹部症状が強い場合の副腎皮質ステロイドの経口ないし経静脈投与は強く推奨される（皮A），または，実施が妥当である（循Ⅱa）．副腎皮質ステロイド療法による腸重積の予防効果は期待できない．副腎皮質ステロイドに依存性または抵抗性を示す場合は，ジアフェニルスルホン（DDS：小児0.5〜1.5mg/kg/日）を考慮してもよい（皮C1）．ただし，DDSは溶血性貧血やDDS症候群（発熱，発疹，肝障害，白血球減少）などの重篤

な副作用が知られており注意を要する.

2 関節症状

疼痛が強い場合は,非ステロイド性抗炎症薬（NSAIDs）の投与が推奨される（循Ⅱa）.ただし,消化管出血や腎炎を有する場合は禁忌であり,アセトアミノフェンや副腎皮質ステロイドなどを検討する.

3 皮膚症状

軽症の紫斑は経過観察し,比較的重症の紫斑（血疱/潰瘍を伴う紫斑,遷延する紫斑,広範囲に分布する紫斑）に対しては,DDSやコルヒチンを考慮してもよい（皮C1）.重症の紫斑の出現期間の短縮のため,副腎皮質ステロイドの短期間投与を考慮してもよいが,再発・再燃防止は期待できない（皮B）.皮膚の有痛性浮腫や掻痒感には,抗ヒスタミン薬投与を考慮する（循Ⅱb）.

4 その他

a）第XIII因子補充療法

第XIII因子補充療法が低下している症例の腹部症状や関節症状に対する第XIII因子補充療法は実施を考慮してもよい（皮C1）,または,

妥当である（循Ⅱa）.第XIII因子補充療法の有用性は臓器病変によって異なり,消化器症状や関節症状への有効性が報告されているが,腎症についてのエビデンスは十分ではない.

b）腎炎を合併した場合

腎炎については関連項目（IgA腎症）を参照のこと.腎炎の予防目的での副腎皮質ステロイド投与は推奨されない（皮C2,循Ⅲ）.

5 長期管理と予後

腎症がなければ,1ヵ月以内に自然寛解することが多い.1/3の症例は初発症状から4ヵ月以内に再燃する.初発症状の重症例ほど再燃のリスクが高いが,再燃の症状は初発時と比べて軽い.

腎症は,2ヵ月以内に合併することが多いため,最初の1〜2ヵ月は1〜2週間ごとに検尿と血圧測定を行う.その後,病勢が安定している場合は間隔をあけて発症1年後まで経過を観察する.尿所見とその対応について**表2**に示す.SHAREによるリコメンデーションでは,腎生検を考慮する基準を①持続する蛋白尿（早朝尿の蛋白クレアチニン比＞250mg/mmolが4週間以上,＞100mg/mmolが3ヵ月以上,＞50mg/mmolが6ヵ月以上）,

表2　尿所見と対応

尿所見		対　応
血尿のみか血尿と軽度蛋白尿*		腎生検を行わず,抗血小板薬の投与を考慮する（循Ⅱb）
血尿と中等度蛋白尿*		蛋白尿が6ヵ月以上続く場合に腎生検を行って治療方針を決める.
ネフローゼ症候群,高血圧,腎機能低下		腎生検を行い,組織学的重症度に応じて治療方針を決める
持続的蛋白尿	① 高度*が3ヵ月以上 ② 中等度*が6ヵ月以上 ③ 軽度*が12ヵ月以上	

*蛋白尿　軽　度：尿蛋白 $0.5\,g/1.73\,m^2$/日未満または早朝尿の蛋白/クレアチニン（Cr）比 0.5 未満
　　　　中等度：尿蛋白 $0.5 \sim 1.0\,g/1.73\,m^2$/日または早朝尿の蛋白/Cr 比 $0.5 \sim 1.0$
　　　　高　度：尿蛋白 $1.0\,g/1.73\,m^2$/日以上または早朝尿の蛋白/Cr 比＞1.0

（文献2を参照して作成）

または，②eGFR 低下＜80 mL/min/1.73 m$^{2)}$ としている[3].

処方・治療例

関節症状のみ

処方　イブプロフェン 30 mg/kg/日　分3

重症皮疹，腹痛・関節痛が強い例

処方　プレドニゾロン 1.0～2.0 mg/kg/日　分3（内服できない場合は，メチルプレドニゾロン 0.8～1.6 mg/kg/日）1～2 週間継続後，漸減中止する

中枢神経，肺，消化器病変などの重症例

処方　メチルプレドニゾロンパルス療法（10～30 mg/kg/日［最大 1 g/日］3 日間）を検討

専門医に紹介するタイミング

外科的処置が必要な可能性のある腸重積や腸穿孔を疑った場合は小児外科医に紹介する．腎生検の適応症例は小児腎臓専門医に相談する．

専門医からのワンポイントアドバイス

腹部症状が先行する症例は診断が難しい．IgAV を疑った場合は，画像検査で他の疾患を否定するとともに，経過中の皮疹の出現に注意を払う．

──────── 文　献 ────────

1) 日本皮膚科学血管炎・血管障害診療ガイドライン改訂版作成委員会：血管炎・血管障害診療ガイドライン 2016 年改訂版．日皮会誌 127：299-415，2017 https://www.dermatol.or.jp/uploads/uploads/files/vasculitisGL.pdf

2) 厚生労働省難治性疾患政策研究事業　難治性血管炎に関する研究班　磯部光章（班長）：血管炎症候群の診療ガイドライン 2017 年改訂版．2018 https://www.j-circ.or.jp/cms/wp-content/uploads/2020/02/JCS2017_isobe_h.pdf

3) Ozen S et al：European consensus-based recommendations for diagnosis and treatment of immunoglobulin A vasculitis‐the SHARE initiative. Rheumatology（Oxford）58：1607-1616, 2019

11. 免疫・膠原病

自己炎症性疾患

井澤和司[1]，西小森隆太[2]，平家俊男[3]

1) 京都大学医学部附属病院 小児科，2) 久留米大学医学部 小児科，3) 兵庫県立尼崎総合医療センター

POINT

●現在，約40の自己炎症性疾患が報告されている．

●診断には臨床症状のみならず，遺伝子解析が重要であるが，現在は多くの遺伝子解析が保険収載されている．

●『自己炎症性疾患診療ガイドライン2017』にも記載のある，比較的頻度の高い家族性地中海熱，クリオピリン関連周期熱症候群，PFAPA症候群などの特徴を把握し，その後に他の稀な自己炎症性疾患についても理解を深めていくことが大事である．

ガイドラインの現況

日常診療において不明熱あるいは何らかの原因不明の炎症性疾患と考えられる病態をもつ患者のなかには，自然免疫の異常によって発症する自己炎症性疾患が原因となっていることがある．近年，遺伝子解析技術の進歩により様々な自己炎症性疾患が明らかになりつつある．しかしながら各疾患は稀であるため，診療ガイドラインの整備が求められていた．

以上の背景を基に，平成26〜28年度の厚生労働科学研究費補助金 難治性疾患政策研究事業「自己炎症性疾患とその類縁疾患の診断基準，重症度分類，診療ガイドライン確立に関する研究」班（研究代表者：平家俊男）を中心に『自己炎症性疾患診療ガイドライン2017』が作成された．同ガイドラインはMinds診療ガイドライン作成の手引きに準拠して作成されている．これにより，病態の理解や治療法についての情報が広く浸透することが望まれる．

【本稿のバックグラウンド】 自己炎症性疾患のガイドラインとして，日本小児リウマチ学会編，平成26〜28年度厚生労働化学研究費補助金難治性疾患政策研究事業「自己炎症性疾患とその類縁疾患の診断基準，重症度分類，診療ガイドライン確立に関する研究」班が作成した『自己炎症性疾患診療ガイドライン2017』が推奨される．

どういう疾患・病態か

自己炎症性疾患は1999年にKastnerらにより提唱された疾患概念である．自己免疫性疾患が自己抗体や自己反応性T細胞を特徴とするのに対して，自己炎症性疾患では主に自然免疫の異常によって発症する．広義の自己炎症性疾患は，遺伝子変異は同定されてい

ないものの，自然免疫による過剰炎症が病態に関わっている疾患群である．狭義の自己炎症性疾患は，主に自然免疫関連の遺伝子変異よって発症する．遺伝子解析技術の進歩とともに，現在約40疾患の自己炎症性疾患が報告されている．『自己炎症性疾患診療ガイドライン2017』においては，狭義の自己炎症性疾患である5疾患：家族性地中海熱，クリオピリン関連周期熱症候群，TNF受容体関連周期熱症候群，メバロン酸キナーゼ欠損症（高IgD症候群・メバロン酸尿症），ブラウ症候群，そして広義の自己炎症性疾患：周期性発熱・アフタ性口内炎・咽頭炎・頸部リンパ節炎症候群（PFAPA症候群）を扱っている[1]．本稿においては，上記6疾患の要点について概説する．

1 家族性地中海熱（familial mediterranean fever：FMF）

FMFは周期熱とそれに伴う漿膜炎，関節炎を主症状とする．狭義の自己炎症性疾患のなかでは最も頻度が高く，本邦でも1,000人ほどの患者がいると推定される．*MEFV*遺伝子の常染色体優性もしくは常染色体劣性遺伝形式で発症する．FMFの典型例では*MEFV*遺伝子のエクソン10に疾患関連変異を認めることが多く，本邦においてはほぼM694Iヘテロ接合で発症している．エクソン10以外の変異，すなわちエクソン2やエクソン3の変異をもつ症例，変異のない症例においてもFMF様の症状を示すが典型例の臨床診断基準を満たさない症例はFMF非典型例とされる．しかしながら，このなかには様々な疾患が含まれる可能性があるので注意が必要である．FMFの発症時期は60～70％が10歳以下，90％が20歳以下である．発熱は半日から3日間持続し，自然に軽快する．漿膜炎により胸痛もしくは腹痛を認める．関節炎や関節痛は単関節に発症

し，非破壊性であることが多い．合併症としてはアミロイドーシスがある．検査においては発作時にCRPや血清アミロイドAの上昇を認めるが，FMFに特異的な検査所見はない．

2 クリオピリン関連周期熱症候群（cryopyrin-associated periodic syndrome：CAPS）

CAPSは*NLRP3*遺伝子の機能獲得型変異によって発症する自己炎症性疾患であり，本邦においては100人ほどの患者が存在する．軽症型の家族性寒冷蕁麻疹（FCAS），中等症であるMuckle-Wells症候群（MWS），重症例NOMID/CINCA症候群は3病型に分けられるが，境界領域の症例も存在する．FCASにおいては寒冷誘発性の周期熱，蕁麻疹様発疹，関節痛・関節炎などを認め，発作は通常1～2日で軽快する．MWSにおいては周期熱，蕁麻疹用発疹，関節痛・関節炎のほかに感音難聴，無菌性髄膜炎を合併する症例がある．発作は通常数日以内である．NOMID/CINCA症候群においては持続性の発熱，蕁麻疹様発疹，無菌性髄膜炎，精神運動発達地帯，骨幹端過形成を認める．いずれの病型においてもAAアミロイドーシスを合併しうる．

また，近年，*NLRP3*遺伝子の体細胞モザイクによる成人発症の報告が増えている．

3 TNF受容体関連周期熱症候群（TRAPS）

TRAPSは*TNFRSF1A*遺伝子変異によって常染色体優性遺伝形式で発症する自己炎症性疾患である．周期熱，腹痛，筋痛，発疹，結膜炎などの発作を認め，発熱期間が1週間以上と長いことが特徴である．長期的な合併症としてはAAアミロイドーシスがある．本邦における患者数は数十人程度である．*in vitro*での機能解析系が存在せず，遺伝子変異の疾患関連性の判定には注意が必要である．

自己炎症性疾患　675

4 メバロン酸キナーゼ欠損症（mevalonate kinase deficiency：MKD）（高 IgD 症候群・メバロン酸尿症）

MKD はコレステロール生合成経路に関わるメバロン酸キナーゼをコードする *MVK* 遺伝子の機能喪失型変異によって，常染色体劣性遺伝形式で発症する自己炎症性疾患である．本邦においては 10 名の報告があり[2]，患者数は 20 名程度と推測される．通常は乳児期早期から周期熱，皮疹，腹痛，嘔吐，関節症状を認める．当初は，血清 IgD の高値から高 IgD 症候群と名付けられたが，現在では IgD 高値を認めない症例がいること，他疾患でも IgD が高値となりうるため，メバロン酸キナーゼ欠損症と呼ばれることが多くなった．メバロン酸キナーゼ活性がほぼ欠損している重症例は先天奇形や精神発達遅滞を伴いメバロン酸尿症と呼ばれていた．現在では高 IgD 症候群とメバロン酸尿症を合わせてメバロン酸キナーゼ欠損症と呼ばれる．

5 ブラウ症候群

NOD2 遺伝子の機能獲得型変異によって常染色体優生遺伝形式で発症する自己炎症性疾患である．苔癬様の紅色丘疹が集簇（皮膚症状），四肢抹消関節に好発する無痛性関節炎・全眼性のブドウ膜炎などの眼症状症を認める．通常は 5 歳未満に発症する．また手背・足背の嚢腫状主張，手指足趾のソーセージ様腫脹が認められる場合がある．

6 周期性発熱・アフタ性口内炎・咽頭炎・頸部リンパ節炎症候群（PFAPA 症候群）

口内炎，頸部リンパ節炎，扁桃炎・咽頭炎を伴う発熱発作を反復する自己炎症性疾患である．遺伝性はなく，広義の自己炎症性疾患に分類される．周期熱症候群のなかでは最も頻度が高い．典型的には，発症年齢は 3〜4 歳，発熱期間は 3〜6 日，発熱間隔は 3〜8 週

間である．発作間欠期は無症状である．発作時に CRP の上昇を伴い，発作間欠期には CRP が陰性化すること，発作時ステロイドが著効することも，本疾患の特徴である．自然治癒も期待される予後良好な疾患である．

治療の実際

1 FMF

a）コルヒチンの推奨は？

FMF 典型例においてはコルヒチン持続投与は発熱発作予防に推奨され，合併症の予防効果も期待できる（根拠の確かさ：A）．FMF 非典型例においてコルヒチン持続投与は発熱発作予防に推奨される（根拠の確かさ：C）．

［解　説］

コルヒチンは発作の軽症化や頻度の減少，合併するアミロイドーシスの予防が確認されている．成人症例のみならず，小児例においても対しても有効性が報告されている．欧州リウマチ学会からの recommendation では FMF 妊婦においても投与継続が推奨されている[2]．

ガイドラインにおける投与量は，成人 0.5〜1.5 mg を 分 1〜2，小 児 0.01〜0.03 mg/kg 分 1〜2 である．副作用として頻度が高いのは悪心・嘔吐・下痢であるが，少量から開始し，分割投与のほうが，こういった副作用は起きにくい．

b）カナキヌマブの推奨は？

FMF 典型例に対するカナキヌマブの使用は，コルヒチンを患者の最大許容量を継続投与しても頻回の発熱発作を認める場合に推奨される（根拠の確かさ：B）．FMF 非典型例に対するカナキヌマブの使用は，現時点では評価不能であり，積極的には推奨されない（根拠の確かさ：C）．

[解　説]

　カナキヌマブは 2016 年 12 月より FMF に対して保険適用になっている．上記のとおりコルヒチン無効または不耐症例において使用可能である．カナキヌマブ投与中においても，通常はコルヒチンを併用する．長期使用成績に関しては不明であるが，有効性は高く評価されている[3]．非典型例に対するエビデンスはない．

② CAPS

a）カナキヌマブの推奨は？

　CAPS 重症型の NOMID/CINCA 症候群，および CAPS 中等症型の MWS の治療において，カナキヌマブは第一選択薬として使用が推奨される（根拠の確かさ：A）．

　CAPS 軽症型の FCAS では，頻回の炎症発作により QOL が低下し，短期的副腎皮質ステロイドもしくは NSAIDs 治療などの対症療法が効果不十分の場合に使用が考慮される（根拠の確かさ：C）．

[解　説]

　NOMID/CINCA 症候群，MWS においてはカナキヌマブの使用が強く推奨される．AA アミロイドーシスに対するエビデンスはないが，一般的に AA アミロイドーシスは慢性炎症の結果として起こるため，カナキヌマブの使用により予防につながることが期待されている．

　FCAS に対するエビデンスレベルは低い．また，発作時の副腎皮質ステロイドが代替療法となりうる．カナキヌマブは第一選択とはならないが，症状が強く MWS との区別が困難な症例や AA アミロイドーシス発症のリスクがある症例においては使用が考慮される．

b）副腎皮質ステロイド全身投与の推奨は？

　CAPS における副腎皮質ステロイド全身投与は維持療法としては推奨されず，一時的症状悪化時に限定して対症療法として用いるべきである（根拠の確かさ：C）．

[解　説]

　CAPS に対する副腎皮質ステロイドの効果は限定的である．NOMID/CINCA 症候群，MWS の症状悪化時に一時的に使用することはあるが，維持療法としては推奨されない．FCAS の発作時には対症療法として考慮される．

③ TRAPS

a）副腎皮質ステロイド全身投与の推奨は？

　発熱発作時の炎症を抑制するために，間欠的副腎皮質ステロイド投与は推奨される（根拠の確かさ：C）．発熱頻回例および炎症持続例に対し，副腎皮質ステロイド持続全身投与は推奨される．ただし副作用が問題となる場合は，生物学的製剤などの導入を考慮すべきである（根拠の確かさ：C）．

[解　説]

　TRAPS においては重症度に応じた治療が必要である．エビデンスは十分ではないが，発作に対する副腎皮質ステロイドは有効である．軽症例では発作時に NSAIDs もしくは副腎皮質ステロイドで対応可能である．発熱発作頻回例や副腎皮質ステロイドの副作用が問題となる場合はカナキヌマブの投与が検討される．

b）カナキヌマブの推奨は？

　カナキヌマブは頻回発作もしくは慢性炎症を伴う症例で，副腎皮質ステロイド投与では十分炎症が抑制できない症例に限定し，推奨される（根拠の確かさ：B）．

[解　説]

　生物学的製剤の中では，当初エタネルセプトの有効性が報告されていたが，二次無効が問題となっていた．TRAPS に対する抗 IL-1 製剤の有効性が徐々に報告されるようになり，本邦においては 2016 年 12 月からカナキ

自己炎症性疾患　677

ヌマブが保険適用となった．長期使用成績に関しては不明であるが，有効性は高く評価されている[3]．

4 MKD

a）副腎皮質ステロイド全身投与の推奨は？

短期的副腎皮質ステロイドは，発熱発作の抑制において考慮される（根拠の確かさ：C）．

副腎皮質ステロイド持続投与は，生物学的製剤単独では十分に炎症を抑制できない症例に限定して考慮される（根拠の確かさ：C）．

［解　説］

MKD では TRAPS 同様に重症度に幅がある．本邦においては軽症例が少なく，重症例が多い．軽症例に対しては発作時に短期的な副腎皮質ステロイド投与が行われる．ただし重症例に関しては発作が頻回であったり，持続炎症を認めることから副腎皮質ステロイド持続投与のみでは発作を抑制できず，生物学的製剤（カナキヌマブ）が必要となる．ただしカナキヌマブ単独では炎症を十分に抑制できない場合には副腎皮質ステロイド持続投与も考慮される．

b）カナキヌマブの推奨は？

カナキヌマブは慢性炎症や成長障害，臓器障害を認める症例に推奨される（根拠の確かさ：B）．発熱発作のみで，間欠期に炎症を認めない症例に対しては，発熱発作時に副腎皮質ステロイドで対応できない症例に限定してカナキヌマブが推奨される（根拠の確かさ：B）．

［解　説］

症状が軽微な症例においてはカナキヌマブを使用する必要はない．全身炎症が遷延する重症例においては副腎皮質ステロイドのみではコントロール困難であり，長期投与による副作用が問題となる．本邦においては 2016 年 12 月にカナキヌマブが保険適用となり，

治療の選択肢が広がった．抗 TNF 製剤の有効性もある程度報告されているが，抗 TNF 製剤では炎症が抑制できなかった症例においても抗 IL-1 製剤の有効性が報告されている．長期使用成績に関しては不明であるが，有効性は高く評価されている[3]．カナキヌマブ単独では炎症をコントロールできない症例においては副腎皮質ステロイドの併用が考慮される．

なお，重症例においては造血細胞移植の有効性が報告されている．

5 ブラウ症候群

a）副腎皮質ステロイドの全身投与および局所投与の推奨は？

ブラウ症候群の発熱などの全身症状，眼症状の急激な進行を抑えるために，副腎皮質ステロイドの全身投与は考慮される（根拠の確かさ：C）．

ブラウ症候群の眼症状の進行を抑えるために，副腎皮質ステロイドの局所投与は推奨される（根拠の確かさ：C）．

［解　説］

副腎皮質ステロイドの全身投与や眼病変に対する局所投与の有効性を示す高いエビデンスはないが，一般的に有効である．全身投与の際には，長期投与による副作用に注意が必要である．眼病変に対する急性期使用として推奨される．

b）MTX 内服の推奨は？

ブラウ症候群の眼症状，関節症状の進行を抑えるために，MTX 内服は副作用が忍容される範囲で考慮される（根拠の確かさ：C）．

［解　説］

ブラウ症候群において高いエビデンスはないが，効果が期待される．

c）抗 TNF 製剤の推奨は？

抗 TNF 製剤は関節症状，眼症状に対し使用が考慮される．また先行する関節症状の治療

により眼症状の出現を抑制する可能性がある.

[解　説]

ブラウ症候群に対する治療法は確立されていない.また関節可動域の制限や関節変形が起こる前に抗TNF製剤を使用することで,炎症の改善が報告されている.また,関節所見に対して抗TNF製剤を使用することで,それにひき続く眼病変の発症を予防できる可能性がある.

⑥ PFAPA 症候群

a) 発熱発作時の PSL 内服の推奨は?

発熱発作時のPSL内服はPFAPA症候群の発熱発作を頓挫する効果が期待される.ただし,他の原因による発熱に安易にPSLが投与されることがないよう,慎重な使用が望ましい(根拠の確かさ:B).

[解　説]

PSL 0.5〜1.0mg/kgを発熱発作時に1回もしくは発熱が続けば2回内服することにより,ほとんどの症例で解熱する.ただし,一部で発熱発作間隔を短縮することが報告されている.

b) シメチジンの予防内服の推奨は?

シメチジン予防内服は,発作の抑制として使用することができる.ただし,十分な効果が認められない症例に対して漫然とした使用は避けるべきである(根拠の確かさ:C).

[解　説]

明確な作用機序は明らかではないが,一部の症例で効果が期待される.発作間隔の延長や発作程度の軽減が期待される.通常10〜20mg/kg分2内服とする.

c) PFAPA 症候群に対する扁桃摘出術の推奨は?

扁桃摘出は発熱発作の抑制効果が最も期待できる.ただし自然治癒が期待できる疾患であり,手術のリスクを考慮したうえで総合的に判断するべきである(根拠の確かさ:A).

[解　説]

発作消失率は7〜9割であり,エビデンスレベルも高い.手術も一定のリスクを伴うこと,自然治癒も期待される疾患であることから,内科的治療に反応しない場合に選択するという方針をとることも多い.頻度は低いものの発熱発作の再燃例が確認されている.

専門医に紹介するタイミング

各疾患は稀であり,特に診断に難渋したり,標準治療が奏効しない症例においては早期から専門家へのコンサルテーションが望ましい.

専門医からのワンポイントアドバイス

遺伝子解析技術の進歩とともに新規の自己炎症性疾患が次々と報告されている.ベーチェット病様の病態をとるA20ハプロ不全症,結節性多発動脈様の病態をとるADA2欠損症,腸炎・マクロファージ活性化症候群を繰返し,一部ではCAPS様症状をとるNLRC4異常症,成人発症を特徴とし,再発性多発軟骨炎などを認めるVEXAS症候群などガイドラインには記載のない疾患も存在する.

——————— 文　献 ———————

1) 日本小児リウマチ学会:自己炎症性疾患 診療ガイドライン 2017.2017

2) Tanaka T et al:National survey of Japanese patients with mevalonate kinase deficiency reveals distinctive genetic and clinical characteristics. Mod Rheumatol 29:181-187, 2019

3) Ozen S et al:EULAR recommendations for the management of familial Mediterranean fever. Ann Rheum Dis 75:644-651, 2016

4) Benedetti F et al:Canakinumab for the treatment of autoinflammatory recurrent fever syndromes. N Engl J Med 378:1908-1919, 2018

自己炎症性疾患　679

12. 社会・神経心理学的疾患

12. 社会・神経心理学的疾患

摂食障害

田中恭子
国立成育医療研究センター こころの診療部

POINT
- ●コロナ禍を機に摂食障害の発症増加，症状悪化が報告されている．
- ●ストレス関連性疾患としてバイオサイコソーシャルアセスメントが必須である．
- ●治療には本人と家族への疾病教育，身体管理と心理療法が必要となる．

ガイドラインの現況

　小児の摂食障害診療においては，日本小児心身医学会が中心となって編集されている『小児心身医学会ガイドライン集 ─ 日常診療に活かす5つのガイドライン』が最も臨床に有用である．やせに気づくこと，病的な症状，スクリーニング方法（食行動や成長曲線から読み取れることなど），介入方法（医療，教育との連携など含め）などが記載されており，実臨床で適用しやすい内容となっている．

【本稿のバックグラウンド】 本稿では前述のガイドラインを軸に，国立精神神経センターポータルサイト「摂食障害」，"Clinical Manual of Pediatric Consultation-Liaison Psychiatry"（Shaw R et al.）に掲載されている，バイオサイコソーシャルアセスメントおよび Eating Disorder の章を参考にしている．

どういう疾患・病態か

1 概　要

　摂食障害とは，これまで拒食症や思春期やせ症とも呼ばれていた「神経性やせ症」，過食嘔吐を繰返す「神経性過食症」，その他の摂食障害（回避・制限性食物摂取症など）の総称である．特に低年齢の小児では，摂食障害のおよそ30％が非定型といわれており，病態が多様性に富んでいる．また近年では患者数の増加と初潮前に発症する低年齢化が目立ち，発達障害との関連も報告されている．

心身両面のケアが必要であるが，どちらも低栄養が進むほど治療が難しくなるため，早期の対応が求められる．低体重や低栄養による身体への影響は深刻なものが多く，最悪の場合死に至ることもあり，早期の適切な治療が必要である．

2 疫　学

　摂食障害は1980年から約10倍増加している．好発年齢は神経性やせ症が10〜19歳，神経性過食症は20〜29歳であり，90％以上が女性での発症である．また標準化死亡比

表1　思春期やせ症診断基準

診断基準
A. 必要量と比べてカロリー摂取を制限し，年齢，性別，成長曲線，身体的健康状態に対する有意に低い体重に至る．有意に低い体重とは，正常の下限を下回る体重で，子どもまたは青年の場合は，期待される量低体重を下回ると定義される．
B. 有意に低い体重であるにもかかわらず，体重増加または肥満になることに対する強い恐怖，または体重増加を妨げるため持続する行動がある．
C. 自分の体重または体型の体験の仕方における障害，自己評価に対する体重や体型の不相応な影響，または現在の低体重の深刻さに対する認識の持続的欠如

病　型
〈分　類〉 ・制限型 AN-R：この3ヵ月において過食や排出行動（自己誘発性嘔吐，下剤や利尿薬，浣腸剤の誤用）を繰返していない． ・過食/排出型 AN-BP：この3ヵ月において過食や排出行動（自己誘発性嘔吐，下剤や利尿薬，浣腸剤の誤用）を繰返している．

（SMR）は，小児期発症の神経性無食欲症では 3.1 と，青年期発症の神経性無食欲症では 3.2 と算出されている．

3 病型分類

これまで多様性に富む小児の摂食障害の病型分類として，グレート・オーモンド・ストリート・ホスピタルのクライテリア（GOSC）が診断に引用されてきたが，このような背景を基に最新の American Psychiatric Association：米国精神医学会の DSM-5 では，病的にやせて「やせ願望」や「肥満恐怖」や「ボディイメージの歪み」もない「拒食症」に似た食行動異常は『回避・制限性食物摂取症』と診断されることになった．

a）回避・制限性食物摂取症（ARFID）

典型的には小児期に発症し，当初は小児期によくみられる偏食と区別が難しい場合がある．しかし偏食で問題となるのは，一般的には数種類の食べものだけであり，偏食のある子どもはこの病気の子どもとは異なり，食欲は正常で，全体として十分な量の食事を摂り，正常な成長と発達がみられることで鑑別がつく．

b）神経性やせ症（AN）（表 1）

頑固な体重減少に伴い，体重・体型に対する歪んだ認知（やせ願望や肥満恐怖）や食行動への病的な没頭（食物の回避や過度な運動など）を認める場合に診断される．

c）神経性過食症（BN）

過食のエピソードを特徴とし，コントロール不能の感覚とともに反復性に大量の食物を摂取することで定義される．摂取後は体重増加を防ごうとする行動（自己誘発性嘔吐，下痢または他の薬剤・物質の乱用，過度の運動，絶食など）がみられる．診断基準では，過食および代償行動の頻度が週に1回以上，3ヵ月の持続と記されている．

d）過食性障害（BED）

BN 同様に，コントロール不能な感覚とともに食物摂取のエピソードが繰返されることが特徴であるが，不適切な代償行動を伴わない．一般的に肥満であることが多く，健康上のリスクの増加を伴う．

摂食障害　683

表2　鑑別診断とよくみられる併存診断

疾　患	鑑別疾患	よくみられる併存診断
捕食障害	反応性アタッチメント障害，ネグレクト，医学的な原因（咀嚼や嚥下機能の問題など）	不安症，ASD，知的能力障害
異食症	思春期やせ症，回避・制限性食物摂取症，虚偽性障害（作為症），自殺を目的としない自傷	回避・制限性食物摂取症，強迫症，統合失調症，ASD，知的能力障害
反芻症	思春期やせ症，神経性過食症，胃消化管による医学的要因	全般性不安障害，ASD，知的能力障害
回避・制限性食物摂取症	思春期やせ症，反応性アタッチメント障害，特定の恐怖症，社交不安，うつ病性障害	不安症，ADHD，ASD，知的能力障害
思春期やせ症	反応性アタッチメント障害，思春期やせ症，特定の恐怖症，社交不安，うつ病性障害	うつ病性障害および不安症（強迫症含む）
神経性過食症	思春期やせ症，過食性障害，気分障害，境界性パーソナリティー障害，Kleine-Levin 症候群	気分障害，不安症，物質乱用，境界性パーソナリティ障害
過食性障害	神経性過食症，プラダーウィリー症候群，Kleine-Levin 症候群	気分障害，不安症，物質乱用

鑑別診断

　特に重要なのは，脳腫瘍（視床下部腫瘍など），悪性腫瘍（白血病など），消化器系疾患（消化性潰瘍，胃炎，消化管通過障害，上腸間膜動脈症候群など），膠原病，糖尿病，甲状腺機能亢進症などがある．脳腫瘍では，やせが進行すると，まるで摂食障害と同じような自分の身体に対する感じ方やとらえ方の異常がみられる場合があるので，注意を要する．最近では，不適切な養育環境による栄養障害やトラウマの一症状としての摂食の問題や抑うつ状態や統合失調症の一症状として食欲低下や拒食がみられることもある（表2）．最初の診たてから丁寧に経過をフォローしながら精神症状の推移，家族力動，社会適応など多角的かつ包括的にアセスメントを重ねる必要がある．

症　状

1　身体症状

　正常下限を下回るやせがあり，成人ではBMI が 15 kg/m^2 未満になると最重度と診断される．やせているのに活発に活動することが多くみられ，やせに伴い次第に筋力低下や疲れやすさを感じるようになる．低血圧，心拍数低下，低体温，無月経，便秘，下肢のむくみ，背中の濃い産毛，皮膚の乾燥，手のひらや足の裏が黄色くなるといった変化がみられる．過食や嘔吐がある場合には，唾液腺が腫れたり，手に吐きダコがみられるケースもある．血液検査では，脱水，貧血や白血球減少，肝機能異常，低蛋白血症，高コレステロール血症などがあり，嘔吐や，下剤を大量に使うことなどにより電解質異常をきたす（表3）．また，骨粗鬆症や腎機能障害，脳の萎縮もみられるようになる．

表3 低栄養による身体合併症と検査データ

器 官	症状と徴候	検査データ	検査名
尿	急激なやせ	ケトン体	尿検査
皮膚系	うぶ毛の密生，脱毛，皺の増加		視診
血 液	疲労，低体重	貧血（正球性正色素性が多い），血清鉄，葉酸，ビタミンB12が低下，白血球減少，汎血球減少症	末梢血液検査
電解質	動悸，不整脈，けいれん	心電図異常，低K血症，低Na血症	電解質検査
消化器	味覚障害，食後の不快感，腹部膨満感，便秘，嘔吐，腹痛	血漿亜鉛の減少，胃内容排泄時間の延長，イレウス，上腸間膜動脈症候群	血液検査，消化管検査
肝 臓	疲労	トランスアミナーゼの軽度上昇	肝機能検査
腎 臓	足の腫脹，浮腫	BUNの上昇，腎濃縮能の低下	腎機能検査
脂質代謝	無症状	コレステロール値の上昇	脂質検査
JA：循環器系	徐脈，不整脈，動悸，失神	ST変化，T波異常，QT時間の延長，左室径，右室径	心電図検査，心エコー
骨・筋肉系	骨折，筋力低下	骨粗鬆症，筋萎縮	CT，DEXA，筋電図
内分泌系	無月経，性欲低下，皮膚乾燥，浮腫，睡眠障害	視床下部－下垂体－性腺系，副腎系，甲状腺系の異常	内分泌検査
中枢神経系	睡眠障害，認知・集中力の低下，けいれん	異常脳波，脳萎縮像	脳波検査，CT検査，MRI検査

2 精神症状

やせの影響で抑うつ気分や不安，こだわりや強迫観念が強くなる．特に思春期やせ症では，やせていることで満足感は得られるが，根底には自尊心の低下が存在する．体力低下に伴い，学業や仕事の能率の低下もみられ，日常生活にも支障が出ることがある．病型によっては，うつ病，不安障害（社会恐怖，強迫神経症，PTSD，単一恐怖症など），物質依存（薬物，アルコールなど），境界性パーソナリティー障害，窃盗症（クレプトマニア）などが併存することがある．

a）食行動異常

摂食制限，過食，バージング（自己誘発性嘔吐，下剤や利尿薬の乱用，絶食，過剰な運動など）があるが，特にバージングは，回避性，強迫性，境界性パーソナリティー障害，

抑うつなど，精神症状をきたす症例が多い（表2）．

b）ボディイメージの歪み

①体重，体型についての不満，②体重減少願望，③体重測定への反応，④体重，体型に対するこだわりの優先性，⑤体重増加への恐怖，⑥身体を見ることへの不快感，⑦身体を人目にさらすことの回避，⑧肥満感，⑨平坦な腹部，などがみられるが，低年齢では特に体型や体重への過度な関心より，食事自体を自分でコントロールすることへのこだわりを示すことが多い．

c）体重減少の進行

生体防御反応でβエンドルフィンなどのオピオイド分泌が高まり，ダイエットハイの状態が持続し，やせればやせるほど心地良くなる，という難治の世界に入っていく．またヒ

摂食障害 685

4Ps	Predisposing 素因	現在の問題に影響を与えている脆弱性や行動パターン
	Precipitating 誘発因子	原因となっていると思われる現在または最近のストレス要因
	Perpetuating 持続因子	現在の問題を維持する要因
	Protective 保護因子	現在の問題の結果に影響を与える可能性のある支援や回復力を示唆する強み

欠かせない視点

生育歴
発達的（心理的）視点
社会的視点

- 疾患が一つの原因によって説明できるとは限らない
- むしろ危険因子の組合せやつながりによる
- 原因探しに没頭するのではなく，できること・強みなどをエンパワーし，対話を重ね本人の気づきを促し行動できるように気長に支援し，成長を見守ると同時に，子どもの成育環境に働きかける
- そして支援者が結論を焦らない

図 1　バイオサイコソーシャルアセスメント─状態像に影響する因子の整理と支援の在り方

ルデブルックは，"拒食症患者は底知れぬ自尊心の欠如を抱えており，両親の極めて侵入的な世話を長年にわたって受け続けている. 患者のほとんどは，周囲を喜ばせることと期待に応えることを命題として生きてきた人々であり，その体験の蓄積からくる葛藤が症状となって患者を支配し，食事制限を行うようになる. こうした重い人格的な問題を注意深く採り上げ続ける必要性がある"と伝えている. 治療において，行動身体治療だけで患者を治療する傾向に対して警鐘を鳴らし，本人の抱える"拒食，るいそう"という表現型の背後にある自身の根深い内的葛藤への対応も遂行していく必要性があることを説いている.

3 問診のポイント

発症のきっかけは何か，体重の変化があるのか，やせたい気持ちや自分の体重や体型についての考え方など，細かい点を確認する. さらに，生育歴，発達歴，現在の日常生活の様子など様々な視点から話を聴く. 診察や，

血液検査をはじめとする検査を必要に応じて行い，栄養状態はどうか，他の身体の病気で摂食障害に似た症状がみられている可能性はないか，また摂食障害の影響で身体に異常がみられないかを判断し，本人と家族に身体の危険状態について説明を行い，治療への承諾が得られるよう努める. 初診時の親身な関わりは，その後の治療遂行に影響しうる重要なステップとなる.

治　療

1 生物心理社会的アセスメント（図 1）

治療介入には，バイオサイコソーシャルアセスメントが必須である.

特に親との関係性に関する社会的アセスメント，そしてその家族という社会的要因がもたらした個の人格への影響（性格特性や心理的防衛機制など）のアセスメントは必須であろう. 特に，親と子どもの関係が要因となるのは，例えば親が発達段階に沿った栄養につ

表4 治療教育

1. 疾病教育	・患児の身体状況・検査結果と見通しの説明 ・疾患に関する一般的説明 ・異常状態・異常値を改善する方法の説明
2. 栄養教育	・栄養の必要性・重要性の説明 ・低栄養が身体に与える影響の説明 ・「太らない」ための適切な食事内容・量の説明（患児の希望が尊重されると保証しながら） ・栄養相談が続けられると保証
3. 治療の説明	a) 栄養目的・治療目標の説明 ・治療目的：最終的な到達点 ・治療目標：入院治療の目標 b) 治療方法の説明 ・再栄養療法の説明：健康回復のための対応と説明 ・環境統制の説明：身体状況への配慮としての説明 ・身体症状への対応の保証・説明 ・対応困難時の対処方針の説明 →治療スケジュールの説明・行動療法の併用

いて知らなかったり，子どもが座って自力では食べられないことを知らなかったり，赤ん坊が窒息してしまうことを恐れたりする場合，適切に食べさせることができず，結果的に固形物を食べさせる時期が遅れたり早すぎたりするとともに，子どもに不安感を転移させてしまうことになる．自身が摂食とボディイメージに関する不安を持つ親は，食事にかかる時間に加えて，子どもに与える食べものの種類と量の両方とをコントロールすることがある．環境要因，特に社会的逆境，貧困，機会の欠如も一因となりうる．こうした問題には，複数の情報源から得た要因にもとづく認識によるバイオサイコソーシャルアセスメントが必要である．また，自身が摂食の問題をもつ親は，対照群と比較して，食事のときによりネガティブで葛藤を表しやすく，子どもがよりネガティブであることがわかっている．親子間のこうした相互作用により，ある研究者たちは摂食障害を「関係性障害」として概念化すべきであると提言している．こうした相互作用は，ペアレンティングをきちんと評価すること，親子関係を調べること，親自身の食べものとの関係を含めたメンタルヘルスについて聴くことの重要性を浮き彫りにする．

② 身体面

治療法は基本的な疾病教育や栄養療法のほか，心理療法と対症的な薬物療法が中心になる．疾病教育では病気に対する正しい知識を身につけ，健康的な食生活に改善するための助言を行い，栄養療法では，栄養士による助言や，必要な場合は食事以外の補助的な栄養補給などが行われる（**表4**）．このほか，家族ガイダンス，環境の調整や社会的資源の利用などを勧めたりすることもあるが，まずは身体面の回復がないと心理介入も中途半端になることも多く，食行動の改善，それに伴う身体面の改善（体重増加や月経の回復），食や身体に関する偏った考え方の改善，学校などで過ごしやすくなることなどを目標とする．低栄養・低体重の心や身体に対する影響を正しく知ることが治療の第一歩となり，そのうえで三食規則正しく食べ，健康的な食事に心と身体を慣らしていく．三食食べても体重は急激に増えないことを実感することは，食事や体重についての偏った考えを少しずつ変えていくために重要であり，また栄養が改善することで頑なな考えに柔軟性が生じる場合もある．摂食を含めた身体機能回復に伴い，行動制限が解除される行動療法の併用も効果がある．この行動療法では関わるスタッフ全員が内容を共有し一貫した対応を行う必

摂食障害　**687**

要性があり，入院の場合は週に1回ケースカンファレンスなどを行い，現状の把握と今後の課題などを確認しながらチーム医療を遂行することが望ましい．

一般に，まずは外来で治療を行うが，入院適応と基準を**表5**に示す．ただし，このほかにも1～2ヵ月の短期間で急激な体重減少がある場合には入院治療の適応になり，また，やせの程度だけではなく，診察や検査結果などを総合的にみて，入院の必要性を判断する．また，中長期視点からは，性機能に関した内分泌的フォローや骨粗鬆症予防の観点からのアセスメントも必須となる．

3 心理療法

心理療法では，認知行動療法や家族療法などの効果が報告されている．実際に患児の示す摂食行動異常には，家族力動が大きく影響していることも多く，とりわけ思春期の摂食障害ケースにおいては，家族機能に注目したエンパワーメントが身体・精神的予後を左右しうる．

また，認知行動療法は，歪んだ非機能的認知の修正とコーピングスキルの修得を目標とし，やせていなくてもよい自分を肯定的に認知し適応的思考を見いだすことで，より良い行動を活性化し，負の感情からポジティブな感情への変化を自覚することを支援する．食べる・食べないという綱引きになることは避けながら，別の建設的な目的のためにメリットとしての摂食行動を構築してもらう（直接）か，家族関係や対人関係のストレスマネジメントなどを行うことで摂食行動が回復することを目ざす（間接）．若者の体重コントロールと自制，家族から協力を得る方法，体重や体型に関する「思い込み」の問題に取り組む．

表5 神経性無食欲症の入院の身体的基準

以下いずれか1項目に該当で入院適応

1. 体　　重：標準体重の70％以下あるいは急激な体重減少
2. 心拍数：50/分以下
3. 血　　圧：80/50mmHg以下
4. 低カリウム血症
5. 低リン血症

4 薬物療法

摂食障害に対する特効薬はないが，身体や心の症状に対して薬を使用することがある．強迫性や抑うつが強いケースでは，抗うつ作用を有する精神薬，体重など細部へのこだわりや身体感覚への過敏性を有するケースでは，抗精神薬の少量投与も検討される．しかしながら，その投与に関しては十分なインフォームドコンセント（IC）が必要である．また，低体重が著しくなくても，入院治療の効果が期待され，勧められる場合もありうる．

その他

摂食障害と発達障害の併存が注目され，小学生27％，中学生17％，高校生9％に，自閉スペクトラム症，注意欠如多動性障害，軽度知的障害が合併することが報告されている．この場合は，発達特性を理解した関わりが必要となり，感覚過敏やこだわりについては認知行動療法，薬物なども検討の余地があり，関わりとしては，①抽象的でなく具体的で比喩を用いない簡潔な指示，②視覚的構造化，③ロールプレイ・プレパレーション，④トークンによるステップアップ，ラダー形式による行動療法が適用となる．

専門医からのワンポイントアドバイス

本人を問い詰めたり責めたりせずに，どうしてそのような行動をとるのか，きっかけや気持ちを聴いて受け入れてほしい．そのうえで心配していることを伝え，良くなるために何ができそうかを一緒に考える姿勢が必要である．家族は心配なあまり無理に食べさせようとしたり，食べるのを監視したりしてしまいがちであるが，食事や体重に関する直接的な話は医療者に任せ，できたことや良くなった点を採り上げて努力をほめてあげるようガイダンスする．問題行動は病気の影響が大きく，抑えるのが難しいのが現状であるが，本人や周囲の人のためにも一定のルールは必要であり，本人，家族，医療者で話し合ってルールを設け，過干渉や過保護を防ぐ．育て方や接し方が悪かったからではないかと自責の念をもつ家族も少なくないが，家族が摂食障害の原因であるという明確な証拠はなく，大切なのは，誰が悪かったのか・何が悪かったのかを探すことではなく，今後どうするかということを強調し，根気強く患者に寄り添って治療に臨むことが，何よりも大きな患者の支えとなる．

—————— 文　献 ——————

1) 猪野木雄太 他：摂食障害を契機に自閉スペクトラム症の診断に至った7症例. 子の心とからだ 29：286-229, 2020
2) American Psychiatric Association：Diagnostic and Statistical Manual of Mental Disorders, 5th ed：DSM-5. American Psychiatric Press, Washington D.C., 2013（高橋三郎，大野　裕 監訳：DSM-5 精神科診断・統計マニュアル. 医学書院, 2014）
3) Tanaka K et al：Bone mineral density in children and adolescent girls with anorexia nervosa in Japan. Pediatr Int 49：637-640, 2007
4) Elder JH et al：Clinical impact of early diagnosis of autism on the prognosis and parent-child relationships. Psychol Res Behav Manag 10：283-292, 2017
5) Shaw R et al：Clinical Manual of Pediatric Consultation-Liaison Psychiatry. 2019

12. 社会・神経心理学的疾患

チック

多門裕貴，立花良之
国立成育医療研究センター　乳幼児メンタルヘルス診療科

POINT

●チック（トゥレット症）に関するガイドラインとして，本邦では 2011 年に『トゥレット症候群の治療・支援のガイドブック』が，また近年では米国（2019）と欧州（2021）から，それぞれ最新のガイドラインが公開されている．

●チック（トゥレット症）は，チック症状の評価だけではなく，心理社会的因子を含む患者全体を包括的に理解することが重要である．

ガイドラインの現況

チック（トゥレット症）に関しては，米国からは 2013 年，2016 年，2019 年[1]に，カナダからは 2012 年に，欧州からは 2021 年[2]に，それぞれガイドラインが公開されている．また，インドからは 2019 年に精神疾患に対する外科治療のガイドラインが公開され，その中でトゥレット症に対する脳深部刺激療法（DBS）について報告されている．日本からは 2011 年に『トゥレット症候群の治療・支援のガイドブック（厚生労働科学研究費補助金　障害者対策総合研究事業（身体・知的等障害分野）「トゥレット症候群の治療や支援の実態の把握と普及啓発に関する研究」）』[3]が公開されている．NPO法人日本トゥレット協会が 2018 年に作成した『チック・トゥレット症ハンドブック』は，学校や職場，社会の中での，トゥレット症の説明用ツールとしての活用が期待される．

【本稿のバックグラウンド】 チック（トゥレット症）に関する病態や評価，治療に関しては，米国（2019 年）の American Academy of Neurology（AAN）によるガイドライン[1]や欧州（2021 年）の the European Society for the Study of Tourette Syndrome（ESSTS）によるガイドライン[2]を参考にしている．具体的な家族ガイダンス，心理教育の内容に関しては『トゥレット症候群の治療・支援のガイドブック』[3]を参考にしている．本邦における薬物治療に関しては，上記 2 つのガイドラインのほかにエキスパートオピニオン[4,5]も参考にしている．

どういう疾患・病態か

❶ 疾患概念

チックは「突発的，急速，反復性，非律動性の運動または発声」と定義されている．

チックには，運動チックと音声チックがある．運動チックは，自発的な筋肉や筋群の，短時間，突然，抗しがたい，好ましくない，非律動的な反復的な運動である．音声チックは，声帯，口，鼻を通る空気の流れによって

誘発される音を反映したものである．

さらにチックは，その持続時間と性状から，①明らかに無目的で，素早くて単純な動きや音声である単純チックと，②持続時間がやや長く，意味があるように見える動きや音声である複雑チックに分類される．

チックは①環境因に影響を受ける，②先行する一過性の衝動や緊張がある，③「思わず」生じると感じることが多い，④内的な緊張により一時的に抑制することができる，など，他の運動過多症と区別される本質的な特徴を持つことが多い．

2 疫　学

チックは一般的には小児期（多くは 5～6 歳）に初めて発症し，典型的には，症状が変動しながら経過する．チックは女児よりも男児に多く，男女比は 3：1 から 4.3：1 である．トゥレット症における一般人口の罹患率は 0.3～1％ である．チック（トゥレット症）の表現系には，遺伝的因子と個々の環境因子の両方が関係している．

3 経　過

小児および青年期では，徐々に軽快するのが一般的である．10 歳以前にチック症を発症した患者の 80％ が，青年期に症状の著明な改善を認める．18 歳までにチックの程度と頻度は軽減し，大多数の人は重大な障害とはならなくなるが，ほとんどの患者は軽度のチックが残存する．チックは 8～12 歳で最も増悪することが多い．一部の患者では，重度のチックが続くこともある．一般的に複雑チックは単純チックより遅れて発症し，音声チックは運動チックより 1～2 年遅れて発症することが多いが，音声チックが先に発症する患者もいる．

治療に必要な検査と診断

1 評　価

一般的評価としては，主訴および症状，症状がどのように発症したか，潜在的なストレス要因および誘因に関する問診が含まれる．特に，小児および青年では，発達歴，親の対処行動や葛藤，社会的ネットワーク，経済・住宅事情など，家族機能も評価する．さらにチック，注意欠如・多動症（ADHD），強迫性障害（OCD）の家族歴や状況について確認する．

次に，運動チックと音声チックの初発年齢，これまでのチック歴，経過，チックの重症度が最も高かった年齢を記録する．さらにどのチック（または合併症）が最も支障が大きいか，身体的影響（筋肉や関節の痛み/損傷など），チックに伴う体性感覚（性質，部位，持続時間など），寛解増悪因子（ストレス感受性など），特定の複雑チックの有無（汚言，反響言語など）を確認する．チックによる家族機能，学習，生活の質への影響，チックの増悪因子を明らかにするため，患者や保護者にチックの変動（日・週・月，睡眠中を含む）を質問する．

必要に応じてチックと併存する疾患（ADHD，OCD，自傷，怒りのコントロール，気分・不安障害，睡眠障害や学習困難など）の評価を行う．神経画像検査や脳波などの検査は，チック症の診断には有用でないため，他の疾患を鑑別するために臨床的に必要な場合にのみ実施する．

2 診断基準

DSM-5 では，チックの種類と持続期間により，トゥレット症・持続性運動または音声チック症・暫定的チック症の 3 つに大きく分類される．トゥレット症では，多彩な運動

チック　691

チック，および1つまたはそれ以上の音声チックの両方が，同時に存在するとは限らないが，疾患のある時期に存在する．トゥレット症・持続性運動または音声チック症は，最初にチックが始まってから1年以上持続している必要があり，1年未満であれば暫定的チック症となる．トゥレット症・持続性運動または音声チック症・暫定的チック症は18歳以前の発症であり，18歳以降の発症の場合は，他の特定されるチック症となる可能性がある．その他に，特定不能のチック症がある．

3 重症度評価

チックの重症度を測定するための評価尺度としては，Yaleチック重症度尺度（Yale Global Tic Severity Scale：YGTSS）が世界的にも最も広く用いられている．チックの重症度を測定するために有効な尺度を使用することは，臨床現場での治療効果の評価に役立つ．

YGTSSでは，まず症状チェックリストで過去1週間の運動チック・音声チックの数，頻度，強さ，複雑さ，日常生活への影響を各0（チック症状がない）から5（最も激しい）の6段階で評価を行い，チック症状得点（50点満点）とする．これにチックに伴う社会機能の障害得点（50点満点）を加えて全般的重症度得点（100点満点）で評価する．

4 他の精神疾患の併存

トゥレット症では，55～60％にADHDの併存，22～66％にOCDの併存を認める．そのため，これらの疾患の併存と症状による負担を評価する必要がある．併存による機能障害を認めた場合は，併存疾患に対する適切な治療を行うべきである．ほかにもトゥレット症では，不安障害，反抗挑発症，気分障害などの合併症のリスクが高いことが示されている．

治療の実際

チックは時間とともに改善する可能性があるため，チックによる機能障害がない場合は，家族ガイダンス，心理教育および環境調整を行ったうえで，経過観察することも許容される．しかし，そのような場合でも，患者が治療を試みる意欲があれば，チックに対する認知行動療法を検討する．

チック症の自然経過の中で部分的または完全な寛解が得られれば，小児期の薬物療法は，時間の経過とともに必要なくなるかもしれない．一方で，認知行動療法，薬物療法などによってチックを有意に減少させることはできるが，これらによってチックを完全に停止させることは通常は困難である．

1 家族ガイダンス，心理教育および環境調整

家族ガイダンス・心理教育のポイントとしては，①チック（トゥレット症）は，脳機能の発達の障害であり，親の育て方や本人の気持ちに問題があって起こることではないこと，②チックは緊張が高まる時と同様に緊張が解けた時にも起こりやすいこと，③チックは増えたり減ったり，種類が変わったりを繰り返すことが多いので，些細な変化で一喜一憂しないこと，④チックはやろうとしてやっているのでもないし完全に抑えることはできないので，やめるように叱らないことを確認するとともに，チックについて一切触れないようにと家族が緊張して本人を無視することにならないようにすること，⑤チックを本人の特徴の一つとして受容し，長所も含めた本人全体を考えた対応すること，などを伝えると良い[3]．

チックに関する心理教育を周囲に行うことで，チックのある人に対して，より肯定的な

態度をとることができるようになる．また教師に対しても心理教育を行うことで，チックに対する知識を向上させることができる．チックに関する周囲の態度や教師の知識を高めることは，チックのある人に良い影響を与える可能性がある．

本邦においては，NPO法人日本トゥレット協会が作成した『チック・トゥレット症ハンドブック』は，家庭や学校，職場，社会の中での，チック（トゥレット症）の説明用ツールとして有用である．

2 認知行動療法

チックに対する認知行動療法として包括的行動介入（comprehensive behavioral intervention for tics：CBIT）という治療プログラムがある．CBITを受けたチック症患者は，通常の心理教育や支持療法を受けた患者よりも，チックの重症度が低下する可能性が高いことが示されている．CBITはハビットリバーサル法（HRT），リラクセーション法，チックを維持または悪化させる状況に対処するための機能分析からなるマニュアル化された治療プログラムである．CBITの効果の大きさは，薬物療法の効果の大きさと同様であることが示されており，チックの初期治療の選択肢として検討されるべきである．

3 薬物療法

a）抗精神病薬

haloperidol（セレネース®），risperidone（リスパダール®），aripiprazole（エビリファイ®），tiapride（グラマリール®）は，プラセボよりもチックの重症度を軽減させる可能性が高く，pimozide（本邦では2020年12月に販売中止），ziprasidone，metoclopramide（プリンペラン®）はプラセボよりもチックの重症度を軽減させる可能性が示唆されている．

プラセボと比較して，haloperidol，pimozide，risperidoneは薬物誘発性運動障害（遅発性ジスキネジア，薬物誘発性パーキンソニズム，アカシジア，急性ジストニア，遅発性ジストニアなど）のリスクが高く，risperidone，aripiprazoleは体重増加のリスクが高い．抗精神病薬の突然の中止は，離脱性ジスキネジアをひき起こす可能性があるため，数週間から数ヵ月かけて徐々に減量する必要がある．

本邦の専門医に対する調査では，チック（トゥレット症）に対してaripiprazoleが最もよく処方されており，次いでrisperidoneが処方されていた[4]．欧州のESSTSによる調査でも，小児・成人のチック（トゥレット症）に対してaripiprazoleが最もよく処方されていた．aripiprazoleはトゥレット症の治療薬として2014年12月に米国医薬品食品局（FDA）から認可されており，効果と副作用のバランスもよいことから，有用性が高いと考えられる．

b）α₂アドレナリン作動薬

clonidine（カタプレス®）はプラセボと比較してチックの重症度を軽減させる可能性が高く，guanfacine（インチュニブ®）はプラセボと比較してチックの重症度を軽減させる可能性が示唆されている．チックとADHDを併発した小児では，clonidineとguanfacineの両方がチックに対して有益な効果を示している．本邦においては，guanfacineはADHDに対して保険適用がある．小児および青年におけるADHDのためのα₂アドレナリン作動薬のシステマティックレビューでは，副作用として低血圧，徐脈，鎮静，QTc延長が示されている．guanfacineの突然の中止は，反跳性高血圧をひき起こす可能性があるため，中止する際は漸減する必要がある．

guanfacineを処方する際は，一般的な副

チック　**693**

作用である鎮静に関して十分に説明を行い，定期的な心拍数と血圧のモニタリングを行う．また，心疾患の既往・他のQTc延長をひき起こす薬剤の有無・QT延長症候群の家族歴がある場合は，QTc間隔のモニタリングを行う．

c）漢方薬

上記の薬物のようなエビデンスはないが，本邦においては漢方薬（抑肝散または抑肝散加陳皮半夏）をチックの軽症例に用いることがある[5]．

本邦においては，上記のいずれの薬物もチックに対する保険適用外であることに留意する．

❹ その他の治療法

内科的治療や認知行動療法に抵抗性の重度のトゥレット症に対して，ボツリヌス毒素の注射や脳深部刺激療法（deep brain stimulation：DBS）が有効である可能性がある．小児のチックに対するボツリヌス毒素の注射の有効性に関する報告はまだほとんど存在しないが，DBSに関しては，小児や青年のチックに対する有効性が示唆されており，標準的な治療に反応しない最重度のチックに対しては，DBSが選択肢になるかもしれない．

処方例[5]

処方A　漢方薬（抑肝散または抑肝散加陳皮半夏）　1回1包（2.5g）　1日1回（夕食前）

処方B　アリピプラゾール（エビリファイ®）　1回1〜3mg　1日1回（夕食後）

●ADHDを併発している場合

処方C　グアンファシン塩酸塩（インチュニブ®）　1回1mg　1日1回

（夕食後）

専門医に紹介するタイミング

チックによる生活の支障が大きく，通常の介入ではコントロールが困難な場合，併存疾患の治療が必要な場合，患者が認知行動療法を希望した場合，心理社会的要因の関与が大きい場合は，小児心身医学を専門とする小児科，小児神経科，児童精神科などへの紹介を検討する．

専門医からのワンポイントアドバイス

チック（トゥレット症）は，生物学的因子だけでなく，心理社会的因子が患者のQOLや症状に影響を与える．評価に際しては，チック症状だけでなく心理社会的因子を含む患者全体を包括的に理解して，治療や支援を行うことが重要である．

--- 文　献 ---

1) Pringsheim T et al：Practice guideline recommendations summary：Treatment of tics in people with Tourette syndrome and chronic tic disorders. Neurology 92：896-906, 2019

2) Szejko N et al：European clinical guidelines for Tourette syndrome and other tic disorders-version 2.0. Part I：assessment. Eur Child Adolesc Psychiatry 31：383-402, 2022

3) 厚生労働科学研究費補助金 障害者対策総合研究事業（身体・知的等障害分野）「トゥレット症候群の治療や支援の実態の把握と普及啓発に関する研究」（研究代表者：金生由紀子）：トゥレット症候群の治療・支援のためのガイドブック．同班平成22年度総括・分担研究報告書，pp119-185, 2011

4) 金生由紀子 他：チック症および強迫症の薬物治療．"児童・青年期精神疾患の薬物治療ガイドライン"中村和彦 編．じほう，pp89-94, 2018

5) 金生由紀子：治療法の再整理とアップデートのために 専門家による私の治療—チック．日本医事新報：48-49, 2022

12. 社会・神経心理学的疾患

夜 尿 症

辻　章志，金子一成
<small>つじ　しょうじ　かねこ かずなり</small>

関西医科大学 小児科学講座

POINT
- 小学校入学後も毎晩夜尿を認める場合は自然治癒の可能性が低いので，早期の治療開始が望ましい．
- 夜尿症の初診時には，病歴の詳細な問診（排尿・排便日誌を含む），身体診察，尿検査の3点が必須である．
- 初診時においては，便秘症・遺糞症などの消化管の異常，膀胱機能障害や夜尿を呈する器質的疾患の有無を評価することが大切である．

ガイドラインの現況

　日本夜尿症学会では2004年に初めて『夜尿症診療ガイドライン』を作成した．そして2016年に約12年ぶりに，EBM普及推進事業（Minds）に準拠した改訂版（夜尿症診療ガイドライン2016）を作成した．このガイドラインでは夜尿症診療を専門にしていない医師向けに単一症候性夜尿症（昼間尿失禁や下部尿路症状を伴わない夜尿症）についてのみ診療アルゴリズムを作成し，非単一症候性夜尿症（昼間尿失禁や下部尿路症状を伴う夜尿症）については，「専門家に相談」としていた．しかしその後，日本夜尿症学会員を中心に，「非単一症候性夜尿症に対する治療指針も示してほしい」との要望が多く聞かれ，2021年に非単一症候性夜尿症に対する診療アルゴリズムも加えた改訂版を発刊している．

【本稿のバックグラウンド】 前項で述べたような経緯をふまえて，本稿では『夜尿症診療ガイドライン2021』に記載されている診療アルゴリズムを中心に解説する．なお一部の内容は国際小児禁制学会（International Children's Continence Society：ICCS）が2020年に作成した夜尿症診療指針[1] を参考とした．

どういう疾患・病態か

　夜尿症の定義についてはこれまで様々なものが用いられてきたが，ICCSでは「5歳以上の小児で，1ヵ月に1回以上の夜尿が3ヵ月続く場合」と定義している[1]．この際，昼間尿失禁や他の下部尿路症状の合併の有無は問わない．また1週間に4日以上の夜尿を「頻回」，3日以下の夜尿を「非頻回」とする．夜尿症の分類についても様々なものがあるが，2006年にICCSが提唱したものをわが国においても使用している（**表1**）．

夜尿症　695

表1 夜尿症の分類

分類名称	分類定義	割合
一次性夜尿症	これまで夜尿が消失していた時期があったとしても6ヵ月に満たない症例	75〜90%
二次性夜尿症	これまで夜尿が6ヵ月以上消失していた時期があった症例	10〜25%

分類名称	分類定義	割合
単一症候性夜尿症	昼間の下部尿路症状*を合併しない症例	75%
非単一症候性夜尿症	昼間の下部尿路症状*を合併する症例	25%

*昼間の下部尿路症状:以下の4つの症状を指す(Neveus T et al:J Pediatr Urol 16:10-19, 2020 から引用)
・覚醒時の尿失禁
・尿意切迫感(急に起こる,我慢することが困難な強い尿意)
・排尿困難(尿線微弱,遷延性排尿,腹圧をかけての排尿)
・排尿回数の過少(1日3回以下)または過多(1日8回以上)

夜尿症には複数の病因が関与していて,代表的なものとして3つ考えられている.すなわち,1つ目は覚醒困難である.夜尿症の子どもは就眠中に起こしても覚醒しにくいことが知られているが[2],これは睡眠が深いのではなく,睡眠の質が悪いということが近年の睡眠計を使用した研究から明らかとなってきた[3].2つ目は,夜間の膀胱の蓄尿力の問題である.単一症候性夜尿症の患者に対する尿流動態検査(urodynamic study:UDS)での検討によれば,日中の尿流動態は正常であるが,睡眠中は尿失禁を認める際に膀胱の収縮頻度が増加するとされている[4].3つ目は夜間の多尿である.すなわち夜尿症の小児の中には夜間就眠中の抗利尿ホルモンの分泌低下によって夜間多尿を示す患者が存在する.その他,抗利尿ホルモンの分泌低下以外の原因,例えば夜間の尿中カルシウム排泄量増加や腎糸球体濾過量の日内変動の異常,あるいは塩分や蛋白の摂取過多によって夜間多尿を認める夜尿症患者もいると考えられている.

上記以外の病因として注意欠如・多動症や自閉スペクトラム症などの発達症との併存や,遺伝的素因として患者の両親のいずれかに夜尿の既往がある場合は,夜尿の既往のない両親の子どもと比較して5〜7倍夜尿になりやすいことが知られている[5].

治療に必要な検査と診断

1 病歴聴取

夜尿症の初期診療では,排尿・排便日誌を含む詳細な病歴聴取,身体診察,尿検査の3点が重要である.特に病歴聴取は夜尿症の分類や治療をするうえで大切である.成長や発達歴に問題がないか,昼間の尿失禁を伴っていないか,夜尿は一次性か二次性か,便秘や遺糞を伴っていないかなどを病歴聴取によって確認する.便秘や遺糞は夜尿症の併存症として頻度が高いだけでなく,夜尿の原因となっている可能性がある.実際,便秘に対する排便治療を行うことで夜尿が消失する患者が一定数,存在する[6].母子手帳の記載内容や成長曲線の確認,統一した問診票などを利

表2　夜尿症をきたしうる器質的疾患

腎泌尿器科疾患
- 慢性腎臓病
- 腎性尿崩症
- 先天性腎尿路奇形（低形成腎，異形性腎，水腎症）
- 下部尿路疾患（後部尿道弁，尿道狭窄，膀胱尿管逆流，Hinmann 症候群，異所性尿管，尿路感染症）
- 排尿筋過活動，排尿筋括約筋協調不全

その他
- （多尿性疾患）中枢性尿崩症，心因性多飲，糖尿病
- （内分泌疾患・電解質異常）甲状腺機能亢進症，Cushing 症候群，高 Ca 血症，低 K 血症，
- （排尿異常・蓄尿障害）神経因性膀胱，脊髄脂肪腫，脊髄破裂，脊髄髄膜瘤
- （排尿抑制障害）てんかん，高血圧，睡眠時無呼吸症候群，注意欠陥・多動症，便秘症

用することで情報の漏れを防ぐことができる．また，初診以降に排尿・排便日誌と飲水記録を付けてもらうことが大切である．排尿記録は7日間の昼間尿失禁と夜尿頻度と48時間（必ずしも2日間連続の必要はない）の排尿時刻，およびその時の尿量を記録してもらう．一方，排便記録には7日間の排便状態を記録してもらう．飲水記録は夕食後の飲水回数，飲水量と飲水内容を記載してもらう．

2 身体診察

一次性夜尿症で単一症候性の場合は身体所見に異常はみられない場合が多い．しかし約5％未満であるが，表2のような器質的疾患が夜尿症の病因となることがあるため，下記の身体所見に注意して診察を行う．

①成長障害はないか．高血圧はないか．あれば慢性腎臓病などを疑う．

②頭頸部の診察所見で，扁桃肥大，アデノイド肥大，下顎の低形成など睡眠時無呼吸症候群を疑う所見はないか．

③左下腹部に便塊がないか．あれば慢性機能性便秘症や遺糞症を疑う．

④排尿後のパンツのちびりはないか．あれば後部尿道弁などの泌尿器科疾患を疑う．

⑤仙骨部の診察で異常な発毛や陥凹はないか．あれば潜在性二分脊椎症による脊髄障害を疑う．

⑥女児において持続的なパンツの湿りはないか．あれば異所性尿管（尿管異所開口）を疑う．

⑦外陰部の観察において尿道下裂や陰唇癒合がないか．

3 検　査

一般尿検査は，夜尿症の原因となりうる糖尿病，尿崩症，水中毒，無症候性尿路感染症などのスクリーニングを目的として全例で施行する．一般尿検査の項目としては定性検査，沈渣鏡検，浸透圧，尿比重，尿カルシウム・クレアチニン比を測定する．なお，腹部超音波検査は夜尿症の小児全例に施行する必要はないが，非単一症候性夜尿症（昼間の下部尿路症状を合併する患者）の場合は膀胱の形態や機能を評価するために実施する．一方で，排尿時膀胱尿道造影や UDS は初期診療

夜尿症　697

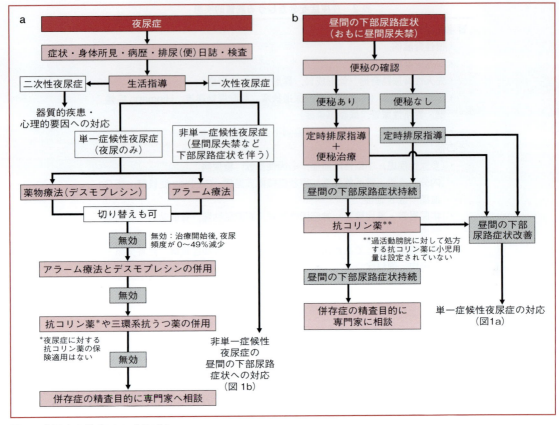

図1 夜尿症の診療アルゴリズム
a：単一症候性夜尿症に対するアルゴリズム
　一次性夜尿症で単一症候性夜尿症において，生活指導で夜尿が改善しない場合は薬物療法としてデスモプレシン内服あるいはアラーム療法を行う．
b：非単一症候性夜尿症に対するアルゴリズム
　非単一症候性夜尿症の昼間の下部症状（主に昼間尿失禁）に対して，まずは便秘の有無を確認する．便秘を有する場合は定時排尿指導と平行して便秘治療を開始する．便秘がない場合は定時排尿指導から開始して，症状が持続する場合は抗コリン薬の使用を考慮する．
（「夜尿症診療ガイドライン2021」（日本夜尿症学会 編，診断と治療社）より許可を得て転載）

において必須の検査ではない．

治療の実際

図1に示す「夜尿症診療アルゴリズム」を参考に治療を進める．なお，『夜尿症診療ガイドライン2021』では，前回のガイドライン（夜尿症診療ガイドライン2016）で「専門家に相談」としていた非単一症候性夜尿症に対する診療アルゴリズム（図1b）を追記した．治療効果の評価は，表3のようにICCSが提唱しているもので行う．

1 生活習慣の指導

夜尿症の治療の基本は生活習慣の指導である．夜間就眠中の尿量を少なくし，蓄尿量を多くするような生活習慣を勧める．

①夜間の水分を制限するため，日中に十分な飲水をする

②夕食時には水分や塩分を摂りすぎないようにする

③夕食は就眠2時間前までに済ませる

表3 夜尿症の治療効果の評価

初期効果（initial success）
- 無効（non response：NR）：治療開始後，夜尿回数が 0〜49%減少
- 有効（partial response：PR）：治療開始後，夜尿回数が 50〜99%減少
- 著効（complete response：CR）：治療開始後，夜尿回数が 100%減少，または 1 ヵ月で 1 回未満に減少

長期効果（long-term success）
- 再発（relapse）：治療中止後，1 ヵ月で 1 回以上の夜尿が再出現
- 寛解維持（continued success）：治療中止後 6 ヵ月間「再発」なし
- 完治（complete success）：治療中止後 2 年間「再発」なし

(Neveus T et al：J Urol 176：314-324, 2006/Austin PF et al：J Urol 191：1863-1865, 2014 から引用)

④夕食後は水分摂取量をコップ1杯（200 mL）程度までに制限する．口渇が強い場合には角氷を5個程度舐めさせる
⑤就眠前には，トイレで完全排尿をさせる
⑥抗利尿ホルモン（antidiuretic hormone：ADH）の分泌を促すため夜更かしを避ける
⑦夜間睡眠中に強制的に起こして排尿させることは夜間の膀胱容量を低下させ，また夜間睡眠中の ADH 分泌量に影響を及ぼすため，中途覚醒を強制しない
⑧夜間睡眠中の膀胱の蓄尿量の増大を期待して，寒さや冷えから身体を守る（例：睡眠中の腹巻きや靴下の着用）

上記のような生活習慣を守らせるために，患者のモチベーションを高める方法として，「排尿・排便日誌を患者本人に記録させる」，あるいは「夜尿がなかった日にご褒美としてお気に入りのステッカーをあげる」などが知られている．なお，夜尿をしたことに対して叱ったり，洗濯物を自分で洗わせるなどのペナルティを課すことは禁忌である．

❷ 積極治療（デスモプレシン療法あるいはアラーム療法）

生活習慣の指導を開始して1〜2ヵ月経過しても夜尿の改善が認められない場合は積極治療を併用する．夜尿に対する積極治療とは，デスモプレシン投与による薬物療法（デスモプレシン療法）かアラームによる条件付け療法（アラーム療法）が第一選択となる（図1a）．

a）デスモプレシン療法

現在夜尿の治療に最も広く使用されている薬物であるデスモプレシン酢酸塩は ADH であるバソプレシンの誘導体で，中枢性尿崩症の治療薬として開発された．夜尿症に対するデスモプレシンの保険適用は，「尿浸透圧あるいは尿比重の低下に伴う夜尿症」である．尿浸透圧あるいは尿比重の低下の基準として，「本剤使用前に観察期を設け，起床時尿を採取し，夜尿翌朝の尿浸透圧の平均値が 800 mOsm/L 以下あるいは尿比重の平均値が 1.022 以下を目安とし，尿浸透圧あるいは尿比重が低下していることを確認すること」と添付文書に記載されている．デスモプレシンはその薬効薬理作用から，夜間，就眠中に多尿を認めるタイプの夜尿に対する第一選択薬で，約 70%の症例で有効である．デスモプレシンの投与時期としては，夜間睡眠中の尿量を減らす目的で，就寝 30〜60 分前に服用させる．デスモプレシン製剤には点鼻スプレー（デスモプレシン・スプレー 10 協和）と内服薬の口腔内崩壊錠（ミニリンメル

夜尿症 699

ト®OD錠120μg/240μg）がある．後者の投与方法としては，まず初期量120μg/日で開始し1ヵ月程度経過観察しても効果が不十分な場合は240μg/日に増量する．デスモプレシンの副作用である水中毒や希釈性低ナトリウム血症を予防するため，患者と保護者に対して，投与前2～3時間は厳重な水分制限管理が必要であることを説明する．また，夕方以降の運動や発熱時には十分な水分摂取を優先してデスモプレシンの内服を止めるようにする．

b）アラーム療法

夜尿症に対して行うアラーム療法は，下着やオムツに装着されたセンサーが尿の水分を感知して排尿直後に警報が鳴ることによって睡眠深度を浅くし，覚醒して排尿させる条件付け療法で，有効率は約70％である．現在，わが国で入手可能なアラーム療法の器具としては，センサーをパンツに装着するコード型とオムツにセンサーがついているワイヤレスタイプがある．作用機序はまだ明確になっていないが，アラーム療法によって睡眠中の膀胱容量（蓄尿量）が増えることで夜尿症が治癒すると考えられている．

アラーム療法は1週間に3回以上の夜尿を認め，患者と保護者の両者が治療に対して意欲的な場合に効果がある．また，即効性のある治療でないため少なくとも3ヵ月間は行う必要があるが，その間に治療から脱落する患者が少なくない（約30％）．これはアラームが鳴ったときに保護者が睡眠中の患者を起こす必要があり，保護者が睡眠不足になるケースがあるためである．この点について筆者らの経験では，アラームが鳴ったときに保護者が患者を起こさなくても治療効果があるという印象があり，そのようにしている[7]．その結果，治療から脱落する患者は少ない．アラーム療法の効果がある場合には，尿意覚醒をすることなく起床時まで蓄尿可能となり夜尿は消失する．期間の目安は3ヵ月であるが，効果がない場合は，いったん中止し，6ヵ月以上あけて再開すると有効なことがある．

3 デスモプレシン療法やアラーム療法以外の治療

デスモプレシン以外の薬物では，抗コリン薬や三環系抗うつ薬が夜尿症に使用されることがあるが，図1aのアルゴリズムに記載されている通り，第一選択薬ではない．

抗コリン薬は，図1bに示すように排尿筋過活動（排尿抑制反射の欠如）を改善する目的で，昼間の下部尿路症状を有する非単一症候性夜尿症患者に対して用いられる．なお，夜尿症に対する保険適用はなく，過活動膀胱に対して処方する場合でも小児用量が設定されていないことに留意する必要がある．一方，三環系抗うつ薬は古くから夜尿症に対する適用を有する薬剤として使用されてきたが，重篤な副作用（肝障害，心毒性や悪性症候群）の報告があるため，近年は積極的には推奨されない．

近年はこれらの薬剤以外にも，選択的β_3受容体作動薬の夜尿症に対する良好な効果が注目されている[8]．ただし抗コリン薬と同様，夜尿症に対する保険適用はなく小児用量も設定されていない．

4 非単一症候性夜尿症の昼間の下部尿路症状に対する対応

非単一症候性夜尿症の昼間の下部尿路症状を有する場合は図1bのアルゴリズムを参考に治療を進める．便秘がある場合は定時排尿（1日6～7回決まった時間に排尿する方法）と平行して便秘の治療を積極的に行う．定時排尿と便秘治療を行っても下部尿路症状が持続する場合は抗コリン薬の使用を考慮する．

処方例

●連日の夜尿を認める 8 歳・男児

小学校入学後に連日の夜尿を認める場合，自然治癒の可能性は低いので治療を行う．まず生活習慣の指導を 4〜8 週間行い，無効（治療開始後，夜尿頻度が 0〜49％減少）の場合は積極治療として，以下の処方 A を行う．処方 A を行っても有効（治療開始後，夜尿回数が 50〜99％減少）にならない場合，処方 B に変更する．夜尿のない日の割合が 90％以上となったら内服治療の中止を検討する．ミニリンメルト® 口腔内崩壊錠（OD 錠）を中止する場合は 2〜4 週ごとに 240 → 120 → 60µg と段階的に減量するほうが夜尿の再発が少ない（ミニリンメルト® OD 錠の 60µg は夜尿症に対する保険適用はない）．アラーム療法を終了するときは夜間の水分摂取量を徐々に増やして夜尿頻度が増加しないことを確認する（オーバーラーニング）．

処方 A　ミニリンメルト®OD 錠 120µg
　　　1 日 1 回　就寝 30 分前内服
　　　　　内服開始 4 週間後に有効（治療開始後，夜尿回数が 50〜99％減少）になっていない場合は 240µg に増量する．
処方 B　ミニリンメルト®OD 錠 240µg
　　　　　内服に加えて，アラーム療法 12週間

専門医に紹介するタイミング

抗利尿ホルモン療法やアラーム療法を行っても 3 ヵ月以上効果がない場合，難治性であるので，抗コリン薬や三環系抗うつ薬の使用経験がない場合は専門医への紹介を考慮する（図 1a）．また図 1b では非単一症候性夜尿症に対するアルゴリズムを提示しているが，定時排尿や便秘治療をしても改善せず，抗コリン薬の使用経験がない場合はやはり専門医（小児泌尿器科医，小児腎臓病専門医）への紹介を検討したほうが良い．

専門医からのワンポイントアドバイス

夜尿症患者は自尊心が低下している．しかし，低下している自尊心は治療による夜尿頻度の改善とともに回復する．したがって，夜尿を主訴として受診した患者に対して安易に「経過観察」や「自然治癒を期待」するのではなく，患者本人や保護者の疑問や不安を受け止めて，具体的な対処法や治療法を丁寧に説明することが重要である．

--- 文　献 ---

1) Neveus T et al：Management and treatment of nocturnal enuresis-an updated standardization document from the International Children's Continence Society. J Pediatr Urol 16：10-19 2020
2) Neveus T et al：Depth of sleep and sleep habits among enuretic and incontinent children. Acta Paediatr 88：748-752, 1999
3) Tsuji S et al：Nocturnal enuresis and poor sleep quality. Pediatr Int 60：1020-1023 2018
4) Norgaard JP et al：Nocturnal studies in enuretics. A polygraphic study of sleep-EEG and bladder activity. Scand J Urol Nephrol Suppl 125：73-78 1989
5) Jarvelin MR et al：Enuresis in seven-year-old children. Acta Paediatr Scand 77：148-153 1988
6) 藤井喜充 他：小児の便秘症が夜尿症に及ぼす影響．夜尿症研究 19：13-18 2014
7) Tsuji S et al：The effect of family assistance to wake children with monosymptomatic enuresis in alarm therapy：a pilot study. J Urol 199：1056-1060 2018
8) 赤司俊二 他：小児難治性夜尿症に対する Vibegron 投与の有用性と安全性の検討　A retrospective observation study. 夜尿症研究 25：27-34, 2020

12. 社会・神経心理学的疾患

自閉スペクトラム症/
自閉症スペクトラム障害

太田さやか
東京都立小児総合医療センター 在宅診療科/神経内科

POINT

● 自閉スペクトラム症/自閉症スペクトラム障害は，幼少期に出現する相互的・社会的コミュニケーションの障害および限定的な反復的な行動様式などによって日常生活に支障をきたしている状態を指す．

● スペクトラムという用語の通り，臨床像は幅広く，正常域との連続性があり，個人の発達段階や周囲の環境によっても変化する．診断のきっかけが併存疾患であることも多々ある．

● 個々の患者の状態把握と適切な介入が重要である．

ガイドラインの現況

　自閉スペクトラム症/自閉症スペクトラム障害（autism spectrum disorder：ASD）は，幼少期に出現するコミュニケーション障害を軸とした症候群である．本稿では一律にASD と記すこととする．

　これまで，本疾患に関して様々な呼称があったが，Diagnostic and Statistical Manual of Mental Disorders, Fifth Edition（DSM-5）から，自閉スペクトラム症/自閉症スペクトラム障害（autism spectrum disorder：ASD）という表現が一般的となった．

　幼少期の ASD 患者については主として小児科医が関わるが，年齢が進むにつれ児童精神科医，精神科医の関わりが強くなる．診療医の専門分野が多岐にわたる背景もあり，ASD に特化した本邦のガイドラインはない．診断基準には，DSM-5 の日本語訳であるDSM-5 精神疾患の診断・統計マニュアル[1] が用いられることが多い．2020 年に米国小児科学会が ASD の教科書を作成している[2]．

【本稿のバックグラウンド】　本稿では主として米国小児科学会の教科書[2] および家族向けの書籍[3] を，疫学については米国疾病対策予防センターの Morbidity and Mortality Weekly Report[4] を参考にした．

702　12. 社会・神経心理学的疾患

どういう疾患・病態か

ASDは，相互的，社会的コミュニケーションの障害を核とし，常同的・限局的な行動，興味や感覚刺激に対する過敏/鈍感を特徴とする障害である．診断には，これらの特徴によって日常生活（特に学校生活などの集団生活や家庭など）に支障をきたしていることが条件に求められる[1]．

有病率は近年増加し続けている．米国の8歳児のASD有病率調査では，2000年：0.67％，2016年：1.85％，2018年：2.3％（男女比4.2：1）であった[4]．増加の要因として，疾病が世間に広く認知されたこと，米国ではスクリーニング検査やASDの支援サービスの普及が挙げられるが，その他生物学的危険因子の関与も示唆される[2]．ASDの児の一卵性双生児の場合98％，二卵性双生児では53〜67％，兄弟で19％（弟で25％，妹で9％）と高率にASDを罹患するとの報告があり，遺伝的素因および性差の関与が示唆される．さらに高齢の父親や，妊娠中の薬剤曝露や早産といった要因もASDの発症リスクを上昇させる．これまでfragile X syndrome，Rett syndromeなどの既知の症候性のASDが知られていたが，遺伝子検査の普及に伴い，コピー数多型など，遺伝子異常の非症候性ASDの報告が増加している．とはいえ約8割の患者においてASDの原因は不明である．このようにASDは複数の遺伝子，および環境因子が関与し，多彩な表現型を示す疾患と考えられている[2〜4]．

これまで，1943年にKannerが提唱した古典的な自閉症に始まり，自閉性障害，広汎性発達障害，アスペルガー症候群など，様々な呼称があった．近年では，「症状の程度や，知的な能力により障害の程度は様々であり，ASDの特性をもちながら社会生活を営むことができる人から，幼少期から症状が顕在化し様々なサポートを要する人まで，臨床像が幅広い連続性（スペクトラム）をもつ」と報告，提唱したWingやGouldの考えが支持され，"autism spectrum disorder"という表現が一般的になっている．米国精神医学協会によるDSM-IVでは，広汎性発達障害の下位分類としての自閉性障害，Asperger障害，特定不能の広汎性発達障害など細分化していたが，DSM-5では一括りにautism spectrum disorderとした[1]．

なお，本邦でDSM-5の病名と用語の邦訳を決めるにあたり，児童青年期の疾患名に「障害」とつくことが，児童や親に衝撃を与えるため，「—障害」から「—症」に変更しようという動きがあり，限定的ではあるが病名の変更が行われた．ただしDSM-IVからひき継がれ，普及している旧疾患病名は，新病名の横にスラッシュで併記することとなり，ASDに関しても旧病名が併記されることとなった[1]．

治療に必要な検査と診断

ASDの診断に必須な検査はなく，臨床像，発達歴の聴取から診断する．DSM-5が広く使用されているが，その他のスクリーニング，補助診断のための評価ツールとして，日本語版を使用できるものに，PARS-TR，CARS，SCQ，M-CHATなどがある．しばしば発達検査や知能検査が行われるが，言語表出が苦手なASDの児においては評価が低くなる傾向があること，検査結果は変化しうることには留意する必要がある．

本邦では，1歳半健診時に有意語がない，視線が合わないといった症状をきっかけに診断されることが多い．言語の遅れがない場合は，集団生活に入ってから診断されることが

多い[3,5].

近年，染色体・遺伝子の異常の報告が増加しており，米国の遺伝学の専門家はASDの原因検索の第一段階として染色体マイクロアレイ検査を推奨している．頭部MRI検査で異常が見つかる例は少なく，網羅的なスクリーニングとしては推奨されない．ASDではてんかんを6.3％と高率（一般の5倍）に合併するが，スクリーニング検査は必須ではない．折れ線型のASDをみたときには，代謝異常症を念頭において詳細に臨床経過を聴取し，必要に応じた精査が望ましい．難聴やネグレクトも見逃してはいけない．

ASDを見逃す可能性として，言語発達遅滞，場面緘黙等を主とした症状として受診した幼児が，後にコミュニケーション障害が顕在化してくる場合や，ASDの併存疾患（二次障害を含む）を主訴として受診した場合が考えられる．特に知的正常でASD特性が目立たずに学童期，思春期を迎えた児童において，うつ病，消化器症状，不登校，食行動障害等を発症することも多々あり，注意が必要である．報告によるとASD患者の7～9割で他の神経発達症群，および不安，痙攣，自傷などの行動障害といった精神症状を併存する．特に，注意欠如・多動症/注意欠陥・多動性障害（ADHD）は5割弱で，睡眠障害は5～8割で併存するといわれている[2]．限局性学習症/限局性学習障害や，発達性協調運動症/発達性協調運動障害の併存例もしばし散見し，生活を困難にする．うつ病や消化器症状，不安症，反抗挑発症等は，自尊心が損なわれた結果，二次障害として出現してくることが多い[2,5]．

治療の実際

1 療育的（教育的）介入

かつてはASDの治療方法はないとされていたが，早期から（3歳未満）集中的に療育的介入を行うことで，言語，社会，対人能力が改善することがわかってきており，可能な限り早い時期に介入（発達的，行動学的アプローチ）をすることが推奨される[2]．学童期以降に診断されるASD患者についても，児が苦手なことに関して周囲が理解し環境整備するとともに，本人に対して療育的対応を行うことで改善に向かうことが多い．

介入方法としては，応用行動分析（applied behavioral analysis：ABA）の原理に基づくものや，構造化教育（TEACCH法），言語聴覚療法，ソーシャルスキルトレーニング，作業療法，運動療法などが挙げられる．いずれの場合も保護者などが，日常生活の「学習につながる瞬間」を利用し頻回に介入できるように設定されることが望ましい．本邦では，残念ながら個別に集中的な療育を行えるだけの公的な資源が揃っていないが，この数年飛躍的に民間の療育施設が増えている．

個々の患児によって必要とするプログラムは異なるが，それらの介入は必ずしもプロにしかできないことではなく，実際には患児をとりまく家族，教師等の果たす役割が大きい．家族が対応の仕方を変えただけで，患児の状態が飛躍的に改善するということは，多々経験される．

家庭内で行う幼児期の療育的介入のポイントは，①患児ができる指示を簡潔に出し，できたら（できるように手伝う）すぐに評価する，②それらの対応を楽しく行う，③叱ることは最低限にとどめ，冷静に対応する，である．特に保護者は，一所懸命になるあまり，

704　12. 社会・神経心理学的疾患

患児にとって難しい課題を繰返しチャレンジする傾向がある．患児は保護者の指示が理解できず無視したり（無視してよいものと捉える），癇癪を起こしやすくなり，一方で保護者はイライラしたりあきらめるといった悪循環に陥りやすい．患児の保護者への信頼と情緒の安定が何より大切な基盤となることは言うまでもない．患児，そして保護者の自尊心はしばしば低下しているが，そこを回復させ，もっとやってみよう，やってできた，うれしい，という気持ちをひき出すことは，短期的にも有効であるし，長期的には様々な二次障害の予防につながる[5,6]．

患児ができる指示がなにもないという状況もあるだろう．例えば，アイコンタクトといった相互コミュニケーションが乏しい患児に対しては，声をかけてすぐに患児の顔を覗き込み視線を合わせる練習が有用である．また，言語理解の乏しい患児に対しては，言葉のシャワー（二，三語文で患児の行動や，患児の視線の先にあるものを実況中継すること）を行うことが有効である．

2 医学的管理

ASD を根本的に治療する薬はないが，併存疾患には注意を払う必要がある．特に高学年になるにつれ二次障害が強くなり，抗うつ薬が必要になることも多い．てんかんや睡眠障害，消化器症状のコントロールで患児の状態が改善することがある．こだわりが強く，問題行動が起こりやすい状態が，療育的介入でも改善されないときや，ASD 特性が強く療育的対応に苦慮する際には，向精神薬の使用が考慮される．また ADHD を合併していると困難感が増すことが多く，その場合には ADHD に対する治療も行う必要がある．米国では 3 割弱の ASD の児が何らかの薬物療法を受けている[2]．本邦では 2016 年，易刺激性に対しての有効性が認められ aripiprazole，risperidone が保険適用となった．抑肝散などの漢方も選択肢となることが多い．いずれの投薬も，患児をとりまく環境，対応の調整なくして効果は得られにくい．

3 補完代替療法

補完代替療法とは，米国国立補完代替医療センターにより，現時点で従来の医学の範疇とはされない様々な医療・保険制度，診療および製品の総称と定義されている．食事療法や一部の免疫療法などがこれに相当する．これらのほとんどにおいて，ASD の治療に対して有効か否かを科学的に証明するものが存在しない．これらの治療は本人，家族の判断に委ねられる[2,5]．

専門医に紹介するタイミング

1 歳半健診で自発語がない，簡単な言語指示が通らない，指差しをしない，視線が合わない，常同行動がみられる場合には，紹介が望ましい．その後言語発達が伸びない，こだわりが強い等日常生活の困難さや家族の不安があれば，次の健診を待たずに紹介する．遅くとも 3 歳時健診で何らかの問題がある場合には紹介する必要がある．幼児期の診断では家族の受け入れが困難となる危険性があるため，診断ではなく，困りごとに対する対応にフォーカスをあてて説明することが大切である．

知的能力が正常な ASD の患者の場合は，集団生活開始後に，友達とのトラブルや孤立，親・教師から注意されてばかりいる，といった相談で受診することが多くなる．思春期前後にいじめ・不登校，抑うつ状態，頭痛や不定愁訴で受診することもある．

児の特性を理解せずに対応を続けると，親

子関係が悪化，児の自尊心が低下し，二次障害が出現する可能性が高くなる．家族が些細なことでも困ったなと思ったときに相談できる場所があると良い[5,6]．特に，抑うつ症状が強い，親子関係が破綻しているときには早めの紹介が望ましい．

専門医からのワンポイントアドバイス

ASD を根本的に治療する方法はないが，ASD の児の早期介入により症状が改善する可能性がある．家庭内でできることも多く，疑わしい症状があれば早期介入につなげることが望ましい．

ASD の臨床像は，幅の広いスペクトラムである．一見，ASD を疑う所見がなくとも，何かしらの主訴で受診した際に，ASD の可能性を留意する必要がある．

─────── 文　献 ───────

1) American Psychiatric Association（日本精神神経学会 日本語版用語監修，高橋三郎 他監訳）：DSM-5 精神疾患の診断・統計マニュアル．医学書院，2014

2) Carbone PS et al：Pediatric Collections：Autism Spectrum Disorder. American Academy of Pediatrics, 2020

3) Rosenblatt AI et al：Autism Spectrum Disorder：What Every Parent Needs to Know Autism Spectrum Disorder 2nd Edition. American Academy of Pediatrics, 2019

4) Centers for Disease Control and Prevention：Prevalence and characteristics of autism spectrum disorder among children aged 8 years-Autism and Developmental Disabilities Monitoring Network, 11 Sites, United States, 2018. MMWR Surveill Summ 70（11）：1-16, 2021

5) 平岩幹男：自閉症・発達障害を疑われたとき・疑ったとき．合同出版，2015

6) 平岩幹男：イラストでわかる発達が気になる子のライフスキルトレーニング 幼児期〜学童期編．合同出版，2018

12. 社会・神経心理学的疾患

うつ病

金生由紀子
かのう ゆき こ
東京大学大学院医学系研究科 こころの発達医学分野

POINT

● 成人のうつ病の診断基準を用いて子どもでもうつ病が診断される一方で、抑うつ気分の代わりに易怒的な気分が認められること、体重減少の代わりに期待される体重増加が認められないことが、子どものうつ病の特徴とされる.

● 治療の基本は、①心理教育、②支持的精神療法、③家族への支援と学校との連携、である.

● 中等度以上のうつ病では、薬物療法を行う場合があるが、精神療法との併用が望ましく、賦活症候群に留意する.

ガイドラインの現況

子どもと若者のうつ病については、National Institute for Health and Care Excellence（NICE）のガイドライン[1] がある. わが国では、『日本うつ病学会治療ガイドライン』"Ⅱ. うつ病（DSM-5）/大うつ病性障害 2016"[2] の「第5章 児童思春期のうつ病」で述べられているほか、最近まとめられた『児童・青年期精神疾患の薬物治療ガイドライン』のなかで、子どものうつ病とその治療全般についてまとめられている[3]. さらに、プライマリケア医向けのガイドライン（Guidelines for Adolescent Depression in Primary Care：GLAD-PC）が北米でまとめられており[4,5]、小児科医にとってはなじみやすいと思われる.

【本稿のバックグラウンド】 英国の National Institute for Health and Care Excellence による子どもと若者のうつ病のガイドライン、北米でまとめられた青年期のうつ病のプライマリケア医向けのガイドラインに加えて、『日本うつ病学会治療ガイドライン』の中の児童思春期うつ病の章、わが国でまとめられた『児童・青年期精神疾患の薬物治療ガイドライン』の中のうつ病の章を参考にした.

どういう疾患・病態か

以前は子どもには成人と同じようなうつ病は存在しないと考えられていたが、1980 年には子どものうつ病の存在が明確となった. うつ病は、抑うつ気分、興味または喜びの喪失を主症状として、感情、認知、自律神経機能の変化が生じる. うつ病の有病率は、12 歳頃から急激に上昇し、15〜17 歳で成人とほぼ同じになる.

成人と同じ診断基準を用いて診断されるが、子どものうつ病の特徴もある. 特に児童

うつ病　707

期発症では，男女比が 1：1 または男性が多いくらいで，注意欠如・多動症（ADHD）をはじめとする併発症を複数かつ高率に有する傾向がある．成人後も精神科治療を要する場合が少なくないが，必ずしも成人のうつ病に移行するとは限らない．一方，青年期発症では，女性のほうが多くなり，併発症には物質関連障害，神経性やせ症，神経性過食症などが加わってくる．

診療に際して，子どものうつ病は決して稀ではないと認識するとともに，成人のうつ病と異なる特徴に留意することも大切である．

なお，DSM-5 の抑うつ障害群のなかには，うつ病のほかに，6～18 歳で発症してかんしゃく発作で特徴づけられる重篤気分調節症，子どもでは抑うつ気分が 1 年以上持続する持続性抑うつ障害（気分調節症）が含まれるが，ここではうつ病に焦点を当てて述べる．

治療に必要な検査と診断

DSM-5 によるうつ病の診断基準では，①抑うつ気分，②興味または喜びの喪失，という主症状の少なくとも 1 つを有することが必要とされる．そのほかに副症状として，③体重または食欲の減少または増加，④不眠または過眠，⑤精神運動焦燥または制止，⑥疲労感または気力の減退，⑦無価値感，罪責感，⑧思考力や集中力の減退または決断困難，⑨自殺念慮，自殺企図が挙げられている．合わせて 9 つの症状のうちで 5 つ以上が 2 週間以上存在しており，その子どもの本来の機能から変化している，そして，苦痛や機能の障害をひき起こしており，物質または医学的疾患によるものではない場合に，うつ病と診断される．

抑うつ気分は，「憂鬱」とか「悲しい」などと表現される気持ちであるが，低年齢であるとこのような気持ちを自覚して言葉で表すのは難しいかもしれない．むしろ怒りっぽくなって周囲に当たるような行動をとったり，身体の不調を訴えたりすることがある．抑うつ気分を言葉で表現しなくても，泣き出しそうとか疲れ切っているなど子どもの表情や態度から推察されることもある．興味または喜びの喪失も，子どもがそれまで好きだった活動に参加しなくなるなどの行動から気づかれることがある．

特に子どものうつ病の特徴として，①抑うつ気分の代わりに易怒的な気分が認められることがあり，②体重減少の代わりに期待される体重増加がみられないことも考慮するように，と指摘されている．

実際の診断にあたっては，子どもとの関係をつけるとともに，表情・態度や会話の質や量などを観察しつつ，最近の生活状況や気持ちや悩みを聞いていく．低年齢では家族の発案で受診することがほとんどであると思われ，家族からの聴取も重要である．個々のうつ症状のみならず，学業や対人関係を含めた学校での様子，さらには家庭の様子などを聞いて，生活のなかでの変化を探り，現病歴を明らかにしていく．自殺念慮・自殺企図，自傷行為についても確認する．

また，発達歴や家族歴の聴取も有用である．ADHD や自閉スペクトラム症（ASD）の症状を含めて発達の遅れや偏りがなかったか，家族にうつ病や双極性障害をはじめとする精神疾患，自殺企図や既遂がなかったかの情報は，包括的な理解をして今後の見通しを立てるうえで参考になる．不適切な養育を含めた養育環境に関する情報の収集も心がけたい．

鑑別診断としては，まず双極性障害が対象となる．躁症状の確認をするが，躁症状を認めても双極性障害とはかぎらないし，双極性

708　12．社会・神経心理学的疾患

障害がうつ症状から始まることもあり，実際の鑑別は必ずしも容易ではない．統合失調症でも，うつ症状を示すことがあり，鑑別を要する場合がある．うつ病では精神病症状を有することがあっても，些細なことを自分のせいと思い込むなど自責的であるのに対して，統合失調症では被害的である点が異なる．また，ADHDはうつ病に併発しやすいと同時に，鑑別対象でもある．うつ病の発症以前から，ADHD症状を認めているかを確認する．

診断の参考に，自己評価尺度を使用することがある．国際的には，Children's Depression Inventory（CDI）が知られているが，日本では，Depression Self-Rating Scale for Children（DSRS-C：バールソン児童用抑うつ性尺度）が使用しやすい．18項目からなり，対象年齢は小中学生であり，診療報酬が算定される．

治療の実際

重症度や治療ステージによって治療は異なるが，常に必要となるのは，①心理教育，②支持的精神療法，③家族への支援と学校との連携，の3つとされる．

重症度についてみると，例えば軽症うつ病は，NICEガイドラインでは，併発症および自殺念慮がない場合とされており，DSM-5で診断基準を満たすのに最低限必要とされる5つの症状しかないことがほとんどで，症状による苦痛や機能の障害は対応可能な場合とされている．治療ステージについては，急性期（初期2〜3ヵ月），維持期（その後の3〜6ヵ月），継続期，に分かれるとされる．治療を考えるうえで，安全性の評価は重要である．自殺のリスクがある場合には，入院治療を含めた対応の検討を要する．

心理教育では，患者や家族に病気や治療に関する情報を提供して，回復に向けて協働していけるようにする．まず，うつ病は病気であって患者や家族に落ち度があって生じたものではないこと，患者が経験している困難は病気の表れであることを伝える．そして，患者や家族が，治療の一般的な経過を知ってもしも再発・再燃があったり慢性化しても回復に向かっていくと考えられるようにしたり，症状を適切にモニターして対応しやすくしたり，治療法のリスクとベネフィットを知って相談しやすくしたり，再発の予防や治療の維持・継続について検討しやすくしたりする．子どもの年齢や理解力に合わせて視覚情報なども活用して行う．

支持的精神療法には，積極的な傾聴と応答，希望の回復，問題解決，対処スキル，治療への参加を維持する方略が含まれるとされる．

子どものうつ病においても他の児童青年精神疾患と同様に家族への支援が不可欠である．家族からの情報が治療上有用であるとともに，家族がメンタルヘルスの問題を抱えていてその対応が必要となることもある．また，学校に対しても家族と同様の心理教育が必要である．うつ病から回復しても学業で遅れをとることがしばしばあり，そのために自己評価の低下や不安の増大などが生じたり，いじめの対象となることもあり，そういう点でも学校との連携は大切である．

軽症であれば，これらを行って経過をみるうちに回復してくることが期待されるが，そうでない場合には，より積極的な治療が必要となる．うつ病に対してエビデンスのある精神療法として，認知行動療法（CBT）と対人関係療法（IPT）がある．CBTでは，うつ病に伴う認知，感情，行動を整理しつつ，認知のあり方を修正して改善をはかる．自分や周囲や将来について否定的な考えが自動的

うつ病　709

に浮かぶと認識して，より現実的で適応的な考えに切り替えるように促す．できる範囲の活動をして行動面から改善をはかる行動活性化をあわせて行うこともある．IPTでは，うつ病に関連する対人関係上の問題に着目して治療する．うつ病のきっかけになりやすい，悲哀，対人関係上の役割をめぐる不和，役割の変化，対人関係の欠如の4領域のなかで最も影響が大きいと思われる領域から取り組む．先述したように子どものうつ病では家族の役割は大きく，家族療法も推奨されている．

中等症以上のうつ病では薬物療法を行う場合があるが，精神療法との併用が望ましい．子どものうつ病に有効な抗うつ薬は，選択的セロトニン再取り込み阻害薬（SSRI）とされ，そのなかでわが国で使用可能で，かつエビデンスのある薬物としては，セルトラリン（6歳以上）とエスシタロプラム（12歳以上）がある．しかし，わが国で子どものうつ病における有効性・安全性を臨床試験で確認された薬物はなく，使用にあたってはリスクとベネフィットを十分に検討して情報提供したうえで，相談を進めていくことになる．FDAはすべての抗うつ薬が24歳までのうつ病患者で自殺のリスクを増加させるとしており，自殺関連現象を含めた賦活症候群には十分に留意する必要がある．処方開始量を少量として慎重に増量するとともに，服薬開始2週間は特に注意深く経過を観察する．

重症度が高ければ精神療法と薬物療法の併用がより強く望まれる．精神病症状を有する場合には非定型抗精神病薬の併用が考えられる．

治療が有効であった場合には，維持療法として薬物療法を6～12ヵ月継続し，寛解が続いていれば漸減中止する．

処方例

処方A　エスシタロプラム（レクサプロ®）
　　　　（10mg）　1錠　分1　夕方

処方B　セルトラリン（ジェイゾロフト®）
　　　　（25mg）　1錠　分1　夕方
　　　　（処方Aまたはそれを慎重に20mgまで増量して効果が認められない場合に変更する）

処方C　アリピプラゾール（エビリファイ®）（1mg）　1錠　分1　夕方
　　　　（イライラが目立つ，精神病症状がある場合などに，処方AまたはBの処方に追加を検討する．ただし，少量のアリピプラゾールでかえって賦活することもあるので注意する）

専門医に紹介するタイミング

自殺のリスクがある場合および精神病症状がある場合には，早急に専門家に紹介する．著しい不安や強迫，激しい攻撃的行動などを認めて併発症を十分に考慮した治療が必要と思われる場合も，紹介を考える．また，基盤に発達障害や発達特性があって，それをふまえつつ家庭や学校の環境調整を進めることが必要と考えられるが，そのような対応が困難な場合も，紹介の可能性を検討する．

専門医からのワンポイントアドバイス

わが国の児童青年期の自殺は減少の兆しがみえず，その大きなリスクであるうつ病やうつ状態を見逃さないことが大切である．うつ状態を呈したら必ずうつ病というわけではないが，疑わしい場合には，発達特性や性格も関わる子どもの生きにくさ，家庭や学校での

居場所のなさや負担などが重なって子どもを追い詰めていないかに配慮して，子どもと周囲を包括的に理解しようとすることによって，自殺のリスクの低減につながるかもしれない．

——————— 文　献 ———————

1) National Institute for Health and Care Excellence：Depression in children and young people：identification and management. Clinical guideline［CG28］. 2017
https://www.nice.org.uk/guidance/cg28

2) 日本うつ病学会 気分障害の治療ガイドライン作成委員会：日本うつ病学会治療ガイドライン—Ⅱ．う

つ病（DSM-5）/ 大うつ病性障害 2016
https://www.secretariat.ne.jp/jsmd/iinkai/katsudou/data/20190724-02.pdf

3) 傳田健三：うつ病の薬物治療．"児童・青年期精神疾患の薬物治療ガイドライン"中村和彦 編．じほう，pp13-33，2014

4) Zuckerbrot RA et al：Guidelines for Adolescent Depression in Primary Care（GLAD-PC）：Part I. Practice Preparation, Identification, Assessment, and Initial Management. Pediatrics 141：e20174081, 2018

5) Cheung AH et al：Guidelines for Adolescent Depression in Primary Care（GLAD-PC）：Part II. Treatment and Ongoing Management. Pediatrics 141：e20174082, 2018

12. 社会・神経心理学的疾患

発達性読字障害

小枝達也
国立成育医療研究センター こころの診療部

POINT

1) ひらがな音読検査にて読字困難の程度を客観的に評価する.
2) ひらがな一文字の音読の自動化を促進するよう指導する.
3) (2) にはひらがな一文字カードを用いる.
4) (2) には音読指導ウェブサイト (https://www.t-ondoku.com/) で練習する.
5) 1日1回5分の練習を続ける.
6) (2) が達成されてから文章独特の語彙を習得するために語彙指導を行う.
7) 語彙指導では例文つくりをすると記憶の定着度が向上する.
8) 明るく楽しく元気よく行う.

ガイドラインの現況

2010年に特異的発達障害の臨床診断と治療指針作成に関する研究チーム(編集代表稲垣真澄)から『特異的発達障害 診断・治療のための実践ガイドライン』が出版されている[1]. このガイドラインには読字に関する検査法が示されていて,小学校1年生から6年生までの男女別の音読時間と誤読数の平均値と標準偏差(SD)が記されているので,音読のスキルを測定することが可能である. この音読検査は診療保険点数の対象となっている本邦で唯一の検査である.

【本稿のバックグラウンド】本稿は,診断については『特異的発達障害 診断・治療のための実践ガイドライン』に依拠し,指導については,音読指導は解読指導と語彙指導という2段階方式で行うと改善が期待できることを詳しく解説した『T式ひらがな音読支援の理論と実践 ディスレクシアから読みの苦手な子まで』(中山書店)を基にしている.

どういう疾患・病態か

発達性読字障害は,米国精神医学会の診断基準(DSM-5)[2]では限局性学習症のうち,読字に特異的な障害があるものとなっている. 知的な遅れはないにもかかわらず,また学習の機会が十分で本人も努力したにもかかわらず,文字を読むことに著しい困難があり,それによって学習に大きな支障をきたすものである. 一般に読字に困難があると書字にも困難があるので,発達性読み書き障害と称されることがある.

主な症状は読字と書字の困難であり[3],その困難さには独特の特徴がある. その特徴を

表 1　発達性読字障害の主な症状

	症　状
読字困難	・逐字読みである（文字を一つひとつ拾って読む） ・単語あるいは文節の途中で区切ってしまう ・文字間や行間を狭くするとさらに読みにくくなる ・音読よりも黙読が苦手である ・一度，音読して内容理解ができると 2 回目の読みは比較的スムーズになる ・易疲労性が顕著である（長めの文章を読んでいると，次第に疲れて読み誤りが増える）
書字困難	・特殊音節の誤りが多い（促音，撥音，二重母音など） ・「わ」と「は」，「お」と「を」のように耳で聞くと同じ音（オン）の表記に誤りが多い ・「め」と「ぬ」，「わ」と「ね」，「雷」と「雪」のように形態的に似ている文字の誤りが多い ・画数の多い漢字に誤りが多い

表 1 に示した．これらの特徴は，文字を見てそれに対応する読みの音を想起するという解読が自動化しないことに起因している．これを解読障害といい，発達性読字障害の基本的な病態となっている．

解読が自動化せずに，いつまでも読みを想起するのに努力が必要で，時間がかかるうえに不正確であったりするために，文字を読むと疲れてしまう．文字を読むと疲れるので，本が嫌いになる．それによって生活言語である会話では使われない文章独特の語彙や語句が身につかなくなる．文章を読むだけで精いっぱいで意味理解するまでの余裕がないことに加えて，学習言語である文章独特の語彙や語句が身につかないので，二次的に読解力の困難が生じることになり，学業不振に陥ってしまう（表 2）．

治療に必要な検査と診断

診断には稲垣らのガイドラインによる方法が良い[1]．図 1 に示した読字，書字に関する症状がどちらかに 7 つ以上あること，および単音，有意味語，無意味語，単文で構成されている 4 つの音読検査のなかで，2 つ以上の検査の音読時間あるいは誤読数が平均よりも

表 2　発達性読字障害が学業不振に陥る理由

・解読障害が基本病態
・一つの文字の読みに時間がかかるし，努力が必要
・文字を読むと疲れる（階段を昇るみたいなもの）
・疲れるから本が嫌いになり，読まなくなる
・本を読まないから学習言語である語彙や語句が身につかない
・知っている語彙・語句が少ないから文章の読解力が身につかない
・学業不振となる

2SD（標準偏差）以上，不良である場合に診断する．

治療の実際

発達性読字障害の基本病態は，解読障害である．したがって，治療は解読の自動化を促進して，一つの文字が楽に正確に読めるように指導する．つまり解読の負荷を下げる練習をする．次に意味がわかり，見覚えがあり，聞き覚えがあるという語彙や語句を増やすための語彙指導を行う．この解読指導と語彙指導という 2 段階方式で指導すると，かなりの改善が期待できる[4]．

解読指導は，iPad やスマートフォン用に

```
臨床症状チェック表

性： 男・女        年齢 _____ 歳        学年 _____ 年

確認日： _____ 年 _____ 月 _____ 日    病名： AD/HD・PDD・_____

記録者： 医師・その他 _____    情報提供者： 保護者・教師・その他 _____
```

学力（国語）

- ☐ 著しく遅れている（2学年以上，あるいはまったく授業がわからない）
- ☐ 遅れている（約1学年～2学年，あるいは授業についていけない）
- ☐ やや遅れている（当該学年の平均以下）
- ☐ 遅れていない（当該学年の平均くらい）

読字	書字
①心理的負担 ☐ 字を読むことを嫌がる ☐ 長い文章を読むと疲れる	①心理的負担 ☐ 字を書くことを嫌がる ☐ 文章を書くことを嫌がる
②読むスピード ☐ 文章の音読に時間がかかる ☐ 早く読めるが，理解していない	②書くスピード ☐ 字を書くのに時間がかかる ☐ 早く書けるが，雑である
③読む様子 ☐ 逐次読みをする （文字を一つ一つ拾って読むこと） あるいは、逐次読みが続いた ☐ 単語または文節の途中で区切ってしまうことが多い（chunkingが苦手） ☐ 文末を正確に読めない ☐ 指で押さえながら読むと，少し読みやすくなる ☐ 見慣れた漢字は読めても，抽象的な単語の漢字を読めない	③書く様子 ☐ 書き順をよく間違える，書き順を気にしない ☐ 漢字を使いたがらず，仮名で書くことが多い ☐ 句読点を書かない ☐ マス目や行に納められない ☐ 筆圧が強すぎる（弱すぎる）
④仮名の誤り ☐ 促音（「がっこう」の「っ」），撥音（「しんぶん」の「ん」）や拗音など特殊音節の誤りが多い ☐ 「は」を「わ」と読めずに「は」と読む ☐ 「め」と「ぬ」，「わ」と「ね」のように、形態的に似ている仮名文字の誤りが多い	④仮名の誤り ☐ 促音（「がっこう」の「っ」），撥音（「しんぶん」の「ん」）や拗音など特殊音節の誤りが多い ☐ 「わ」と「は」，「お」と「を」のように，耳で聞くと同じ音（オン）の表記に誤りが多い ☐ 「め」と「ぬ」，「わ」と「ね」のように，形態的に似ている仮名文字の誤りが多い
⑤漢字の誤り ☐ 読み方が複数ある漢字を誤りやすい ☐ 意味的な錯読がある（「教師」を「せんせい（先生）」と読む） ☐ 形態的に類似した漢字の読み誤りが多い（「雷」と「雪」のように）	⑤漢字の誤り ☐ 画数の多い漢字の誤りが多い ☐ 意味的な錯書がある（「草」を「花」と書く） ☐ 形態的に類似した漢字の書き誤りが多い（「雷」と「雪」のように）

図1 読字・書字困難症状のチェック表

（文献1より引用）

提供している音読指導アプリを使って指導する.「音読指導アプリ」というキーワードによる検索をしてアプリをダウンロードする.表3にアプリを使う際の注意点を挙げた.この解読指導により読めなかった文字が読めるようになるし,誤読も減らすことができる.著しく遅かった文字や単語の音読がある程度までスムーズに読めるようになっていく[4~6].

語彙指導は,対象児が使っている国語の教科書の中に書いてある語彙や語句で,対象児がよく知らない語彙を抜き出して,①読んで聞かせ,②意味を教え,③例文つくりをする,という3つのステップで指導するとよい[5,6].文章を早く読むためには言葉の意味がわかり,その読みのイメージが浮かぶことがとても重要になる.そして,例文を作って記憶の定着を促すとよい.語彙指導によって文章の音読速度が改善するし,黙読が可能になる[4,5].

こうした2段階方式の指導のゴールは,音読が平均になることではなく,黙読で意味がわかるというところであると考える.文章を自力で読んで意味がとれないと,社会生活に大きな支障をきたしてしまう.医療としてはその解決や改善を治療のゴールとするのが妥当であろう.

処 方 例

発達性読字障害に特有の薬物療法はない.ADHD(特に不注意優勢型)の併存が多いので,読字や書字の指導に加えて,注意集中力の治療を行う.通常のADHDの治療でよい.

表3 音読指導アプリを使う際の留意点

- ・1日1回,5分
- ・10名まで登録できる
- ・毎日行う
- ・読み誤ったものは,正しい読みを確認させる
- ・速く読めることが目的
- ・3週間で効果が現れる
- ・音読時間が平均から2SDのところに近づけばよい

専門医に紹介するタイミング

既に音読指導アプリは学校関係者のなかにかなり知れ渡っていて,自発的に使われている.これで改善する軽度の発達性読字障害も少なくない.このアプリを使っても改善がない場合には,診断をして語彙指導を継続的にしっかりと行う必要がある.ここが専門医に紹介するタイミングである.

専門医からのワンポイントアドバイス

発達性読字障害は「字が読めない子」といわれているが,正しくは「読むのが極端に遅いし,よく読み間違える子」であることに留意する.拾い読みするのを見て「読めるから大丈夫」と言わないことが重要である.

アスペルガー症候群の子で漢字が書けないことを書字障害であるという勘違いが多い.原因のほとんどは書き順を守らないことである.ロゴマークを書くように漢字を適当に書くため定着しないだけで,書字障害ではない.書き順を守らせることが指導のポイントとなる.

発達性読字障害　715

文　献

1) 稲垣真澄 他：診断手順．"特異的発達障害　診断・治療のための実践ガイドライン―わかりやすい診断手順と支援の実際―"特異的発達障害の臨床診断と治療指針作成に関する研究チーム（稲垣真澄 編集代表）編．診断と治療社，pp1-23，2010

2) 髙橋三郎 他監訳，染矢俊幸 他訳：限局性学習症．"DSM-5 精神疾患の診断・統計マニュアル"pp65-73，2014

3) 小枝達也：学習障害（LD）：疾患としての学習障害．"データで読み解く発達障害"平岩幹男 総編集，岡　明，神尾陽子，小枝達也，金生由紀子 専門編集．中山書店，pp50-52，2016

4) 小枝達也：総論：学習障害を疾患として捉える．小児保健研究 75：134-137，2016

5) 小枝達也：学習障害（LD）治療と療育．"データで読み解く発達障害"平岩幹男 総編集，岡　明，神尾陽子，小枝達也，金生由紀子 専門編集．中山書店，pp60-63，2016

6) 小枝達也 他：T式ひらがな音読支援の理論と実践 ディスレクシアから読みの苦手な子まで．中山書店，2022

12. 社会・神経心理学的疾患

ひきこもり

若島孔文
（わかしまこうぶん）
東北大学大学院 教育学研究科

> **POINT**
> - ●ひきこもりは現象（状態）であって，特定の疾患や問題に特定できるものではない．
> - ●ひきこもりという特徴に基づき，本人が受診することが，少なくとも初期には難しい現状がある．
> - ●保護者等家族が窓口となることが多いので，保護者等家族とのラポールを大切にすることが重要である．

ガイドラインの現況

「ひきこもり」というのは現象であって，特定の要因によって説明されるものではない．自宅外の生活の場が長期にわたって失われている状態である[1]．ひきこもりという現象は，思春期・青年期の自己愛の高まりをみせる時期にみられ，また，発達障害や精神疾患を伴う場合もある[2]．このように，ひきこもりの背景は多様で，生物学的要因，心理的要因，社会的要因などが複合して，ひきこもりという現象を生起させ，維持させる．小児レベルでは，不登校の児童・生徒などとして問題になるのが一般的である．ひきこもりという問題の性質上，本人が医療機関を受診することは難しく，保護者や学校の教師，また，スクール・カウンセラーやスクール・ソーシャル・ワーカー，あるいはアウトリーチ可能な専門的支援者を活用し，本人の活動の幅を広げていくことが大切である．そのようななかで，必要に応じて医療機関への受診を適宜行うことが必要である．

【本稿のバックグラウンド】 見立てに関しては DSM などを参考に，対応・介入についてはブリーフセラピー（短期療法），家族療法，行動療法を参考に統合的なアプローチをここでは示している．

どういう疾患・病態か

ひきこもり問題というのは，多様な要因が考えられ，単一の原因を追究していくことは困難を生じる．つまり，「生物-心理-社会」という多次元における複合性により，現象化していく．とりわけ，ひきこもり問題を考えていく際には，維持要因への着目が重要である．

ひきこもり　717

1 生物学的側面

小児期（児童・生徒）では，精神遅滞や広汎性発達障害などの発達障害，すなわち，DSM-IVにおけるII軸診断を検討することから始める．

続けて，小学校高学年から中学生，高校生時期では，社交恐怖，強迫性障害，不安障害，統合失調症など，DSM-IVにおけるI軸診断を検討していく必要がある．

I軸診断を主とするものは，薬物療法などの生物学的治療の必要性が考えられる．ただし，長期的なひきこもり状態により，社交恐怖や強迫性障害を導かれている事例もあることに注意を要する．

II軸診断を主とするものは，障害特性に応じて，保護者や学校の教員などへの障害に関するリテラシー心理教育が必要であり，スクール・カウンセラーや養護教員との協力関係の構築が大切である．

2 心理的側面

心因としては，いじめや対人的トラブル，自尊心の喪失，コントロール感の剥奪など多様である．また，不安や緊張も高く，外の世界に接するように促すと，頭痛や腹痛など身体化症状を示すことがある．身体化に対しては，否定的側面（不安，緊張，恐怖，怒りなど）を言語的に表現できるように促すことが必要である．

性格的特徴としては，言語表現の苦手さ，劣等感，逆に仮想的有能感の高さなどがみられる．いじめやスクールカーストでの地位の低さによる傷つき，また，自尊心の傷つきから回避するために，自宅へひきこもることで一時的な解決行動となっていることが多い．一時的な解決行動として有効であることが強化因子となり，その行動が維持存続してしまう．また，ひきこもりという解決行動によ

り，学業成績の低下，社交恐怖，強迫的行動などが付随する悪循環を形成する．

こうしたひきこもりの維持要因への着目が重要である．

3 社会的側面

社会的側面としては，日常生活を共にする家族の存在がある．育て方の不備，愛着の問題，母子密着や父親不在などという関係性がひきこもりの原因かのようにいわれていた時代もあったが，現在においては，そのような専門家の見方は，家族の力を削ぎ，協力関係を困難にする最大の要因となっている．

家族は家族なりのやり方で，ひきこもる子どもの問題を解決しようと努力している．その方法が適切かどうかということを検討していくことこそが大切である．

先の心理的側面でも述べたが，家族による一時的問題解決の方法が，長期的にはひきこもりの維持要因となっていることが一般的であり，維持要因の変化を促すことが必要である．

治療に必要な検査と診断

ひきこもりという問題の性質上，本人が医療機関を訪れることが困難である．保護者・家族に「本人を連れてくる」ように最初にアドバイスすることは共感性に欠けるものであり，治療関係構築の妨げになることに留意することが必要である．

まずは保護者・家族から聴き取りをし，ひきこもりに至った経緯，本人の特徴を把握していく．ひきこもりに至った経緯や本人の特徴について聴き取りすることで，生物学的側面，心理的側面，社会的側面を検討していく．

発達障害の可能性がある場合，幼少期からの様々な行動特徴や1歳半検診，3歳検診な

どの結果を聴き取ることが大切である．加えて，保護者の観察から記入できる発達検査を使用することも検討する．また，社交恐怖，不安，強迫症状などについては，ひきこもり前にみられていたか，継続的なひきこもり後にみられるようになったのかを確認していく．小学校高学年以上では，統合失調症の可能性も頭に入れて，学業成績の急激な変化，飲食物の急激な制限，反応や言動の変化を聴き取る．

治療の実際

ひきこもりという問題の性質上，本人が相談機関を訪れることは，少なくとも初期には困難である．

まずは保護者・家族からのアプローチを開始する．そのうえで大切なのは，保護者・家族との信頼関係を構築していくことである．

保護者・家族は，本人と直接やりとりできる治療の窓口である．その窓口を使用しながら，必要に応じて他機関の援助資源を活用して，段階的・継続的に支援していく．

■1 保護者・家族への支援段階

初期に最も大切なことは，治療者が保護者・家族との信頼関係を構築することである．子どもの問題によって，保護者・家族は子どもの養育過程について自責していたり，これまでの様々な対処が役に立たなかったことで，無力感にとらわれていたりするため，まずは保護者・家族の労をねぎらうことから始めるのが良い．

次に，ひきこもりの状態を把握する．部屋からほとんど出ることがない状態，自宅から出ることがない状態，社会的活動（学校など）に入り込めない状態のいずれの状態であるのかにより，アプローチはやや異なる[2]．

部屋からほとんど出ることがない状態の場合，結果的に家族が子どもの部屋への閉じこもりを維持していると考えられる．食事を持って行く，冷蔵庫に食事を準備しておく，また，遠方に出かけないようにしているなど，子どものために行っている保護者・家族の行動が結果的に部屋への閉じこもりを維持する悪循環を形成している．この場合は適切な理由をつくって，その行動を止めることが重要な介入となる．例えば，母方伯父の七回忌のため，母親は泊りがけで実家に戻らなくてはならないと理由をつけ，その間，父親が食事の準備をする，と子どもの部屋にメモを入れる．そして，母親が出かけ，父親が弁当を準備し，「弁当買ってきたよ！」と声をかけるなどというように，維持要因を変化させていく．特別な状況の設定は特別な行動を許すということを治療者が知っておくことが必要である．東日本大震災において，多くの不登校児童・生徒が，避難所（学校）に出てきたことはその証拠である．

自宅から出ることがない状態，社会的活動（学校など）に入り込めない状態の場合，保護者・家族には，二つの段階で子どもにアプローチしていくことを説明する．第一段階は，コミュニケーションの橋を掛ける段階，第二段階は，変化を導入していく段階である．この二つのことを同時に行うことは，子どもに対して逆説的なメッセージを与えることになるので，明確に段階に分けてアプローチすることを保護者・家族と話し合い同意を得る．

第一段階では，肯定的な言葉かけを行ったり，お願いごとをして褒めたりということを継続する．お願いごとというのは小さなことでよい．保護者・家族が仕事で家を出る前に窓を開けておき，夕方には閉めておいて，などとお願いする．このように，必ずできるよ

ひきこもり　719

うな小さなことをお願いし，仕事から戻り，子どもを褒める．また，母親が父親にこのことを報告し，父親から子どもを褒めるなどというように工夫していく．

保護者・家族からコミュニケーションがとれるようになったという報告を受けた時点で，第二段階に移行する．小さな変化を導入していく．例えば，食事に行こう，映画に行こう，釣りに行こう，旅行に行こう，などと誘ってみる．もし行けない場合には，留守番という役割を与えればよい．行ければ少しずつ活動領域が広がり始めることになり，行けなければ留守番という重要な役割を果たしたとして褒めてあげればよい．このような方法を一度ではなく，時折繰返していく．

2 個人的支援段階

保護者・家族への支援段階を経ることで，本人が相談機関につながる場合も少なくない．もし本人が来た場合，治療者は相互作用的言語をひかえ目に接していく．非言語レベルではアイコンタクト，言語レベルでは「〜だよね」「〜だと思わない？」などの"引き込み言語"[3] に弱い事例が少なくない．媒介物を挟んだコミュニケーションから開始することが無難である．

本人が相談機関に来談できない場合，アウトリーチができる支援機関との連携が必要となる．児童・生徒の場合，地域の教育行政機関や児童福祉機関，民間機関でアウトリーチで援助を行っているところが増えている．また，スクール・カウンセラーやスクール・ソーシャル・ワーカーの助けも得られるであろう．

アウトリーチ支援で重要な点は，保護者・家族との連携である．訪問導入の提案に対して，子ども本人が否定的な反応をすることで，保護者が訪問の導入を諦めてしまう事例

がある．子どもの否定的反応は一般的なことであり，導入時にこのようなことを前もって保護者・家族に理解してもらうことで解決できる．

子ども本人の相談動機の低さや抵抗は，訪問支援者が関係構築をしていくなかで解消されていくのが，ひきこもりのアウトリーチ支援の最大の特徴である[4]．

3 社会的活動への試行段階

児童・生徒の場合は，適応指導教室や学校の保健室登校により，少しずつ集団状況に慣れていく過程が必要である．また，訪問支援者との信頼関係が構築されている場合には，訪問支援者とともに施設見学を行うことも有効である．子どもの状態をふまえて，フリースペースやフリースクールなどの単発での活動（日帰りキャンプなど）を利用することも有意義である．緊張や不安，不眠などの症状が強い場合，医療的な介入も必要である．

専門医に紹介するタイミング

医療機関に紹介する時期については，精神症状の強弱をふまえることはもちろんのこと，学期や学年の変わり目を利用したアプローチが効果的である．紹介に際して，保護者から子どもへの提案に，子どもが拒否的な場合，訪問援助者や学校の担任，養護教員など第三者からのはたらきかけを行ってみると反応が異なる場合があるので，試みてほしい．

また，こころの問題としてではなく，身体的問題として，医療機関を紹介するということが子どもたちには抵抗が低いようであるので，その点を利用した紹介の仕方が良いであろう．

専門医からのワンポイントアドバイス

　ひきこもりの治療においては，本人の援助はもちろんであるが，同じレベルで重要視してほしいのが，保護者・家族への支援である．問題の性質上，保護者・家族を通じたアプローチが必要不可欠である．したがって，保護者・家族に多くの負担をかけてしまう可能性がある．保護者・家族に多くの負担がかからないように，アウトリーチで専門的支援をできる援助者を活用していくことが望まれる．

文　献

1) 厚生労働省：10代・20代を中心とした「ひきこもり」をめぐる地域精神保健活動のガイドライン―精神保健福祉センター・保健所・市町村でどのように対応するか・援助するか―.
https://www.mhlw.go.jp/topics/2003/07/tp0728-1.html
2) 若島孔文：ひきこもりへの支援　―家族カウンセリングの立場から―."カウンセリングの展望　―今，カウンセリングの専門性を問う―"下司昌一 編．ブレーン出版．pp355-366, 2005
3) 若島孔文：コミュニケーションの病理としてのひきこもり．現代のエスプリ（別冊うつの時代シリーズ 2）：108-115, 2005
4) 齋藤暢一朗：メンタルフレンドの活用．児童心理834（臨時増刊）：120-125, 2005

12. 社会・神経心理学的疾患

睡眠および睡眠関連病態

神山　潤
公益社団法人地域医療振興協会 東京ベイ浦安市川医療センター

POINT
- ●睡眠衛生の基本，すなわち SHP/T（sleep health practice/treatment）の理解，周知，徹底が重要．
- ●可能ならば認知行動療法としての睡眠日誌を有効利用したい．
- ●主訴は疾患と1対1対応ではないので，訴えを虚心坦懐に傾聴することが重要．

ガイドラインの現況

　小児の睡眠時間ガイドラインは WHO[1] とカナダ運動生理学会[2,3] が作成，小児の睡眠関連病態を含むガイドラインは米国睡眠医学会版[4] があり，米国小児科学会は睡眠時無呼吸症候群のガイドラインを作成[5] した．本邦の小児睡眠関連病態のガイドラインは夜尿症のみだが，『健康づくりのための睡眠指針2014』[6]，『睡眠障害の対応と治療ガイドライン』[7]，『ナルコレプシーの診断・治療ガイドライン』[8]，『睡眠薬の適正な使用と休薬のための診療ガイドライン』[9] は参考になる．小児の睡眠関連疾患に関するガイドライン作成は急務だ．

【本稿のバックグラウンド】 本稿は「ガイドラインの現況」に紹介した1）〜9）および『睡眠障害国際分類 第3版』[10] と『睡眠の生理と臨床 改訂第3版』[11] を参考に，これまでの筆者の経験を中心にまとめた，個人的な見解だ．

睡眠時間に関するガイドライン

　WHO[1]，カナダ運動生理学会[2] ともに推奨睡眠時間を0〜3ヵ月で14〜17時間，4〜11ヵ月で12〜16時間，1〜2歳で11〜14時間，3〜4歳で10〜13時間とし，カナダ運動生理学会[3] は5〜13歳で9〜11時間，14〜17歳で8〜10時間としている．米国の National Sleep Foundation は推奨睡眠時間を0〜3ヵ月で14〜17時間（許容範囲は11〜19時間），4〜11ヵ月で12〜15時間（10〜18時間），1〜2歳で11〜14時間（9〜16時間），3〜5歳で10〜13時間（8〜14時間），6〜13歳で9〜11時間（7〜12時間），14〜17歳で8〜10時間（7〜11時間）としている[12]．必要な睡眠時間には個人差が大だ．

生理的現象

　小児も成人も生体時計の周期は24時間よりも若干長く，遅寝遅起きになりやすい．「子どもだから夜になったら寝る」のではな

表1 SHP/T（sleep health practice/treatment）

基本は7つ
- 朝の光を浴びること
- 昼間に活動すること
- 夜は暗いところで休むこと
- 規則的な食事をとること
- 規則的に排泄をすること
- 眠気を阻害する嗜好品（カフェイン，アルコール，ニコチン），過剰なメディア接触を避けること
- 入眠儀式を大切に

い．夜間の良睡眠には，睡眠衛生の基本，SHP/T（sleep health practice/treatment）（表1）が重要だ．

1 中途覚醒

レム睡眠と浅いノンレム睡眠の時には体動が多く，体動後しばしば「覚醒」する．レム-ノンレム睡眠周期は，成人では平均すると90分だが，新生児では40分前後，1歳で50分，2歳で70分，5歳で80分と短く，幼小なほど短い周期で生理的に「覚醒」する．6〜8時間中途覚醒なしで眠ることのない6〜12ヵ月児が27.9〜57.0％存在し，中途覚醒は知的発達，精神運動発達との関連はないという[13]．

2 無呼吸

寝入りばな，寝返り後，レム睡眠中には呼吸は生理的に停止する．無呼吸イコール病的，ではない．3歳以上で吸気時に胸骨下端が陥没する際には上気道に閉塞機転が存在する可能性がある[11]．

3 コリック，夜泣き

コリックは生後2週より増加し始め生後3ヵ月末には落ち着く「ひどい泣き」で，「夜泣き」の訴えのピークは生後7〜9ヵ月にある．睡眠覚醒リズムが確立する生後3〜4ヵ月以前には，生理的に「夜間」に目覚め，「夜泣き」と捉えられる場合もある．睡眠覚醒リズム確立以降の「夜泣き」で，いつも同じ時間に泣く場合はレム睡眠の関与を考える．摂食行動も光・社会的接触・運動とともに生体リズムを強力に制御する．「夜泣き」というと「眠り」にのみ注意が向かうが，SHP/T（表1）の確認が不可欠だ．コリック，夜泣きに際して，養育者の不安緊張が大な場合には下記処方で，母児同服を勧める場合もある．

処 方 例

| 処方A 甘麦大棗湯 0.1g/kg/日 分2〜3 |
| 処方B 抑肝散 0.1g/kg/日 分2〜3 |

4 律動性運動障害

頭を前後，左右へ振る，四つ這い位で躯幹を前後に振る，仰向位で躯幹を左右に回転させる等を示す．「眠くなると頭を振る」も含めると9ヵ月児の7割近くに認め，次第に減少する．異常と捉える必要はないが，ベッド周囲へのパッド設置やヘッドギア着用が必要な場合も稀にはある．

入眠儀式

入眠に必要な一定のものや状況―入眠儀式―は大切にしたい．内容（歯磨き，着換え，翌日の準備，マッサージ等々）は様々だが，取り入れると乳児の寝つきが良くなり，夜間の中途覚醒が減るとの報告はある．

睡眠外来での年齢別の主訴

筆者の睡眠外来における最近の最多の主訴あるいは養育者の訴えは，0〜5歳は不眠，6

睡眠および睡眠関連病態　723

～10歳は過眠と不眠，11～20歳は過眠で，これは既報告[14]同様だ．最終診断では0～5歳の最多は不適切な睡眠衛生に基づく不眠症で，その他レストレスレッグズ症候群（RLS），ノンレム関連睡眠時随伴症群もあった．6～10歳ではRLS，ADHD児の過眠で，11～15歳での最多診断は睡眠不足症候群で，概日リズム睡眠・覚醒障害群，不眠症，ADHD児の過眠が続き，ナルコレプシー例もあった．16～20歳の最多診断も睡眠不足症候群で，ナルコレプシー例もあった．

主な主訴に対する対応

1 未就学児の養育者が訴える児の不眠

兄や姉の通園が始まり，遊び相手がいなくなり，スクリーン時間が増え，外遊びが減り，夜間の入眠困難/中途覚醒が増加した例，夫婦不和で児の前で諍いが多かった例，摂食習慣に規則性がなかった例，昼間に過度の睡眠をとっていた例，中途覚醒がゼロでないと悩んでいた例，深夜まで父とともにテレビを視聴していた例等々．個別に詳しく話を伺い，原因を養育者ともども探りたい．

2 学童以上の眠れない

SHP/T（表1）からの逸脱は不眠をもたらす．「眠れない」場合もあるが，「眠らない」場合もある．前者の場合は過度のduty等で交感神経系の過緊張やそれに伴う過覚醒に陥っている場合がある．派生する課題（例えば朝の起床困難）があり，その課題対応を本人が望んでいる場合には，睡眠日誌を用いた認知行動療法を行い，SHP/Tを確認し，オーダーメードの対応を考える．

3 最多の主訴；朝起きることができない

この主訴の場合多くの小児科医は起立性調節障害を考えるが，睡眠関連疾患（睡眠不足症候群，概日リズム睡眠・覚醒障害群等）でも同じ主訴となる．この場合，前項に述べた不眠が先行する例，夜型の人あるいは睡眠・覚醒相後退障害の人が訴える場合，さらに慢性の睡眠不足状態にありながら，休日の朝寝坊や，授業中の居眠りをすることのできない人が，睡眠負債を貯め続け，ある日突然登校日の起床困難に陥る場合もある[15]．詳細な病歴聴取，本人の意向確認が重要だ．

主な疾患に対する対応

1 ノンレム関連睡眠時随伴症群

覚醒時に意識の不明瞭が持続し錯乱状態に陥る錯乱性覚醒，徘徊が主症状の睡眠時遊行症，叫び声が特徴的な睡眠時驚愕症がある．家族集積性があり，ストレスや興奮，発熱が誘因となる．なだめると興奮するので，危険防止に配慮して見守る，が対応の基本だ．多くは思春期には自然消失する．自然治癒することを説明し，不安を取り除くことで症状の改善をみる場合も多い．ベンゾジアゼピン系薬剤の就寝前投与が効果的だが，同剤は睡眠呼吸障害を悪化させるので，使用前に同症を否定することが重要．

処 方 例
処方　ベンザリン®　0.05～0.1 mg/kg 　　　就寝前

2 レストレスレッグズ症候群

主に膝と足首の間に不快な感覚が生じ，じっとしていると増強し，不眠を招く．異常感覚部位を叩く・こすり合わせる・ゆする，歩き回ると症状は軽減する．小児では適切な訴えができず，「騒いで寝つかない」と捉え

られる例もある．ただし児は何らかの形で不快感を示していることが多く，診断には動画等を有効活用したい．家族集積性が高い．治療ではマッサージ，増悪因子の回避に加え，SHP/T の実践が重要だ．血清フェリチン 50 ng/mL 以下では鉄剤が効果的．鉄剤で改善がない場合には専門医に紹介したい．

処 方 例 （6 歳）

処方　インクレミン® シロップ　10 mL
　　　分 3〜4

---

3 閉塞性睡眠時無呼吸

　肥満は危険因子だが，扁桃肥大がある場合，やせていても認める．小顎，低出生体重も危険因子だ．本症では日中の眠気が生ずるが，小児では眠気が集中力低下から，多動，行動異常を呈し得る．血圧，耐糖能にも影響する．扁桃肥大がある場合には摘除術の適応となるが，明確な適応基準は確立していない．症状には季節変動（夏に軽減）がある．アデノイド扁桃摘除術による感染リスクの高まりは否定されている．扁桃肥大がない場合に持続陽圧呼吸を行う場合もある．ガイドラインはある[5]が，『睡眠障害国際分類第 3 版』[10]には治療基準について「いまだ検討途上」とある．耳鼻科を含む専門医に紹介したい．

4 不眠症

　不眠対応の基本は眠気がきてから床に入る，だ[6]．そうでないと寝床が「眠れない」と悩む場になってしまう．SHP/T の確認をせずに睡眠導入薬を投与しても効果は上がらない．睡眠日誌を用いた認知行動療法を併用する場合もある．メラトニン受容体作動薬（処方 A）は就寝前投与による睡眠導入効果のほか，17〜22 時に投与することで翌日の

起床が早まる効果がみられる場合もある[11]．覚醒中枢を阻害する薬剤（処方 B）は依存の恐れも少なく，用量調整もしやすい．交感神経系の過緊張，過覚醒の緊張緩和目的で，下記処方 C を行うこともある．神経発達症に伴う場合，メラトニン製剤が効果的な例が少なくない（処方 D）．

処 方 例 （中学生）

処方 A　ロゼレム®　0.5〜1 錠　17〜22
　　　　時あるいは就寝前

処方 B　デエビゴ® (2.5 mg)　0.5〜1 錠
　　　　就寝　前

処方 C　抑肝散　5 g/日　分 2〜3

処方 D　メラトベル®　1 mg　就寝前

---

5 過眠症

a）睡眠不足症候群

　本症では，朝の起床困難，昼間の眠気のほか，攻撃性の高まり，注意・集中力・意欲の低下，疲労，落着きのなさ，協調不全，倦怠，食欲不振，胃腸障害等に加え，不安や抑うつも生じ得る．睡眠不足の自覚がないことが多い．あまりに寝つきの良いことも睡眠不足を知るきっかけになる．本人に改善意欲がある場合には睡眠日誌を用いた認知行動療法を行う．「○時間眠ると，授業中寝ないで過ごせる」といった発言を得られるとしめたものだ．昼間の眠気について「今までの経験したことのない寝落ちだ．病気に違いない」と訴え，ナルコレプシーの診断を求める人も多い．その場合いきなり睡眠不足症候群との病名は出さないことが，患者医師関係構築の点から，またその後の治療効果の点からも重要だ．

b）ナルコレプシー

　①睡眠発作，②強い情動（喜びや驚き）で誘発される脱力発作（カタプレキシー），③

睡眠および睡眠関連病態　**725**

入眠時幻覚，④睡眠麻痺，を主徴とする．覚醒作用，摂食促進作用を持つオレキシンを含有する視床下部外側野の細胞が自己免疫機序で障害されて発症する可能性が指摘されている．ガイドライン[8]はあるが，診断には髄液中のオレキシン濃度測定か反復睡眠潜時検査が必要．専門医に紹介したい．

⑥ 概日リズム睡眠・覚醒障害群

本障害群中の睡眠・覚醒相後退障害では，睡眠時間帯が望ましい時刻よりも遅れる．朝の覚醒困難は必発で，無理に覚醒させると睡眠酩酊を生じることもある．睡眠酩酊とは，無理に起こそうとした場合，激しく抵抗し，暴力をふるう場合もあるが，その後覚醒したときにはその抵抗した状況を想起できないといった，混乱した半覚醒状態のことをいう．専門医に紹介したい．

専門医からのワンポイントアドバイス

今後の小児科医の対応領域として保健指導や思春期領域は重要だ．苦手意識があったかもしれないこれらの領域に，一般小児科の先生方もぜひ積極的に参画していただきたい．本稿がそのきっかけになれば幸いだ．

文 献

1) World Health Organization：Guidelines on physical activity, sedentary behaviour and sleep for children under 5 years of age. Geneva：World Health Organization；2019. https://apps.who.int/iris/bitstream/handle/10665/325147/WHO-NMH-PND-2019.4-eng.pdf?sequence=1&isAllowed=y

2) Tremblay MS et al：Canadian 24-Hour Movement Guidelines for the Early Years (0-4 years)：An Integration of Physical Activity, Sedentary Behaviour, and Sleep. BMC Public Health 17 (Suppl 5)：874, 2017

3) Tremblay MS et al：Canadian 24-Hour Movement Guidelines for Children and Youth：An Integration of Physical Activity, Sedentary Behaviour, and Sleep. Appl Physiol Nutr Metab 41 (6 Suppl 3)：S311-27, 2016.

4) Auger RR et al：Clinical Practice Guideline for the Treatment of Intrinsic Circadian Rhythm Sleep-Wake Disorders：Advanced Sleep-Wake Phase Disorder (ASWPD), Delayed Sleep-Wake Phase Disorder (DSWPD), Non-24-Hour Sleep-Wake Rhythm Disorder (N24SWD), and Irregular Sleep-Wake Rhythm Disorder (ISWRD). An Update for 2015：An American Academy of Sleep Medicine Clinical Practice Guideline. J Clin Sleep Med 11：1199-1236, 2015

5) Marcus CL et al：American Academy of Pediatrics：Diagnosis and management of childhood obstructive sleep apnea syndrome. Pediatrics 130：576-584, 2012

6) 厚生労働省健康局：健康づくりのための睡眠指針 2014. https://www.mhlw.go.jp/file/06-Seisakujouhou-10900000-Kenkoukyoku/0000047221.pdf

7) 睡眠障害の診断・治療ガイドライン研究会 内山 真 編：睡眠障害の対応と治療ガイドライン 第3版．じほう，2019

8) 日本睡眠学会 編：ナルコレプシーの診断・治療ガイドライン．2009（日本睡眠学会ホームページの会員ページ）

9) 厚生労働科学研究班・日本睡眠学会ワーキンググループ：睡眠薬の適正な使用と休薬のための診療ガイドライン. http://www.jssr.jp/data/pdf/suiminyaku-guideline.pdf

10) American academy of sleep medicine（日本睡眠学会診断分類委員会 訳）：睡眠障害国際分類 第3版．ライフ・サイエンス，2014

11) 神山 潤：睡眠の生理と臨床 改訂第3版．診断と治療社，2015

12) Hirshkowitz M et al：National Sleep Foundation's sleep time duration recommendations：methodology and results summary. Sleep Health 1：40-43, 2015

13) Pennestri MH et al：Uninterrupted infant sleep, development, and maternal mood. Pediatrics 142：e20174330, 2018

14) Kohyama J et al：Insufficient sleep syndrome：An unrecognized but important clinical entity. Pediatr Int 60：372-375, 2018

15) 神山 潤：子どもの睡眠「眠い」「眠れない」「眠らない」．日本医事新報 5070：22-37, 2021

12. 社会・神経心理学的疾患

注意欠如・多動症

作田亮一
獨協医科大学埼玉医療センター 子どものこころ診療センター

POINT
- 注意欠如・多動症は，DSM-5 診断基準および『AD/HD の診断・治療ガイドライン』に基づく診療が推奨される．
- ADHD は，主症状のみならず多くの併存症を多く伴うため，併存症の理解と評価，対応が必要である．
- 4 種の抗 ADHD 薬は，副作用に留意し安全に使用するよう注意を要する．

ガイドラインの現況

2013 年米国精神医学会『精神疾患の診断・統計マニュアル』（DSM）が DSM-IV から DSM-5[1] に改訂され，2014 年に日本精神神経学会監修の日本語版も出版された[2]．新しい DSM-5 では一部の診断名や診断基準に変更があった．そのため，本稿では DSM-5 に従って解説する（表 1）．DSM-IV では注意欠陥/多動性障害だったが，DSM-5 では注意欠如・多動性障害（attention-deficit/hyperactivity disorder：ADHD）あるいは注意欠如・多動症と訳された．DSM-5 によると，ADHD の定義は，不注意および/または多動性−衝動性の持続的な様式で機能または発達の妨げとなっているものである．ただし，それらの症状は単なる反抗的態度，挑戦，敵意などの表れではなく，課題や指示を理解できないこともない．DSM-5 と DSM-IV との主な相違点は以下に示す．

DSM-5 では，基準 A で，新たに成人 ADHD への配慮が加わった．すなわち 17 歳以上の青年および成人においては，少なくとも 5 症状が認められれば A 基準をクリアするという規定が加えられた．基準 B において，発症時期が「7 歳以前」から小学生年代全体をカバーできる「12 歳以前」となった．基準 E において，併存が認められなかった広汎性発達障害（DSM-5 では自閉症スペクトラム障害；autism spectrum disorder：ASD）との併存が認められた．

ADHD は多彩な併存障害を伴うことが多いとされている．実際の患児の理解のためには，個々の疾病構造を把握する必要がある．1999 年に発足した研究班（上林靖子 主任研究）は，Barkley らの臨床面接フォーム[3] を参考に，わが国の『AD/HD の診断・治療ガイドライン』を作成し改訂を重ね，齋藤万比古（編）第 4 版が発行された[4]．

注意欠如・多動症　727

ADHDの診断と評価，治療（心理社会的治療，薬物療法）が詳しく解説されており，一般にはこのガイドラインを用いるのが良いと考えられる．

【本稿のバックグラウンド】 診断に関しては，DSM-5診断基準を参考にした．検査および治療に関しては，主に『AD/HDの診断・治療ガイドライン』を参考にした．

どういう疾患・病態か

有病率はほとんどの文化圏で，子どもの約5％および成人の2.5％とされている．

ADHDの概念は，もともと客観的な行動レベルで観察可能な症状によって構成されている．前述のDSM-5の診断基準とICD-10の多動性障害の診断基準が用いられる．

ICD-10の診断基準は，不注意，過活動，衝動性，の3つの症状カテゴリーから構成されるが，診断名の中には「不注意」に関する言葉はない．児童青年期の多軸診断については，World Health Organization 1996[5] があり，I軸で臨床精神医学的症候群，II軸で自閉症のような特異的発達障害，III軸で知能水準，IV軸で身体的病態，V軸で心理社会的問

表1 ADHDの診断基準（DSM-5に準拠）

A.（1）および/または（2）によって特徴づけられる，不注意および/または多動性-衝動性の持続的な様式で，機能または発達の妨げとなっているもの：
（1）**不注意**：以下の症状のうち6つ（またはそれ以上）が少なくとも6ヵ月持続したことがあり，その程度は発達の水準に不相応で，社会的および学業的/職業的活動に直接，悪影響を及ぼすほどである：
注：それらの症状は，単なる反抗的行動，挑戦，敵意の表れではなく，課題や指示を理解できないことでもない．青年期後期および成人（17歳以上）では，少なくとも5つ以上の症状が必要である．
（a）学業，仕事，または他の活動中に，しばしば綿密に注意することができない，または不注意な間違いをする〔例：細部を見過ごしたり，見逃してしまう．作業が不正確である〕．
（b）課題または遊びの活動中に，しばしば注意を持続することが困難である〔例：講義，会話，または長時間の読書に集中し続けることが難しい〕．
（c）直接話しかけられたときに，しばしば聞いていないように見える〔例：明らかに注意を逸らすものがない状況でさえ，心がどこか他所にあるように見える〕．
（d）しばしば指示に従えず，学業，用事，職場での義務をやり遂げることができない〔例：課題を始めるがすぐに集中できなくなる．また容易に脱線する〕．
（e）課題や活動を順序立てることがしばしば困難である〔例：一連の課題を遂行することが難しい，資料や持ち物を整理しておくことが難しい，作業が乱雑でまとまりがない，時間の管理が苦手，締め切りを守れない〕．
（f）精神的努力の持続を要する課題〔例：学業や宿題，青年期後期および成人では報告書の作成，書類に漏れなく記入すること，長い文書を見直すこと〕に従事することをしばしば避ける，嫌う，またはいやいや行う．
（g）課題や活動に必要なもの〔例：学校教材，鉛筆，本，道具，財布，鍵，書類，眼鏡，携帯電話〕をしばしばなくしてしまう．
（h）しばしば外的な刺激（青年期後期および成人では無関係な考えも含まれる）によってすぐ気が散ってしまう．
（i）しばしば日々の活動〔例：用事を足すこと，お使いをすること，青年期後期および成人では，電話を折り返しかけること，お金の支払い，会合の約束を守ること〕で忘れっぽい．

（次頁へ続く）

表 1（続き）

(2) **多動性および衝動性**：以下の症状のうち 6 つ（またはそれ以上）が少なくとも 6 ヵ月持続したことがあり，その程度は発達の水準に不相応で，社会的および学業的/職業的活動に直接，悪影響を及ぼすほどである：

注：それらの症状は，単なる反抗的態度，挑戦，敵意などの表れではなく，課題や指示を理解できないことでもない．青年期後期および成人（17 歳以上）では，少なくとも 5 つ以上の症状が必要である．

(a) しばしば手足をそわそわ動かしたりトントン叩いたりする，またはいすの上でもじもじする．

(b) 席についていることが求められる場面でしばしば席を離れる〔例：教室，職場，その他の作業場所で，またはそこにとどまることを要求される他の場面で，自分の場所を離れる〕．

(c) 不適切な状況でしばしば走り回ったり高い所へ登ったりする（注：青年または成人では，落ち着かない感じのみに限られるかもしれない）．

(d) 静かに遊んだり余暇活動につくことがしばしばできない．

(e) しばしば"じっとしていない"，またはまるで"エンジンで動かされているように"行動する〔例：レストランや会議に長時間とどまることができないか，または不快に感じる：他の人達には，落ち着かないとか，一緒にいることが困難と感じられるかもしれない）．

(f) しばしばしゃべりすぎる．

(g) しばしば質問が終わる前に出し抜いて答え始めてしまう〔例：他の人達の言葉の続きを言ってしまう：会話で自分の番を待つことができない〕．

(h) しばしば自分の順番を待つことが困難である〔例：列に並んでいるとき〕．

(i) しばしば他人を妨害し，邪魔する〔例：会話，ゲーム，または活動に干渉する：相手に聞かずにまたは許可を得ずに他人の物を使い始めるかもしれない：青年または成人では，他人のしていることに口出ししたり，横取りすることがあるかもしれない〕．

B. 不注意または多動性–衝動性の症状のうち，いくつかが 12 歳になる前から存在していた．

C. 不注意または多動性–衝動性の症状のうち，いくつかが 2 つ以上の状況〔例：家庭，学校，職場：友人や親戚といるとき：その他の活動中〕において存在する．

D. これらの症状が，社会的，学業的，または職業的機能を損なわせている，またはその質を低下させているという明確な証拠がある．

E. その症状は，統合失調症，または他の精神病性障害の経過中にのみ起こるものではなく，他の精神疾患〔例：気分障害，不安症，解離症，パーソナリティ障害，物質中毒または離脱〕ではうまく説明されない．

▶**いずれかを特定せよ**

314.01（F90.2）混合して存在：過去 6 ヵ月間，基準 A1（不注意）と基準 A2（多動性–衝動性）をともに満たしている場合

314.00（F90.0）不注意優勢に存在：過去 6 ヵ月間，基準 A1（不注意）を満たすが基準 A2（多動性–衝動性）を満たさない場合

314.01（F90.1）多動・衝動優勢に存在：過去 6 ヵ月間，基準 A2（多動性–衝動性）を満たすが基準 A1（不注意）を満たさない場合

▶**該当すれば特定せよ**

部分寛解：以前はすべての基準を満たしていたが，過去 6 ヵ月間はより少ない基準数を満たしており，かつその症状が，社会的，学業的，または職業的機能に現在も障害を及ぼしている場合

▶**現在の重症度を特定せよ**

軽度：診断を下すのに必要な項目数以上の症状はあったとしても少なく，症状がもたらす社会的または職業的機能への障害はわずかでしかない．

中等度：症状または機能障害は，「軽度」と「重度」の間にある．

重度：診断を下すのに必要な項目数以上に多くの症状がある．または，いくつかの症状が特に重度である．または症状が社会的または職業的機能に著しい障害をもたらしている．

〔日本精神神経学会（日本語版用語監修），髙橋三郎・大野　裕（監訳）：DSM-5 精神疾患の診断・統計マニュアル．医学書院，pp58-59，2014　より許可を得て転載〕

題，Ⅵ軸で全般的機能水準を評価するようになっている．

ADHDの診断過程であるが，主観的な面を避けがたい観察，および診断面接における症状聴取に頼ることになる．DSM-5の診断基準に準拠すると，「不注意」および「多動性・衝動性」の各9項目ずつの症状リストのうち，少なくとも一方が6項目以上該当することを前提に，図1で示した5項目の除外規定をすべてクリアした場合に，ADHDと診断する．2つの症状群のどちらも6項目を超えることのなかった例，超えていても「12歳になる前から存在している」「症状は2つ以上の状況（家庭，学校，職場；友人や親戚といるとき；その他の活動中）において存在する」「社会的，学業的，または職業的機能を損なわせている，またはその質を低下させているという証拠がある」「統合失調症，または他の精神病性障害の経過中にのみ起こるものではない」「他の精神疾患ではうまく説明されない」等の除外条件のいずれもクリアできないものはADHDではない．

現在の重症度を特定することも重要である．その基準は以下である．

- 軽　度：診断を下すのに必要な項目数以上の症状はあったとしても少なく，症状がもたらす社会的または職業的機能への障害はわずか．
- 中等度：症状または機能障害は，「軽度」と「重度」の間にある．
- 重　度：診断を下すのに必要な項目数以上に多くの症状がある．または，いくつもの症状が特に重度である．あるいは，症状が社会的または職業的機能に著しい障害をもたらしている．

（DSM-5 精神疾患の診断・治療ガイドライン．医学書院，2014より許可を得て転載）

以上の重症度の判断は恣意的とならざるを得ない．そこで齋藤（編）『AD/HDの診断・治療ガイドライン』[4]では，ADHDの重症度

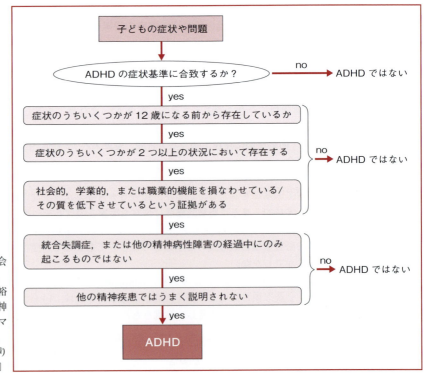

図1　ADHDの診断過程
（DSM-5に準拠）
（〔日本精神神経学会（日本語版用語監修），髙橋三郎・大野　裕（監訳）：DSM-5精神疾患の診断・統計マニュアル．医学書院，pp58-59，2014　より許可を得て筆者作成〕

評価は，Schaffer らが子どもの評価に特化して作成した Children's Global Assessment Scale（CGAS）を加味した「機能の全体的評定（Global Assessment of Functioning：GAF）を補助的尺度として推奨している．GAF 値による重症度は，GAF 値 61 以上が軽症（診断に必要な項目数を少し超える），GAF 値 51〜60 が中等症（軽度と重度の中間），GAF 値 50 以下が重度（多くの症状があり，またはいくつかの症状は特に重度である）と判定される．

ADHD は主症状だけではなく，一次性・二次性併存障害を伴っていることが多い．行動障害群，情緒障害群，神経性習癖群，神経発達症群，反応性アタッチメント障害，睡眠－覚醒障害群，パーソナリティー障害群に併存障害は大別される[4]．行動障害群は，反抗挑戦性症と素行症からなり，情緒障害群は，不安症，強迫症，抑うつ障害，双極性障害などからなる．神経性習癖群は排泄障害やチックからなり，神経発達症群は知的能力障害，限局性学習症，発達性協調運動症などがある．ADHD は対人関係・社会性障害も存在し，知的遅れのない高機能 ASD 障害との異同問題となる．高機能 ASD 障害は ADHD との併存が多く認められるため[6]，DSM-5 では診断上併存が認められた．

ADHD の主な病態は，中枢神経機構における「抑制系と報酬系」の機能障害として理解されている[7]．行動抑制の障害すなわち実行機能障害は，前頭前野・前部帯状回の賦活低下によると考えられ，ドパミン神経系の異常が関与していることが，脳機能画像による研究によって証明されている．さらに，報酬系障害（遅延報酬の獲得を待つことができないこと）が注目され，その障害部位としては海馬，前部帯状回，側座核を含む腹側線条体，眼窩前頭皮質などが関与していると考え

られている．これは，後述する ADHD 治療薬の作用メカニズムと関連している．

治療に必要な検査と診断

受理面接では，ADHD RS 家庭版，ADHD RS 学校版，CBCL（親用），TRF（教師用）などの評価尺度を用いたスクリーニング的な評価を行うとともに，患児の家庭状況，養育環境など総合的に判断する．医学的検査として，脳波，頭部 MRI 検査など脳器質的疾患の鑑別も含めて行う（特に，脳変性疾患や脳炎，先天性代謝異常症などの鑑別）．臨床心理士による知能検査，学習能力，認知機能評価，注意力・衝動性の検査，その他心理検査も補助診断として重要である．知的・認知面は WISC-Ⅳ，KABC-Ⅱ，CAT，WCST，DN-CAS などを施行する．情緒面の評価は，描画法（バウム・テスト，HTP など），投影法（文章完成法），PF-スタディー，ロールシャッハ・テストなどを組合わせて評価する．これらの検査結果を基に，患児の治療計画を策定する．

治療の実際

1 基本的な治療

1997 年米国児童精神医学会（AACAP）が提唱した臨床指針では，薬物療法を治療法の第一に挙げ，行動修正法，行動療法的観点からの学校での介入，ペアレント・トレーニング，家族療法，ソーシャル・スキル・トレーニング（SST），学習スキル・トレーニング，個人精神療法，認知行動療法などの心理社会的治療について示した．米国小児科学会（AAP）は，ADHD の臨床的・実践的治療ガイドラインを 2001 年に発表し，アルゴリズムを示した．治療技法としては，中枢刺

注意欠如・多動症　**731**

激薬を第一選択薬とする薬物療法と行動修正のための行動療法を推奨した．薬物療法のガイドラインとしては，テキサス版薬物療法アルゴリズムがある．併存障害のない ADHD の治療とともに，大うつ病性障害，チックおよび間欠性爆発性障害の 3 種類の併存障害をもつ ADHD の治療について示したことが特色である．

わが国の現状から考えると，齋藤（編）ガイドラインに示された治療ガイドラインが有用と考えられる[4]．このガイドラインでは，薬物療法と心理社会的治療について述べられている．薬物療法の適応条件として，①子どもの利益になること，②診断基準に沿って包括的な評価が行われ診断が確立していること，③軽症・中等症の場合は，まず家庭と学校における環境調整を行い，十分な改善がみられないこと，④重症の場合，ADHD をもつ子どもの安全が脅かされて，通常の社会生活が困難になるような重大な問題が生じているとき，⑤ ADHD が社会生活に重大な支障となり情緒的あるいは行動上の問題をひき起こすことがあるとき，の 5 点を挙げ，すべて満たしていることとしている．

2 ADHD の薬物療法

わが国で用いられる ADHD 治療薬は，中枢刺激薬である塩酸 methylphenidate（MPH）徐放剤（コンサータ®）および非中枢刺激薬のノルアドレナリン再取り込み阻害薬 atomoxetine（ATX：ストラテラ®）の 2 剤があったが，2017 年に 2 つめの非中枢刺激薬として α_{2A} アドレナリン受容体作動薬 guanfacine hydrochloride（グアンファシン塩酸塩：インチュニブ®）が保険適用となった．MPH は，ドパミントランスポーターとノルアドレナリントランスポーターの再取り込みを阻害し，前頭前野のドパミンとノルア

ドレナリンの細胞外液濃度が上昇，線条体，側坐核ではドパミン濃度が上昇する．服用後 12 時間効果は持続する．抑制系のみならず報酬系にも作用するので，ADHD の行動改善に大きな効果があると考えられる．ただ，報酬系に作用するため薬物依存の可能性も指摘され，処方には厳重な注意が必要である．第 3 の治療薬であるグアンファシンは，後シナプスの α_{2A} アドレナリン受容体に結合することでイオンチャネルを閉じて情報伝達物質の伝達効率を高める．ATX と同様に 24 時間効果が持続することが特徴である．もともと血圧降下薬として開発された経緯があり，使用の際は，低血圧，房室ブロックなどの副作用に注意が必要である．

a）コンサータ®

コンサータ® は，2007 年小児期 ADHD の治療薬として認可され，2011 年には小児期にコンサータ® を開始した患者における 18 歳以降の継続が承認され，さらに 2013 年からは成人期 ADHD に対する適応が追加承認された．現在では 6 歳以上から成人まで使用が可能となった．処方にあたっては，コンサータ® 錠適正流通管理委員会の研修を受け承認を得た，医師，医療機関，管理薬剤師のみ扱うことができる．

b）ストラテラ®

ストラテラ® は，2009 年小児 ADHD を対象に使用が認可され，2012 年に適応が成人 ADHD まで拡大された．コンサータ® のような使用に際し許可制度はない．コンサータ® に比べると効果発現には時間を要し，通常服薬から 2 週間程度で効果が現れ 6〜8 週で十分な効果が得られる．副作用として，食欲減退，頭痛，動悸などに注意が必要である．一方，ATX は前頭前野のドパミン濃度を上昇させるが，線条体，側坐核のドパミンには影響を与えない．よって報酬系には影響

がないため依存性のリスクは少ない．また，効果が24時間持続するので学校から帰宅し家庭でも行動の問題が大きい患児にとっては生活の質を向上させるのに有用と考えられる．

c）インチュニブ®

インチュニブ®は，2017年小児ADHDを対象に使用が認可され，2019年に成人ADHDにも適応が拡大された．18歳以上の適応はない．非中枢刺激薬なので使用許可制度はない．特徴は，1日1回の内服でよく，服用時間の決まりがない．効果発現まで1〜2週間とATXよりも早く効果が表れる．効果は24時間続くので学校と家庭，どちらにもニーズがある場合に使いやすい．CYP3A4/5誘導体薬と併用すると薬の代謝が阻害されグアンファシン血中濃度が上昇する．最も多い副作用は眠気であり，内服時間を夕食後などに調整する場合もある．

d）ビバンセ®

ビバンセ®は，2019年小児ADHD（6歳以上〜18歳未満）を対象に使用が認可された．リスデキサンフェタミンを成分とし，不注意，多動−衝動性を改善させる効果がある．ビバンセ®はそれ自身が薬効を持たず，体内で代謝されてアンフェタミンに変わるプロドラッグであり，神経と神経シナプス間隙における神経伝達物質のドパミンとノルアドレナリンの働きを高める作用がある．プロドラッグであることからアンフェタミンよりも安全性を高めている．ただし，コンサータ®と同様に中枢神経刺激薬に属し，投与資格のある医師しか処方できず，調剤可能な薬局も限られる．2019年12月よりコンサータ®と同様に流通規制が強化され，患者登録が処方の際に必要とされる．また覚醒剤取締法による規制もある．「他のADHD治療薬が効果不十分な場合にのみ使用されるよう必要な措置を講じること」とされるが，欧米では第一選択で使用されている．

ADHDに認められる障害は小児期だけの問題ではない．成人してからもその障害は程度の差はあれ持続していく．そのため，成人ADHDに対する薬物療法も可能となった．治療薬を使用する場合には，必ず専門医の診断を受けてから投薬を行い，漫然と使用しないことが重要である．

処 方 例

●処方A

6歳以上18歳未満では，メチルフェニデート塩酸塩として18mgを初回用量，18〜45mgを維持用量として，1日1回朝経口投与する．増量が必要な場合は，1週間以上の間隔をあけて1日用量として9mgまたは18mgの増量を行う．1日用量は54mgを超えない．18歳以上では，メチルフェニデート塩酸塩として18mgを初回量とし，72mgを超えない．午後の内服は避ける．なお，症状により適宜増減する．副作用として，食欲低下，体重減少，不眠症，心電図QT延長などが認められる．使用中，毎月体重・身長はチェックすべきである．投薬を中止することにより改善する．

●処方B

6歳以上18歳未満に対し，アトモキセチンとして1日0.5mg/kgより開始し，その後1日0.8mg/kgとし，さらに1日1.2mg/kgまで増量した後，1日1.2〜1.8mg/kgで維持する．ただし，増量は1週間以上の間隔をあけて行うこととし，いずれの投与量においても1日2回に分けて経口投与する．なお，症状により，適宜増減するが，1日量は1.8mg/kgまたは120mgのいずれか少ない量を超え

注意欠如・多動症　733

ないこと. 18歳以上では, アトモキセチンとして1日40mgから開始, 80mgまで増量した後, 120mg/まで増量可能.

●処方C

通常, 体重50kg未満の小児では, グアンファシンとして1日1mg, 体重50kg以上の小児では1日2mgより投与を開始し, 1週間以上の間隔をあけて1mgずつ, 適正な維持量（用法に記載されている）まで増量する. 1日1回経口投与する. 18歳以上の患者では, 通常, グアンファシンとして1日2mgより投与を開始し, 1週間以上の間隔をあけて1mgずつ, 1日4〜6mgの維持用量まで増量する. なお, 症状により適宜増減するが, 1日用量は6mgを超えないこととし, いずれも1日1回経口投与すること.

●処方D

6歳以上18歳未満に対し, リスデキサンフェタミンメシル酸塩として30mgを1日1回朝経口投与する. 症状により, 1日70mgを超えない範囲で適宜増減するが, 増量は1週間以上の間隔をあけて1日用量として20mgを超えない範囲で行うこと. 通常は, 30mgから服用を始め, 70mgを上限として必要に応じて増量する. メチルフェニデート塩酸を投与中の患者には本剤の投与を避けることが望ましい.

専門医に紹介するタイミング

ADHDは主症状のみならず, 併存障害を多数もっていることが多く, その対処がうまくいかないために, 学校や家庭で大きな生活の困難さを抱え, 本人の自己否定感が進み, 不幸な状況に陥ってしまう例が少なくない.

このような例では, 早期に専門機関に相談して, 患児を取り巻く環境の整備, 親（養育者）の支援をスタートさせるべきである.

専門医からのワンポイントアドバイス

患児の生涯を考えると, 幼児期, 学童期, 思春期, 成人へと成長するに従い, 当然のことながら発達しその行動も変化する. 幼児期に診断を受けた親が, その診断名にのみ固執し, 自分の子どもの成長に気づかないのでは, 診断を伝えても意味がない. したがって, 診断を伝える際には, 家族を不安に陥れ治療方針に迷いを生じて養育ができなくなる場合もあることを考慮し, 患児の発達を家族が楽しみながら見守れるよう配慮する必要がある.

──────── 文 献 ────────

1) American Psychiatric Association：Diagnostic and Statistical Manual of Mental Disorders, 5th ed (DSM-5). American Psychiatric Pub, 2013

2) 米国精神医学会：DSM-5 精神疾患の診断・統計マニュアル. 日本語版監修 日本精神神経学会, 医学書院, 2014

3) Barkley RA, Murphy KR：A clinical workbook. In "Attention-Deficit Hyperactivity Disorder, 2nd ed" The Guilford Press, New York, 1998

4) 齋藤万比古 編：注意欠如・多動症. "AD/HD の診断・治療ガイドライン, 第4版" じほう, 2016

5) World Health Organization：Multiaxial Classification of Child and Adolescent Psychiatric Disorders, The ICD-10 Classification of Mental and Behavioral Disorders in Children and Adoles-cents. Cambridge University Press, Cambridge, 1996

6) Perry R：Misdiagnosed ADD/ADHD：Rediagnosed PDD. J Am Child Adolesc Psychiatry 37：113-114, 1998

7) Sonuga-Barke EJ：The dual pathway model of AD/HD：an elaboration of neuron-develop-mental characteristics. Neurosci Biobehav Res 27：593-604, 2003

12. 社会・神経心理学的疾患

過換気症候群

金生由紀子
(かのうゆきこ)
東京大学大学院医学系研究科 こころの発達医学分野

POINT

● 頻回の呼吸に伴って $PaCO_2$ 低下と呼吸性アルカローシスが生じて，呼吸器・循環器・消化器・精神神経系などの多様な症状を認めるが，過換気発作は約 1 時間以内に軽快する．

● 器質的疾患は認められず，心理的要因が関与する．

● 発作時には，命に別状はなく短時間で軽快することを穏やかに伝えて，不安の軽減をはかる．従来行われてきたペーパーバッグ法は推奨されない．

ガイドラインの現況

過換気症候群は，心理的要因が関与して過換気発作を生じ，様々な身体症状や精神症状を呈する症候群である．様々な精神疾患に過換気を伴うことがあり，特にパニック症との重複が指摘されるが，パニック症では呼吸困難感の自覚症状のみのことがある[1]．過換気症候群は，成人ではパニック症の症状であることが多いが，小児では必ずしもそうではないとの指摘もある[2]．

一般的に受け入れられている診断基準もない状況であり，確立したガイドラインはない．ここでは，心療内科の立場でまとめられた診療指針[3] をベースにしながら，最近のレビューを参考にしたり[4]，精神疾患との関連を念頭において，米国精神医学会によるDSM-5 のパニック症の記載なども参考にした．

【本稿のバックグラウンド】 過換気症候群のガイドラインは存在しない．心療内科の立場でまとめられた診療指針をベースにして，最近の総説や解説を参考にしてまとめた．

どういう疾患・病態か

息苦しくて過換気が止まらないという呼吸器症状が代表的である．呼吸困難感は，いくら吸っても空気をうまく吸えないという空気飢餓感として表現されることがある．過換気を続けるうちに，動悸や心悸亢進，胸部絞扼感や胸痛という循環器症状を訴えることもある．めまい感，頭痛，非現実感が出現して，意識障害に至る場合もある．四肢のしびれ，知覚異常，振戦，さらにはテタニー型けいれんや後弓反張が出現することもある．口渇，嘔気，腹部膨満感などの消化器症状を伴うこともある．必ずしも，これらすべてが認めら

過換気症候群　**735**

れるわけではないが，過換気に限らず多様な症状を認めることが特徴的である．女性では男性の2倍以上であり，10歳代後半から20歳代の女性で最も多いという．

病態としては，動脈血中の二酸化炭素分圧（$PaCO_2$）を一定に保つ呼吸調節システムが不調となり，過換気が持続して低炭酸ガス血症，さらに呼吸性アルカローシスが生じて症状をひき起こすと考えられている．心理的要因によって大脳皮質から呼吸中枢への調節に異常をきたすとされる．健常者を過換気状態にしても本症候群にはならないので，何らかの身体的脆弱性が関わっている可能性がある．また，交感神経系の機能亢進もあり，循環器症状に関与するとされる．低炭酸ガス血症に伴って脳血管の収縮，脳血流量の低下が生じて中枢神経症状をもたらすという．アルカローシスに伴って血中の遊離カルシウムが低下して筋肉系や末梢神経系の症状が起こるとされる．

治療に必要な検査と診断

1 器質的疾患の除外

過換気症候群を診断する前提である．呼吸器疾患（気管支喘息，肺炎など），循環器疾患，中枢神経系疾患（脳腫瘍，脳炎など），内分泌疾患（甲状腺機能亢進症など）などで過換気が起こりうる．これらの疾患が疑われたら，血液検査，胸部X線，心電図などのスクリーニングを行う．

2 診断補助となる所見

診断にあたっては，
①過換気および呼吸性アルカローシスに関連する症状（呼吸困難・四肢の痺れ・動悸など）
②症状の急速な改善

の2点があれば十分とされる[5]．

呼吸性アルカローシスは，血液ガス分析を実施して，$PaCO_2$ の低下と pH の上昇によって確認できる．

3 発作の特徴

問診および観察から発作の特徴を把握することも大切である．

過換気発作の起こった状況やきっかけの有無などから，心理的要因の関与の可能性を検討する．心理的な負荷がかかって発症した場合には本症候群の可能性が高い．発作の持続は30〜60分くらいで，精神的に落ち着くと症状が比較的速やかに軽快・消失することも特徴的である．

治療の実際

1 発作時の対応

不安の軽減をはかることが基本である．酸素は足りていて命に別状はなく，過換気のためにかえって症状が悪化していることを伝えて，ゆっくりと呼吸するようにあるいは呼吸を短期間こらえるように促す．治療者が落ち着いた態度で接すること自体も効果的である．

よく知られた方法に，ペーパーバッグ法がある．紙袋を鼻と口に軽くかぶせて，袋の中の空気を再呼吸させる．$PaCO_2$ を上昇させようとして低酸素血症となり，実は身体疾患があるため致死的になる恐れがあり，現在では推奨されていない[2]．

これらの方法でも改善しない場合には，薬物療法を行う．経口が可能であればワイパックス® を使用するが，不可能であればアタラックス®-P の静注またはセルシン® の筋注・静注を行う．

❷ 非発作時の対応

　本人および家族や学校などに関する情報を収集して心理的要因について理解を深めるとともに，心理的な負荷に適切に対処できるように援助する．また，本症候群の病態を説明して適切に対応できるように促す．

　精神疾患の併発の検討も重要である．不安やうつをしばしば伴い，パニック症をはじめとして，変換症，限局性恐怖症，心的外傷後ストレス障害などの不安症の診断基準を満たすことも多い．小児では虐待が関連する場合もある．それらに対する精神療法や薬物療法が必要になることもある．

　薬物療法としては，選択的セロトニン再取り込み阻害薬（SSRI）や抗不安薬が考えられる．SSRI は不安，焦燥，易刺激性，躁状態などを生じて衝動性が高まり，自殺関連事象につながる危険性が特に小児で高いことに留意する．抗不安薬への依存にも注意する．

処 方 例

処方 A　ロラゼパム（ワイパックス®）
　　　　（0.5 mg）1 錠　分 1 から開始して（1 mg）1 錠まで

処方 B　セルトラリン（ジェイゾロフト®）（25 mg）1 錠　分 1 から開始して 4 錠まで

　速やかな効果発現を要する場合は，抗不安薬（処方 A）を使用する．SSRI（処方 B）は効果発現までに 2〜4 週間を要するので，留意する．

専門医に紹介するタイミング

　先述した非発作時の対応を開始しても十分な効果が得られず，併発した精神疾患や行動上の問題（自殺企図，ひきこもりなど）に対して，より専門的な治療が必要と思われる場合である．

専門医からのワンポイントアドバイス

　心身の負荷がかかったときに，体質的に弱い部分に症状が出現するとの考えは，エビデンスはないが，症状とうまくつきあうように促すうえで有用と思われる．

　本人は意識しないが，身体症状として現れることで心理的葛藤に直面せずにいられたり，周囲の関心を集めたりすることもある．そのような可能性も念頭におきつつ患者の気持ちに配慮して，治っていくことによってより良く生きられると本人が前向きに考えられるように援助する．

文 献
---

1) 松村雅代 他：過換気症候群. 治療 91：45-49, 2009
2) 桜井優子：変換症/転換性障害, 過換気症候群. 小児科診療 81（増刊）：916-918, 2018
3) 三浦勝浩, 村上正人：過換気症候群の診療指針. 日本医事新報 4255：6-11, 2005
4) https://www.uptodate.com/contents/hyperventilation-syndrome?search=hyperventilation%20syndrome%20%20children&source=search_result&selectedTitle=4~19&usage_type=default&display_rank=4
5) 山口陽子 他：救急車で当院へ搬送された過換気症候群 653 例の臨床的検討. 日臨救医誌 18：708-714, 2015

12. 社会・神経心理学的疾患

身体的被虐

泉　裕之
板橋区医師会病院 小児科

POINT
- ●身体的被虐は，子どもが身体的虐待を受けた状態である．
- ●医療機関に受診する身体的被虐は，重症例が少なくないので，早期に発見し，子どもを危険から保護することが重要である．
- ●対応にあたっては，多職種や行政との連携が重要である．

ガイドラインの現況

児童虐待は，身体的虐待，ネグレクト，心理的虐待，性的虐待に分類されている．早期に発見し，子どもを危険から保護することが必要である．

日本小児科学会による『子ども虐待診療の手引き 第3版』が公表されている．ここでは，具体的な病態とともに，虐待の定義，法律が示され，子ども保護の初期対応，通告，診療録の記載，写真撮影，検査の進め方，虐待防止等における医師の役割などが解説されている．特に，子どもの権利を守るという重大な使命を強く意識して，子ども虐待を子どもの側から判断することを常とする必要があることが強調されている．日本医師会から『児童虐待の早期発見と防止マニュアル』が発行されている．この中で，児童虐待に関する解説と多くの症例が示されている．厚生労働省から『子ども虐待対応の手引き』が公表されているが，これは主に行政に関わる人のための手引きであり，必ずしも臨床現場向けではない．

児童虐待において診療にあたった医師の役割は，児童虐待であることを診断し，子どもを保護することである．このためには，児童虐待を疑ったら入院をさせることが原則であり，児童相談所などに通告し，行政と連携して対応に当たることが重要である．

【本稿のバックグラウンド】 児童虐待について，定型的なガイドラインは見当たらない．本稿では，日本小児科学会による『子ども虐待診療の手引き』や近年の知見を参考に身体的被虐の対応について解説した．

どういう疾患・病態か

児童虐待は，親または親に代わる保護者により加えられた虐待行為であり，児童虐待防止法で定義されているように身体的虐待，ネグレクト，心理的虐待，性的虐待に分類されている（**表1**）．身体的被虐は，子どもが身体的虐待を受けた状態であり，これにより

表1　児童虐待防止法による児童虐待の定義

第二条　この法律において，「児童虐待」とは，保護者（親権を行う者，未成年後見人その他の者で，児童を現に監護するものをいう．以下同じ．）がその監護する児童（十八歳に満たない者をいう．以下同じ．）について行う次に掲げる行為をいう．
　一　児童の身体に外傷が生じ，または生じるおそれのある暴行を加えること．
　二　児童にわいせつな行為をすることまたは児童をしてわいせつな行為をさせること．
　三　児童の心身の正常な発達を妨げるような著しい減食または長時間の放置，保護者以外の同居人による前二号または次号に掲げる行為と同様の行為の放置その他の保護者としての監護を著しく怠ること．
　四　児童に対する著しい暴言または著しく拒絶的な対応，児童が同居する家庭における配偶者に対する暴力〔配偶者（婚姻の届出をしていないが，事実上婚姻関係と同様の事情にある者を含む．）の身体に対する不法な攻撃であって生命または身体に危害を及ぼすものおよびこれに準ずる心身に有害な影響を及ぼす言動をいう．〕その他の児童に著しい心理的外傷を与える言動を行うこと．

表2　診断のきっかけ

【保護者からみた診断のきっかけ】	【子どもからみた診断のきっかけ】
1）問診と所見の不一致	1）症状・所見より
2）症状・経過をあまり話さない	硬膜下血腫等の頭部外傷，打撲・あざ，性器・
3）子どもに対する態度が冷たい，不自然	会陰部の外傷，内臓損傷など
4）心配した様子がみられない	2）不潔な外見
5）来院の遅れ	3）栄養不良
6）精神病・情緒障害	4）精神・運動発達の遅延
7）家庭内ストレス	5）無表情・無感動
8）入院の拒否	6）基礎疾患の存在
	7）低年齢であること

様々な症状がみられる．

　児童虐待は心理的虐待が最も多く，身体的虐待およびネグレクトが次いで多くみられるが，医療現場においては乳幼児の身体的虐待およびネグレクトが多く，重症例が少なくない．来院時の症状が軽度であっても，帰宅後に悪化し，場合によっては死亡してから再来院することもあるので，虐待であることを見逃さずに，子どもを危険から守ることが重要である．

　児童相談所における児童虐待対応件数は増加の一途を辿り，2021年度に205,044件であり，死亡数は54人，うち29人は無理心中であると報告されている．対応件数の増加は，社会における認識の高まりや，児童虐待防止法において疑い例や配偶者暴力を見せること

などを含むことが示されたことにより，通告される虐待例の内容が以前とは変化していることが要因であると考えられる．しかしながら，医療現場からみても児童虐待は明らかに増加している．

治療に必要な検査と診断

　身体的被虐の診断は，疑うかどうかにかかっている．保護者からみた診断のきっかけとしては，症状・所見と問診の不一致，子どもに対する態度が冷たい，心配した様子がみられない，症状経過をあまり話さない，などが挙げられ，子どもからみた診断のきっかけは，外傷など不自然な症状・所見が大部分である（**表2**）．外傷は全身にみられるが，特

に頭部外傷が多くみられる．生後3ヵ月以降にみられる硬膜下血腫の約半数が身体的虐待によるものであるといわれているので，硬膜下血腫をみたら身体的被虐を疑うべきである．また，全身を注意深く観察し，タバコによる熱傷や，あざなど特徴的な症状の有無をみる．無表情である，発育不全がみられる，皮膚が不潔である，などについても注意を向ける必要がある．

骨折は全身どこにでも起こりうるので，頭部，胸腹部，全身骨の単純X線写真，頭部CT写真を撮影する必要がある．さらに心電図，腹部エコー，血液・生化学・尿一般検査，血液ガス，血糖，眼底検査，脳波，聴性脳幹反応などの検査を必要に応じて施行する．状態が安定したら，成長ホルモンなどの内分泌検査，心理検査，知能検査，定期的な身体測定などを行う．

身体的被虐を疑うことは難しくないが，確定診断は虐待の事実を証明することである．特に保護者の同意によらない保護が必要な場合や，警察が事件として扱う場合には，具体的な事実を示すことが重要である．このためには，可能なかぎり，いつ，どこで，誰が，何をしたかを病歴に記録することが大切である．また，病歴の記録として，外傷の写真撮影を行っておくと良い．写真はできるだけ鮮明に撮影し，外傷の大きさがわかるように定規などを加え，説明を加えると良い．保護者の承諾が得られずに撮影ができない場合には，説明を加えたスケッチを残しておく．

治療の実際

まず施行するのは，外傷等，目の前にある症状・所見の改善である．傷害の部位および程度に応じて，脳神経外科，整形外科など他科の医師と協力し，緊急処置を施行する必要

がある．症状がある程度安定したら，先に挙げた検査などを施行し，身体状況を把握し，児童虐待であることの判断をする．この場合には，看護師，医療ソーシャルワーカーなどの院内スタッフおよび児童相談所，子ども家庭支援センター，保健所，警察などとの連携が必要である．これは，診断時から救急治療，その後の対応，退院後の経過観察までを通じて重要である（図1）．

児童虐待を疑った場合には，児童福祉法第25条により児童相談所等への通告の義務がある．通告する際に，医師の守秘義務の問題があるが，児童虐待防止法第6条により，通告の義務が守秘義務に優先されることが定められている．通告機関としては従来，児童相談所および福祉事務所であったが，これに市町村が加わった．東京都においては，子ども家庭支援センターがこれにあたる．虐待の確信がもてずに躊躇することもあるが，迷ったらまず子ども家庭支援センターに相談することを勧める．明らかに虐待であり，危険が大きい場合には，子どもの保護が必要である．これができる機関は児童相談所であるので，このような場合には児童相談所に通告するほうが良い．

医療機関を受診する身体的被虐は，重症例が多く，生命の危険がある場合が多い．来院時に重症でなくても，帰宅させると危険なことが多い．このため，身体的被虐であると疑った場合には入院させ，子どもを危険から保護することが原則である．しかし，保護者が入院を拒否する症例が少なくない．このような場合には，公的機関の介入により，保護者が入院に同意することもあり，必要に応じて措置入院させることもある．

入院においては，保護の目的や，親子分離での症状の経過をみるために，付き添いなしのほうが良い．身体症状の治療とともに，心

740　12. 社会・神経心理学的疾患

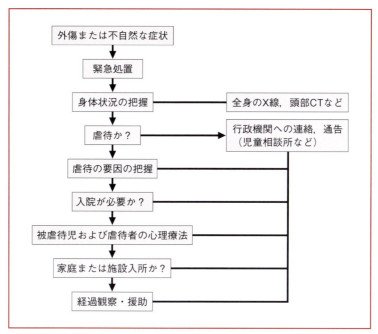

図1 児童虐待の対応

理的な治療が必要になる．急性期を過ぎて，子どもが心理的に落ちついており，虐待者が事実を認め，後悔している時期に，面会を開始するのが望ましい．

家庭状況から判断して生命の危険が予想される場合などには，乳児院などの施設に収容し，親子分離を検討する．親子分離は緊急避難的な一時的な処置として，その後も親子の再結合ができるようにすることが前提である．治療の目標は，親が虐待を認め，要因を理解し，態度を変容し，虐待をひき起こした要因が改善され，親子が再結合されることである．

児童虐待には再発が多くみられるので，医療機関から直接退院する場合や，外来で経過をみる場合でも，児童相談所，子ども家庭支援センター，保健所などと連携し，十分な援助体制，監視体制を敷き，再発を防止することが重要である．

専門医に紹介するタイミング

先にも述べたように，児童虐待は確実に発見し，子どもを保護することが重要である．児童虐待を疑った場合には，速やかに児童相談所などに連絡をし，情報を共有し，対応することが重要である．

対処に迷った場合には，児童虐待に詳しい医師に相談すると良い．小児科を標榜する多くの病院には児童虐待防止委員会が組織されている．対応が困難な場合には，外傷や体重増加不良などの治療や診断を理由にして紹介するのも一つの方法である．紹介する際に，児童虐待を疑っていることを，保護者に伝える必要はない．

専門医からのワンポイントアドバイス

身体的被虐の診断は，疑うかどうかにかかっている．訴えと症状が一致しない時や不

自然な症状がみられる時には，児童虐待を念頭において診療にあたることが必要である．

　決して一人で対応しないことが重要である．医療機関においては，看護師や医療ソーシャルワーカーなど多職種と連携して対処する．児童相談所や保健所などが既に把握している場合もあるので，早期に児童相談所などへ連絡すると良い．

　苦しむ子どもをみて感情的になりがちなこともあるが，虐待者も援助が必要な存在であることを認識し，冷静に対応することが大切である．

―――――――― 文　献 ――――――――

1) 日本小児科学会 子どもの生活環境改善委員会：子ども虐待診療の手引き 第3版. 2022
http://www.jpeds.or.jp/modules/guidelines/index.php?content_id=25
2) 日本医師会 編：児童虐待の早期発見と防止マニュアル　―医師のために―. 日本医師会雑誌 128：1（付録）. 2002
3) 厚生労働省：子ども虐待対応の手引き（平成25年8月改正版）. 2013
https://www.mhlw.go.jp/seisakunitsuite/bunya/kodomo/kodomo_kosodate/dv/130823-01.html
4) 泉　裕之：医療現場からみた児童虐待. 小児保健研究 73：182-192, 2014

12. 社会・神経心理学的疾患

ネグレクト

たかはしながひさ
髙橋長久
心身障害児総合医療療育センター 小児科

POINT
- ●ネグレクトは子ども虐待の一形態であり，子どもの心身の発達に必要なケアを与えないことである．
- ●多種多様な形態をとり，重篤なネグレクトは，しばしば致死的になり得る．
- ●家族内機能不全の結果として起こるが，加害者の告発に終始するのではなく，子どもの安全と成長を保証することを最優先に対応する．

ガイドラインの現況

ネグレクト単独でのガイドラインはないが，児童虐待の一形態であり，児童虐待の一項目としてのガイドラインなどは存在する．

ガイドラインとしては日本小児科学会が作成した『こども虐待診療の手引き』，厚生労働省による『子ども虐待対応の手引き』がある．

ネグレクトにおける小児科医の役割はネグレクトの可能性を考慮することである．可能性が否定できない場合には患児を保護し，本人の安全を確保することが肝要である．と同時に児童相談所への通告を行い，地域の行政も含めて包括的なアプローチが必要である．

【本稿のバックグラウンド】 ネグレクト単独のガイドラインは存在しない．日本小児科学会が作成した『子ども虐待診療の手引き』が2022年に改訂された．本稿では厚生労働省による『子ども虐待対応の手引き』も参考にしながら作成をした．

どういう疾患・病態か

児童虐待の防止等に関する法律より児童虐待の定義を**表1**に示す．第二条　三号で示されているのがネグレクトの状態である．ネグレクトは児童虐待の一形態である．

ネグレクトの類型としては以下の形に分類することができる（類型に関しては諸説あり）．

①**衣食住の身体的ケアを与えない（栄養ネ**グレクト，**衣服ネグレクト，衛生ネグレクト**）：子どもを危険から守り，適切な場所に住まわせる，食事を与える，衣服を着せるといった基本的な子どもの身体的なニーズを満たしていないこと．

②**発達に必須な情緒ケアを与えない（愛情剥奪症候群，情緒ネグレクト）**：子どもの情緒的なニーズに関して無作為的または作為的に無頓着であることや怠慢であること．心理的非応答．

ネグレクト　**743**

表1　児童虐待の定義

第二条　この法律において，「児童虐待」とは，保護者（親権を行う者，未成年後見人その他の者で，児童を現に監護するものをいう．以下同じ．）がその監護する児童（十八歳に満たない者をいう．以下同じ．）について行う次に掲げる行為をいう．

一　児童の身体に外傷が生じ，又は生じるおそれのある暴行を加えること．

二　児童にわいせつな行為をすること又は児童をしてわいせつな行為をさせること．

三　児童の心身の正常な発達を妨げるような著しい減食又は長時間の放置，保護者以外の同居人による前二号又は次号に掲げる行為と同様の行為の放置その他の保護者としての監護を著しく怠ること．

四　児童に対する著しい暴言又は著しく拒絶的な対応，児童が同居する家庭における配偶者に対する暴力（配偶者（婚姻の届出をしていないが，事実上婚姻関係と同様の事情にある者を含む．）の身体に対する不法な攻撃であって生命又は身体に危害を及ぼすもの及びこれに準ずる心身に有害な影響を及ぼす言動をいう．）その他の児童に著しい心理的外傷を与える言動を行うこと．

③子どもの安全を守るために必要な監視を怠る（監督ネグレクト）：熱傷の危険がある状態を放置，誤嚥事故が発生しやすい環境を放置，乳幼児を家に残したまま度々外出する，乳幼児を車の中に放置するなど，子どもにとって危険な状態に置かれること．

④必要な医療や乳児検診，予防接種を受けさせない（保健ネグレクト，医療ネグレクト）：子どもにとって必要な予防注射，薬物治療などの病気の治療や怪我の治療，医学的な治療を養育者が拒否をすること．子どもに情緒や行動上の問題があり療育等が勧められているが拒否すること．

⑤必要な教育を受けさせない．保育園，幼稚園，学校に行かせない（教育ネグレクト）：子どもに必要な教育（保育所，学校など）を受けさせないこと．

⑥捨子，親子心中の道連れ，最近では保険金殺人（遺棄，殺人）

ネグレクトの危険因子としては，子ども側の因子，養育者側の因子および環境因子がある．子ども側の因子としては，①重症のアトピー性皮膚炎，気管支喘息，糖尿病などの慢性疾患，②低出生体重児，③身体障害，知的障害，軽度発達障害などの障害，④長期の母子分離がある．養育者側の因子としては，①育児能力の低下，②統合失調症やうつ病といった精神疾患，③知的障害等が挙げられる．環境因子としては，貧困家庭や独り親家庭などがある．

治療に必要な検査と診断

ネグレクトを受けた子どもたちには，以下のような身体的，精神的および行動面の特徴が出現することがある．以下の項目に注意しながら，問診および全身の診察を行っていく．ネグレクトの定義でも述べたが，ネグレクトは児童虐待の一つであり，身体的な虐待なども同時に受傷している場合もあり，全身の診察は必須である．

a）身体的特徴

①体重増加不良，体重減少，②不衛生，不適切な衣服，③無気力，顔色不良，元気がない，④病院への受診の遅れ，⑤慢性疾患の放置，不完全な治療．

b）精神的特徴

①乳幼児期の発達の遅れ（ことばの遅れ），②幼児期の問題行動（集中力のなさ，多動，攻撃性，衝動性），③学童期の問題

（学習困難，自己評価の低さ，協調性のなさ）．

c）行動面の特徴

①頻回の怪我，事故，②夜間の徘徊，家出，③食べ物に対する問題（がつがつ食べる，盗み食いなど），④園，学校の遅刻の多さ，休み，⑤子どもに物乞い，盗み，労働，家事などをさせる，⑥薬物，アルコール，⑦多動，反社会的行動．

治療の実際

外来でネグレクトを疑った場合には，可能であれば入院とし，患児の安全を保護する．可能であれば，ネグレクトを疑っていることを伝えずに，精査・加療目的の入院とする．入院の同意を得られない場合には児童相談所に緊急通告をして，緊急一時保護というかたちでの入院を実施する場合もある．

入院後にネグレクトが強く疑われるということで，院内での虐待対策委員会への報告を行う．委員会へ報告することにより病院全体として対処していくことが可能になる（病院内での取組み方に対しては，東京都が作成した「チームで行う児童虐待対応〜病院のためのスタートアップマニュアル〜」に詳細に書いてあるので参照されたい）．

やむを得ず外来フォローとなってしまう場合や，ネグレクトの可能性が否定できないという場合でも，児童相談所や地域の保健所に連絡し，包括的なサポートを実施していく．

一方で，養育者のフォローも必要となる．ネグレクトのリスク因子として，養育能力が低いこと，精神疾患があること，貧困家庭であることなどがあり，これらの因子をふまえつつ，養育者にも援助の手が必要である．

専門医に紹介するタイミング

ネグレクトを疑った場合には，一人で対応するのではなく，経験ある他の医師に相談することや，他職種の方にも相談することが必要である．決してネグレクトであると診断する必要はない．それよりも疑うことが必要である．また，地域の保健所や児童相談所が既に情報をもっている場合もあるので，早急に連絡をする．

――――――――――― 文　献 ―――――――――――

1）小木曽 宏 監：マルトリートメント　子ども虐待対応ガイド．明石書店，2008
2）桃井真理子 編著：小児虐待医学的対応マニュアル．真興交易医書出版部，2006
3）水口 雅 編：ポケットプラクティス　小児神経・発達診断．中山書店，2010

12. 社会・神経心理学的疾患

薬物乱用

まつもととしひこ
松本俊彦
国立研究開発法人国立精神・神経医療研究センター 精神保健研究所 薬物依存研究部

POINT

●近年，10代の子どもによって乱用される薬物として最も多いのは市販薬であり，そうした子どもたちは，快感を得るためではなく，身近な人間関係や罹患する精神疾患がもたらす心理的苦痛を緩和しようとして市販薬を乱用している．

●本人を専門医療機関に受診させること以上に重要なのは，親を地域の精神保健福祉センターの依存症者家族相談につなげることである．

ガイドラインの現況

10代の子どもの場合，薬物使用をしたとしても，成人と同じ意味での「依存症」に罹患することは極めて少ない．使用量は少なく，使用期間も極めて短いからである．

しかし，10代における薬物使用は，子どもの人生に多方面にわたって害をおよぼす[2]．それは学業成績の不振や学校中退をひき起こし，子どもたちに早すぎる就労を促すとともに，同時に早すぎる失業も体験させる．酩酊状態での無謀な運転や様々な粗暴行為による逮捕や拘留，さらには，そのような生活のなかで反社会的な集団との接触が増えて，家族との絆が弛み，保守的な地域社会との交流も失われやすい．また，危険な性行動を促す結果，望まない妊娠と早すぎる自立，さらには貧困が，今度は子どもを虐待の加害者へと仕立て上げ，問題を次世代へとひき継がせてしまいやすい．

こうした現象は何も違法薬物に限った話ではない．社会的に許容されているアルコールでさえも，子どもには十分有害な「薬物」となりうる．事実，18歳時点におけるアルコール乱用は，成人後の暴力犯罪を予測する危険因子であり[1]，また，アルコールの摂取頻度・摂取量は非行少年の再犯率と正の相関関係にある[4]．

自殺関連行動とも無関係とはいえない．10代では，機会的な飲酒や喫煙でさえも，リストカットなどの自傷行為[4]，あるいは，孤独感やうつ状態，自殺念慮[6]と関連しているという．

【本稿のバックグラウンド】 現在までのところ，わが国には薬物乱用への対応に関するガイドラインは存在しない．本稿では，現在，薬物依存症専門医療機関で行われている実際の対応に即して，特に，近年わが国の10代のあいだで問題化している市販薬乱用を中心に，その実態や臨床的特徴，対応の原則について述べた．

どういう疾患・病態か

1 思春期における薬物乱用の実態

筆者らは精神科医療現場における薬物関連障害患者の実態を把握するために，「全国の精神科医療施設における薬物関連精神疾患の実態調査」（以下，病院調査）という悉皆調査を，ほぼ隔年で実施している．この調査は，全国約1,600ある有床の精神科医療施設において，調査年の9〜10月の2ヵ月間に通院もしくは入院で治療を受けた，すべての薬物関連障害患者を対象とし，報告症例の担当医を情報源としている．

図1は，2014年，2016年，2018年，2020年という最近4回の病院調査データベースから，10代の症例だけを抽出し，各調査年における「主たる薬物」の割合を比較したものである．図から明らかなように，2014年時点で過半数を占めていた危険ドラッグ症例は，2016年にはその割合を著しく減らし，2018年にはゼロになっている．一方，2014年にはゼロであった市販薬症例は，2016年に忽然と出現し，以後，年々増加傾向である．

この図からわかるのは，今日，10代において最も乱用され，健康被害を引き起こしている薬物は，揮発性溶剤（シンナー）や大麻，あるいは危険ドラッグではなく，市販薬である，ということである．かつて思春期の乱用薬物として悪名を馳せたシンナーは，現実の臨床ではめったにお目にかかれない都市伝説となったし，ニュースなどで「若年層への汚染拡大が深刻」とことさらに警鐘を鳴らされている大麻についても，増えているのはあくまでも大麻取締法検挙者人員だけで，大麻による健康被害を呈した患者の数が増えているわけではない．

このような乱用薬物の経年的推移を見ていると，一見，子どもたちが，規制強化によっ

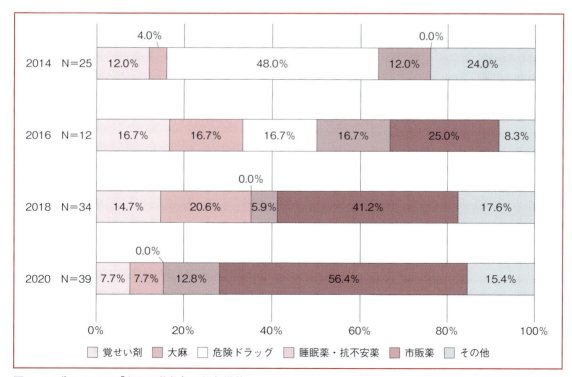

図1　10代における「主たる薬物」の経年推移　　　　　　　　　　　　（文献5より引用）

て流通しなくなった危険ドラッグの代わり
に，今度はドラッグストアで簡単に入手でき
る市販薬を乱用しはじめたかのように感じら
れるかもしれない．しかし，そうではない．
筆者らが，2014年調査の10代危険ドラッグ
症例と2018年調査の10代の市販薬症例を比
較・検討したところ[8]，市販症例は，危険ド
ラッグ症例に比べて，女性が多く，高校中退
者が少なく，非行・犯罪歴を持つ者が少ない
など，明らかに生活背景の異なる集団といえ
る結果が確認されている．さらに，市販薬症
例では，依存症未満の薬物使用様態（ICD-
10の「有害な使用」）の症例が多く，ICD-
10における「F4：神経症性障害，ストレス
関連障害及び身体表現性障害」を併存する症
例が多いなど，精神医学的差異も明らかにさ
れている．

　こうした知見から，次のような10代の薬
物乱用患者の姿を想像できる．すなわち，表
面上は「よい子」として振る舞いつつも，何
らかの心理的苦痛への対処として市販薬を乱
用している子どもだ．おそらく薬物使用様態
自体は比較的軽症でも，併存するメンタルヘ
ルス問題の影響により精神科医療現場へと事
例化している．いずれにしても，近年の若い
市販薬乱用患者は，従来の薬物乱用患者とは
異なる層といえよう．

② 乱用リスクの高い市販薬とは

　それでは，10代の市販薬乱用患者はどの
ような市販薬製品を乱用しているのか？　以
下に，代表的な乱用市販薬製品を紹介してお
きたい．

a）鎮咳・感冒薬

　①コデイン・メチルエフェドリン含有製品

　乱用市販薬として突出して多い市販薬は，
鎮咳・感冒薬である．なかでも，「ブロン®
錠」は最も多く乱用されている．ブロンに

は，コデイン（高濃度では麻薬として規制対
象成分：中枢神経抑制薬），メチルエフェド
リン（高濃度では覚せい剤原料として規制対
象成分：中枢神経興奮薬），クロルフェニラ
ミンマレイン酸（抗ヒスタミン薬成分），無
水カフェイン（中枢神経興奮薬）が含有され
ているが，なかでも，コデインとメチルエ
フェドリンは，依存性や精神作用に大きな影
響を与えている．

　ブロン錠を乱用する10代の多くが，コデ
インの不安緩和作用とメチルエフェドリンの
意欲増進作用・抗うつ作用を期待して乱用を
開始するが，これらの成分は短期間で耐性を
形成し，使用量がみるみる増加してしまう．
しかも，身体依存が強力なコデインの離脱に
より，焦燥感や抑うつ気分，下痢，発汗とい
う苦痛が生じ，断薬や減薬が困難となる．一
部で遺伝的・体質的に脆弱な者は，メチルエ
フェドリンの影響で一過性に幻覚などが出現
し，それを契機として精神科医療にアクセス
し，断薬のチャンスを得るが，そうした脆弱
性のない者は量や頻度を増やしながら，使用
を継続していくこととなる．

　このようにしてブロン錠の使用量が増加す
ると，2つの厄介な問題が生じる．1つは，
子どもの小遣いでは対応困難となることであ
り，もう1つは，厚生労働省からの通達によ
り，ブロン錠は店頭では「一人一瓶まで」と
購入を制限されていることである．

　そこで見られるのが，感冒薬である「パブ
ロンゴールド®A錠」へのシフトである．同
製品にもコデインとメチルエフェドリンが含
有されているが，実は製品1円あたりに含有
される成分量はブロン錠よりも多い．しか
も，「一人一瓶まで」という購入制限は鎮咳
薬のみ適用されており，感冒薬は対象となっ
ていない．しかし，この乱用薬剤の乗り換え
は時として深刻な健康被害をひき起こす．と

748　12．社会・神経心理学的疾患

いうのも，同薬剤にはアセトアミノフェンが含有されており，大量摂取により，重篤な肝機能障害を呈し，時として致死的な結果になりうるからである．

②デキストロメトロルファン含有製品

最近では，「メジコン®」や「コンタック®」といった市販鎮咳・感冒薬を過量摂取するケースも増えている印象がある．これらの製品には，鎮咳・去痰・気管支拡張作用のあるデキストロメトルファンが含有されている．デキストロメトルファンは，非選択的セロトニン再取り込み阻害薬であり，同時にσ_1受容体作動薬であり，大量摂取により自信や体力が増強した感覚，不穏，早口，瞳孔散大等を呈し，さらに大量に摂取すると，幻覚や錯乱，けいれん，意識障害，自発呼吸停止を呈して致死的な結果ともなり得る．精神科等で処方されたSSRI（選択的セロトニン再取り込み阻害薬）を内服中の者，あるいは，グレープフルーツ果汁を含有するアルコール飲料などとの併用で，セロトニン症候群を呈する危険性がある．

b）鎮静・催眠剤

①ジフェンヒドラミン含有製品

近年，乱用頻度の高い市販の鎮静催眠薬としては，「ドリエル®」や「レスタミン®」といった抗ヒスタミン作用を持つジフェンヒドラミンを含有する製品が挙げられる．ブロンやパブロンのように依存性が問題というよりも，ブロンやパブロン，メジコンなど様々な市販薬と混ぜて過量摂取されることで，各成分の代謝が競合阻害され，ジフェンヒドラミンの濃度が急激に高まってしまうことが問題である．その場合には，心停止などの致死的な結果を招きうる．

②尿素系鎮静催眠成分含有製品

「ウット®」は尿素系鎮静成分を含有する鎮静催眠薬であり，やはり比較的乱用頻度が高い市販薬である．ブロムワレリル尿素やアリルイソプロピルアセチル尿素といった，今日の医療現場ではほとんど禁忌に近い扱いを受けている成分が含有されている．この成分は依存性があるとともに，大量摂取時には自発呼吸を抑制しうることから，救命救急センターでは問題視されている．

なお，アリルイソプロピルアセチル尿素は，多くの市販鎮痛薬にも含有されており，同じく高頻度に含有されているカフェインとともに，市販鎮痛薬使用の習慣化に無視できない影響を与えていると考えられる．

援助の実際

1 薬物乱用を呈する子どもの臨床的特徴

ここまでは，近年臨床現場で問題となっている市販薬を中心に述べてきたが，大麻などの違法薬物の乱用者を含めて，10代の薬物乱用者には共通する特徴が3つある．第1に，薬物使用期間が短いことから，成人の薬物乱用者に比べると，厳密な意味での「依存症」水準に達している者は少ない，ということである．第2に，前述したように薬物問題の重症度は比較的軽度であるものの，それとは別に何らかのメンタルヘルス問題を併存する者が多いということである．それとは例えば，注意欠如・多動症や自閉スペクトラム症などの発達障害や，小児期の逆境的環境やいじめ被害等によるトラウマ関連精神障害，あるいは，リストカットを伴う気分障害や摂食障害であったりする．そして最後に，援助希求能力に乏しく，自己治療的な意図から薬物使用をする傾向がある，ということである．すなわち，併存する精神医学的問題がもたらす心理的苦痛に対して，誰かに助けを求めたり，相談したりという行動をとるのではなく，薬物の効果によって一時的な「鎮痛」を

薬物乱用　749

はかる傾向がみられる.

このなかでも特に市販薬を乱用する子ども
は, 他の薬物乱用者と比べても援助希求が乏
しく, 孤立が深刻である. というのも, 覚せ
い剤や大麻などの違法薬物を乱用する者の場
合, 確かに家庭や学校には居場所がないもの
の, 非行集団内では人とつながっている. そ
れから, 睡眠薬・抗不安薬依存患者では, 少
なくとも自分の親には相談することできた,
あるいは, 気づいてもらうことができたから
こそ, 親の保険証を用いて医療にアクセスす
ることができている (もちろん, そこで処方
された治療薬を乱用しているわけだが).

ところが, 市販薬依存患者はそうではな
い. 家庭や教室, あるいは反社会的集団にも
居場所を見出せず, ひとり息を殺して苦境に
過剰適応するために, ひたすらドラッグスト
アに日参しているのだ. そこでは, かつて頭
痛や月経痛といった身体的苦痛を癒やしてく
れた市販薬を, 今度は, 心理的苦痛を癒やし
てもらうために買い求めている. 親に保険証
を借りることなく. したがって, 親にその苦
痛の存在を知られることなく, 入手できるの
だ. 10代の市販薬依存患者は, そのような
地点から薬物使用を始めていることを忘れて
はならない.

2 かかわりのポイント

治療や支援という観点からいえば, 乱用薬
物の違法・合法にかかわらず, 援助者は薬物
乱用を頭ごなしに否定したり, 叱責したりす
るのではなく, 「何か事情があるはず」とい
う態度で子どもとの対話を行うことが望まし
い. さらに, 薬物乱用には, 健康を害し, 最
悪の場合には長期的な生命予後を悪化させか
ねないという不適応的側面とともに, 心理的
苦痛を一時的に緩和し, 苛酷な現在を生き延
びるのに役立つという適応的側面との両面が

ある, という認識に立ち, 「役立つ面がある
のはわかるけど困った面もあって, むずかし
いねえ」と共感的にかかわるべきである. 彼
らの薬物乱用には自己治療的側面があること
を無視して, 強硬に断薬を要求すれば容易に
治療を中断し, 専門医療機関への紹介もおぼ
つかなくなる.

特に市販薬乱用者では, なかなか薬物使用
が止まらない場合も少なくない. 筆者の場
合, 市販薬使用をやめるのではなく, 使用の
結果生じる健康被害を低減させる提案 (例え
ば, 「アセトアミノフェンを含有の製品は避
けよう」など) をしつつ, まずは薬物使用状
況のモニタリングに徹し, 患者と協働して薬
物欲求のトリガーを探すところから関係づく
りをはじめることもある. いずれにしても,
「薬物使用について正直に話せる」関係性を
維持することを目指したほうが, 最終的には
専門医療へのアクセスはよくなる.

3 専門医療機関への紹介

未だ十分とはいえないものの, 薬物依存症
専門医療機関は少しずつ増えている. 各地域
における薬物依存症専門医療機関について
は, 厚生労働省依存症治療・相談拠点設置事
業として展開されている依存症対策全国セン
ターのホームページ[3] から探すことができる.

ただし, 成人の薬物依存症患者とは異な
り, 10代の薬物乱用者は, 依存症集団療法
や自助グループ, あるいは, ダルクなどの民
間リハビリテーション施設になじめないこと
も少なくない. そもそも, 集団場面になじめ
ず, 成人の薬物依存症患者に共感したり, 回
復のロールモデルを見いだしたりすることは
ほぼ困難である. したがって, 専門医療機関
でも個人療法 (支持的心理療法や個人認知行
動療法) が提供されることが多いが, それで
も, 治療中断率は高い. 若く, 乱用期間が短

750　12. 社会・神経心理学的疾患

いだけに，本人の問題意識や治療動機は乏しく，せいぜい数回程度の受診で来院しなくなってしまうのが常である．

そこで重要となってくるのが，後述する家族支援である．

4 家族支援の必要性

薬物問題を抱える家族は，ともすれば頭ごなしの叱責や24時間監視，外出禁止，金銭管理などの方法で，子どもを薬物から遠ざけようとするが，状況の改善は一時的であり，長期的にはかえって事態がこじれてしまう．一方，薬物購入で作った借金を肩代わりするなどの「尻拭い行動」（イネイブリング）によって，かえって本人の薬物使用を維持する，という悪循環に陥りやすい．子どもの薬物問題は養育者の「恥の意識」を刺激して援助希求も低下させ，そのような養育者の孤立がますます不適切な対応をエスカレートさせてしまう．

このような不適切な対応や悪循環を解決するには，養育者が依存症家族教室や依存症家族相談に継続的につながっている必要がある．都道府県・政令指定都市に少なくとも1箇所は設置されている精神保健福祉センターは，このような，地域における依存症者家族相談支援の拠点となっている（依存症対策全国センターのホームページ参照[3]）．家族のための心理教育だけではなく，依存症者家族のための自助グループの情報も集約されている．

家族がこうした支援に継続的につながっていると，本人が治療につながり，それを継続する率が高くなるばかりか，最後まで本人が治療の場に登場しなかったにもかかわらず，いつしか薬物使用が止まっていたということも生じうる．その意味では，10代の薬物乱用者の支援では，家族を精神保健福祉セン

ターにつなげることは，診療科を問わずすべて医療者に求められる対応というべきであろう．

専門医からのワンポイントアドバイス

最近35年あまり，わが国では，「ダメ．ゼッタイ．」のキャッチコピーに象徴される薬物乱用予防教育が広く実施されてきた．それは，エビデンスにもとづく保健教育というよりも，違法薬物の使用防止に重きを置いた道徳教育というべきものである．

当然ながら，この方法は市販薬乱用防止には意味がない．既に多くの子どもが使用経験を持っており，「人生が破滅」どころか，痛みや発熱，咳といった不快な身体的症状が緩和される体験をしている．しかも，薬物乱用防止教育では，「大麻の吸い過ぎで死ぬことはないが，市販薬の過量接収は致死的な結果になりうる」という事実を決して教えることはない．むしろ，「違法薬物のほうが有害」「害があるから違法」というメッセージを強調している．

従来の予防啓発教育では，「薬物を使っている友だちからは逃げろ，離れろ」という忌避・回避・嫌悪を中心としたメッセージを伝えてきた．しかしこれからはそうした方法も変えていく必要があろう．たとえば，薬物，特に市販薬乱用を呈する子どもの援助希求の乏しさ，そして，薬物以外に何らかのメンタルヘルス問題の併存に注目し，「もしも友だちが薬物を乱用していたら，何か悩みを抱えているかもしれない．だから，声をかけ，信頼できる大人につなげよう」というメッセージのほうが好ましいであろう．

文　献

1) Farrington DP et al：Predicting participation, early onset, and later persistence in officially recorded offending. Criminal Behavior and Mental Health 1：1-33, 1991

2) Gilvarry E：Substance abuse in young people. J Child Psychol Psychiatry 41：55-80, 2000

3) 依存症対策全国センター：全国の相談窓口・医療機関を探す.
https://www.ncasa-japan.jp/you-do/treatment/treatment-map/（2022 年 5 月 31 日最終確認）

4) Matsumoto T et al：Self-injury in Japanese junior and senior high-school students：Prevalence and association with substance use. Psychiatry Clin Neurosci 62：123-125, 2008

5) 松本俊彦：10 代の薬物乱用・依存. こころの科学 217：43-49, 2021

6) Newcomb M et al：Substance use and abuse among children and teenagers. Am Psychol 44：242-248, 1989

7) 妹尾栄一 他：市販鎮咳剤の乱用に関する社会精神医学的研究：成分変更にともなう乱用動態の変化. 精神誌 98：127-150, 1996

8) 宇佐美貴士 他：10 代における乱用薬物の変遷と薬物関連精神障害患者の臨床的特徴. 精神医学 62：1139-1148, 2020

13. 染色体異常症

13. 染色体異常症

ダウン症候群

高野貴子
東京家政大学 児童学科

POINT
- 小奇形などの臨床的特徴からダウン症候群を疑った場合，速やかに染色体分析を行う.
- モザイク型は FISH 検査が有用.
- 先天性心疾患や消化器合併症などの治療を優先.
- 白血病・類白血病反応は一般集団の 10〜20 倍の頻度であることに留意.
- 小児期から成人期の移行期支援が必要.
- 妊娠早期の出生前診断（トリプルマーカー，クアトロマーカー，NIPT 等）は検査前後の遺伝カウンセリングが必須.

ガイドラインの現況

胎児絨毛採取・羊水穿刺による検査に関して，日本人類遺伝学会（1994），日本産婦人科学会（1998）からガイドラインが出され，次のような妊娠の場合に考慮される.
①夫婦のいずれかが染色体異常の保因者
②染色体異常児を分娩した既往を有する場合
③高齢妊娠
（④⑤⑥は遺伝子病の場合なので省略）
⑦その他，重篤な胎児異常の恐れのある場合
母体血清マーカー検査に関しては，全妊婦に一律に実施すべきでないとしている（日本人類遺伝学会 1998，厚生科学審議会 1999）.
米国小児科学会からは，出生前診断時のカウンセリング，新生児から思春期，成人期までの治療と療育のガイドラインが出ている（2001[1]，2011[4]）.
母体血を用いた新しい出生前遺伝学的検査指針に従って，日本では 2013 年から NIPT（non-invasive prenatal genetic testing）が実施されている.
米国では成人期移行期医療の toolkit が出され（https://www.chop.edu/services/trisomy-21-toolkit-transitioning-adult-medical-care），日本でも移行医療支援ガイドが出された（http://www.jsgc.jp/files/pdf/downsyndrome_2021.pdf）.

【本稿のバックグラウンド】 米国小児科学会，日本人類遺伝学会，日本産婦人科学会，日本ダウン症学会のガイドラインを参考に，病態や一般診療について解説した．

どういう疾患・病態か

21番染色体が過剰な染色体異常である．1本過剰な21トリソミーが約95％，過剰染色体が他の染色体に転座している転座型が約2％，モザイク型が数％である．疾患責任部位は21番染色体の長腕遠位部位21q22である．21トリソミーの原因としては，第一減数分裂での不分離（non-disjunction）が80％，過剰染色体の85％が母親由来である．親からの遺伝は転座型の一部であり，全体ではごく少数例である．

出生頻度は母親の年齢と相関があり，高年齢出産の増加で，日本の出生頻度は約1/600と見積もられている．日本での平均寿命は50歳を超えている．

新生児期に顔の特徴，哺乳力不足，筋緊張低下など**表1**のような特徴で臨床診断が可能である．乳幼児期は易感染性で，上気道炎，結膜炎，滲出性中耳炎などにかかりやすく，精神運動発達遅滞が明らかとなる．学童期は言語発達障害，肥満が問題となり，甲状腺機能異常にも注意が必要である．思春期発来は遅れない．成人期には甲状腺疾患，高尿酸血症，早期老化，退行，睡眠時無呼吸症候群がみられる．

二大死因は先天性心疾患と呼吸器感染症である．

治療に必要な検査と診断

末梢血の染色体検査（Gバンド法）による確定診断が必須である．

合併症や発育に従って各診療科にわたる検査が必要となり，各科の連携が肝要である．先天性心疾患は約半数にみられ，予後を左右する．心室中隔欠損症，心内膜床欠損症，心房中隔欠損症，ファロー（Fallot）四徴症，動脈管開存症など多彩である．肺高血圧を伴う場合は閉塞性病変の進行が速い．心雑音がなくても小児循環器専門医の診察と，合併症の疑いがあれば心電図，心エコー検査，胸部X線撮影などが必要となる．

先天性心疾患に次いで多い大奇形は，消化

表1 ダウン症候群の身体的特徴（外表奇形，小奇形）

1	短頭（後頭部扁平）	11	第5指短小または第5指単一屈曲線
2*	大泉門開大，小泉門開大	12	第5指内彎
3	眼裂斜上	13	第1趾と2趾間の開大
4	内眼角贅皮	14	手掌の単一横走手掌線
5	小さい耳介	15	母趾球部脛骨側弓状紋
6	耳輪内転	16	筋緊張低下
7	鞍鼻（低い鼻背）	17*	腹直筋離開
8	狭口蓋	18	停留精巣
9	短頸	19	小陰茎
10	短指		

*新生児期に特有なもの　　　　　　　　　　　　　　　（文献2より引用）

管異常である．十二指腸閉鎖，鎖肛，ヒルシュスプルング病などがあり，消化管検査の後，新生児期の手術適応となる．

難治性の滲出性中耳炎や軽度以上の伝音性難聴が約40％に合併するので，聴力検査は必須である[3]．

環軸椎〔亜〕脱臼による四肢の麻痺症状や稀に死亡例が報告されている．頸椎の側面単純X線写真（前屈位，中間位，後屈位）撮影による環椎歯突起間距離（AOI）の拡大と，開口位単純X線前後像により歯突起の形成不全の有無を検査する．

白血病（ALLとAML）と新生児期TMD（transient myeloproliferative disorder）の合併頻度は一般集団の10〜20倍，特に急性巨赤芽球性白血病は200〜400倍である．末梢血液検査が必要であり，甲状腺機能検査や尿酸値を含む血液生化学検査とともに年齢に応じた頻度で血液検査を行う．

てんかんを合併する場合は，脳波検査とその治療，フォローアップが必要となる．

次の子どもの出生前診断の希望がある場合，羊水穿刺はある程度羊水量が多くなる妊娠15〜18週までに行う．絨毛検査はそれより早く9〜11週に行う．NIPTを含む出生前診断の施行には十分な遺伝カウンセリングの後，当事者の自発的決定が必須である．

治療の実際

合併症の治療を優先する．先天性心疾患の手術成績は向上し，ダウン症候群の平均寿命の延長に貢献していると考えられる．動脈管開存症など投薬治療で改善する場合もある．

滲出性中耳炎を放置すると，慢性化し，難聴になって言語発達や精神発達に影響するので，鼓膜切開，鼓膜換気チューブ，補聴器装着を行う．チューブ留置は片側に行う指針が示されている[3]．

頸椎側面単純X線写真撮影による環椎歯突起間距離（AOI）の拡大が認められ，環軸椎不安定性と診断される場合，環軸椎脱臼による脊髄圧迫症状出現の予防のために，前転などの運動制限や整形外科的手術を行う．

停留精巣は自然軽快が認められなければ，健常児と同じように手術を行う．

屈折異常による眼鏡装着は，ひもで頭部に固定するようにすれば低年齢でも装着できる．内斜視は両眼視機能の改善が見込める場合は手術を行う．睫毛乱生症は，程度の強い場合は抜毛する．

甲状腺機能低下症は甲状腺ホルモン剤の投与を少量から開始し，ホルモン測定をしながら維持量を継続投与する．

肥満は年齢が高くなると運動量が減り，改善が難しいので，予防が大切である．規則的な食生活とバランスの良い食事を心がける．高尿酸血症も体重コントロールと食事の改善が有効で，軽度であれば服薬を必要としない．それには離乳期からダウン症児の咀嚼嚥下に合った離乳食をゆっくりと進め，ジュースやお菓子などを与えすぎないようにするなど長期的な視点での食生活への配慮が望まれる．

専門医に紹介するタイミング

臨床遺伝専門医は2022年5月現在1,638人であり，日本人類遺伝学会ホームページで検索できる（https://jshg.jp/）．診断がついた時点，あるいは新生児期の合併症の手術が終わった時点で臨床遺伝専門医へ紹介することが望ましい．臨床遺伝専門医により，総括的診療と療育のアドバイス，各種診療科への橋渡し，ダウン症候群の地域の親の会の紹介などが行われる．これと同時に，近くに小児

科医，眼科医，耳鼻科医などのホームドクターを探しておき，幼児期に頻発する上気道炎，結膜炎，滲出性中耳炎の適切な治療を行い，肺炎，難聴，急性感染症の慢性化などへ移行しないよう日頃のケアが大切である．

専門医からのワンポイントアドバイス

1. 確定診断には，染色体検査が必須である．
2. 乳幼児期の健康管理は，年齢に応じて適切に行う．
3. 幼稚園・保育所での統合保育（インクルージョン）を勧め，地域の親の会や日本ダウン症協会を紹介し，社会参加を促す．
4. 健常児とほぼ同じ予防接種，思春期や成人期を見据えた健康管理と，発達に合わせた健康教育が望まれる．
5. 寿命が延びているダウン症候群の成人期の健康管理は今後の課題である．
6. かかりつけ医への受診を年1回は継続し，成人期の疾患の早期発見と，その早期治療が勧められる．

───────── 文 献 ─────────

1) American Academy of Pediatrics：Health super-vision for children with Down syndrome. Pediatrics 107：442-449, 2001
2) 日暮　眞 他：ダウン症 第2版. 医歯薬出版，1998
3) 日本耳科学会，日本小児耳鼻咽喉科学会 編：小児滲出性中耳炎診療ガイドライン2015年版. 金原出版，2015
4) Marilyn JB and Committee on Genetics：Clinical report―Health supervision for children with Down syndrome. Pediatrics 128：393-406, 2011

ダウン症候群　757

13. 染色体異常症

ターナー症候群

鬼形和道
_{おにがたかずみち}
島根大学医学部附属病院 卒後臨床研修センター

POINT
- ●低身長，二次性徴欠如・遅延から診断されることが多いが，年齢に応じた表現型を的確に捉えることも大切である．
- ●早期から成長ホルモン治療を開始し，健常女児の成長・性徴に近い形となるようにエストロゲン補充療法を開始する．
- ●日本小児内分泌学会薬事委員会作成の「ターナー症候群におけるエストロゲン補充療法のガイドライン」を推奨する．
- ●年齢に応じた包括的管理が必要で，円滑なトランジションが重要である．

ガイドラインの現況

日本小児内分泌学会薬事委員会作成の『ターナー症候群におけるエストロゲン補充療法ガイドライン』（日本小児科学会雑誌 112：1048-1050，2008）を推奨する．成長ホルモン治療との関連，エストロゲン投与方法，および具体的な補充量と期間等が記されている．

欧米では，"Clinical practice guidelines for the care of girls and women with Turner syndrome：proceedings from the 2016 Cincinnati International Turner Syndrome Meeting"（Eur J Endocrinol 177：G1-G70, 2017）が報告され，各項目にエビデンスレベルが記載されている．

本稿では，ターナー症候群に関わる診療を解説する．

【本稿のバックグラウンド】 ターナー症候群に関する国内外の総説あるいはレビューを参考にしている．エストロゲン治療は，日本小児内分泌学会薬事委員会作成の『ターナー症候群におけるエストロゲン補充療法ガイドライン』による．

どういう疾患・病態か

ターナー症候群は，1938年に Henry Turner により初めて症候群として報告された．低身長，翼状頸・外反肘などの奇形徴候，および性腺異形成による二次性徴欠如を三大主徴と

する，女性にみられる症候群である．その後，1959年に Ford らによる染色体分析から，核型が45,X であることが明らかにされた．現在では，1個の X 染色体の欠失あるいは短腕の部分欠失（X 染色体短腕モノソミー）が，疾患の本質をなすとされる．45,X

核型を呈するものの頻度は高くなく，種々の
モザイクとして同定されることが多い．現在
では，SHOX（short stature homeobox con-
taining gene）と遺伝子とリンパ管形成遺伝
子の欠失，およびX染色体短腕の対合不全
として説明される．ターナー症候群の発症メ
カニズムの解明が進んでいる．

先天性・後天性合併症に対する治療が必要
であり，また心理的支援も必要なことから，
複数の科にわたる包括的かつ継続的治療が必
要である．

検査と診断

1 臨床症状

ターナー症候群の臨床症状は，極めて多彩
である．代表的な症状は，低身長，性腺異形
成，および奇形徴候であるが，その他比較的
頻度が高いものとして，中耳炎および色素性
母斑を認める．特徴的な奇形徴候として，骨
格徴候（外反肘，中手骨短縮，Madelung変
形，高口蓋，短頸など），軟部組織徴候（リ
ンパ浮腫，過剰皮膚，翼状頸，毛髪線低下な
ど），内臓徴候（大動脈縮窄症，馬蹄腎など）
が知られている（**表1**）．さらに，性腺腫
瘍，高血圧，聴力低下，自己免疫疾患なども
認める．

上述した特徴的な奇形徴候は，全例にみら
れるわけではない．診断のポイントは，年齢
を考慮したアプローチをすることである．

a）新生児期～乳児期

先天性心疾患（大動脈縮窄・大動脈弁二尖
弁），手背・足背のリンパ浮腫，中耳炎など
がみられるが，ほとんど症状がみられない例
もある．この時期のターナー症候群の成長曲
線は，健常女児の成長曲線と重なる部分が多
い．

表1 ターナー症候群の主要な臨床症状

- 低身長
- 性腺異形成
- 特徴的な奇形徴候
  - 骨格徴候
    - 外反肘，中手骨・中足骨短縮，Madelung
      変形
    - 高口蓋，短頸，小顎症
  - 軟部組織徴候
    - リンパ浮腫，過剰皮膚，爪変形
    - 翼状頸，毛髪線低下，耳介変形
  - 内臓徴候
  - 大動脈縮窄症
  - 馬蹄腎
- その他
  - 性腺腫瘍，高血圧，聴力低下，自己免疫疾患
  - 中耳炎，色素性母斑

b）乳児期～思春期前

反復性中耳炎に加えて，成長速度の低下を
伴う低身長を認める．健常女児およびター
ナー症候群の成長曲線の併用も大切である．

c）思春期

成長速度の低下を伴う低身長，二次性徴欠
如・遅延を認める．一方で，自然に二次性徴
を認める例も20％前後（不完全な場合も含
める）が存在することに留意する．

d）成人年齢（16～17歳以降）

二次性徴欠如・遅延，無月経などが多い
が，肥満・高血圧・耐糖能異常・高コレステ
ロール血症・大動脈基部拡張・自己免疫疾患
（橋本病等）などの合併症がみられる例もあ
る．

2 染色体検査

女児の成長曲線，表現型などからターナー
症候群が疑われる場合には，染色体検査が必
要となる．検査前に，その必要性と予測され
る結果および対応等について十分に説明し，
同意を取得する．ターナー症候群の診断が確

ターナー症候群　759

定した際には，家族あるいは本人も含めて十分な時間をとって説明をする．その後も，継続的かつ段階的な説明・対応を続けることが大切である．

3 内分泌学的検査

原発性性腺機能低下症であるので，FSHおよびLHの異常高値を示す．ただし，思春期前および自然に二次性徴をきたす例では，慎重な対応が必要である．

4 画像診断

手根骨X線写真，超音波検査（心臓・腎臓・骨盤腔）など．

治療の実際

ターナー症候群の治療で重要なことは，早期に成長ホルモン治療を開始，次いでエストロゲン補充療法を導入することである．これは，最終身長の改善とともに女性化の完成および十分な骨塩量の獲得を目的としている．

1 小児期におけるチェック項目（表2）

低身長と二次性徴欠如・遅延以外に，種々の合併症が知られている．特に，心臓・腎臓の奇形と機能評価，耳鼻科的アプローチは重要である．聴覚障害に関しては，小児期から難治性中耳炎を合併する頻度が高く，経過中に伝音性・感音性難聴に移行するとされる．

2 低身長に対する成長ホルモン療法

ターナー症候群の成長曲線の特徴は，3歳頃から身長の伸びが鈍くなり，5歳以上になると95％以上が明らかな低身長を呈し，10〜12歳前後に健常女児の平均身長との差が最大となる．1999年よりわが国でも，ターナー症候群に対しては，成長ホルモン分泌不

表2　小児期ターナー女児におけるチェック項目

- 心臓（超音波検査）
    大動脈縮窄症，大動脈二尖弁，
    大動脈基部拡張（CT，MRI）
- 腎臓（超音波検査）
    回転異常症・集合管異常，馬蹄腎
- 血圧測定
    1〜2回／年
- 甲状腺機能検査
    自己抗体
- 聴力検査
    感音性・伝音性難聴
- 中耳炎（特に幼児期〜学童期）
- 言語障害
- 眼科的検査
    斜視，弱視，眼瞼下垂
- 整形外科的検査
    股関節脱臼，脊柱側彎症
- 歯科矯正
    小下顎症，下顎後退症
- 肥満
- 耐糖能異常（成長ホルモン療法時など）
- リンパ管浮腫（ホルモン補充療法時など）
- 形成外科的対応
    翼状頸，耳介変形

全の有無にかかわらず，0.35mg/体重（kg）/週の成長ホルモン投与が可能となった（治療開始基準：標準身長の−2.0SD以下，年間成長率が−1.5SD以下）．成長ホルモン療法は，低年齢で開始したほうが良好な最終身長を得られることが判明している．日本人のデータでは，未治療の成人身長が平均138cmであるのに対して，治療により成人身長は146cm程度まで改善する．早期から治療を開始する意義は，健常女児と大きく異ならない身長で小児期を過ごせ，早期にエストロゲン補充療法を開始できる点である．投与期間が長くなる場合には，骨年齢，肥満，および耐糖能に対する評価が必須である．

処方例

処方　ヒトリコンビナント成長ホルモン
　　　0.35mg/kg/週を5～7回に分けて
　　　皮下注射

3 二次性徴欠如・遅延に対するエストロゲン補充療法

エストロゲン補充療法は，健常女児の性徴に近い形で投与量・投与開始時期を決定することが望ましい．通常は，経皮的吸収型エストラジオール貼布剤（エストラーナ®テープ0.72mg/枚）を1/8枚隔日で開始し，段階的に1枚まで増量する．あるいは，12～14歳から結合型エストロゲン（プレマリン®0.625mg/錠）を低用量で開始する．具体的には，成人用量の1/10錠で開始し，6～12ヵ月ごとに増量して2～3年後に成人量にまで増量する．成人量で6ヵ月を経過するか，途中で消退出血が起こるか，いずれか早い時点でKaufmann療法へ移行する．

処方例

処方A　エストラジオール貼付剤（エストラーナ®テープ0.72mg/枚）
　　・1/8枚　2日ごとに貼り替え　6～12ヵ月間
　　・1/4枚　2日ごとに貼り替え　6～12ヵ月間
　　・1/2枚　2日ごとに貼り替え　6～12ヵ月間
　　・1枚　2日ごとに貼り替え　6ヵ月間
処方B　結合型エストロゲン（プレマリン®0.625mg/錠）
　　・1/10錠　1日1回経口　6～12ヵ月間
　　・1/4錠　1日1回経口　6～12ヵ月間
　　・1/2錠　1日1回経口　6～12ヵ月間
　　・1錠　1日1回経口　6ヵ月間

4 成人における包括的医療

成人期では，心血管系障害（特に大動脈基部拡張）・耐糖能異常・自己免疫性疾患・オステオポローシスなどに対する精査と治療が必要となる．血圧，血糖，脂質，甲状腺機能，自己抗体，骨塩量，超音波・MRI検査（心臓），聴力などの定期的検査が必要である．小児科，内科（内分泌・循環器・腎臓），産婦人科に加えて，耳鼻科，眼科，精神科などの複数の専門家によるチーム医療が理想である．

5 心理的ケア

心理・精神面の支援は極めて重要な点である．本人への説明は，家族・医療スタッフの情報交換を通じて段階的にゆっくりと行う．アンケート調査から，医師よりも親からの説明を望んでいるようである．家族の会などの紹介も，本人および家族の大きな支援となる．

専門医に紹介するタイミング

a）新生児期～乳児期

先天性心疾患（大動脈縮窄・大動脈弁二尖弁），手背・足背のリンパ浮腫，あるいは反復性中耳炎を認める場合，紹介とする．

b）乳児期～思春期前

低身長を認める場合，スクリーニング（染色体検査は除く）を行った後に，あるいは速やかに紹介する．

c）思春期

　低身長，二次性徴欠如・遅延を認める場合，速やかに紹介する.

専門医からのワンポイントアドバイス

　低身長を主訴に来院するターナー症候群が多いが，臨床所見を的確に捉え，年齢に応じた徴候をチェックすることが重要である．事前の十分な説明と確定診断後の適切な対応が難しい場合には，染色体検査は専門医に任せたほうが良い．染色体異常症というカテゴリーに入る疾患であるが，最近では本症候群を一つの先天的体質と捉えて「ターナー（女性）」なる呼称を用いることが多い.

文　献

1) Saenger P et al：Recommendations for the diagnosis and management of Turner syndrome. J Clin Endocrinol Metab 86：3061-3069, 2001
2) Frias JL et al：Health supervision for children with Turner syndrome. Pediatrics 111：692-702, 2003
3) Gravholt CH et al：Clinical practice guidelines for the care of girls and women with Turner syndrome：proceedings from the 2016 Cincinnati International Turner Syndrome Meeting. Eur J Endocrinol 177：G1-G70, 2017
4) ターナー症候群におけるエストロゲン補充ガイドライン．日小児会誌 112：1048-1050, 2008

13. 染色体異常症

18 トリソミー

小崎里華
（こさきりか）
国立成育医療研究センター 遺伝診療科

POINT
- 18トリソミーは18番染色体が1本過剰によって生じる病態である.
- 出生後，成長障害，精神運動発達遅滞，心疾患や内臓奇形など多発先天異常を有する.
- 生後1ヵ月内に～85％，1歳までに～90％が死亡．外科的手術や在宅医療支援により長期生存例の報告あり.
- 対症療法が主．呼吸管理と栄養管理の安定が第一である.
- 児にとって，「最善の利益（best interest）」になるよう医療支援に努める.

ガイドラインの現況

18トリソミーは，比較的，頻度の高い染色体異常症である．本疾患に特化した診療ガイドラインはないが，『重篤な疾患を持つ新生児の家族と医療スタッフの話し合いのガイドライン』[1] を参考として，慎重に，症例ごとに治療方針の決定に対応することが望ましい．当該ガイドラインには，"生命に関わる治療を差し控えるか検討する事態" が発生した場合のチェックリストも記載されており，臨床現場で具体的に使用することもできるようになっている．リスト等を参照しつつ，多様な意見を反映しながら，家族や医療関係者が，子どもの最善の利益が何かを話し合うプロセスが重要である.

【本稿のバックグラウンド】 本疾患の診療ガイドラインはない．本稿では『重篤な疾患を持つ新生児の家族と医療スタッフの話し合いのガイドライン』や近年の総説等を参考に解説した.

どういう疾患・病態か

1 病 態

18番染色体が1本過剰による病態．特徴的な症状の組合せにより臨床診断も可能であるが，末梢血等による染色体検査（G分染）により，確定診断される（図1）.

2 原 因

ヒトの染色体数は，常染色体（1～22番）と性染色体（X，Y）の23対46本で構成されている．対をなしている2本の染色体は，それぞれ父・母由来である．配偶子（卵子・精子）は，減数分裂時に，正常であれば各染色体が2本のうち1本ずつ分配される．この際，特定の染色体の配偶子が1本も分配され

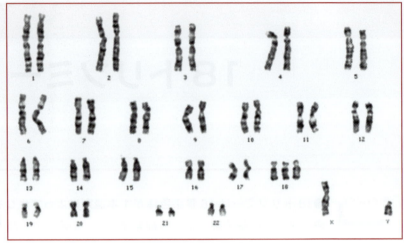

図1 18トリソミー（核型 47,XY, ＋18）

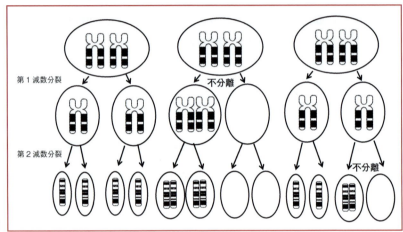

図2 発症機序

ず，2本とも分配されることがある（不分離）．このような配偶子が正常な配偶子と受精すると，その染色体は当該染色体が1本ないし3本の受精卵がつくられる．前者をモノソミー，後者をトリソミーと称し，18トリソミーが発症する．90％が，母親配偶子の不分離（第一減数分裂30％，第二減数分裂60％）によるものである（図2）．また，他の染色体転座に由来する転座型により発症する場合もある（de novo，親由来）．

受精後の体細胞分裂の過程で一部の体細胞にトリソミーを起こす場合をモザイクと称するが，非モザイク（全細胞のトリソミー）に比較して軽症となる．モザイクの割合によって，症状の重症度には差がある．トリソミー型94％，モザイク型4.5％，転座型1.5％である．

3 頻 度

出生頻度1/3,500～8,500人，男女比1：3で，女児が多い．胎児18トリソミーの50～95％は，自然淘汰される．

4 症 状[2〜4]

a）胎児期

子宮内発育遅延，羊水過多など．妊娠中の胎児エコーで，心奇形や小脳低形成，後頭部嚢胞などの形態異常が指摘されることもある．

b）成長・発達

胎児期からの成長発育遅延は，生後も続き，重度の成長障害を認める．精神運動発達遅滞も重度で，多くは有意語なく，歩行困難

である．

c）多発奇形
- 顔貌：狭い前額，耳介低位・変形，弓状の眉，短い眼裂，小さい口，小顎
- 心疾患（95%）：心室中隔欠損，動脈管開存，心房中隔欠損，右胸心
- 骨格：重なり握り手，揺り椅子状の足（図3），短頸，手足屈曲，股関節開排制限，多指症，爪低形成，側彎
- 脳神経：小頭，小脳低形成，後頭部突出，筋緊張低下・亢進，難聴
- 内臓奇形：食道閉鎖，鎖肛，腸回転異常，メッケル憩室，異所性膵，臍ヘルニア，鼠径ヘルニア，停留睾丸，重複尿管，馬蹄腎，嚢胞腎．

5 予後

生後1ヵ月内に〜85%，1歳までに〜90%が死亡．外科的手術や在宅医療支援の普及により長期生存例（海外30歳代〜）も報告されている．合併症の管理を含めて日常生活には医療・療育の支援が必要となる．長期生存の要因として，核型（モザイク），性別（女児），在胎週数，出生体重，合併症因子（心・消化管疾患）などの関与が考えられる．

6 再発率

不分離により発症しているトリソミーの場合は，再罹患率は低いが，転座型については，両親の染色体の結果によっては，再罹患率は無視できないことに注意を要する．高齢妊娠による再発率は，一般の妊婦と同程度．2人以上の罹患児を認めた場合，性腺モザイクを疑う．

治療に必要な検査と診断

a）診断

確定診断のために，末梢血液1〜3mLほど採取し，染色体検査を実施する．

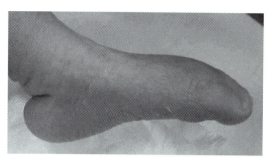

図3　揺り椅子状の足

b）合併症
- 心疾患：胸部X線，心電図，心エコーを実施し，心疾患の有無を確認する．
- 呼吸器系：胸部X線，心拍モニター，酸素飽和度モニター，血液ガス所見により，呼吸管理を行う．
- 食道閉鎖：蘇生・吸引時に口や鼻からの胃チューブの挿入がうまくいかない場合，胸腹部X線でcoil up像を確認する．
- けいれん・無呼吸発作：頭部CT，超音波，脳波
- 内臓疾患：腹部超音波検査
- 角膜混濁，虹彩欠損，白内障，緑内障：眼科的診察，検査
- 難聴・外耳道狭窄：aABR，診察
- 骨格：全身骨X線

治療の実際

対症療法が中心となる．呼吸管理と栄養管理の安定を目標とする．

胎内死亡，新生児仮死，低出生体重，小額，喉頭・気管軟化，筋力の弱さなどの様々な理由で補助呼吸管理が必要である．自発呼吸がみられない，呼吸不全を認める場合，気管内挿管，酸素投与，NCPAPなどの補助呼吸を行う．通常の蘇生と同様であり，まず，マスク・バッグによる要手人工呼吸管理を実施する．その後，自発呼吸が認められなけれ

ば，気管内挿管を行うが，上述の理由により，挿管は困難な場合があり，経験者による支援を考慮する．

しばしば無呼吸発作を認めることがあり，慎重な観察を要する．また，多くが心疾患を合併しており，循環動態を把握したうえで，酸素飽和度を管理していく．

生後しばらくは，哺乳力弱く，主に末梢・中心静脈栄養・経管栄養が必要となる．消化管疾患合併に注意する．注入後の呼吸状態に留意する．EDチューブ，胃瘻造設し，経口摂取訓練を試すこともある．長期の経管栄養が続く場合，経腸栄養剤も考慮していく．

a）心疾患

心室中隔欠損・心房中隔欠損などでは，利尿薬，強心薬の投与，水分制限を実施し，心不全の進行に注意する．動脈管開存依存の場合，PGE$_1$製剤を投与する．肺高血圧の合併に注意しながら，内科的治療を行う．

外科的治療などの侵襲性の高い治療については，全身状態の評価を併せて，症例ごとに検討し，児にとって苦痛を最小限に抑えるような治療選択を行う．治療は，各疾患の標準的治療に準じる．

b）けいれん・無呼吸発作

ウエスト症候群では，脳波でヒプスアリスミアを認め，ACTH療法が考慮される．循環動態に十分注意する．てんかん性無呼吸も生じる．中枢性無呼吸とは異なり，脳波所見で鑑別し，抗てんかん薬内服をする．

全身状態が安定していれば，経管栄養や在宅酸素などの補助により，在宅療法へ移行することも可能である．肺炎・無気肺の予防のための体位の変換や，関節拘縮予防のために積極的にリハビリテーションを勧めるなど，療育的支援も行っていく．予防接種やRSウイルス感染症予防のためのシナジス接種など，感染症の予防を進める．

専門医に紹介するタイミング

臨床症状から18トリソミーが疑われた段階で，家族に染色体検査の意義についてインフォームドコンセントを得る．主治医から家族へ早期に疾患を説明することが望ましい．診療・治療は，NICUスタッフを中心に進められるが，染色体，遺伝子の概念，疾患の自然歴など遺伝学的情報提供や心理・社会支援などが必要な場合，臨床遺伝専門医などに紹介するのもよい．家族とプライマリーな医療スタッフの信頼関係が重要である．

専門医からのワンポイントアドバイス

現在の医療水準では，根本的治療法はなく，生命予後は良好とはいえないが，児はゆっくり発達し続けることを家族に伝える．家族が，児の疾患を受容するには，時間を要する．医師だけではなく，看護師，心理士など他の医療スタッフも交えて継続的な支援をすることを伝える．ソーシャルワーカーや家族会の紹介も大切である．児にとって，「最善の利益（best interest）」になるよう，家族とともに豊かで幸せな時間を過ごせるよう，医療者も支援に努めたい．

─────── 文　献 ───────

1) 日本新生児成育医学会
   http://jspn.gr.jp/info/INFORMATION.html
2) Jones KL：Smith's Recognizable Patterns of Human Malformation, Elsevier. pp7-23, 2013
3) Mckinlay Gardner RJ：Chromosome Abnormalities and Genetic Counseling. Oxford Monographs on Medical Genetics, pp277-294, 2012
4) 櫻井浩子：18トリソミー．メディカ出版，2014

13. 染色体異常症

プラダー・ウイリー症候群

小須賀基通

国立成育医療研究センター 遺伝診療科

POINT
- ●本邦の診療ガイドラインとして，『プラダー・ウイリ症候群コンセンサスガイドライン』（日本小児内分泌学会編集，2021 年公開）がある．
- ●第 15 番染色体 q11-13 領域に存在する父性発現遺伝子の発現消失のインプリンティング疾患である．
- ●確定診断には DNA メチル化テストが有効である．
- ●治療には行動療法，性ホルモン療法，成長ホルモン療法などがある．

ガイドラインの現況

これまでプラダー・ウイリー症候群（Prader-Willi syndrome：PWS）の診療ガイドラインは，米国小児科学会（American Academy of Pediatrics）より，2011 年に Pediatrics 誌に掲載された Health supervision for children with Prader-Willi syndrome[1] などが参考として使われていた[1]．2021 年 10 月に本邦のガイドラインとして，『プラダー・ウイリ症候群コンセンサスガイドライン』（日本小児内分泌学会編集）が公開された[2]．本ガイドラインは Minds 診療ガイドライン作成の手引きに則り，クリニカルクエスチョン（CQ）と，CQ 以外の臨床的疑問としてクエスチョン（Q）を計 31 項目設定し，PWS に対する本邦での診療事情を反映しつつ，それぞれの設問に対しエビデンスの強さと推奨の強さに基づいた推奨文が作成されている．

【本稿のバックグラウンド】 本稿のプラダー・ウイリー症候群の診断，治療についての記載は，『プラダー・ウイリ症候群コンセンサスガイドライン』（日本小児内分泌学会編集）を主に参考にしている．

どういう疾患・病態か

PWS は，インプリンティング遺伝子の発現異常に起因する，インプリンティング疾患と呼ばれる先天異常症候群である．インプリンティング遺伝子とは発現が由来する親によって決定される遺伝子であり，通常は父親由来の場合のみ発現する遺伝子（父性発現遺伝子）や母親由来の場合のみ発現する遺伝子（母性発現遺伝子）に分けられる．インプリンティング遺伝子はゲノム上にクラスターとなり存在し，インプリンティング領域を形成している．インプリンティング領域では，メチル化可変領域（differentially methylated region：DMR）がインプリンティングセンター（IC）として作用し，由来親特異的メチル化という機序により選択的に遺伝子不活化を行い，父性発現遺伝子と母性発現遺伝子の発現が調節される．第15番染色体q11-13のインプリンティング領域における父性発現遺伝子の発現に関わるPWS-ICである*SNURF*：TSS-DMRは，通常は父由来染色体では非メチル化状態，母由来染色体ではメチル化状態となることにより，父性発現遺伝子のみが発現している．PWSでは同領域における父性発現遺伝子の発現が消失しており，その病因には父由来15番染色体インプリンティング領域の欠失（全体の約70％），母方片親性ダイソミー（maternal uniparental disomy：mat UPD，両対の第15染色体がともに母親に由来する状態．全体の約25％），その他ICの異常（全体の数％）などがある[3]（図1）．

PWSでは，新生児期の筋緊張低下と哺乳障害，乳児期後期から小児期早期に始まる過食と肥満症に加えて，特徴的顔貌，低身長，外性器低形成，精神運動発達遅滞，特徴的な性格などを特徴とする．新生児期には，筋緊張低下により啼泣は弱く，哺乳力低下を生じるが，時間の経過とともに筋緊張低下は改善する．色素低下と外性器低形成により，男児ではひだの少ない低色素の陰嚢が認められ，片側あるいは両方の停留睾丸を伴うことが多い．乳児期以降は過食傾向が始まり，肥満・低身長が目立ってくる．学童期には軽度から中等度の精神発達遅滞，特徴的な性格（怒りやすい，頑固，こだわりが強い，変化への対応困難など）が明らかになってくる．思春期から成人期以降には，二次性徴発来不全，高度の肥満，糖尿病，低身長，性格障害・行動異常などが問題となる．

治療に必要な検査と診断

PWSの確定診断は遺伝学的検査による診断法が，エビデンスレベル・推奨度がともに強い．遺伝学的検査のなかでもPWS-IC（*SNURF*：TSS-DMR）のDNAメチル化試験は，ほとんどの病因機序によるPWSの診断が可能であり，保険診療で実施可能である．ただし，メチル化試験のみでは，欠失，mat UPDなどの病因のサブタイプの判別はできない．サブタイプを同定する場合は，FISH法，SNPアレイ解析，メチル化特異的MLPAなどの追加検査が必要となる（図2）．

治療の実際

1 摂食異常に対する治療

新生児期・乳児期の哺乳障害や摂食障害には，栄養障害を防ぐために，自分で十分な栄養を摂取可能になるまでは経管栄養の使用を

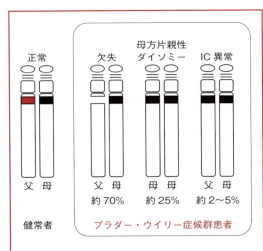

図1　プラダー・ウイリー症候群の原因
　　　父由来15番染色体領域の欠失（全体の約70％），母方片親性ダイソミー（全体の約25％），ICの異常（全体の数％）

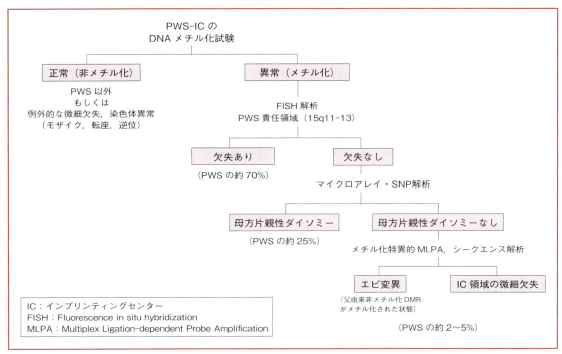

図2 プラダー・ウイリー症候群（PWS）の診断手順

考慮する．2～4歳頃になり，過食や急激な体重増加が始まった場合には，肥満とその合併症を防ぐために栄養士と相談して，バランスのとれた低カロリー食（身長1cmあたり10kcal/日）による食事を開始する．過食傾向や肥満症が明らかになる前から，規則正しい時間に食事をし，不必要な食欲を刺激する行動や言動を避け，つまみ食いや隠れ食いをしないための生活習慣を作る管理プログラムを行う．

2 低身長，体組成異常に対する治療

PWS患者における成長ホルモン療法は，低身長改善だけでなく，筋肉量の維持，除脂肪量と可動性の増加，脂肪量の低下などの体組成改善にも効果が認められ，そのエビデンスは高く，強く推奨されている．また海外のガイドラインでは，身長にかかわらず成長ホルモン療法は推奨され，乳児期では精神運動発達の改善，乳児期以降の小児では成長と体組織の改善が主たる目的とされており，成人PWS患者でも体組織の改善効果と安全性がランダム比較試験やメタ解析などから報告されている．わが国では，PWSに対する成長ホルモン療法は0.245mg/kg/週の投与が保険適応となっているが，低身長や成長率低下を認めないPWSの小児患者や成人患者への成長ホルモン療法は保険診療で認められていない．

3 性腺機能低下に対する治療

PWS患者では性腺機能低下が高頻度で合併する．出生時，男児では小陰茎や停留精巣，女児では陰核や小陰唇の低形成を認める．また思春期以降も二次性徴発来遅延や不完全を認め，成人期の男性は妊孕性を持たないが，一部の女性は完全な乳房成熟と月経を認める．米国のガイドラインでは，男児は

hCG治療により停留精巣に対する手術の回避が可能になることや，陰嚢・陰茎サイズの増大により立って排尿が可能となるなどのメリットが挙げられている．米国小児科学会の遺伝学委員会は，停留精巣に対して，手術の前にhCG投与を試みることを推奨している．本邦のガイドラインでも，PWS患者の性腺機能低下に対する性ホルモン療法は推奨されている．停留精巣が性ホルモン療法で改善しない場合，1〜2歳までに固定術を実施することが推奨されている．PWSの男性では，通常14〜16歳頃になっても思春期の発来が遅延しているか不完全な場合，テストステロン補充療法が推奨される．また年長の患者でも，思春期以降の二次性徴発来不全，性腺機能不全に対する性ホルモン療法が考慮される．PWS女性では，思春期にエストラジオールや身体変化などの評価を行い，性ステロイド補充の適否を判断する．成人女性で，無月経/稀発月経ないし，エストロゲン低値を伴う骨密度低下がある場合，性ステロイド治療を考慮する．また，性ホルモン療法が男性PWS患者の行動の攻撃性を増悪させることが指摘されてきたが，そのエビデンスレベルの高いデータはない．一方で，男性PWS患者への性ホルモン治療は，身体のみならず知的また情緒的状態を改善しうることが知られている．

4 行動障害，行動障害に対する治療

軽度から中等度の精神発達遅滞に加え，成長とともに疾患特有の性格や行動形式を呈してくる．これらの性格，行動異常に対する治療は，患者が社会生活や集団生活を行い，将来自立するうえで極めて重要である．集団あるいは個別での特殊教育が学童期頃より必要となる．過剰な食欲，こだわり行動，脅迫的な行動などの問題は，訓練されたチームにより，規則正しい生活をする，課題に取組ませる，行動を調節できるよう促す，など厳しい制限設定を含む行動管理計画を行う．

なお，行動障害，感情障害への薬物療法に関してはエビデンスレベルの高い論文は少ない．総じていえば，現状ではrisperidone, fluoxetine, topiramate, fluvoxamineなどを慎重な観察下に，リスクとベネフィットとを衡量して使用することを否定しない程度であるとされている．

5 その他の合併症

乳幼児期は筋力低下による運動発達遅滞があり，成長してからも筋力低下と肥満により身体的活動性低下と脂肪量の増加がみられる．これらに対する理学療法や運動療法の有効性に関するエビデンスはないが，エキスパートオピニオンとして，食事指導と運動指導は筋力の改善・維持，発育段階や運動能力の達成，肥満の防止・減少に有効であり，推奨するとされている．言語遅滞や構音障害などの言語発達障害に対し言語療法を開始する．思春期以降，肥満や体重増加が著しい患者においては，糖尿病の評価を実施し，10歳頃から思春期にかけて糖尿病をしばしば発症する．このようなとき，経口糖尿病治療薬のみでコントロールすることは困難で，インスリンを必要とすることが多い．

専門医に紹介するタイミング

本症候群を疑った時点で専門医に相談すべきである．遺伝学的検査による診断に際しては，診断の手順，結果の解釈や伝え方などについて臨床遺伝学の専門家に委ねたほうが良いと思われる．確定診断後は多分野にわたる専門家によるチーム医療が必要となる．

専門医からのワンポイントアドバイス

　PWS は症状が多岐であり，一生涯にわたり患者の診療に取り組んでいくため，チーム医療によるマネジメントが望ましい．成長の段階や特徴的な症状に対して，栄養士，理学療法士，言語療法士，小児科医，内科医，精神科医，遺伝カウンセラー，臨床心理士，ケースワーカーなど多分野にわたる専門家の関わりが必要となる．また，治療，療育，生活支援や精神的支援を統合して診ていく，中心的な役割を果たす主治医の存在が重要である．

文　献

1) McCandless SE, Committee on Genetics：Clinical report‐health supervision for children with Prader-Willi syndrome. Pediatrics 127：195-204, 2011
2) 日本小児内分泌学会 編：プラダーウイリ症候群コンセンサスガイドライン．2021
http://jspe.umin.jp/medical/files/guide20211022.pdf
3) Beygo J et al：Update of the EMQN/ACGS best practice guidelines for molecular analysis of Prader-Willi and Angelman syndromes. Eur J Hum Genet 27：1326-1340, 2019
4) Ramsden SC et al：Practice guidelines for the molecular analysis of Prader-Willi and Angelman syndromes. BMC Med Genet 11：70, 2010
5) Prader-Willi 症候群における低身長に対する GH 治療の適応判定（継続依頼）フローチャートの改訂について．成長科学協会
https://www.fgs.or.jp/pdf/09_top_notice/01_2011-2015/255_20150930.pdf

プラダー・ウイリー症候群　771

13. 染色体異常症

22q11.2 deletion 症候群

渋谷和彦
東京都立府中療育センター 小児科

POINT
- 22q11.2 deletion 症候群は染色体微小欠失症候群の中で最も頻度が高く,先天性心疾患の中では 21 トリソミーの次に頻度が高い染色体異常と考えられている.
- FISH 法による染色体検査では,本症候群の 5%前後が検出できない.
- 本症候群の病変が多臓器にわたるため,複数の専門科による包括的な医療が必要となる.

ガイドラインの現況

22q11.2 deletion 症候群は,染色体微小欠失の中で最も頻度の高い症候群であり,多臓器にわたる様々な症状を呈するために,患者の管理をするうえで診療ガイドラインは重要な役割を果たす.現時点において国内のガイドラインは作成されていないが,同症候群の国際的なコンセンサス会議を基にしたガイドラインが 2011 年に作成されており,The Journal of Pediatrics 誌に発表された[1] (http://www.ncbi.nlm.nih.gov/pmc/articles/PMC3197829/).その和訳もネット上で閲覧することができる (http://22hc.com/file/22q_guideline.pdf).さらに,成人患者に対する診療ガイドラインが,上記ガイドラインの作成者を含む国際的なグループにより 2015 年に作成されており,Genetics in Medicine 誌に発表された[2] (http://www.ncbi.nlm.nih.gov/pmc/articles/PMC4526275/).また,英国のグループが文献の review から 2014 年にガイドラインを作成して European Journal of Pediatrics 誌に発表している[3].

【本稿のバックグラウンド】 国際的なコンセンサス会議を基にして 2011 年に作成されたガイドラインをはじめ,参考文献に掲載した 3 つのガイドラインを参考に本稿を執筆している.また,2018 年にフィラデルフィア小児病院から本症候群の 1,421 症例を検討した報告[4] も参考にした.

どういう疾患・病態か (表 1〜3)

22q11.2 deletion 症候群は,22 番染色体長腕である 22q の一部 q11.2 に欠失 deletion が認められる.臨床上の特徴として,特異顔貌,胸腺低形成,副甲状腺低形成,心室流出路から大血管の異常を伴う先天性心疾患などを合併する.

先天性心疾患は,遺伝的因子に環境的因子が作用して発現する多因子遺伝と考えられて

表1　22q11.2 deletion 症候群の主な臨床上特徴

1) 先天性心疾患（円錐動脈幹領域）
2) 胸腺低形成（または無形性）
3) 副甲状腺低形成（または無形性）
4) 特異的顔貌
5) 口蓋咽頭異常（構音障害，開放性鼻声など）
6) 腎臓尿路系異常
7) 骨格系異常（脊椎異常，低身長など）
8) 精神運動発達異常

表2　22q11.2 deletion 症候群に多い心疾患

1) ファロー四徴症
2) 心室中隔欠損症
3) 大動脈弓離断症
4) 肺動脈閉鎖兼心室中隔欠損症
5) 総動脈幹遺残症
6) 両大血管右室起始症
7) 血管輪
（以上のような円錐動脈幹領域の疾患が多い）

表3　22q11.2 deletion 症候群に多い顔貌の特徴

1) 眼裂狭小，眼間解離
2) 鼻根部扁平
3) 小顎症，小さい口
4) 耳介下方付着，耳介変形
5) 口蓋裂（特に粘膜下）

いるが，先天性心疾患と明らかに関連がある染色体異常症の中で，21 トリソミー（Down 症候群）の次に，この 22q11.2 deletion 症候群の頻度が高い．

以前，本症候群は主な臨床上特徴を示す語の頭文字をとり，CATCH 22 と呼ばれていた．しかしながら，この呼称は小説タイトル"CATCH 22"に由来し「解決策のないジレンマ」という否定的な意味の慣用句でもあるため，病名として不適切と考えられ，現在は使用されていないので注意が必要である．

主要な合併症の中で，本症候群の予後に最も影響を与えるのは先天性心疾患である．多彩な心疾患を合併するが，ファロー四徴症，肺動脈閉鎖兼心室中隔欠損，総動脈幹遺残，大動脈弓離断などの円錐動脈幹領域の異常が多く，必ずしも予後が良好な心疾患ではない．

胸腺低形成（あるいは無形性）による免疫不全を伴うが，胸腺由来の T リンパ球による細胞性免疫の低下による．各種のウイルスや結核等に対しての抵抗力が弱く，重篤な感染症状を起こすこともある．また，副甲状腺の低形成（または無形性）があるために，副甲状腺ホルモン低下による低カルシウム血症を起こすことが多い．さらに，精神運動発達遅滞を示すことも稀ではなく，日常生活に支障をきたすこともある．

特異的な顔貌は，眼裂狭小，眼間解離，鼻根部扁平，小顎症，耳介下方付着，粘膜下に多い口蓋裂などを示す．

治療に必要な検査と診断

染色体検査にて確定診断が可能である．しかし，一般の染色体検査法である G 分染法や Q 分染法などでは，本症候群のような染色体のごく一部の微細欠失は診断できない．FISH 法（fluorescence *in situ* hybridization：蛍光 *in situ* ハイブリダイゼーション法）を施行する．クローン化した DNA 断片を直接または間接的に蛍光標識したものをスライドグラス上で染色体と結合させる方法であり，これにより，染色体領域"22q11.2"に欠失を認める．この染色体領域の意味は，"22q"が 22 番染色体長腕（q），"11.2"が領域番号 1 のバンド番号 1.2 であるため，読み方は「じゅういちテンに」ではなく，「いちいちテンに」である．

一般に，FISH 法染色体検査により，本症候群の確定診断が可能であるが，本症候群の

染色体異常症

13

22q11.2 deletion 症候群　773

臨床像を示す症例の中で，5％前後にFISH法検査が陰性のものがあるといわれている．その場合には，さらに詳細な遺伝学的解析法による検査が必要となる．しかしながら，現時点では一般的な検査法として広く施行されるに至っていない．つまり，現行のFISH法検査結果が陰性でも，本症候群を完全には否定することができない．

先天性心疾患に対して，心電図，胸部X線検査，心エコー検査を施行する．胸腺低形成（または無形性）に対して，血液中リンパ球数，Tリンパ球とBリンパ球の評価を施行し，副甲状腺低形成（または無形性）に対しては，血清カルシウムイオン，副甲状腺ホルモンなどの測定を行う．その他の比較的頻度の高い合併症を診断するために，腎臓超音波検査，脊椎のX線検査なども施行する．

治療の実際

本症候群の予後に最も影響する先天性心疾患に関しては，一般に，各々の心疾患に対する通常の治療方針で対応するが，本症候群に合併しうる心臓以外の病態をできる限り正確に把握しておく必要がある．

低カルシウム血症に対しては，カルシウムの補充療法を行う．カルシウム製剤の経口投与が基本だが，入院中の患者に関しては，静注による補充も考慮する．

感染症に対しては，免疫不全の程度に合わせて十分な対応をする．Tリンパ球数（特にCD4陽性リンパ球数）が極めて少ない患児の場合には，生ワクチンを接種しないという判断が必要なこともあり，専門家にコンサルトする．抗生物質の予防的投与，γグロブリン投与などを考慮することもある．

摂食障害の患児に対しては，消化管の解剖学的異常の有無をチェックし，必要に応じて，制酸薬，胃腸運動調整薬などの処方や，体位療法などを試みる．

学習障害や構音障害（開放性鼻声）を示す患児も多く，積極的に早期からの教育や言語訓練の介入も推奨されている．

処方例

処方に関しては，臨床上の合併する病態により症例ごとに異なるが，本症候群に対して比較的多く処方される薬剤として，低カルシウム血症に対するカルシウム製剤と心疾患に対する心臓血管系作動薬がある．

専門医に紹介するタイミング

臨床上の特徴から本症候群が疑われたからといって，必ずしも専門医へ緊急に紹介する必要はない．まず，本症候群の予後に影響する心疾患の有無を検討する．重篤な心疾患を合併しており，早急な処置が必要と判断した場合には，手術を含めて対応可能な専門医のいる施設に紹介する．

また，重篤な心疾患の合併がなく全身状態が落ち着いている患児の場合には，副甲状腺や胸腺などの異常を検討し，必要があると判断した時点で，小児の内分泌や免疫の専門医に紹介する．学習障害を含めた精神運動発達の遅れに対しては，小児神経の専門医へのコンサルトを考慮する．本症候群は，その他にも様々な病態を示すことが多く，複数の専門医の関与が必要になる可能性が高いため，小児専門病院あるいは大学附属病院などへ紹介されることが多い．

専門医からのワンポイントアドバイス

上述したように本症候群の臨床症状を示しても，FISH 法の結果が陰性である症例も頻度は少ないが存在するため，FISH 法検査の結果だけで判断しないようにする．いくつかの特徴的な臨床像が揃えば，22q11.2 deletion 症候群疑いとしてより詳細な遺伝学的精査を検討しながら，臨床上合併しやすい病態を見落とさないように十分注意する必要がある．

文　献

1) Bassett AS et al：The International 22q11.2 Deletion Syndrome Consortium. Practical guidelines for managing patients with 22q11.2 deletion syndrome. J Pediatr 159：332-339, 2011
2) Fung WLA et al：Practical guidelines for managing adults with 22q11.2 deletion syndrome. Genet Med 17：599-609, 2015
3) Habel A et al：Towards a safety net for management of 22q11.2 deletion syndrome：guidelines for our times. Eur J Pediatr 173：757-765, 2014
4) Campbell IM et al：What is new with 22q? An update from the 22q and You Center at the Children's Hospital of Philadelphia. Am J Med Genet A 176：2058-2069, 2018

14. 事故，その他

14. 事故，その他

外　傷

芳賀信彦
国立障害者リハビリテーションセンター 自立支援局

POINT
- 小児の外傷に特化した包括的なガイドラインは存在しない．
- 外傷に限らない小児の救命救急医療のガイドラインに PALS（Pediatric Advanced Life Support）がある．これは米国心臓協会が米国小児科学会などと協力して提唱している小児二次救命処置法の世界標準的なガイドラインである．
- 小児は自覚症状の訴えが少ないため，医療側が積極的に判断していく必要がある．

ガイドラインの現況

　小児外傷がカバーする分野は広く，個々の外傷に関するガイドラインは乏しい．成人を含む外傷全般のガイドラインとしては，『外傷初期診療ガイドライン JATEC（Japan Advanced Trauma Evaluation and Care）』[1] がある．これは日本外傷学会が中心となり，日本の現状に即した外傷初期治療の標準化プログラムとして作成したものであり，2021 年に改訂第 6 版が刊行されている．

　一方，外傷に限らない小児の救命救急医療のガイドラインとしては，PALS（Pediatric Advanced Life Support）が有名である．これは米国心臓協会が米国小児科学会などと協力して提唱している小児二次救命処置法の世界標準的なガイドラインであり，2020 年に改訂されている[2]．ここでいう「二次救命」とは災害現場などではなく，病院救急部門における処置という意味である．PALS については日本小児集中治療研究会が日本における講習会を主催している．

【本稿のバックグラウンド】 小児の外傷に特化した包括的なガイドラインはない．小児外傷の特徴について，成人と異なる点を中心に解説した．生命に問題を生じない四肢の外傷であっても，適切な初期治療を行わないと重篤な機能障害を残す可能性があることを強調した．

どういう疾患・病態か

　小児では，成人と同じく体のあらゆる部位に外傷を生じうるが，以下のように成人とは異なる特徴がある．

　小児は，相対的に頭部が大きいこと，転倒に対する防御行動が未熟なことから，頭部外傷のリスクが高い．頭蓋骨の変形の度合いが大きく，直撃損傷による受傷部直下の脳挫傷は多いが，反衝損傷による対側の脳挫傷は少ない．乳児に特徴的な頭部外傷の一つに，「揺さぶられっ子症候群（shaken baby syn-

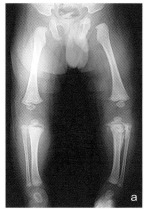
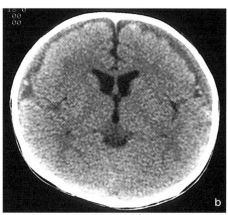

図1 4ヵ月児の身体的虐待
a：下肢に多発する陳旧性骨折
b：慢性硬膜下水腫

drome：SBS)」がある．子どもの虐待に起因する場合も多いが，日常的な子育ての中で生じることもあるとされる．胸部の外傷では，肋骨や胸骨の骨折を伴わずに，肺挫傷や心損傷を生じることがある．緊張性気胸にも陥りやすい．腹部の外傷では，肝臓や膵臓が損傷を受けやすい．これは，横隔膜が水平なため肋骨により保護されないこと，相対的な容積が大きく，また支持する結合織が柔軟なことなどによる[2]．骨格系では，若木骨折などの不全骨折や剥離骨折が多いこと，成長軟骨の損傷を伴う骨端線損傷があり，後遺障害につながりうることなどを特徴とする．脊椎・脊髄損傷の頻度は少ないが，骨傷を伴わない脊髄損傷（spinal cord injury without radiographic abnormalities：SCIWORA）が多いとされ，注意を要する．

また，近年は子どもの虐待が注目され，救急医療の対象となる機会も多い．身体的虐待，心理的虐待，性的虐待，ネグレクトに分類され，いずれの場合も，外傷の検索をする必要がある．

治療に必要な検査と診断

初期診療の流れは成人と同様であり，患児を受け入れ後すぐにABCDEアプローチでprimary surveyを行い，異常があれば蘇生に移行する．A（airway）は気道の評価と確保，B（breathing）は呼吸の評価と管理，C（circulation）は循環の評価と管理，D（dysfunction of central nervous system）は中枢神経障害の評価，E（exposure and environmental control）は脱衣と体温評価・管理であり，これらを同時進行で行う．primary surveyにおける検査には，心電図，パルスオキシメーター，自動血圧計等によるモニタリング，胸部・骨盤のX線写真，胸腹部超音波，血液尿検査を含む．

primary surveyが終了し，バイタルサインが安定化したら，secondary surveyに移る．secondary surveyは病歴聴取，全身身体所見の診察，バイタルサインの再評価からなる．これに必要な画像検査，血液検査などを組合せて診断に至るが，中枢神経障害が切迫・進行している場合は，secondary surveyの第一歩として，頭部CT検査を行う．子どもの身体的虐待を疑う場合は，全身のX線サーベイか骨シンチグラムを行い，頭部外傷も疑う症例では，CTかMRIを撮影する[3]（図1）．

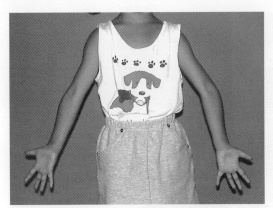

図2　左上腕骨顆上骨折後の内反肘変形

治療の実際

primary survey と並行して行われる蘇生処置において，小児に特徴的な項目をいくつか紹介する．詳細は参考文献[1,2]を参照されたい．気道の確保では気管内挿管が原則だが，ラリンゲルマスクの使用基準は確立されていない．これらで気道を確保できない場合に，気管切開は通常行わず，気管穿刺（輪状甲状靱帯穿刺）を行う．循環の安定化のため輸液路の確保を行うが，末梢静脈確保が困難な場合，骨髄内輸液を選択する．これは中心静脈確保，静脈切開に優先する．出血によるショックに対しては，生食や乳酸・酢酸リンゲル液 20 mL/kg を bolus 注入し，安定化しなければ，輸血と緊急止血術が必要となる．

secondary survey による診断に基づく治療の例として，頻度が比較的高く，合併症などが問題になることの多い上腕骨遠位の骨折を挙げる．上腕骨遠位部骨折の中で，小児で最も頻度が高いのは顆上骨折であり，以下，外顆骨折，内上顆骨折，遠位骨端線離開と続く．いずれの骨折も転位の程度や合併症により手術適応が決まる．従来保存的治療（牽引治療や徒手整復）の適応とされていた症例でも，近年は早期の退院と変形治癒（図2）の回避を目的として，積極的に徒手整復，経皮

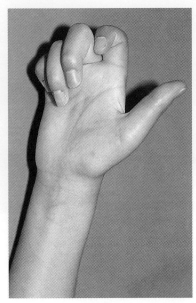

図3　上腕骨顆上骨折後のフォルクマン拘縮

的ピンニングを行う施設が多い．緊急手術の適応になりうるのは，開放骨折と血流障害である．上腕動脈の急性閉塞では，まず肘を伸展するか垂直牽引を行い，回復不良なら手術室で徒手整復，経皮的ピンニングを行う．これでも回復しなければ血管を展開し，病態に応じた対応をする．上腕動脈閉塞のほか，骨折部での静脈還流障害でも，コンパートメント症候群を生じうる．コンパートメント症候群を疑った場合は，すぐにコンパートメント内圧測定を行って，筋膜切開手術の適応を判断する．拡張期血圧より 10～30 mmHg 低い値を超える場合に手術適応とされているが，実際には臨床所見のほうを重視する．コンパートメント症候群への対応が遅れると，フォルクマン拘縮に至る（図3）．なお神経障害合併例では徒手整復を行い，整復できたら経皮的ピンニング，できなければ観血整復とする．神経麻痺を少なくとも2～3ヵ月は待機し，回復が不良の場合には，筋電図，神経伝導速度等の検査を行ったうえで，手術の適応を判断する．

専門医に紹介するタイミング

基本的に外傷患者の受け入れをした以上は，primary survey を行い，それに基づく治療を行って患者の状態を安定化させる必要がある．secondary survey および，それに基づく治療に関しては，施設の設備，医療体制を基に判断し，必要に応じ専門医に紹介する．

専門医からのワンポイントアドバイス

小児は自覚症状の訴えが少ないため，医療側が積極的に判断していく必要がある．その

ためには四肢・体幹の自動運動の観察，声かけや触覚・痛覚刺激に対する反応の観察が重要である．四肢の血流障害に関しては，迅速な判断と適切な対応を行う必要があり，これを怠ると重篤な機能障害を残すことになる．

文　献

1) 日本外傷学会 他監：外傷初期診療ガイドライン JATEC. 改訂第6版 へるす出版，2021
2) American Heart Association：PALS プロバイダーマニュアル AHA ガイドライン 2020 準拠．シナジー，2021
3) American Academy of Pediatrics, Section of Radiology：Diagnostic imaging of child abuse. Pediatrics 105：1345-1348, 2000

14. 事故，その他

肘 内 障

関　敦仁
せき　あつひと
国立成育医療研究センター 小児外科系専門診療部

POINT

●5歳以下の幼児が，急に手を引っ張られてから手を挙げなくなった時は，肘内障を疑う．

●転倒で発症することもある．

●特に3歳以下に多いが受傷機転をうまく表現できないため，骨折との鑑別が重要である．

●単純X線写真による骨折の有無の判別と，超音波検査による関節水腫と回外筋の高エコー像の確認が重要である．

●前腕を回外してそのまま肘を屈曲する方法か，肘関節を屈曲した状態で前腕を回内する方法で概ね整復可能である．

ガイドラインの現況

　手を引っ張られたり，転倒したりした後に，幼児が腕を動かさなくなった場合は，肘内障の可能性がある．1〜5歳に多い．よく知られた疾患であり，徒手整復が容易であるため，回外屈曲法や回内法による対処が広く行われている．日本手外科学会[1]，日本整形外科学会[2]，日本小児外科学会[3] が，ホームページで病態や対処法を解説している．また米国整形外科学会（AAOS）[4] も同様に解説している．発症機序は，外力により橈骨頭が輪状靱帯から滑脱して，結果的に輪状靱帯が，上腕骨小頭と橈骨頭間に，前方から嵌頓した状態になることによる．患児を観察すると，手指の自動運動は可能であるが，肩の挙上や肘の屈曲は行わない．治療は徒手整復であり，前腕を回外位に把持して，肘を屈曲すれば，クリックとともに整復される．または，肘関節を屈曲位に保ち，回内して整復する．4歳以上では，整復された後も痛がって，肘の運動が緩慢となる場合がある．その際はシーネ固定を行うことで痛みは消え，数日以内に回復する．受傷機転が不明で診断に迷う場合や，整復操作でも改善しない場合は，専門医に紹介する．

【本稿のバックグラウンド】 小児を対象とする医師にとってはよく遭遇する病態である．そのため日本手外科学会，日本整形外科学会，日本小児外科学会，さらに米国整形外科学会 American Academy of Orthopaedic Surgeons（AAOS）などでは学会のホームページを通して一般者向けにも解説を行っている．本稿ではこれらに沿って解説した．

どういう疾患・病態か

1～5歳くらいに多く，手を引っ張られた子どもが腕を動かさなくなる．典型的な発生例は，親子で手をつないで歩いているときに子どもが転びそうになり，親が慌てて子どもを引っ張り起こそうとして手を強く引くことにより発生する[1〜4]（図1）．これは引っ張られることで橈骨頭が輪状靱帯から滑脱して，輪状靱帯が，上腕骨小頭と橈骨頭間に，前方から嵌頓した状態になることによる[5]（図2）．前腕が回内位で固定され，患児は肘に痛みと不快を感じて，肘と肩を動かさなくなる．5歳を過ぎれば，橈骨頭の軟骨や脆弱な輪状靱帯が徐々に強固になり，発生頻度は減少する．転倒して発症することも少なくない．転倒時は，肘周囲や鎖骨・手関節部の骨折との鑑別が必要である．受傷機転が不明である場合も，慎重に対応する必要がある．

治療に必要な検査と診断

超音波検査が最も有効な診断法である．肘を屈曲位に保ち，橈骨頭の前方からプローブをあてて観察すると，正常では輪状靱帯が帯状高エコー像として観察されるが，肘内障の場合は，輪状靱帯が橈骨頭の前方に見えなくなる．輪状靱帯は，回外筋とともに小頭橈骨頭間に引き込まれる結果，腕頭関節前方の高エコー像が顕著となる[6]．超音波画像では，関節内の貯留液が低エコー像なら水腫であり，整復後の肘内障と判断できるが，高エコー像の場合は血腫であり，関節内骨折を疑うことができる[6]．転倒で発症した場合は，関節内骨折も疑い，正面と側面の2方向のX線写真で確認する．明らかな骨折や脱臼がない場合，側面像の posterior fat pad sign（図3）により血腫・骨折の存在を疑う．ちなみに，正しい肢位で肘のX線写真を撮ろうとして，技師が前腕を回外した際に偶然整復されて腕が動くようになることもある．

治療の実際

前腕を回外したまま肘を曲げると，クリックとともに整復される（図4）．このクリックは，医師のあてがった手で触知可能である．この手技により，遠位方向にずれていた橈骨頭が輪状靱帯内の正常な位置に戻る．こ

図1　左腕に対する牽引力
手だけを持ったときに発症しやすい．

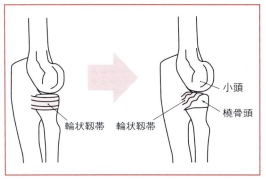

図2　輪状靱帯の移動と嵌頓
左図では，橈骨頭と輪状靱帯の正常な位置関係を示す．右図の肘内障では，輪状靱帯が上腕骨小頭と橈骨頭の間に嵌頓する．

の方法で整復感がなく，患児も腕を動かさない時は，前腕回内位で肘を屈曲させる．その後にもう一度回外位として初回の操作を再度試みる．ここまでの操作で，ほとんど整復可能と考える．他の整復方法として，肘を軽度屈曲位に保ち，前腕の回内を強制することで嵌頓した輪状靱帯を整復する方法もある．3歳未満の幼児であれば，数分で腕を動かし遊ぶようになる．年長になると輪状靱帯周囲の痛みがしばらく残ることがある．このときは輪状靱帯に微細な損傷を受けている可能性があり，その時はシーネにより，腕を数日固定すると，回復する（図5）．肘内障後の輪状靱帯の緩みを外科的に修復する必要はなく，再発しなければやがて修復される．

肘内障は簡単に治療できるが，再発を繰返すこともある．整復後には親に対して肘内障の発生機序を説明して，再発を防ぐよう注意を喚起する必要がある．

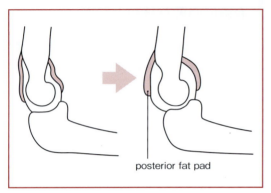

図3　Posterior fat pad sign
　　左図：正常の場合，後方の関節包の表層に沿う脂肪（fat pad）は，肘を屈曲した単純X線側面像では認識できない．前方の脂肪層はみられることがある．
　　右図：関節腔内に関節液や血液がたまると，関節包が前後方向に押し出されて，後方の脂肪も黒い透瞭像として認められる．転位のない関節内骨折で顕著となる．

処方例

特に鎮痛剤は必要ない．整復して帰宅後の痛みが心配であれば，アセトアミノフェンを当日分処方する．整復後に痛みが残っていても，外固定して軽快するのを待つ．

専門医に紹介するタイミング

牽引により発症し，整復操作ののちに数日外固定しても痛みの回復がなければ，専門医に紹介する．また，受傷機転が判然としない場合や転倒による受傷では早めの紹介がよい．

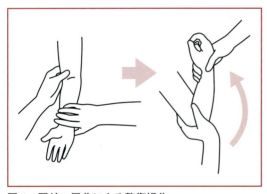

図4　回外・屈曲による整復操作
　　回外位で手首を把持し，橈骨頭部分にも母指を押し当てて肘を屈曲する．クリック感や実際の音とともに整復される．

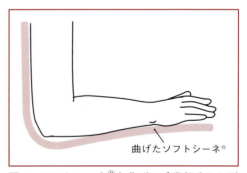

図5　ソフトシーネ®を曲げて手掌部分から肩まであてがう．この状態で服の上から包帯で固定する．自宅では親によるつけ外しを許可する．

専門医からのワンポイントアドバイス

　手を引っ張られた幼児が肩や肘を動かさなくなった時は，肘内障を疑う．前腕を回外位に把持して肘を屈曲すれば，クリックとともに整復される．3歳以上では，整復された後も痛がって，肘の運動が緩慢となる場合がある．転倒で発症する例も少なくない．超音波検査が診断に有用である．鑑別疾患として，関節内骨折が挙げられる．正面と側面の2方向のX線写真で確認する．受傷機転が不明の場合や整復操作後も改善しない場合は，専門医に紹介する．

文　献

1) 日本手外科学会広報委員会 監：手外科シリーズ21 肘内障.
   http://www.jssh.or.jp/ippan/sikkan/pdf/21hijnaisho_2.pdf

2) 日本整形外科学会：肘内障.
   https://www.joa.or.jp/public/sick/condition/pulled_elbow.html

3) 日本小児外科学会：肘内障.
   http://www.jsps.or.jp/archives/sick_type/chunaishou

4) American Academy of Orthopaedic Surgeons：OrthoInfo‐Nursemaid's Elbow.
   https://orthoinfo.aaos.org/en/disease--conditions/nursemaids-elbow

5) Little KJ et al：Nursemaid's elbow. Morrey's the Elbow and its Disorders, Fifth ed. Elsevier Philadelphia, pp331-332, 2018

6) 皆川洋至：整形外科超音波画像の基礎と臨床応用 ―見えるから分かる，分かるからできる―. 日整会誌 86：1057-1064, 2012

14. 事故，その他

発育性股関節形成不全

江口佳孝，福田良嗣，中川誉之
国立成育医療研究センター 整形外科

POINT
- ●股関節形成不全には，毎年数千人の子ども・大人が罹患している．
- ●股関節形成不全は，生まれたその日から脚を自然肢位にするだけで 1/10 に減少する．
- ●股関節形成不全は発見されにくく，発見されないと治療が困難になる．
- ●股関節形成不全の危険因子のある児は，本来は生後 6 週間以内に画像検査が必要である．

ガイドラインの現況

日本小児整形外科学会が "乳児股関節健診の推奨項目と二次検診への紹介"（図 1）を公開してから 10 年，二次検診の現場では推奨項目の中の女児・骨盤位・皺非対称・家族歴での紹介児が増えており，推奨項目の理解が進みつつある．一方で，日本の股関節健診開始時期は公的健診が 3 ヵ月であるため，欧米の生後 6 週間以内[1] と比較し遅延する．

【本稿のバックグラウンド】1970 年台から股関節形成不全予防活動が奏効していた．2012 年に歩行開始後股関節脱臼症例報告増加が懸念されたことから推奨項目が提唱され，股関節健診の標準化と股関節二次検診での画像検査を行うことを推奨した[2]．股関節健診の標準化については「乳幼児健康診査身体診察マニュアル」においても 1 ヵ月健診，3 ヵ月健診での検診推奨項目に即した診査手技と二次検診への紹介を推奨した[3]．

どういう疾患・病態か

発育性股関節形成不全（developmental dysplasia of the hip：DDH）は，症状のない臼蓋形成不全から股関節脱臼まで様々な病態が，様々な年齢で一連に生じる疾患スペクトラムとして理解されている．DDH には大きく 4 つの病態があり，股関節異常症（脱臼症状はないが画像検査で異常があるもの），股関節不安定症（自ら脱臼整復されるも

の），股関節脱臼で整復可能なもの，股関節脱臼で整復不能なものとなっている．股関節の不安定症は新生児に最も多くみられる症状で，軽度の緩みから完全なる股関節脱臼まで様々である．また，思春期の股関節形成不全は乳児股関節形成不全の 9 倍の発症率で，股関節形成不全は 50 歳未満の女性における変形性股関節症の最も一般的な原因である[1,4]．

DDH の正確な原因や要因は不明ではあるが，主に出生前後の時期に発症すると広く認

識されている．DDH は遺伝性，発育性の要素が関与しており，単一遺伝子は特定されていないが，同一家系内での集積性，女性，地理的・人種的要因を認める．親が DDH の場合子どもが DDH になるリスクは 12%（8 人に 1 人）で，親と子どもが DDH の場合その次子が DDH になるリスクは 36%（3 人に 1 人）との報告もある[1,4]．

骨盤位のうち，複殿位の脱臼のリスクは頭位分娩と変わらないが，不全足位は 2%，単殿位は 20% の脱臼リスクがある．反張膝や先天性膝関節脱臼を伴って出生した場合，同側の DDH の発症リスクが高い．また初産，双角子宮，子宮筋腫合併などの影響で，乳児期後期（特に分娩 1 ヵ月前から）に胎内で DDH を起こしうる．内転足や斜頚に DDH の合併が多いことも胎内肢位の影響とされている[1,2,4]．

女児は男児より DDH 発症が 3～7 倍多い．母体のリラキシンホルモンに対する反応は，胎盤を通じて新生児乳児に靱帯弛緩を生じさせ，その効果が女児の股関節不安定症に強く作用するためである[1,2,4]．

出生直後 DDH の要因のほとんどは，出生時の股関節不安定症に育児環境が相乗的に影響を与えたためと考えられる．新生児は両下肢の自動運動を通じて胎内で股関節周囲筋を自発的にストレッチしている．ところが両下肢を強制的に伸展位にすることで，DDH から完全脱臼へと増悪する[1,2,4]．

かねてより本邦では，発育性の要素を取り除くことで，DDH 発症を効果的に予防してきた．例えば巻きオムツや，特に冬生まれの児の場合に脚を伸ばして固定する器具・衣類等から解放し，両下肢自動運動を励行する育児指導が，股関節脱臼発症予防に有効であることは，繰返し啓発されてきた．その甲斐あって股関節脱臼発症を 3% から 0.3% にまで改善した．ところが近年，DDH に関する啓蒙の低下，股関節に不適切な育児習慣等による 1 歳以降の股関節完全脱臼例の報告が散見され，服部らは 2013 年以降増加傾向にあることを本邦の多施設調査で明らかにした[2]．

治療に必要な検査と診断

日本小児整形外科学会（www.jpoa.org）では乳児股関節一次健診の推奨項目に，開排制限，大腿皮膚皺・鼠径部皮膚皺の左右差，股関節脱臼治療の家族歴，女児，骨盤位分娩の 5 つの項目を制定した（図 1）．

開排制限は開排角度 70° 未満と定義した．正常男児は女児よりも通常，開排制限の傾向がある．新生児から乳児期極初期は，90° 以上股関節屈曲させた位置から開排すると正確に可動域を計測できる．また，秋冬生まれに開排制限を認めやすい傾向がある．これは衣類により両下肢の自由な運動が妨げられていることも一因である．

皮膚皺は左右差で判断する．深い鼠径部皮膚皺でかつ皺に発赤を伴うものが DDH 陽性率がより高く，大腿部中央から膝付近の皺は偽陽性が多い．3 ヵ月児以降は生理的に皮下脂肪が増え始めることから，より目立つようになる．皺は，向き癖による非対称肢位，脱臼肢位（亜脱臼による持続的な開排制限と脱臼の場合は大腿骨頭が背側頭側に転位することによる下肢皮膚の短縮による皺）により生じる．

DDH 家族歴は通常，第 3 度近親（母，姉妹，従姉妹）内で DDH 治療歴がある人が対象となる．DDH 治療歴には，入念な抱っこ指導，Pavlik harness，脱臼整復，ギプス，股関節手術等が含まれる．例えば 40 歳頃に変形性股関節症で人工股関節置換手術歴ありの場合は家族歴に含まれる．

①股関節開排制限（開排角度）
開排制限の見方：股関節を 90 度屈曲して開く．
開排角度（右図の a）が 70 度以下，すなわち，開排制限角度（右図の b）が 20 度以上，の時に陽性とする．
特に向き癖の反対側の開排制限や左右差に注意する

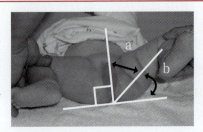

②大腿皮膚溝または鼠径皮膚溝の非対称
大腿皮膚溝の位置，数の左右差，鼠径皮膚溝の深さ，長さの左右差に注意

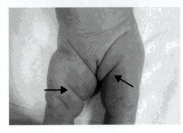 

③家族歴：血縁者の股関節疾患

④女児

⑤骨盤位分娩（帝王切開時の肢位を含む）

二次検診への紹介について
・股関節開排制限が陽性であれば紹介する
・または②③④⑤のうち 2 つ以上あれば紹介する
・健診医の判断や保護者の精査希望も配慮する

その他：秋冬出生児に多く，股関節開排時の整復感（クリック）や股関節過開排にも注意が必要．問診，身体所見のみで乳児股関節異常をもれなくスクリーニングすることはできない．

図 1 日本整形外科学会・日本小児整形外科学会「乳児股関節検診の推奨項目と二次検診への紹介」
（日本小児整形外科学会 http://www.jpoa.org/wp-content/uploads/2013/07/a2b209c8952eacb5dc09039e98e8068b.pdf より引用）

　骨盤位分娩は分娩前 1 ヵ月での骨盤位を意味し，帝王切開も含まれる．骨盤位のうち単殿位は 20％の脱臼リスクがある．また，初産で子宮筋腫合併等も DDH 発症に影響し，内転足や斜頸に DDH の合併が多いことも胎内肢位の影響とされている．

　一次健診ではこのほかに育児習慣の聴取も重要な情報である．おくるみ，スワドリング等で生下時より両下肢を強く伸展位固定するような慣習・しつけがなされてないか，両下肢の自由な運動を妨げる不適切な肢位での育児器具の使用がないか等を聴取することが重要である．大切なことは，親や健診医の股関節所見に対する不安があれば，躊躇なく整形外科医の股関節二次検診を受けていただくことである．

股関節二次検診では上記のほかにクリックサイン（オルトラーニサイン），アリスサイン，ガレアッチサイン，向き癖，斜頭，筋性斜頸，内転足等も確認する[1,2,4]．ただしこの推奨項目に合致しない男児両側脱臼例は一定数存在することから，診断不詳，家族希望は整形外科による二次検診と画像検査が推奨される．

股関節二次検診では，股関節画像検査は必須である[3]．検診時の骨盤単純X線正面撮影は，撮影しなかったことによるDDH見逃しリスクが被曝による影響のリスクを上回る．検診医はDDH検診での骨盤単純X線撮影時，適切に絞りをかけた骨盤正面1枚のみとし，慣習的な生殖腺防護，二方向撮影は慎むべきである．乳児股関節超音波検査は欧米では標準化されている．本邦でも標準化が待たれるが，骨盤単純X線ほど普及していない．

治療の実際

1）生後1日目からの予防（自然な肢位，自由な運動）

モロー反射や保温を目的とするスワドリングの場合，両下肢の自然な肢位，自由な運動を妨げないような工夫をすることが必要である．DDHの観点からはスワドリンクは強く勧められないが，保温，寝付きが良くなることから，股関節の自由な運動を妨げないことを前提に，上肢反射運動の抑制のみするなど包み方を工夫すべきである[1,4]．

2）コアラ抱っこ

親と向かい合わせに抱く抱っこ（コアラ抱っこ）は自然な抱き方であり，股関節の発達に良い．顔を正面から見つめる動作が可能で，抱っこによるスキンシップがはかられていることも乳児発達に好影響である．横抱きは向き癖や抱っこする人の利き腕に影響され

るため，股関節にとって必要最小限にとどめておくほうが良い．

上記を行うだけでも相当数のDDHが減少する．生後1日目の股関節の異常な緩み（クリックサイン）は，股関節を伸展位にすると3%に認め，開排位を保持すると0.3%であることは生後24時間以内の検診で実証されている[2]．

赤ちゃんの股関節にとって，生後から脚を伸ばしつづけられることは，股関節の脱臼につながり，その自然治癒を妨げている．一方で，おくるみ，スワドリングによる保温や寝つき等の育児への効果も報告されており，欧米では脚の動きを妨げないようなおくるみ，スワドリング法を推奨している[1,4]．

●新生児期から生後3ヵ月まで

育児習慣の改善と下肢の自動運動励行を行う．強い開排制限に対しては股オムツの指導なども慣例的に行われているが，不適切な装着は股関節形成不全を増悪させるので注意が必要である．

●生後3〜6ヵ月ごろ

Pavlik harnessによる治療を行う．股関節形成不全は約3ヵ月，股関節脱臼は約4ヵ月装着する．治療期間中の入浴の開始については国内ではまだ一定のコンセンサスはなく，筆者は脱臼整復後の健側下肢の自動運動に左右差がなくなる3週間後を目処に許可している．

●生後6〜12ヵ月

Pavlik harnessでの整復率は減少する．本邦では牽引療法による股関節脱臼整復が良好な治療成績を収めている．

●生後12ヵ月以上

股関節脱臼に対しては牽引療法・非観血的整復・観血的整復術を行う．股関節形成不全は経過観察を半年から2年おきに少なくとも

就学前まで行い，適宜治療介入を検討，施行する．家族歴のある症例は経過観察期間がより長期化する傾向がある．

DDH予防効果が明らかとなり，予防によって減らしてもなお残る例を治療することが正しいと考えられてきた．しかし近年，歩行開始後DDHの報告により予防啓発活動の形骸化が危惧され，実態調査と啓発活動への取り組みを進めている．

股関節形成不全・股関節脱臼に対する治療例

- 生後3ヵ月まで：下肢自動運動励行，M字開脚励行，コアラ抱っこ，向き癖指導．
- 生後3ヵ月以降：Pavlik harness（装着期間：亜脱臼 約3ヵ月，脱臼 約4ヵ月）

筋性斜頸を伴わない斜頭を伴っている場合は，向き癖指導とともに頭の形外来診察を勧める．

専門医に紹介するタイミング

"乳児関節健診の推奨項目と二次検診への紹介"をもとに，股関節形成不全の危険因子のある児は，生後6週間以内に整形外科医の診察と超音波検査，単純X線検査を行うことが本来は望ましい．推奨項目は問診で聴取可能な項目が含まれており，保健師・助産師であっても項目の確認と家族への二次検診受診の勧奨が大切である．家族や健診医の懸念も二次検診受診の推奨項目であるとされる．

専門医からのワンポイントアドバイス

- 股関節形成不全・股関節脱臼は生後1日目から予防活動をすると，本来の1/10に発症を予防しうる．
- 股関節形成不全・股関節脱臼は生後1日目から予防活動をしないと，本来の10倍発症しうる．

文　献

1) O'Beirne JG et al：International Interdisciplinary Consensus Meeting on the Evaluation of Developmental Dysplasia of the Hip. Ultraschall Med 40：454-464, 2019
2) Hattori T et al：The epidemiology of developmental dysplasia of the hip in Japan：Findings from a nationwide multi-center survey. J Orthop Sci 22：121-126, 2017
3) 厚生労働省：乳幼児健康診査事業実践ガイド. https://www.mhlw.go.jp/content/11900000/000520614.pdf（2022/5/30 現在）
4) Kim HKW et al：Developmental dysplasia of the hip. In "Tachdjian Pediatric Orthopaedics, 6th ed." Eds. Herring JA. Elsevier, NewYork, pp422-526, 2022

14. 事故，その他

熱傷・火傷

きたがわひろあき　ふるたしげゆき
北川博昭，古田繁行

聖マリアンナ医科大学 小児外科

POINT

● 『熱傷診療ガイドライン（改訂第2版）』は日本熱傷学会より2015年に公開され，その後5年が経過した．2021年に第3版が発刊され，本邦における4週間程度の入院が必要な重症熱傷の標準治療を示した．

● 第3版の熱傷の項目には気道熱傷も含まれているが，重傷熱傷のみならず一般に遭遇するいわゆる「やけど」の初期治療は，2017年の日本皮膚科学会『熱傷診療ガイドライン』を参考に軽症の症例にも対応できるように記載した．

ガイドラインの現況

熱傷診療に関するガイドラインは米国熱傷学会で1998年に公表されたが，わが国とは熱傷診療を取り巻く状況が異なるため，わが国における熱傷診療に関するこれまでの知見を整理し，現状で最も妥当な診断・治療法を推奨するとともに，今後の診療標準化に向けた基礎資料とすることを目的に，2009年3月に『熱傷診療ガイドライン』を作成した．

わが国の熱傷診療ガイドラインの特徴は，重症度評価，気道熱傷，初期輸液，初期局所療法，外科的局所療法，感染対策などを項目別に記載することにより，その科学的根拠の強度を示す指標として推奨度を提示した．しかしながら，その後5年経過し新たな知見が加わった現状をふまえ，創傷被覆材や栄養などの項目を加え新たな項目とエビデンスを追記した『熱傷診療ガイドライン』改訂第2版を2015年3月に作成している．その後，日本皮膚科学会が重症例のみならず，軽症例も含め一般に遭遇する熱傷患者に対し適切な診断・初期治療を開始することができる『創傷・褥瘡・熱傷ガイドライン-6：熱傷治療ガイドライン』[1]を発行した[3]．その後，国際熱傷学会がガイドラインを公表したが十分な診療のリソースがない国の状況が含まれたため，本邦の実情にあった『熱傷診療ガイドライン〔改訂版第3版〕』を2021年に公開することとなった[2]．

【本稿のバックグラウンド】　『小児科診療ガイドライン第4版』の熱傷・火傷では『熱傷診療ガイドライン〔改訂第2版〕』を参考にして執筆した．今回，2021年に改訂された『熱傷診療ガイドライン〔改訂第3版〕』を用いて改訂した[2]．また，皮膚表層の熱傷に関しては，『日本皮膚科学会ガイドライン創傷・褥瘡・熱傷ガイドライン-6：熱傷診療ガイドライン』を参照し[1]，病態などをわかりやすく図示して記載した．

どういう疾患・病態か

熱傷とは，温熱や化学的な物質により皮膚，粘膜に生じた物理的損傷である．小児では，熱性液体の熱作用による熱傷（scald injury）がほとんどである．大部分は，湯沸かしポットの熱湯やアイロンに短時間接触したための小範囲熱傷で水泡形成を伴うⅡ度熱傷である（図1）．熱湯浴槽への転落や火災現場の火炎による広範囲熱傷では皮膚の局所変化にとどまらず，細胞間質の液体を調整している生理学的因子を破壊し，循環動態へ影響を及ぼし，全臓器の血流障害をひき起こし重症化する．特に傷害組織が真皮全層に及ぶⅢ度熱傷では，受傷時から皮膚は蒼白で血流に乏しく後に皮膚の引きつれや肥厚性瘢痕を生じる（図2）．特に全身熱傷では，血管透過性の亢進は受傷から48〜72時間で消退し，組織の浮腫液がリンパ系を通して循環系に戻ってくるRefilling現症が生じる．この時期に循環系に負担が生じ，肺うっ血や心不全をひき起こす．

呼吸器系では全身性炎症反応から急性呼吸障害が惹起され，肺水腫を発生する（図3）．腎臓では，組織間質に水分が漏れ出ることによる血管内水分量の低下から腎血流の低下に加え，溶血や筋組織の破壊で生じたヘモグロビンやミオグロビンなどによる腎障害が発生する．血液凝固・線溶系に影響が及ぶと，DIC（disseminated intravascular coagula-

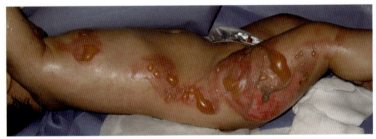

図1　水泡形成を認めるⅡ度熱傷
　　　大腿部の真皮が白色調で一部に深達性Ⅱ度熱傷を認める．

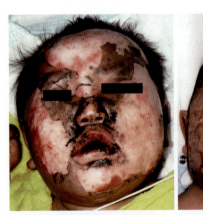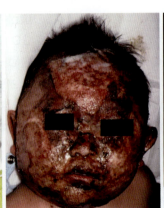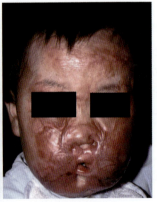

図2　たき火に転落した患児
　　　Ⅲ度の顔面熱傷で水泡形成はなく皮膚は白色調．気道熱傷を伴い気管内挿管された．その後，皮膚の肥厚性瘢痕を認め開口障害などに対し，形成手術が行われた．

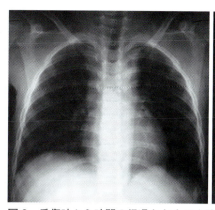
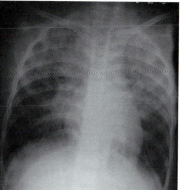
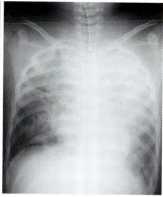

図3 受傷時から時間の経過とともに心陰影の拡大を認め，24時間から利尿薬を投与したが，48時間では肺水腫となり，換気ができない状況に陥った
X線では著明な心拡大と肺水腫を認める．（左：来院時，中：受傷24時間，右：受傷48時間）

tion）に進行する．また，免疫系では末梢血リンパ球の減少が認められ，マクロファージの過剰活性化による免疫抑制や，重症度に相応した炎症性サイトカインの産生がみられ，高サイトカイン血症の持続により多臓器不全へ進行する．

このように，熱傷の重症度は，熱傷面積ならびに熱作用の深達度と密接に関与し，また成人に比し体表面積の大きい小児においては生体の全身反応が顕著なため，それぞれ治療方針が大きく異なってくる．

治療に必要な検査と診断

治療に入る前に重症度を判定する必要がある．それは予後予測には何が関係しているかが重要となる．熱傷面積，年齢，気道熱傷の有無，Ⅲ度熱傷の面積，Burn Index，自殺企図による受傷か否かは，ガイドラインによる推奨度のエビデンスレベルは低かったが臨床的に重要であり，gold standardとして定着している．なかでも熱傷面積・深達度は，エビデンスレベルが推奨する根拠は低いが，臨床的には重要と考えている．小児では熱傷面積は5の法則（rule of five）[3]で大まかに

把握し（図4），その後Lund & Browderの公式[4]（図5）で正確な熱傷面積を計算し治療指針としている．深達度は日本熱傷学会分類を用いる（表1）．

Ⅰ度熱傷（epidermal burn：EB）は，熱作用が表皮内にとどまるもので，皮膚は発赤のみで瘢痕を残さず治癒する．浅達性Ⅱ度熱傷（Ⅱs. superficial dermal burn：SDB）は，熱作用が基底層まで達し，創面には水疱が形成され，通常1〜2週間で表皮化し治癒する．

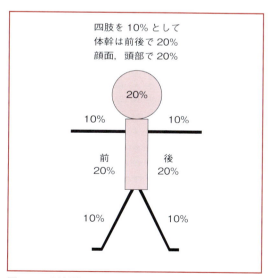

図4 5の法則

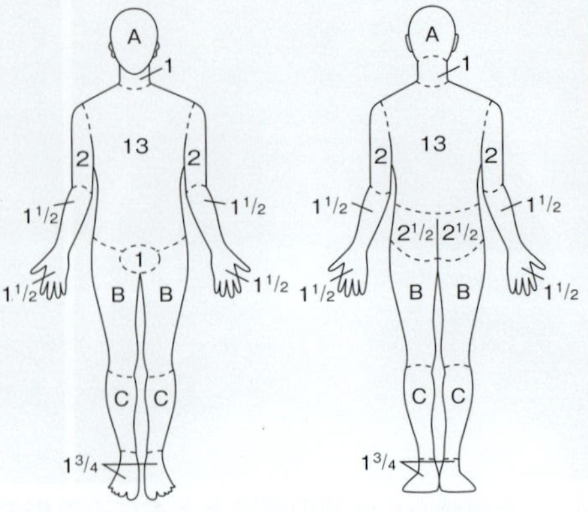

図 5　Lund & Browder の法則

	年　齢					
	0歳	1歳	5歳	10歳	15歳	成人
A：頭部の½	9 ½	8 ½	6 ½	5 ½	4 ½	3 ½
B：大腿部の½	2 ¾	3 ¼	4	4 ¼	4 ½	4 ¾
C：下腿部の½	2 ½	2 ½	2 ¾	3	3 ¼	3 ½

表 1　熱傷深度の分類

熱傷深度	障害組織	外　見	症　状	治癒期間
Ⅰ度（EB）	表　皮（角質層）	紅　斑	疼　痛熱　感	数　日
浅達性Ⅱ度（SDB）	表　皮（有棘層）（基底層）	水　疱	強い疼痛灼熱感	2週間で表皮化し瘢痕なし
深達性Ⅱ度（DDB）	真皮深層			3週間以上で瘢痕形成あり
Ⅲ度（DB）	真皮全層皮下組織	壊　死	無　痛	自然治癒なし瘢痕拘縮

表 2　Artz の診断基準

重症熱傷（総合病院，熱傷専門施設で入院加療を要する）	・Ⅱ度熱傷で体表面積30％以上 ・Ⅲ度熱傷で体表面積10％以上 ・顔面，手，足のⅢ度熱傷 ・気道損傷の合併 ・軟部組織の損傷や骨折の合併 ・電撃症
中等症熱傷（一般病院での入院加療を要する）	・Ⅱ度熱傷で体表面積15〜30％ ・Ⅲ度熱傷で体表面積10％未満（顔面，手，足を含まない）
軽症症例（外来通院で治療可能）	・Ⅱ度熱傷で体表面積15％以下のもの ・Ⅲ度熱傷で体表面積2％以下のもの

（文献2を参照して作成）

深達性Ⅱ度熱傷（Ⅱd, deep dermal burn：DDB）は，熱作用が真皮深層まで達し，創面には水疱が形成される．したがって，局所所見だけではSDBとの鑑別が困難で，治癒後に瘢痕，拘縮を残す．Ⅲ度熱傷（deep burn：DB）は，熱作用が皮下脂肪組織まで及んだ結果，皮下組織は凝固・壊死に陥り，創面の色調は白色から炭化により褐色調を呈し，疼痛はなくなる．この深達度の推定方法については，レーザー・ドップラー血流計測法に関する臨床論文があり，深達度の精度は良好であるが普及率が低い．

ここで，熱傷専門施設での治療の基準には何が有効かと問われると，熱傷重傷度判定が必要で，Artzの診断基準[5]などの重傷度判定が用いられる（表2）．この基準が適切であるかどうかの検証がされた論文はないが，熱傷専門施設（日本熱傷学会熱傷専門医認定研修施設）の治療により入院期間が短縮し合併症が減少するという論文が報告されている．

治療の実際

1 輸液療法

初期輸液の適応と開始時期においては，小児では総体表面積の10％以上では初期輸液の実施が推奨され，受傷後2時間以内の輸液蘇生開始が敗血症，腎障害，死亡率を減少させられる．また，気道熱傷，顔面，生殖器，会陰部，大きな関節の熱傷などの場合は熱傷面積が10％以下であっても輸液を行い，これらの患者への初期輸液は遅れてはならない．初期輸液にはほぼ等張の乳酸リンゲル液などを使用するのが標準的であり推奨される．乳児ではグリコーゲン貯蔵量が限られているため低血糖に留意し，輸液に維持輸液として糖質を補給することが推奨されている．Advanced Burn Life Support（ABLS）での

投与方法[6]は，輸液が必要と判断される場合，熱傷面積算定前に乳酸リンゲル液などを用い，5歳以下は毎時125mL，6～13歳は毎時250mL，14歳以上は毎時500mLの速度で輸液を開始する．患者の体重と熱傷面積算定後は，13歳以下は3mL/kg/熱傷面積の%，電撃傷の場合は4mL/kg/熱傷面積の%で予測される24時間の輸液必要量を算出し，半量を最初の8時間で，次の16時間で残りの半量を投与する．初期輸液開始後は，体重＜30kgの小児で時間尿量1mL/kg，体重＞30kgの小児で0.5mL/kgとなるよう輸液速度を1時間ごとに調整する．ただし，幼児と体重＜30kgの小児ではこれらの輸液量に加えて，5％デキストロースを含んだ維持輸液を投与する．維持輸液量（速度）は体重あたり，最初の体重10kgに対しては4mL/kg/時，次の体重10kgに対しては2mL/kg/時，残りの体重分に対しては1mL/kg/時を合算して時間投与量を計算する．この維持輸液の速度は尿量により調整しない[4]．

血漿製剤の使用も有効であり，受傷後24時間経過してから使用するとの記載が多いが，投与速度，開始時間に関する明確な指針はない．しかし，コロイド輸液の併用は総輸液量の減少，一時的な膠質浸透圧の維持，腹腔内圧上昇抑制の点から考慮しても良い．熱傷面積が15～45％TBSA（total body surface area：総体表面積）の1～12歳患者では早期のアルブミン製剤の使用は輸液量を減らしてfluid creepを防ぎ，入院期間を短縮しうることが示唆される．新鮮凍結血漿製剤より安価で，ABO適合や肝炎ウイルス等の病原体が移行する危険性は低く，輸血関連急性肺障害（transfusion related acute lung injury：TRALI）の可能性もないと考える．

2 局所療法

局所療法は諸外国と本邦で行われている治療では，使用できる創傷被覆材や外用剤が大きく異なるため，本邦報告を基にしている．

Ⅰ度熱傷，Ⅱ度熱傷（SDB）に対するステロイド外用薬の有効性について，Pedersenら[7]は同様の患者に使用し，二重盲検のランダム化比較試験を行い，両群間には有意差はなかったと報告しており，松村ら[8]は受傷4日目以降で上皮化の遅延を認めたと報告している．小範囲の熱傷は，治癒促進効果を目標に創傷被覆材がよく用いられ，Ⅱ度熱傷創に創傷被覆材を用いても良い．最近では，銀含有ハイドロファイバー創傷被覆材に関しては保険適用もあるために使用を強く推奨している．Ⅱ度熱傷に対するアクアセル®Agはスルファジアジン銀（SSD）と比較して，ドレッシング交換時の痛みおよび刺激の軽減，交換の減少，治療にかかるコストの面でも優れていた．

小児の広範囲熱傷では冷却による低体温に注意が必要で，小範囲熱傷に対してのみ流水による冷却を行う．創部の消毒は生理食塩水で十分であるが，グルコン酸クロルヘキシジン液を用いた消毒でも良い．各種消毒薬の保険適用はあるが，いずれも接触性皮膚炎を起こす場合があり，使用に際しては注意が必要である．一般的な消毒薬を受傷1週間以内のⅡ度熱傷に用いて明らかな有効性を示す根拠は認められなかった．特にヨウ素製剤に関しては，細胞毒性があるとの報告がある．水疱蓋を除去することによる益は認められなかったが，水疱内容を穿刺して水疱蓋を水疱底に密着させてから，ハイドロコロイド（デュオアクティブ®）などで被覆するほうが上皮化の日数が短いという報告はある．広範囲熱傷では，非固着性ガーゼ（アダプティック™）等も用いられ，外用療法は抗菌薬としてスルファジアジン銀（ゲーベン®）クリームが頻用されている．いずれも，創傷被覆材は創面からの浸出液の量など創部の状態によって選択し，密閉による感染に留意し適切に交換を行うことが注意喚起してある．これらは未だ十分なエビデンスレベルを高める論文は見当たらなかった．

広範囲熱傷の壊死組織の切除は早期に行うことを推奨するが，有効性のエビデンスが得られていない．しかし，熱傷死亡の原因は入院2週間目からの感染に起因するため，害に注意して治療することは益が害を上回ると考える．

3 気道損傷の処置

気道損傷は，高温の煙や水蒸気，有毒ガスを吸入することによって生じる呼吸器系の障害を指す．従来は気道熱傷といわれたが，損傷の原因が熱とは限らないことから気道損傷となった．気道損傷の診断は，鼻・咽腔の煤煙による汚染で判断する．上気道型の気道損傷の合併症は上気道の浮腫と窒息であり，受傷後24〜48時間で組織の浮腫が最大となるので，気道損傷が疑われた場合は気管支ファイバーによる診断が推奨される．その所見では，早めに気管挿管などの気道確保が必要となる．しかし，入院時の気管支ファイバー所見から呼吸管理の程度および気管挿管の期間を予測することはできない．不必要な気管支ファイバーは死亡率，入院期間，肺炎合併症を増やす可能性があり，注意が必要である．気道損傷を伴った症例では，輸液量が計算量より多くなることが多い．

4 ストレス潰瘍の予防と栄養管理

熱傷患者におけるストレス性潰瘍の発症率は高く，潰瘍からの大量出血や穿孔を起こす率も高い．潰瘍の発生には，粘膜の虚血，胃

酸産生の増加，栄養不良，胃管による刺激など，様々な因子が係わっている．最近は積極的な輸液療法による粘膜血流低下の防止と，H_2ブロッカー，プロトンインヒビターの投与で，ストレス性潰瘍の発症率は著しく低下した．

栄養に関しては，蛋白異化亢進，脂肪分解，高血糖状態が持続する．特に筋蛋白の崩壊が激しく，これをいかに押さえて栄養状態を維持していくかが生命維持のカギとなる．間接熱量測定により通常の1.3倍のカロリー投与が推奨される．

5 コンパートメント症候群

広範囲熱傷（熱傷面積が30％以上）の場合，四肢では骨・筋膜・骨間膜に囲まれる部分の浮腫などで内圧が上昇し，筋・神経組織の循環障害を呈する．また，皮下の浮腫が胸郭運動を抑制し呼吸・循環不全を助長させ，また腹腔内圧の上昇で腹部臓器の灌流不全をきたす．これらは血管透過性の亢進から生じることが多く，皮下の浮腫のみならず腸管や腹水の増加により症状の進行を助長させる．緊急処置として，減張切開，腹腔穿刺などを行うことが推奨される（図6）．熱傷深度によっては，皮下組織までの焼痂切開にとどまらず，筋膜切開が必要なことがある．手指の壊死が減少し，呼吸機能が改善した報告がある．

処方例

● 3歳男児，体重15kg，風呂に転落しⅡ度熱傷50％．

初期24時間の輸液量（乳酸リンゲル液）

基本輸液：3mL×15kg×50％＝
　　　　　2,250mL

維持輸液：1,000mL＋50mL×5kg＝
　　　　　1,250mL

輸液総量：2,250mL＋1,250mL＝
　　　　　3,500mL

＊小児維持輸液は文献により異なる．
　＜10kgまでは100mL/kg，
　＞10kg：体重10kgまでは1,000mL
として1kg増すごとに50mL追加
　＞20kg：体重20kgまでは1,500mL

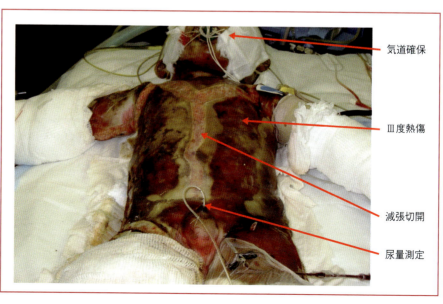

図6 皮下の浮腫が胸郭運動を抑制し呼吸・循環不全を助長させ，腹腔内圧の上昇から臓器の灌流障害を起こす
これらコンパートメント症候群予防目的に減張切開を行う．

（気道確保／Ⅲ度熱傷／減張切開／尿量測定）

として1kg増すごとに20mL追加.

輸液速度

最初の8時間で3,500mLの半分の1,750mLを投与し,残りの16時間で1,750mLを投与する.

しかし,尿量が15mL/時を確保できなければ,輸液速度を上げ,投与量を増量する.幼児であるため上記に5%デキストロースを含んだ維持輸液を投与する必要がある.

専門医に紹介するタイミング

搬送基準はArtzの診断基準や米国のABLS(advanced burn life support)等が参考になるが,輸液管理が必要な体表面積10%以上の熱傷患児や,顔面,四肢の熱傷では,小範囲であっても将来拘縮による機能障害を起こすと予測した場合は,ただちに専門施設に紹介する.気道熱傷を疑う場合も,その後の呼吸管理に難渋することが多いため,専門施設での管理が望ましい.

体表面積30%以上の広範囲熱傷は,救命センター等の集中治療が可能な高度医療施設に転院先を求めるが,施設内に小児外科医や形成外科医が常駐し,それら各科と連携が密にとれる施設が望ましい.しかしながら,熱傷専門施設の治療により入院期間が短縮し,合併症が軽減するというエビデンスレベルの論文が米国にはあるが,本邦では現時点では十分なエビデンスはない.

専門医からのワンポイントアドバイス

熱傷患児の重症度把握は,家族や救急隊からの電話連絡のみでは困難な場合が多い.まず診察し,熱傷の深達度,面積,部位その程度を把握することが大切である.しかし重症であるほど,来院直後の全身状態・局所所見は経過とともに変動するため,バイタルの変動に注意が必要である.

最近,浴槽への転落による重症広範囲熱傷は,浴室や湯沸かし装置の改良などにより,発生頻度が減少した.しかし,熱湯やお茶・みそ汁などの熱性液体による小範囲熱傷は依然多い.アイロンやヒーターなど,熱性固体への接触による火傷がそれに次ぐ.受傷時年齢は乳幼児期に多く,3歳以下がその7割を占めることから,発生防止には家族への啓蒙が重要である.

─────── 文　献 ───────

1) 日本皮膚科学会ガイドライン 創傷・褥瘡・熱傷ガイドライン-6:熱傷診療ガイドライン.日皮会誌 127:2261-2292, 2017
2) 日本熱傷学会学術委員会:熱傷診療ガイドライン〔改訂第3版〕.熱傷 47:S1-S108, 2021
3) Lynch JB et al:The rule of five in estimation of extent of burn. In "Reconstructive Plastic Surgery, 1st ed" ed. Converse JM. WB Saunders, Philadelphia, p208, 1964
4) Lund CC et al:The estimation of areas of burns. Surg Gynecol Obstet 79:352-358, 1944
5) Artz CP et al:General immediate care. In "The Treatment of Burns. 2nd ed" W. B. Saunders, Philadelphia, pp89-108, 1969
6) American Burn Association:Advanced Burn Life Support Course Provider's Manual 2018 Update. American Burn Association, Chicago, 2018
7) Pedersen JL et al:Topical glucocorticoid has no antinociceptive or anti-inflammatory effect in thermal injury. Br J Ananesth 72:379-382, 1994
8) 村松正久,関口忠男:新鮮なⅡ度熱傷創面に対するステロイド軟膏の使用経験.形成外科 15:318, 1972

14. 事故，その他

薬物中毒

なかだてひさや
中舘尚也
聖徳大学大学院 教職研究科

POINT
- ●日本中毒学会学術委員会では，第24回日本中毒学会でのワークショップの内容を，2002年4月より同会のホームページで公開している[3]．これが，日本における急性中毒初期治療の「急性中毒の標準治療」に相当する．
- ●なお，この内容は冊子体として，日本中毒学会学術委員会・分析委員会報告として『急性中毒標準診療ガイド』（日本中毒学会 編集）がじほうから2008年に発刊されたが，2022年の時点で増刷なく入手困難である．

ガイドラインの現況

　以前は，急性中毒治療の中核的な役割を果たす消化管除染法（以下，gastrointestinal decontamination：GID法）として，①胃内内容物を除去するために吐根シロップによる催吐，②胃洗浄，③活性炭による毒・薬物の吸着，④D-ソルビトールなどの緩下剤による，消化管での毒・薬物の通過時間の短縮，が実施されてきた．しかし，GID法の有用性について検証する論文が次々と発表され，世界で最も権威のある米国と欧州の2つの臨床中毒学の学術団体であるAmerican Academy of Clinical Toxicology（AACT）[1]およびEuropean Association of Poisons Centres and Clinical Toxicologists（EAPCCT）[2] は共同で1997年にGID法に対して，それぞれの適応，禁忌，副作用などを記載したガイドラインを発表した．日本中毒学会学術委員会では，日本における急性中毒初期治療の標準化を目的として，第24回日本中毒学会でワークショップとして紹介した，「急性中毒の標準治療」を2002年4月より同会のホームページで公開している[3]．

【本稿のバックグラウンド】 薬物中毒の標準治療として，日本中毒学会のホームページで公開している「急性中毒の標準治療」と，『臨床中毒学』（相馬一亥 監修，上條吉人 著，医学書院，2009）を参考にしている．

どういう疾患・病態か

　薬物中毒とは，薬物の過剰摂取による何らかの有害な作用が生じている状態であり，中

毒の訳語にはintoxicationとpoisoningがあり，intoxicationは，主に向精神薬によって精神に機能障害が生じた状態であり，poisoningは，何らかの薬物を過剰摂取したこ

とによって有害な影響が生じている場合である。小児期ではintoxicationは稀であり，本原稿では薬物の過剰摂取による中毒"poisoning"について述べる。

日本中毒情報センターの報告では，薬物中毒の問合せの75%は，5歳以下の乳幼児となっている。また，事故発生から問合せまでの時間は10分以内が44%，1時間以内が85%で，乳幼児では摂取物質は1種類だけのことが多く，医薬品が最も多く，次いで化粧品，殺虫剤，洗剤の順となっている。医薬品の誤飲によって症状が出現するのは約18%で，その内訳は精神安定薬（特にベンゾジアゼピン系），解熱鎮痛薬，緩下剤が多い。症状は，意識変容などの中枢神経症状，頻脈や徐脈などの循環器症状，多呼吸や呼吸数減少の呼吸器症状，嘔吐などの消化器症状などである。

治療に必要な検査と診断

薬物中毒が疑われたら，①何時に，②どこで，③摂取した薬剤名を，④どのくらいの量，を飲んだかについて確認する。保護者が目撃していない場合が多く，置いてあったものがないというだけで誤飲したとあわてる保護者もいるため，誤飲したものの残りや，空のびん，メーカーの説明書などがあれば持参してもらう。また，家族が定期的に服用している薬の有無を聴く。乳幼児では摂取量が不明なことが多く，薬剤名が判明したら，血中濃度を測定する。血中濃度致死量，血中半減期，拮抗薬の有無を公益財団法人日本中毒情報センターに問合せる。

公益財団法人日本中毒情報センター
- ホームページ：http://www.j-poison-ic.or.jp/
- 中毒110番相談電話医療機関専用電話

（情報料：1件につき2,000円）
大　阪　072-726-9923
　　　　（365日，24時間対応）
つくば　029-851-9999
　　　　（365日，9〜21時対応）

原因不明の意識障害をみたときは急性中毒を疑う必要があり，薬剤名が判明していなければ，ベンゾジアゼピン系薬剤，三環系抗うつ薬，バルビツール系薬剤などの検出に簡易キットを用いるが，トライエージDOA（アリーア　メディカル株式会社）は販売終了となり，代替としてSIGNIFY™ ER（アボット　ダイアグノスティクス　メディカル株式会社）が入手可能である。両キット間ではガスクロマトグラフ質量分析計（GC-MS）や高速液体クロマトグラフ質量分析計（LC-MS）を用いた定量比較で感度や特異性などの特性については大きな差を認めなかったが，覚醒剤とベンゾジアゼピン系薬剤において反応する薬物種や陽性となる最小濃度に顕著な違いがあり，SIGNIFY™ ERでの結果は薬物服用の目安として慎重に解釈すべきである。

受診時の血液一般検査，血清生化学検査，尿一般検査，血液ガス分析は必須であり，後日の検討に備えて血清，尿，胃あるいは腸洗浄液を保存する。

治療の実際[4]

薬物中毒治療の基本は，①患者の呼吸循環系の安定，②薬物吸収の抑制，③薬物排泄の促進あるいは結抗薬の投与である。薬物中毒が疑われた場合は，薬剤名が特定できなくても，直ちに活性炭投与を開始すべきである。小児が薬剤を偶発的に摂取した場合は，バイタルサイン（意識レベル，呼吸，脈拍，血圧，体温）モニタリングと輸液などの支持療

表1 活性炭に吸着されない薬毒物を覚えるための語呂合わせ

「Activated charcoal is A FICKLE agent」（活性炭は気まぐれもの）.

A：Alcohols（アルコール類），Alkalis（アルカリ類）
F：Fluorides（フッ化物）
I：Inorganic acids（無機塩類），Iron（鉄），Iodide（ヨウ化物）
K：Kallium（カリウム）
L：Litium（リチウム）
E：Ethylene glycol（エチレングリコール）

法で回復することも多いが，診察後帰宅の場合，処置の有無にかかわらず，また電話対応の場合であっても，24時間後に子どもの症状の有無について電話での確認が望ましい.

1 活性炭

第一選択は，合併症がほとんどない活性炭の投与で，嚥下が可能であれば経口で，意識障害時には胃管を用いて投与する．活性炭に吸着されるものであれば，胃洗浄は不要とされている．なお，活性炭の投与で，適応に応じ，腸洗浄も併用する．活性炭は非選択にほとんどの薬毒物を吸着するが，吸着できないものもあり，注意を要する．活性炭に吸着されない薬毒物には，アルコール類（alcohols），アルカリ類（alkalis），フッ化物（fluorides），鉄（iron），ヨウ化物（iodide），無機塩類（inorganic acids），カリウム（kallium），リチウム（litium），エチレングリコール（ethylene glycol）がある（表1）.

2 胃洗浄

薬物摂取1時間以内かつ薬物摂取量が致死的な場合に実施することもあるが，誤嚥の危険があり，有効とするエビデンスも乏しく，推奨はされない．実際には胃管を挿入し，微温湯を用いて注入と回収を繰返す．回収液が透明になれば洗浄を終了する．食物残渣があ

ると洗浄の効率が低下するため，太めのチューブを経口的に挿入すると良い．ただし，アルカリ，石油類の摂取時は禁忌であり，意識障害時も洗浄液を誤嚥する可能性があり，気管挿管後に施行することが原則など，適応が限られる.

3 腸洗浄

AACT/EAPCCTのガイドラインでは，大量の中毒をきたしうる量の徐放剤，腸溶剤，鉄などを服用した場合であれば考慮するとされ，イレウス，消化管の通過障害，消化管穿孔，消化管出血，不安定な循環動態，難治性の嘔吐のある患者も避けるべきで，その適応は限られる.

4 緩下剤

AACT/EAPCCTのガイドラインでは，GID法としての緩下剤投与はしないとされている．単独使用は薬物中毒治療には有効ではなく，活性炭投与後の内服または胃管からの併用療法も有効とするエビデンスはない．また，麻痺性イレウスの併発，腐食性物質の服用による中毒，重度の電解質異常では禁忌である.

5 拮抗薬[5]

a）アセトアミノフェンに対するN-アセチルシステイン

アセトアミノフェンは，摂取10時間以内であれば拮抗薬の投与が有効である.

b）麻薬に対するナロキソン

モルヒネ，ペンタゾシンなど麻薬中毒時には，ナロキソン塩酸塩を点滴静注する.

c）その他

有機リン中毒にはPAMを緩徐に静注する．ベンゾジアゼピン系薬剤中毒にはフルマゼニルを投与する.

薬物中毒　801

処方例

処方A アセトアミノフェン中毒拮抗薬[5]

摂取10時間以内であれば，N-アセチルシステイン内用液

初回140mg/kg，70mg/kgを4時間ごとに17回内服

処方B モルヒネ，ペンタゾシンなど麻薬中毒拮抗薬[5]

ナロキソン塩酸塩（注）0.5μg/kg点滴静注

処方C 有機リン中毒拮抗薬[5]

パム（PAM：pralidoxime methiodide）

20～40mg/kgを緩徐に静注後0.5g/時で持続投与し，有効血中濃度（0.4μg/mL）維持

処方D ベンゾジアゼピン系薬剤中毒拮抗薬[5]

フルマゼニルを初回0.2mg静注し，以降覚醒まで1分ごとに0.1mg追加投与（総投与量1mgまで）

処方E 日本薬局方活性炭

小児では25～50g（1g/kg）を生理食塩水10～20mL/kgで懸濁する．

紙コップ，または胃管を入れて胃の内容物を十分吸収したうえで，懸濁した活性炭を注入する．45°ぐらいベッドアップし嘔吐や胃内容物逆流を防止する．

処方F 緩下剤として，

D-ソルビトール液（65％または75％）を2倍希釈し，小児では0.5～1g/kg（1.5～3mL/kg）投与与後6～8時間で排便がないとき

は半量を繰返し投与してもよい．

専門医に紹介するタイミング

故意に大量に摂取した場合，神経系，呼吸循環系に作用する薬剤を摂取した場合，複数の薬剤を大量に摂取し経過を予測することが困難な場合は，入院のうえ，経過観察することが望ましく，この場合，小児のICUを備えた高次医療機関への搬送も考慮する．また，活性炭に吸着されない薬物中毒は，血液透析が考慮される．エタノール，メタノール，リチウムが適応となり，サリチル酸，アセトアミノフェン，ホウ酸でも時に必要となる．血液吸着は，テオフィリン，フェノバルビタール，カルバマゼピン，フェニトイン，ジギトキシン，パラコートで適応となる．このような場合も専門医への紹介が必要となる．

専門医からのワンポイントアドバイス

AACT/EAPCCTのガイドラインでは，「胃洗浄は，生命を脅かす可能性のある量の毒・薬物を服用してから1時間以内に施行することができなければ考慮すべきではない」とされている．胃洗浄は，いろいろな合併症があり，例えば太くて硬い管を入れるので，食道や胃の粘膜損傷や，嘔吐や胃内容物の逆流を促して，誤嚥性肺炎を起こすこともある．また，胃管が気管に入ったのに気が付かず胃洗浄した患者の死亡報告もあるなど，合併症は重篤である．また，多くの患者は，薬物を内服してから2時間以上経過後の受診が多く，GID法のうち，胃洗浄の適応のある急性中毒患者は多くはなく，EBMに基づいて，胃洗浄，下剤，吐根シロップによる催吐は，予後を改善する科学的な根拠がないとして，現在はほとんど行われなくなりつつある．

──── **文　献** ────

1) American Academy of Clinical Toxicology (AACT)：Gastrointestinal Decontamination Position Statements.
https://www.clintox.org/resources/position-statements

2) European Association of Poisons Centres and Clinical Toxicologists (EAPCCT)：The Position Statements.
http://www.eapcct.org/index.php?page=joint

3) 日本中毒学会：急性中毒症の標準治療.
http://jsct-web.umin.jp/shiryou/standardtreatment

4) 相馬一亥 監：臨床中毒学. 医学書院, 2012

5) 船曳哲典：薬物中毒. "今日の小児の治療指針 第15版" 医学書院, p22, 2012

14. 事故，その他

新生児・乳幼児の聴覚障害

片岡祐子
（かたおかゆうこ）
岡山大学病院 耳鼻咽喉科

POINT

● 先天性難聴は，新生児聴覚スクリーニングによる早期発見，早期療育を行うことで，言語発達が良好となる可能性が高くなる．

● 『産婦人科診療ガイドライン 2020』では，退院までにおける正期産新生児に対して聴覚スクリーニング検査を実施し，母子手帳に結果を記載することを推奨している．

● 要精密検査児は，遅滞なく精査機関へ紹介する必要がある．

● スクリーニングにパスする児の中に，偽陰性や遅発性難聴もあり，注意が必要である．

ガイドラインの現況

　音声を用いた言語能力の獲得には臨界期があり，難聴を放置していると言語発達遅滞や構音障害をきたし，ひいては学習やコミュニケーションの問題につながることが知られている．ただし早期に発見し介入を行った場合，続発する障害を予防，軽減できる．そういった背景から 1990 年代より欧米諸国を中心に新生児聴覚スクリーニング（newborn hearing screening，以下 NHS）が導入され，生後 1 ヵ月までにスクリーニング，3 ヵ月までに確定診断，6 ヵ月までに補聴開始，という 1-3-6 ルールが提唱されるようになり，本邦にも 2001 年から導入されている．

　2017 年に改訂された『産婦人科診療ガイドライン─産科編』では，生後早期から退院までにおける正期産新生児に対する管理の注意点として，「インフォームドコンセントを取得したうえで聴覚スクリーニング検査を実施し，母子手帳に結果を記載する」という項目が，2014 年版の推奨度 C（実施することが考慮される）から B（実施が勧められる）にひき上げられている．

【本稿のバックグラウンド】 新生児期の聴覚スクリーニングの推奨度と先天性サイトメガロウイルス感染症に対する留意点に関しては『産婦人科診療ガイドライン─産科編 2020[1]』，新生児聴覚スクリーニングの検査方法，結果の解釈および説明方法，またリファー（要精密検査）だった場合の流れに関しては，日本耳鼻咽喉科頭頸部外科学会福祉医療・乳幼児委員会編集『新生児聴覚スクリーニングマニュアル[2]』を参考にしている．

治療に必要な検査と診断

【新生児聴覚スクリーニングから診断まで】

　本邦の多施設共同研究では，NHSにより生後6ヵ月以内に療育を開始できる確率は20倍上昇し，さらに早期に療育を開始した児が良好な日本語言語性コミュニケーション能力を獲得する確率は3倍上昇することが報告されている[3]．つまり難聴児であっても良好な言語発達を目標とするのであれば，そのスタートラインにNHSがあるといって過言ではない．NHSは通常，産科施設入院中生後数日のうちに実施され，結果が要再検査であった場合は退院までに再度検査を行うことが推奨されている．それでも正常反応が得られなかったときに，要精密検査例として精密検査機関に紹介となる．NHSの機器としては，自動聴性脳幹反応（auditory brain-stem response，以下ABR）もしくは耳音響放射（otoacoustic emission，以下OAE）が通常用いられるが，要精密検査率には差があり，自動ABRでは約1％，OAEでは3〜5％とされている．一方で，偽陰性例，すなわち難聴があってもパスする例が少数ながら存在し，その確率はOAEのほうが高い．そのためNHSの機器としては自動ABRが推奨されている．先天性難聴の有病率は両耳例，片耳例がそれぞれ約0.1〜0.2％である．つまり要精密検査児全員に難聴があるわけではなく，精密検査を行うと正常聴力である例も存在する．したがって産科施設には，NHSで要精密検査であった場合でも確定診断ではないことを念頭におき，保護者の方に過剰な不安を抱かせないよう留意したうえで，検査結果を説明し，遅くとも生後3ヵ月までには専門の検査ができる医療機関を紹介していただくことを推奨している．日本耳鼻咽喉科頭頸部外科学会では分娩取り扱い施設や新生児科，自治体保健福祉関係向けに，NHSの内容や保護者への対応といった詳しい情報を提示した『新生児聴覚スクリーニングマニュアル』を発行しており[2]，関係業務担当者への啓蒙を行っている．

　NHSで要精密検査となった場合，精密検査施設である耳鼻咽喉科に紹介となり，ABRをはじめとする他覚的聴力検査が実施される．乳幼児において正確に難聴の程度を診断するためには，技術と経験をもった言語聴覚士が特殊な設備や機器を用いて複数種類の検査を施行したうえで，検査結果を総合的に評価し，継時的に確認する必要がある．そのためすべての耳鼻咽喉科外来で正確な検査，診断が行えるわけではない．日本耳鼻咽喉科頭頸部外科学会では，乳児期における聴力の精密検査可能な専門機関を地域ごとにリストアップし，これらの施設での検査を受けることを推奨している．精密聴力検査機関の条件としては，難聴疑い児の最終診断を行い，療育・教育施設と連携しながら将来にわたって聴覚管理ができる医療施設としている．ただし，都道府県によっては，人口が多い，または面積が広いという理由から精密聴力検査機関への受診が困難もしくは遅滞する場合がある．そのため，難聴疑い児について難聴の有無を診断し，精密聴力検査機関へ遅滞なく紹介できる医療施設である二次聴力検査機関を設定し，要精密検査児はまず受診するという体制を取っている自治体もある．このリストは2年ごとに改訂されており，日本耳鼻咽喉科頭頸部外科学会ホームページからも閲覧可能である．NHSで要精密検査であったにもかかわらず以後の精査を受診していない，あるいは中断している児がいた場合，参照のうえ受診の勧奨を行っていただきたい．

どういう疾患・病態か

先天性両側難聴は全出生児の約1,000人に1～2人の割合で存在する頻度の高い疾患である。そのうち，他の合併障害を伴わない非症候群性難聴が約70％，合併障害を有する症候群性難聴が約30％存在する。先天性難聴の原因としては，遺伝子が関与していると推測されるものが約50％，母胎内感染，低出生体重といった非遺伝性因子が25％程度，原因不明が25％程度と考えられている。難聴の原因遺伝子は現時点で100種類以上関与していることがわかっているが，それぞれの原因遺伝子で難聴の重症度や進行の有無，前庭症状，合併症状，補聴器の装用効果などが異なる。そのため，遺伝子診断は補聴手段の選択，合併症の予測や進行の予防といった将来的な見通しを立て，安定した基盤で医療や療育を進められるという点で重要であり，近年積極的に実施されるようになった。先天性難聴の遺伝子検査は2012年保険収載された当初は13遺伝子46変異であったが，2015年8月には19遺伝子154変異に増加し，今後もさらに拡大することが予想される。遺伝性に次いで頻度が高いのは先天性サイトメガロウイルス感染とされている。『産婦人科診療ガイドライン―産科編』で先天性サイトメガロウイルス感染時への対応として，「先天感染児については，治療および発達や聴覚のフォローアップを専門医に依頼する」ことを推奨度Aとしている。また「新生児聴覚スクリーニングで正常が確認できない場合は，先天感染の可能性を疑い，新生児尿の拡散検査を行う」ことを推奨度Cとしている。サイトメガロウイルス感染による難聴は軽度から重度まで程度は様々であるが，一般的に進行性を呈することが多い。早期にバルガンシクロビルあるいはガンシクロビル投与を行うことで聴力低下を予防できた報告もされており，早期の診断，対応の必要性があり，専門医療機関への紹介が推奨されている。

対応の実際

【難聴児の補聴・療育】

両側難聴が発見された場合，生後6ヵ月までに補聴器装用が推奨される。ただし難聴の程度が軽い児や合併症等の管理が必要な児では，経過をみながら1歳前後まで装用開始を遅らせることもある。高度難聴児で補聴器の装用効果が低い場合は，音声を電気信号に変換し，蝸牛に埋め込んだ電極を刺激し，聴神経を通して脳へと送信する装置である人工内耳の手術を行い装用することにより，聴覚を補える可能性がある。小児人工内耳の適応年齢は，1998年時点では2歳以上とされていたが，NHSの普及や国内外での人工内耳小児例の装用効果のエビデンスの蓄積等により，2006年の改訂では1歳6ヵ月以上に，さらに2014年の改訂では1歳以上にひき下げられた。また，手術決定に際し聴力検査結果だけでなく，補聴効果や語音明瞭度等の考慮，難聴遺伝子検査結果の参照などの項目も追加された。加えて従来，通常片耳装用であったのが，両耳人工内耳装用に関しても否定しないと記載され，従来と比較し適応範囲が拡大されており，高度難聴児を取り巻く補聴の状況は著しく進歩している。NHSによる早期発見，早期の聴覚補償が可能となったことで，難聴の程度が重くても音声によるコミュニケーションが可能となる児は増加しており，それに伴い支援学校や支援学級ではなく，健聴児と一緒に学校生活を送る児も増えている。ただし健聴児の聴こえ方と差がなくなるわけではなく，特に雑音下や離れた場所

での音声の聴き取りは困難である場合が多いため，配慮を必要とすることを念頭におくべきである．

小児難聴診断における課題

1 新生児聴覚スクリーニングの抱える課題

2009年時点でのWHOの報告によると，NHSは既に欧米諸国中心に義務化され，公的助成実施や保険適用といった費用面での対策も制定されている国，地域が多い[4]．しかし，本邦においてNHSは未だ自治体主体の事業であり，義務化されているわけではなく出生児全例実施には至っていないのが現状である．自治体によってはNHSや精密検査の情報を管理し，関係する医療・療育機関で共有できる体制整備や制度作成が不十分であること，NHS機器を有していない産科施設で出生した児に対する対策を有していないことに加えて，多くの場合NHS費用が全額自己負担となっていることも問題として挙げられている．NHS費用は5,000円前後に設定している産科施設が多いが，自治体での助成額の設定，捻出が困難であり，厚生労働省による調査では，NHSの公的助成を行っている市町村も2019年度時点で52.6％に留まっている．また産婦人科，精密聴力検査機関，療育機関への紹介システムや自治体と連携して情報管理，共有する体制が整っていない都道府県も多く，未だNHS後に円滑に精査，療育へと進められない児がいるのも問題として挙げられる．現状の改善を目的に，2016年3月，厚生労働省から全国の市区町村に向けての提言で，すべての新生児にNHSが実施され，聴覚障害の早期発見，早期療育につなげられるよう市区町村での取組の促進を喚起している．

2 新生児聴覚スクリーニングパスから発見される難聴

NHSでパスしていても，少数ながらNHSで偽陰性だったと考えられる児や，乳幼児期に遅発性に難聴を発症する児が存在する．2016年日本耳鼻咽喉科学会福祉委員会・乳幼児委員会での調査によると，7歳未満で人工内耳手術を受けた児のうち約9％がNHSで両耳パスだったと報告されている．自験例でも7歳未満で両側難聴と診断した児のうち，NHS両耳パスであった例は17％程度みられており，NHSでパスであった乳幼児期に難聴が発見される児は決して稀ではないことがわかる．偽陰性例は，軽度難聴や低音障害型難聴や検査結果の読み間違いが挙げられている．またOAEでは内耳の外有毛細胞の機能までしか検出できないため，それより中枢側に原因がある難聴（内有毛細胞の障害や後迷路性難聴）では正常反応，つまり偽陰性となる．Joint Committee on Infant Hearing 2019では進行性・遅発性難聴のリスク因子を挙げており（**表1**），ハイリスク児ではNHS結果にかかわらず早期の聴力検査を推奨している[5]．本邦では，1歳6ヵ月児健診の問診項目に進行性・遅発性難聴のリスク因子が挙げられているが，リスクがあっても「ささやき声で名前を呼んで振りむく場合はパス」とされており，1歳6ヵ月児健診から難聴の診断に結びつく児は極めて少数である．音に対する反応不良，言語発達遅滞，構音障害などがみられる例では，NHSの結果にかかわらず耳鼻咽喉科の診察，検査を行う必要がある．小児に関わる多職種の方にはご理解のうえ，前述のような症状がある児や，1歳6ヵ月，3歳児健診での問診，検査項目をクリアできない児には耳鼻咽喉科受診を勧め，早期発見にご協力いただきたい．

新生児・乳幼児の聴覚障害　807

表1 進行性・遅発性難聴のリスク因子

周産期
1. 小児期発症の難聴の家族歴
2. 5日以上のNICU管理
3. 交換輸血を要する高ビリルビン血症
4. 低酸素性虚血性脳症
5. 5日以上のアミノグリコシド系抗菌薬投与
6. ECMO使用
7. 子宮内感染（rubella, syphilis, toxoplasmosis, Zika, CMV等）
8. 頭蓋顔面・側頭骨形態異常，小頭症，水頭症等
9. 難聴を伴う症候群

周産期・後天性
10. 細菌，ウイルス感染による髄膜炎・脳炎
11. 頭部外傷，化学療法
12. 保護者が難聴を疑う

専門医からのワンポイントアドバイス

1) 難聴の診断においてNHSは最も重要で，全出生児での実施が推奨されている．
2) NHS要精密検査児は生後3ヵ月までに精密検査機関へ紹介，診断を受ける．
3) 両側難聴児は生後6ヵ月までに補聴器装用を開始し，高度難聴児は1歳頃から人工内耳手術の適応となる．
4) NHSでパスしていても偽陰性例や遅発性難聴例児がいるため，音に対する反応不良，言語発達遅滞，構音障害などの症状

がみられる場合，耳鼻咽喉科受診を推奨する．

—————— 文　献 ——————

1) 日本産婦人科学会，日本産婦人科医会：産婦人科診療ガイドライン―産科編2020.
https://www.jsog.or.jp/activity/pdf/gl_sanka_2020.pdf
2) 日本耳鼻咽喉科頭頸部外科学会：新生児聴覚スクリーニングマニュアル.
http://www.jibika.or.jp/members/publish/hearing_screening.pdf
3) Kasai N et al：Effects of early identification and intervention on language development in Japanese children with prelingual severe to profound hearing impairment. Ann Otol Rhinol Laryngol Suppl 202：16-20, 2012
4) Newborn and infant hearing screening. Current issues and guiding principles for action.
http://www.who.int/blindness/publications/Newborn_and_Infant_Hearing_Screening_Report.pdf#search=%27WHO+hearing+screening%27（2018年11月8日閲覧）
5) The Joint Committee on Infant Hearing：Year 2019 position statement：principles and guidelines for early hearing detection and intervention programs. J Early Hearing Detect Intervent 4：1-44, 2019
https://www.audiology.org/sites/defaul t/files/publications/resources/2019_JointCommiteeInfantHearing_Principles_Gui delines4EarlyHearingDetection-InterventionProgrs.pdf

14. 事故，その他

新生児・乳児の眼科的異常

仁科幸子
国立成育医療研究センター 眼科

POINT ●視覚刺激の遮断に対する感受性は生後2ヵ月～1歳6ヵ月までがピークである．このため新生児・乳児に起こる眼科的異常は，可及的早期に発見して治療を行わないと，高度の弱視（視覚中枢の障害）となり，生涯にわたる視覚障害をきたす．眼科的異常の検出法について習熟しておきたい．

ガイドラインの現況

小児の視覚障害の約84%は0歳代で発生している．視覚刺激に対する感受性の高い0～2歳に起こる眼疾患は，早期に発見して治療を行わないと不可逆的な高度の視覚障害をきたすこととなる．しかし本邦では，新生児や乳児期に有効な視覚スクリーニングは導入されていないのが現状である．

2018年3月に乳幼児健診の標準化をはかるため，身体診察マニュアルが作成され2021年に改訂された．このなかに，新生児や乳児の視覚異常を検出するため，視覚に関する問診項目，視診による異常徴候の診かた，固視検査，眼位検査などの基本項目を掲載した．red reflex法は，マニュアルに載っていないが，簡便で有用なスクリーニング法である．

代表的疾患をとり上げ，良好な視機能を得るために必須のガイドラインを提示する．

【本稿のバックグラウンド】 本邦では新生児・乳児の視覚スクリーニングは確立していない．『乳幼児健診身体診察マニュアル』研究班[3] のホームページに有用な情報が発信されている．重症眼疾患に対しては，それぞれ良好な視機能を獲得するために，治療のガイドラインが定まっている．

どういう疾患・病態か

小児の視覚は発達途上で，視覚刺激に対する感受性が高い．特に感受性の高い0～2歳までの乳幼児期に発症する眼疾患や斜視は高度の弱視をきたしやすく，両眼視機能（立体視）の発達を阻害するため，早期に発見しないと生涯にわたる視覚障害をきたす．

新生児の視力はおおよそ0.01～0.02，生後2ヵ月頃から急速に発達し，2歳までに乳幼児の他覚的視力検査法である選択視法で0.3以上，3歳6ヵ月頃には，ランドルト環を用いた自覚的な視力検査で0.5以上の視力となる．視力が成熟して成人と同じレベルに達するのは8～9歳である．視力が正常に発達するためには，①適切な視覚刺激があること，

表1　眼疾患を疑う異常所見

異常所見	眼疾患
白色瞳孔	網膜芽細胞腫，網膜硝子体疾患，網膜剥離，硝子体出血，眼内炎
羞明・流涙・充血	先天緑内障，前眼部形成不全，睫毛内反，眼内炎
角膜混濁	先天緑内障，分娩時外傷，角膜デルモイド，前眼部形成不全
眼球・角膜の左右差	先天緑内障（大きい），小眼球・小角膜（小さい）
眼瞼の異常	眼瞼下垂，動眼神経麻痺，眼瞼欠損，小眼球
瞳孔の形の異常	先天無虹彩，前眼部形成不全，瞳孔膜遺残
瞳孔領白濁	先天白内障

（文献2より引用）

表2　視覚に関する問診

- 瞳が白くみえたり，光ってみえることはないですか
- 眼の大きさや形がおかしいと思ったことがありますか
- 視線が合いますか
- 動くものを目で追いますか
- 目がゆれることはないですか
- 目つきや目の動きがおかしいと思ったことがありますか
- 極端にまぶしがることはないですか
- 片目を隠すと嫌がりませんか

（文献2より引用）

②正常な眼位（斜視がなく両眼の視線が合致している状態）と屈折（網膜の中心窩にピントが合っている状態）を維持していること，③眼疾患がないこと，④視神経から中枢に異常がないこと，の4つが必須条件である．

　先天白内障，先天緑内障，先天眼底疾患（家族性滲出性硝子体網膜症，胎生血管系遺残）などの重症眼疾患は，頻度は1～2万人に1～3人と少ないが，発見が遅れると治療が奏効せず，高度の視覚障害をきたすため，新生児期・乳児期に是非とも発見に努めたい．また生後2～3ヵ月頃から立体視が急速に発達するが，この時期に顕性化してくるのが乳児内斜視である．乳児内斜視を未治療のまま3ヵ月以上放置すると立体視の獲得が困難となるため，早期に眼科的な治療を開始する必要がある．

治療に必要な検査と診断

　新生時期に眼科的異常を発見するためには，第一にペンライトを使用して外眼部・前眼部を注意深く診察することが重要である．異常な徴候（表1）があれば，早急に眼科での精密検査を勧める．またred reflex法は，直像鏡（検影器）を使用して眼底からの反射を瞳孔から観察する簡便な方法であり，先天白内障等の重症眼疾患の検出に有用である．左右眼いずれかでも反射が観察できない場合には，早急に眼科での精密検査を勧告する．

　生後2～3ヵ月になると固視・追視が観察できるようになる．この時期に視反応不良，斜視，眼振などの異常徴候があれば，重症眼疾患が疑われる．視覚に関して問診すべき項目を表2に挙げる．特に注意すべきは片眼性の眼疾患である．健眼で見ているため患眼の異常に気づきにくい．片眼ずつ手で隠してみて，左右眼ともに固視，追視が良好かどうか確認する必要がある．片眼を隠したときだけ嫌悪反応がみられる場合は，他眼に重症眼

疾患が潜んでいる可能性が高い．また，片眼性の疾患が続くと二次的に斜視を生じる．乳幼児の斜視をみたら，必ず眼疾患や全身疾患の存在を疑う必要がある．

先天白内障，先天緑内障，網膜芽細胞腫，網膜剥離，強度近視などは，遺伝性の高い疾患である．家族歴を十分に聴取して，眼科でのスクリーニング検査を勧告する．特に"成熟児に起こる未熟児網膜症"と称される家族性滲出性硝子体網膜症は，乳児期に進行して網膜剥離に至ることがある．若年期の網膜剥離の家族歴があれば，生後早期に眼科で精密検査を受けるべきである．

詳しくは『改訂版乳幼児健康診査身体診察マニュアル』および研究班ホームページ[3]を参照していただきたい．

治療の実際

先天白内障は手術によって治療できる代表的疾患である．しかし視覚刺激を遮断して高度の弱視をきたすため，両眼性は生後10〜12週以内，片眼性は生後6週以内に手術治療を行って，速やかに眼鏡・コンタクトレンズ（CL）装着による屈折矯正と弱視訓練を開始しないと良好な視力は望めない．手術法は，乳児期は水晶体および前部硝子体切除術が第一選択で，1〜2歳以降では眼内レンズ（IOL）挿入術が検討される．米国では生後7ヵ月未満の片眼白内障に対するIOLとCLの多施設前向きランダム化比較試験が実施され5年経過が報告された．乳児期のIOL群には再手術が多く，術後の近視化の予測が困難であることが指摘されている．

先天緑内障は隅角の形成異常が原因であり，早急に手術治療を行わないと，角膜混濁や視神経障害が起こり重篤な視力障害をきたす．

先天眼底疾患のなかには血管増殖が急速に進行して網膜剥離となり失明する疾患があり，早期の眼底検査と光凝固治療・網膜硝子体手術が視力予後を左右する．

乳児内斜視に対しては眼鏡・プリズム・手術による早期眼位矯正が望ましい．

専門医に紹介するタイミング

重症眼疾患を疑う異常徴候があれば，早急に眼科へ紹介すべきである．左右眼とも固視が良好であれば1日を争わないが，大角度の内斜視があれば少なくとも1ヵ月以内に眼科へ紹介する．

専門医からのワンポイントアドバイス

斜視は必ず検出して眼科へ受診を勧めてほしい．正常な乳児でも一過性の内斜視を呈することがあるが，"赤ちゃんは寄り目になることがあるので少し様子をみよう"と考えていると，重症眼疾患が潜んでいた場合には手遅れとなる．また乳児内斜視は，立体視を獲得するために超早期（生後6ヵ月以内）に鑑別する必要がある．

北米の小児眼科医による多施設研究（Pediatric Eye Disease Investigator Group）によると，生後10週以降に40プリズム以上の大角度の恒常性内斜視が少なくとも2回の検査で認められ，＋3.0D以上の遠視を伴わない場合は，自然治癒する可能性が低い．

一方，日本人の乳児は，内眼角贅皮のために内側の白目（強膜）が隠れて，見かけ上の内斜視（仮性内斜視）を呈することがある．ペンライトを当てて反射光を観察する方法（角膜反射法），片眼ずつ遮閉して他眼が動くかどうか観察する方法（遮閉試験）によって真の斜視かどうか判別する（**図1**）．

新生児・乳児の眼科的異常　　811

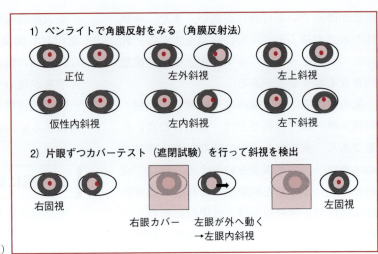

図1 眼位検査（斜視の検出）
（文献2を参照して作成）

文 献

1) 柿澤敏文：2020年度全国視覚障害幼児児童生徒の視覚障害原因等実態調査 報告書．筑波大学人間系障害科学域，2022
2) 改訂版乳幼児健康診査身体診察マニュアル．（2021年3月）
   https://www.ncchd.go.jp/center/activity/kokoro_jigyo/shinsatsu_manual.pdf
3) AMED成育疾患克服等総合研究事業：乳幼児期に発症する疾患・障害の早期発見と予防的支援手法に関する研究開発 —視覚障害について．
   https://www.infant-vision-screening.com
4) Birch EE et al：Early treatment of congenital unilateral cataract minimizes unequal competition. Invest Ophthalmol Vis Sci 39：1560-1566, 1998
5) Lambert SR et al：Is there a latent period for the surgical treatment of children with dense bilateral congenital cataracts? J AAPOS 10：30-36, 2006
6) The Infant Aphakia Treatment Study Group：Ophthalmology 124：822-827, 2017
7) Pediatric Eye Disease Investigator Group：Spontaneous resolution of early-onset esotropia：Experience of the congenital esotropia observational study. Am J Ophthalmol 133：109-118, 2002

付録1 小児（18歳未満）の予防接種一覧

(2022年11月現在. 日本脳炎, ヒトパピローマウイルス感染症のワクチンは一部18歳以上を含む)

神奈川県衛生研究所　多屋馨子（たやけいこ）

表1　予防接種法に基づく定期接種（A類疾病）のワクチン

対象疾患名	ワクチン名	販売名	種類	定期接種可能年齢	接種呼称	標準的な定期接種年齢	定期接種回数	間隔（標準的な間隔）	接種法	1回接種量
Hib感染症	乾燥ヘモフィルスb型ワクチン（破傷風トキソイド結合体）	アクトヒブ	不活化	2ヵ月～5歳未満	初回接種／追加接種	初回接種：2～7ヵ月未満　追加接種：初回接種の時期によって異なる	3回/1回	初回接種：27[20*]日以上（27[20*]日から56日目まで）（初回接種2回目・3回目は、12ヵ月未満（これを超えた場合は行わない）、追加接種は可能）、追加接種：初回接種終了後7ヵ月以上（7～13ヵ月）	皮下注	添付の溶剤0.5mLで溶解して、その全量
							2回/1回	初回接種：27[20*]日以上（27[20*]日から56日目まで）（初回接種2回目、1歳未満（これを超えない）、追加接種は可能）、追加接種：初回接種終了後7ヵ月以上（7～13ヵ月）		
						1歳～5歳未満	1回			
小児の肺炎球菌感染症	沈降13価肺炎球菌結合型ワクチン（無毒性変異ジフテリア毒素結合体）	プレベナー13 水性懸濁注	不活化	2ヵ月～5歳未満	初回接種／追加接種	初回接種：2～7ヵ月未満　追加接種：1歳0ヵ月～1歳3ヵ月	3回/1回	初回接種：27日以上（初回接種2・3回目は2歳未満（これを超えた場合は2・3回目は行わない）、初回接種2回目は1歳未満接種は可能）、追加接種：初回接種終了後60日以上あけて、1歳以上	皮下注	0.5mL
						初回接種：7ヵ月～1歳未満　追加接種：1歳以上	2回/1回	初回接種：27日以上（初回接種2回目は24ヵ月未満（これを超えた場合は行わない）、追加接種は可能）、追加接種：初回接種終了後60日以上あけて、1歳以上		
						1歳	2回	60日以上		
						2～5歳未満	1回			
B型肝炎	組換え沈降B型肝炎ワクチン（酵母由来）	ビームゲン注0.25mL／ヘプタバックスーⅡ水性懸濁注シリンジ0.25mL／ビームゲン注0.5mL／ヘプタバックスーⅡ水性懸濁注シリンジ0.5mL	不活化	0歳		2～9ヵ月未満	3回	1回目/2回目：27日以上　3回目：1日目から139日以上	皮下注（10歳以上は皮下注または筋注）	0.25mL（10歳以上は0.5mL）
ロタウイルス感染症	5価経口弱毒生ロタウイルスワクチン	ロタテック内用液	生	6週0日～32週0日		初回接種は2ヵ月～14週6日	3回	27日以上	経口	2mL
	経口弱毒生ヒトロタウイルスワクチン	ロタリックス内用液		6週0日～24週0日		初回接種は2ヵ月～14週6日	2回			1.5mL

（次頁に続く）

疾患	ワクチン	販売名	種類	年齢	期	接種時期	回数	接種間隔	接種方法	接種量
ジフテリア・百日咳・風・ポリオ	沈降精製百日せきジフテリア破傷風不活化ポリオ（セービン株）混合ワクチン	クアトロバッグ皮下注シリンジ、テトラビック皮下注シリンジ	不活化/トキソイド	3ヵ月～7歳6ヵ月未満	第1期初回接種/第1期追加接種	第1期初回接種：3～12ヵ月未満 / 第1期追加接種：初回接種の時期によって異なる	3回/1回	第1期初回接種：20日以上（20～56日まで） / 第1期追加接種：初回接種終了後6ヵ月以上（12～18ヵ月まで）	皮下注	0.5mL
	沈降精製百日せきジフテリア破傷風混合ワクチン	トリビック								
	不活化ポリオワクチン（ソークワクチン）	イモバックスポリオ皮下注	不活化	3ヵ月～7歳6ヵ月未満	第1期初回接種/第1期追加接種	第1期初回接種：3～12ヵ月未満 / 第1期追加接種：初回接種の時期によって異なる	2回/1回	第1期初回接種：20日以上（20～56日まで） / 第1期追加接種：初回接種終了後6ヵ月以上（12～18ヵ月まで）	皮下注	0.5mL
	沈降ジフテリア破傷風混合トキソイド	DTビック	トキソイド	11～13歳未満	第2期	第2期：11～13歳未満	1回		皮下注	0.1mL
結核	乾燥BCGワクチン	乾燥BCGワクチン（経皮用・1人用）	生	0歳		5～8ヵ月未満	1回		経皮	添付のスポイトで大きめの1滴を接種部位に2垂らし、管針のツバイて1.5×3cm程度に塗り広げた後、管針の円跡が重なるず長方形に並ぶように2回押し付けた後、ツバの部分で再度ワクチン液を塗り広げ、自然乾燥させる。
麻しん・風しん	乾燥弱毒生麻しん風しん混合ワクチン	はしか風しん混合生ワクチン「第一三共」、ミールビック	生	1歳/5歳以上7歳未満で小学校就学前1年間	第1期/第2期	第1期：1歳早期 / 第2期：5歳以上7歳未満で小学校就学前1年間	1回/1回		皮下注	添付の注射用水0.7mLで溶解した後、そのうち0.5mL
	乾燥弱毒生麻しん風しん混合ワクチン「タケダ」		生							
	乾燥弱毒生麻しんワクチン	乾燥弱毒生麻しんワクチン「タケダ」	生							
	乾燥弱毒生風しんワクチン	乾燥弱毒生風しんワクチン「タケダ」	生							
水痘	乾燥弱毒生水痘ワクチン	乾燥弱毒生水痘ワクチン「ビケン」	生	1～3歳未満		1回目：12～15ヵ月 / 2回目：1回目接種の時期によって異なる	2回	3月以上（6～12ヵ月）	皮下注	添付の注射用水0.7mLで溶解した後、そのうち0.5mL

（次頁に続く）

疾病	ワクチン	販売名	区分	対象年齢	対象者	標準的な接種年齢	接種回数	接種間隔	接種方法	接種量
日本脳炎	乾燥細胞培養日本脳炎ワクチン	エンセバック皮下注用 ジェービックV	不活化	第1期6ヵ月～7歳6ヵ月未満 第2期9～13歳未満	第1期初回接種/第1期追加接種/第2期	第1期初回接種：3歳 第1期追加接種：4歳 第2期：9歳	2回/1回/1回	第1期初回接種：6日以上（6～28日まで） 第1期追加接種：初回接種終了後6ヵ月以上（概ね1年）	皮下注	添付の注射用水0.7mLで溶解した後、そのうち0.5mL
ヒトパピローマウイルス感染症	組換え沈降2価ヒトパピローマウイルス様粒子ワクチン（イラクサギンウワバ細胞由来） 【令和4年4月2日～令和7年3月の3年間の措置】 平成9年4月2日～平成18年4月1日に生まれた女性 平成18年4月2日～平成20年4月1日に生まれた者	サーバリックス	不活化	小学校6年1年生相当年齢の女性	中学1年生の女性		3回	1回目/2回目：1ヵ月以上（1ヵ月） 3回目：1回目から5ヵ月以上、2回目から2ヵ月半以上（1回目から6ヵ月）	筋注	0.5mL
	組換え沈降4価ヒトパピローマウイルス様粒子ワクチン（酵母由来） 【令和4年4月2日～令和7年3月の3年間の措置】 平成9年4月2日～平成18年4月1日に生まれた女性 平成18年4月2日～平成20年4月1日に生まれた者	ガーダシル水性懸濁注シリンジ	不活化	小学校6年生～高校1年生相当年齢の女性	中学1年生の女性		3回	1回目/2回目：1ヵ月以上（2ヵ月） 3回目：2回目から3ヵ月以上（1回目から6ヵ月）	筋注	0.5mL

☆：ロタウイルス感染症を除く対象疾病について、定期接種の対象者であった間に、特別の事情により予防接種を受けることができなかったと認められる者については、特別の事情がなくなった日から起算して2年を経過する日までの間は定期接種として接種できる。

＊：医師が必要と認めた場合

表 2　予防接種法に基づく特例臨時接種のワクチン（2022 年 3 月 31 日まで）

対象疾患名	ワクチン名	販売名	種類	臨時接種可能年齢	接種呼称	標準的な臨時接種年齢	臨時接種回数	間隔（標準的な間隔）	接種法	1 回接種量
新型コロナウイルス感染症	コロナウイルス修飾ウリジン RNA ワクチン（SARS-CoV-2）	コミナティ筋注 6 ヵ月～4 歳用	mRNA	6 ヵ月～4 歳	初回接種		3 回	初回接種（1 回目/2 回目）：3 週間 初回接種（3 回目）：2 回目から 8 週間	筋注	2.2mL の生理食塩水で溶解した後、そのうち 0.2mL
		コミナティ筋注 5～11 歳用		5～11 歳	初回接種/追加接種		2 回/1 回	1 回目/2 回目：18 日以上（原則 20 日）（2 回目接種時に 12 歳以上になっていた場合でも、5～11 歳用を接種） 追加接種：初回接種完了後 5 ヵ月以上		1.3mL の生理食塩水で溶解した後、そのうち 0.2mL
		コミナティ筋注			初回接種/第 1 期追加接種/第 2 期追加接種		2 回/1 回/1 回	初回接種（1 回目/2 回目）：18 日以上（原則 20 日） 第 1 期追加接種（3 回目）：初回接種完了後 3 ヵ月以上 第 2 期追加接種（4 回目）：第 1 期追加接種完了後 3 ヵ月以上		1.8mL の生理食塩水で溶解した後、そのうち 0.3mL
		コミナティ RTU 筋注（2 価：起源株/オミクロン株 BA.1）		12 歳以上	第 1 期追加接種/第 2 期追加接種		1 回/1 回	第 1 期追加接種：初回接種完了後 3 ヵ月以上 第 2 期追加接種：第 1 期追加接種完了後 3 ヵ月以上		希釈せずに、1 回 0.3mL
		コミナティ RTU 筋注（2 価：起源株/オミクロン株 BA.4-5）			第 1 期追加接種/第 2 期追加接種		1 回/1 回	第 1 期追加接種：初回接種完了後 3 ヵ月以上 第 2 期追加接種：第 1 期追加接種完了後 3 ヵ月以上		希釈せずに、1 回 0.3mL
		スパイクバックス筋注（1 価：起源株）（旧販売名：COVID-19 ワクチンモデルナ筋注）			初回接種/第 1 期追加接種/第 2 期追加接種		2 回/1 回/1 回	初回接種（1 回目/2 回目）：20 日以上（原則 27 日） *第 1 期追加接種の対象は 18 歳以上 第 1 期追加接種（3 回目）：初回接種完了後 3 ヵ月以上 第 2 期追加接種（4 回目）：第 1 期追加接種完了後 3 ヵ月以上		希釈せずに、初回接種：1 回 0.5mL/追加接種：1 回 0.25mL
		スパイクバックス筋注（2 価：起源株/オミクロン株 BA.1）		18 歳以上	第 1 期追加接種/第 2 期追加接種		1 回/1 回	第 1 期追加接種：初回接種完了後 3 ヵ月以上 第 2 期追加接種：第 1 期追加接種完了後 3 ヵ月以上		希釈せずに、1 回 0.5mL
		スパイクバックス筋注（2 価：起源株/オミクロン株 BA.4-5）			第 1 期追加接種/第 2 期追加接種		1 回/1 回	第 1 期追加接種：初回接種完了後 3 ヵ月以上 第 2 期追加接種：第 1 期追加接種完了後 3 ヵ月以上		希釈せずに、1 回 0.5mL
	組換えコロナウイルス（SARS-CoV-2）ワクチン	ヌバキソビッド筋注	不活化	12 歳以上/追加接種は 18 歳以上	初回接種/第 1 期追加接種		2 回/1 回	初回接種（1 回目/2 回目）：原則 20 日 第 1 期追加接種：初回接種完了後 6 ヵ月以上 *第 1 期追加接種の対象は 18 歳以上		希釈せずに、1 回 0.5mL

*第 2 期追加接種の対象は、60 歳以上、18～59 歳で基礎疾患を有する者、その他新型コロナウイルス感染症にかかった場合の重症化リスクが高いと医師が認める者、医療従事者等および高齢者施設等の従事者
*スパイクバックス筋注の第 1 期追加接種は 18 歳以上が対象であるが、接種量が 1 回 0.25mL に減量

表3 小児に接種可能な主な任意接種ワクチン

（これ以外にも、定期接種対象年齢を過ぎた場合、任意接種として接種可能なワクチンもあるがここには記載していない。添付文書参照のこと）

対象疾患名	ワクチン名	販売名	種類	任意接種可能年齢	接種回数	接種間隔（標準的な間隔）	接種法	1回接種量
肺炎球菌感染症	肺炎球菌ワクチン	ニューモバックスNP / ニューモバックスNPシリンジ	不活化	2歳以上	1回	再接種を行う場合、必要性を慎重に考慮したうえで、前回接種から十分な間隔をあけて行う	筋注または皮下注 / 筋注	0.5mL
	沈降13価肺炎球菌結合型ワクチン（無莢膜変異ジフテリア毒素結合体）	プレベナー13水性懸濁注	不活化	肺炎球菌による疾患に罹患するリスクが高いと考えられる者			筋注	
ジフテリア・百日咳・破傷風・ポリオ	沈降精製百日せきジフテリア破傷風混合ワクチン	トリビック	不活化/トキソイド	7歳6ヵ月以上	定期接種4回完了後、通常、1回	就学前、11歳以上13歳未満、成人等で百日咳の予防のために接種する場合がある	皮下注	0.5mL
	不活化ポリオワクチン（ソークワクチン）	イモバックスポリオ皮下注	不活化			ポリオ流行国に渡航する場合、昭和50〜52年生まれの者等の追加接種		
麻しん・風しん	乾燥弱毒生麻しん風しん混合ワクチン[第一三共]	はしか風しん混合ワクチン[第一三共] / ミールビック	生	6ヵ月〜1歳未満 / 2歳以上で年中組まで小学生以上	定期接種を含めて1歳以上で2回を含め推奨	最短4週以上	皮下注	添付の注射用水0.7mLで溶解した後、そのうち0.5mL
	乾燥弱毒生麻しんワクチン[タケダ]	乾燥弱毒生麻しんワクチン[タケダ]						
	乾燥弱毒生風しんワクチン[タケダ]	乾燥弱毒生風しんワクチン[タケダ]						
流行性耳下腺炎	乾燥弱毒生おたふくかぜワクチン	おたふくかぜ生ワクチン[第一三共] / 乾燥弱毒生おたふくかぜワクチン[タケダ]	生	1歳以上	2回（日本小児科学会推奨）	1回目：1度 / 2回目：5歳以上7歳未満で小学校就学前1年間	皮下注	添付の注射用水0.7mLで溶解した後、そのうち0.5mL
ヒトパピローマウイルス感染症	組換え沈降2価ヒトパピローマウイルス様粒子ワクチン（イラクサギンウワバ細胞由来）	サーバリックス	不活化	10歳以上で定期接種対象年齢以外の女性	3回	1回目から1〜2.5ヵ月で2回目接種、1回目から5〜12ヵ月で3回目接種（1ヵ月間隔で2回目接種、1回目から6ヵ月で3回目接種）	筋注	0.5mL
	組換え沈降4価ヒトパピローマウイルス様粒子ワクチン（酵母由来）	ガーダシル水性懸濁筋注シリンジ	不活化	9歳以上の男性、9歳以上で定期接種対象年齢以外の女性		1ヵ月以上の間隔で2回目、2回目から少なくとも3ヵ月以上あけて3回目（2ヵ月間隔で2回目接種、1回目から6ヵ月で3回目接種）		
	組換え沈降9価ヒトパピローマウイルス様粒子ワクチン（酵母由来）	シルガード9水性懸濁筋注シリンジ		9歳以上の女性				
インフルエンザ	インフルエンザHAワクチン	ビケンHA / インフルエンザHAワクチン[KMB] / インフルエンザHAワクチン[生研] / フルービックHA / フルービックHAシリンジ	不活化	6ヵ月以上	6ヵ月〜12歳：2回 / 13歳以上：1回または2回	6ヵ月〜12歳：約2〜4週間 / 13歳以上で2回接種の場合：約1〜4週間 ※免疫効果を考慮すると4週間の間隔が望ましい	皮下注	6ヵ月〜2歳：0.25mL / 3歳以上：0.5mL
		インフルエンザHAワクチン[第一三共]シリンジ0.25mL / インフルエンザHAワクチン[第一三共]1mL / インフルエンザHAワクチン[第一三共]シリンジ0.5mL	不活化	1歳以上	1〜12歳：2回 / 13歳以上：1回または2回	1〜12歳：約2〜4週間 / 13歳以上で2回接種の場合：約1〜4週間が望ましい		1〜2歳：0.25mL / 3歳以上：0.5mL

（次頁に続く）

疾患	ワクチン名	販売名	種類	対象年齢	接種回数	接種スケジュール	接種方法	溶解・接種量
A型肝炎	乾燥組織培養不活化A型肝炎ワクチン	エイムゲン	不活化	世界保健機関（WHO）ガイドラインでは1歳以上の小児への接種が推奨	3回	1回目/2回目：2～4週（急ぐときは2週）3回目：1回目から24週後	筋注または皮下注	添付の注射用水0.65mLで溶解した後、そのうち0.5mL
破傷風	沈降破傷風トキソイド	沈降破傷風トキソイド［生研］沈降破傷風トキソイドキット［タケダ］破トキ［ビケンF］	トキソイド	全年齢	3回	1回目/2回目：3～8週間 3回目：1回目から6ヵ月以上（12～18ヵ月）	筋注または皮下注	0.5mL
髄膜炎菌感染症	4価髄膜炎菌ワクチン（ジフテリアトキソイド結合体）	メナクトラ筋注	不活化	2歳未満の小児等に対する安全性および有効性は確立していない	1回		筋注	0.5mL
黄熱	黄熱ウイルス（17D-204株）	黄熱ワクチン1人用	生	9ヵ月以上	1回		皮下注	添付の生理食塩水0.6mLで溶解した後、そのうち0.5mL
狂犬病	乾燥組織培養不活化狂犬病ワクチン	ラビピュール筋注用	不活化	全年齢	3回（曝露前） 4回（曝露後） 5回（曝露後） 6回（曝露後）	1回目/2回目：7日 3回目：1回目から21日または28日 1回目/2回目（接種部位を変えて2ヵ所に1回ずつ）3回目：1回目から7日 4回目：1回目から21日 1回目/2回目：3日 3回目：1回目から7日 4回目：1回目から14日 5回目：1回目から21日 1回目/2回目：3日 3回目：1回目から7日 4回目：1回目から14日 5回目：1回目から30日 6回目：1回目から90日	筋注	添付の注射用水全量で溶解した後、そのうち1.0mL
ジフテリア	成人用沈降ジフテリアトキソイド	ジフトキ［ビケンF］	トキソイド	10歳以上	1回		皮下注	0.5mL

表4 健康保険で受けられるワクチン

対象疾患名	ワクチン名	販売名	種類	接種可能年齢	接種回数	【接種対象】接種間隔（標準的な間隔）	接種法	1回接種量
B型肝炎	組換え沈降B型肝炎ワクチン（酵母由来）	ビームゲン注0.25mL ヘプタバックス-II水性懸濁注シリンジ0.25mL ビームゲン注0.5mL ヘプタバックス-II水性懸濁注シリンジ0.5mL	不活化	全年齢	3回	【母子感染予防】 抗HBs人免疫グロブリンとの併用で、生後12時間以内/初回接種の1ヵ月後および初回接種の6ヵ月後。HBsAbが10mIU/mL以上に上昇していない場合は、追加接種 【HBs抗原陽性でかつHBe抗原陽性の血液による汚染事故後のB型肝炎発症予防】 抗HBs人免疫グロブリンとの併用で、事故発生後7日以内/初回接種の1ヵ月後および初回接種の3～6ヵ月後。HBsAbが10mIU/mL以上に上昇していない場合は、追加接種 【血友病患者のB型肝炎予防】 1回目/2回目：4週　3回目：1回目から20～24週	皮下注（10歳以上は皮下注または筋注）	0.25mL（10歳以上は0.5mL）
髄膜炎菌感染症	4価髄膜炎菌ワクチン（ジフテリアトキソイド結合体）	メナクトラ筋注	不活化	2歳未満の小児等に対する安全性および有効性は確立していない	1回	【発作性夜間ヘモグロビン尿症における溶血抑制あるいは非典型溶血性尿毒症症候群における血栓性微小血管障害の抑制、あるいは全身型重症筋無力症、視神経脊髄炎スペクトラム障害（視神経脊髄炎を含む）の再発予防でエクリズマブを投与する場合、および発作性夜間ヘモグロビン尿症あるいは非典型溶血性尿毒症症候群でラブリズマブを投与する場合】	筋注	0.5mL
肺炎球菌感染症	肺炎球菌ワクチン	ニューモバックスNP ニューモバックスNPシリンジ [生研]	不活化	2歳以上	1回	【2歳以上の脾摘患者における肺炎球菌による感染症の発症予防】	筋注または皮下注	0.5mL
破傷風	沈降破傷風トキソイド	沈降破傷風トキソイドキット [タケダ] 沈降破傷風トキソイド [生研] 破トキ [ビケンF]	トキソイド	全年齢	3回	【外傷後の破傷風予防】	筋注または皮下注	0.5mL

付録2 骨年齢／成長曲線（図1〜3）

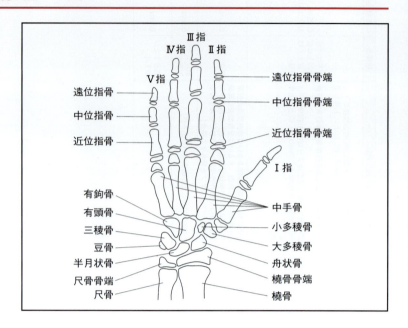

図1　左手部骨名称

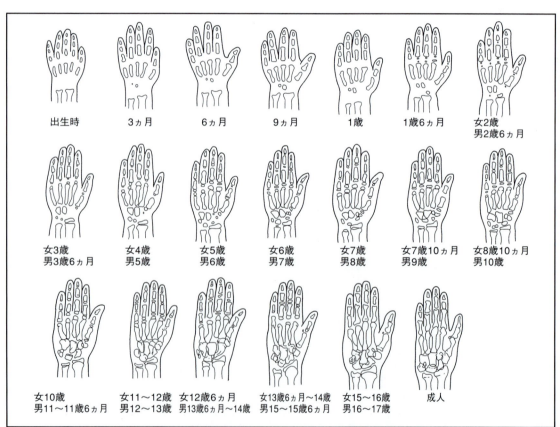

図2　手部骨X線像による簡便な骨年齢の評価法

（「諏訪城三：四肢骨端レントゲン像と年齢．総合臨床 16：229, 1967」より引用）

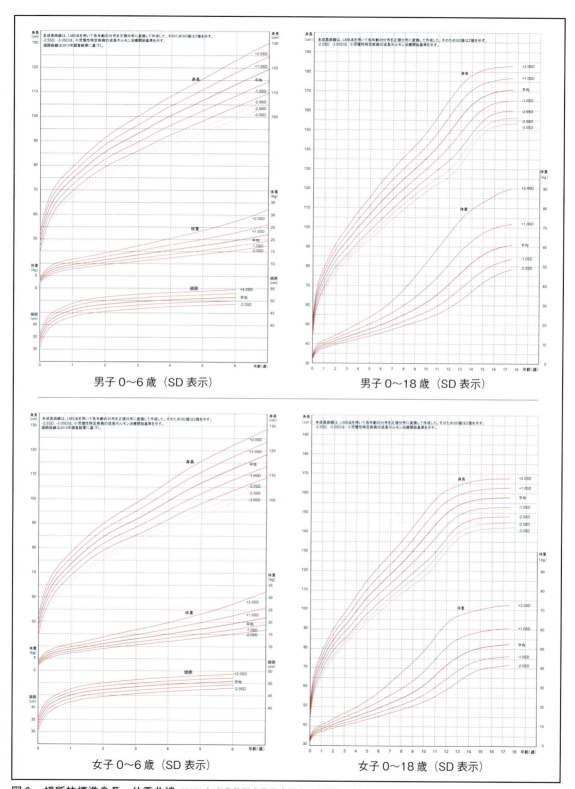

図3　横断的標準身長・体重曲線（2000年度乳幼児身体発育調査・学校保健統計調査）
著作権：一般社団法人 日本小児内分泌学会，著者：(身長・体重) 加藤則子，磯島豪，村田光範 他：Clin Pediatr Endocrinol 25：71-76, 2016（頭囲）加藤則子，横山徹爾，瀧本秀美：平成23年度総括・分担研究報告書（H23-次世代-指定-005）11-52, 2012

索　引

あ

アクアライト ORS　34
朝起きることができない　724
アシクロビル　125, 166, 357
亜硝酸塩試験　483
アスペルガー症候群　715
アスペルギルス　191
アセチルコリンエステラーゼ染色　296
アセチルコリンムスカリンレセプター刺激薬　666
アセチルサリチル酸　212
アセトアミノフェン　2, 5, 749
アセトン血性嘔吐症　508
圧痕性浮腫　44
アデノイド・扁桃肥大　615
アドヒアランス　532, 596
アトピー性皮膚炎　201, 592, 594, 658
アトピー素因　594
アドレナリン　620
アドレナリン吸入　65
アナフィラキシー　418, 599, 602, 620
アミノ酸代謝異常症　565
アミノ酸分析　566
アミノフィリン　84
アモキシシリン（AMPC）　172
アラーム療法　699
アリピプラゾール　694
アリルイソプロピルアセチル尿素　749
アルギニンバソプレシン　533
アレルギー性鼻炎　611
アレルゲン　621
アレルゲン免疫療法　613, 618
アンジオテンシンⅡ　458
アンジオテンシン変換酵素阻害薬　52

い

育児環境　787
移行　667
意識障害　22
胃・十二指腸潰瘍　280
胃食道逆流　62
胃洗浄　801
イソプロテレノール　85
依存症集団療法　750
一次結核　187
一次孔欠損　233
一次性頭痛　360
一時的体外ペーシング　255
溢水　455
遺伝性球状赤血球症　407
遺伝性骨髄不全症候群　424
移動性精巣　501
易怒的な気分　708
イブプロフェン　2, 5
医薬品副作用データベース（JADER）　622
イレウス　287
イレウス管　291
陰圧個室　190
インスリン　520, 522
インテグラーゼ阻害剤　636
咽頭結膜熱　146
咽頭扁桃炎　174
陰嚢症　506
陰嚢水腫　327
インヒビター　416
インフリキシマブ　212
インプリンティング遺伝子　767
インプリンティング疾患　767
インフルエンザ　5, 110
インフルエンザウイルス抗原迅速検出キット　110
インフルエンザ菌　168, 195
インフルエンザ菌 b 型（Hib）　168
インフルエンザ菌 type b ワクチン　167
インフルエンザ脳症　111

う

ウイルス遺伝子検査　121, 123
ウイルス性胃腸炎　10, 104
ウエスト周囲長　559
右左短絡　40
うつ病　707
運動発達遅滞　332
運動療法　561

え

易感染性　628
液面像（ニボー）　288
エクソン・スキッピング治療　383
エコー　273
エコー下整復　275
壊死組織　796
エストラジオール　537
エストロゲン補充療法　761
壊疽性虫垂炎　269
エナラプリル　256
エピペン®　624
エミシズマブ　416
嚥下痛　175
炎症性下痢　8
炎症性腸疾患　280, 313
炎症性マーカー　3
塩分制限　447, 453
エンベロープをもたない二本鎖 DNA ウイルス　145

お

横隔膜ヘルニア　9
黄色ブドウ球菌　200
黄体ホルモン製剤　540
嘔吐　8, 265
応用行動分析　704
オーバーラーニング　701
オセルタミビル　112
おたふくかぜワクチン　136
オナセムノゲン　アベパルボベク　377
オリーブ様腫瘤　265
音読指導アプリ　715

─か─

外因性　400
回外筋　783
概日リズム睡眠・覚醒障害群　726
外傷性気胸　90
回腸結腸型　274
解読指導　713
解読障害　713
回避・制限性食物摂取症　683
外分泌腺障害　663
潰瘍性大腸炎　313
化学療法　427，441
過換気症候群　735
過換気発作　735
下気道炎　129
可逆性白質脳症　49
核酸アナログ製剤　306
核酸系（ヌクレオシド／ヌクレオチド）逆転写酵素阻害剤　636
学習障害　774
覚醒剤取締法　733
拡張型心筋症　253，382
拡張期ランブル　232
過剰摂取　799
過食症　682
加水分解乳　15
かずさ DNA 研究所　549
家族ガイダンス　692
家族性血球貪食症候群　629
家族性地中海熱　674，675
カタル性虫垂炎　269
学校検尿　468
活性炭　801
カテーテルアブレーション　221
カテーテル治療　236
カナキヌマブ　676
過敏性腸症候群　320
下部尿路感染症　483
下部尿路機能障害　494
下部尿路症状　695
花粉症　616
花粉飛散情報　617
可溶性インターロイキン2受容体（IL-2R）　392
カリニ肺炎　403
顆粒球減少症　399
カルグルミン酸　567

カルシウム感知受容体　549
カルシニューリン阻害薬　445
カルニチン　388
カルニチン欠乏症　254，573
川崎病　208
眼位検査　809，812
肝移植　302
肝炎　304
感音性難聴　151
感音難聴　198
換気／血流不均衡　70
換気不全　42
眼筋型　369
緩下剤　801
間欠的（自己）導尿　493
還元型ヘモグロビン　38
頑固な便秘　294，295
環軸椎〔亜〕脱臼　756
カンジダ　191
間質性肺炎　94，658
関節型若年性特発性関節炎　644
関節痛　671
関節内血腫　415
関節リウマチ　648
感染症法　170
感染性心内膜炎　181，238
感染性心内膜炎の予防　231
完全房室ブロック　221
乾燥自覚症状　667
乾燥弱毒水痘生ワクチン　126
冠動脈疾患　575，577，579
冠動脈病変　208
冠動脈瘤　212
嵌頓　782
肝不全　301
顔面神経麻痺　198

─き─

奇異性塞栓症　233
偽陰性　804，807
気管支炎　76
気胸　88
偽欠損　588
危険ドラッグ　748
器質疾患　279
気腫性嚢胞　93
偽性副甲状腺機能低下症　548
拮抗薬　801
気道炎症　603

気道過敏性　82
気道過敏性亢進　604
気道損傷　796
気道熱傷　791
機能性消化管疾患　321
機能性ディスペプシア　281
虐待対策委員会　745
キャップ依存性エンドヌクレアーゼ　114
急性胃炎　281
急性胃腸炎　32
急性胃粘膜病変　281
急性咽頭炎　172
急性陰嚢症　503
急性壊死性脳症　356
急性肝炎　305
急性喉頭蓋炎　66
急性呼吸窮迫症候群　163
急性骨髄性白血病　426
急性細気管支炎　69
急性散在性脳脊髄炎　355
急性糸球体腎炎　173
急性症候性発作　24
急性腎炎症候群　454
急性腎障害　449，461，473
急性腎不全　461
急性中毒　799
急性乳様突起炎　198
急性脳症　355
急性副腎皮質不全　515
急性リウマチ熱　173
急性リンパ性白血病　426
吸入ステロイド薬　603
胸腔鏡下手術　92
胸腔ドレナージ　92
胸腔ドレナージチューブ　89
胸腺低形成　772
胸部 CT 撮影　91
興味または喜びの喪失　707
拒食症　682
巨大瘤　212
ギラン・バレー症候群　364
起立性調節障害　257
緊急一時保護　745
菌血症　182
筋性防御　270
緊張性気胸　89
筋肉内血腫　415
筋力低下　369，375，381，658，684

く

グアンファシン塩酸塩　694
空気感染　125
くしゃみ　612
グリオーマ　440
クリオピリン関連周期熱症候群　674，675
グリセリン浣腸　16
クリニテスト　10
クループ　65
クループスコア　66
くる病　553
クローン病　313
クロストリジオイデス・ディフィシル　177

け

経験的治療　192
経口ステロイド薬　445
経口補水液　12，106
経口補水療法　31
経口免疫療法　601
経肛門的プルスルー　298
経静脈的免疫グロブリン療法　367
経静脈輸液　35
軽度蛋白尿　459
経尿道的ボツリヌス毒素膀胱壁内注入療法　495
経皮的動脈血酸素飽和度　38
けいれん　22
けいれん重積型急性脳症　101
けいれん重積型（二相性）急性脳症　356
けいれん重積状態　345，357
外科手術　236
外科治療　184
血圧測定　50
血液酸素運搬量　19
血液酸素含有量　18
血液浄化療法　367，465，567
血液培養　183
血液分布異常性ショック　18
結核菌　186
結核菌検査　190
血球貪食性リンパ組織球症　392
月経不順　538
血漿交換　367
血小板減少　473

血小板減少性紫斑病　123
血小板サイズ　410
血清 LDH 値　163
血清セルロプラスミン　581
血清マーカー（KL-6，SP-A，SP-D）　96
結節性硬化症　353
血栓症　449
血栓性微小血管症　472，473
血中 GDF15/FGF21　386
結腸結腸型　274
血友病　414
血友病 A　414
血友病 B　414
ケトアシドーシス　520
ケトーシス　508
ケトン血性低血糖症　572，573
ケトン食療法　348，354
ケトン性低血糖症　508
ケトン体　508，572
下痢　8
原因遺伝子　295
原因不明の意識障害　800
嫌悪反応　810
減感作療法　618
限局性学習症　712
健康保険　819
言語発達遅滞　704
検尿　175
犬吠様咳嗽　66
原発性性腺機能低下症　760
原発性免疫異常症　628

こ

コアラ抱っこ　789
語彙指導　713
コイル塞栓術　237
高 ALP 血症　555
高 IgD 症候群　676
抗 IgE 抗体　609
抗 SS-A/Ro 抗体　664
抗 TSH 受容体抗体　530
抗 U1-RNP 抗体　652
高 γ-グロブリン血症　653
高アンモニア血症　563
広域抗生物質　403
高位結紮　327
高インスリン血症　571
高インスリン性低血糖症　574
抗ウイルス薬　153

抗うつ薬　710
口蓋裂　773
抗核抗体　646
高カリウム血症　455
高感度 PCR 法　165
抗菌薬　78
抗菌薬感受性検査　280
抗菌薬耐性菌　196
口腔アレルギー症候群　599
口腔内衛生　185
高血圧　48，454，467，469，560
高血圧基準　48
高血圧性緊急症　456
高血圧性脳症　452
抗原　146
抗原除去・回避　613
抗原特異的 IgE　600
抗甲状腺薬　531
抗コリンエステラーゼ薬　371
抗コリン薬　700
高サイトカイン血症　645
好酸球性消化管疾患　280
膠質浸透圧　45
甲状舌管嚢胞　60
甲状腺機能低下症　756
甲状腺形成異常　529
甲状腺刺激抗体　530
甲状腺ホルモン　531
甲状腺ホルモン合成障害　529
口唇ヘルペス　164
酵素補充療法　589
高体温　3
高炭酸ガス血症　71
好中球　160
好中球減少症　399
抗てんかん薬　348
後天性 CMV 感染　150
後天性びまん性甲状腺機能亢進症　528
後天性免疫不全症候群　633
喉頭蓋吊り上げ術　62
喉頭軟化症　60
行動療法的観点　731
高度蛋白尿　459
高尿酸血症　560
高年齢出産　755
紅斑　658
広範囲熱傷　796
抗百日咳菌抗体　156

825

後部尿道弁　489
高分解能 CT（HRCT）　94
抗補体薬　480
硬膜下血腫　740
肛門括約筋　13
絞扼性腸閉塞　288
抗利尿ホルモン　696
抗リン脂質抗体症候群　639
抗レトロウイルス療法　634
コエンザイム Q₁₀　387
股関節脱臼　789
股関節の自由な運動　789
呼吸器疾患　41
呼吸窮迫　74
呼吸障害　119
呼吸状態　119
呼吸性アルカローシス　735
呼吸理学療法　72
国際抗てんかん連盟（ILAE）
　345
国際小児禁制学会　695
黒色表皮症　560
固視　810
固視検査　809
骨髄異形成症候群　421
骨折との鑑別　783
骨年齢　820
骨盤位　787
骨ミネラル代謝異常　467
コデイン　748
子ども家庭支援センター　740
ゴナドトロピン　543, 544
ゴナドトロピン依存性思春期早発
　症　542
ゴナドトロピン非依存性思春期早
　発症　542
コプリック斑　121
鼓膜所見　194
鼓膜切開　196
コルチゾール　516
コルヒチン　676
混合性結合組織病　651
コンパートメント症候群　780,
　797

——さ——

細気管支炎　117
細菌性髄膜炎　167
細菌性腸炎　10, 176
細菌性肺炎　78

細菌性腹膜炎　451
細菌の二次感染　119
再生不良性貧血　420
最善の利益（best interest）
　766
在宅自己注射　419, 526
サイトカインプロファイル
　647
再発予防　341
細胞外液　43
細胞内液　43
左心低形成症候群　249
ザナミビル　112
酸化マグネシウム　16
三環系抗うつ薬　700

——し——

ジアノッティ症候群様　140
シェーグレン症候群　639, 663
視覚障害　809
視覚スクリーニング　809
歯科処置　185
耳下腺シアログラフィ　665
志賀毒素産生性大腸菌　472,
　473, 479
糸球体濾過率　468
シクロスポリン　423, 445
シクロホスファミド　445
刺咬昆虫　622
自己炎症性疾患　630, 645
自己抗体　640
自己治療　749
自己免疫疾患　646
自己免疫性肝炎　306
自己免疫性多腺性内分泌不全症
　549
自己免疫性溶血性貧血　407
自殺関連現象　710
自殺企図　708
自殺念慮　708
思春期やせ症　683
視床下部過誤腫　545
自助グループ　750
自然気胸　88
持続吸入　85
持続脳波モニタリング　27
市中肺炎　76
指定難病　479
児童虐待　738, 743
児童虐待防止法　738

児童青年期の多軸診断　728
児童相談所　740
シトリン欠損症　565
シトリン欠損による新生児肝内胆
　汁うっ滞症　299
シトルリン　567
シナジス®　69, 73
紫斑　670
市販薬　747
ジフェンヒドラミン　749
自閉スペクトラム症／自閉症スペ
　クトラム障害　702
脂肪肝　301
脂肪酸酸化異常症　573
脂肪酸酸化障害　565, 571
若年性特発性関節炎の分類基準
　645
若年性皮膚筋炎　657
斜視　810, 811
縦隔気腫　88
集学的検討　94
周期性 ACTH-ADH 分泌過剰症
　509
周期性嘔吐症候群　509
周期性発熱・アフタ性口内炎・咽
　頭炎・頸部リンパ節炎症候群
　676
自由行動下 24 時間血圧測定
　51
重症化抑制　128
重症感染症　400
重症筋無力症　369
重症好中球減少症　401
重症度評価　791
重症複合免疫不全症　629
修正 pulmonary index スコア
　131
重篤な疾患　763
重複配列　117
手術治療　618
出生前診断　756
循環血液量減少性ショック　18
上衣腫　439
消化管アレルギー　10
消化管除染　799
消化管閉鎖　9
症候性（二次性）肥満　558
上室期外収縮　221
消失精巣　498, 499, 500, 501
小切開手術　234

小唾液腺生検　665
小腸小腸型腸重積　274，275
焦点起始発作　346
焦点てんかん　346
小児期シェーグレン症候群
　663
小児救急医療　22
小児急性中耳炎　194
小児結核診療のてびき（改訂版）
　186
小児市中肺炎の重症度分類　77
小児多系統炎症症候群　214
小児肥満症　559
小児不応性血球減少症　421
小児慢性特定疾患　479
小児用肺炎球菌ワクチン　167，
　168
上部尿路感染症　482
上部尿路障害　495
鞘膜外捻転　504
鞘膜内捻転　504
静脈洞型　233
初期輸液　791
食事・運動療法　522
食事療法　561
食物　622
食物アレルギー　597，598
食物依存性運動誘発アナフィラキ
　シー　599，625
食物経口負荷試験　598，601，
　602
食物繊維　15
女児　787
書字障害　715
ショック　18，42
腎盂尿管移行部狭窄　489
腎炎　670
新型コロナワクチン　204
腎機能障害　461
腎機能推算式　463
心機能低下　252
心筋炎　252
真菌感染症　191
心筋トロポニン　253
神経因性膀胱　493
神経芽腫　434
神経芽腫群　435
神経髄鞘形成　529
神経性過食症　682
神経性やせ症　682

神経節芽腫　435
神経節腫　435
腎血管性高血圧　48，49
心原性ショック　18
人工呼吸管理　72，86
進行性・遅発性難聴　807
腎後性　464
腎後性 ARF　462
深在性真菌症　191
心疾患　41
心室期外収縮　222
腎実質性 ARF　462
心室中隔欠損症　229
心室頻拍　222
侵襲性あるいは播種性のアデノウ
　イルス感染症　149
滲出性中耳炎　756
新生児　148
新生児イレウス症状　294
新生児水痘　126
新生児聴覚スクリーニング
　804
新生児・乳児食物蛋白誘発胃腸症
　598
新生児ヘルペス　164
新生児発作　346
新生児マススクリーニング
　300
新生児ループス　668
腎性尿崩症　534，535
腎前性　464
腎前性 ARF　462
心臓エコー　236
心臓超音波検査　183
腎代替療法　470
身体的虐待　738，779
浸透圧性下痢　8，10
深部静脈血栓症　46
心不全　42，215，235
心ブロック　667
心房粗動　221
心房中隔欠損症　232
心房頻拍　225
心理教育　692，709
心理的ケア　761
心理的要因　735

——す——

髄液検査　4，340
髄芽腫　439

水腎・水尿管　489
水痘　6，451
水頭症　440
水痘・帯状疱疹ウイルス　125
膵島特異的自己抗体　520
水泡形成　792
髄膜炎　188
髄膜炎菌　168
髄膜菌感染　480
睡眠時無呼吸症候群　560
睡眠障害　324
睡眠不足症候群　725
（水様性）鼻漏　612
スキンケア　595
スタチン　577，578，579
頭痛　324
ステロイド　84，161，255，
　459，595
ステロイド依存性　444
ステロイド合成阻害薬　546
ステロイド抵抗性ネフローゼ症候
　群　449
ストレス　321
ストレス潰瘍　796

——せ——

性器ヘルペス　164
成熟時計　543
正常神経節腸管　297
成人発症II型シトルリン血症
　299
精神保健福祉センター　751
静水圧　45
性ステロイド阻害薬　546
性ステロイドホルモン　544
性腺機能低下　769
性腺モザイク　765
精巣固定術　498，499，501
精巣腫瘍　499
精巣捻転　503，504，505
成長曲線　820
成長障害　301，322
成長ホルモン　524
成長ホルモン分泌不全性低身長症
　524
成長ホルモン療法　769
生物学的製剤　648
性ホルモン療法　700
セカンドルック手術　291
脊髄性筋萎縮症　375

827

舌下免疫療法　615
赤血球　404
接合部頻脈　222
舌根沈下　60
接触感染予防策　148
摂食障害　682
遷延性黄疸　300
腺外臓器障害　664
潜在性二分脊椎　494
染色体異常症　763
染色体検査　755, 759
染色体脆弱性試験　422
染色体微小欠失　772
全身型　165
全身型若年性特発性関節炎　644
全身性エリテマトーデス　638, 651
全身性浮腫　44
先制治療　151, 153
喘息　129, 623
喘息の重症度　605
先天性 CMV 感染　150
先天性角化不全症　420, 422
先天性血小板減少症　409
先天性甲状腺機能低下症　528
先天性心疾患　181, 755, 773
先天性腎尿路異常　467
先天性喘鳴　60
先天性風疹症候群　120
先天性免疫不全症候群　628
先天白内障　810, 811
先天緑内障　810, 811
全般起始発作　346
全般焦点合併てんかん　346
全般性発達遅滞　333
全般てんかん　346
喘鳴　604
前腕の回内　784
前腕を回外　783

―そ―

早期動脈硬化症　560
造血幹細胞移植　429, 589
造血器腫瘍　430
造血細胞移植　402, 423
創傷被覆材　791
巣状分節性糸球体硬化症（FSGS）457
相対的肺動脈狭窄　232

早発卵巣不全　538
即時型食物アレルギー　599
即時相　617
続発性気胸　88, 90
側彎　378, 382
鼠径部切開法　327
鼠径ヘルニア　327
鼠径ヘルニア嵌頓　329
粗大運動マイルストーン　334

―た―

ターナー症候群　758
ターナー（女性）762
ターミナルリピート（TR）142
体位変換　623
体液量減少　32
胎児絨毛採取　754
体重減少　597
体重増加不全　10
代償性ショック　18
帯状疱疹　126
帯状疱疹予防ワクチン　127
対人関係療法　709
大腸菌　168, 169
大動脈弓離断　244
大動脈縮窄症　244
大動脈弁狭窄症　244
第 2 世代抗ヒスタミン薬　612
タイプ 2 サイトカイン　82
胎便排泄遅延　295
大量ガンマグロブリン療法　411
タウリン　388
ダウン症候群（症）230, 231, 754
唾液腺シンチグラフィ　665
タクロリムス　448
多剤併用短期療法　188
多職種チーム　442
脱水　6, 106, 119, 265
脱水症　31
ダニアレルギー　611
多嚢胞異形成腎　489
ダルク　750
単一症候性夜尿症　695, 696, 698
胆汁うっ滞性肝障害　300
胆汁性嘔吐　288, 295
単純型熱性けいれん　339

単純性（原発性）肥満　558
単純性尿路感染症　482
単純ヘルペスウイルス（HSV）関連 HLH（HSV-HLH）397
単純ヘルペス脳炎　4, 164, 355
胆道閉鎖症　303
蛋白細胞解離　366
蛋白漏出性胃腸症　309

―ち―

チアノーゼ　71
チアノーゼ性　239
チック　690
遅発性難聴　804
遅発相　617
注意欠如・多動症　530, 704, 708, 727
昼間尿失禁　695, 697
中鎖脂肪（MCT）含有フォーミュラ　302
虫垂炎スコア　268, 271
中枢神経型　165
中枢神経塞栓症状　182
中枢性思春期早発症　542
中枢性尿崩症　533
肘内障　785
中和療法　417
腸回転異常　9
腸重積　10
腸重積症　273
腸洗浄　801
腸閉塞　287
直腸粘膜生検　296
直流通電　223

―つ―

通告の義務　740

―て―

低 Na 血症　35
低アルブミン血症　310
低カルシウム血症　773, 774
定期検査　389
定期接種　813
定期補充療法　416, 419
低血圧性ショック　18
低血糖　20, 300, 301, 302, 516

低血糖症　　570
低酸素血症　　71
定時排尿　　701
低身長　　524，525，527，760
低蛋白血症　　597
低比重リポ蛋白コレステロール　　575
低補体血症　　455
停留精巣　　498，499
テオフィリン関連けいれん　　86
デキサメタゾン（DEX）　　67，169
デキストロメトルファン　　749
適正流通管理委員会　　732
デスモプレシン療法　　699
テタニー　　551
鉄欠乏性貧血　　407
テトラサイクリン　　161
デュシェンヌ型筋ジストロフィー　　380
テロメア長測定　　422
手を引っ張られた　　785
てんかん　　345
てんかん外科治療　　348
てんかん性スパズム　　351，352
転座型　　764
点状出血斑　　670
伝染性単核症　　138
伝染性膿痂疹　　199
点頭てんかん　　352

—と—

トイレット・トレーニング　　14
糖脂質抗体　　366
糖質コルチコイド　　515
糖尿病　　519
動脈管開存症　　235
動脈硬化　　575，576
トゥレット症　　690
特例臨時接種　　816
トスフロキサシン　　161
特発性間質性肺炎　　94
突発性発疹　　100
トリソミー　　764
トロンボポエチン受容体作動薬　　411

—な—

内因性　　400
内因性インスリン分泌　　520

内臓脂肪型肥満　　560
内臓知覚過敏　　321
ナルコレプシー　　725
難治性疾患政策研究班　　293
難治性頻回再発型／ステロイド依存性　　444

—に—

二次結核　　187
二次性頭痛　　360
二次性徴　　542，543
二次性徴の発来不全　　537
二次性併存障害　　731
二分脊椎患者　　493
日本小児がん研究グループ（JCCG）　　434
日本小児リウマチ学会　　643
乳酸・ピルビン酸値　　386
乳酸リンゲル液　　795
乳児股関節検診の推奨項目と二次検診への紹介　　788
乳児喘息　　69，70
乳児内斜視　　810
乳児肥厚性幽門狭窄症　　264
ニュートライド®　　536
入眠儀式　　723
ニューモシスチス肺炎　　451
乳幼児型結核　　186
乳幼児突然死症候群　　54
尿素呼気試験　　283
尿素サイクル異常症　　563
尿蛋白／クレアチニン比　　458
尿中銅　　581
尿中ムコ多糖分析　　588
尿中有機酸分析　　566
尿道閉鎖不全　　496
尿培養検査　　484
尿路感染症　　492
任意接種　　817
認知行動療法　　693，709

—ぬ—

ヌシネルセン　　377

—ね—

ネグレクト　　743
熱傷面積　　793
熱性けいれん　　338，339
ネフローゼ症候群　　418
粘液栓　　71

—の—

ノイラミニダーゼ阻害薬　　110
脳炎　　122，123
脳炎／脳症　　102
脳虚血発作　　233
脳腫瘍　　439
脳深部刺激療法　　694
脳腸相関　　320
脳波検査　　346
ノロウイルス　　104

—は—

肺炎　　122
肺炎球菌　　168，169，195
バイオサイコソーシャルアセスメント　　686
肺機能障害　　40
敗血症　　298
胚細胞腫瘍　　440
肺動脈弁置換術　　242
排尿筋括約筋協調不全　　496
排尿時膀胱尿道造影　　485
バイパス療法　　417
排便困難　　13
ハイリスク宿主　　111
橋本病　　528
播種性帯状疱疹　　451
バセドウ病　　528
発育性股関節形成不全　　786
初感染結核　　188
白血球エステラーゼ試験　　483
白血球数　　156
白血病　　425，431，756
発達検査　　336
発達症　　696
発達障害　　323，718，744
発達性てんかん性脳症　　352
発達性読字障害　　712，713
発達性読み書き障害　　712
発達遅滞　　332
発達の遅れ　　332
発熱　　2
発熱性好中球減少症　　399，401
鼻の3主徴　　617
鼻の過敏症状　　616
鼻噴霧用ステロイド薬　　612
パニック症　　735
母方片親性ダイソミー　　768
場面緘黙　　704
バラシクロビル　　125

パリビズマブ　69, 128
バルサルバ洞動脈瘤　230
パルス療法　212
バロキサビルマルボキシル　114
晩期合併症　430
汎血球減少　420
反跳痛　270
反復性喘鳴　69, 129
反復性中耳炎　194
反復性腹痛　320

— ひ —

非 IgA 腎症　457
非圧痕性浮腫　44
非アルコール性肝炎　306
非アルコール性脂肪性肝疾患　560
ピークフロー　609
非核酸系逆転写酵素阻害剤　636
ビガバトリン　353
ひきこもり　717
肥厚性幽門狭窄症　10
ピコスルファートナトリウム　16
非細菌性髄膜炎　170
脾臓摘出術　407, 411
肥大型心筋症　253
ビタミン D 過剰　551
ビタミン D 欠乏性くる病　553
ビタミン D 欠乏性低カルシウム血症　553
左冠動脈肺動脈起始症　254
非単一症候性夜尿症　697, 698
非胆汁性嘔吐　265
必要最小限の除去　601
非定型肺炎　78
非典型溶血性尿毒症症候群　478
ヒトサイトメガロウイルス　151
ヒト成長ホルモン療法　470
ヒトメタニューモウイルス　116
ヒト免疫不全ウイルス　633
ヒドロキシクロロキン（HCQ）　97, 641
鼻内構造異常　618
ヒプスアリスミア　351

皮膚テスト　600
皮膚粘膜感染症　164
鼻閉　612
非ホジキンリンパ腫　431
飛沫感染予防策　148
肥満　49, 521, 557
肥満度　559
百日咳菌　155
表在型　165
標準的治療　211
標的治療　192
日和見感染　634
ヒルシュスプルング病　293
ヒルシュスプルング病類縁疾患　293
頻回再発型　444
貧血　404, 467, 470

— ふ —

風疹　122
風疹ワクチンの第 5 期接種　123
プール熱　146
フェニル酪酸 Na　567
不応例　211
不応例予測スコア　212
フォルクマン拘縮　780
フォン・ヴィレブランド病　415
賦活症候群　710
腹腔鏡検査　500
腹腔鏡手術　297, 327
腹腔内精巣　498, 499, 500, 501
副甲状腺低形成　772
副甲状腺ホルモン　548
複雑型熱性けいれん　339
複雑性尿路感染症　482
副腎皮質過形成症　545
副腎皮質ステロイド　411
腹痛　670
副鼻腔炎　615
腹部造影 CT 検査　287, 289
腹部超音波検査　273
腹部膨満　295
腹膜鞘状突起　327
ブコラム®　349
浮腫　43, 452
父性発現遺伝子　767
不整脈　252

不全型川崎病　209
不定愁訴　258
ブドウ球菌性熱傷様皮膚症候群　199
不登校　257, 320, 717
不妊症　499
部分肺静脈還流異常　233
不分離　764
不明熱の鑑別診断　647
ブラウ症候群　676
フリーラジカル作用　458
ブレークスルー水痘　126
プレドニゾロン　212, 460
プロアクティブ療法　592, 596
プロゲステロン　537
プロスタグランジン E$_1$（PGE$_1$）　240, 250
フロッピーインファント　376
プロテアーゼ阻害剤　636
ブロムワレリル尿素　749
蚊刺過敏症　140
分泌性下痢　8, 10

— へ —

平均赤血球容積　406
閉塞性ショック　18
閉塞性無呼吸　62
ヘテロ接合体　576
ペニシリン耐性肺炎球菌　169
ヘモグロビン　404
ヘモグロビン異常　40
ペラミビル　112
ヘルペス性歯肉口内炎　164
便塊除去　17
変形性股関節症　786
便色異常　300
片頭痛　359
便塞栓　17
便中カルプロテクチン　314
便秘　13
便秘治療　701

— ほ —

蜂窩織炎性虫垂炎　269
包括的医療　761
膀胱拡大術　497
膀胱頸部形成術　497
膀胱尿管移行部狭窄　489
膀胱尿管逆流症　482, 489, 495

房室回帰性頻拍　222
房室結節回帰性頻拍　221，222
房室ブロック　252
放射線療法　441
母子感染　633
ホジキンリンパ腫　431
母性発現遺伝子　767
補体関連 aHUS　478
母体血清マーカー検査　754
発作の強度　82
ボディイメージ　685
ホモ接合体　576
歩容異常　384
ポリエチレングリコール製剤
　15
ホルター心電図　223
ホルモン補充療法（HRT）
　537
本態性高血圧　49

──ま──
マイコプラズマ　159
膜性腎炎（MN）　457
膜性増殖性腎炎（MPGN）
　457
マクロファージ　160
マクロファージ活性化症候群
　394，645
マクロライド耐性率　159
麻疹　121
末期腎不全　467
末梢神経障害　364
慢性胃炎　281
慢性活動性 EB ウイルス感染症
　138，141
慢性肝炎　305
慢性下痢症　10
慢性甲状腺炎　528
慢性疾患　744
慢性腎炎症候群　457
慢性腎臓病　467
慢性副鼻腔炎　618

──み──
ミコフェノール酸モフェチル
　（MMF）　445，640
水中毒　700
ミゾリビン　448，460
ミダゾラム口腔用液　349
ミダフレッサ®　349

ミトコンドリア病　385
ミニリンメルト®　536
未分化大細胞型リンパ腫　433
ミルクアレルギー　14

──む──
無気肺　84
無月経　537
無呼吸　39
無呼吸発作　766
ムコ多糖　586
無酸素発作　41，240
無神経節腸管　297
ムンプス　133
ムンプス髄膜炎　135
ムンプス難聴　136
ムンプス脳炎　135

──め──
メタボリックシンドローム
　558
メチルエフェドリン　748
メチルプレドニゾロン　212
メチルプレドニゾロン・パルス療
　法　357
メトトレキサート（MTX）
　648
メバロン酸キナーゼ欠損症
　676
メバロン酸尿症　676
免疫寛容導入療法　418
免疫グロブリン　211，255
免疫クロマト法　129
免疫性血小板減少性紫斑病
　409
免疫不全　774
免疫不全者　148
免疫不全症　628
免疫抑制薬　445，459
免疫抑制療法　423

──も──
網膜芽細胞腫　811
網膜剥離　811
モザイク　755，764
モノソミー　764
モラクセラ・カタラーリス
　195
門脈体循環シャント　564

──や──
薬剤耐性　195
薬剤耐性菌　190
薬物中毒　799
薬物療法　562
薬物療法の適応条件　732
やせ　684

──ゆ──
有機酸代謝異常症　564
輸血　407
揺さぶられっ子症候群　778
癒着防止シート　291

──よ──
ヨウ化カリウム　531
溶血性尿毒症症候群　178，
　472，478
溶血性貧血　473
溶血性連鎖球菌　454
幼弱血小板比率　410
羊水穿刺　754
容量負荷　235
溶連菌迅速診断キット　173
抑うつ気分　707
抑肝散　694
抑肝散加陳皮半夏　694
抑制系と報酬系　731
予防　151，153
予防抗生剤投与　184
予防接種法　813
予防投与　192
四種混合ワクチン　157

──ら──
ライソゾーム病　586
ライノウイルス　77
ラニナミビル　112
卵巣機能不全　537
卵胞ホルモン製剤　539

──り──
リウマトイド因子（RF）　646，
　653，664
リシノプリル　460
リスジプラム　377
リツキシマブ　411，432，447
律動性運動障害　723
リモデリング　604
流行性角結膜炎　146

831

硫酸アトロピン療法　266
臨床遺伝専門医　756, 766
輪状靫帯　782, 783
リンパ管拡張症　311
リンパ腫　430
リンパ組織球性血球貪食症
　139

——る——
ループス腎炎　639

——れ——
レイノー現象　653
レーザー喉頭形成術　62
レストレスレッグズ症候群
　724

——ろ——
ロイコトリエン受容体拮抗薬
　614
ロイコトリエン受容体拮抗薬
　（LTRA）　608
ロタウイルス　104, 106
ロラピタ®　349

——わ——
ワルファリン　212
腕頭関節　783

——A——
AA アミロイドーシス　677
ABCDE アプローチ　779
ACE 阻害薬　52
acquired immunodeficiency
　syndrome（AIDS）　633
ACTH 療法　353
active observation　271
acute inflammatory
　demyelinating polyneuropathy
　（AIDP）　365
acute motor axonal neuropathy
　（AMAN）　365
ADHD　530, 704, 708, 727
ADHD の診断過程　730
AED　223
aHUS　475, 478
AIHA　407
AIP/DAD　95
air-leak 症候群　84
AKI 診断基準　464

Albright の遺伝性骨異形成症
　550
Ann Arbor 分類　431
anti-retroviral therapy（ART）
　634
apparent life threatening event
　（ALTE）　56
ARDS　163
ARIA　616
aripiprazole　693
ATG　423
ATP　223
autism spectrum disorder
　（ASD）　702
AVP　533
AVPU 小児反応スケール　25
azidothymidine（AZT）　636
A 群β溶血連鎖球菌　172
A 群β溶連菌感染　670

——B——
bacterial translocation　290
BCG 接種部位　209
Blalock-Taussig shunt 手術
　240
brief resolved unexplained event
　（BRUE）　56
Burn Index　793
B 型肝炎　304
B 群溶血性レンサ球菌　168

——C——
CAEBV　138, 141
CAKUT　467, 469
Campylobacter jejuni　365
CD4 陽性 T リンパ球（CD4）
　633
CKD-MBD　467
Clostridioides（*Clostridium*）
　difficile　176
CMV アンチゲネミア　152
CMV 定性 PCR　152
CMV 定量 PCR　152
COP/OP　95
COVID-19　202
COVID-19 罹患後症状　203
Crohn's disease（CD）　313
cryopyrin-associated periodic
　syndrome（CAPS）　675
CTLN2　299

C 型肝炎　304

——D——
deep brain stimulation（DBS）
　694
developmental dysplasia of the
　hip（DDH）　786
DIP および RB-ILD　95
DMSA シンチグラフィー　485
DNA メチル化試験　768
drug-free 寛解　648
ductal shock　250
dumb-bell 型　435
D-Xylose 試験　10

——E——
EBV-encoded RNA（EBER）
　141
EB ウイルスゲノム量　141
ECMO　256
Ellsworth-Howard test　550
empty vena cava / empty
　ventricle syndrome　623
epileptic spasms（ES）　352
Epstein-Barr ウイルス（EBV）
　138, 393
ERT　589

——F——
Fallot 四徴症　239
familial mediterranean fever
　（FMF）　675
Fanconi 貧血　420, 422
FilmArray® 呼吸器パネル
　130
Fisher 症候群　365
FISH 法　773
F 蛋白　116

——G——
GBS　168, 169, 170
G-CSF　402
GH　524, 527
GH 分泌刺激試験　526
Glasgow Coma Scale（GCS）
　25
GNAS　550
guanfacine　693

―H―

HCG　546
hemolytic uremic syndrome
　（HUS）　178
hemophagocytic
　lymphohistiocytosis（HLH）
　392
HHV-6A　100
HHV-6B　100
HHV-7　100
Hib　168
Hib ワクチン　167，168，169
Hirschsprung 病　14
HIV-RNA　634
HIV 感染症　633
hMPV 抗原定性　118
H. pylori 感染　280
H. pylori 除菌療法　284
HSCT　589
human herpesvirus 6　100
human herpesvirus 7　100
human immunodeficiency virus
　633
HVA　435

―I―

IgA 血管炎　669
IgA 腎症　457
IgE　622
IGF-I　525
IGRA（interferon-gamma
　release assay）　187
infantile spasms　352
inflammatory bowel disease
　（IBD）　313
INRG リスク群類（INRGR）
　437
iNSIP/NSIP　95
integrasestrand transfer
　inhibitor（INSTI）　636
interval appendectomy　268，
　271
IPF/UIP　95
ITI　418
ITP　409
IVIG　211

―J―

Japan Coma Scale　25

Japanese Pediatric Asthma
　Control Program（JAPC）
　609
JATEC　778

―K―

Kayser-Fleischer 輪　581
Kenny-Caffey 症候群　549

―L―

LAMP 法　156
LHRH アナログ　546
LHRH テスト　546
L- アルギニン　388，567

―M―

macrophage activation syndrome
　（MAS）　394，645
Marfan 症候群　90
McCune-Albright 症候群　545
MCT オイル　302
MCV　406
MEFV 遺伝子　675
MELAS　385
Ménétrier 病　311
mevalonate kinase deficiency
　（MKD）　676
MGFA 分類　370
mixed connective tissue disease
　（MCTD）　651
MMP-3　647
modified Duke 診断基準　182
MPIS　131
MRSA　200
mucus plug　71
multidisciplinary discussion
　（MDD）　94
multisystem inflammatory
　syndrome in children（MIS-
　C）　204，214
Murphy 分類　431
MVK 遺伝子　676
Mycobacterium tuberculosis　186

―N―

NICCD　299
NIPT（non-invasive prenatal
　genetic testing）　754
NLRP3 遺伝子　675
NOD2 遺伝子　676

Nohria-Stevenson 分類　218
non-nucleoside reverse
　transcriptase inhibitor
　（NNRTI）　636
non-pitting edema　44
Norwood 手術　249
not doing well　170
NSE　435
nucleoside/nucleotide reverse
　transcriptase inhibitor
　（NRTI）　636

―O―

O157：H7　473
Olney 分類　61
oncologic emergency　426
oral rehydration solution（ORS）
　12，34，106
oral rehydration therapy（ORT）
　31
OS-1　34
O 脚　554

―P―

PA Index　242
PALS　18，778
PCDAI（pediatric Crohn's
　disease activity index）　314
PCR　146
PDA 閉鎖栓　237
Pediatric Assessment Triangle
　（PAT）　25，220
PFAPA 症候群　674，676
PGE$_1$ 製剤　41
pitting edema　44
pneumatosis intestinalis　288
point of care testing（POCT）
　129
Point of Care Ultrasound
　（POCU）　20
preemptive therapy　151，153
PRES　49
probability curve　600
protease inhibitor（PI）　636
prophylaxis　151，153
PUCAI（pediatric ulcerative
　colitis activity index）　314

―Q―

QT 延長症候群　221

833

Q プローブキット法　162
Q プローブ法　159

R

Ramstedt 幽門筋切開術　266
Rastelli 法　242
RA 系阻害薬　459
Red Flag　33, 34
red flag サイン　17
red reflex 法　809, 810
refractory cytopenia of childhood (RCC)　421
reprise　156
rHuGH 療法　470
risperidone　693
Rome IV 基準　320
Ross 分類　217
RSV　128
RSV 細気管支炎クリニカルスコア　130
RS ウイルス　5, 128
RS ウイルス（RSV）感染　70

S

SARS-CoV-2　77, 202
SCCA2　593
SCIWORA　779
second vaccine failure　121
SHOX　759
SHP/T（sleep health practice/treatment）　723
SLE　638, 651
SMN1 遺伝子　375
SpO_2　38
staccato　155
STEC-HUS　474, 479
steeple sign　67
stretch receptor　270
ST 合剤　403

T

TARC　593
TBII　530
TGF-β　458
Th2 型免疫応答　117
Th2 リンパ球　82
The U.K. Working Party's Diagnostic Criteria　593
TMD（transient myeloproliferative disorder）　756
TNFRSF1A 遺伝子　675
TNF 受容体関連周期熱症候群　675
T/NK-Lymphoproliferative disorder（LPD）　139
torsades de pointes　226
TRAb　530
TRAPS　675

U

ulcerative colitis（UC）　313
unroofed coronary sinus　233

V

vesicoureteral reflux（VUR）　482
VIP 症候群　435
VMA　435
Variant of Concern（VOC）　203
voiding cystourethrography（VCUG）　485

W

West 症候群　351

Whipple の 3 徴　571
whoop　155
WPW 症候群　221

X

X 連鎖劣性遺伝　381

Y

Yale チック重症度尺度（Yale Global Tic Severity Scale（YGTSS））　692

Z

Zidovudine　636
Z スコア　210

記号

III 度熱傷　795
II 度熱傷　795
α_1-アンチトリプシン試験　310
β_2 刺激薬　84
β 遮断薬　241, 256

数字

1-3-6 ルール　804
1 型糖尿病　520
2 型自然リンパ球（ILC2）　82
2 型糖尿病　521, 560
3-3-9 度方式　25
5-ASA 不耐症　316
5 の法則　793
5 類感染症全数届出疾患　170
18 トリソミー　763
21 トリソミー　755
22q11.2　549
22q11.2 deletion（欠失）症候群　241, 772
25（OH）D　555

本書籍の訂正など最新情報は，当社ホームページ
（https://www.sogo-igaku.co.jp/）をご覧ください.

小児科診療ガイドライン
― 最新の診療指針 ― ［第 5 版］

2007 年 4 月 19 日発行	第 1 版第 1 刷
2023 年 1 月 25 日発行	第 5 版第 1 刷Ⓒ

編集者　加 藤 元 博

発行者　渡 辺 嘉 之

発行所　株式会社　総合医学社

〒101-0061　東京都千代田区神田三崎町 1-1-4
電話 03-3219-2920　FAX 03-3219-0410
URL：https://www.sogo-igaku.co.jp

Printed in Japan　　　　　　　　　　　　シナノ印刷株式会社
ISBN978-4-88378-470-7

・本書に掲載する著作物の複製権・公衆送信権（送信可能化権を含む）は株式会社総合医学社が保有します.
・ JCOPY ＜出版者著作権管理機構　委託出版物＞
　本書の無断複写は著作権法上での例外を除き禁じられています. 複写される場合は，そのつど事前に，出版者著作権管理機構（電話 03-5244-5088，FAX 03-5244-5089，e-mail：info@jcopy.or.jp）の許諾を得てください.

小児科臨床
Japanese Journal of Pediatrics

2023年度　年間購読受付中

隔月刊 年6冊（2・4・6・8・10・12月刊）／A4判／本文平均200頁

■ 小児科臨床　2023年度　76巻の予定 ■

巻数・号数	予　価	小児科学レビュー 最新主要文献とガイドライン
76巻1号	7,000円＋税	テーマ：精神疾患，新生児疾患
76巻2号	7,000円＋税	テーマ：アレルギー疾患，膠原病
76巻3号	7,000円＋税	テーマ：感染症，神経・筋疾患，腫瘍
76巻4号	7,000円＋税	テーマ：水電解質，内分泌疾患
76巻5号	7,000円＋税	テーマ：血液疾患，腎尿路疾患
76巻6号	7,000円＋税	テーマ：循環器疾患，消化器疾患，他

● **編集顧問**
早川　浩
別所　文雄
水口　雅
岩田　敏
松山　健

● **編集委員**
今井　孝成　　辻　章志
浦島　崇　　長谷川大輔
小林　正久　　張田　豊
庄司　健介　　細澤麻里子
鈴木　光幸　　堀越　裕歩

● 「小児科学レビュー ―最新主要文献とガイドライン―」編集委員
長谷川奉延，加藤　元博

● 創刊以来，「臨床研究」「症例報告」の投稿誌として，76年の歴史と信頼性をもつ Quality Paper！

● 毎号，「小児科学レビュー ―最新主要文献とガイドライン―」を掲載！

2023年度　年間購読料　46,200円（税込）〈6冊〉

■直送雑誌の送料は弊社負担．毎号刊行次第，確実にお手元に直送いたします．

総合医学社　〒101-0061　東京都千代田区神田三崎町1-1-4
TEL 03(3219)2920　FAX 03(3219)0410　https://www.sogo-igaku.co.jp

総合医学社の好評シリーズ

診療指針・ガイドラインシリーズ

最新ガイドラインに基づく 呼吸器疾患 診療指針 2023-'24

編集：弦間 昭彦
日本医科大学 学長

- 国内外の最新ガイドラインの要点と、改訂点を判りやすく解説！
- 新たにガイドラインに則った専門医の診療の実際と処方を解説！
- 好評の「呼吸器疾患 診療指針 2021-'22」が大幅改訂。最新の知見にアップデート！

B5判／本文472頁／定価13,200円（本体12,000円＋税）
ISBN978-4-88378-936-8

救急・集中治療 最新ガイドライン 2022-'23

編著：岡元 和文
信州大学 名誉教授
丸子中央病院 特別顧問

- 救急・集中治療に必須の「診療ガイドライン」132項目を網羅！
- 要点をまとめ、最新の情報がひと目で判る！
- Emergency&Intensive Care 必携の1冊！

B5判／本文500頁／定価14,300円（本体13,000円＋税）
ISBN978-4-88378-725-8

小児科診療 ガイドライン 第5版 —最新の診療指針—

編集：加藤 元博
東京大学大学院医学系研究科 小児医学講座 教授

- 4年ぶりの改訂！
- この一冊に、小児科疾患診療のゴールデンスタンダードが満載！
- 臨床で遭遇するほとんどの疾患について、7つの視点からエキスパートが簡潔に解説！

B5判／本文848頁／定価18,700円（本体17,000円＋税）
ISBN978-4-88378-470-7

最新ガイドラインに基づく 循環器疾患 診療指針 2021-'22

編集：清水 渉
日本医科大学大学院医学研究科
循環器内科学分野 大学院教授

- 国内外の最新ガイドラインの要点と、改訂点を判りやすく解説！
- ガイドラインに則った専門医の診療の実際と処方を解説！
- 循環器疾患診療に携わるすべての医師に必携の一冊！

B5判／本文376頁／定価11,000円（本体10,000円＋税）
ISBN978-4-88378-724-1

最新ガイドラインに基づく 神経疾患 診療指針 2021-'22

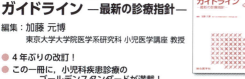

編集：鈴木 則宏
湘南慶育病院 院長
慶應義塾大学 名誉教授

- 国内外の最新ガイドラインの要点と、改訂点を判りやすく解説！
- ガイドラインに則った専門医の診療の実際と処方を解説！
- 神経疾患診療に携わるすべての医師に必携の一冊！

B5判／本文464頁／定価13,200円（本体12,000円＋税）
ISBN978-4-88378-741-8

最新ガイドラインに基づく 代謝・内分泌疾患 診療指針 2021-'22

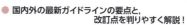

編集：
門脇 孝　国家公務員共済組合連合会 虎の門病院 院長
下村伊一郎　大阪大学大学院医学系研究科
　　　　　　内分泌・代謝内科学 教授

- 国内外の最新ガイドラインの要点と、改訂点を判りやすく解説！
- ガイドラインに則った専門医の診療の実際と処方を解説！
- 代謝・内分泌疾患診療に携わるすべての医師に必携の一冊！

B5判／本文512頁／定価14,300円（本体13,000円＋税）
ISBN978-4-88378-738-8

最新ガイドラインに基づく 消化器疾患 診療指針 2021-'22

編集：中島 淳
横浜市立大学大学院医学研究科
肝胆膵消化器病学教室 主任教授

- 国内外の最新ガイドラインの要点と、改訂点を判りやすく解説！
- ガイドラインに則った専門医の診療の実際と処方を解説！
- 消化器疾患診療に携わるすべての医師に必携の一冊！

B5判／本文372頁／定価11,000円（本体10,000円＋税）
ISBN978-4-88378-735-7

最新ガイドラインに基づく 腎・透析 診療指針 2021-'22

編集：岡田 浩一
埼玉医科大学医学部 腎臓内科 教授

- 国内外の最新ガイドラインの要点と、改訂点を判りやすく解説！
- ガイドラインに則った専門医の診療の実際と処方を解説！
- 腎・透析疾患診療に携わるすべての医師に必携の一冊！

B5判／本文308頁／定価9,900円（本体9,000円＋税）
ISBN978-4-88378-743-2

 総合医学社　〒101-0061　東京都千代田区神田三崎町1-1-4
TEL 03(3219)2920　FAX 03(3219)0410　https://www.sogo-igaku.co.jp

臨床に欠かせない1冊！ **新刊**

イラストでイメージする

小児の心エコー
― 第2版 ―

鎌田 政博 広島市立広島市民病院 循環器小児科 元主任部長
たかの橋中央病院 小児循環器内科

● 豊富な**イラスト**で、**疾患ごとのエコー像**を把握できる！

● ページごとの項目設定で**知識**を**整理**できる！

● インフォームドコンセントに役立つ**疫学・治療法**の**知識**や、
　術後の**エコー診断**の**ポイント**も記載！

● ベッドサイドですぐに見返せるハンディサイズ！

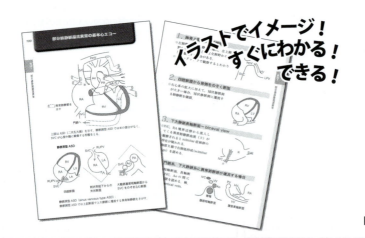

イラストでイメージ！
すぐにわかる！
できる！

B6判／本文 344 頁
定価（本体 6,500 円＋税）
ISBN978-4-88378-929-0

総合医学社 〒101-0061 東京都千代田区神田三崎町 1-1-4
TEL 03(3219)2920 FAX 03(3219)0410 https://www.sogo-igaku.co.jp

臨床に欠かせない1冊！

好評発売中

これだけは知っておきたい！
よくみる小児疾患 101

―ベテランに学ぶ **初期対応と処方** の実際―

第2版

監修： 五十嵐 隆　国立成育医療研究センター 理事長
編集： 神川 晃　神川小児科クリニック 院長
　　　 秋山千枝子　あきやま子どもクリニック 院長

● 小児科臨床の現場に即した的確な記述と，最新の知識や診療上の工夫が満載！

● 臨床現場で大いに役立つ！

I. 総論

- Biopsychosocial に子どもを捉え，支援する小児保健・医療を目指して
- BPS モデルでの診察
- 発　熱
- けいれん
- 意識障害
- 咳・喘鳴・呼吸困難
- 鼻汁，鼻閉
- 嘔吐，下痢
- 腹　痛
- 頭　痛
- ショック
- 脱水症
- 発　疹

II. 各論

1. 呼吸器疾患
2. 感染症
3. 循環器疾患
4. 消化器疾患
5. 神経筋疾患
6. 血液疾患・悪性腫瘍
7. 腎・泌尿器・生殖器疾患
8. 内分泌・代謝疾患
9. アレルギー疾患
10. 社会心理学的疾患
11. 新生児・乳児疾患
12. 事故，その他

A5判／本文 470 頁
定価(本体 6,000 円＋税)
ISBN978-4-88378-730-2

総合医学社　〒101-0061　東京都千代田区神田三崎町 1-1-4
TEL 03(3219)2920　FAX 03(3219)0410　https://www.sogo-igaku.co.jp

臨床に欠かせない1冊！ 好評発売中

徹底ガイド

小児の呼吸管理 Q&A

第3版

編集　植田 育也
埼玉県立小児医療センター
集中治療科 科長兼部長

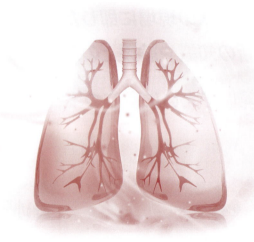

B5判／本文 296 頁
定価（本体 5,600 円＋税）
ISBN978-4-88378-647-3

目　次

- I. 小児の呼吸器系の特徴
- II. 酸素療法とモニタリング
- III. 気道確保法
- IV. 非侵襲的陽圧換気法
- V. 侵襲的陽圧換気法
- VI. 小児の ECMO/PCPS
- VII. 呼吸管理下の補助療法
- VIII. その他の呼吸療法
- IX. 人工呼吸管理をめぐる諸問題
- X. 色々な小児疾患での呼吸管理

総合医学社　〒101-0061　東京都千代田区神田三崎町 1-1-4
TEL 03(3219)2920　FAX 03(3219)0410　https://www.sogo-igaku.co.jp